suhrkamp taschenbuch 3737

Von hoher analytischer Kraft sind diese etwa 500 Geschichten, die Alexander Kluge seiner *Chronik der Gefühle* folgen läßt. Stichworte wie Revolution, Holocaust, Weltkrieg, Tschernobyl, 11. September oder Irakkrise bezeichnen einige der unheimlichsten Komplexe einer undurchdringlich-übermächtigen Wirklichkeit. In acht Kapiteln gehen Kluges Erzählungen diesen und anderen Menetekeln des 20. Jahrhunderts nach, um dann in der großen Coda eines neunten Kapitels noch einmal alle Motive und Themen zu variieren – und zu wenden. Nun ist die Rede von Heimkehrern, von Aufbruch und Andrang an den Außengrenzen der »Festung Europa«, von der Suche nach dem »Schatz des Lebens« und der tröstenden Aussicht, daß sich konkrete Menschen nicht allzulange auf der Höhe des Bösen halten. Das aber reißt die entscheidende Lücke in die Machinationen des Teufels.

»*Die Lücke, die der Teufel läßt* ist ein immenses Buch. Immens im Wortsinn: unermeßlich. ... Alexander Kluge dreht ein literarisches Kaleidoskop. Wir bestaunen die immer neuen Bilder.«

Herbert Heinzelmann, *Nürnberger Zeitung*

Alexander Kluge, geboren 1932, ist Regisseur von bislang 23 Filmen und zahllosen Kulturmagazinen, doch »mein Hauptwerk sind meine Bücher«. Für sein literarisches Werk wurde er mit vielen Preisen, u. a. 2003 mit dem Georg-Büchner-Preis, ausgezeichnet. Zuletzt erschienen *Die Kunst, Unterschiede zu machen* (2003) und *Chronik der Gefühle* (st 3652).

Alexander Kluge
Die Lücke, die der Teufel läßt

Im Umfeld
des neuen Jahrhunderts

Suhrkamp

Umschlagfoto:
Steve McCurry/Magnum Photos/Agentur Focus

suhrkamp taschenbuch 3737
Erste Auflage 2005
© Suhrkamp Verlag Frankfurt am Main 2003
Suhrkamp Taschenbuch Verlag
Alle Rechte vorbehalten, insbesondere das
der Übersetzung, des öffentlichen Vortrags sowie der Übertragung
durch Rundfunk und Fernsehen, auch einzelner Teile.
Kein Teil des Werkes darf in irgendeiner Form
(durch Fotografie, Mikrofilm oder andere Verfahren)
ohne schriftliche Genehmigung des Verlages reproduziert
oder unter Verwendung elektronischer Systeme
verarbeitet, vervielfältigt oder verbreitet werden.
Druck: Ebner & Spiegel, Ulm
Printed in Germany
Umschlag: Göllner, Michels, Zegarzewski
ISBN 3-518-45737-3

1 2 3 4 5 6 – 10 09 08 07 06 05

Inhaltsübersicht

Abb.: »Fünf Maultiere, vom Wasser des Missouri eingeschlossen, warten geduldig auf ihre Befreiung.«
Die Angst der Tiere im obenstehenden Bild, ihre Geduld, die Wassermassen, was in den nächsten Tagen geschieht, alles das ist SUBJEKTIV-OBJEKTIV, d. h. es besteht aus Tatsachen und aus einer lebendigen Antwort.

Vorwort

In der *Chronik der Gefühle* spielte die subjektive Seite, d. h. das menschliche Gefühl und die Zeit, eine Rolle, wenn es darum ging, die Lücken zu finden, in denen sich Leben bewegt. Wie schwierig das in Stalingrad, in den Lagern, im Feuersturm der Städte praktisch ist, blieb nicht verborgen.

Die Lücke, die der Teufel läßt setzt mit etwa 500 Geschichten die SUCHE NACH ORIENTIERUNG fort, aber mit einem neuen Erzählinteresse: Die »Geisterwelt« der »objektiven Tatsachen« tritt stärker in den Vordergrund. Die Realität zeigt Einbildungskraft. Das, was ich schreibe, hängt davon ab, was sich um mich herum im neuen Jahrhundert verändert.

Aus der Zeit des Stummfilms gibt es eine Szene, bei der die optische Wirkung dadurch erzielt wird, daß die Kulissen, also die Horizonte, auf Rollen gesetzt, auf die handelnden Personen zufahren und den Raum verengen. Der Zuschauer spürt die Wirkung, kann aber den Grund dafür nicht erkennen; er empfindet das als unheimlich. In unserem neuen Jahrhundert wird dieser Effekt zu einer allgemeinen MENSCHLICHEN ERFAHRUNG. Wir selbst stehen dem Phänomen gegenüber wie die Maultiere im Bild links.

Ich hatte nach 1989 den Eindruck, daß das neue Jahrhundert die bittere Erfahrung des 20. Jahrhunderts aufgreift und ins Hoffnungsreiche wendet. Gibt es jetzt statt dessen einen Rückfall in die Zeit des Dreißigjährigen Kriegs? Wer meine Erzählungen liest, wird nicht annehmen, daß ich an Untergangsszenarien glaube. »Es gibt keine Verfallszeiten.« Eher lohnt es sich, das angeblich Mittelalterliche daraufhin zu untersuchen, was davon Menschenkraft und was Teufelskraft auslöst.

Welche Lücke in unseren Weltgebäuden, in den Kokons, in denen wir leben, haben wir hartnäckig übersehen? Warum ist der Teufel auf uns arme Seelen so wild? Offenbar sind wir wertvoll.

So hart sich das Objektive in der Welt anfühlt (z. B. einer rennt gegen die Wand), so aufschlußreich bleibt das Erzählen. Bücher sind insofern die letzte Wagenburg der Subjektivität, in deren »Urgeschichte« die schärfsten Waffen gegen das FALSCHE IN DER WIRKLICHKEIT zu finden sind. »Lieber will der Mensch nicht sein, als nicht lebendig sein.«

Eine berühmte Geschichte erzählt von der SCHRIFT AN DER WAND. Sie erschreckte früher die Tyrannen. In unseren Jahren wenden sich die Menetekel (z. B. Tschernobyl, der asymmetrische Krieg) nicht bloß an definierte Herrscher, sondern an uns alle. Ich habe den Eindruck, diese Botschaften enthalten viel Kleingedrucktes. Wir lesen es im Umfeld des neuen Jahrhunderts.

Jedem Kapitel dieses Buches gehen Zeilen voran, aus denen der Leser sich orientieren kann, welche Kapitel sein Interesse wecken. Die ersten 8 Kapitel sind nach Themen geordnet, das Kapitel 9 variiert diese Themen mit festem Blick auf die Lücken, die der Teufel läßt.

Alexander Kluge

1

Zwischen lebendig und tot / Was heißt lebendig?

An der Grenze zwischen lebendig und tot findet lebhafter Verkehr statt. Bewachen die Toten unser Leben? Gibt es eine Sicherheit? Was heißt lebendig?

Das Gesetz der Liebe

»Es kann kein allgemeines Gesetz geben,
das den Zufall zum Richter macht.«
Immanuel Kant

Komtesse Sidonie Oltrup, geboren 1735 auf Gut Oltrup, hatte jung den Baron Schlüters geheiratet. Glück hat der Mensch, dessen erste Wahl zutrifft. Die Eltern und Umstände ließen der Komtesse Freiheit, und erfahrungslos, wie sie war, wählte sie den Rechten. Im Dritten Nordischen Krieg blieb der Baron verschollen. Man erklärte ihn für tot.

Sie faßte Vertrauen zu einem älteren Gutsnachbarn, den sie lieben lernte, ja man kann in sich selbst eine Schule errichten und wie ein Alphabet die Elemente der Zuwendung zum anderen, wenn dieser den Prozeß unterstützt, heranbilden. Sie, die Witwe, und der, zu dem sie Vertrauen gefaßt hatte, heirateten. Sie gebar ihm zwei Kinder und nannte sich glücklich. Mehr als fünf solcher Schicksalswendungen sind in einem Menschenleben nicht unterzubringen. Sie setzen Umgliederung der Sinne und Anpassung des Charakters voraus. Auch wollen Erinnerungen gelöscht sein. Es geschieht nicht ohne Grausamkeit.

Dann, sieben Jahre später, kam der totgeglaubte Schlüters zurück. Er richtete sich in dem Landgut ein, das ihm gehörte, wo er mit Sidonie gelebt hatte, besuchte die verheirateten Nachbarn. Sie hieß jetzt Gräfin Danckert. Sie erörterten ihr Schicksal, das man nur als ein GEMEINSAMES verstehen konnte. So lebte Sidonie, mit Einwilligung ihres zweiten Mannes, abwechselnd mit diesem und mit ihrem ersten, d. h. wegen Nichtigkeit der Todeserklärung immer noch im Besitz der Eherechte befindlichen Geliebten. Erinnerung schoß neu empor. Die Gleichgewichte zu halten war schwierig, und sie hielt innerlich viel Schule. Wie faßten die Männer die Situation auf? Viel wurde gesprochen.[1] Kriegshorden überrannten das Land. Die Männer, als Knechte verkleidet, versteckt in den Scheunen. Sie konnten Sidonie, die Kinder nicht schützen. Gerade, daß sie aus den Verstecken kamen nach Abzug der Besatzer, nach Wiederkehr des angestammten Regimes, das das Eigentum garantierte. Manches blieb Sidonie erspart. Nie mußte sie wählen, ob sie den einen hätte aufopfern wollen, um den anderen zu retten. Sie hatte zweimal eine Wahl getroffen, als sie sich band, und in beiden Fällen, fand sie, hatte sie richtig gewählt.

Daß ein Mensch seine Liebesfähigkeit so einrichtet, daß sein Verhalten Gegen-

---

[1] Vor allem mit den Kindern. Ein Kind von Schlüters trat hinzu.

stand einer öffentlichen Gesetzgebung sein könnte, darin war Sidonie sich gewiß. Und Gewißheit heißt, daß eine innere Überzeugung von denjenigen, die ich liebe, geteilt wird und die Haltung auch meinen Vorfahren gefiele, so daß ich sie stets öffentlich äußern könnte, auch wenn ich im Herzen selbst mit mir streite.

Das war forsch. Schon in der nächsten Generation sah sie, wie ihre Tochter ungerecht wählte. Den, der sich ernstlich um sie bemühte, verstieß sie, nachdem sie ihn zuvor aufgereizt, an sich gefesselt hatte. Mit einem leichtsinnigen Hund brannte sie durch. Sie hatte falsch gewählt und wechselte auch den Leichtsinnigen aus, ohne viel zu lernen. Sidonie sorgte sich um ihr Kind.

Das Beispiel konnte man sich in einer allgemeinen Gesetzgebung der Liebe nicht gut vorstellen. Es blieb ungerecht. Auch ihr, Sidonie, gegenüber, die sich mit dem Kind viel Mühe gegeben hatte. Aber auch ihre Vorwürfe trafen das Kind ungerecht.

Zweihundert Jahre später: in dem Familienzweig Schlüters ging es um Einheirat eines rassisch Diskriminierten. Die betreffende Komtesse war vernarrt in den Mann, der aus Berlin nach Oltrup anreiste, sich dem Gerede im Ort und in den Nachbarschaften aussetzte. Die Familie polemisierte, drohte mit Denunziation; weder diese Erpressung noch die Mesalliance konnte zum allgemeinen Gesetz gemacht werden, nicht öffentlich.[2] Was in der Großstadt in anonymen Pensionen bei einem Liebestreffen geschehe, sei die eine Sache. Das diene zum Abgewöhnen, sagte die zeitlich sechs Generationen von Sidonie entfernte Urenkelin, die Mutter der verliebten Komtesse, die Herta hieß. Es war weder eine Gesetzgebung der Liebe auf rassische Diskriminierung zu gründen (»Blutwäsche«, »Melioration der Erbeigenschaften«, so wie man aus einem Sumpf und einem Hügel einen Acker melioriert), noch fand es die Komtesse denkbar, daß man sich opportunistisch auf Absteigen einer Großstadt beschränkte und dies am Heimatort nicht zuzugeben wagte.

Bis dahin waren sechs weibliche Nachkommen Sidonies durchgebrannt, sechs der männlichen Kindeskinder waren auf fremde Kontinente ausgewandert, weil sie es in »gesetzloser Heimat« nicht aushielten.

Das Problem lag darin, daß an einer allgemeinen Gesetzgebung der Liebe, wie sie Sidonie in ihrer Publikation DIE SCHWEDISCHE GRÄFIN vorgetragen hatte, seit 1806 nicht weitergearbeitet wurde. Weder in Mitteleuropa noch,

---

2 Die Bindung der Komtesse an den in der gesellschaftlichen Rangklasse geringer gewerteten Diskriminierten war gesetzgeberisch möglich. Die Zerreißung des Familienzusammenhangs, das Bekenntnis am Provinzstandort wäre dagegen öffentlich »unmöglich« gewesen. Nach Brauch und Gesetzgebung, da es die Familie zerriß. Es hätte nur heimlich geschehen können, dies wiederum ist dem Prinzip der Gesetzgebung fremd. Es gibt keine heimlichen Gesetze.

aus anderer Tradition, im asiatischen Raum, in Afrika oder in den USA. Ohne Gesetz blieb das GEMEINWESEN DER LIEBE Zufallsgründen überlassen.

Sidonie, in ihrem Grab, Gut Oltrup längst umgewidmet zu einer sowjetischen Kolchose, diese aufgelöst, das Landgut verfällt, grämte sich. Wie können die wenigen aufgeklärten Toten die große Zahl der Lebenden hüten, die in »selbstverschuldeter Unmündigkeit« verharren? Energischer Zuruf, das wußte Sidonie, gilt als lehrhaft.

Nördlich von Eden

In einem Ort nördlich des Michigansees, mehr als zweimal im Jahr wird dieser Ort durch Blizzards zugeschüttet, das Leben geht langsam vor sich, quälte sich der Polizeibeamte Patterson durch den Rest seines Lebens.

Vor Jahren war ihm in dieser Einsamkeit eine finnische Frau begegnet. Die Tochter aus dieser Verbindung kam um. Sie war drei Jahre alt. Pattersons Frau hatte heißes Wasser in die Badewanne eingelassen, kaltes noch nicht dazugemischt. Sie wurde zum Telefon gerufen. Sie lief ins Untergeschoß, telefonierte in Eile. Das neugierige Kind, eben noch an die Wanne gelehnt, fiel ins Wasser. Mit verbrühter Haut in die 40 km entfernte Klinik gefahren, kämpfte das kleine Lebewesen einige Tage und Nächte um sein Leben. Während sich Patterson um die Bestattung kümmerte, erschoß sich seine Frau mit einem Jagdgewehr.

Der Polizeibeamte schien lange Zeit »entrückt«. Unverbrüchlich bleibt er mit der Toten verbunden, sagte sein Vorgesetzter McFerguson. Als warte er darauf, den beiden, die er verloren hat, zu folgen.

Machte er einen Versuch, sie zurückzuholen? Nein, er fand den Eingang zur Unterwelt nicht. Dieser Eingang liegt nicht in jener Weltengegend, wo Patterson lebte. Dort, wo ein solcher Eingang liegt, in der Nähe Neapels, kannte er sich nicht aus. Auch hätte er, meinte der Vorgesetzte, die Blizzards vermißt, sich in italienischen Hotels unsicher gefühlt. Fuhr er dorthin? Einmal. Er kehrte unverrichteter Dinge zurück. Alle Handbücher über das korrekte Verhalten am Tor des Hades hatte er gelesen. In seiner Hütte aufgereiht die Bände. Einen Fehler hätte er, an jenem Eingang angekommen, kaum begangen.

Was hinderte ihn, sich umzubringen? Die gleichen Bande, die ihn an die Tote fesselten. Er hatte etwas vom Leben gesehen, ein Zeichen, das lebenswert war. Davon konnte er im Prinzip nicht lassen.

Hoffte er auf eine neue Bindung? Wie sollte die hier oben in den kurzen Tagen eines Sommers zustande kommen? Wer kam schon als Fremde hierher? Für Kompromisse war er nicht zu haben.

bemühten sich, berichtete sein Vorgesetzter, viele. War er als Polizist
_r? Kaum. Er hatte Absencen. Nicht einmal als Autofahrer schien er
zuverlässig. Auf der anderen Seite gab es auch keinen hervorstechenden Ent-
lassungsgrund, zumal die dienstlichen Defizite schon seit langer Zeit bestanden. Er wurde durchgefüttert auf Kosten der Gemeinde. Irgendwer muß die
Trauerarbeit bezahlen.

Schwarzer Atlantik (Black Atlantic)

Der Prophet Daniel B. Robertson, der eine Kette von Radiostationen besaß,
selbst aber äußerst bescheiden lebte, glaubte nicht weiterleben zu können,
wenn er die Vision, die ihn in der Nacht überrascht hatte, nicht sofort öffentlich bekanntmachte.

In seinem Traum seien auf bewegtem Meer Schiffe der Sklavenhändler zu sehen gewesen, berichtete er, nachdem die Schaltungen getätigt, die Aufnahme-
geräte und Scheinwerfer aufgestellt waren, es könne nur der Atlantik gewesen
sein, was er gesehen habe, da nur diese See die Afrika-Küste und die USA miteinander verbinde; jetzt würden Frauen abgesondert und in Säcken ins Meer
geworfen. Sind sie krank? Droht den Sklavenschiffen eine Kontrolle?

Wie kann es sein, daß ich die Seelen der in die Tiefe Stürzenden höre? Wie
konnten sie, in Säcke gefesselt, bis heute überleben? Wurden sie, weil jedes
Elend, an einem extremen Punkt angelangt, sich umkehrt, zu Wasserwesen?
Nahmen Meerestiere diese Seelen auf?

Ich höre sie! Sie erfüllen diesen Atlantik mit Leben. Das gewaltige Wasserbek-
ken ist ihr Leib geworden, und wir wollen verhindern, daß U-Boote diesen lebendigen Körper durchbohren. So demonstrierten die Anhänger von Robert-
sons Sekte gegen Unterwasserschiffe. Aber auch die knüppelnden Schrauben
großer Dampfer sollten den heiligen Leib nicht ritzen.

Die Räumung des Atlantik zugunsten seiner Sekte, wurde ihm aus den Ministerien erwidert, sei undenkbar. Der Ozean gehöre der ganzen Menschheit. Nicht,
wenn sie Sklavenhandel betrieben habe, antwortete der Prophet. Und zwar erhob die Sekte des Propheten Anspruch auf alle Gewässer zwischen der Ostküste
der Vereinigten Staaten südlich von North Carolina bis Westafrika. Auf die
Breiten nördlich der Azoren verzichtete der Prophet? Keineswegs. Er war zu
keiner Teilung bereit. Auch die Leiden der über Bord geworfenen Seelen, sagte
Robertson, seien vor Christus unteilbar. Rechtsgüter seien generell unteilbar.

Wir werden in den tiefen Gründen der Wasser siedeln! Ich sehe uns Städte
gründen! In Schalen aus Glas und Stahl gebaut sehe ich Städte, in die wir ein-

wandern, Städte der Freiheit! Von außen geschützt durch die Seelen, die durch ein Wunder verwandelten Frauen. Sie kehren in unsere Gemeinschaft zurück. Ihr Leben umhüllt das unsere, und insofern gibt es keinen UNGERECHTEN TOD. Wer starb, das sind die Sklavenhändler, die arbeitsamen, reich an Unrecht. Niemals aber stirbt der SCHWARZE ATLANTIK. Ich sehe die Wellen an die verrotteten Küsten Afrikas schlagen. Ich sehe die gleichen Wellen sich den USA nähern, eine Dünung so weit wie die Hälfte der Erde. Darin aber höre ich Gesänge, die des *Black Atlantic*, unseres einzigen Gefährten, dem wir vertrauen können!

Der Prophet brach vor dem Mikrofon zusammen. Vorbereitet war ein Chor, der traditionelle Gospels anstimmte. Keiner der Mitarbeiter der Station, die mit so vielen anderen Stationen in diesem Augenblick vernetzt war, wagte es, die Geräte auszuschalten. So dauerte die eindrucksvolle Sendung bis in die späten Mittagsstunden. Man sah die Ärzte, die sich am Körper des Propheten abmühten, die Marketing-Chefs der Station hatten die Sendung an 488 weitere Stationen verkauft, jetzt trafen Originalaufnahmen ein, Porträtaufnahmen des Atlantik, einzelne beeindruckende Szenen des Meeres. Die Gesänge der ertrunkenen schwarzen Seelen, sagte der Stellvertreter des Propheten, könne man auch mit Hilfe der modernsten technischen Geräte nicht aufnehmen. Man müsse versuchen, sie mit der Seele zu hören.

Der eilige Mann

Fehler verzieh er niemandem. Auch ihm verzieh die Natur nicht. Jetzt ist er nur 47 Jahre alt geworden. Bei Merrill Lynch umlauerte er jahrelang die Spitzenposition, in die den Amerikaner aber niemand berief. Sein Führungsstil behinderte seinen Aufstieg. Ein großes europäisches Bankhaus warb ihn ab. Fünfzig Mitarbeiter folgten ihm von Merrill Lynch ins neue Haus, das sprach für ihn. Zwei Drittel trug sein Management nach Jahresfrist zum Gewinn des Bankhauses bei, das sich ihm anvertraut hatte.

Er galt als exzentrisch. Das gehört, sagte sein Vertrauter, Maximilian von Kemper, zu dem von ihm gewählten DARSTELLUNGSTYP; an sich hatte er keine Zeit für eine persönliche Eigenschaft wie Exzentrik.

Mit der Concorde flog er von London zu seinem Zahnarzt nach New York. Wieso nicht? Ein Eingriff in die körperliche Unversehrtheit ist von größter Wichtigkeit und lohnt die wenigen Stunden der Atlantik-Überquerung. Er besuchte die Familie wöchentlich, ebenfalls Atlantik-Überflug. Flog er mit, konnte dem Flugzeug nichts passieren. Er war ein Glückspilz.

Der Mund ein Strich. Schon fünf Minuten nach Erwachen aus dem Nacht-schlaf durchdringende klare Augen. Spitz nach oben gezogene Ohren, wie sie bei Reitern zu sehen sind, am Kopf anliegend, aber schräg gestellt, windschnit-tig. Hübsche Grübchen auf den Wangen, wo sie bei Stars zu sehen sind, aber nach unten verrutscht zum Fettansatz des Kinns hin. Mit 50 Jahren, sagte ein Plastischer Chirurg, der ihn sah, wird dieses Gesicht feist wirken; das liegt an der Anspannung, die vom Mund ausgeht, der die Befehle gibt. Unter der Nase eine geräumige Rinne, in der nichts fließt.

Das hatte eine Mutter so aufgezogen. Colby College und Dartmouth University hatten so etwas ausgebildet. Der ENGPASS DER ZEIT setzte ein mit dem Weggang von Merrill Lynch.

Fünf Jahre im Joch der Zeit. Ein einzelnes, individuelles Lebewesen hat nur fünf Jahre Zeit, wenn es eine wirtschaftliche Machtstellung, wie sie Louis Shrivers innehatte, behaupten wollte. Die Jahre zuvor waren nötig, um die Stellung zu erlangen, die Jahre danach, um sie zu verteidigen und den Ab-gang zu organisieren. Shrivers gelang es nicht, die fünf Jahre ganz auszufül-len.

Die Weihnachtsparties des Bankhauses in London mit Hostessen waren be-rühmt-berüchtigt. Absurd die Annahme, er selbst hätte Zeit gehabt, Gefähr-tinnen an sich zu ziehen. Insofern war er selbstlos. Gut beschützt, solange er in dem Kunstbereich der vielen Mitarbeiter, dem »eingerichteten und aus-geübten Gewerbebetrieb«, arbeitete. »GEHT NICHT GIBT ES NICHT«, war sein Motto. Ihm ist die Integration von Bankers Trust, einem US-Banken-Imperium, in ein europäisches Bankhaus gelungen, gewaltsam, wirksam.[3] Durchdringungsstärke, Eindringtiefe, nicht bloß Akquisition, das war sein Ruf.

Vor Heiligabend wurde ihm die Zeit knapp, ähnlich wie der Atem stockt bei Schreck. Wäre er katholisch gewesen oder seine Familie an ein römisches Weihnachtsfest gewöhnt, wäre Zeit gewesen bis zum Ersten Feiertag, der in diesem Jahr auf einen Montag fiel, viel Zeit, um die Familie, in einem Wochen-endhaus im Staate Maine (USA) versammelt, zu erreichen. Für Protestanten ist aber schon der Vorabend, der Heilige Abend, traditionell festliches Ereig-nis. Louis Shrivers raste heran, übersprang den Atlantik. Für die letzte Strecke von Portland zu seinem Haus in den Bergen startete er in einem zweistrahligen Jet vom Typ Beach 2000. Steven Bean, sein persönlicher Pilot, hatte die Ma-schine von New York herangeflogen. An der Küste von Maine verlor sich die Spur. Das Wrack wurde in der direkten Umgebung der Beaver Mountains ge-funden. Drei Meter vor dem Flugzeug, in den sumpfigen Boden des Hochmoors eingedrungen, der Körper des eiligen Mannes.[4] Auch der Pilot war *sofort* tot, bestätigte der zuständige Sheriff.

Sparen und rechnen

Der Ausdruck Kontroller wäre in der portugiesischen Seefahrt des 16. Jahrhunderts unverständlich gewesen. Dennoch hatte sich im Verlauf dreier Jahrzehnte das Prinzip der Wirtschaftlichkeit und Sparsamkeit im Sklaventransport in einer Weise durchgesetzt, daß die Transportierten eher »tot als lebendig« waren, wenn sie auf den Inseln vor Brasilien angelandet wurden. Sie mußten mit Bakkenstreichen und durch Übergießen mit kaltem Wasser für die Auktion »zugerichtet« werden, damit sie an den Kaimauern, wo der Sklavenmarkt stattfand, als »irgendwie reagierende Lebewesen« wirkten, als »lebende Dinge«. Die Totenähnlichkeit befiel in den langen Wochen auch die Besatzungen selbst, während die Schiffe, aus Sicht der Schiffseigner in Lissabon, »nutzlos«, in der trägen Zone des Sargasso-Meeres lagen, wo es oft monatelang an jedem Windhauch mangelte. Abgemagert an Gemüt und Körper, glichen die Matrosen den Sklaven, die sie im Schiffsinnern transportieren halfen. So lagen sie noch Wochen nach der Landung in den Lagerhallen der Häfen auf der Suche nach irgendeinem Impuls, aus dem sich ihr Leben neu hätte zünden können.

Schon zum Schattenreich zählend, aber durch absurde Wiederkehr irgendwelcher Energien noch zu der einen oder anderen Überfahrt tauglich gemacht, verschlechterte sich ihr Schicksal endgültig, als die Briten die spanische Armada besiegt hatten, die Forts an den Küsten Afrikas besetzten und den Markt übernahmen. Das Monopol im Sklavenhandel ging auf die nicht-lateinischen Händler über. Die portugiesischen Schiffe wichen auf eine südlichere Route aus, die sie tiefer ins Zentrum der Sargasso-See führte.

Weiteres Sparen und Rechnen, eine so entschiedene Einschränkung von Leben, daß ein Kahn voller Toter in Brasilien oder auf einer der vorgelagerten Inseln, zur Anlandung kam, war sinnlos. Die Sklaven starben ohne die Kraft zur Klage.

Keiner der Matrosen gelangte zurück in die Heimat Portugal, sozusagen mit Aussicht auf eine Karriere als Bettler. Niemand beachtete mehr die angelandeten Leichenberge afro-portugiesischer Sklaven, wenn doch die raffinierten Holländer und Briten auf schnelleren Schiffen »frische Lebendware« heran-

---

4 Einer der ganz wenigen Banker, der weitgehend in bar bezahlt wurde und nicht in Aktien-Optionen.

schafften. Die Seelenstümpfe aber der auf der südlichen Route verdorbenen Sklaven und ihrer Matrosen hielten sich nicht an die Route. Sie bewegten sich freiherzig über die Welt, und es heißt, es seien Ströme davon, ähnlich einem klagenden Wind, über Sibirien gehört worden.

Verstand unterhalb des Verstandes

Wahrscheinlich fluktuieren die Rentierbestände in einem Zyklus von 50 bis 100 Jahren.

– Ist das nicht falsche Genauigkeit?
– Gewiß.
– Aber die Fluktuation wurde beobachtet?
– Gewiß.
– Sie fressen die Flechten des Nordens, empfindliche Gewächse, die nur langsam wachsen, konsequent ab, danach verhungern sie?
– Bis zu einem Punkt, an dem kaum noch Rentiere vorhanden sind. Dies ist der Punkt, an dem die langsamen Flechten nachgewachsen sind, so daß die Rentierbestände eine ganz neue Chance haben, die sie sofort mißbrauchen.
– Keiner lernt? Weder die Rentiere noch die Flechten?
– Merkwürdigerweise.
– Könnten Flechten denn lernen?
– Es bleiben nur die übrig, die »gelernt« haben, insofern lernen sie.
– Und Rentiere lernen nicht? Sind sie dumm?
– Sie bleiben übrig. Ich habe nicht bemerkt, daß sie lernen.
– Ist dies die Schule der nördlichen Breitengrade? Eine Schule, durch die unsere Vorfahren hindurchgegangen sind? Am Rande der Eiszeiten?
– Sie meinen, daß das Gras von unseren Vorfahren lernte, sie selber aber nicht?
– Sie deuteten es an.
– Sie meinen, unsere Vorfahren waren dumm?
– Kein schöner Gedanke.
– Ich glaube auch nicht, daß diese Beobachtung zutrifft. Irgendetwas, gewiß aber nicht das, was sie wollten oder beabsichtigten, war intelligenter als sie. Anders kann ich mir ihr Überleben nicht erklären.
– Das ist ja hoffnungsreich.
– Sie sagen es.

Neue Diskussion um den Ursprung
von HIV

Drei Brüder oder Genossen arbeiteten an einem zentralen biologischen Moskauer Institut: David Aralson, Gerhard Schniedke und Alf Wedekind. Sie gingen verschiedene Wege.

In der Sache geht es um die Herkunft des HI-Virus. Die Mehrheit der Forscher nimmt heute an, daß ein afrikanischer Jäger in der ersten Hälfte des vergangenen Jahrhunderts Schimpansenfleisch aß und sich dadurch infizierte. Er übertrug die Krankheit durch Geschlechtsverkehr mit mehreren Frauen.

David Aralson aber versucht bis heute, auf Kongressen in Instituten und in Zeitschriften die These zu untermauern, es habe Versuche des CIA mit einem hybriden Virus gegeben, die den Experimentatoren aus der Hand geraten seien und die HIV-Erkrankung in die Welt gebracht hätten, ja, es sei nicht einmal ausgeschlossen, wenn auch nicht zu beweisen, daß der CIA versucht habe, das Bevölkerungswachstum in Afrika aus geo-strategischen Gründen zu bremsen. Dies sei dann insofern fehlgeschlagen, als der Virus die Rassenschranke nicht beachtet habe.

Wedekind dagegen, gewissenhafter Forscher, ist in den Labors der UCLA-University of California an Versuchsreihen tätig, die den gefährlichen Virus aus den Ressourcen des Affenblutes zu bekämpfen versuchen. Ist er dort einst entstanden, so muß es aus derselben Quelle Gegenmittel geben. Wir müssen, sagt Wedekind, uns den Zeitfaktor zunutze machen. In mehr als siebentausend Jahren, ja, in seiner Vorfahrenkette, die Millionen Jahre zurückreicht, wird der Virus im Affenblut quasi Cousins oder Gegenmächte, vielleicht auch nur Enzyme, die auf ihn antworten, in seiner Gesellschaft gehabt haben. Finden wir sie, haben wir ein Gegenmittel in der Hand. Schon die Vorträge, die Wedekind hielt über die Forschungsabsicht, trieben die Börsenkurse einer an der UCLA akkreditierten biologischen Privatfirma in astronomische Höhen.

– Was ist nun wahr?
– Die Geschichte des afrikanischen Jägers, der vom Schimpansenfleisch aß, sich infizierte und, noch aufs äußerste geschwächt, von Frauen nicht lassen mochte, scheint mir die wahrscheinlichste.
– Aber Sie wissen keinen Namen? Es ist sozusagen eine Theorie, eine Annahme? Sie wissen nicht einmal, ob es ein schwarzhäutiger oder ein weißhäutiger Jäger war?
– Nein, das kann man nicht wissen.
– Auch nicht die Region in Afrika?

– Doch, darauf haben wir Hinweise. Wir können den HI-Virus nach Stämmen, Metamorphosen und Altersklassen zurückverfolgen, quasi wie Antiquitäten. Ich habe hier drüben im Labor eine Reihe von extrem seltenen »Rassen« aus den Jahren 1968, und hier eine Probe von 1962. Die ist mehr wert als ein Gemälde von Beckmann.

– Würden Sie sie denn verkaufen?

– Ich hatte ein Angebot von 402 Milliarden Yen.

– Abgelehnt?

– Nicht weil die Dinger schön sind oder antik, sondern weil sie vielleicht als Urgruppe einen Weg zeigen. Wir können z. B. an ihnen erkennen, daß sie aus dem Gebiet des oberen Kongo stammen. Auf zwölf Quadratkilometer genau, wegen der Kupfervorkommen dort.

– Und warum haben Sie nicht einen Teil verkauft? Eine Bouillon angesetzt, die Kultur vermehrt und die stattliche Summe eingestrichen?

– Weil wir die Herkunft selber erforschen wollen. Für keinen Preis dieser Welt würden wir diesen Vorsprung aufgeben. So frühe Kulturen des HI-Virus kann niemand sonst mehr finden. Das sind Unikate.

– Merkwürdig.

– Was meinen Sie mit merkwürdig?

– Früher hat man z. B. einen Kontinent erforscht. Dann war man z. B. Besitzer von Indien. Jetzt forscht man nach einer tödlichen Virengruppe, die es inzwischen schon nicht mehr gibt, weil sich der Virus pausenlos verändert.

– Ja, und für die Gegenmittel könnten die ältesten unveränderten Virusgruppen einen Schlüssel enthalten. Sie leiden noch darunter, daß sie auf den Menschen nicht passen, für ihn tödlich sind. Sie können das von sich aus nicht wollen.

– Das stimmt. Ein Virus ist am Überleben seines Wirtes persönlich interessiert.

– Und Sie meinen, diese »automatischen Intelligenzen« (wie soll man das Verhalten eines Virus anders beschreiben, der ja gewiß kein Hirn hat und als einzelnes gar nichts denkt) haben in der Frühzeit der Infektionen im Menschen Versuche gemacht, nicht-tödlich zu sein? Daraus könnten wir lernen?

– Ich würde das versuchen.

Lebendigkeit von 1931

Ein Mitschüler Ernst Jüngers im Gildemeisterschen Institut in Hannover hieß Werner Scholem. Er wurde am 17. Juli 1940 auf der Flucht erschossen. In einem Steinbruch. Zuletzt war er Anwalt der Mithäftlinge, obwohl es hier nirgends einen Gerichtshof gab. Er hatte Erfolg.

Sein Biograph, ein Marxist an der Universität Peking, Hong Tze-fei, selber vielspurig in der Welt unterwegs, hat die Spuren Werner Scholems nachrecherchiert[5]: Ein merkwürdig aktivistisches Muster, das unwahrscheinliche Verbindungen zwischen Gesellschaftsschichten legt, von denen die Historiker annehmen, daß die keine Verbindung haben könnten. So haben, schreibt Hong Tze-fei, zwei SA-Obergruppenführer noch Scholems junge Frau Emmi 1938 aus der Haft befreit und deren Ausreise nach London ermöglicht. Das ist nicht denkbar, wenn die Männer nicht vorher miteinander zu tun hatten, und zwar vermutlich politisch.

1921: Redaktion Rote Fahne. Scholem im gleichen Jahr: jüngster Abgeordneter im Preußischen Landtag. Gehört zur Fraktion der Obstruktionisten. Gilt als erfolgreicher parlamentarischer Quatschmacher, der die Verhandlung stört.[6] 1931: Juristische Staatsprüfung. Er ist jetzt 36, spricht davon, daß er sterben könnte.

Dies nur das äußere Leben. Tatsächlich, und hierauf konzentriert sich Tze-feis Biographie, gehört Scholem seit 1929 zum militärpolitischen Apparat der KPD. Seine Funktion ist die Unterwanderung der Reichswehr, die Ausspähung illegaler Staatsgeheimnisse.[7] Dem militärpolitischen Apparat lag die vollständige Korrespondenz des Chefs der Heeresleitung, Hammerstein-

---

5 Sohn eines chinesischen Brigadechefs, der Eisenbahnlinien im Osten Afrikas baute, und einer Spanierin. Die jungen Marxisten an der Universität Peking sind auf der Suche nach dem abhanden gekommenen Politischen in China. Seit Jürgen Habermas Gastvorlesungen hielt, rezipieren sie auf ihrer Suche große Mengen europäischer Theorie. Zu diesem Zweck besuchte Hong Tze-fei die Bundesrepublik, Paris und London.

6 Walter Benjamin bezeichnet ihn als »Lausejungen«.

7 Die Ausforschung von Staatsgeheimnissen ist nach dem Strafgesetzbuch Landesverrat. Dies gilt nicht, wenn das Staatsgeheimnis sich auf die illegale Tätigkeit eines Staatsorgans bezieht. Die geheime Wiederaufrüstung der Reichswehr, ihre Tätigkeit im Ausland, ihre Geheimkonten, ein Teil ihrer Beziehungen zur Politik, Industrie, bestechungsähnliche Geldhergabe an Personen von Einfluß usf. enthalten illegale Staatsgeheimnisse. Ihre Kenntnis ist wichtig: (a) für die Infiltration der Reichswehr, (b) für die Übersicht über die Praxis der bewaffneten Staatsmacht, die im Bürgerkriegsfall der Gegner der Roten Streitkräfte sein würde, (c) sie eröffnet Möglichkeiten der Erpressung und Einflußnahme im konkreten Einzelfall.

Equort, mit zwei Landbund-Funktionären vor, auch andere Papiere. Werner Scholem, liiert mit der Tochter des Freiherrn von Hammerstein-Equort, Marie-Luise, wird verhaftet. Man nennt ihm, um die Tochter des Chefs der Heeresleitung zu schützen, nicht den wirklichen Grund der Verhaftung, behält ihn aber im Polizeigefängnis, um den Informationsfluß zur KPD zu unterbrechen. Später stellt sich heraus, daß auch Helga von Hammerstein-Equort, eine andere Tochter des Generals, Kontakte zur Arbeitsgruppe »Spezielle Verbindungen« unterhält. Bei den Stalinisten war Werner Scholem verdächtig. Politisch ruinierte ihn der lange Aufenthalt in Polizeigefängnissen, der Berührungsfläche zu den staatlichen Behörden, wenn auch feindlicher Art, signalisierte. Wie kann man Zusammenarbeit und Widerstand unterscheiden, wenn überhaupt Berührungsfläche besteht? Es ist geradezu Charaktermerkmal Scholems, nach seiner Entlassung aus der Haft, unerwartete Berührungsfläche zu suchen. Ist er ein neugieriger Mensch?

FAZ: Sie sprechen von einem »Menschen ohne Pause«?

TZE-FEI: Weil in jede Pause, die ein solches Leben läßt, ein zweites und drittes Leben hineinragt. Nicht nur die Zeitgeschichte und die unwirkliche Trennung in so viele Gesellschaftsschichten und Parteiungen, die als undurchdringlich galten, verursachten diese »Drangsal«, dies Gedränge, wenn ich mich richtig ausdrücke, sondern im Charakter Scholems gibt es eine Affinität, in mehreren Etagen gleichzeitig zu leben. Wie das Bühnenbild zu Bernhard Kellermanns Stück, das ich Ihnen zeigte. Ähnlich dem *Mann ohne Eigenschaften* gibt es auch den »Mann der Unbestimmtheiten«: einer fügt sich nicht der Bestimmung.

FAZ: Mich würde zwar interessieren, wie das alles, was Sie schreiben, auf Chinesisch heißt oder in Ihrer »Muttersprache«, auf Spanisch. Sie sind ja vielsprachig. Und auch Deutsch sprechen Sie, wie ich höre, flink.

TZE-FEI: Ohne hochmütig zu sein: Unsere Experten an der Pekinger Universität gehen mit dem ihnen anvertrauten Deutsch sorgfältiger um als die Deutschen. Wir haben einen Privatdozenten, der z. B. auf Weimarer Deutsch der Klassik und auf Frankfurter Mundart im dritten Lebensjahr Goethes spezialisiert ist. Er spricht diese Fachsprachen wie eine Umgangssprache. Das haben Sie hier nicht.

FAZ: Irgendwo muß das Erbe der Menschheit ja aufgehoben werden.

TZE-FEI: Ja, dafür ist die Universität Peking da.

FAZ: Zunächst lebt dieser Scholem ja wie ein Roué, ein Bourgeois. Fünf Geliebte im Frühjahr 1931, davon zwei vom Operettentheater, eine Generalstochter. Er stets ein gutgekleideter Verführer.

TZE-FEI: Feinschmecker. Unterscheidet 200 Weinsorten. Nie um eine Redewendung verlegen.

FAZ: Und dennoch, gleich im nächsten Augenblick, anders gekleidet, weil er z. B. in Kneipen oder Quartieren in Moabit verkehrt: im Dienste der Weltrevolution.

TZE-FEI: Ja, im Dienste. Geheimdienstlich. Auch hier läßt er sich nicht an das Schema der KPD bzw. der »Zelle Hansa«, d. h. an seinen Platz im militärpolitischen Apparat, fesseln. Seine Vorstellung ist es offenbar, daß die proletarischen Kräfte, die sich in die NSDAP verirrt haben, die unorganisierte Linke in den Fabriken und die professionellen Berufsrevolutionäre zusammenwirken sollen.

FAZ: Privatansicht?

TZE-FEI: Sehen Sie, das ist es, was wir in Peking zu rekonstruieren versuchen. Das einzige Pfund, mit dem die bürgerliche Gesellschaft wuchert, ist über mehrere hundert Jahre gleichbleibend das persönliche Selbstbewußtsein. »Ich verlasse mich auf meinen Verstand, auf mein Ahnungsvermögen, meine Person.« Die Parteiorganisation verhält sich dazu als Dorf, als Rückschritt. Scholem ist längst Städter. Was, fragt er, wäre aus dem bürgerlichen Individuum zu machen, wenn es tatsächlich weltweit kooperiert?

FAZ: Die höchste Form der Kooperation ist der Sex?

TZE-FEI: Sagen wir: die Faszination. Zwei junge Menschen verfallen einander, und das Abenteuer entbindet Kräfte. Das, und nicht die Familien, sind die Zelle des Aufstands.

FAZ: So wird Marie-Luise, Tochter des höchsten Generals der Republik, Tatgenossin der Revolutionäre?

TZE-FEI: Sie genießt es.

FAZ: Ihr Leben erhält einen Sinn.

TZE-FEI: Unabhängig davon, ob sie das bewußt so sieht. Sie will ja nicht Landesverräterin oder Revolutionärin werden. Sie will das Leben neben ihrem Leben.

FAZ: Später wurde sie Offiziersfrau?

TZE-FEI: Den Mann verlor sie im Krieg.

FAZ: Und die Schwester fühlte sich ebenfalls hingezogen?

TZE-FEI: Nicht zu Scholem. Zu den Revolutionären. Sie nahm den Kontakt bewußt auf.

FAZ: Der Vater versuchte, Hitler im letzten Moment zu verhindern?

TZE-FEI: Ging ungeschickt vor. Hätte die Macht dazu gehabt.

FAZ: War mehrfach an der Grenze des Hochverrats tätig, zuletzt 1939?

TZE-FEI: Insofern nicht anders als die Tochter, immer ein Abgrund neben dem Leben, sozusagen ein zweites Leben und daneben wieder ein Abgrund. Das ist aber schon die Zeit nach 1931. Das Jahr 1931 ist das Jahr der multiplen Leben. Wenn ein Mensch 99 Leben nebeneinander führt, und dies alle anderen auch tun, dann ist das die Revolution.

FAZ: Die bürgerliche Revolution.

TZE-FEI: Eine andere haben wir ja nicht.

FAZ: Die sozialistische?

TZE-FEI: Wo haben wir die?

FAZ: Lassen wir das. Es ist ja nicht Gegenstand Ihrer Biographie.

TZE-FEI: Nein. Die konzentriert sich auf Werner Scholem und das Jahr 1931.

FAZ: Sein Tod 1940 und seine Geburt 1895, das ist nur nachrichtlich?

TZE-FEI: Nur nachrichtlich. Bei der Geburt ist das Lebensgefühl, das ich beschreibe, noch verborgen (obwohl ich sagen muß, die Säuglinge haben dieses Lebensgefühl sämtlich). 1940 ist die Chance dafür ausgehaucht. Erschossen wird ein Verzweifelter.

FAZ: Der aber noch genauso aktiv tätig ist.

TZE-FEI: Das ist seltsam. Er tut nichts, um sein Leben zu retten. Er zieht im Lager Buchenwald noch einen Anwaltsdienst auf, der tatsächlich Erfolg hat, weil er in das Selbstgefühl der Lagerkommandanten eindringt und dort für die Mitgefangenen Vorteile herausholt. Ein Genie der Tatkraft.

FAZ: Merkwürdige Kontakte zur linken Szene der Nationalsozialisten in Berlin.

TZE-FEI: Er schreibt für Nazi-Kader in deren Büros Memos und Entwürfe. Er schreibt schneller als sie.

FAZ: Ist das nicht Klassenverrat?

TZE-FEI: Er sieht den Begriff Klasse nicht ein. Korrekt – gesehen aus der Perspektive der Untersuchungen an der Universität Peking – erkennt er bei den »Volksgenossen« im Berliner Wedding, d. h. den linken Nationalsozialisten, die Arbeiterstatus besitzen, Klassengenossen. Kann man die politischen Prozesse, meint Scholem, überall beschleunigen, beim Gegner und bei uns, so lassen sich die gesellschaftlichen Verhältnisse zur »Überstürzung« bringen. Das ist der wahre Umsturz. Man muß helfen.

FAZ: Die helle Flamme entfachen?

TZE-FEI: Durch Vorhersagen, auch durch Intrige, auch durch Geheimnisverrat. Nichts ist schlimmer, als wenn der Brand nur schwelt.

FAZ: Was meinen Sie hier auf Seite 4988 mit »dreistöckigem« Leben?

TZE-FEI: Ein Leben führt er zur Tarnung, auch weil es ihm Spaß macht und er sich irgendwie nähren muß, libidinös nähren. Ein zweites Leben: sein revolutionäres Arbeitsleben.[8]

FAZ: Das macht nicht nur Spaß?

---

8 Quatsch machen im Parlament, Nachäffen, das ihm der ernsthafte Walter Benjamin vorwirft, gehört zur Kategorie 1: irgendetwas muß Spaß machen, man muß zerstören dürfen. Niemand kann eine ganze Woche lang ernst bleiben.

TZE-FEI: Wie soll es? Er ist immer auch für andere verantwortlich. *Révolu-tion ou barbarie*, das ist eine ernsthafte Angelegenheit, nicht wahr?

FAZ: Meinten er und seine Genossen.

TZE-FEI: Meinen Sie nicht? Der Holocaust ist ja ziemlich barbarisch.

FAZ: Ziemlich. Aber Sie sprachen von »dreistöckig«.

TZE-FEI: Das habe ich von dem Bruder Scholem.

FAZ: Den Sie doch nie gesehen haben?

TZE-FEI: Nein. Aber Sie wissen, ich kann Spuren lesen.

FAZ: Was fur Spuren?

TZE-FEI: Schriftliche. Es scheint so, sagt der Kabbalist Gershom Scholem, daß der aktivistische Bruder, gerade im Jahr 1931, auch heftige Fußab-drücke im Reiche der Geister hinterlassen hat.

FAZ: Esoterische?

TZE-FEI: Gewisse Spuren, die auf eine dritte Existenz schließen lassen, extrem ruhiger als die beiden anderen.

FAZ: Er war ein Geisterfürst?

TZE-FEI: Nach unseren Kenntnissen an der Universität Peking.

Sie saßen in der Kantine der Oper Frankfurt. Um sie herum die Hektik am Vor-abend der Premiere von Wolfgang Rihms *Die Eroberung von Mexiko*. Die Sängerin des Montezuma, ehemals Wagners Kundry in *Parsifal*, eine von den Göttern begnadete Sängerin, die durchwegs aussichtslose Schicksale zu besin-gen hatte, süffelte nur fünf Meter neben Tze-fei und dem FAZ-Feuilletonisten zwei Tassen Kaffee, die sie nicht wirklich wach machten; das vermochte erst der Fortgang der Partitur. Über die Lautsprecher der Kantine Musikfetzen der Probe, Anordnungen der Regie. Dies ergab ein städtisches Klima.

Tze-fei, Vertreter einer Kernfraktion der Universität Peking, 70 Jahre nach dem Untersuchungsjahr 1931, empfand sich als verantwortlich für die Men-schen Chinas. Aus historischen Gründen hatte die Republik China – im Ge-gensatz zu den USA[9] – die Vollmachten für die Verwaltung des Gemeinwesens zentralisiert. Hier konnte der gute, der indifferente oder der böse Wille noch einmal so wie in der Französischen Revolution von 1789 durchzugreifen ver-suchen. Es gab eine Vollmacht, es gab keinen Begriff, daher das wache Inter-

---

9 In den USA haben die öffentlich gewählten Präsidenten, der Kongreß und die Obersten Gerichte keine Vollmacht, wesentliche Teile der Gesellschaft anzuleiten. Die Macht liegt in den gesellschaftlichen Verhältnissen selbst: der Börse, den Produktionsprozessen, dem tat-sächlichen Leben der Bevölkerung, den sich entwickelnden Städten und Landschaften. Die Obersten Gewalten hindern einander lediglich am Mißbrauch. Die Volksrepublik China akkumuliert demgegenüber, seit dem Zersetzungszustand der Zentralmacht um 1900, Vollmachten.

esse Tze-feis und seiner Genossen, festzustellen, ob in den Vorräten des Abendlandes oder irgendeines anderen Kontinents etwas zu lernen wäre zum BEGRIFF DES POLITISCHEN.

Adornos Geliebte

Wenn sie auf der Liege am Strand lag, so wirkte das Ganze, das sie darstellte, wohlgestaltet; das war sie, als eine Skulptur der Werbewirtschaft für ihre Impressarios, für die sie arbeitete und die sie verwalteten. Sie galt als erfolgreiches Model. Sie trug einen hübschen weiß-seidenen Badeanzug, der einen großen Teil der oberen Hüfte durch eine willkürlich eingeschnittene und abgesteppte Lücke freiließ und Rückschlüsse auf ihren nackten Körper zuließ, während doch viel Seide den tatsächlichen Körper umhüllte. Auch fühlte sich die Menge an Stoff auf der Haut angenehm an. Sie kann nicht hübsch und »anziehend« aussehen, sozusagen magnetisieren, wenn sie sich nicht »innerlich und überall« wohlfühlt.
Saß sie aber dann auf einem der Restaurantstühle, so war vorher liegendes Rückenfleisch überzählig. Oberhalb des Pos und der Gewichtung der Schenkel war etwas zuviel, und dieses Fleisch, reine Muskulatur, fiel aus dem Wert- und Wirklichkeitsraster ihres Ganzen heraus. Sie hätte es weggeschnitten, wenn das möglich gewesen wäre. Sie war nicht fett, sondern von Geburt her war diese Polin zu groß gewachsen. So zerfiel sie, sobald sie saß, in einen als Schönheitsidol anerkannten Körper *und* Schwellungen, die von ihr nicht anerkannt worden wären, wären sie fotografiert worden.
Man kann es nicht fotografieren, sagte N., das beruhigt mich. Um es deutlich kenntlich zu machen, müßte man eine Großaufnahme meiner Oberschenkel anfertigen, während ich auf einem Gartenstuhl sitze, so daß sich das ZU GROSSE, ZUR SEITE GEQUETSCHTE in dieser Großaufnahme zeigt; in dieser Reproduktion wird aber nichts Erkennbares sein, das auf mich verweist, weder Hände, noch Gesicht, nichts Individuelles, so daß das Bild nicht einmal ein anonymes ZUVIEL wiedergäbe, da auch dieses nur aus dem Vergleich der Proportionen besteht, nicht aus einem unmittelbaren Eindruck der Sache.
Sie war leichtsinnig. Ihr LEICHTER SINN blieb tolerant gegenüber den »unbrauchbaren Körperregionen«. Ich gehe nie aus ohne diesen Makel, scherzte sie. Sie führte diese eigentümliche Blöße, die unter Kleidern verborgen war, mit sich umher, und es war das, was sie für ihr persönliches Eigentum hielt. Käme einer dieser Männer in ihrem Umkreis auf die Idee zu sagen, ich liebe dich wegen der Fleisch- und Muskelwurst unter- und oberhalb deiner Taille, oder

brächte er den Satz heraus: »Diese stämmige Oberseite der Schenkel, die der Badeanzug verbirgt, hier auf dem Gartenstuhl, erinnert mich an die Weite der Prärie südlich von Alberta/Kanada« usf., so fiele ihm eine Extraausgabe ihrer Zuneigung zu. Er wäre Verbündeter. Nur einer fand diesen Zugang.[10] Von diesem Mittel der Überredung, die eine Wahrheit enthielt, hat sonst keiner Gebrauch gemacht. Sie gilt als launisch.

Liebe kommt auf leisen Sohlen

Alle sagten: die passen gut zueinander. Sie schritten, großgewachsen und schlank, in den Speisesaal und empfingen Blicke.

Diesen Platzvorteil vor allen anderen, den Rang zu zweit, wollten sie nicht aufgeben, und so überbrückten sie die Jahre der Wechselhaftigkeiten. Hätte sie jemand in ihrer gleisnerischen Trance, von außen gelenkt, wie sie waren, Angeber ihres Glücks, gefragt, OB SIE EINANDER LIEBTEN, WAS SIE INNERLICH MITEINANDER, AUSSER GEMEINSAM GUT AUSSEHEN, VERBÄNDE, so kann es sein, daß sie abgestürzt wären in Zweifel. Sie waren kluge Kinder. Nicht *einmal* dachten sie nach. Das war die Gefahr in der Anfangszeit: daß sie das Wesen ihrer Verbindung vor dem Gericht des Verstandes hätten darlegen müssen. Was hätten sie vorgebracht? Es zog sie nicht stark zueinander.

In späteren Jahren, auch durch Rat verständiger Freunde, die das Paar wie ein ausgemacht schönes Möbel gerne in ihrer Umgebung wußten, lieferten sie alles nach, was nach dem Gebot der Aufrichtigkeit, Innerlichkeit, Spontaneität und Absolutheit zu einer Leidenschaft gehört. Sie antworteten gemeinsam auf äußere Gefahren, überschritten gemeinsam die Grenze in ein anderes Gesellschaftssystem (in dem sie von außen kaum noch bewundert wurden); sie sahen auf eine Technik des Umgangs zurück, die Nähe und Abstand so regulierte, wie nur sie es vermochten. Andere, die diese intime, unaussprechliche Technik des Umgangs nicht beherrschten, fielen ihnen (im Fall eines kurzen Abenteuers) rasch auf die Nerven. Das verschaffte ihrer Beziehung Dauer. Was ist der Reiz des Abenteuers gegen das eigene Haus? So stellten sie, recht spät, schon herausgeraten aus der Blüte der Jahre, unerkannt, wenn sie einen Speisesaal

---

10 Sie überzeugte die gewisse Aggressivität ihres Gegenübers: daß er aus der Rotte der Männer ausbrach, die ihr abstrakte Schönheitsvorschriften vorhielten; das war es, was ihr gefiel, obwohl sie hexenhaft genug war, ihm untreu zu bleiben. Vielleicht hätte er sie ohne das nicht geliebt.

betraten, fest, daß sie sich ineinander verliebt hatten. Auf oberflächliche Weise. Entweder war etwas von der Außenhaut nach innen geraten, oder das Innere besteht aus solcher Haut.

Liebe mit begrenzter Haftung

Sie hatten sich, anonym wie der Ort, auf einem weitläufigen Flughafen in Mitteleuropa kennengelernt. Ihre Namen teilten sie einander erst am folgenden Tag mit. Gleich aber taten sie sich zusammen. Sie folgte ihm nach Neapel. Sie starb in Neapel an Bauchfellentzündung. Fast eine Woche lag sie elend in einem Quartier, das ihr nicht gehörte. Ihr italienischer Freund, der, den sie auf jenem Flughafen kennengelernt hatte, fürchtete Skandal und Kosten eines Krankenhausaufenthalts. Er glaubte nicht, daß sie an einer Blinddarmentzündung litte, sondern an einem Durchstoß der Vagina. Er glaubte unvorsichtig gewesen zu sein. Brächte er sie zur Pforte und ins Behandlungszimmer eines Krankenhauses, so mußte er Rückfragen befürchten. Er fühlte sich nicht vorbereitet, sie zu beantworten. Als die junge Frau starb, war er in den Weiten Neapels untergetaucht.

Glückliche Umstände, leihweise

>»Nun, Kommunikation ist allgemein
dazu da, eine Information mitzuteilen,
die auch anders ausfallen könnte.«
Niklas Luhmann

Am selben Abend noch, von der Höhe des Hotels in 2000 Metern wie beschwipst, sprudelte aus seiner frohen Seele so viel Zauberkraft ins Umfeld, daß er ein Ehepaar, das sich auf die einsame Höhe des Berghotels zurückgezogen hatte, um ihre Trennung zu ordnen, umstimmte. Sie glaubten wieder ans gemeinsame Leben, leihweise. Noch ungläubig, sahen sie nicht mehr ein, warum sie in rechnerischer, sparsamer Weise sich auseinandergesetzt hatten, über ihre wechselseitigen Verlangen haderten, wenn sie doch einander zur Verfügung hatten als wertvolle Menschen. Bestrahlt von dem Gemüt des neu Angekommenen, in dem unter den Luftdruckverhältnissen der Höhe das Blut wärmend pulste, der sozusagen seinen Überschuß genoß, warteten sie nicht länger. In Gedanken fielen sie einander in die Arme, noch saßen sie am Rauchtischchen, und erkannten sich als die, die sie waren: Leute, die es schon lange miteinander aushielten und nicht gewußt hatten, was für einen Schatz sie in ihrer unmittelbaren Umgebung verwahrten.

Landschaft mit unbegehbaren Bergen

Eine Zeitlang war das Hochtal von einer Wolke eingehüllt, und sie sahen einen Nachmittag lang aus den großen Rundblickfenstern, die wie Schenkel eines gleichseitigen Dreiecks nach außen wiesen, auf eine milchige See. Schon jetzt, nach acht Stunden des Gesprächs, sie hatten sich vorgenommen, ihre Beziehung zu klären, dachten sie viel an die ÜBERBRÜCKUNG DER ZEIT, an praktische Aushilfen wie Essen, Kappe aufsetzen, einen Ausflug machen, irgendetwas, das einfach wäre.

– Wollen wir Kaffee bestellen?
– Gern, antwortete sie.

Sie war ihm dankbar. Man muß, sagte er, auf Einfaches zurückkommen. Wären sie beide z. B. Einzeller oder Austern, so wüßten sie, was sie täten im Rhythmus von Ebbe und Flut, d. h. bei Flut würden sie sich öffnen, daß die Schwebestoffe in sie hineinfließen, und bei Ebbe sich schließen, daß sie nicht austrocknen. Sie ist aber keine Auster, und er nicht die See.

– Ich habe gelesen, sagt sie, daß Austern, von der Ostküste der Vereinigten Staaten nach Chicago transportiert, sich an diesem kontinentalen Ort noch einhundert Tage lang öffneten und schlossen nach einer inneren Uhr, die den Ebbe- und Flutzeiten des Atlantiks entsprach.
– Dann wurden sie gegessen?
– Sie wurden Forschungsobjekte. Denn nach dieser Zeit stellten sie sich um. Als man Nachmessungen anstellte, nach welchem Rhythmus sie nunmehr »atmeten«, entsprach dieser Rhythmus der Zeit, zu der Ebbe und Flut in Chicago einträfen, gäbe es dort so etwas wie Ebbe und Flut.
– Und man weiß nicht, wie sie das machen?
– Überhaupt nicht.
– Hat das mit dem Mond zu tun?
– Glaube ich nicht.
– Und sie sind ganz genau?
– Genau.

Es verwandelte sich aber in dem nachmittäglichen Gespräch, in dem sie die Situation und die ungeklärten Sumpfgebiete ihrer geschlechtlichen Gewohnheiten zu deuten versuchten, die emotionale Stellung. Allein dadurch, daß sie jetzt Hunger bekamen; nur weil sie sich acht Stunden auf unvollkommene Weise miteinander befaßten, hatten sie das Gefühl, daß sie in der nächsten Zeit schon einen Ausweg finden würden, so einfach wie »jetzt gehen wir essen«. Das schafft auf lange Sicht Vertrauen, auch ohne Klärung. Jedes Jahr wollten sie, untergebracht auf Bergeshöhen, so miteinander sprechen. Zweck hat es nicht, sagte sie, aber es wärmt.

> Jeder hat seine eigenen Zauberworte /
> Sie scheinen nichts zu bedeuten /
> Huschen sie aber nur leicht durch die Erinnerung –
> Gleich lacht das Herz und weint . . .

Welchen Sinn hat Perlenglanz?

Bis Ende des Mittelalters glaubte man (in Anknüpfung an Aristoteles), Perlen entstünden aus dem Himmelsrot, das die Austern an der Meeresoberfläche trinken. Tatsächlich steigen die Austern in der Frühe von ihren Sitzen am Meeresgrund empor. Es sieht aus, als würden sie sich orientieren.
Wir wissen heute, daß Perlmutt aus winzigen kristallinen Calciumkarbonidplättchen besteht. Sie bilden Schichten mit einer Dicke von etwa einem hundertstel Millimeter. Das Licht, das sie reflektieren, hat etwa die gleiche Wellenlänge, und so kommt es zu Interferenzen, welche die irisierende Wirkung von Perlen bewirken.

– Je dünner die Schicht, desto wertvoller?
– Deshalb kann man sie nicht nachbauen. Man kann sie nicht verbessern.
– Und was könnte man tun, daß Perlenketten weniger Unglück bringen?
– Sie denken immer nur daran, wie Sie den Umsatz erhöhen können, mein Lieber.
– An was sollte ich sonst denken?
– An die Frage, warum die Wellenlänge dieser kristallinen Plättchen und die des Lichts zur Übereinstimmung kamen, was doch die Begehrlichkeit nach Perlen erweckt und die Muscheln bedroht.
– Und Sie meinen, inzwischen haben die schlauen Tiere eine zusätzliche Wirkung entwickelt, daß die Perlen am Hals schöner Frauen oder am Turban ei-

nes indischen Herrschers stets Unglück bringen, so daß der Handel stockt? Sie meinen, so hätte sich diese Tierart zu retten versucht?
– Während doch die wirkliche Gefahr durch Öl-Schlamm von den Tankern her kommt.
– Hat je eine Muschel einen Tanker gesehen?
– Sie haben hochintelligente, möglicherweise zauberische Sinne, aber kaum Augen.
– Augen nicht, aber Tränen.
– Eben die Perlen. Die Muscheln empfinden Schmerz, heißt es bei Aristoteles, wenn die Perlen geboren werden. Sie seien Zeichen einer Verletzung.

Aufklärung bei unverschuldeter Unmündigkeit

> »*Aufklärung ist der Ausgang des Menschen aus seiner selbst verschuldeten Unmündigkeit. Unmündigkeit* ist das Unvermögen sich seines Verstandes ohne Leitung eines anderen zu bedienen. *Selbstverschuldet* ist diese Unmündigkeit, wenn die Ursache derselben nicht am Mangel des Verstandes, sondern der Entschließung und des Mutes liegt . . .«[11]

Mündig ist der, der fähig ist, »sich seines Verstandes ohne Leitung eines anderen zu bedienen«. Hierzu war die Tochter des Reeders Onassis täglich in der Lage. Für ihren klaren Verstand brauchte sie keine Helfer. War sie aber auch bereit, die Gemütskräfte, die Fähigkeit, in sich Gleichgewichte herzustellen, ohne Leitung eines anderen auszuüben? Dafür hätte sie Schaupiel, nicht Philosophie studieren müssen.[12]
So eilte die mutige Person zum Vater, ließ sich beraten, oder sie lief zur Mutter, klatschte sich aus. Niemand, der sie im Betrieb des Vaters herrschen sah nach dessen schrecklichem Tod, hätte ihr Unsicherheit, die Lust, sich von anderen anleiten zu lassen, angemerkt. Sie galt als vernünftig.[13]

11 Immanuel Kant, *Beantwortung der Frage: Was ist Aufklärung?*, Berlinische Monatschrift, 5. Dezember 1784, S. 516.
12 Tatsächlich studierte sie in Harvard Betriebswirtschaftslehre.
13 Begriff des Verstandes, oft zu eng gefaßt. Es geht um sämtliche Reaktionen eines Menschen zu sich selbst (nach innen) und zur Welt (nach außen), gleich, mit welchen seelischen Kräften ausgeübt. Verstand ist das INNERE GEMEINWESEN.

Dieses Stück Leben fand statt, als die Sowjetunion in der Welt noch Platz für ihre Flotten suchte. Stützpunkte besaß sie auf der Insel Garcia Juarez im Indischen Ozean, an den Küsten Somalias, ja in unbekannten Schlupfwinkeln der Antarktis.

In diesem Kontext richtete sich die Begehrlichkeit der Strategen auf die Tankerflotten des Griechen Onassis. Wie herankommen an diese Transportlinie? Wie deren Zuarbeit im Ernstfall sichern? Auf dem Weg über die Erbin? Instrukteure und Psychologen an den Akademien der Geheimdienste in Moskau untersuchten den Fall. Ausgeschlossen war der Weg finanzieller Verführung. Auch Erpressung ausgeschlossen.

Beobachtung der Erbin ergab, daß die Beschattete eine Unsicherheit zeigte. Sie hielt sich, das war offenbar korrekt beobachtet, für körperlich plump. Dem Blick eines Mannes unterstellte sie, daß er sie taxiere. Andere Blicke deutet sie so, daß ihr Reichtum ungezügelte Phantasien auslöse. Darüber lachte sie. Es war ja nicht so, daß in Bilanzen geordneter Reichtum für irgendetwas Praktisches, für etwas in Liebesverhältnissen Verborgenes brauchbar wäre, ähnlich einem Kasten voller Schmuck, einer Speisekammer für Kinder.

Ich ziehe Gerechtigkeit der Liebe vor

Daß der Blick ihres Vaters hell wurde, wenn sie das Zimmer betrat, daß zumindest er sie liebte, darin war die Gescheite sich sicher. Es verunsicherte sie zugleich, weil der GROSSE MANN sie gewissermaßen unterschiedslos anbetete. Wenn seine Liebe alle Wahrnehmung löschte, dann war dies eine Art von Gleichgültigkeit. Wie soll sie in solchem Spiegel etwas erkunden? Zugleich war er ja wirklich gleichgültig, ja brutal ihr gegenüber, wenn er ohne Gerechtigkeit mit ihrer Mutter verfuhr, die doch zu ihr zählte. Wie kann einer lieben und das Liebste, was er hat, von dessen Liebstem abschneiden?

Mit den kargen Zuteilungen an Gerechtigkeit hätte sie leben können. Liebe, die sie mit Maria Callas oder dem Bruder zu teilen hatte, wollte sie nicht haben.

>»So hüte dich vor Schlangen /
>mit jenem Lustverlangen!«

Aufklärung als Schwert und Schild

Warum will einer aus der selbstverschuldeten Unmündigkeit, seiner Höhle, überhaupt einen Ausgang suchen? Draußen ist es kalt. Was heißt hinaus? Ist »draußen« der Geschäftsbetrieb, anvertraut vom Vater? Der TOTE MANN drängt. Dazu braucht sie ihre Verstandeskräfte, sie braucht sie, das Reich zu verteidigen. Sie legt eine Rüstung an. Ist es AUSGANG, wie sie die Sehschlitze im Helm dieser Rüstung schließt? Sie will nichts sehen. Lieber sieht sie mit den Augen anderer, läßt sich berichten. Sie läßt sich erzählen und raten. Sie ist ein gesellschaftlicher Mensch.[14]

Die Pläne des KGB

Eine Kreml-Astrologin aus Astrachan gab den entscheidenden Hinweis. Die psychologischen Schwächen der Onassis-Nachfolgerin waren von zuständiger Stelle rasch ermittelt. Merkwürdig, sagte Andropow, wie unsere Dienste, so funktionalistisch sie empfinden, unsentimental konstruktivistisch in ihrem Innern, soviel subtiles Unterscheidungsvermögen zusammentragen.[15]
Sie setzten Jurij Kirilenko, einen vaterländisch durchgebildeten Kundschafter, unter dem Namen Jerry Lesskow, in Paris auf die Erbin an. Wie es die Experten vorausgesehen hatten, arbeitete die junge dicke Frau dem Plan zu. Sie bediente sich nicht der Anleitung ihrer Sicherheitsleute zur Abwehr Lesskows. Die eigenen Verstandeskräfte lenkte sie ab »wie die Göttin den Pfeil des Diomedes«. Zu der Frage, wieviel sie an diesem Abend wert sei, ob sie einem Mann gefallen könne, sucht sie die Anleitung ihres Gegners. Lesskow beriet sie. Bald waren sie verlobt. Hochzeit in Buenos Aires.

---

14 In Gegenwart anderer vergißt sie, daß sie unglücklich ist. Vergeßlichkeit macht Mut.
15 Andropow, Vorsitzender des KGB, konnte sich stets zugleich als Gelehrter kritisch mit der von ihm befehligten Hierarchie auseinandersetzen.

Aus dem Agentenhandbuch[16]

Ziel der geheimdienstlichen Verführung ist die Rückkoppelung aller Sinne des Opfers in die Unmündigkeit. Für jeden Menschen ist die Unmündigkeit ein Grundzustand, von dem er »einst ausging«. Daraus sind die Regeln zu ermitteln, aus denen das Paar die Erlaubnis abliest, daß Intimität nunmehr gestattet ist (Liebe). Die Erlaubnisse führen in den paradiesischen Zustand vor Verlassen der Kinderzeit (Heimkehr). Ein direktes Vordringen ins Machtzentrum: zu den Akten, Bilanzen, Geschäftsgeheimnissen, die der Kundschafter sich verschaffen will, ist von dieser Position ausgeschlossen. Die Liebesmacht, die der Agent akkumuliert (Mehrwert), muß erst umgesetzt werden in Schwäche (Hilflosigkeit des Starken). Von dieser (der Geliebte ist in Not, er bekennt, Agent zu sein) führt der Weg zur INTIMITÄT ZWEITEN GRADES (Verstrickung). Von dieser Position aus sind die Ausgänge zum Machtzentrum nicht in gleicher Weise versperrt (Verführung). Dieser Weg in die gemeinsame Unmündigkeit ist auch für den Kundschafter gefährlich, er vermag sich seiner Liebesfähigkeit nicht ohne Leitung des anderen zu bedienen.[17]

Gegenaufklärung im Onassis-Apparat

Sicherheitschefs und Leibwächter der Flotte waren noch sämtlich vom Reeder ausgesucht. Sie sind verantwortlich für die Sicherheit der Tankerrouten, sie wahren die Geheimnisse der Zentrale, sie schützten den Eigentümer und jetzt ihre Königin.

Sie sehen, wie ein Agent ihre Herrin umgarnt. Auch sie verfügen über ein Handbuch. Sie warnen. Die Chefin hält sie für eifersüchtige Intriganten, sie will ihre Liebe schützen. Die Warner werden entlassen. Eine zweite Gruppe

16 Selbstverständlich ist die INTIME ERFAHRUNG DER GEHEIMDIENSTE, die Verführungskunst, nicht in Handbüchern niedergelegt. Auch nicht auf Computerbändern, die der Gegner kopieren kann. Erst die konkurrierenden Dienste, z.B. der dänische, der französische, der rumänische und die Dienste der USA (diese in puritanischer Rückkoppelung), legen Listen und Handbücher an, welche die Verführungspraxis des KGB spiegeln.

17 Er kann in solcher Intimsphäre nicht durch seinen Agentenführer geleitet werden. Die Geliebte, sein direktes Gegenüber, wird der Ratgeber sein. So hatte jeder der beiden sein Päckchen zu tragen. Lesskow besaß Gemütsvorräte aus dem warmherzigen Regime seiner südrussischen Herkunft. Die Tochter des Onassis zehrte von einer unersättlichen Gier, wie sie Personen mit starken Minderwertigkeitskomplexen auf der Schattenseite dieser Eigenschaft lebenslänglich generieren. Sie fühlte sich momentan als LIEBESKÖNIGIN.

dieser Sicherheitschefs versucht, Verführerinnen an Lesskow heranzubringen. Sie bringt »Angebote« in die Nähe ihrer Königin, die Verführungsversuche anstellen. So verletzlich Liebe ist, sie schützt sich, indem sie die Augen verschließt, auf nichts anderes als sich selbst hört (Mündigkeit der Liebe).[18]

Ein Dramenentwurf von Heiner Müller /
Dido – Äneas

Zu jener Zeit, ohne kausale Verknüpfung, aber die Zeitgeschichte besitzt Wellenform, und so sind oft nicht-kausal verknüpfte Erzählungen miteinander verwandt, hämmerte Heiner Müller nachts einen Dramenentwurf in seine Schreibmaschine. Er ging aus von einem Hinweis in Ovids *Metamorphosen*.
Der Agent Trojas, unglücksbeladen, hat die Königin von Karthago verführt. Im Schatten seiner Affäre hat er die Schiffe seiner gestrandeten Flotte neu ausgerüstet. Jetzt will er aufbrechen zu neuen Untaten. Er kann aus der Spur, die ihn aus der zerstörten Vaterstadt in die Ferne führte, nicht weichen. Die Toten treiben ihn.
So bringt er, was er nicht wollte, die schöne Königin um, und aus dem Schwung seiner Taten werden noch die Legionäre seiner Neugründung Rom die Elefanten der Dido 300 Jahre später töten; und die Stadt Didos, Karthago, wird Trümmerstück für Trümmerstück zu Sand zerlegt sein, ehe Rom endet.

> »Wild wie die Umarmung einer Totgeglaubten /
> Herzkönigin am Jüngsten Tag!«

Gespräch mit dem Genossen Andropow

In erster Linie Politbüro-Mitglied, dann Gelehrter. Erst in späterer Hinsicht ein erfahrener Überwacher von Geheimagenten. Selbst kein Kundschafter oder Kenner. Stets neugierig hinsichtlich des ihm Anvertrauten.

– Wie soll das gelingen, Genosse Hauptabteilungsleiter, daß im Ernstfall, also bei Kriegsausbruch, die emotionale Macht, die unser Kundschafter über die

---

18 Sie ist ein Gleichgewichtszustand. Er beruht auf der Erlaubnis, sich nicht zu schämen. Diese Erlaubnis ist leicht zu sperren. Nichts verwandelt sich so rasch in ein Verbot wie Liebesoffenheit. Darin liegt die Verletzlichkeit.

junge Eigentümerin der Tankerflotte besitzt, sich ummünzt zu unseren Gunsten? Er nützt seinen Einfluß und wäre enttarnt?
– Er muß sich offenbaren, Genosse Vorsitzender.
– Und seine Stellung, sagen Sie, ist so stark, die Partnerin ist derart gefesselt, daß sie, vor die Wahl gestellt, ihn zu verlieren, vielmehr: ihn in seiner Hilflosigkeit zwischen allen Fronten im Stich zu lassen (das scheint mir das Schwerere, wenn einer liebt, soweit ich das aus dem Lesen bürgerlicher Romane beurteilen kann) oder ihr Imperium in unseren Dienst zu stellen, nicht schwanken wird?
– Sie wird nicht schwanken.
– Wie oft haben Sie das ausprobiert?
– Bei der Tochter des Onassis noch nie.
– Bei anderen Frauen der Griechen?
– Auch nicht.
– Bei Eigentümerinnen dieses Ausmaßes?
– Auch nicht.
– Und woher sind Sie so sicher, wenn Sie Erfahrung nur auf der Ebene von Sekretärinnen besitzen?
– Weil es den Gesetzen der menschlichen Natur entspricht.
– Die Sie aus der Enzyklopädie kennen?
– Nein, aus Unterlagen des Apparats.
– Und die Gegenwirkung? Die Arbeit der Sicherheitsdienste der Onassis-Flotte? Auch der CIA, höre ich, beobachtet unser Paar aufmerksam. Es ist ihnen aufgefallen, daß Lesskow seiner Legende nach Russe ist (ich halte das übrigens für einen entwaffnenden Schachzug).
– Was sollen sie tun? Sie dringen in das Herz unseres Objekts nicht ein wie wir. Sie gaben stets nur »Anleitung« dort, wo das Herz nicht für sich selbst spricht.
– Ihr Wort in Gottes Ohr.
– Was meinen Sie mit Gott?
– Wäre Ihnen Götter lieber?
– Welche Götter, Genosse Vorsitzender?
– Dann sagen Sie »die Toten«.
– Welche Toten?
– Unsere »unsterblichen Opfer«. Sehen Sie, Genosse Hauptabteilungsleiter, das sind die Unbesiegbaren. Sie sprechen in unseren Herzen.[19]

---

19 Immanuel Kant, *Beantwortung der Frage: Was ist Aufklärung?* vom 5. Dezember 1784: »Ein Zeitalter kann sich nicht verbünden und darauf verschwören, das folgende in einen Zustand zu setzen, darin es ihm unmöglich werden muß, seine [. . .] Liebesfähigkeit zu erweitern [. . .]. Das wäre ein Verbrechen wider die menschliche Natur [. . .]«

Wie Lesskow dennoch
von der Seite seiner Geliebten entfernt wurde

Die Liebe träumt von ihrer absoluten Gewalt. Sie ist darauf aus, die Mittel zu steigern, um den Willen des Geliebten sich zu unterwerfen. Da sich aber (im Gegensatz zu Waffen oder Kapital) Liebe nicht stapeln oder konzentrieren läßt, teilten die Tochter des Onassis und ihr Mann ihre Allmacht längere Zeit miteinander, so daß nicht erkennbar war, wer der Schwächere und wer der Stärkere war, weil beide Eigenschaften Voraussetzung der absoluten Steigerung sind. In dieser Phase war Lesskow als Kundschafter gegen Angriffe Dritter geschützt, ja, er hatte die Erinnerung an seine Auftraggeber gelöscht, dachte nicht an Heimkehr und trug in seinem Herzen nichts, was ihn im Schlaf hätte verraten können. Er war kein Verräter.

Dann aber, heißt es weiter, tritt ein die GEGENWIRKUNG DER WIRKLICHEN VERHÄLTNISSE. Die Wahrscheinlichkeiten kehren zurück.[20] Ich wache auf, ein Fremder liegt neben mir. Die Tochter des Onassis schämte sich ihrer dicklichen Gestalt. Wie wenig wahrscheinlich im Lichte der morgendlichen Frühe, daß ihr Mann das nicht sah! Wollte er es nicht sehen? Verbarg er seine Gedanken vor ihr?

Gefühle sind punktuell, scharf abgegrenzt, nur schwer auszudrücken. Nur deshalb gelten sie als langsam oder wolkig.[21] Die Tochter des Onassis war nicht fähig, ohne Leitung eines anderen in ihren Gefühlen Gleichgewicht herzustellen. Sie beratschlagte mit Vertrauten, hatte nicht den Mut, Lesskow zu fragen. Der Kundschafter, der solche Vertrauten hier nicht besaß, sehnte sich nach Beratung. Das Verhältnis der beiden war nur gesichert, solange sie »Anleitung durch den anderen« und »Mündigkeit« strikt beieinander suchten. Sobald Dritte gefragt wurden, war die Beziehung in Gefahr.

Jetzt, heißt es weiter, traten die subjektiven Eigenschaften in den Vordergrund: Zweifel, Müdigkeit, plötzlicher Impuls, Zufall. Die merkwürdige Kette von Langzeiterinnerung, Hörensagen, Vorurteile, aus der Kette der Vorfahren ererbt, tritt an die Stelle des DIREKTEN BLICKS.

Diese Schwächephase jeder Liebesbeziehung hatten die Sicherheitsexperten der Onassis-Flotte abgewartet (die Entlassenen sprachen noch in sog. Nicht-

---

20 Carl von Clausewitz, *Vom Kriege*, 18. Auflage, Bonn 1993, S. 208: »... das gleich von vornherein ein Spiel von Möglichkeiten, Wahrscheinlichkeiten, Glück und Unglück hineinkommt, welches ... von allen Zweigen des menschlichen Tuns die Liebe dem Kartenspiel am nächsten stellt.«

21 A.a.O.: »... alle diese Richtungen der Seele suchen das Ungefähr, weil es ihr Element ist.«

Gesprächen mit ihren Amtsnachfolgern); britische, arabische und US-Geheimdienste halfen durch Rat. Eine Intrige genügte, eine gefälschte Notiz Lesskows, die eine Aufstellung von Nahrungsmitteln enthielt, die das Körpergewicht reduzieren helfen.

Sobald die Natter des Zweifels geschlüpft ist, verstärkt sie sich mit *ihren* Mitteln zur absoluten Gewalt. Ein weiter Weg in solchem Fall bis zur Gegenwirkung der wirklichen Verhältnisse (Warmherzigkeit, Großmut, Hautkontakt, Schlafbedürfnis, Vergessen und Verzeihen). Die Scheidung war rasch eingereicht, ehe noch die Tochter des Onassis meinte einen Entschluß gefaßt zu haben.

Jetzt war sie selbstverschuldet mündig und unglücklich

Lesskow war von den Auftraggebern, in der Annahme, er sei enttarnt, eilig zurückgeholt worden. Verzweifelt, weil ein großes Stück von ihm bei der Flottenkönigin zurückblieb, saß er unter Birken im Heimatland. Die Tochter des Onassis aber, triumphal von den Ihren wieder angeeignet, auch für jeden Kriegsfall, in steriler, durch Dritte nicht beeinflußbarer Kommandoposition, bekämpfte vergebens die Unglücksgewichte in ihrer Lebensführung. Verdauung, Lusthaushalt zerfielen. Ohne Leitung von Ärzten vermochten die aller Gier entrückte Haut, die unstimmigen Darmzotten, sich ihrer Verstandeskräfte nicht zu bedienen; denn die Verstandeskräfte liegen in jedem Teil des Menschenkörpers verstreut, so wie sie im Ganzen des Himmels und der Hölle offen zutage treten. So hat die Fußsohle ihren Verstand wie das Ohr. Und tief im Innern streiten das Zwerchfell und das Sitzfleisch kriegerisch, wessen Rat und Anleitung eingeholt werden soll, und dieser Streit der Eigenschaften (der »Fakultäten«), der den ewigen Krieg in sich trägt, zermürbte das Vermögen, das bißchen Eigentum, das der Tochter des Onassis vom Flottenerbe verblieb, sich ohne Anleitung anderer gegen Erosion und Zeitablauf zu verteidigen. Noch war das äußere Eigentum intakt. Sie sprach mehr zum toten Vater als zu ihrer Umgebung. Etwas in ihr fraß sie auf. Zuletzt gehörte sie selbst zu den Toten.[22]

22 Ohne ihre Sicherheitsdienste, in den Dienst des Verrats gestellt, wäre sie sicherer gewesen.

Die Fesselung des Mazepa

Mazepa, ein südrussischer Verführer aus dem 17. Jahrhundert, hat die Frau eines polnischen Adligen erobert. Von Schergen des Ehemannes aus Rache aufs Pferd gefesselt, wird er einem Todesritt ausgesetzt.[23] Das Pferd, das »blind und verzweifelt« den Gefesselten unter dem dunkelnden Himmel dahinträgt, wird von zweierlei Kräften mechanisch angetrieben: Auf seine Spur ist eine Meute von Wölfen angesetzt. Die raffinierte Fessel, die den Verführer auf den Rücken des Rosses schnürt, ist so eingerichtet, daß die durch den Schmerz ausgelösten reflexartigen Bewegungen des Gefesselten in den Körper des Pferdes einschneiden. Durch sein »sinnloses Zerren« peitscht »der Verstrickte« den Gaul.

> »Wohl trug ihn der Gaul vor der hetzenden Meute /
> Ihm riß er, je mehr seine Feinde er scheute /
> tiefer den Strick im Blut wässernden Leib.«[24]

Was hätte man eigentlich bei Ausbruch des 3. Weltkriegs mit der Flotte des Onassis für Rußland erreichen können? / Geringe Brauchbarkeit des Realen im Ernstfall

Der Hauptabteilungsleiter, flankiert von zwei Referenten, erläuterte an einer Wandtafel die ursprüngliche Planung: Tanker, führte er aus, fahren auf festen Routen, weil sie, sofern sie davon abweichen, auf Felsnadeln stoßen, die im Ozean versteckt sind; es ist unmöglich, sie alle zu kartographieren. Von arabischen Daus oder einem Segelboot kann man eine Panzerfaust auf einen Tanker abschießen, sie verwandelt das Schiff in eine lohende Fackel. In dem Moment, in welchem solche Tanker auf ein zentrales Funksignal hin im Bedrohungsfall ihren Kurs ändern und z. B. auf einen Hafen im Vaterland der Werktätigen zusteuern, werden sie vom Gegner geortet und vernichtet.

23 Dichtung von Lord Byron und Bert Brecht.
24 Wie kann einer sich eine solche Fesselung seines Gegners oder Feindes ausdenken? fragte Andropow. Das ist die Perversion des polnischen Adels, antwortete der Hauptabteilungsleiter. Klassenspezifisches Merkmal. Wurde der Held Mazepa gerettet? fragte Andropow, dem die Art der Bestrafung, vor allem die mechanisch hergestellte Verschärfung des Schmerzes für das Pferd, die vom Urheber nicht mehr beobachtet oder zurückgenommen werden konnte, zuwider war. Durch Zufall, antwortete der Hauptabteilungsleiter. Durch Ermüdung aller. Den Wölfen wurde es zuviel, das Pferd brach zusammen. Bauern fanden den Bewußtlosen. Der Hauptabteilungsleiter besuchte Volkshochschulkurse, in denen eine Gruppe der Kundschafter die Klassiker studierte.

Dem Hauptabteilungsleiter lag daran, Schadensbegrenzung zu betreiben. Er hatte die Absicht, den gescheiterten Plan als unattraktiv hinzustellen.

– Kann die Sowjetunion die Tanker nicht durch Flugzeuge oder Begleitschiffe sichern?
– Um diese Begleiter zusätzlich zur Zielscheibe zu machen?
– Schließlich wären auch die Angreifer ein Ziel.
– Das rasch auftaucht und sofort verschwindet. Es wäre kein Ziel mit einer vorhersehbaren Route.
– Sicher im Ernstfall ist nur das Verborgene?
– Und die Schiffe des Onassis lassen sich nicht verbergen.
– Insofern war es eine Illusion gewesen, ein auf einen phantasierten Vorteil gerichtetes Unterfangen, den edlen Lesskow auf die Tochter des Onassis anzusetzen? Wieviel Liebesvorhaben und kupplerische Pläne der großen Geheimdienste sind nur ein politischer Versuch, die MACHT DER LIEBE darzustellen? Oder die Macht der Apparate, das Können der Experten? Daß sie mit etwas so Riskantem umgehen können?
– Ja, Glücksspiel höchsten Orts. Das wird es gewesen sein.

Ein Nachmittag mit Maria Callas

In der Zeit ihrer 87. *Norma* am Teatro alla Scala di Milano befanden sich Nerven, Seele und Stimme der Maria Callas in Aufruhr. Sie war im Unfrieden von ihrem Geliebten geschieden, einem Reeder. Sie stand mit allen Menschen im Streit, an die sie gewöhnt war. Die Mißbilligung des Maestro und auch die des Regisseurs gegenüber ihren Allüren, mit denen sie sich in den Proben zu helfen suchte, spürte sie.
Woher die Konzentration nehmen, die Sammlung aller Kräfte auf den musikalischen Punkt? Überfließend der Wunsch, eine Gefährtin wie Adalgisa, eine Dienerin wie Clotilde im wirklichen Leben zu haben. Davon war nichts zu sehen. Wer aber kam als Pollione in Betracht, Grund für die Zärtlichkeit des Tons im Finale? Man braucht Vorräte von Aggression, um den Ton dieser Zärtlichkeit daraus zu gewinnen. Aggressiv war sie gegen O., wenn dieser abwesend war, sie vergeblich hinter ihm her telefonierte; sie verwechselte ihn aber nicht mit Pollione. Römischer Charakter war ihrem Geliebten fremd. In seiner Gegenwart war sie chancenlos, was das gemeinsame Liebesprojekt betraf, ja sie wurde ruhig, ja zärtlich, wenn sie an ihn *dachte*. Für die Rolle der Norma genügte ein solcher Erfahrungsrest nicht. Gleich zu Anfang der Ver-

zicht darauf, Adalgisa, die Rivalin, umzubringen. Äußerliches Merkmal der Amtsgewalt über Tod und Leben war die Sichel, die Norma stets mit sich trug. Was aber war Adalgisas Verbrechen? Daß die ehemalige Freundin es nicht erreicht hatte, sie, Norma, im Herzen des größenwahnsinnigen Römers erneut zu implantieren? Daß Adalgisa den gleichen Verführungskünsten (was war »gekonnt« oder »Kunst« an der Scharlatanerie des Legaten?) erlegen war wie sie selbst, Norma? Es reichte nicht für die Strafe des Opfertodes. Auch war die feindselige Primadonna, Sängerin der Adalgisa, die hinter der Maske des Schauspiels die Callas umlauerte, im wirklichen Leben von keinem Pollione verführt, ja, sie schien unfähig, verführt zu werden. Die Callas brachte nicht den Anfangszorn zustande, die Rasanz des Gefühls, um dann auf den Ton zu wechseln, in dem Norma auf die Rache an der Rivalin verzichtet. Eine Sängerin vom Format der Maria Callas ist nicht Bürokrat einer Partitur. Sie kann nicht ohne Grund singen. EMPÖREND im Sinn von »hinreichend hassenswert« scheint ihr in der Eile, die Probe beginnt nämlich in 10 Minuten, lediglich die Nachlässigkeit eines Mechanikers, der einen Schaden übersah, durch den ein Sportflugzeug bei Mailand abstürzte. Das erinnerte sie an Umstände, die den Tod des Sohnes ihres Geliebten verursachten. Welcher Schmerz für den geliebten, jetzt untreuen Mann! Das Gefühl ist ungerecht. Sie hat kein anderes zur Verfügung.[25]

Muß sie die Szene beginnen mit dem falschen Gefühl? Dem Haß auf einen leichtsinnigen Mechaniker, von dem sie nur gelesen hat und der sie an einen anderen Mechaniker erinnerte? Was bleibt ihr übrig, wenn es das einzige ist, was sie zur Verfügung hat?

Der Umschwung der Stimme vor 2. Akt, 3. Bild bringt der Callas erstmals den achtungsvollen Blick des Maestro, auch Blicke aus der ersten Reihe der Geiger. Wie aber soll sie (2. Akt, 1. Bild, wird zwei Stunden später geprobt) schlafende Kinder töten? Sie braucht das aggressive Anfangsgefühl, daß sie so etwas tun könnte, um es umzubauen in den rasanten Verzicht auf Mord, der die Stimme leise hält. Wen will sie überhaupt derzeit töten? Bis 16 Uhr nachmittags muß sie ein solches Motiv (und da sie drei verschiedene Gegner hat), drei davon in sich entdecken, oder sie wird versagen.

So kämpfte sich Maria Callas durch den Tag, der es streng mit ihr meinte.

---

25 Ungerecht deshalb, weil sie eigentlich den Geliebten, mit dem sie zerstritten ist, der sie nicht respektiert hat, mitleidlos hassen müßte. Das vermag sie nicht, nicht jetzt, im Moment, in dem sie die Aggression bräuchte. Sie ist Bankrotteur.

Glückskind

>»Sie schlafen beide . . . sie sehen
>nicht die Hand, die sie töten will«
>*Norma*

Sie kommt aus einem Bundesstaat im Mittleren Westen der USA. Wie glücklich wurde ihre Stimme bewahrt! Gesangslehrer umlauerten sie wie Wegelagerer, von denen jeder in der Lage gewesen wäre, ihre Stimme in irgendeines der »Fächer« einzureihen und zu verderben. Allen Nachstellungen war sie entkommen.

Herausforderung. Sie singt am bedeutendsten Opernhaus Deutschlands Bellinis Norma. Niemand vermag diese Partie zu singen, ohne der Konkurrenz der Maria Callas zu begegnen.

Am Tag vor der Generalprobe sind die Stimmbänder des Glückskindes erkrankt. Keinen Ton bringt sie hervor.

- Was ist am schneidenden Ton der Callas, ihren akrobatischen Mühen zwischen extrem tiefer und extrem hoher Lage so herrlich?
- Die Rasanz, die Leidenschaft.
- Was ist darunter zu verstehen?
- Sie trifft die Töne mit sagenhafter Sicherheit und entwickelt in ihrem Gesicht (auch im Körper) im Verlauf des Geschehens zunehmend Ausdruck, etwa im 2. Akt.
- Außerdem weiß man, daß die Sängerin der Adalgisa und sie, die Primadonna, bittere Feindinnen sind, so daß die Darstellung von femininer Solidarität, die in der Bühnenhandlung vorgespiegelt wird, abgründig erscheint, so wie eine Dressur von Panthern und Löwen, die, von verschiedenen Kontinenten kommend, einander stets nur mißverstehen können. Werden sie beißen? Man wartet auf ein Unglück.
- Ihre Schilderung ist ungerecht.
- Ja, aber was ist an der Darbietung der Maria Callas nicht angespannt? Auch der leiseste Tonansatz ist maniriert.
- Es ist Große Oper.
- Wie anders jetzt die US-Sängerin mit den gefährdeten Stimmbändern! In der Probe markiert sie. Dadurch von umwerfender Schönheit, daß sie nicht aussingt. Das Orchester zügelt sich wie horchend.
- Was nennen Sie daran schön?
- Es ist ohne Schema.
- Woher wollen Sie das wissen? Was nennen Sie »nicht-schematisch«?

– Von der Kinderstimme bis hierher zu den entzündeten Stimmbändern, einschließlich aller Ängste, aber vergeßlich schon am dritten Tag hinsichtlich der möglichen Schrecken, eine einzige Bahnung.
– So etwas hören Sie?
– Ich bilde es mir ein.
– Man hört aber doch gar nichts.
– Aber in der Generalprobe, in der sie aussang, da haben Sie es doch auch gehört?
– Angst, die ins Vergessen gerät?
– Das muß es gewesen sein. Mit Natur hatte es nichts zu tun.
– Mit Disziplin aber auch nicht.
– Nein.
– Wie würden Sie es dann nennen?
– Sie ist ein Glückskind.

Die Rolle der Norma paßte eigentlich nicht zu Sinn und Trachten der glücklichen Stimmbesitzerin, die sich auf den Ansatz in ihrer Kehle konzentrierte, ihre Luftreserve dosierte, die Positionierung der Stimme im Kopf suchte. Sie gab nie Interviews, weil sie nicht hätte erklären können, was sie tat.
NORMA, 2. Akt, 1. Bild. Das Innere von Normas Behausung. Auf der einen Seite ein von Bärenfellen bedecktes römisches Bett. Darauf die beiden Kinder Normas, schlafend. Norma tritt auf. Sie hält eine Lampe und einen Dolch in der Hand. Bleich und verstört.
Sklaven einer Stiefmutter, denkt sie, das darf nicht ihr Schicksal sein. »Sie sind Polliones Kinder, das ist ihr Verbrechen.« Sie will töten, um ihn, den Frevler, zu strafen.
Dieser Rigorismus hat den Römer, der mehrere Jahre der heimliche Geliebte der Druidin war und die Kinder zeugte, von ihrer Seite getrieben. Wie oft war er im Licht des hellen Mondes zu ihr geschlichen.
Jetzt ist erwiesen, daß er eine andere heiratete, daß er Norma verriet. Es tritt das Sakrileg hinzu, daß er eine Keltin, und zwar eine zur Keuschheit verpflichtete Druiden-Elevin, verführte. So hat er Norma, die Priesterin, doppelt betrogen. Hätte er sich nur nie um Norma bemüht, nur wenige Zeichen seines Interesses eingebracht, wie könnte sie den Ungetreuen dennoch lieben!
Anders als in früheren Mythen der Vorzeit berichtet wird, ist Norma die Ausführung des Rachefeldzugs unmöglich. Sie stößt nicht zu, wenn die Kinder schlafen. Sind sie erwacht, blicken sie Norma schläfrig an, ist es ihr ebenso unmöglich zuzustoßen.

– Ist Humanität eine Schwäche?

– Nein.
– Ist Norma, die Priesterin Galliens, überhaupt human?
– Bei Bellini?
– Ja.
– Es ist Gleichzeitigkeit der Gefühle, nicht Humanität.
– Was ist dann Humanität?
– Sie wurzelt in den Büchern, in einer vertrauenswürdigen Tradition. Normas Hinderungsgrund dagegen, der sie von Medea unterscheidet, die ihre Kinder metzelt, kommt aus verschiedenen Geländen der Leidenschaft.
– Die sich gegenseitig blockieren?
– Sie löschen einander.

Solche Interview-Antworten lagen der Sängerin nicht. Wenn sie den Journalisten antwortete, so fügte sie sich lediglich dem Dramaturgen und dem Intendanten, die sie darum baten. So sagte sie Texte auf, die in anderen Diskussionen entstanden waren, sprach über das, was auch im Programmheft stand. Die Pressevertreter hätten es aus diesem Programmheft exzerpieren können. Es gehörte aber zur Glaubwürdigkeit der Texte, daß die Sängerin selbst darüber sprach. Nur wer die Melodien Bellinis so brillant intonierte, war befugt, über den Sachverhalt zu berichten. So war der Fahrweg des Interesses gebahnt, der stets zum Vergleich mit der Callas hinführte, ein Vergleich, der in keiner Hinsicht paßte.

Wie man den nackten Fuß in einen Bergbach taucht und der Eindruck entsteht, so wie die Wasser rauschen, daß es mit der Menschheit noch nicht zu Ende ist, so ist der Sprung der Stimme vom tiefen A zum Hohen Es das Abbild einer *unwahrscheinlichen Konzentration*. Solche Konzentration vermag Unheil zu umgehen, ja vielleicht zu absorbieren und ist deshalb Quelle einer Alternative zur universalistischen Humanitas, die sich so schwer im rechten Augenblick in den unmittelbaren Kreis des Geschehens einführen läßt. Immer kommt der Humanist zu früh oder zu spät. Während die Intonation der Norma sekundensicher und vom Orchester begleitet abläuft, als lenke die Stimme ein Gott.

Ein deutscher Gelehrter in Persien

1

Sie fahren über das waldlose Gebirge, Stunde um Stunde. Aus einem Vortragssaal in Teheran in eine Hörsaalstätte im Süden. Eine gläubige Schiitin, Doktorandin, Kennerin westlicher Texte. Sie chauffiert den Gelehrten.
In der Oper von Teheran hat sie eine Aufführung gesehen, die Inszenierung eines westlichen Dramas. Auf den Dialog zwischen einer Priesterin eines klassischen Landes im Westen und einer zweiten Priesterin, im Range geringer,
spricht sie ihn an. Er kannte die Szene nicht. Sie will sie ihm erklären.
Das Besondere an einer solchen Fahrt ist die lange Zeit. Eine Fahrt durch eine
Steinwüste mit stattlichen Erhebungen, die ebenfalls aus Stein bestehen. Man
kann zu diesem Gelände nicht sagen: Berg und Tal. Es ist überhaupt eine
fremde Welt. Was zwischen dem Gelehrten und der Fahrerin sich ereignet,
kann man nicht Dialog nennen. Es geht um ein Nebeneinanderstellen von Vorstellungen. Die Fahrerin, offenkundig religiös-gläubig, stellt besondere Ansprüche an das praktische Verhalten in der Welt: ANSPRÜCHE, ÜBER DIE
SIE NICHT DISKUTIEREN WILL.
Nun ist der Philosoph bekannt dafür, das weiß auch die Doktorandin, daß er
keine Frage des praktischen Verhaltens in der Welt für undiskutierbar hält. Irgendeine Prozedur muß es geben, die auch die entlegenste Äußerung eines
Menschen mit einer fremden Mitteilung tauschbar macht. Andernfalls wären
nur Gewalt und Geld Kommunikatoren.
Nach zwei Stunden im hin- und herschaukelnden Kraftfahrzeug sind zwei Personen, die noch vier Stunden Fahrt vor sich haben, einander nicht mehr fremd.

2

Zwei Priesterinnen der Mondgöttin, die die Geschicke Galliens regiert, beide
der Keuschheit verpflichtet, werden nacheinander von einem römischen Ge-
walthaber in größter Geheimhaltung verführt. Die jüngste Verführte (aber was
heißt Verführte, wenn sie es ist, die ihn liebt) sucht Rat bei ihrer vorgesetzten
Druidin, Norma. Gibt es Rat in Fragen der Intimität? Gibt es Rat unter Riva-
linnen?
Wie gesagt, der Gelehrte kannte die Szene nicht. Offenbar ging es um ein religiöses Verbrechen (Keuschheit / heimliches Konkubinat), kombiniert mit einem Konflikt auf nationaler Ebene (gallische Patrioten / Römer), verknüpft

mit einem Fragenkreis auf dem Gebiet des Liebesverrats (erotische Treueschwüre, Unmöglichkeit, auf libidinösem Gebiet so etwas wie Verträge einzuhalten). Hierzu gab es Ausführungen in der *Kritischen Theorie* und im Werk
von Sigmund Freud; auch Hinweise in der Lebenserfahrung, in der literarischen Tradition des Westens (*Anna Karenina, Madame Bovary, Auf der Suche
nach der verlorenen Zeit*). Der Römer hat seine frühere Geliebte, mit der er
zwei Kinder gezeugt hat, so hört es der Philosoph, gegen eine Jüngere, Attrak-
tivere getauscht.

Das theokratische Regime hat die Werke des Gelehrten nicht gelesen. Andernfalls hätte es nicht erlaubt, daß er ins Land kommt. Insofern ist das Gastrecht
für den Gelehrten nur durch eine vereinzelte Fraktion verbürgt, die ihn eingeladen hat. Es zeigt sich, daß die junge Frau, die ihn chauffiert, mit einem Teil
ihres Gemüts den Orthodoxen zuneigt, mit einem anderen Teil den Reformern. Das Gemüt aber ist unteilbar; auch das Gastrecht. Dies ist zugleich das
Gastrecht für seine Gedanken. Sie hört ihm zu.[26]

3
Killing religion by kindness?

Die Doktorandin ist nicht ängstlich. Keinen Moment hat der Gelehrte den Eindruck, es sei möglich, sie in Kompromisse zu verwickeln. Dem Gelehrten imponiert das.

Was ist Glauben? Eine HALTUNG OHNE VERHANDLUNGSMÖG-
LICHKEIT. Ein schwieriges Gelände für den Aufklärer. Es muß ja möglich
bleiben, durch nagende Fragen einen jeden hermetischen Standpunkt in der
Welt allmählich aufzulösen. Irgendwann und irgendwo entsteht ein planeten-
weiter Fluß von Einsicht, der die Gedanken so brauchbar macht, wie es die
Waren sind. Werden Gedanken durch Freundlichkeit vermittelt? Muß sich ein
religiöser Mensch vor solcher Freundlichkeit fürchten, weil sie ihn zu Kom-
promissen veranlaßt? Güte ist nicht freundlich. Es steckt eine Härte in dem
Gedanken, daß Einsicht einem Gesetz folgt.

Draußen nach wie vor Steinwüste. Es fällt dem Gelehrten schwer, sich vorzustellen, wie oft Eroberungsvölker, Räuberstämme, zuvor die Mongolen, die
hier befindliche Zivilisation niederrissen. Was erkannte ein römischer Gesand-
ter des Crassus oder einer der Soldatenkaiser an den Höhen Persiens als ver-

---

26 Man wird den Fall *Norma* bei nicht-säkularisierter Religiosität (»Ernst muß Ernst bleiben«) anders analysieren als bei diskursiver Kompetenz (»Menschen dürfen nicht zum
   Opfer gemacht werden«).

traut? Die Gesprächspartnerin, sorgfältig bedacht, die Unebenheiten der Straße auszugleichen, versucht, dem Gelehrten, der längst den Pfad der Argumentation durchschaut, zu erklären, inwiefern freundliche Gespräche den ERNST DER RELIGION zerstören.

Eher Feuergötter

Der leichte Sinn des Römers, der Norma verführte, erweist sich als Oberfläche. Der Prätor geht mit Norma spontan in den Flammentod. Liebe muß brennen.

An diesem Punkt hatte der Gelehrte aus Europa den Eindruck, seine Chauffeurin sei nicht Schiitin, sondern Anhängerin des Feuertods, wie ihn Zarathustra verkündet.

Liebe muß brennen, wiederholte die Fahrerin, oder sie ist keine Liebe. Das gelte für jede historische oder wirkliche Station des Gefühls.

Dem Gelehrten war es, als erläutere die morgenländische Reisegefährtin ihm den Begriff der ENTFREMDUNG. »Der Ausgang aus der Entfremdung muß den gleichen Weg zurücklegen, der in die Entfremdung führte.« Ungläubig ist er, keineswegs aber ungläubig in Bezug auf Annahmen, die dem Konzept des Gemeinwesens zugrundeliegen. Wie Jules Michelet es beschreibt, entstand die Idee des Gemeinwesens in Frankreich, als sich eroberungskundige Franken mit römischen Sklavinnen verbanden; die Idee entstand in heißen Herzen und war später imstande, öffentliche Gewalt zu kühlen.

Dunkelheit brach herein. Die Scheinwerfer des Wagens stachen auf die Schotterstraße.

4

Es stellt sich heraus, daß beide Priesterinnen den gleichen Mann lieben. Diejenige, welche die oberste Druidin um Rat fragt, hat ein Verhältnis, das sie gar nicht haben darf. Es entsteht, gegen alle Psychologie, sagt die Perserin, zwischen den beiden Frauen, die eine betrogen, die andere bestätigt, ein *Einverständnis*, erklärbar nur aus dem Prinzip der FREUNDSCHAFT. Im Gefühlsüberschwang dieser Oper, berichtet die Perserin, leugnet die Konkurrentin, Adalgisa, ihre Liebe. Sie will sich sofort (aus Freundschaft zu Norma) ins römische Lager begeben, den Wert von Normas Charakter vor dem Römer, ihrem Geliebten, preisen. So sollen durch KOMMUNIKATION die Mittel gefunden werden, den entlaufenen Geliebten ins geheime Liebesnest der Druidin in den heiligen Wäldern Galliens zurückzuholen.

Der Gelehrte, im Fahrzeug durchgerüttelt, fragt: Wird das nach der Lebenserfahrung Erfolg haben? Was preist die Konkurrentin? Den charakterlichen Wert Normas? Was dem Verführer verlorenging? Das Mondlicht? Die Erinnerung an eine Einzelheit? Man weiß nicht, führt die persische Doktorandin aus, wie sich die Rivalin Normas in öffentlicher Ansprache ausdrückte. Sie steht vor einer römischen Versammlung, vor einem beschämten Prätor.

Der Philosoph versucht, sich in die Situation, die er nicht kennt, hineinzuversetzen. Er spürt, daß die persische Reisegenossin ihn nicht nach Liebesdingen fragt, sondern nach Kernstücken seiner Kommunikationstheorie.

Darf man ein Liebesverhältnis unter die Sanktion der Todesstrafe stellen?

Die aus Freundschaft absolut verpflichtete Adalgisa stellt sich, nach dem Mißerfolg ihres Vortrags vor dem römischen Prätor, im heiligen Wald den Priestern; sie ist bereit, die Todesstrafe zu erleiden. Es kommt die Nachricht, daß ein römischer Stoßtrupp, darunter der Prätor, von gallischen Wachen bei dem Versuch gefangen wurde, die Närrin Adalgisa zu befreien.

Wenn ich die Geschichte von Bellinis Oper richtig verstanden habe, fuhr der Gelehrte fort, so wird sie auf dem Hintergrund eines Zerfallsprozesses des religiösen Prinzips verhandelt (gallischer Glauben gilt nicht im 19. Jahrhundert), und auf der Basis einer skeptischen Stufe des Nationalstolzes (Frankreich würde sich zwar niemals Preußen unterordnen, dem allgemeineren Rom dagegen ohne weiteres, z. B. römischen Verträgen); zugleich geht es um einen Triumph der Spontaneität in der Liebe. Es ist nicht ausgeschlossen, daß sich spontan leidenschaftliche Hautkontakte und Obsessionen in Freundschaft verwandeln können.

Das war nicht die Deutung des Geschehens durch die Schiitin. Hatte sie den Gelehrten mißverstanden? Freundschaft kürzt sich nicht gegen Leidenschaft, erwiderte sie; Leidenschaft kürzt sich nicht gegen Schuld.

Vernichtung von Emotion

Liebe schlägt religiöses Gebot. Religion schlägt zurück, erzwingt Opfertod.[27] Die persische Doktorandin am Steuer spricht von einer Verwahrlosungstendenz in der westlichen Literatur. Der Philosoph versucht einzuschränken: im Genre der italienischen Oper. Nein, widerspricht die Doktorandin, die zynische Aufrechnung jeglicher Werte, sodaß sie einander gegenseitig vernichten, das sei westlicher Fundamentalismus. Nichts gelte ohne Tausch. Es gelte Tauschzwang. Religion aber tausche nicht.

Wie man sich dann die Lösung eines Konflikts vorstellen könne, fragt der Gelehrte. Es gäbe doch die Ablösung religiöser Zeitalter, hoffentlich auch der nationalen, und es gelte ein Grundprinzip der Differenzierung, mit deren Hilfe sich Wertordnungen neu bildeten.

Das glaube sie nicht, antwortete die Chauffeurin. Auf was gestützt glaube sie das nicht? Die Perserin schwieg verblüfft. Auf gar nichts gestützt als auf das, was ich glaube. Es sei absurd, sich zur Bestätigung des eigenen Glaubens auf irgendetwas Drittes zu stützen, fuhr sie fort, Aufklärung bestehe darin, sich seines Glaubens ohne Leitung eines anderen zu bedienen. Andernfalls sei der Glaube unmündig. »Mündiger Glaube«, das scheint dem Gelehrten eine interessante Verkehrung. Der langjährigen Liebe der Norma, das hatte die Perserin ihm berichtet, waren zwei Kinder entsprossen. Trotz Wut vermochte Norma sie nicht zu töten (wie Medea es einst tat). Hier liege, meinte der Gelehrte, bei Bellini ein Unterschied zur traditionellen Religion. Die eine Emotion halte vor Vernichtung einer anderen inne.

5
Müde bin ich, geh zur Ruh

Geschützt im Knochenbau des Schädels: das Gehirn, rastlos tätig; um den verletzbaren Körper des Menschen herum, der schon sechs Stunden im Kraftfahrzeug durchgerüttelt wird, eine solide Hülle aus Blech, die ihn von der Hitze des Landes trennt. Unsichtbar das Gastrecht des Landes; ein prekärer Schutz.

Der Gelehrte ist schläfrig. Wie soll man die grundlegende Annahme, daß alles

---

27 Die Kette der Verwirrung ist lang: sie beginnt im Herzen Normas, die sich verletzt fühlt, und führt zum Massaker der Gallier an den Römern; diese werden den Aufstand an den Galliern rächen.

und jegliches im Inneren der Menschen und im Äußeren des Globus dem Friedensschluß, d. h. der Diskussion offensteht, aufrechterhalten über sieben Stunden von Teheran bis Isfahan? Irgendwann, wenn die Nacht hereinbricht, ermüdet der Kampfeswille, der Ursprung der Aufklärung. Im Umkreis von 4000 Meilen um Teheran finden sich ein Drittel der Weltprobleme, zwei Drittel des Erdöls, etwa die Hälfte des Reichtums, zwei Drittel der Armut in der Welt. Zu jedem Zeitpunkt können die USA auf diesem Tableau der Geschehnisse, auf die von Norden her Persien blickt, Verwirrung stiften. Das wäre für die Enkel verheerend. Der Gelehrte ist beunruhigt. Hat die Säkularisierung nur eine Chance, wenn die Völker müde werden? Oder zeigt die geduldige Reaktion der Schiitin, die das Steuer führt, daß es eine zweite Sorte der Säkularisierung gibt, nicht von bestechlichen deutschen Fürsten gestaltet, nicht in Form der Enteignung der Priester in Frankreich 1791, sondern entwickelt aus der Ernsthaftigkeit des Ideals, wie es global verbreitet ist und als WIND DER GESCHICHTE alle Geschehnisse durchweht?

Im Moment der Müdigkeit zerstückelt sich das Vorstellungsvermögen. Es ist Zeit, die Einzelteile zu betrachten.

Wie soll der Philosoph, in durchschaukeltem Zustand, der Doktorandin Ernsthaftigkeit als gemeinsame Währung, das Fragment von Walter Benjamins *Kapitalismus als Religion*, nur acht Seiten lang, erläutern? Es enthält den Kern einer neuen Säkularisierung. Zugleich achtet es den Umstand, daß Religion durch Rhetorik in nichts zu beeinflussen ist. Rhetorik ist aber auch nicht das Mittel des Gelehrten. Was heißt Kommunikation? Gewiß nicht nur Rede.

Unterwegs zum Styx

[Einar Schleef gewidmet]

Da geht er hin. Um Lende und Rücken eine Art Rucksack. Man trug solche Behälter 1945, wenn einer heimkam. So geht er aus der Probe davon, am Fluß entlang, geht auf einem Fahrradweg dahin. Er kam nicht wieder zurück. Den Schlenkergang, der ihm eigen war, den kannte ich gut. Nie schritt er anders dahin als so, nicht unter den Blicken anderer, noch ohne diese Blicke. Wie wir später erfuhren, ging er zu einer Routineuntersuchung ins Bezirkskrankenhaus. Nach zehn Tagen erfuhr eine erschütterte Welt von seinem Tod. Das war insofern übertrieben, als zwar alle Sender, auch die Tagesschau der ARD, mehrere Tage nach seinem Tod Bericht erstatteten, aber zu wenige ihn wirklich kannten. So reichte es zur Erschütterung bei der Mehrzahl der Konsumenten nicht. Der Davonschreitende wäre empört gewesen.[28]

Kurve des Schicksals

1
Konflikt der zornigen Männer

Ödipus erschlägt seinen Vater, ohne es zu wissen. Auf dem »Freiweg«, d. h. der Kreuzung dreier Wege, berichtet Ödipus, sei ihm ein Wagen mit Begleitung begegnet, auf dem ein alter Mann fuhr. Dieser und ein vorausgehender Herold hätten ihn rüde aus dem Weg drängen wollen, da habe er, Ödipus, den Wagenlenker, der ihn abdrängte, aus Zorn erschlagen. Daraufhin habe der alte Mann auf dem Wagen den Moment abgepaßt, in dem Ödipus den Wagen passieren mußte und habe ihn von dort oben mit einem Stachel auf den Kopf geschlagen. Die Strafe für den alten Mann, sei ihm, fuhr Ödipus fort, »ausgerutscht«, d. h. sie sei unangemessen ausgefallen. Er habe mit seinem Stock den Alten so geschlagen, daß dieser rücklings vom Wagen gestürzt sei. Dort habe er tot gelegen. Dann habe er, Ödipus, alle übrigen erschlagen.
Nach diesem Bericht war Ödipus der erste, der zuschlug. Der Wagenzug aber war das erste, was ihn provozierte. Daß Ödipus seinen Vater erschlagen würde, war durch den delphischen Gott vorhergesehen worden. Deshalb war Ödipus ja als Kind in die Ferne gebracht worden.

2
Maßverhältnisse des Möglichkeitssinns

Eine Chance, Unheil von Theben abzuwenden, hätte darin bestanden, daß der Seher Teiresias, der ja nicht nur das Wort des Gottes in Delphi interpretierte, sondern auch die Pfade aller anderen Götter verfolgte, das Orakel anders gedeutet hätte. Lügen durfte Teiresias nicht (dann hätte er die Seherschaft verloren), auch beschönigen konnte er nicht, da das Orakel besagte, der dem König

---

28 Noch immer sehe ich ihn davonschreiten. Die Umhängetasche aus Wolle besaß Zotteln, ähnelte aber auch jenen Schläuchen, die Infanteristen der Roten Armee zu Anfang des Krieges um Schulter und Lende trugen, um jederzeit Flüsse überwinden zu können.

geborene Sohn Ödipus werde den Vater Laios töten. Erstaunt aber durfte er sein über die Vielfalt der Möglichkeiten, die nicht ausschlossen, daß König Laios stürbe, bevor die Hand des Sohnes ihn hätte erreichen können. Ein vom Dach herabfallender Ziegelstein konnte ihn umbringen, ein Fernreisender mit unbekannter Waffe, ja ein Gelähmter, ein Fußkranker, der sich nicht rasch genug aus dem Weg bewegte, konnte den König mit einer tödlich ansteckenden Krankheit infizieren, ehe der Sohn Ödipus überhaupt aufgewachsen und stark genug wäre, dem König gefährlich zu werden. Alles das war möglich und hätte den Schicksalsdruck von Laios und dem Söhnchen genommen. Ödipus wäre glücklich in der Nähe der Mutter herangewachsen und hätte das Geschick heranwachsend überholt.

Die andere, für Theben ebenfalls günstige Möglichkeit hätte in allseitiger Grausamkeit bestanden. Gestützt auf die Worte des Teiresias wäre der Säugling Ödipus öffentlich umgebracht worden. Die erzürnte Mutter wäre eingesperrt (und vielleicht später aus dem Käfig wieder hervorgeholt) worden. Das Echo des Mordes wäre in der Zeit verklungen und keine der Kausalketten hätte so klirrend, wie es dann geschah, den Selbstbehauptungswillen des Königs mit der Gutmütigkeit des Dieners, der Ödipus schonte, verknüpft. Dieser Diener entschied vieles; ohne Zeugen und ohne zu wissen, was er bewirkte.

3
Kommentar zu Antigone

Eine eigensinnige Person des alten Adels (wenn man in der Zeit etwas zurückgeht, zeigt sich: ihr Geschlecht bringt Unglück für Theben). Älter geworden, wäre sie eine zänkische Alte gewesen.

Andererseits dieser beliebte Friedensbringer, der Vermittler Kreon. Bewaffnet mit dem Ausdruck der Entschlossenheit, vorsichtig in der Ausübung der Macht, erfahren im Umgang mit lateralisierten Gedanken. Er konnte Empfindungen nebeneinanderstellen; sich neutral verhalten.

Wieso der Chor in Sophokles Tragödie dem Kreon ausgerechnet die Gesinnung abspricht, schreibt Plümacher, ist unerfindlich. Er ist von sich aus ein besonnener Herrscher, der lediglich so tut, als verfüge er außerdem über Brutalität, nur deshalb, weil die Volksmeinung gewalttätige Durchsetzungskraft zu den Attributen eines Herrschers zählt.

Hätte doch Antigone dem Kreon diesen SCHEIN ZWEIER EIGENSCHAFTEN gelassen. Sie hätte dann der heimlichen Wegschaffung des Angreifers Polyneikes zugestimmt. Der Bruder wäre gewiß, verabredungsgemäß, später beerdigt worden. Das öffentliche Zeichen wäre gesetzt: eine Tabuverletzung (Angriffstat des Polyneikes gegen den Bruder Eteokles, die den Frieden verletzte) wird gesühnt durch eine weitere Tabuverletzung (der Angreifer wird nicht beerdigt). Das sahen alle Berater so. Die arrogante Königstochter aber, Antigone, vertraute ausschließlich auf das EIGENE URTEIL. Wenn doch schon Vater (Ödipus), Großvater (Laios) und alle Vorfahren aus eigenem Urteil irrten, unberaten von Göttern. Sie waren es, die die Gebote der Götter fortlaufend verletzten. Das sollte aufhören. Und ist ein so besserwisserisches Programm wie das seine einmal angelaufen, kann Kreon es nicht aufhalten. Nichts schlimmer als ein angefangener, dann liegengebliebener guter Plan. Kreon wird vom Chor mit sinnlosen Ratschlägen begleitet. Er wird Antigone verhaften lassen und sie in einer Grabkammer lebendig einmauern. Der eigene Sohn wird ihr in den Tod folgen, in die gleiche Grabkammer. So sieht der ohnmächtige Herrscher auf Theben hin: Der Ruhm über die Jahrtausende gehört von nun an der schrulligen Prinzessin, die altes Recht gegen den Versuch des neuen verteidigt. Die Frage, was hier der Götter Gebot ist, bleibt unlösbar verknotet. Es kann doch wohl nicht, schreibt der Biograph Kreons, E. Plümacher/Sachsen, darauf ankommen, der rückständigen Antigone zur Herrschaft zu verhelfen? Indem sie ungesühnt alle Autorität des Kreon demontiert?

– Durch die Staubkörner, die sie über die Leiche des Polyneikes streut?
– Symbolisch. Es ist alles schon viel zu spät. Nichts ist mehr wirklich.
– Das Verhängnis steckt im Vergangenen?
– Antigone, gepanzert, hätte sich zwischen die Brüder werfen und sie trennen müssen, ehe sie einander töteten. Das wäre Praxis.
– Hätte sie das denn gekonnt?
– Selbstverständlich. Sie ähnelte eher einem athletischen Knaben. Mit der gleichen Findigkeit, mit der sie, in Gegenwart von Denunzianten, den Leichnam mit Erdkrumen bestreut, hätte sie kämpfen können.
– Sie finden sie »findig«? Nicht »bedingungslos der Moralität ergeben«?
– Das ganze Schreckensgeschlecht des Ödipus ist findig.
– Und Ödipus ist blind?
– Nachdem er sich die Augen selbst ausgestochen hat.
– Ist das keine Verletzung des Gebots der Götter?
– Und was für eine Verletzung! Die eigenen Augen sind anvertrautes Gut. Mit ihren gut ausgebildeten Augen sah Antigone, mit ihrem findigen INNEREN AUGE, das den Vater nach Kolonos geführt hatte, den Bürgerkrieg in Theben kommen. Mit der gleichen Kraft, von Hegel bewundert, ähnlich an

Ahnungsvermögen der Jeanne d'Arc, hätte sie jetzt rüsten müssen, zusammen mit Gefährtinnen oder loyalen Knechten, die Brüder zu zähmen. Mit einer Horde bewaffneter Frauen hätte sie selbst zwischen den Heeren der Brüder ein Lager errichtet und schon durch ihre Anwesenheit Mord und Bürgerkrieg verhindert!

– So das Gebot der Götter?
– So oder so ähnlich. Das Orakel hätte so geantwortet, wenn sie gefragt hätte. Sie unterließ es, das Orakel zu befragen.
– Ohne Bürgerkrieg kein Kreon?
– Vielleicht eine friedliche Teilung des Landes.
– Antigone wäre ohne Ruhm?
– Und Theben ohne weiteren Mord.
– Haimon und Antigone hätten heiraten können?
– Keine Schwierigkeit. Ein solches Glück will erkämpft sein.
– Produziert das Glück, wie der Chor sagt, die Götter?
– Nein. Nur Chancen.
– Die man am Schopf ergreifen muß?
– Und das in den Morgenstunden des Geschehens!
– Lebendig eingemauert werden wie Antigone – ein grauenhafter Tod.
– Kann sich bis zu 52 Stunden hinziehen.
– Sie findet Haimon, ihren Verlobten, Sohn des Kreon, in der Grabkammer schon vor?
– Auf ewig vereint. König Kreon erfährt erst 14 Tage später von dem Unfall. Er hat seinen Sohn in Theben und Umland überall suchen lassen.
– Und wie fanden sie ihn im Grab, das doch auf Dauer verschlossen ist?
– Dem König kamen Bedenken. Im Sinne der Götter war die Einmauerung der Antigone keine ordnungsgemäße Beerdigung, er hatte sich in die Kritik Antigones eingefühlt.
– Insofern eine einflußreiche mächtige Person, diese Frau. Was überzeugt so an ihrer Tat?
– Die Überzeugungskraft gehört, wie ich schon sagte, an eine frühere Stelle. Sie hätte die *Brüder* überzeugen müssen.
– Menschen müssen, besagt das Drama, ihre Seherschaft, ihr Ahnungsvermögen verstärken?
– Andernfalls taugt alle Sensibilität nichts.
– Praktisch denken Sie wie Kreon, Herr Plümacher?
– Der war ja nicht praktisch.
– Ist das nach Hegel ein Zwei-Personen-Drama?
– Ja. Und als solches fehlbesetzt.

Tod eines guten Königs von Frankreich

1
Ein Mensch ist tot, wenn man ihn aufgibt

Ein Splitter der Lanze des Grafen von Montgomery drang in das Auge des Königs und blieb dort stecken. Der König sank augenblicklich vom Pferd. Einer der Kampfrichter, die Knechte eilten zum König. »Sie erschraken sehr, ihn so verletzt zu finden, aber der König war sehr ruhig.« Er sagte, es sei nicht der Rede wert und er verzeihe dem Grafen von Montgomery.

So wie der König dalag, machte er noch etwas her, obwohl alle bereits von einem »bestürzenden Unglück« sprachen. Sie wußten, daß es sich um etwas Endgültiges handelte.

2
»Als der König zu Bett gebracht worden war und Chirurgen ihn untersucht hatten, fanden sie seine Wunde sehr bedenklich.«

Man brachte den König, so wie er gerüstet dalag, in Sicherheit, d.h. zum Louvre, bettete ihn im Schlafraum. Sie nahmen vorsichtig Helm und Visier vom Kopf. Das Stück gebrochener Lanze ragte wie ein Horn aus dem Kopf hervor. Der König machte eine resignierte Geste, warf die Hände auf die Zudecke. Es schien, als hätte aller Geist ihn verlassen. Er antwortete nicht mehr. Man versuchte, ihn zu einer Äußerung zu veranlassen.

Von den Ärzten wagte keiner, den Stachel aus dem Auge zu ziehen. Man wußte nicht, ob er nicht bis ins Hirn ragte. Ein Lanzensplitter läßt sich, der Abmessung nach, nicht schätzen.

– Der König kann nicht mit diesem Horn herumlaufen, selbst wenn es einwächst.
– Es wächst nicht ein, da die Körpersäfte sich wehren.
– Wie Sie meinen.

Die Ärzte, die Verwandtschaft des Königs warteten. Lange Zeit blieben sie passiv.

– Wollen Sie das Stück Fremdkörper nicht lieber doch entfernen?
– Ausbrennen?

– Auf dem Gesicht des Königs mit Brandmitteln hantieren?
– Und dann mit Essig beträufeln und langsam das Reststück herausziehen?
– Als sei es ein Zahn?

Boten eilten nach Brüssel. Dort hielt sich der König von Spanien auf. Dieser sandte seinen Arzt, einen Mann von großem Ruf. Dieser Leibarzt des Königs von Spanien hielt den Zustand des französischen Königs für hoffnungslos. Der Hof war in den Vorzimmern versammelt. Am siebten Tag sahen die Ärzte die Verletzung des Königs als so ernst an, daß sie ihn aufgaben. Der König »ertrug die Gewißheit seines Todes mit einer ungewöhnlichen Fassung«. Die Zeit wurde ihm lang. Später setzte das Hirnfieber ihm zu. Nach seinem Tod, heißt es, war nichts wie zuvor.

3
Wann stirbt ein Mensch?

Wann hatten die Getreuen des Königs ihren Herrn verloren? Starb er, als sie die Hoffnung auf seine Genesung aufgaben oder als das Herz des Königs stillstand?

– Das letztere. Das, was noch eine kurze Zeit auf seinen Tod wartete, das Wrack, war kein König mehr.
– Sie sind Arzt und Historiker. Für den historischen Todeszeitpunkt müssen Sie als Arzt sagen, daß der König zunächst noch nicht tot war. Als Historiker müssen Sie zugestehen, daß jeder, der sich am Leib des sterbenden Königs vergriffen hätte, z. B. ihm eine Decke auf die Nase gelegt oder sonstwie den Tod beschleunigt hätte, hingerichtet worden wäre.
– Mit Sicherheit. Die Autorität des Königs lebte. Bei dem Körper würde ich nach historischem Verständnis der Zeit nicht von »leben« sprechen. Der Kopf, mit einer unförmigen, aus der Stirn herausragenden Stange, war nicht der eines Königs.
– Wann stirbt ein Mensch?
– Wenn er wie ein Monstrum aussieht.

4
John v. Neumann, aufgegeben von seiner Umgebung, noch bevor er physisch starb

Von der Diagnose der »Riesentumorzelle im linken Schlüsselbein« bis zu seinem Tod blieben dem großen Mathematiker John v. Neumann 18 Monate. Zuletzt schädigten die Metastasen sein Gehirn. Der Schnelldenker wurde langsam, seine Aussagen wurden brüchig. Noch immer lagen neben dem Bett Schriften, Bücher, Zettel. Schweigen mochte er nicht. Nachts telefonierte er, solange er das vermochte.

Die Armeeführung hatte eine militärische Wache in seinem Zimmer aufgestellt. Der Soldat saß in Türnähe. Es hieß, der Kranke rede im Schlaf. Es wurde befürchtet, daß er militärische Geheimnisse ausplauderte. Von Neumann sprach jedoch, wenn er im Traum halluzinierte ungarisch, eine Sprache, die der wachhabende Soldat nicht verstand. Er wollte den berühmten Schlafenden auch nicht wecken und entschied sich, den Zugang zum Raum im WALTER-REED-HOSPITAL für Schwestern und Ärzte zu sperren.

Es hieß, der große Mann, der so vieles wußte, habe nicht gewußt, »wie man stirbt«. Der Körper sperrte sich monatelang, aufzugeben. Sobald Ärzte und Hierarchen den Zustand v. Neumanns für hoffnungslos erklärt hatten, war er für sie so gut wie schon gestorben. Nur Angehörige und wenige Freunde hielten Kontakt, der mangels Reaktion des Kranken einseitig blieb. Der Troß der Verehrer stieß erst auf dem Friedhof wieder zu ihm.

Warencharakter von Liebe, Theorie und Revolution

Unwahrscheinlich, daß ausgerechnet die Liebe, welche die Intimität, unser Wichtigstes, reguliert, in der PERIODE DES KAPITALISMUS nicht vom Kapitalismus ergriffen sein soll. So der westliche Besucher zu Volkskommissar Trotzki. Der schüttelte den Kopf. Das Problem sei kein Tagesordnungspunkt für das Politbüro. Das Thema setzte ruhige Zeiten voraus, in denen für Diskussion Zeit bleibe.

Der westliche Besucher hatte in einem Korbstuhl in der Küche Platz genommen. Die Küche grenzte an die Telefonzentrale. Das dicke Mauerwerk des Kreml ließ Umbauten nicht zu. Kapitalismus habe ja nicht unbedingt mit Geld zu tun, fuhr der westliche Besucher fort. Als Autor besaß er einen Rang, so daß Trotzki ihm notgedrungen zuhörte; daraufhin hörten auch die sieben Helfer Trotzkis zu. Die Elementarform sei bekanntlich die Ware, fuhr der Besucher fort. Sie zeige eine quasi theologische Wandlungsfähigkeit. Im Sack Getreide sehe ich den Splitter eines Diamanten, den ich dafür eintausche, den Teil eines Hauses, eine Schule, ein Stück Wald oder Gold, ich sehe die Augen eines Bettlers usf. Wieso das für Liebesbeziehungen anders sei? In fortgeschrittenen industriellen Gesellschaften werde der Warentausch durch Glückssuche gespeist. Bei Liebes- und Haßwaren sei dies aber mit der Bedingung verknüpft, daß die Waren nur verdeckt, wie unter einem schwarzen Tuch (oder unter dem Tisch), gehandelt werden könnten. In 15 Minuten begann die Sitzung der Volkskommissare im Stockwerk unter der Küche.

Die letztere Bedingung »wie unter einem schwarzen Tuch« sei ihm in Rußland schon oft aufgefallen, entgegnete Trotzki. Zwischen den Geschlechtern werde offen überhaupt nicht ausgetauscht. Sie koexistieren feindselig und mißtrauisch, dies sei das Problem des Kontinents.

Eine solche Frage könne man nicht dilatorisch behandeln, fuhr der westliche Besucher fort. Er hatte die lange Reise hierher angetreten, war für Wartezeiten geeicht. Das verführte ihn zu der Annahme, daß auch hier, im Zentrum der Macht, Muße herrsche, nämlich die Zeit, Gedanken in ruhiger Weise vorzutragen, abzuwägen. Die ungelöste Blockade zwischen den Geschlechtern, meinte er, verhindere den Fortschritt Rußlands seit 400 Jahren. Die Sowjetmacht habe das Problem ererbt, es sei fahrlässig, dies nicht analytisch zu durchdringen, wenn doch die Theorie dazu vorhanden sei.

– Die Marxsche Theorie?
– Genau die.
– In psychoanalytischer Deutung?
– Daraufhin wandelt sie sich. Auch die Theorien haben den Warencharakter, die Metamorphose, als ihre Elementarform.
– Unter schwarzen Tüchern?

Nein, für Theorie gelte das überhaupt nicht. Kein verdeckter Tausch. Theorie schämt sich nicht, im Gegenteil. Die Tauschfähigkeit der Theorie, ihr permanenter Gestaltwechsel, ihr gesellschaftlicher Charakter (Chamäleoncharakter), sei deutlich leichter zu handhaben als die PERMANENTE REVOLUTION. Das mache Theorie zu einer öffentlichen Lustbarkeit. Jetzt mußte der Pulk der sieben Helfer mit Trotzki endgültig nach unten.

Sitz der Seele

Eine Agrarökonomin aus dem Gebiet westlich Stawropol, die ihr Studium an der Humboldt-Universität fortsetzte (das Geld für den Unterhalt erwirbt sie in einem Etablissement in Wedding), beharrte darauf, daß Liebe als Arbeitsgegenstand für zivilisierte Menschen ihren Sitz nicht im Inneren der Einzelnen habe, sondern das Netz ist, das zwischen Menschen, die Liebesbeziehungen miteinander austragen, zwangsläufig entsteht. Dieses Netz ist immer reicher als das, was zwei Menschen, die von sich sagen, sie lieben einander, an Absichten haben. Es tritt ja Liebe zu den Eltern, Liebe zu den Hoffnungshorizonten, Zuneigung zu vertrauten Orten hinzu. Ja, der aufgefangene Blick eines Passanten kann einen Zuschuß leisten, alles dies muß der andere gar nicht teilen und wissen.[29]

An diesem LEBEWESEN LIEBE, vergleichbar einem Tier, das sich zwischen Liebenden ausspannt, kann einer oder können beide (oder als Kuppler und Freunde Dritte) Arbeit, nämlich stoffverändernde Tätigkeit, leisten. Das gleiche gilt, behauptet Ljuba W., nicht für die nach innen gerichtete *einsame Aktivität* von Liebenden. Ljuba vergleicht diese eher grüblerische Beschäftigungsart (unter der russischen Bezeichnung Liebesarbeit) mit der WERKSTATT EINES ALCHIMISTEN. Sie sei vorindustriell. Als würden Vorräte an Giften und Heilstoffen gesammelt. Aber werde der andere davon trinken? Die Gabe überhaupt annehmen?

So könnten zwei Menschen, schreibt Ljuba, ein Leben lang nebeneinander Innerlichkeit produzieren, ohne irgendeine Stoffveränderung (Reparatur, Anpassung, Wechsel des Aggregatzustandes) ihrer Beziehung zu erreichen. Insofern enthält Einsiedelei in der Liebe keine zivilisatorische Chance, behauptet Ljuba.

29 Unterhalt und Kosten des Studiums kann Ljuba W. nicht mit ihren Fertigkeiten als Agrarökonomin verdienen, sondern nur durch Hergabe des Körpers. Wobei sie allerdings die gleiche Gebühr erzielt, wenn sie einem Kunden für Seelenberatung zur Verfügung steht oder einem Journalisten aus der Praxis ihres Handwerks in Wedding exklusiv Auskünfte gibt. Bei dieser Lohnarbeit geht es stets um Einheiten von zwei Stunden.

Schwund

Acht Stunden intensiver gedanklicher Anspannung, d. h. drei Tage seines Lebens, da er ja nicht ausschließlich arbeiten konnte, widmete der Philosoph Max Horkheimer einem Redeentwurf, den er für den deutschen Bundespräsidenten Theodor Heuss verfaßte. Damals war Horkheimer schon geizig in Bezug auf die Zeit, die ihm nach seiner stets hypochondrischen Einschätzung noch blieb.

Es ging um den 100. Geburtstag von Sigmund Freud. Der Bundespräsident sollte die auf zwei Monate disponierte Veranstaltungsreihe an den Universitäten Frankfurt/Main und Heidelberg mit seiner Rede eröffnen. Freud lag ihm nicht. Auch den Rede-Entwurf Horkheimers wollte er nicht vortragen. In einem Anschreiben dankte er dafür. Nunmehr konnte Horkheimer das Elaborat weder unter eigenem noch unter dem Namen des Bundespräsidenten veröffentlichen. Auch den eigenen Text ausrauben und einen neuen schreiben schien ihm nicht passend. So geht, barock gesprochen, die Zeit der Sterblichen dahin ins Nichts. Das meiste wird verschwinden oder (da Horkheimer unfreiwillig handelte) verschwindet in Form von Gefälligkeiten zwischen den Menschen, die den Verkehr in den Zivilisationen offenhalten. Die verlorene Zeit so zu verbuchen hielt Horkheimer noch am ehesten für möglich; er verhielt sich nirgends so sehr als Geschäftsmann wie in Fragen des Verbrauchs von Lebenszeit.

Als die Nato beinahe starb

Grauer Westhimmel über Brüssel. Keine Funktion für das Bündnis zu sehen. Die Lagebesprechungen in Potsdam, Paris, London, Bonn haben nichts Neues gebracht. Zweimal in der Woche fuhr der todkranke Generalsekretär nach München. Der Arzt hielt ihn hin. Der Generalsekretär war bereit, noch in Entwicklung befindliche Medikamente an sich erproben zu lassen, wenn sich dadurch doch noch eine Lücke im aggressiven Walten seines Eigenfleisches fände.

Auch ein gesunder, ganz junger, von großen Erfolgen begleiteter Mann hätte aber 1991, nach der Liquidation des Warschauer Paktes, keine öffentlich erklärbare Funktion für die Nato ersinnen und als Praxis (einschließlich der Zuwendung neuer Mittel) durchsetzen können. Alles endete in Abwicklung. Gerade daß die Offiziere nicht davonliefen. Sie blieben eingezwängt zwischen den Sparplänen in Brüssel und denjenigen ihrer Heimatländer.

Eher war es so, daß der besondere Trotz des Kranken, sein geringer Zweifel, daß er die Folge seiner Entschlüsse noch erleben könnte, ihm eine besondere Freiheit gewährten, welche die spätere Revitalisierung des Paktes (bis in die Zeit nach dem Kosovo-Konflikt hinein) hervorbrachte. Kleine Stückchen perlenartiger Nahrungskonzentrate schluckte der magere Mann, wobei er die Stücke lange im Speichel einschleimte. Am Tisch saß er als Skelett, ein Heiliger Mann. War er müde? Überwand er die Krise, indem er die Augen aufriß? Nahm er Rauschmittel oder Pervitin? Die Wolkenmassen waren in der 11. Sitzungswoche so geschwind wie das Flugzeug, in dem der Generalsekretär und die Generale saßen, da ja Start, Landung, Transporte zum Hotel am Strand von Travemünde, Empfang und Anwärmen der Teilnehmer für die Fluggäste hinzukamen und so die Natur ihre langsame Bewegung durch Stetigkeit ausglich, von Belgien bis zur Küste der Ostsee gelangt. Durch riesige Wandfenster gelangte der Anblick der grauen Wintersee in den Tagungsraum. Gegen Abend des Strategie-Diskussionstages war ein Drittel des Restkörpers des Generalsekretärs zu Geist verbrannt, dem einer erneuerten Nato. Plötzlicher Übermut erfüllte die Teilnehmer der Tagung.

Regnerisch

Er hat seine Unterlagen vergessen. Würden sie ihm in seinem Handkoffer nachgeschickt, wären sie sechs, acht, zwölf Wochen unterwegs. So lange wird er auf Reisen sein. Die Bahnreisen werden weniger. Für die kurzen Strecken das Auto, für die langen das Flugzeug, es bleiben wenig Entfernungen, die so lange Bahnfahrten nahelegen.
Die Tage wiederholen sich. Westströmung. Gut könnte er jetzt im Speisewagen die Unterlagen lesen, hätte er sie da. Der gefaltete Schirm der Tischlampe spiegelt sich im Fenster. Eine Gruppe Kühe. Traktoren auf einem Bauernhof, sie rangieren. Ein Kraftwagen, bereits mit Licht, fährt aus einem Waldstück. Es wird viele Tage wie diesen geben, aber er wird sie nicht erleben. Schon werden die Speisewagen durch Bistro-Abteile ersetzt. Der Intercity fährt wie ein Fahrzeug aus einer anderen Zeit durch diese regnerische Welt, verbindet regenlose Großstädte.

– Wieso *regenlose* Großstädte?
– Weil der Regen dort keine große Rolle spielt, weil ich ihn in der Eile gar nicht bemerke.

– Sie ziehen aber einen Regenmantel an, wenn Sie aus der Tür gehen? Und Sie
  nehmen einen Schirm mit?
– Aus Routine. Alle tun das. Ich tue es, weil die anderen es tun, nicht weil es
  regnet. Ich würde nicht bemerken, wenn der Regen fehlte.
– Aber wenn Ihnen der Urin ausginge, würden Sie das merken?
– Ich ginge zum Arzt. Ich wäre beunruhigt.
– Insofern gibt es keine urinlosen Tage, keine urinlosen Städte?
– Nein.

Rache der Erde

Ein fadenförmiges relativ kleines Stäbchen Bakterium, Legionella Pneumofi-
lia, hat bei Fachleuten den Namen RACHE DER ERDE erhalten. Es vermehrt sich nicht auf den üblichen Bakteriennährböden, auf denen sich alle anderen Erreger wohlfühlen.
Früher einmal, so meinen Experten, war dieser Erreger ein harmloser Boden-
keim. Die Ansammlung von Klimaanlagen und Röhrensystemen, auch Aus-
schachtungs- und Ausgrabungsarbeiten, werden verdächtigt, diesen Keim aufgewirbelt und einer Intensivbestrahlung durch das Himmelslicht ausgesetzt zu
haben. G. Ruckdeschel, *Infection*, Band 7, S. 149: starker Husten, Abgeschla-
genheit, katarrhalische Symptome. Alle Grippemittel schlagen fehl. Massive
Eiterherde im Lungengewebe. Unbeeinflußbares Kreislaufversagen.
Unter dem Mikroskop sehen die Stäbchen nicht anders aus als früher. Todes-
boten.

Blumen des Guten

Ihr praktischer Sinn zeigt sich z. B. darin, daß die Kinder wegen des Regens
Plastiktüten auf dem Kopf trugen, mit Gummibändern an Stirn, Schläfe und
Hinterhaupt festgehalten. Sie trabte, alle vier Töchter im Alter von viereinhalb, sechs, sieben und acht Jahren bei sich, am Strand dahin. Sie liefen täglich
die Straßen von Cannes auf und ab mit einem Sortiment von in Klarsichtfolie
eingebundenen Blumen; im Einkauf zwanzig Cents, im Verkauf zehn Francs,
von den Blumen brachte jede der vier Töchter an einem Arbeitstag etwa dreißig unter. Das waren eintausendeinhundertsechsundsiebzig Francs täglich, die
die Mutter kassierte und zur Verfügung von Bruno bereithielt.

Sie hatte das Glück, einen Mann gefunden zu haben, der sie auszunutzen wußte und in dieser Hinsicht gleichmäßig und zuverlässig war. Eben gehen sie, die fünf, über die Promenade. Nach der Tagesarbeit lassen sie sich fotografieren. Eine der Töchter vor ihr, links zwei, rechts die älteste. Alle haben Plastikblumen in der Hand, für morgen.

NORMA, eine Ballung der Großherzigkeit

Ihr Worte, auf, mir nach! /
weiter, zu keinem Ende geht's.
Ingeborg Bachmann

1
Thema

In einer Welt von Kriegern (die Kriegsgötter von Römern und Galliern sind gleich) hat eine als keusch bekannte Priesterin eine Reform geschaffen, durch die verschollene, der Mondgöttin Irminsul zugeschriebene matriarchale Rituale in den Gottesdienst Eingang finden. Vereinfacht gesagt: es geht um Frieden.

Die Revolutionärin ist aber kein »neuer Mensch«, sie ist auch nicht keusch, sondern verbirgt ein (umständlich im Geiste des 19. Jahrhunderts dargestelltes) erotisches Geheimnis. Kurz vor einer (möglichen) Versöhnung kommt es zur tragischen Verkettung. Damit nicht ein Massaker alle vernichtet, opfert sich Norma. Dies gewinnt ihr die Achtung Polliones zurück, die dieser durch Einsatz seines Lebens zum Ausdruck bringt.

2
Anna Viebrocks Bühnenbild

Die Bühnenbildnerin Anna Viebrock hat die Bühne in die Tiefe gestaffelt als Kirchenschiff, ähnlich einem Hugenotten-Tempel. Vor den Gittern, die den Bühnenvordergrund abgrenzen, so als liege in Richtung des Publikums das Allerheiligste, steht die Protagonistin: Norma. Hinter ihr die Frommen. Die Druidin kehrt ihnen den Rücken. Warum wendet sie ihnen den Blick nicht zu, zwingt sie, wie eine Dompteuse, durchs Auge? Vertraut sie ihnen? Dazu hat sie keinen Grund. Sie durchbricht religiöse Annahmen, die sich auf Grausamkeit der Götter, Krieg, militärische Gebote richten. Solche Prophetinnen wurden von jeher umgebracht.

Norma ist es wichtig, diese Gläubigen nach vorne zu reißen. Wie aus der Tiefe einer Laterna-magica-Maschinerie tritt aber, während sie die Arie CASTA DIVA sang, durch die Rückfenster des Bühnenraums, die Priesterin unterstützend, das Mondlicht herein. Licht früherer Zeiten, wirksam nur bei Abwesenheit der Sonne.[30]

Man spricht von einem Kampf zwischen Matriarchat und Männerherrschaft, kommentiert Anna Viebrock, lange bevor die Brüder sich verschwören und den Vater schlachten, ehe es dann zum Bruderkampf kommt. Nichts aber davon, ergänzt die Bühnenbildnerin, geschah vollständig, so daß es sich hätte beenden lassen. Naturkatastrophen intervenierten (Kometen-Einschlag, Erdbeben, Fluten, Pest). Die Menschen flohen. Im Exodus zerstreute sich die mörderische Gruppe. Sie produzierte einen Neuanfang, der mit Mischverhältnissen umzugehen verstand. Mischung überlebte. So handelt es sich um einen Nicht-enden-wollenden-Kampf.

Wer spricht? Wer kann »Ich« sagen? Das Ich selten. Wenn es sich still verhält, könnte es Echos hören, die sprechen. Nur diese selbst wissen, wie sie zusammenpassen. Die GROSSE ZERSTREUUNG hört zu. So hat es Heiner Müller beschrieben. Wer die Zerstreuung zu lesen vermag, hört »Ich« sagen, polyglott, choristisch. Und die Träume, die Hoffnung? Sie hören nicht zu.

– Und das drücken Sie durch das Bühnenbild aus?
– Ja, das ist mein Ausdrucksmittel.

3
Ein Sieg der Freundschaft

Die beiden klugen Frauen, die den gleichen Mann lieben, wie sie eben erst entdeckt haben, zeigen sich verwirrt.

> »Ich liebte ihn; . . . doch mein Herz
> fühlt jetzt nur noch *Freundschaft*«

---

30 In den Epochen der Menschheitsgeschichte geht den Geschlechtern der Sonne die Zeit der lunarischen Menschheit voraus. Die fortgeschrittensten Elemente der vorigen Epoche können aber, nach Rudolf Steiner, den unentwickelten Elementen der entwickelteren Epoche geistig überlegen sein. In dieser Hinsicht ist *Norma* die heroische, intelligente Form des Rückschritts, notwendige NACHHUT DES FORTSCHRITTS (Heiner Müller). Die Römer, bis zu Konstantin, sind Sonnenkrieger.

Adalgisa meint ihre Freundschaft zur Druidin Norma, der vom Römer ihretwegen Verlassenen.
Hier hilft nur noch die öffentliche Rede der Freundin vor dem Gewalttäter. Adalgisa bricht auf ins Lager der Römer.
Sie erklärt dem Feldherrn, wie irrtümlich seine Liebe zu ihr, Adalgisa, sei. Wieviel vorteilhafter, großartiger der Charakter der Norma! Wie könne er ein so wertvolles Menschengut von sich weisen? Es dadurch vernichten?
Der Feldherr, eingedenk mancher schönen Stunde mit Adalgisa (ja, er findet deren rhetorischen Auftritt glanzvoll, sexuell ist er erregt im Gedanken an ein mögliches Nachher), bleibt an Norma uninteressiert. Sie ist ihm lästig in der Ernsthaftigkeit ihres Gefühls. Er läßt sich zu keiner Konzession bewegen. Als ob die Liebeslust eines Mannes durch größere *Tugend* einer Frau erregt werden könnte!
Verräterischer Römer! Adalgisa, die ihn gewiß noch immer liebt, schleicht, hingerissen von ihrer Verbundenheit zur Freundin, transportiert vom eigenen leidenschaftlich-freundschaftlichen Elan, zurück auf dunklem Pfad ins Lager der Gallier. Stellt sich dort den Priestern zur Verfügung. Sie ist des Todes.

4
Verdun, der große Umschlagplatz für Sklaven

> »Ja, sie weint / Was hofft sie noch?
> Abgewiesen wird ihr Flehen!«
> *Norma, 2. Akt, Schlußchor*

Kurze Zeit vor seinem Tod reiste Heiner Müller, eingeladen vom Stadttheater von Verdun, an diesen Fleck des früheren Gallien; er sollte eines seiner Stücke hier im folgenden Jahr inszenieren und sich mit den örtlichen Gegebenheiten des Theaters schon einmal vertraut machen.[31] Nach einem Besuch auf den Soldatenfriedhöfen der Stadt, und nachdem er wegen eines öffentlich geäußerten Kommentars zu seinen Eindrücken kritisiert worden war, überwarf er sich mit der Stadtverwaltung, wurde ausgeladen und reiste ab.
Ein Haufen Lehm, notierte Müller auf einem Bierdeckel, ist in der Flußlandschaft von Verdun über 3 000 Jahre mit sich selbst identisch. Die Umwühlung dieses Bodens durch Artillerie, seine oberflächliche Bearbeitung durch Landwirtschaft, Städte- oder Straßenbau verändert die Moleküle, gemessen an den Grenzen Europas, nur unwesentlich.

---

31 Der Stoiker nahm zu dieser Zeit, in Kenntnis seiner tödlichen Krankheit, gerne Aufträge an, die sich auf eine weit erstreckte Zukunft bezogen.

Dieser Ort war in den Jahren 782 bis 804 n.Chr. der große Umschlagplatz für Sklaven. Ein Sklave, kriegsgefangen, aus den germanischen Ländern hierher verfrachtet, kann sein Glück finden, wenn das Latifundium, das ihn erwirbt, im freundlichen Geiste bewirtschaftet wird, ja wenn er hier eine Sklavin findet, die zu ihm paßt. Seine Nachfahrin, immer unterstellt, Anfänge und Fortlauf bleiben glücklich, hat die Chance, einen fränkischen Krieger zu verzaubern, Herrin zu werden.

Von den KONFÖDERIERTEN GLÜCKSVERSPRECHEN des 7. Jahrhunderts gesehen ist es Zufall, daß die Generalstäbe von 1916 gerade diese Höhen und Flächen an dieser inzwischen zur Festung definierten Erdenzone zum Projekt einer BLUTABZAPFUNG machen. Davon zeugen Museen, Gräberanlagen, Erinnerungsschilder. Wie schnell vernarbt eine Landschaft?

Befragung von Heiner Müller in Verdun:

– Sie haben die Heiligtümer der Toten, die Monumente und Kapellen, die auf den Friedhöfen Verduns errichtet sind, als »kitschig« bezeichnet: als Schlachten-Kitsch.

– Zumindest drücken sie nicht den Stil aus, in dem 1916 hier aufeinander geschossen wurde.

– Was unterscheidet Sklaven von eingegrabenen Soldaten, die der Befehl im Trommelfeuer festhält?

– Eine Menge. Sklaven haben Hoffnung auf gute Behandlung.

– Die eingegrabenen Soldaten haben keine Hoffnung?

– Eigentlich nicht. Denn kehren sie zurück, entspricht nichts dem Erlebnis, dem Granatenhagel ausgesetzt gewesen zu sein. Sie können die Erinnerung nur löschen.

– Wen nennt man Sklaven?

– Einen Menschen oder eine Arbeitskraft, die das Eigentum eines anderen ist.

– Wessen Eigentum sind die Soldaten von 1916? Die Verwundeten? Die Zerschmetterten?

– Auf deutscher Seite Reichseigentum. Auf französischer Seite Eigentum der Republik.

– Insofern auch Sklaven?

– Nein. Sie sind Besitzer eines Eigenwillens, der um jeden Preis dieses Schlachtfeld verlassen will. Dieser Eigenwille stand einem Sklaven nicht zu.

– Gesetzlich nicht oder wirklich nicht?

– Ich kann mich in einen Sklaven von 602 n.Chr. nicht hineinversetzen.

– Und in einen der Charakterpanzer von 1916, die hier vor Verdun liegen?

– Auch nicht.

5
Schlacht an der Ich-Grenze

»Das Herz ist die letzte Dimension
der Intelligenz.«
Marcel Proust (über Baron Charlus)

Maestro Reynaldo Hahn war ein ausgezeichneter Unterhalter. »Das Herz haut den Verstand übers Ohr.« Sätze wie dieser wandern als Ohrwurm Vormittage lang durch Hahns Kopf, und es findet sich doch keine Gelegenheit, den Satz in einer der Plaudereien des Tages unterzubringen. Unter den engsten Freunden Marcel Prousts war Reynaldo Hahn der einzige, der für ein öffentliches Amt taugte. Er war Kritiker des *Figaro*, Leiter des Théâtre de Casino in Cannes. So hatte er Proust überlebt, die Gespräche im Stile der Clique fortgesetzt.

Nach der Befreiung von Paris 1944 galt er als politisch unbelastet, und so wurde er 1945 als Intendant der Oper dort eingesetzt. Es waren 16 Premieren zu organisieren. In Betracht kamen Massenet (*Werther*), Cherubini (*Medea*), Saint-Saëns, Berlioz (*Die Trojaner*), Bellini (*Norma*). Ein attraktiver junger Regisseur hielt es für gut, *Norma*, die gallische Protagonistin, als Jeanne d'Arc zu kostümieren, eine Revolutions-Oper zu inszenieren. Großherzig ließ Hahn die Geschmacklosigkeit durchgehen.

– Sie sind, Herr Intendant, politisch unabhängig.
– Politisch unabhängig.
– Und Sie sind homosexuell?
– Was immer das heißt. Es heißt nicht leprakrank.
– Nun nehmen Sie in Ihrer Inszenierung von *Norma* vehement Partei für Frauen?
– Für ein Frauenopfer.
– Die Inszenierung erzeugt eine tiefe Zuwendung zu diesen Gallierinnen.
– Deswegen haben wir dieses bühnenwirksame Stück gewählt. Norma erscheint im Kostüm der Jungfrau von Orleans.
– Schreckt Sie nicht die Geschmacklosigkeit?
– Es ist etwas zu direkt. Aber gehen Sie davon aus, daß homoerotische Männer Frauen stets verehren.
– Zurück zur Oper. Sie lassen, während Norma stirbt (und in Ihrer Inszenierung wird das schon während des Zwiegesangs zwischen Pollione und Norma vorbereitet), Transparente in den Bühnenvordergrund tragen, auf denen Worte geschrieben sind, denen die französische Sprache ein weibliches Geschlecht zuspricht: *la* bataille, *la* nation, *la* guerre. Wollen Sie sich

darüber lustig machen, daß kriegerische Tugenden dem Weiblichen zugeschrieben werden?
– Bin ich denn kriegerisch?
– Was ist kriegerisch?
– Das, was den Krieg der Geschlechter vergessen macht.
– Sie meinen also, Krieg ist oberflächlich?
– Gefährlich genug.

Abb.: Hahn (Mitte) an der Front vor Verdun, 1916.

Den Baron Charlus, der noch 1916 zum Clan gehörte, zog das Herz (das seinen markanten Verstand wie ein Tyrann regierte) zu den jungen Soldaten hin, die im zweiten Kriegsjahr um den Bahnhof Montparnasse lungerten. Es mußten kriegerische Nichtsnutze sein, Abbilder der Gewalt der Schlacht. Das Begehren des höherrangigen Adligen ging dahin, daß sie ihn auf einer der Toiletten unterwarfen. Und zwar wollte er ihr Opfer sein in Gestalt der Feinde, die Frankreich im Jahre 1916 berannten: als preußische Matrone (an die er in keiner Weise erinnerte), als »Madame Boche« trat er an sie heran. Die Soldaten, in keinem Augenblick auf der Höhe seines Verstandes, die ein Abenteuer mit einer jungen Reisenden oder einer Prostituierten suchten, ehe der Urlaub endete, verspotteten den monströs gewordenen Herzensträger. Sie hielten (irrtümlich) Krieg nicht für einen Aggregatzustand des Geschlechtslebens, sondern für eine Last, die sie bedrohte.

Es bestand bei der Premiere der *Norma* im Palais Garnier Gefahr, daß die füllige Sängerin, welche die Titelpartie spielte und sang, zusätzlich als Freiheitskämpferin ausstaffiert, im Schlußakt der Oper, wenn sie den feindlichen Feldherrn einen Moment umarmte, lächerlich erschien. Dem Publikum war sie noch als Brünnhilde bekannt. Nun sollte sie als keltische Überläuferin den geliebten Feind zum Opfertod führen. Reynaldo Hahn hatte für den Fall eines völligen Fiaskos ein Ersatzstück vorbereitet. GOTT MIT UNS, ein Drama von René Berton (aus dem Jahr 1928): Während des Ersten Weltkriegs gewinnen französische Soldaten Kontrolle über eine Bunkerzone, in der sich zuvor fliehende Deutsche verteidigt hatten. Im Moment, in dem die Franzosen in den Bunker eindringen, verschüttet ein deutsches Geschoß den Eingang. Ein einzelner deutscher Soldat, Hermann, blieb in der Stellung zurück. Er ist dabei, sich einen Ausweg zu graben aus der verhängnisvollen Höhle; er weiß, daß eine Zeitbombe hier versteckt ist. Als Patriot weigert er sich, den Eindringlingen, seinen Gegnern, mitzuteilen, wo die Mine zu finden ist. Der französische Hauptmann, im Zivilberuf Professor der Philosophie wie Hermann, überredet ihn, die Bombe zu entschärfen. Inzwischen hat sich eine Pioniereinheit der französischen Armee durch den blockierten Eingang des Bunkers durchgegraben. Als erster rennt Hermann nach draußen. Er wird durch ein deutsches Geschoß getroffen. Mit zerstörtem Gesicht kehrt er in den Bunker zurück. Er ruft: »Gott mit uns« und stirbt.

Zu den Szenen dieses Stücks wollte Reynaldo Hahn die Melodien aus Bellinis Oper spielen lassen; das war denkbar, wenn man Text und Gesang fortließ. In der leichten Stimmung des Publikums im Sommer 1945 war die Premiere der *Norma* (und auch das folgende Repertoire) jedoch ein großer Erfolg. Für das Ersatzstück gab es keinen Bedarf.

6
Rätselhaftes Gallien

Entstehung der Liebe aus Sklaverei und Eroberung. Nicht die Römerinnen und nicht die vornehmen Frauen der Gallier, die die Landsitze verwalteten, faszinierten die Franken, die das Land besetzten, sondern die Sklavinnen auf den Landgütern. Mit den Eroberern hatten die Sklavinnen gemein, daß mit solcher Verbindung ein neues Leben begann.[32]

32 Sie besetzten breite Teile Galliens. Sie galten als Eroberer. Sie hatten nicht bessere Waffen oder bessere Gründe, das Land zu besetzen, als die Einwohner Galliens, die alten Familien. Es war lediglich so, daß sie auf keine Gegenwehr trafen. Schon ein Jahr später oder drei Jahre früher wäre der Coup nicht gelungen.

Erst später enteigneten die neuen Paare die alten Besitzer. Das Eigentum gesellte sich zur Intimität.[33]
Wer war der Unterworfene? Der Krieger? Die Sklavin? Das ließ sich nie wieder entwirren. Man sagt aber, daß die NEUEN VERBINDUNGEN, die hier beschrieben sind, den Unterschied zwischen einem Barbarenland und Frankreich ausmachen.

7
Einar Schleefs Aufführung in der Volksbühne am Rosa-Luxemburg-Platz

Druiden, gallische Krieger, Römer (im Kostüm gleich: Heimkehrer-Mäntel der Wehrmacht). Die Frauen: Norma, Adalgisa, Clotilde (in der Kleidung der Ritter aus Parsifal und Lohengrin, also grellweiße und silberne Rüstungen). Die Chöre sind als Kampfeinheiten auf der Bühne tätig. Sie führen »geisterhafte Gefechte«. Zeitweise sind sie zu Tafelrunden vereinigt, in denen sie Gifte oder Blut zu sich nehmen.

taz: Herr Schleef, man sagt, Sie hätten Bellini massakriert. Auf sechs Chöre und sechs Zwiegesänge haben Sie die Musik eingestrichen. Sie nehmen die Spannung vorweg, indem Sie die Handlung zu Anfang verkürzt in der Form der vollendeten Vergangenheit referieren. Außerdem erweitern Sie Bellinis großen dramaturgischen Bogen durch eine Kette von Unterbrechungen, wobei Sie die Grenze zwischen Einfügung und Original dadurch verwischen, daß Sie Bellinis Musik überlappen lassen.

SCHLEEF: Die Kritiker haben mich entsprechend geohrfeigt.

taz: Sie haben die Szene, in der Norma ihre zwei Kinder töten will, ganz weggelassen, dafür einen Einschub aus Cherubinis *Medea* inszeniert. Warum?

SCHLEEF: Medea hat einen triftigen Grund, ihre Kinder umzubringen. Sie ist unzähmbar. Sie will den Verräter Jason, ihren Mann, strafen. Sie will ihr bisheriges Leben auslöschen. Alles so, wie in Bellinis *Norma*, aber mit konsequenter Tat. »Es gibt kein richtiges Leben im falschen.«

taz: Norma zögert.

SCHLEEF: Mit gutem Grund. Sie ist die Radikalere. Sie löscht das direkte Mittel der emotionalen Vergeltung. Sie läßt die Kinder aus dem Spiel. Deshalb habe ich die Szene weggelassen. Den Mord begeht Medea. Norma läßt ihn aus.

---

33 So entstand, schreibt Jules Michelet, der Feudalismus (»ich diene dir, weil du mir dienst«), und darauf basiert die einzige Grundform der Liebe, die in Europa erfunden worden ist.

taz: Das ist aber nicht zu sehen.

SCHLEEF: Wie wollen Sie etwas inszenieren, das nicht stattfindet?

taz: Norma geht mit gezücktem Dolch (oder in Stuttgart Revolver) auf die Kinder zu, hält inne und geht wieder zurück.

SCHLEEF: Wie albern.

taz: Es ist aber kein Spiel.

SCHLEEF: Gewiß nicht. Aber der Ausdruck: »blutiger Ernst« ist ebenso verkehrt.

taz: Deshalb Feuertod?

SCHLEEF: Wie im dritten Aufzug der *Götterdämmerung* der Tod der Walküre.

taz: Sie zeigen aber kein Feuer.

SCHLEEF (wütend): Ich will keine Hexe verbrennen.

taz: Wieso sind Brünnhilde oder Norma Hexen?

SCHLEEF: Das ist es ja eben, es gibt keine Hexen.

taz: Aber Frauen, die in Opern den Flammentod sterben? In *Die Jüdin* von Halévy stirbt die Heldin in einem Kessel von siedendem Öl.

SCHLEEF: Bei mir nicht.

taz: Aus dem Prinzip: Phönix aus der Asche?

SCHLEEF (noch wütender, roter Kopf): Bei mir gibt es kein Prinzip. Es ist praktisch.

taz: Ist es für das Theater praktisch, wenn Ihnen der spannende Schluß fehlt?

SCHLEEF: Was ist am Verbrennen einer Frau spannend?

taz: Bei Bellini ist ein solcher Schluß vorgesehen.

SCHLEEF: Um so schlimmer.

taz: Aber, lieber Herr Schleef, Sie sind es doch, der behauptet, daß er sich nach dem Urtext richtet.

SCHLEEF: Unser Herz muß brennen.

taz: Anstatt Norma?

SCHLEEF: Gewiß.

Gefährliche Geschenke

Am Sonntagmorgen war nur noch ein Trümmerhaufen übrig. Die brennenden Kunstharzteile strömten giftige Dämpfe aus. Die Feuerwehr konnte sich dem Gefahrenherd nicht nähern. Sogleich begannen die Diskussionen um die Unglücksursache.

Das Heim lag bei dem Bergort San Georgio Magno an einer einsamen Landstraße. Die Ansiedlung bestand aus fünf vorfabrizierten Pavillons, die der Kommune als Erdbebenhilfe von Frankreich geschenkt worden waren.

Nachts um ein Uhr brach das Feuer aus, das sich durch einen Korridor, der die Pavillons verband, verbreitete. In dem Heim waren Menschen mit motorischen Störungen untergebracht, auch psychisch Behinderte. Zu je fünf Betten waren sie in den Zimmern deponiert, von der Gemeinde ferngerückt.

Als vermutliche Brandursache wurde Kurzschluß angenommen. Die Pavillons wurden durch elektrische Öfen beheizt. Wegen der Kältewelle vor Weihnachten in Süditalien liefen sämtliche Öfchen auf vollen Touren.

– Kritik an der Feuerwehr?
– Sie traf verspätet ein, wagte dann nicht, sich in den giftigen Schwaden zu bewegen, die das Objekt umgaben.
– Konnte man die Giftgase sehen?
– Ja, in Bodennähe, kniehoch. Violette und grünliche schlangenartige Dunstschnüre.
– Woher wußte man, daß sie tödlich sind?
– Man nahm das an wegen ihrer ungewöhnlichen Farbe.
– Über dem Ganzen die Kälte?
– Schon wieder war alles kalt. Ein SCHNELLES FEUER.
– Neunzehn Tote?
– Und drei gerettet. Durch beherzte Krankenschwestern.
– Wo war die Kommune?
– Sie hatte ihren Sitz in 12 km Entfernung. Das Gelände um San Georgio Magno ist nicht erdbebensicher. Dort gab es keine Siedlungen außer diesen Pavillons.
– Hatte man die Einwohner der Pavillons bewußt an diesen Rand der Zivilisation geschafft?
– Oder unbewußt!
– Die Neuregelungen nach der Erdbebenkatastrophe von 1980 regelten auch den Verbleib der Gestörten?
– Eine der seltenen Reformen in dieser Region seit tausend Jahren.

- Die Abgabe der fünf Pavillons durch den Schenker, die Republik Frankreich, an eine ihr unbekannte Kommune war leichtfertig?
- Zur vorläufigen Unterbringung gesunder Erdbebenopfer wären die Pavillons geeignet gewesen. Zwanzig Jahre vergingen. Statt Erdbebenopfer werden Behinderte, Hilflose angesiedelt, eine Kältewelle führt zur Überlastung der Heizöfchen – war das vorherzusehen?
- Gewiß nicht.
- Es würde andernfalls bedeuten, daß man gar nichts mehr verschenken kann.
- Man sollte nichts verschenken, was aus Kunstharz besteht, das so leicht entzündlich ist.
- Es war aber praktisch.
- So hatte es die Firma dargestellt, die diese Ware an die Republik Frankreich verkaufte.
- Und warum wollte die Republik das Gekaufte gleich wieder wegschaffen?
- Sie haben recht. Man sollte nur persönliche Geschenke erlauben. Von Person zu Person, einer kennt den anderen.
- Oder sind Geschenke überhaupt gefährlich?
- Es gibt Leute, die das behaupten.

Zur Genese des Feindes

Die Räumung der US-Botschaft in Islamabad, die auf das Attentat im Juni 2002 folgte, verlagerte die zentrale Zuständigkeit für die Beobachtung des Subkontinents auf die CIA-Anlage im Norden Nepals. Sie war, auch zum Schutz gegen maoistische Angriffe, getarnt untergebracht in einem Höhlensystem am Fuße schneebedeckter Berge.

Abgewendet von Natur, Luftströmung, Bäumen, Außeneindruck, saß hier David A. Bowen, der Analytiker. Er empfand sich als eingesperrt, neigte zur Schwermut. Seine Examensarbeit in Westpoint hatte das Thema DIE FINDUNG DES ENDGÜLTIGEN FEINDES IN DER JULIKRISE VON 1914; dies war eine brillante Arbeit. Sie hatte ihm auf den Stationen seiner Karriere, auch wenn kein Vorgesetzter sie gelesen hatte, die Türen geöffnet. Netzwerke geringerer Komplexität, als er sie hier beschrieben hatte, mochte er nicht flechten. So war er der einzige im Dienst, der die Verklammerung des Kaschmirkonflikts darzustellen wußte. Es standen nicht nur je eine Million Soldaten auf der Seite Pakistans und Indiens einander gegenüber; nicht nur warteten (an der Öffentlichkeit unbekannten Orten) Atomraketen auf beiden Seiten auf ihren Abschuß (oder auf Übernahme durch Putschisten). Vielmehr

ist, schrieb Bowen (und seine Berichte wurden nach Langley gefunkt), jene
Fraktion im Politbüro Chinas und im dortigen Militärrat in die Beobachtung
einzubeziehen, die auf keinen Fall eine Dominanz Indiens auf dem Subkontinent duldet. Diese Fraktion steht unter Beobachtung des Geheimdienstes der
Republik von Taiwan. Der Ausbruch von Kämpfen auf dem Subkontinent
würde zugleich die Emirate und Saudi-Arabien destabilisieren. Gelingt es
nicht, im Fall eines Raketenabtauschs der Rivalen auf dem Subkontinent, diese
Raketen durch ein US-Unterseeboot abzufangen (und hierfür stehen im Ernstfall knapp fünf Minuten zur Verfügung, für Information und Reaktion), wird
man die LANDKARTE DER GRAUSAMKEITEN in diesem Teil der Welt
nicht wiedererkennen. Bowen legte Wert darauf, in seine Berichte stets eine
markante Formulierung einzubauen. Das machte ihn wenig beliebt.
Man sieht das Schema, sagte der Vorgesetzte Bowens, als er den entschlüssel-
ten Text las. Weil Österreich Serbien strafen will, und deshalb von Rußland
bedroht wird, muß das Deutsche Reich, um Österreich zu schützen, Rußland
angreifen. Dies erfolgt durch Angriff auf Frankreich, wozu die Deutschen die
belgische Grenze überschreiten müssen, was England zur Kriegserklärung veranlaßt. Schwierig, meinte Bowen, ist es nicht, einen Krieg auszulösen, schwierig ist es, einen Feind zu finden.
Die Analysen Bowens waren in der derzeitigen US-Administration nicht han-
delbar. Allenfalls zwei Unterscheidungen waren erlaubt, wenn eine Nachricht
zur Spitze vordringen sollte. So wurden alle Mitteilungen Bowens auf dem
Wege von Langley zum Weißen Haus dahingehend verändert, daß sie eine
klare Ja- oder Nein-Entscheidung ermöglichten. Anders läßt sich ein modernes
Feindbild nicht garantieren.

Suche nach dem passenden Feind in der Antike

I

Der Nikaaufstand

»Wenig Initiative der Sinne, gar keine des Geistes.
Welch tiefer Fall, nachdem noch soeben auf dem
Gipfel der Kultur die heftigste Bosheit geherrscht
hatte.«

Seit Wochen bekämpften sich in den Straßen die Zirkusparteien von Byzanz,
die GRÜNEN und die BLAUEN. Im 6. Jahrhundert sind die Wagenrennen
das Hauptereignis im Zirkus. Kaum noch Zweikämpfe. Der Kaiser befindet

sich verborgen hinter den Leinwandflächen seiner Loge. Davor die Silentiarii und einige Beamte. Sie sorgen dafür, daß um die Loge und den Sicherheitsring der anderen so etwas wie Schweigen dem Gebrüll von den Zirkusrängen und dem massiven Geräusch der Pferde und Wagen entgegenwirkt. In Chören können die Demen (»Völker«) ihre Wünsche mitteilen. Der Kaiser hört sie. Gelegentlich gibt er durch ein Handzeichen oder durch seine Sprecher Antwort. Dazu muß er aus seinem Zelt heraustreten.

Im Zirkus brachen bereits viele Aufstände aus. Kaiser wurden zur Flucht getrieben, Ersatzkaiser eingesetzt.

Heute sind durch den Präfekten der Stadt verschiedene Vorstreiter beider Parteien, soviel GRÜNE wie BLAUE, verhaftet worden. Vierzehn davon werden, das Urteil gründet sich auf die Straßenkämpfe, den bürgerkriegsähnlichen Unfrieden in der Hauptstadt, zum Tode verurteilt.

Während der Vollstreckung brechen zwei der Holzgerüste, an denen die Verurteilten zu Tode gebracht werden. Es geschieht selten, daß eine dieser robusten Anlagen zerbricht. Merkwürdig, daß hierdurch zwei ranghohe Anführer der GRÜNEN und zwei ebenso ranghohe Anführer der BLAUEN paritätisch vom Tode vorläufig verschont werden.

Die verfeindeten Zirkusparteien vereinigten sich. Sie forderten Abbruch der Vollstreckung. Gott hat eingewirkt. Der Kaiser schweigt. Auch dies ungewöhnlich, da er stets antwortet, wenn BEIDE DEMEN, d. h. die gesamte Tribünenfläche, ihre Wünsche äußern. Keine Reaktion in der Loge. Wie eine Puppe der Kaiser, bewegungslos. Die Beamten um ihn herum sind unruhig.

Inzwischen werden die GERETTETEN VERURTEILTEN von Mönchen in einer Kirche, ganz in der Nähe des Zirkus, in Sicherheit gebracht. Das Asyl ist nicht unberührbar, aber ein Eindringen der Garnison in das Heiligtum wäre für beide Parteien des Zirkus das Zeichen zum offenen Aufstand. Auch so ist die Aufregung groß. Mit Latten und Stangen bewaffnete Haufen ziehen vor die Präfektur, zünden sie an.

Am nächsten Tag betritt der Kaiser den Zirkus, als sei nichts geschehen. Beide Zirkusparteien fordern erneut Begnadigung. Wieder antwortet der Kaiser mit keiner Geste. Es ist aber bekannt geworden, daß er Truppen aus Adrianopel heranzieht. Was will er mit Truppen in den undurchdringlichen Straßen der Hauptstadt? Das Verhalten des Kaisers erscheint, so der Althistoriker Mischa Meier, nach den im Jahr 2003 verfügbaren Quellen als STICHELEI. Wollte er einen Aufstand provozieren, um anschließend durch dessen Unterdrückung ein ZEICHEN SEINER MACHT zu demonstrieren? Dafür spricht jedes Detail des äußeren Verlaufs.

Der Kaiser jagt die Truppen Belisars auf die Straßen. Sie erleiden Verluste, sammeln Wut. Er entläßt den Präfekten, den Leiter des Finanzressorts und andere seiner Gefolgsleute, als fürchte er sich. Gerüchte, er werde die Hauptstadt verlassen, werde fliehen, sind gestreut. Einen Neffen des vorvergangenen Kaisers Anastasios beredet Justinian, sich aus dem Palast zu entfernen. Es steht fest, daß das VEREINIGTE VOLK diesen Erben sogleich zum neuen Kaiser ausrufen wird. Der junge Mensch sucht sich zu weigern. Er fürchtet, daß er geopfert werden soll. Seine Berater protestieren. Der Kaiser verspricht ihm Belohnung, wenn er sich zu diesem Schauspiel ENTFERNUNG VOM HOFE hergibt. Es geschieht, was erwartet wird. Die Volksmenge, verstärkt durch hohen Adel, Beamte – die Häupter des Verrats am Kaiser zeigen sich – erhebt den protestierenden Jüngling zum neuen Kaiser.

General Narses hat inzwischen durch Bestechungsgeschenke und Streuung von Nachrichten die Häupter der GRÜNEN und der BLAUEN entzweit. Die Parteien versammeln sich, wie jeden Tag, im Zirkus. Hier, in der Konzentration ihrer Masse, sind sie erfahrungsgemäß angreifbar. Warum lernt das Volk nicht, daß es in den Gassen der Hauptstadt unangreifbar, im Zirkus, seinem Domizil, dagegen wie »in einem Sack« eingekesselt sein wird? So geschieht es. Die Truppen der Generale Belisar und Narses besetzen die Ausgänge. In einem Massaker werden 30000 der Aufständischen (sie wurden zu Aufständischen »gemacht«) hingerichtet. Trotz der Ausdehnung der Tribüne und der Arena liegen die Toten übereinander. Sie liegen nicht gleichmäßig verteilt. Der neu ernannte Präfekt hat Mühe, den Abtransport der Leichen rechtzeitig für die Rennen des Spätnachmittags zu organisieren. Die Transaktion erscheint, sagt Mischa Meier, gestützt auf den Chronisten Prokop, »eigentümlich gestreckt«, so als sollte es möglichst viele Zeugen des Massakers geben. Ins Reich wird die Kunde vom NIKAAUFSTAND[34] und seiner Niederschlagung durch den siegreichen Kaiser (Justinianus invictus) verbreitet. Ein Kapitalkonto an Macht. Mehr als 20 Jahre Herrschaft. Es heißt, daß Justinian die Idee einer WIEDERAUFRICHTUNG der Kaisermacht literarischen Quellen aus der Zeit des Kaisers Domitian entnommen habe.[35]

34 Nach der »mißglückten« Vollstreckung an je zwei Anführern der GRÜNEN und BLAUEN forderten die beiden Zirkusparteien, seit sieben Jahren erstmals einstimmig, die Begnadigung, erhielten keine Antwort. Hierauf verließen sie mit dem Ruf SIEG (»Nika«) das Gelände.
35 Kaiser Justinian (527 bis 565 n.Chr.) war Neffe Justins, der noch als Bauernjunge geboren war. Justinian erhielt eine klassische Bildung und entzündete sich an Texten der Chronisten des Imperiums aus der Zeit 300 Jahre zuvor. Domitian (81 bis 96 n.Chr.), Nachfolger seines Bruders Titus und Sohn des Vespasian: grausam und tückisch (Vertreibung der Philosophen, Christenverfolgung, Polizeiaktionen).

2
Wer darf Antichrist umbringen?

Einige der Chronisten nahmen an (und schrieben es heimlich auf), daß der Kaiser selbst Satan sei. Ein Kaiser spricht nicht in der Öffentlichkeit. Es war nicht erkennbar, wer in dieser Maske, einer Puppe, geführt vom Hofe, steckte. Die Pest, die Erdbeben, der Zerfall des Reiches im Westen sprachen gegen die Gottesnatur des Kaisers.

War es Ablenkung? Die Statthalter des Kaisers in Edessa und in Antiochia gingen Hinweisen nach, der Antichrist sei soeben geboren worden. Das wäre nach der Überlieferung Hinweis gewesen auf eine kommende Schreckensherrschaft Satans von eintausend Jahren. Dieser Herrschaft des Antichrist, die dieser aber erst antreten kann, wenn er zuvor 30 Jahre in einem Menschenkörper gelebt hat, folgt die PARUSIE, die Erscheinung des Herrn. War soeben der Antichrist als Säugling geboren, konnte nicht der Kaiser selbst Antichrist sein.

Die Stadtviertel Antiochias, die am Fluß Orontes liegen, wurden abgesperrt. Die Neugeborenen der letzten zwei Wochen wurden in Listen erfaßt. Wenn man jedes dieser Kinder umbringt, so die Logik der Administratoren, kann ausgeschlossen werden, daß Antichrist überlebt. Noch hat er, als weinerliches Kind, keine Macht, unsere Schwerter von sich zu weisen.

– Ist ein solcher Körper erst einmal acht Jahre alt, vermag nichts ihn zu durchdringen?
– Kein Schwert.
– Auch kein Spieß oder Messer? Kein Gift?
– Erst recht nicht.
– Feuer?
– Nichts kann den Würger Antichrist attackieren, sobald er den Menschenkörper von acht Jahren durchlebt hat.

Blieb die Frage, ob ein umfangreicher Kindesmord in der außerordentlichen Lage des Reiches eine angemessene Aushilfe war. Abgesandte der Garnison legten das Problem dem Patriarchat vor; im Range stand Antiochia unmittelbar nach Rom, Konstantinopel und Alexandria.

Es sei, antworteten die Geistlichen im Namen des Patriarchen, nicht zulässig, die PARUSIE und damit das prophezeite und ersehnte Weltende durch exekutive Zwangsmaßnahmen zu behindern. Durch Anwendung weltlicher Kräfte, die die Geburt des Antichrist zunichte zu machen versuchten, werde dieses Weltende gegen den Willen Gottes verzögert. Der Versuch sei überdies vergeblich, da der Antichrist sogleich erneut geboren werden könne, jedes Mal an anderer Stelle. Könnten auch mehrere Antichriste zugleich geboren werden? Das nicht. Könnte es sein, daß die Erscheinung des Antichrist gar nicht auf Gottes Wille beruhe, der sie gewissermaßen nur geschehen lasse, sich von dieser Erscheinung, die er nicht gewollt haben könne, abwende. Das sei Ansicht der Ketzerischen, daher abzulehnen.

Den Geistlichen war bewußt, daß eine Tötung des »Antichrist in seiner Larve«, immer unterstellt, er befände sich unter den Kindern, die man inzwischen eingesammelt, gefesselt und in Säcken verpackt hielt, in das Handwerk Gottes eingriffe. Sie hatten vor, die Kinderschar im Orontes zu ertränken.

Das Patriarchat verbot die Maßnahme. Die Garnison mußte die Kinder auspacken und, soweit noch feststellbar, in die Behausungen zurückbringen, aus denen sie konfisziert worden waren. Auch das Verbot des Ertränkens durch das Patriarchat stieß auf Zweifel. Es war ja ebenfalls ein aktiver Eingriff in die Konvergenz Gottes, Eingriff durch Unterlassung, ein Eingriff in den auf 6000 Jahre berechneten Weltlauf. Durfte man angesichts der Katastrophenlage des Reiches überhaupt handeln?

Ein Jahr später wurde Antiochia, drittgrößte Stadt des Reiches, von den Persern verbrannt. Die Stadt erholte sich nicht wieder von dieser Zerschlagung. Der Fluß suchte sich ein Bett außerhalb der Stadt.

Wille zur Macht

Kaum war Präsident Bushs Administration im Weißen Haus installiert, kaufte Northrop Grumman Corp., L.A., am 22. Dezember 2000 zum Preis von 3,8 Milliarden Dollar in bar seinen Wettbewerber Litton Industries, Woodland Hills (Cal.). Das Produkt-Portfolio beider Unternehmen, zusammen haben sie 79000 Mitarbeiter, zeigt Überschneidungen. Es sind 250 Millionen Dollar Einsparungen pro Jahr zu erwarten.

Bei dem Geschäft wurde Northrop von Salomon Smith Barney und Goldman-Sachs beraten. Litton griff auf Hilfe von Merrill Lynch zurück. Das Geschäft ist vollständig fremdfinanziert. Die Ratingagentur Standards & Poor's-Moody's setzte die Krediteinstufungen beider Produktionspartner drastisch herab.

Litton-Chef Michael Braun wird von seinem Amt zurücktreten. Northrop übernimmt Schulden von 1,3 Milliarden Dollar. Credit Swiss – First Boston und Chase Manhattan stellen einen Kredit von sechs Milliarden Dollar zur Verfügung. Der gemeinsame Umsatz der neuen Firma beträgt 15 Milliarden Dollar im Jahr. Somit steht der neue Konzern gleichauf mit General Dynamics

Corp., die den vierten Platz unter den Rüstungsfirmen bisher einnimmt. Den ersten Platz belegt Lockheed Martin Corp. Es waren keine Lemuren, die dies bewirkten, sondern Crews und Jahrgänge mit Körpern von pulsierender Lebendigkeit, in vielen Sportarten geübt; das waren die neuen Konservativen. Die Anpassung der Körper schien aber nur der Vorwand für die Tätigung der Firmenzusammenschlüsse.

Daraus schließen wir was? fragte der Hauptabteilungsleiter für internationale Beziehungen im Verteidigungsministerium in Moskau schulmäßig. Wir schließen daraus auf eine neue Rüstungsrunde, antwortete der Chef des Sicherheitsrats beim Präsidenten, Iwanow. Sie befanden sich in einem Konferenzraum, Batterien von kaukasischem Wasser auf den mit grünem Samt bespannten Tischen. Sonst hatten sie im Augenblick keine Mittel zur Hand, um auf die Veränderung der Grundrisse im internationalen Bedrohungsgeschäft zu antworten.

– Wie hält man das Porzellan der Republik zusammen?
– Man kann es gar nicht so schnell verstecken, wie die Begehrlichkeiten wachsen.

In der Vorwoche hatten die russischen Geheimdienste eine Gruppe türkischer und amerikanischer Verhandler in Baku aufgespürt. Hier wurden Ressourcen des Reichs aufgekauft. Die Moskauer Kader empfanden immer noch die Umrisse der UdSSR als den wahren Körper des Landes, das sie verteidigten. Insofern gibt es in den großen Bürokratien eine spezielle, auf die eigene Physis übergreifende Sensibilisierung, die mit den Grenzen des Landes, den verteidigungspolitisch empfindlichen Zonen, zu tun hat. Einer kann sterben oder Hautausschläge bekommen, dadurch, daß der Gegner die empfindliche Zone verletzt.[36]

– Was schlagen Sie vor, Hauptabteilungsleiter?
– Gegenmaßnahmen, erster Sekretär des Sicherheitsstabs.
– Und was soll das heißen?
– Das wissen Sie so wenig wie ich.

Die scheinbar zynische Redeweise verbarg eine tiefe Aggression, die ein auf den Schulen des Generalstabs ausgebildeter Kader sonst offen nicht zeigt.

36 Insofern ist die »strategische Empfindung«, sagt der Militärarzt Grusinski, zuständig für die gesundheitliche Betreuung der Mitarbeiter des Verteidigungsministeriums vom Hauptabteilungsleiter abwärts, schärfer ausgebildet als z. B. die erotische. Man kann nicht im Puff beruhigen wollen, was sich in dem Konferenzzimmer oder auf Grund einer Funknachricht aufgeheizt hat.

Fünf Monate später, durch Versuch und Irrtum gestiftet, durch Trägheiten, Herkommen, Gelegenheitswahrnahme, aber auch durch flammenden Zorn, der sich über die Zeit durchhält, war ein Vertrag mit der Republik Indien zustandegekommen, der im Werte von zehn Milliarden Dollar einen Rüstungsaustausch mit Rußlands Fabriken vorsah. Zwei Atom-Unterseeboote, sechzehn konventionelle, aber raketenbestückte Unterwasserkreuzer, Lieferung von Panzern und Luftabwehr-Raketen – dies waren die öffentlich bekanntgemachten Proportionen. Eine Reihe von vertraulichen Annexen sah weiterführende Schritte vor.

So werden an der Schwelle des 21. Jahrhunderts Grundrisse neu abgesteckt. Der Gewalt industrieller Fusionen und zwischenstaatlicher Verträge kann individueller Wille nichts entgegensetzen. Insofern empfanden sich die Kader des Verteidigungsministeriums in Moskau, wenn sie sich über die Fernperspektiven ihres Tuns austauschten, als »nur begleitend tätig«. Die PLACKEN DER REALITÄT zogen ihre Erfinder mit sich, als hätten sie Willenskraft.

> »Wille zur Macht heißt nicht,
> daß der Wille mächtig ist,
> sondern daß etwas im Willen
> unbezwingliche Macht übt.«

Wie Zellen miteinander reden

> »Jede Bewegung der Unendlichkeit
> geschieht durch Leidenschaft, und
> keine Reflexion kann eine Bewegung
> zustandebringen.«

Der Historiker Grassmann hatte keine Erklärung dafür, was die Einwanderung keltischer und »germanischer« Gemeinden nach Spanien hinein und in das nordafrikanische Gebiet ausgelöst hatte, tiefer in ihr Verderben. Die Wanderungen erschienen ihm ziellos.

Sehen Sie, sagte Grassmann vor seinen historischen Karten, wenn es die Beute und das An-sich-Reißen von Landgütern wäre (sie haben aber kaum etwas genommen oder sie haben es genommen und wieder fahren lassen, weggeschenkt und die Wanderung wieder aufgenommen), dann müßten sie hier herüber ziehen (er weist auf Westfrankreich und danach auf Norditalien). Sie sind aber dorthin gezogen, wo es unwirtlich ist. Nehmen wir an, sie sind falsch beraten worden, irregeführt, dann müßten sie aber in Gegenden sein, in denen das Im-

perium, das die falschen Ratgeber stellt, sie nicht fürchten muß. Nein, sie mar-
schieren gerade an die Nahtstellen, die das Imperium schmerzen. Anderer
Deutungsvorschlag: Interne Rang- und Ehrgeizkämpfe der Führer führen zu
dieser Verirrung. Die Quellen berichten über solche Kämpfe, die jedes andere
Thema betreffen, nur nicht das Ziel der Wanderung. Es muß das Fehlziel, der
Mangel an Sinn der Zielorte, in das ganze Programm eingelagert sein.

Das ist völlig verschieden, sagt Grassmann, vom Navigieren wandernder Zellen, die in den Körpern ihren Platz suchen. Günther Albrecht-Bürger vom
Coldspring Harbour Laboratory New York: Wie steuern weiße Blutkörper-
chen über Strecken, die sieben Millionen mal größer sind als ihre Zellgröße,
zielsicher auf Infektionsherde zu. Es wachsen die Fortsätze einer einzigen Ner-
venzelle über – verglichen mit den Strecken der Völkerwanderung – riesige
Entfernungen präzise auf die Zielorgane zu. Auch ganze Nervenzellen führen
Wanderungen aus, wenn sie sich im Entwicklungsprozeß des Individuums zum
komplizierten Netzwerk des Zentralnervensystems zusammenschließen.

Wie reden Zellen miteinander? Was heißt Zellspionage? Was heißt Diversion
sich ausstreuender Tochtergeschwülste? Welche Macht ist es, die so zielsicher
jede Gegeninformation lebenswilliger Zellen stört und das Ganze tötet? Es
scheint, daß dies alles miteinander spricht, sagt Günther Albrecht-Bürger.

>»Aber das, was der Zeit fehlt, ist nicht
Reflexion, sondern Leidenschaft.
Darum ist die Zeit eigentlich in einem
gewissen Sinne zu zählebig, um zu sterben,
denn zu sterben ist einer der merkwürdig-
sten Sprünge.«

Der Zermalmungseffekt

I
Tröstend, daß die Sonne sich erhob

Die Einlieferungen hatten in der ersten Nacht die Pathologen voll beschäftigt
gehalten. Armee-Pathologen hatten sich hinzugesellt. Die Sektionstische blieben belegt. Dann, nachdem der personelle Bestand ein Höchstmaß erreicht
hatte, die Pathologen der ersten Stunde kehrten bereits ausgeschlafen wieder
zurück zum Dienst, wurden die Einlieferungen spärlich. Nur Teilstücke von
Menschen und bald darauf gar nichts mehr aus der Richtung des Katastro-
phenorts gelangte in die grünen Hallen, die gekühlten Sektionsbereiche.

– Wie erklären Sie sich, daß keine Hohlräume gefunden werden mit Geretteten? Auch keine intakten Leichen? Aber auch keine ins Gewicht fallenden Teilstücke, wie wir sie sonst geliefert bekommen?

Es ist der Zermalmungseffekt, antwortete der Chefphysiker der New Yorker Feuerwehr. Es war kein Symposium, das hier tagte: Eine erschöpfte, dienstwillige, aber ohne konkrete Aufgabe wartende Gruppe des Katastrophenschutzes verbrachte hier ihre Zeit in einer Großkantine.

– Man sah noch eine Traube von Menschen oberhalb des Qualms, die sich an die Fensterrahmen drängte wie bei einem ankommenden Dampfer.
– Was die Masse betrifft, entsteht durch die Entfernung eine Täuschung. Das waren mehr als 500 Menschen, die sich über eine Breite von etwa 300 Metern drängten und nach draußen wollten.

Der das sagte, kommandierte ein Kontingent der Nationalgarde, privat Künstler, selber malend in der Manier von John Martin. Neben ihm Ärzte, daneben Polizeidirektoren und auf der anderen Seite des großen Tisches Architekten, Katastrophenschutzbeauftragte, Feuerwehrmänner und Sprengmeister. Was man brauchte, waren in dieser Morgenstunde Kommunikationsexperten. Boten waren ausgesandt. Man braucht Kenntnisse darüber, wie die sporadischen (und vielleicht auch nur behaupteten) Handy-Rufe aus dem Trümmerberg lokalisiert werden könnten. Gibt es ein Peilungsnetz, von dem man in Kriegsromanen liest? Wie wurden seinerzeit in den Weiten des Atlantik U-Boote zielsicher angepeilt? Das konnten Pathologen, Sprengmeister und Polizisten nicht sagen. Architekten, Sicherheitsberater von Wolkenkratzern und der Physiker der Feuerwehr hatten eine Gruppe gebildet und debattierten den ZERMAL-MUNGSEFFEKT.

– Metallgerippe, die Innereien der Gebäude und somit auch die Menschen werden von dem herabstürzenden Gewicht zu einer Art Sandmasse zerdrückt. Sie müssen sich das als in Bewegung befindlich, als Strudel vorstellen.
– Nichts bleibt an seinem Platz?
– Garantiert nichts.
– Auch nicht Stahl?
– Nicht der aus den oberen Stockwerken.
– Gibt es Angaben über den Druck, der nach unten preßt?
– Wo soll man das je gemessen haben? Wir könnten errechnen, was an Druck an der Basis ankommt, d. h. ganz unten. Wie die Etage Null zum Unter-

grund, zur U-Bahn, zu den Kellergeschossen einbricht, das ist errechnet worden.

- Für welche gedachten Fälle?
- Einsturz der Türme bei Orkanen, die über das hinausgehen, was jeder Erfahrung entspricht. Einfach Szenarien, die jeder für unmöglich hält und für die man deshalb, ohne die Planung des Baus zu beeinträchtigen, Annahmen in den Computer einspeist.
- Stimmt das, was man für die Gewalt, die am Boden ankommt, errechnet hat, mit dem überein, was wir sehen können?
- Wir sehen ja nichts davon. Wir können später einmal, wenn alles abgeräumt ist, falls die Abräumungsarbeit dokumentiert wird, die Spuren lesen und aus ihnen auf die Gewalt rückschließen. Das besagt aber nichts über die Zerr- und Wirbelkräfte beim Einsturz, der in der Totale des Fernsehbildes so »filmisch« aussieht. Die Sinne belügen uns.
- Sie sind dafür nicht ausgebildet.
- Sie sind am Kino geschult. Unsere Wahrnehmung würde sich ändern, wenn wir in den Trümmern zerrieben würden.
- Sind das Sekunden?
- Sekunden oder Minuten. Es gibt keine Versuche darüber. Mit dem Untergang eines Dampfers hat es nichts zu tun.
- Verwandelt sich ein Lebewesen zu Sand, zu Matsch, wie soll ich mir das vorstellen?
- Zu einer Mischung. Der Staub, kombiniert, macht es trocken. Das bißchen Flüssigkeit in der Einsturzmasse ist in Prozenten kaum zu rechnen. Ganz oben noch die Wasserbehälter, die einen schwachen Löschschutz für konventionelle Brände garantieren, sind in ihrer Feuchtmasse aufgebraucht in der Höhe des 60. Stocks. Was unten ankommt, ist pulvertrocken und vollständig zerrieben.

Angesichts dieser Bauweise müßte man doch sofort kapitulieren, sagte einer der Feuerlöschexperten. Als Fachmann sah er die völlige Rettungslosigkeit. Kapitulieren vor wem, fragte ein Polizeidirektor.
Draußen die Morgendämmerung. Es war jener Morgen, der auf den Fernsehbildern einen mächtigen Sonnenball hinter den artistisch getürmten Rauch- und Wolkenbänken über Manhattan zeigt. Ein Bild, das die Stärke der mächtigen Bauten der Stadt und somit ein Bild des Selbstbewußtseins wiedergab. Tröstend, daß die Sonne sich erhob.
Die in Erregung durchwachte Nacht, die vielen Tassen Kaffee machten es für Müde unmöglich, sich aus dem Geschehen zurückzuziehen. So waren sie noch alle lebendig hier zusammen, das fühlten sie stark.

2
Entfesseltes Material

Sie nannten ihr Unternehmen »den Zirkus«. Weltweit im Einsatz, wenn Groß-
bauten in sich zusammenfallen. Meist waren in der Materialmasse Menschen
verschüttet. Wie »Raben« warteten in ihren Silos die Kräne und Bagger der
Firma auf Unglücke wie diese. Sie warteten, gerufen zu werden. Im Jahr 2002
wurde die Schulung des Personals, das für Außenkontakte zuständig war, in-
tensiviert durch 84 Aufbaukurse. Die Presse macht sich neuerdings an Bagger-
führer und Absperrdienste heran, sucht nach Einzelaussagen, die eine exponierte Haltung, den »Sprachschrott der vordersten Linie« wiedergeben.
Hierzu bestand Sprechverbot. Es ist ja zutreffend, daß eine Abstumpfung der
Empfindung eintritt, wenn eine Mannschaft Tag für Tag Materialmassen weg-
schaufelt, ohne daß – technisch gesehen – der Vorgang an einem neuen Un-
glücksplatz ein anderer wäre als an einem der früheren. Auch bei einem
JAHRHUNDERTUNFALL unterscheidet sich das Wegschaufeln von Eisen-
gestängen, formlosem Silicatschutt, Klumpen und möglichen Spuren, daß hier
Menschen lebten, nicht vom »normalen« Einsturz im Versicherungssinne. In
allen Fällen bildet sich eine Art »Galgenhumor«, eine Abschottung des Gemüts gegen das Gesehene, ein Humor, der in seiner rohen Stimmung nicht geäußert werden darf. Genau das aber waren die Juwelen im medialen Bericht.
So ist für den Gesamtbetrieb, gleich ob in N. Y. tätig, in Nairobi oder bei der
schauerlichen Einsturzkatastrophe in Sydney, ein weihevoller Umgangston
vorgeschrieben, wie er auch in Beerdigungsunternehmen Gepflogenheit ist.
Wer ihn nicht beherrscht, wird entlassen.
Dies betrifft, seit die Räumung von Ground Zero hinzukam, die gesamte Ab-
räumprozedur, nicht nur das Reden. Dem entsprechen am Übergang der
Räumungszone (jetzt schon Baustelle geheißen) zum Straßennetz der Stadt die
großartigen Gehäuse aus Gummi und Leichtmetall; sie enthalten Waschanla-
gen, durch welche die Lastkraftwagen, die aus dem Trümmergelände den
Schrott abfahren, hindurchgeführt werden. Die Reifen der schweren Fahr-
zeuge werden automatisch und dann nochmals von Hand abgebürstet. Es sei
ihm eine schreckliche Idee, kommentierte dies einer der Vorstandssprecher des
Unternehmens, daß auch nur kleinste Teile der Toten, und sei es ein Fetzen
Haut, vermengt mit Staub und Stein, in den Straßenbelag gewalzt würden. Die
Firma betreibe einen beträchtlichen Aufwand, um die Grenze zwischen leben-
diger Stadt und zu räumendem Totenland minutiös zu wahren.[37]

37 Der für New York zuständige Spiegel-Reporter weist darauf hin, daß das Waschanlage-

Die Materialien werden sodann in einen (nur für die Unglücksstätte des 11. 9. eingerichteten) Müllabwicklungshof der Stadt gefahren. Er liegt am Fluß. Dort wird die Abräummasse noch einmal per Hand untersucht. Das freigegebene Material wird auf Schiffe verladen und auf Sandbänken bei Neufundland dem Meeresboden übergeben. Bei Ebbe läuft der Schutt frei, bei Flut wird er von Wasser bedeckt. Das war ein Einfall der Firma. Das vor der Verschiffung aussortierte Material, das ja nicht mit Gewißheit Substanz von Toten enthält, sondern auf Verdacht ausgewählt wurde, wird vier Wochen thesauriert und anschließend, um jede Fehlhandlung auszuschließen, in einer Grube auf dem Zentralfriedhof in einem Sammelgrab verscharrt, das sich jederzeit öffnen läßt, auch wenn es sich nur um eine Brieftasche, eine Haarspange, also bloßen menschlichen Rest handelt, ein Zeichen, daß da ein Mensch war. Auch dies muß rückholbar, gesichert bleiben.

3
Filmherstellung nach dem 11. 9. 01

Der chinesische Regisseur Long Cauxu plant einen Anti-Terror-Film. Durch Sieg über alle Bösen verbessern sich laut Drehbuch auch die Beziehungen zwischen China und den USA. Für die Rolle der Nancy Lee, die in Flugzeugen und Eisenbahnen gegen Terroristen kämpft, hat Long Cauxu die Studentin Jenna Bush angefragt, Präsidententochter.

– Kann Ihnen das nicht als Berechnung ausgelegt werden, wenn Sie die Präsidententochter als Heldinnen-Darstellerin wählen?
– Und wenn?
– »Man merkt die Absicht, und man ist verstimmt.«
– Dieses Sprichwort gibt es im Chinesischen nicht. »Klare Absicht ist der Anfang des Gelingens.«
– Man sagt Jenna Bush, die einen Kursus für Schauspiel an ihrer Universität belegt hat, keine spezifische schauspielerische Begabung nach.
– Sie wird ein Double haben.
– Für die Action-Szenen oder für das Schauspiel?
– Vor allem für das Schauspiel.
– Worin tritt die Darstellerin denn vornehmlich auf?
– Als Heldin.

und Zaunsystem ihn der Bauweise nach an die Grenzsicherung der DDR erinnerte. Sie erscheine jedoch moderner und transportabler.

– Ohne Szenen?
– Im Ergebnis. Sie ist Teil der Handlung.
– Und was ist die Handlung?
– Der Sieg über das Böse, weltweit.
– Und wo?
– Zunächst in den zentralen Transportmitteln, wo die Bösen zu finden sind: in Flugzeugen, auf Bahnhöfen, in Bussen.
– Ist Handlung ohne szenische Darbietung möglich?
– Bestimmte Handlungen im Sinne von Story funktionieren ohne szenische Umsetzung besser.
– Auf Grund von Ahnung im Zuschauer?
– Auf Grund der MARKENKENNUNG. Das Bild ist mit dem ersten Augenblick präsent.
– Ein Wettlauf der Markenbilder . . .
– . . . entscheidet über den Erfolg des Films.

4
War ein geringer Teil der Opfer gewarnt?

– Sie sagen, es hätte für zwei Stockwerke, ziemlich weit oben, zwanzig Minuten vor dem Aufprall des ersten Flugzeugs, eine Warnung gegeben? Woher will man das wissen?
– Ein rätselhafter Anruf.
– Nicht bestätigt?
– Durch nichts.
– Und die Gewarnten konnten sich nicht retten?
– Nein. Aber zwischen 82. und 81. Stockwerk wird von einer Menschentraube berichtet, die dort steckengeblieben ist.
– Waren das die Gewarnten? Woher weiß man von der Traube?
– Wieder nur Handy. Verstümmelt. Kein Zeuge kam durch.
– Eine Warnung vielleicht aus privatem Grund?
– Dann hätte sich der oder die Gewarnte allein in Sicherheit gebracht. Vielleicht wäre es gelungen. Nein, es heißt, daß das ganze Stockwerk gewarnt und noch in Bewegung gebracht wurde.
– Und nur weil das Flugzeug unter ihnen in das Hochhaus brach, konnten Sie daraus keinen Nutzen ziehen?
– Dort war ja der Brandherd.

In den wenigen Pausen, die ihnen die verschärfte Anstrengung der Suche ließ, grübelten die Experten des Nachrichtendienstes, besuchten einander in den schmalen Abteilen, in denen sie untergebracht waren. In den Hochhäusern, in denen sie wie gefangen saßen. Besser wäre es, das meinte der stellvertretende Behördenleiter schon seit Jahren, wenn diese Experten der Auswertung in einem einzigen Großraumbüro beieinander säßen, ihr Selbstvertrauen würde durch den Anblick der anderen gestärkt. Wie in einem Börsensaal könnten sie kommunizieren. Das blieb aus Geheimschutzgründen unmöglich. Genauso wie es Utopie blieb, diese wertvollen Hirne in weitläufigen Baracken zu ebener Erde gegen Attentate geschützt unterzubringen.

5
Ein Gehäuse aus Stahl für Tschernobyl

Wir, von der Bechtel International Systems Corp., San Francisco, scheiterten, traurigerweise, mit unserem Angebot, noch in der Nacht nach dem Einsturz der Twin Towers, die Unglücksstätte mit einem Stahlbogen zu überbrücken, den wir in drei Segmenten mit unseren Schwersttransportern herangefahren und über der Stätte zusammengefügt hätten. Man kann an den stählernen Bögen Kräne befestigen, die, ohne die Bodenfläche, d. h. die Trümmer, zu belasten, einzelne Stücke hochziehen und an die Ränder des Geschehens transportieren. So etwas gab es bis dahin nicht. Auch wir, das erfahrenste Unternehmen für GROSSES STAHLDESIGN, hatten so etwas bis dahin noch nicht bewerkstelligt. In der Not kam es uns in den Sinn. Wir fanden niemanden bereit, eine Entscheidung über unser Angebot zu treffen.

Statt dessen sind wir, fast zwei Jahre später, in der Lage, ein ganz anderes Problem, in den äußeren Maßen ähnlich, zu bewältigen.[38]

Wir errichten über der Ruine des Reaktors 4, unter teilweiser Öffnung des Sarkophags, ein Stahlgehäuse von 20.000 Tonnen. Die Bogensegmente (»Hangar-Shaped«), über geölte Stahlplatten gleitend, haben eine Weite von 113 Metern. Sie werden im Abstand vom Katastrophenort aufgestellt und auf Gleisen von 12 Metern Dicke zu einem Dachüberbau zusammengefahren. Radioaktive Strahlung hält das Gehäuse nicht auf. Jedoch ist es wetterfest.

Unsere Chance lag darin, daß die Design Constructors, welche die Gutachten

---

38 Den Lobbys ist es gelungen, die Entscheidung der Europäischen Bank für Wiederaufbau, die Gutachten der Design Contractors: Battelle Memorial Institute's Pacific Northwest National Lab. und Électricité de France, Paris, mit den Beschlüssen der Regierung der Ukraine in Übereinstimmung zu bringen. Ein 780-Millionen-Dollar-Projekt.

übernommen hatten, sich selbst nicht bewerben durften; und daß die Zentral-
industrie der Ukraine Eisenkonstruktionen dieser Größenordnung nicht herzustellen vermag.

Das stählerne Monument wird den Elementen über 100 Jahre ausgeliefert sein.
Wie der Stahl reagiert, weiß niemand.[39] Sorgen bereitet das Mikroklima im In-
nern dieses »Schuppens«, der umbaute Raum ist so groß, daß ein Mikroklima-
Management nötig ist. In gewissem verkleinerten Maßstab existieren hier
Regen und Schnee.

An der Unterseite der Stahlbögen sind Robot-Anlagen und Metallschneider
befestigt, sie sind dafür bestimmt, die Materialien der Trümmerstätte in hand-
habbare Einheiten zu zerlegen und durch gewisse Öffnungen aus dem Objekt
herauszuführen. Noch wissen wir nicht, wohin. Uns erfüllt es mit Stolz, daß
wir zwar dem Unfallort in N. Y. nichts Konstruktives hinzufügen konnten, jedoch an anderer spektakulärer Stelle dieses Jahrhundertobjekt errichten dürfen.[40]

6
Dramaturgische Sackgasse

> »Das, was ich fürchte und liebe,
> soll fern sein wie das Himmelreich.«

Es mußten von den Studios externe Schneideräume hinzugemietet werden.
Enorme Kosten, wenn aus den fast fertiggestellten Filmen des Herbstpro-
gramms alle Anspielungen auf das entsetzliche Geschehen in New York entfernt werden mußten. Wie sollen Filme Erfolg haben, wenn Kernpunkte des
Drehbuchs zum Tabu werden?

Schon aber geht es um die Planung der Programme für den nächsten Herbst.
Zu 82 % sind die Herzen erfüllt von dem Geschehen, praktisch in jeder Zielgruppe. Man kann, sagte der erfahrene *executive producer* Michael H., an diesen Gefühlspfropf aber nicht direkt heran. Das Gefühl wehrt sich gegen die
Abbildung im Kino. Da liegt ein Schatz, sagte er abschließend, zur Hebung bereit, und er läßt sich von uns nicht heben. Wo sich alles ändert, ändert sich
auch die Dramaturgie des Erfolgsfilms.

39 Der Eiffelturm, allerdings nur in die Senkrechte gebaut, hat gegenüber den aggressiven
   Westwinden Frankreichs standgehalten.
40 Es finden sich 30 Tonnen Brennstoff-Staub, 2000 Tonnen radioaktive Asche, 200 Tonnen
   Uran und eine große, nicht bezifferbare Menge von Stahl in dem Gewölbe. In den Kellern
   haben Regen und radioaktiver Staub sich zu einer gefährlichen »Suppe« vereinigt.

– Das wissen wir ja nun, daß Horrorfilme in naher Zukunft ausgeschlossen
sind.
– Das würde jeder so sagen, obwohl es niemand getestet hat. Es genügt, daß
jeder es sagt, daß uns eine Produktion in dieser Richtung unmöglich ist. Wir
können wohl auch die »Schreckensbilder« (also an sich faszinierende Bilder)
nicht überbieten.
– Sie meinen, daß wir sie überbieten müßten?
– Das ist das Prinzip des Kinos.

Der *executive producer* H. war zugleich im Verleihgeschäft engagiert. An einer
der Efeu-Universitäten der Ostküste war er von seinem Produktionsjob nicht
abhängig. Sein Gefährte, mit dem er in den vergangenen zwanzig Jahren navi-
giert hatte, war für die Studioproduktion und die Beziehung zu den Banken zuständig. Es gab keine Lage, der sich die beiden UNABHÄNGIGEN nicht gewachsen gefühlt hätten.

– Du meinst, man müsse die GROSSE STORY des World Trade Centers so
erzählen wie den UNTERGANG DER TITANIC?
– 1912 ist 2001!
– Beunruhigend die Nähe zu 1914.
– Für das Publikum in den USA wäre das 1917. Das wäre keine unmittelbare
Nähe zu 1912. Wir reden auch nicht von Zeitgeschichte, sondern vom Plot
eines Großfilms.
– Der Kern war die Liebesgeschichte mit di Caprio. Wo willst du die unter-
bringen?
– Die Zeit, bis die Türme einbrechen, ist kürzer als die zwischen dem Rammen
des Eisbergs und dem Untergang, meinst du?
– Ich kann mir kaum eine Bewegung zwischen den Stockwerken in so kurzer
Zeit vorstellen, die noch eine Liebeshandlung zuläßt.
– Auch nicht, wenn die Vorgeschichte erzählt wird? Dafür ist genug Zeit. Hin-
ter Millionen Fenstern von New York Millionen Liebesgeschichten.
– Der Feuerwehrmann und die Prinzessin im Turm? Sie haben sich in Kursen
des Zweiten Bildungswegs kennengelernt. Vom Feuerwehrmann zum Mil-
lionär. Die Millionärin, die gesellschaftlich absteigt. Sie will arbeiten.
– Er will löschen.
– Das ist kein Objekt fürs Löschen. Sowenig, wie sich eine Prinzessin an ihrem
Haar am Turm abseilen könnte.
– Es soll Hohlräume gegeben haben, gebildet durch eigentümlich verkantete
Stahlträger, Schutzräume für einige Zeit, so wie ein Dampfer am Meeres-
grund noch Sauerstoffblasen enthalten kann, in denen Menschen überleben.
Daß sich die beiden hier wie in einer Katakombe treffen?

– Du glaubst doch selbst nicht, daß dir das irgendein Autor so schreibt. Das Schreckliche wäre, daß es solche Schutzräume wahrscheinlich wirklich gab, aber daß wir davon so erfahren, wie wir von dem Liebespaar in Herkulanum und Pompeji erfahren haben.
– Das war ein erfolgreicher Roman.
– Aufgrund einer Katastrophe, die nicht von Menschen gemacht war, und die zurückliegt.
– In einem der Geschosse? Da wo es Läden gibt? Da wo es zur U-Bahn geht? Die beiden verlieren sich aus den Augen. Zugeschüttet. Unterirdische Fluchtwege. Suche nacheinander in sämtlichen Kliniken. Scheitern an den Absperrungen. Zuletzt finden sie einander.
– Und wie stellen wir die Katastrophe dar?
– Immer indirekt.[41]

Tücken der Kausalität

Ein fast unentscheidbarer Fall des New Yorker Versicherungsrechts

Ein Anwalt der Swiss Reinsurance, auf die 22 % der Verpflichtungen entfallen, die die Versicherer für die Zerstörung des New Yorker World Trade Center zu zahlen haben, zeigte sich befriedigt über den Entscheid des zuständigen Richters John S. Martin. Er nannte dessen Weigerung, ein summarisches Urteil abzugeben, EINE ERHEBLICHE SCHLAPPE FÜR DEN NEW YORKER IMMOBILIENMOGUL LARRY SILVERSTEIN, der das Eigentümerkonsortium anführt. Der Kommentator der *New York Times*, der über die Pressekonferenz referierte, nannte den Rechtsstreit ein Beispiel für »turmhohe Abstraktion«, wie sie ein reales Ereignis in einem Justizverfahren anzunehmen pflegt.

---

41 Ehe die beiden Gefährten den Plan eines solchen Filmprojekts aufgaben, ließen sie recherchieren. Die Wucht der Stahl- und Betonmassen schien in Bodennähe, also gegenüber den Ladenstraßen und den Tiefgeschossen, am gewaltigsten. Eine Überlebenschance in Hohlräumen, sagte einer der Feuerwehrexperten, war dennoch dann vorhanden, wenn Zugang zu Nahrungsmitteln und Wasser bestand, also im Keller einer Mall direkt unter dem Einkaufscenter. Das ist zu spekulativ, erwiderte H.; Sie vergessen den Staub, ergänzte ein Bergungsfachmann. Er absorbiert den Sauerstoff und legt sich auf die Schleimhäute. Es gibt keine menschliche Lunge, die das aushält. Sie müßten einen wissenschaftlichen Film herstellen, um irgendeine Geschichte plausibel zu machen, und dann stoßen Sie auf das Hindernis, daß die Zuschauer wissen, daß die Geschichte nicht wahr ist.

Der Streit ist entfacht, weil zum Zeitpunkt der Terroranschläge am 11. September noch keine Versicherungspolicen vorhanden waren. Die Silverstein-Gruppe hatte das WTC erst wenige Wochen zuvor für 3,2 Mrd. $ von der Port Authority of New York and New Jersey auf die Dauer von 99 Jahren gepachtet. Silverstein hatte mit 22 Versicherungsunternehmen eine Deckungssumme von 3,55 Mrd. $ »pro Schadensfall« vereinbart. Die Abmachungen waren zunächst in sog. »Binders« festgehalten. Es fehlte der exakte Wortlaut der Policen.

Mit 3,55 Mrd. $ kann Silverstein den WTC-Komplex nicht wieder aufbauen, da zuvor die hohen Hypotheken abzuzahlen sind. Der New Yorker Gouverneur unterstützt die Auffassung Silversteins, es habe sich um *zwei* Ereignisse gehandelt. Mit zweimal 3,55 Mrd. $ könnten die Tower sogar in anderer Gestalt, wertvoller als zuvor, errichtet werden, z. B. in die Tiefe gebaut.[42]

Der Syndikus der Stadt befragte den Rechtsgelehrten Dworkin von der New York City University, der sich noch immer Hoffnung machte, unter einer demokratischen Administration Richter am Obersten Gerichtshof zu werden.

– Man muß die Arbeitsmittel durchforschen, die Diskussionen, Absprachen, Memos, um die Absichten der Parteien zu ergründen.

– Das Papier von Willis of New York, das der Silverstein-Gruppe zuzurechnen ist, wird entscheidend sein.

– Vermutlich. Danach geht es darum, ob die Schäden EINER Ursache, direkt oder indirekt, oder einer Serie von ähnlichen Ursachen zugeordnet werden können.

– Setzt man die Absichten der Al-Qaida als Ursache, so ging es um EINE Ursache.

42 Der Anwalt Donald Scotti von Douglas, Penkert, Dimitroff & Co., N. Y., ging von drei Schadensfällen (»*occurrences*«) aus: Flugzeug Nr. 1, Flugzeug Nr. 2 sowie Einsturz aufgrund der Schwerkraft, welche die oberen Stockwerke auf das in der Mitte getroffene Gebäude ausüben. Er wollte aufgrund der Annahme von drei Ursachen zu drei Schadensersatzforderungen gelangen und dann einen Vergleich schließen, der auf die Bezahlung von eineinhalb Schadensfällen hinauslief.
In einem Versicherungsformular, das vor der Katastrophe von Silversteins Agenten an einen der Versicherer übergeben worden war, wurde der Terminus *occurrence* folgendermaßen umschrieben: »Verluste oder Schäden, die direkt oder indirekt einer Ursache oder einer Serie von ähnlichen Ursachen zugeordnet werden können. Alle solche Verluste werden addiert, und die Gesamtsumme der Verluste wird als *ein* Vorfall behandelt, ungeachtet der Zeitspanne, über welche die Verluste eintraten.« Die Formulierung war für Scottis anwaltschaftliche Strategie ungünstig. Auch widersprach sie dem New Yorker Gewohnheitsrecht, das den Begriff *occurence* für jede Kausalkette getrennt definierte. Vermutlich hatte die Silverstein-Gruppe versucht, durch eine unübliche Formulierung des Begriffs »Schadensfall« eine preiswertere Versicherung zuwege zu bringen. In der Eile war es zu keinem Abschluß gekommen. Hier lag Scottis Chance.

– Es waren aber *zwei* Flugzeuge. Hätte z.B. eines davon sein Ziel verfehlt, wäre es auf die Absichten der Al-Qaida nicht angekommen.

– Es wurden auch verschiedenartige Schäden angerichtet.

– Das ist wahr. Sie führten aber zum gleichen Resultat.

– Hätten Sie sich vorstellen können, daß so eine spitzfindige Frage über Wiederaufbau oder Nicht-Wiederaufbau über den Katastrophengrund des WTC entscheidet?

– Man sieht, wie genau die Versicherungen Policen formulieren müssen.

– Deshalb waren sie ja auch nicht rechtzeitig zum Katastrophenfall vorhanden.

Als juristisches Gelände handelte es sich um eine Ruine. Aus ihren Elementen sollte das New Yorker Gericht auf den fertigen Bau, das von beiden Parteien Gewollte, rückschließen. Kann man so etwas Elementares wie den Zusammenbruch der Tower überhaupt in den juristischen Folgen durch LOGIK entscheiden? fragte Dworkin. Es ist keine Logik darin enthalten, daß die Eigentümer sowenig wie die Versicherer die Zeit hatten, das wertvolle gekaufte Gut vor der Katastrophe zu versichern.

Hündchen Laika

In der Wüste des Kosmos umrundete eine gewisse Zeit lang das Hündchen LAIKA, ein Moskauer Straßenköter von großer Robustheit, den Erdball. Voller Vertrauen auf die Züchter und Erzieher, die ihm Signale eingegeben hatten, daß ein Weiterleben, wenn der Hund nur gehorchte, durch tägliches Angebot von Nahrung und persönlicher Zuwendung beweisbar bliebe.

Dem wurde die Praxis nicht gerecht. In einer Vorrichtung befestigt, die industriell 87 Milliarden mal kostspieliger war als ihr Tierkörper, umrundete LAIKA die Erde für 14 Tage, die Kapsel gab mechanische Peilzeichen, übertrug Meßergebnisse aus dem Hundekörper.

Die Herrchen LAIKAS, eine Assoziation zwischen Astro-Ingenieuren und Hundeführern, hatten fest angenommen, sie könnten den Hund wieder zurückholen. Schon aus Forschungsgründen, schon deshalb, weil sie die technischen Meßergebnisse im Umkreis des Hundes zurückgewinnen wollten, war ihr guter Wille unbezweifelbar.

Die Rückholung erwies sich als unmöglich. Im emotionalen Haushalt, der Welt des Subjektiven nach Karl Marx, erwies sich das langsame Sterben des Hundes als Kapitalvernichtung sämtlicher galaktischer Planungen.

Niemand (auch außerhalb der Sowjetunion) glaubte mehr den Entwerfern utopisch großer Pläne, z. B. zur Eroberung von Nachbarplaneten oder Nachbarsternen. Wenn sie schon einen einfachen Hund aus Sibirien nicht zurückholen konnten aus der Umlaufbahn. Ja, sie konnten das Hündchen nicht einmal mit Morphium versorgen, das dem Tod einen allmählichen Abglanz unter den Sternen gewährt hätte. Vielmehr hörten die Ingenieure des Steuerungszentrums in STERNENSTADT (niemand wagte die akustische Kommunikation abzubrechen) die Anstrengungen des Hundes, Atem zu gewinnen. Die Lebenskräfte des Hündchens verlängerten die Krise. Das Tier schied nicht ohne Widerwillen aus dem Leben im Orbit.

Abb.: »Sie hatten fest angenommen, sie könnten den Hund wieder zurückholen.«

Das nachtödliche Gedächtnis für das
im Schlaf Verarbeitete

Unter den Schatten, die Odysseus, als er den Hades bereiste, beobachtete, befand sich eine Gruppe, die von den anderen Schatten gemieden wurde. Sie war auch durch herangereichtes Blut nicht dazu zu veranlassen, sich zu nähern. Von dieser Fraktion hieß es, daß sie DAS VON DEN LEBENDEN IM SCHLAF VERARBEITETE, also ein Prisma von glücklichen Ausgängen schwer erträglicher Tageserlebnisse, dies aber unverständlich, d. h. traumartig chiffriert, sozusagen in Stücke zerrissen, jetzt als Tote memorierten. Nunmehr hatten sie die Zeit dafür. Auch die besondere Fähigkeit, das im Traum Verarbeitete, das ein wacher Mensch weder behält noch zu unterscheiden vermag, sich in immer erneuten Schleifen, filmartig, vorzuführen.

So waren sie anders beschäftigt als die Schatten, die noch nach Nachrichten hungerten, die sie von den Lebenden zu erhalten hofften.

Ein gefährlicher Augenblick

Die Durchgänge zwischen den Waggons im St.-Moritz-Express entsprechen einer alten Zugbauweise. Ein Tunnel aus Stoff in Ziehharmonikafaltung begrenzt den Raum, der die Waggons verbindet. Zwei Trittplatten, ähnlich dem Übergang über einen Gebirgsbach, in Bewegung, so wie der Zug fährt, aus Eisen, bilden den Steg.

Eine Greisin wird von ihrer Betreuerin oder Verwandten geführt. Sie soll diese Schwankezone überwinden. Mit einer Hand stützt die Helferin die knochige Greisin, mit der anderen hält sie die automatische Tür fest, denn die alte Frau legt den Weg über den Steg nicht in dem Tempo zurück, das vorausgesetzt wird für die Zeit, in der sich die automatischen Türen schließen, die den Weg zwischen den Waggons begrenzen. So geistern vier Hände, die alten und die der Helferin, über verschiedene Haltegriffe und Klinken, suchen ein Gleichgewicht zu finden für die haltlosen Körper.

Da der Zug in diesem Augenblick in eine Kurve einfährt, die Trittplattformen bewegen sich gegeneinander, stürzt die Greisin und kommt zwischen den Platten, mit dem Kopf an der flatternden Ziehharmonikawand zu liegen. Ihre Hände greifen nach den Platten, sie werden zerquetscht werden, wenn die Platten sich am Ende der Kurve zurückdrehen. Die Betreuerin oder Verwandte, eine korpulente und, solange sie sich auf den Beinen befindet, standfeste Person, fällt über die Greisin, versucht selbst, Halt zu gewinnen. Hinter ihnen der Schaffner ruft: Zurück! Vorsicht!

Die Haut der Greisin über den Knochen ist dünn. Wenn sie reißt, dauert es Monate, bis sie wieder zusammenwächst. Das gilt für Körper, Hals, Hände, Beine und Arme. Die Helferin versucht, die nervös grapschende, unglücklich liegende Frau sich auf den weichen Leib zu ziehen, indem sie sich hinhockt. Wie ein Hebel will sie dann versuchen, die zu Behütende und sich selbst aufzurichten. Währenddessen, wie Scheren eines Krebstieres, schieben sich die Trittplatten in der Fahrweise des Zuges übereinander und auseinander.

Leider hat die Tür zum nächsten Waggon, aus Gründen, die nur frühere Eisenbahnkonstrukteure kennen, an ihrer Unterkante einen Eisensporn. Dieser schlägt auf das Schienbein der Alten, eine Platzwunde. Der Schmerz löst die Hände von der eisernen Trittplattform, deren Unterseite so gefährlich scheint. Man kann, wenn sich die metallischen Scheiben übereinander bewegen, einen Finger oder die Hand verlieren, sobald man in die Tiefe greift. In diesem Augenblick gelingt es der Hilfsperson, sich und die Frau aus der Hockstellung in die Senkrechte zu bewegen.

Jetzt müßte nur noch ein Engel oder der Schaffner die Tür zum nächsten Waggon öffnen, denn beide Arme der Helferin halten die Greisin, im bewegten Tunnel wie auf hoher See, an ihren Körper gepreßt. So fängt die Dicke die Stöße auf. Kein Schaffner, kein Engel da, wo doch der Schaffner sich hinter ihr befindet und die Tür zum rückwärtigen Waggon offenhält. Er hat die Idee, die Helferin am Rücken zu halten, geniert sich aber, die Frauensperson fest anzufassen.

In der Greisin steckt offensichtlich ein unbändiger Überlebenswille. Aus allen Vorjahren angesammelt. Sie hat, gehalten von der Helferin, eine Hand frei gemacht, und in krasser Anspannung gelingt ihr die Öffnung des Türmechanismus. Sie besitzt Glück und Findigkeit. Irgendein Hebelgesetz, das sie in diesem Moment anwendet, hilft, die Tür zu öffnen. Die Türgriffe sind an sich nicht darauf angelegt, auf die schwachen Kräfte der Greisin zu reagieren. So bewegen sich drei Menschenwesen in den nächsten Waggon, gelangen schrittweise zu einer sicheren Wand.

Das hier ist ein Erster-Klasse-Waggon, sagt die Helferin oder Verwandte. Dafür haben wir keine Billetts. Es ist gut so, antwortet der Schaffner.

Die Libelle

In einem Talkessel des Hochgebirges, das sich in Graubünden über 4000 Meter erhebt, liegt ein See von grüner Farbe, mit unberührtem Gewächs in der Tiefe. Dieser Ort ist seit Auffaltung des Gebirges, d. h. seit 200000 Jahren, praktisch unverändert, sagt der Geologe Schweickart.

Libellen umflogen an diesem Sonnentag die Wasserfläche. Ausgeschlossen, daß sie Gebirgsgrate ringsherum je überfliegen können. Zum nächsten Wasser war es, gemessen in Menschenschritten, eine Tagesreise.

So war hier eine besondere Art der Libellen entstanden, mit einem tiefbraunen Bewuchs von Härchen zwischen dem siebten und achten Segment. Unverwechselbares Merkmal für Abkunft der Libellengruppe von diesem Ort. Jede fremde Libelle hätten sie zerfleischt.

Mein Vater fing eine dieser zweihunderttausend Jahre alten Adligen im Jahre 1938 und setzte sie im Teich seines Gartens aus. Sie lebte dort, heimatvertrieben, noch sieben Jahre und verendete, als der Garten im Feuersturm verbrannte. Der Teich, eine Betonkonstruktion, war geborsten und verfügte schon bei Ausbruch des Brandes über kein Wasser mehr.

Im Winter, der auf einer Höhe in 4000 Metern hart ist, nisten die Libellen in winzigen Unregelmäßigkeiten, die ihr Element, das Wasser, an der Grenze zum Eis vorsieht.

Das unverrückbare Bett des Odysseus

In der *Dialektik der Aufklärung* von Max Horkheimer und T. W. Adorno, die 1947 in Amsterdam erschien, las im Jahre 2003 im weit entfernten Stanford ein junger Kandidat der Diplomatie (»International Relations«) die Schlußbemerkung:

(fortzusetzen)

Er bezog die Aufforderung auf sich selbst. Niemand hatte ihm europäische Philosophie nahegebracht. Er fühlte sich als Entdecker.

Er nahm sich vor, zunächst das für angelsächsische Begriffe schwer lesbare Buch sich dadurch näherzubringen, daß er zu jedem Gleichnis das darin enthalten war, ein Gegengleichnis bildete; das ist nämlich in der Spiegelwelt[43], in

---

43 Die Theorie der Spiegelwelten (in Annäherung an Alice in Wonderland) war in Stan-

der wir leben, zwingend. Läßt sich kein Gegenpol entwickeln, bleibt der Satz
trivial.

– Sie bestreiten die zentrale Bedeutung der Szene, in welcher der Held Odys-
seus zwar den Ruderern die Ohren verstopft, selbst aber den Sirenen zuhört.
Um deren Gesang nicht zu verfallen, ließ er sich an den Mastbaum fesseln.
In der *Dialektik der Aufklärung* zeigt dieses Beispiel, wie der Mythos sich in
die Zivilisationen (in die Aufklärung) fortpflanzt. Der Naturgewalt ent-
kommt der Held, dafur fesselt er sich selbst.
– Ich bestreite überhaupt nichts, antwortet der Diplomat. Ich finde nur ein
zweites Beispiel im gleichen Homer.
– Und worum handelt es sich dabei?
– Um das unverrückbare Bett des Odysseus. In den zwanzig Jahren seiner Irr-
fahrt hat er dieses mollige Lager vor Augen.
– Woher wollen Sie das wissen?
– Homer beschreibt es so.
– An welcher Stelle?
– Im letzten Gesang. Der Hund, der treue Schweinehirt, die Amme, die ihn
aufzog, der eigene Sohn (nachdem Athene es ihm verraten hat) haben den
Heimkehrer erkannt. Daß er den Bogen des Odysseus zu spannen wußte,
mit dem er die Freier tötete, machte ihn kenntlich. Seine Frau aber glaubt
nicht an seine Identität. Zu lange ließ er sie warten.
– Und was überzeugt die Irrtumsgewohnte schließlich?
– Seine Kenntnis von der Unverrückbarkeit des Bettes.
– Wieso unverrückbar?
– Er hat es als junger Mensch gebaut, d. h. es ist in einen lebenden, mächtigen
Olivenbaum gehauen. Dieser hält den Palast zusammen. Man könnte nur
Haus und Baum zugleich umrücken. Ein schönes Beispiel für Nicht-Zerris-
senheit.
– Und Sie sagen: das ist keine Verzweiflungsgeschichte zum Thema Aufklä-
rung? Ist es eine Trostgeschichte?
– Es ist ein Gegengleichnis zum »Mastbaum des Odysseus«.

ford im Frühjahr 2003 Mode. Sie wirkt als Gegengleichnis zum Programm des Unilate-
ralismus der USA. Danach besitzt jede Galaxie eine gespiegelte Gegengalaxie, so wie
die Elementarteilchen ihre Gegenpole besitzen. Komplex daran ist, daß sich die Spiege-
lung im Innern der Menschen (in ihrem Verstehen) wiederholt. Blickt einer auf eine Kugel, so erscheint es ihm, daß er sich in ihrer Mitte befinde; liest einer die Zahl 265, so
muß er »verstehen« 562. Hält einer seine Gier im Traum für ein wildes Tier, das ihn
anfällt, so muß er dies »lesen« als die Leidenschaft, die in der äußeren Welt eine Beute
anspringt.

- Man hätte den Palast abbrennen, den Baum abhacken können.
- Davon sagt Homer nichts.[44]

Von seinen philosophischen Tastversuchen erzählte der künftige Diplomat (man wird solche Praktiker brauchen, wenn die zu erwartenden Krisen bis zum Jahre 2035 auf die Großmacht zukommen) seiner Kommilitonin Gertrud Smith aus Boston, die immer noch hofft, daß er sie im Laufe seiner Karriere nicht fortwirft. Sie war bereit, sich Mühe zu geben.

»Grausam wie ein Mongole«

Die Wildheit des Dschingis, geb. 1155, gest. 1227, zeigt sich darin, daß er zu Anfang seiner Laufbahn als Sieger über seine gegnerischen Stammesgenossen die angesehensten Gefangenen in siebzig Kesseln sieden ließ. Nach dem Einfall in China werden einem Prinzen des Kaiserhauses die Beine abgehauen, weil er nicht niederknien will, der Mund wird ihm bis an die Ohren aufgeschlitzt, damit er nicht widersprechen kann. Zu seinen Söhnen sagt Dschingis: »Ich verbiete euch, jemals ohne meinen ausdrücklichen Befehl gegen die Bewohner eines Landes Milde walten zu lassen. Mitleid findet sich nur in schwachen Gemütern. Strenge allein hält die Menschen bei ihrer Schuldigkeit.«

Das eingeschlossene Heer des Fürsten von Kiew, dem Leben und Freiheit versprochen war, wenn er kapitulierte, wurde dennoch niedergemetzelt, die Vornehmen wurden unter den Brettern, auf welchen die Mongolen beim Siegesfest saßen, zu Tode gequetscht. Vierzehn der vorzüglichsten Städte Rußlands wurden so vernichtet. Im Jahre 1241 wenden sich die Mongolen nach Liegnitz, bleiben auf der Ebene von Walstadt Sieger. Herzog Heinrich von Schlesien, der in der Schlacht den Tod findet, wird der Kopf abgehauen; auf eine Lanze gesteckt, soll dieses Haupt die Burg von Liegnitz zur gutwilligen Übergabe veranlassen. Im Spätherbst schlägt ein Ritterheer unter von Sternberg in der Nähe von Olmütz einen Teil der Mongolen und drängt sie nach Ungarn. Sklave der Mongolen zu werden, heißt es, sei noch schlimmer als zu sterben. »Se non a Tartaris sed a Tartaro detineri.«[45]

44 In dem mit Geschichtserzählungen wie durch Graffiti geschmückten Bett erzählt Odysseus der Penelope die Geschichte seiner Fahrten. Die Götter halten den Lauf der Stunden an, weil eine einzelne Nacht nicht hinreicht, die Irrfahrten nachzuerzählen. Insofern ist das ins Lebendige gehauene Bett sozusagen DAS ERZÄHLEN.

45 M. Rugerii Canonici Valadimsis, Carmen miserabile super destructionem regni: Danach stammen Mongolen nicht von Vorfahren ab, sind überhaupt ungeboren, sozusagen Boten der Unterwelt.

– Und so etwas glauben Sie?
– Sie meinen, es ist Greuelpropaganda der Christen?
– Was sonst?
– Die Quellen stimmen überein. Nehmen Sie einmal die Übertreibungen weg. Es findet sich keine Generosität, Versprechen werden nicht eingehalten, so etwas wie Mitleid wird nicht empfunden, Gewissensbisse sind nicht festzustellen, ein besonderer Erfindungsreichtum gilt drakonischen Strafen, quasi einer Propaganda, die Terror verbreitet.
– Dem steht entgegen, daß das Empfinden und der Gewissensbiß zu den Natureigenschaften des Menschengeschlechts zählen.
– Woher haben Sie das?
– Aus der Forschung.
– Aus welcher?
– Keiner bestimmten. Immanuel Kant sagt das.
– Glauben Sie, unterstellt der Zweite Weltkrieg wäre anders ausgegangen, daß die Massenmörder aus den Sonderkommandos der SS im Jahr 1952 innerlich zusammengebrochen wären? Wie ein langsam wirkendes Gift ruiniert sie der Biß des Gewissens?
– Das zeigt, würde Dschingis sagen, daß sie keine Härte haben. Sie müssen im einsamen Hochgelände und in den Wüsten Mittelasiens für Jahrhunderte üben, um diese Härte zu besitzen.
– Und wofür ist Härte gut?
– Zur Welteroberung.
– Zur Erhaltung dieser Eroberungen ist sie doch aber ganz unbrauchbar.
– Das ist auch wieder so eine Behauptung.
– Könnten Sie sich insektenartige Außerirdische vorstellen, die erbarmungslos wären, so wie man es von den Mongolen behauptet?
– Wir wissen nicht viel von Insekten.
– Haben Insekten kaltes Blut?
– Die Biologen sehen bei den häufigsten Insekten, den Ameisen, Fürsorge. Das setzt Mitempfinden voraus. Sie verteidigen einander, ihre Verletzten bringen sie in Sicherheit. Ihren Pilzkulturen gegenüber sind sie einfühlsame Gärtner. Nichts Mongolisches.
– Und die Spinne, die ihr Männchen frißt?
– Keine mongolische Methode. Das Männchen ist nicht fremdstämmig, sondern Angehöriger.

Der Geschichtsforscher und der Biologe waren im Wissenschaftskolleg Berlin auf ein halbes Jahr in enge Nachbarschaft versetzt worden, um Diskussion und Synergie zwischen den Disziplinen auszuloten. Wo liegt im Menschen der

Sitz der Grausamkeit? Wo ist der Gewissensbiß verankert? Hat es geschichtlich einen evolutionären Vorteil, wenn eine Bevölkerung diesen Giftbiß nach Willkür an- und abstellen kann? Der Geschichtsforscher Erwin Dänecke hatte die Äußere Mongolei bereist. Keine Religiosität im westlichen Sinne, auch keine Erscheinung, wie sie der Gewissensbiß zeigt. Aber Achtung des Gastrechts, zahllose Kommunikationsformen des friedlichen Nebeneinanders, nichts, was auf die außerordentliche Befähigung hindeutet, in den Heeren des Dschingis Khan zu dienen. Wie kann das Böse so vollständig verschwinden? War es je da?

2

Kann ein Gemeinwesen
ICH sagen? / Tschernobyl

In unserer unmittelbaren Nachbarschaft, in Rußland, fiel 1991 ein ganzes Gemeinwesen auseinander. Ein Kosmonaut, den Gorbatschow Monate zuvor zur Mir hinaufgesandt hatte, mit Reparaturen beschäftigt, noch immer Sowjetbürger (der Kosmos ist exterritorial, man verliert dort keinen Status), landete im Januar 1992 in einer Wüste von Kasachstan »wie in einem fremden Land«. Der tüchtige Mann war verwirrt. Keine Kontinuität mehr zu den Anfängen von 1917, die sein Großvater noch kannte, die Staatsbürgerschaft ein Irrtum.

Kann ein Gemeinwesen ICH sagen? Wenn die Elementarteilchen, die in Tschernobyl explodierten, eine Halbwertszeit von 300000 Jahren haben, welche Zeitgestalt muß das Gemeinwesen haben?

»Gemein ist, wer gemein zu sprechen wagt
über Rußlands Leben.«
Aleksandr Blok

Andropow läßt sich von Akademiemitglied Velitzky Friedrich Engels' Dialektik der Natur erklären

Die Dialektik der Natur Rußlands zeigt Bögen von sechstausend Jahren. So sind Ideen, z. B. religiöse Vorstellungen, die Art, die Toten zu begraben, von extremem Alter und unabhängig davon, ob in der Gegenwart etwas von diesen Vorstellungen zu entdecken ist. Daß der östliche Teil des Kontinents, das südliche Sibirien, so rohstoffreich, von Siedlern nicht bearbeitet wird, mag einen solchen »unsichtbaren Grund« haben. Was wäre, wenn man einen *goldrush* in diesen wilden Osten lancieren könnte? Der Chef will das untersuchen lassen.

Die Geister des Landes, d. h. Pläne, Hochbauten, Straßen, Eisenbahnen, Flughäfen, Landkarten, Strafen verändern sich rasch. Verschwinden sie, z. B. von Unkraut überwuchert, kehren sie dennoch zu denselben Orten zurück, wo sie einst entstanden sind.

Dies verhält sich verwirrend anders als in den Annahmen, wie sich nach historisch-materialistischen Regeln Unterbau und Überbau zueinander verhalten sollten. Die Naturkräfte (des Geistes, der Körper, die Gelände) verhalten sich im großen Rußland nicht schulmäßig.

In mancher Herbstnacht, während es über Moskau stürmt, sieht Andropow die Seelen (oder hört, spürt sie in den Knochen), wie sie freizügig mit den Körpern umspringen, die doch der KGB, seiner Bestimmung nach, hüten soll.

SOMA/SEMA:
Der Geist im Gefängnis des Körpers

Die Hauptabteilungsleiter des KGB sitzen in Büroräumen eines großen Hauses. Der Chef lebt eingezwängt von Bluthochdruck und Tücke seiner Nerven, meist muß er wegen Kopfschmerz verreisen. Eine zu geringe Zahl von Killerzellen, von Ärzten der 4. Moskauer Poliklinik nachhaltig unterstützt, kämpft aussichtslos gegen ein Magen- und beginnendes Speiseröhrenkarzinom, welches das Gehäuse des Chefs ganz zu zerstören droht. Wüßte der nur auf zwei bis drei Stunden täglich wache Geist des KGB-Vorsitzenden nicht jüngere Mitarbeiter anzuleiten, die in intakten Körpern hausen, könnte er überhaupt nichts durchsetzen.

Die Körper der Gesamtorganisation, die sich als Elite und als Hüterin der UdSSR versteht, ja so etwas wie eine Verfassungswirklichkeit darstellt, bestehen aus Seilschaften, unsichtbaren Beziehungsnetzen, Richtlinien, Zuständigkeitsregeln, Oberservanzen. Einige dieser Körper (das gehört zu den Analysen des Chefs aus der Zeit, in der sein Körper noch wacher war) entsprechen dem Organisationsprinzip des CHITINPANZERS (äußere feste Kruste, weiches Innenleben, wie bei einem Insekt), andere folgen der SKELETT-BAUWEISE (Leben, aufgehängt an Knochen). Das Problem sind die Nahtstellen, die Membranen; was ist durchlässig? Was muß strikt undurchlässig sein? Jurij Andropow hat sich das an Beispielen der Evolution deutlich gemacht.

– Haben Sie deshalb die Geheimhaltung gelockert? Informationen über Kernkrafthavarien neuerdings freigegeben?
– Beginnend mit dem Zweifel am 1. Block des Kernkraftwerks in Armenien.

Vom Himmel hoch

Die Volksrepublik Armenien besaß im Oktober 1982 einen einzigen Kernreaktor, den die Bruderrepubliken dem kleinen Land im Süden der Sowjetunion geschenkt hatten.[1] In jenem Oktobermonat explodierte, möglicherweise als Folge eines Erdbebens, der Reaktor des 1. Blocks. Das Maschinenhaus brannte ab. Die amtierende Schicht organisierte die Zuführung von Kühlwasser in den Reaktor. Zufällig funktionierten alle Kommunikationsmittel des Landes.

Eine spezielle Einsatzgruppe, vom KKW Kola, half den Operatoren 18 Stunden lang, die aktive Zone zu retten. Sie waren in Pelzmänteln eingetroffen, so wie sie das unbeheizte Flugzeug im Norden bestiegen hatten. Das achtmotorige Luftfahrzeug überwand die Entfernung ohne Zwischenlandung.

Nachdem die Gefahr technisch gebannt war, wurde die Rettungsaktion in ihren ruhmreichen Details von den Leitungsorganen Rußlands erörtert. Noch ist die Zukunft nicht verloren. Saturn steht weit abgesetzt vom gefährlichen Uranus. Merkur günstig in Konstellation mit Jupiter. Dies blieb bei den dialektisch-materialistisch geschulten Realisten im Apparat unterbewertet, wurde aber von anderen Teilnehmern der Diskussion hervorgehoben. Inzwischen

---

1 In Zeiten der Zaren hätte eine Kathedrale oder eine zentrale Hinrichtungsstätte ein ähnliches Zeichen öffentlicher Anerkennung gesetzt.

waren ja von den Genossen eigene Himmelskörper den überlieferten Sternen hinzugefügt worden. Man konnte diese Satelliten in wolkenlosen Nächten als Lichtpunkte verfolgen. Wie sollten sie nicht, diese Garanten prompter Kommunikation, im Konzert der astrologisch relevanten Einflüsse Einwirkung auf das Schicksal haben? Die Ingenieure aus Kola standen im Verdacht, in ihren nördlichen Hirnen viel Aberglauben und Spuk zu beherbergen.

Kann ein Gemeinwesen ICH sagen?

– Könnte man sagen, eine moderne Gesellschaft, die sich über einen großen Kontinent erstreckt, eine Supermacht, braucht neben einer Regierung und politischen Leitung eine Art von Gehirn?
– Auf jeden Fall.
– Könnte der KGB ein solches Gehirn sein?
– Zunächst Erinnerungsvermögen. Er ist ein Organ mit langlebiger Erinnerung.
– Liegt diese Erinnerung in Archiven, Akten?
– Seit 64 Jahren.
– Das bedeutet sehr verschiedene Arten, Akten zu führen? Erinnerung einzuschreiben?
– Man findet nichts. Das Neueste ist auf ziemlich großen Kassetten gespeichert, die in den USA schon nicht mehr hergestellt werden.
– Hat der KGB versucht, eine Art Hirnfunktion für das Land auszubilden?
– Unter Andropow wurde das versucht. Es ist das Spurenelement, aus dem Glasnost entstand.
– War Glasnost geplant?
– Von oben nach unten, ja.
– Ist je ein Prozeß der Aufklärung von oben nach unten gelungen?
– Ja, einer.
– Der Ausbildung eines persönlichen Organs, einer Art von Gehirn?
– Unter Kaiser Diokletian.
– Wirklich gelungen?
– Nein.
– Ist damit dieses Verfahren, ein gesellschaftliches Gehirn von oben nach unten zu implantieren, widerlegt?
– Nein.
– War es von Andropow und seinem Mitarbeiterkreis, darunter Gorbatschow, als VERFAHREN VON OBEN NACH UNTEN gemeint?

– Es sollte einem Prozeß, der von unten nach oben stattfindet, etwa auf hal-
bem Weg begegnen.
– Auch das ein Plan?
– Nein, ein Prozeß. Es entsprach der Beobachtung.

Die tausend Augen

Die stürmische Entwicklung der Geheimdienste und Terrorbehörden[2] der Sowjetunion in den Jahren bis 1937 hatte über 15 Jahre hin Nachwehen.[3]
Die Evolution des Apparats hatte weniger den Typ des NERVENSTARKEN,
INNERLICH GEPANZERTEN EXEKUTORS begünstigt als vielmehr
den SENSIBLEN SPÄHER. Diese zweite Gruppe quasi intellektueller Akten-
besitzer war den internen Verfolgungen und Säuberungen des Apparats eher
entgangen als der Typ des Aktivisten, der sich jeweils in der gerade obsolet gewordenen Phase des revolutionären bzw. konterrevolutionären, d. h. des
bremsenden Prozesses, blutige Hände gemacht hatte.
Kurze Zeit nach Stalins Tod, zu Beginn der Diadochenkämpfe, mit dem Sturz
Berijas besiegelt, war auch einer dieser SENSIBLEN SPÄHER, Sergej M.
Worolow, aus der Zentrale entfernt worden. Berija wird erschossen, Molotow
Direktor eines abgelegenen Elektrizitätswerks. Worolow wird Förster in einem großen Waldgebiet nördlich von Nowgorod. Mit der gleichen Akribie,
mit der er in den Dienstzimmern am Roten Platz gewirtschaftet hatte, durch-
wanderte er, nun unterstützt von sieben Waldarbeitern, die weite nördlich-
dschungelartige Landschaft des heiligen Rußland. Schießen konnte er nicht.
Holzvorräte aus dieser abgelegenen, durch Straßen mit den Hauptwirtschafts-
Trassen Rußlands nicht direkt verbundenen Gegend, waren im Plan nicht vorgesehen. So lebte er hier, nur bewaffnet mit seiner städtischen Intelligenz,

2 Terrorbehörde und Geheimdienst gehören zur selben Behörde, sind aber getrennt organisiert.
3 In einer Terrorbehörde umfaßt eine Generation etwa drei Jahre (ein Zehntel des Genera-
tionsabstands im Leben). Die Zeit vor diesen drei Jahren der Beherrschung einer Planstelle
werden für die Vorbereitung, die ANZIELUNG, verwendet. Die folgenden Jahre bis zum
Ausscheiden aus dem Amt sind den Abwehrkämpfen gegenüber Nachfolgern geschuldet.
Der genannte Korridor freier Jahre, in die sich die Herrschaft eines Beamten gliedert, ist
eine statistische Größe. Gerade in Berijas Amt gab es einen Unterbeamten (zuständig für
eine Einzelfunktion in der Bibliothek), der von 1917 bis 1958 durchhielt, allerdings gerade
dadurch, daß er die untergeordnete Stelle nie verließ. In der Krisenphase 1937 gab es
MONSTER DER MACHT, die nur sieben Tage herrschten.

allein mit seinem Amtsobjekt. Nachts schlief er schlecht, tags war er nicht wahrhaft von seiner Leistungskapazität her ausgelastet.

Um die Baracken herum, welche die Förster-Siedlung ausmachten, lebte ein Ameisenvolk, das 22 Millionen Individuen aufwies (tatsächlich waren es 140 verschiedene Nester, also viele Völker, darunter einander feindselige wie das der blutroten Raubameise). Worolow fühlte sich beobachtet. Nicht die einzelne Ameise war es, die ihn schreckte, wohl aber das gewaltige Kollektiv. Die Tiere besitzen zwei Komplexaugen an den Seiten des Kopfes (Netz- und Facettenaugen), ergänzt um drei Punktaugen auf der Stirn. Was sehen diese fünf Augen? Was sehen 22 Millionen mal fünf Augen, wenn sie vor allem nachts nicht ruhen?

Man unterschätzt, sagt Worolow, wenn man von der geringen Zahl der Sehkeile ausgeht, das Sehvermögen der Ameisen. Auch hat das Einzeltier wenig Hirn, also wohl kaum Gedächtnis. Was aber, wenn so zahlreiche Punktualitäten untereinander sich vernetzen? Entsteht ein Überauge, das mich nachts anblickt, meine Schritte verfolgt bei den Wanderungen über die Pfade meines Amtsbezirks, die ich doch machen muß, um meine Muskeln, meinen Körper intakt zu halten?

Worolow besitzt einen Telefon-Wandapparat aus Bakalit vom Erfolgstyp 1931, dessen Signale, wenn es in den Wäldern nicht zu feucht ist, vor allem in den trockenen Wintern, weit tragen. So hat er zeitweise Kontakt zu den Wissenschaftsstädten und Akademien. Er kann die Biologen befragen. Die fünfäugigen Sehapparate der Ameisen sind unfähig, erfährt er, »sich auf wechselnde Gegenstandsweiten einzustellen«. Das Raster, das sie »sehen« oder »abtasten«, ist ein »unscharfes Bewegtbild«. Daraus ziehen Ameisen ihre »Schlüsse«. Das Insektenauge besitzt ein hohes zeitliches Auflösungsvermögen. 300 Eindrücke pro Sekunde kann das Tier unterscheiden.

Sie können, lieber Worolow, die Augen der Tiere, die Sie dort draußen vermuten, überhaupt nicht sehen, sagte der Biologe Iglowskij, den Worolow am Telefon sprach. Und die Insekten sehen nur ein paar Meter weit. Sie sind nicht in der Lage, Sie durch die Fenster Ihrer Hütte zu beobachten.

– Doch, doch. Ihre Blicke summieren sich zu Glühpunkten. Je fünf Augen mal tausend.
– Unsinn. Was Sie sehen, ist ein Waldgelände. Es sind Büsche.
– Wie wollen Sie das durchs Telefon beurteilen, Iglowskij?
– Es ist Ihre Einbildung. Die Einbildung eines Städters. Sie sehen städtische Verhältnisse. Es ist aber nur Wald.

Es ist nur meine Einbildung, sagte sich Worolow. Ich sehe Geister. Während er sich das vorsagte, glaubte er es doch nicht. An den langen Abenden verwirrten sich dem einsamen Förster die Sinne. SENSIBILITÄT CHARAKTERISIERT EINE MÖGLICHKEIT, INTELLIGENZ BEZEICHNET EIN ERGEBNIS. Beides taugte nicht zur Deutung des Phänomens draußen.[4]

Wie Wellen breitete sich aber, so Worolows Eindruck, gerade heute früh, Gewitter sind von Osten her im Anzug, draußen ein TAUSENDÄUGIGES EINVERSTÄNDNIS aus. Die Tiere analysierten nämlich mit den farbtüchtigen Stirnaugen die Bewegungsrichtung linear polarisierten Lichts. So sahen sie abends den Sonnenstand, wenn die Sonne längst am Horizont verschwunden ist. In der Frühe ahnen sie auf Grund der Polarisationsmuster des Horizonts, daß die Sonne von Sibirien her zurückkehrt.

Eine Zeitlang dachte Worolow, sie sähen ihn an. Das machte ihm Furcht. Jetzt weiß er, daß sie sich für ihn nicht interessieren, sie sind beschäftigt mit winzigen Unterschieden der Helligkeit und registrieren rasante Schatten, während sie auf ihren Marschrouten die Wälder durcheilen, die sie als Ganzes niemals wahrnehmen können. Das macht ihn einsam. Hatte er gehofft auf ein Gegenüber, mit dem er gewissermaßen sprechen könnte?

Was für Sehnsucht! Wenn er doch während der 15 Jahre in seinem Dienstzimmer einen so reichen Kontakt mit allen Zonen der sowjetischen Gesellschaft erlebt hatte, weil nirgends eine solche sinnliche Vielfalt für einen aufmerksamen Kopf konzentriert ist wie in den Akten des NKWD! Gerne wäre er heimgekehrt. Heim zu den Nachrichten, die so zahlreiche Informanten dem Amte zutragen. Die Heimkehr blieb ihm verschlossen. Der Mann war wie die Herrschaftsperiode, in die er eingereiht war, aus den Planungen, Amtsstellenkegeln der Zentrale gelöscht.

Blickt man mit festem Menschenauge auf einen Wald, die Einzelheiten des Waldbodens oder die sechs Baracken der Försterei, ja auf den Pfad, der nach Süden führt, also irgendwann an den Flüssen, Straßen Rußlands oder in der Metropole anlangt, so sieht man nach einer gewissen Zeit überhaupt nichts mehr. Allenfalls läuft die Ahnung, das schnellfüßigste der Augen, den Pfad entlang zu den Menschen hin.

---

4 Worolow hatte die mehr als tausend Bewohner der UdSSR, die er während seiner Dienstzeit überwacht hatte, nie selbst gesehen, sondern nur das gelesen, was die Akten über sie berichteten. Aus den Akten konnten die Augen der Beobachteten nicht zurückblicken.

Im Gefängnis der Natur /
Sozialistische Robinsonisten von 1942

Diana Leibowitz, Kommissarin, Jüdin aus Odessa, blondhaarig, blauäugig, hatte die politische Ökonomie gründlich studiert. Zu den Beispielen dieser Ökonomie gehört die Geschichte von Robinson. Wie kann einer, der Schiffbruch erlitt (alle Ideen Londons im Kopf, Romane hat er gelesen), auf einer einsamen Insel die wesentlichen Elemente der humanen Zivilisation anwenden und bis zur Abholung durch ein Schiff, das durch Zufall seine Insel findet, überleben?

Diana war einem Handelsschiff der UdSSR zugeteilt, das im Sommer 1940 Odessa verließ und New York erreichte. Von dort wurde das Schiff einem Geleitzug zugeführt, der von Island aus im Frühwinter 1941 Murmansk erreichen und mit Rüstungs- und Hilfsgütern beliefern sollte. Nördlich von Norwegen wurde der Geleitzug durch deutsche Überwasserstreitkräfte angegriffen, zerstreut. Der Dampfer Komsomolsk IV, der Kommissarin anvertraut, sank. In Rettungsbooten erreichten 82 Matrosen, der Kommandant, der Erste Navigationsoffizier und die Kommissarin selbst die Bäreninsel, eine einsame Zone von Land inmitten des Eismeeres. Auf den Höhen des Gebirges unbegehbare Gletscher. Eine knappe eisfreie Zone von Geröll zwischen Meer und Eisdecke.

Die verlorene Gesellschaft wurde dezimiert durch tödliche Darminfektionen, vermutlich Trichinose durch Verzehr von Eisbärenfleisch. Es war einmal gelungen, zwei Eisbären mit Mauser-Pistolen zu erlegen. Zuletzt waren sie zwölf Leute. Die Kommissarin und der Navigationsoffizier, der sich als Beauftragter der Partei, d. h. Politoffizier, herausstellte, waren ein Paar. Eine Fehlgeburt der Kommissarin im September 1942. Drohgesten der verzweifelten Robinsonisten gegeneinander. Es gelang nicht, zwei ungleiche Parteien, die sich herausgebildet hatten, zu einem Gewaltverzicht zu bewegen. Das einzige, was sie bislang auf der öden Insel, die zu groß war, als daß sie sie hätten umwandern können, gefunden hatten, waren Sparren und Balken einer Hütte, die norwegische Jäger vor zehn Jahren hier angelegt hatten. Die Ressource war im März 1942 verheizt. Nahrung: einzelne Vögel, Moose, die den Glauben erforderten, sie seien nahrhaft.

Im Oktober 1942 (Kalender führten sie durch Strichlisten in dem einzigen Schreibheft, das sie besaßen) wurde die Bäreninsel von tückischen Stürmen überzogen. Die Kommissarin lief dennoch täglich zum Rande des Gerölls, das hier die Küste markierte. Sie hielt gläubig Ausschau nach Abgesandten der Heimat, wenigstens aber der Zivilisation. So war es in der Geschichte von Robinson versprochen. Ende November, das Wetter beruhigte sich, eine täuschende Stille ging der zunehmenden Kälte voran, tauchte »unweit des Strandes«, eines unwirtlichen Gestades aus Geröll, ein merkwürdiges Gebilde auf. Zunächst rätselhaft, weil verborgen in Nebel und Nieselregen.

Die Kommissarin befahl sofort die Anwendung sämtlicher vorbereiteten Wink-Elemente. Auf dem U-Boot, das jetzt deutlicher zu sehen war, Bewegung. Ferngläser wurden von dort auf die am Ufer sich bewegende Gruppe gerichtet. In einem Schlauchboot wurden die zwölf Überlebenden übernommen. Sie wurden in einen der Stützpunkte Nordnorwegens eingebracht und getrennt verhört.

Der Gerichtsoffizier, der Diana einvernahm, im Zivilberuf Journalist, empfand sich seit langer Zeit nachrichtenlos. Er hoffte, von der Fremden Neuigkeiten zu erfahren, hatte sich für das Verhör Zeit genommen. Der Aufenthalt auf der Bäreninsel schien aber kaum Ereignisse aufzuweisen. Der Kampf ums nackte Überleben auf einer Insel des Polarkreises schien tatenarm.

– Sie würden sich als Kommunistin bezeichnen?
– Gewiß.
– Dies einem deutschen Offizier gegenüber zuzugeben scheint mir kühn.
– Als Überläuferin würden Sie mich nur verachten.
– Sie ehren mich.
– Was soll ich sonst tun?
– Wie würden Sie dann auf der Grundlage Ihrer weltanschaulichen Position Ihr Erlebnis betrachten? Schmiedet die Not die Menschen zusammen? Eröffnet sie Auswege, die man zuvor nicht kannte?
– Das hätte ich theoretisch angenommen.
– Und praktisch hat es sich nicht ergeben?
– Nein.
– Ist es nicht so, daß sich die Qualität einer Weltanschauung in einem solchen Ernstfall erweist?
– Das sollte so sein.
– Ist es aber nicht?
– In unserem Fall hat es sich nicht gezeigt.
– Wenn Sie mir das einmal erläutern.
– Was hat das mit dem Verhör zu tun?
– Es interessiert mich.
– Ich muß Ihnen aber nicht antworten. Nach Kriegsrecht muß ich Ihnen meinen Namen, meine Stellung, meinen Herkunftsort und mein Schiff nennen, mehr nicht.

Der Offizier hatte den Papieren, die die Kommissarin vor Gefangennahme vergeblich zu vernichten versucht hatte, entnommen, daß es sich, entgegen dem äußeren Erscheinungsbild, um eine Jüdin handelte. Die Kennzeichnung als jüdisch-bolschewistisch schien dem Offizier für die Verhörsperson nachteilig. Er suchte deshalb keine Vertiefung in dieser Richtung, sondern wollte seine Neugier befriedigen.

– Ich will Ihre Daten gar nicht erst protokollieren. Sie sollten mir ein bißchen erzählen. Wie bewährt sich die bolschewistische Weltanschauung im Ernstfall? Auf einer einsamen Insel?

Der Verhörspezialist ließ Grog bringen.[5] In diesem norwegischen Stützpunkt war es unmöglich, das Verhältnis von Freund und Feind zu stabilisieren. Mag sein, daß den Offizier Dianas Gestalt reizte; die junge Frau war dem ramponierten Zustand, in dem die gerettet worden war, entrückt. Wahrscheinlicher aber ist es, daß Offiziere der Marineabwehr von einem grundlegenden Interesse am Gegner erfüllt sind. So wollte der junge Nationalsozialist unbedingt eindringen in die Gedankengänge des wissenschaftlichen Materialismus, er wollte die *attitudes of socialism* für sich erkunden, so wie sich ein Geistlicher für die Ideen eines Ketzers um soviel mehr interessiert als für die Ansichten eines heidnischen Praktikers.

Auch die Kommissarin war nach zwölf Monaten des Ausharrens und vierundzwanzig Monaten der Trennung von der Heimatbasis kommunikativ ausgehungert. Eigentlich wollte sie erzählen. Bald schien ihr der fremde Geheimdienstler als Genosse. Und es entsprach den wirklichen Verhältnissen, daß Menschen am entfernten Ort, zwangsweise versetzt in die undurchdringlichen

5 Im Winterhorizont, unter Entbehrungen, hatten sie die Gletscher der Bäreninsel durchforscht, am Sockel der Natur unerwartete Nahrungsmittel gefunden. Der Sozialismus, sagte die Kommissarin, funktioniert nicht in Anknüpfung an Erfahrungen der Gegenwart, so wie Robinson sie nutzte, sondern geht zurück in die Tiefe der Vorzeit. Wie haben sich Vormenschen der Eiszeit ernährt? Zweifellos hätten sie unter Bedingungen der Bäreninsel Auswege gefunden, an den Rändern der Gletscher. Sehen Sie doch her, wir haben überlebt. Wir haben uns sogar vertragen – nachträglich betrachtet, wenn wir es hier erzählen. Auf der Bäreninsel selbst, das gab sie im vertraulichen Gespräch zu, hätten wir uns gegenseitig umgebracht, wenn sie, die Kommissarin, die einzige Mauser-Pistole, die vorhanden gewesen war, nach dem Tode ihres letzten Vertrauten nicht so geschickt versteckt hätte. Hätte sie nicht die Pistole an sich nehmen und mit Waffendrohung Disziplin unter den verfeindeten Fraktionen herstellen können? Wann hätte sie dann schlafen können? Kann ein Mensch schlaflos leben? Nein, es war geschickt, die Waffe so zu verstecken, daß keiner der müden Suchtrupps sie je fand. Das war der Grund, warum die Waffe auch nicht der U-Boot-Besatzung abgegeben werden konnte.

Wartetage des Polarwinters, Genossen sind, auch wenn sie organisatorisch auf
verschiedenen Fronten des Planeten eingeteilt waren.
Die Kommissarin offenbarte sich.

– Ich hatte geglaubt, daß 22 Jahre sozialistischer Erziehung eine Dampfer-
  mannschaft, mindestens aber das Führungspersonal, zu einem SOZIALI-
  STISCHEN VERHÄLTNIS IM ERNSTFALL bringen könnten. Das ist
  nicht der Fall. Das Eigentum, nicht die Solidarität, wirkt stärker. Das ist für
  Robinson, den Vertreter des kapitalistischen Prinzips, einfacher: eine Höhle
  bauen, eine Ziege sich aneignen, den Sklaven Freitag sich aneignen. Und
  dann, im Besitz alles dessen, was ich begehre, großmütig sein, die Herrschaft
  in zivilisatorisch ansprechender Form ausüben. Das ist das Erfolgsrezept
  Robinsons. Mit jedem Zugewinn wird er stärker.
– Das glaube ich auch. Wir Nationalsozialisten könnten so etwas verstärkt
  durchführen.
– Es wird aber schwierig, wenn es um 84 Gerettete geht. Auch nicht einfacher,
  wenn 12 übrig bleiben. Das ist anders als bei Robinson, der allein ist.
– Wurde Ihrem Kommando gehorcht?
– Nur wenn ich die Pistole in der Hand hatte.
– Wer verwahrte Ihre Pistole, wenn Sie schliefen?
– Der Navigationsoffizier.
– Ihr Geliebter?
– Woher wissen Sie das?
– Aus einem Verhör.
– Ich gehe davon aus, daß Sie hier nichts zu tun haben, nichts Wirkliches wis-
  sen wollen und deshalb Romane abfragen.
– Ist es Ihnen peinlich, einen Geliebten gehabt zu haben?
– Das war sowieso öffentlich bekannt.
– Und ungerecht.
– Wieso ungerecht?
– Einer hat eine Geliebte, alle übrigen, zunächst 83, zuletzt 11, haben das
  nicht. Sozialistisch heißt, wie ich mir habe sagen lassen, »jeder nach seinen
  Fähigkeiten, jedem nach seinen Bedürfnissen«.
– Das ist richtig.
– Im Ernstfall müßte das für alle gelten., d. h. gleiche Versorgung mit der Res-
  source Frau.
– Ihnen geht in dieser Dunkelheit und Einsamkeit hier oben die Phantasie
  durch.
– Was nutzt der Kommunismus, wenn die wichtigsten Dinge nicht ebenfalls
  eigentumslos sind?

– Sie sind ja eigentumslos. Ich bin aber nicht das Eigentum von irgendjemand. Ich bin nicht der Sklave Freitag. Den müßten Sie auf alle 12 verteilen. Mich nicht.

– Mich würde interessieren, was Sozialismus überhaupt in einer so extremen und absurden Situation, wie sie für Menschen auf der Bäreninsel besteht, nutzt. Was ist daran brauchbar?

– Ich glaube, überhaupt nichts. Sozialismus setzt Überfluß voraus. Sobald Verschwendung möglich ist, gibt es ein luxuriöses Verhältnis. Dieses Verhältnis, bei dem Menschen erstmals ihre menschlichen Eigenschaften gegen menschliche Eigenschaften und nicht gegen andere Zahlungsmittel (Geld, Gewalt) tauschen, nennen wir Sozialismus. Das braucht 400 Jahre Gewöhnung, Versuch und Irrtum. Unsere sozialistische Partei hatte noch nie die Chance, unter solchen Umständen irgendetwas zu praktizieren. Man könnte Sozialismus am besten auf einem Luxusdampfer ansiedeln.

Aus dem Gefängnis der Natur, der unwirtlichen Insel, waren die zwölf Sowjetbürger (davon drei Marxisten, neun apolitische Matrosen) in ein Gefängnis der deutschen Besatzungsmacht in Norwegen gelangt. Die deutschen Verantwortlichen wagten es nicht, die Geretteten in eines der Gefangenenlager abzugeben, das hätte Transport ins Reichsgebiet bedeutet: Untersuchung des Status der Gefangenen, der nach den Kategorien des Reiches nur ungünstig für die Geretteten zu definieren war. Waren sie Soldaten? Wie waren sie rassisch zu sortieren? Waren sie Angehörige der Zivil-Schiffahrt, die sich unzulässigerweise für Kriegsversorgungsfahrten zur Verfügung gestellt hatten, Konterbande in die russische Heimat zu transportieren, also gestrandete Schmuggler?

Die Besatzung des Stützpunktes wechselte. Immer aber wurden die Gefangenen, inzwischen ihren Bewachern so vertraut wie Haustiere, spezialisiert auf Seemannsgeschichten (sie erfanden, um die nördlichen Nächte durch Tröstung zu beleben, Lügenmärchen über Erlebnisse, tragische Verstrickungen, Taten in der Einsamkeit der nördlichen Insel), zur weiteren Verwahrung abends in ihre Zellen geführt. Zimmerleute der Flotte richteten diese Zimmer wohnlich ein.

Die Übergabe der deutschen Besatzungsmacht in Norwegen als Ganzes an die Alliierten im Mai 1945 setzte die GRUPPE DER ZWÖLF der Gefahr aus, an die Sowjetunion ausgeliefert und dort wegen Unerklärlichkeit ihres Aufenthalts inmitten eines deutschen Stützpunkts angeklagt und erschossen zu werden. Ein *agreement* zwischen dem deutschen Übergabeoffizier und dem britischen Übernehmeroffizier sorgte dafür, daß DIE LETZTEN SOZIALISTEN VON 1939 nach Großbritannien reisten, von wo sie nach Australien,

Kanada, Südafrika einzeln verschifft wurden. Die Tochter der Kommissarin aus ihrer Ehe mit einem britischen Professor an der London School of Economics studiert Ökonomie in Chicago. Sie interessiert sich für die KONSTRUKTION DER ANSÄTZE DER POLITISCHEN ÖKONOMIE NACH KARL MARX, was schon ihre Mutter vor ihrer Irrfahrt brennend interessiert hätte.

»Gemein ist, wer gemein zu sprechen wagt über Rußlands Leben«

1
Ein Nachmittag im Flottenstab

Vier Tage, ausgefüllt mit Eisenbahnreisen, Flügen, die Leiber werden über Land transportiert, auf Schiffe geladen, zur Übernachtung gebettet. Unsere Seelen langten am aktuellen Ort der Handlung wie ein Nachtrab mit vier Tagen Verspätung an. »Nach dem, wo wir schon nicht mehr waren, stand uns der Sinn.«

Die Genossen und hohen Offiziere AM GEHEIM ZU HALTENDEN ORT AM SCHWARZEN MEER empfingen uns in einer Halle mit Filmleinwänden und Dia-Projektoren an Bord eines Kreuzers. An den Horizonten sah man Kriegsschiffe verschiedener Klassen.

Einer der Kommandanten, Vizeadmiral G., trug anhand der Karten, kommentiert durch Projektionen, ein Kriegsspiel vor. Mein Chef, der Generalsekretär Nikita S. Chruschtschow, voller Unruhe.

»Unsere« Flotte war auf »den Feind« gestoßen und hatte ihn »in die Flucht geschlagen«. Der Kommandant begann nun aufzuzählen, wie unsere Flotte das Schwarze Meer durchquert und vor den Küsten der Türkei feindliche Schiffe zur Rechten und zur Linken versenkt. WIR NÄHERN UNS BEREITS DEN DARDANELLEN. Und nun stoßen wir, sagte der Admiral, in das Mittelmeer vor. Inzwischen sind in kühnem Zugriff Landungen an der Nordostküste Afrikas gelungen.

Der Vortrag machte mich traurig. Er schien mir hochmütig. Mein Chef schien LEBHAFT BEWEGT. Ich kannte dies als Steigerung seiner Depressionen. Er hatte sich vorgenommen zu schweigen, zuzuhören, zunächst das Kollektiv des Militärs sprechen zu lassen. Er hatte aber, wie stets, Schwierigkeiten, sein Temperament zu zügeln.

Halt! Warten Sie! sagte er. Sie reden mit solcher Gewißheit davon, daß Sie kurzen Prozeß mit dem Feind gemacht haben, und jetzt erzählen Sie uns, daß nichts übrigbleibt, als ihm den Rest zu geben. Was ist das, »der Rest des Feindes«? Wieso hat er diesen Rest, wenn Sie zuvor kurzen Prozeß mit ihm gemacht haben? Haben Sie den Nebel, im südlichen Teil des Schwarzen Meers häufig, auf der Strecke bemerkt? Haben Sie die beachtlichen Tiefen dieses Meeres sondiert? Sind Sie sicher, daß da keine »feindlichen« U-Boote lauern? Und wenn keine der USA, dann türkische, griechische? Wenn dies ein echter Krieg wäre, dann lägen Ihre Schiffe längst auf dem Meeresboden.
Der Admiral sah ausgeruht zu uns her.

– Außerdem haben Sie außer acht gelassen, daß der Feind Raketen nicht von Küstenbefestigungen, sondern von Flugzeugen aus verschießt. Wir selbst haben ein solches System.

Es erwies sich, daß der Flottenkommandant nichts von Abschußrampen in Flugzeugen gehört hatte.
Das ist unser Versäumnis, fügte mein Chef hinzu. Alle Informationen sind geheim. So wissen die Marineoffiziere nicht, was die Raketenoffiziere und was die Flugzeuge vermögen. Und auf diese Weise beleidigen Sie Rußland, indem Sie zu behaupten wagen, daß wir »Feinde vernichten wollten«.
Mein Chef war ein heller Kopf. Tatsächlich mußte er nicht alle Reden des militärischen Kollektivs anhören, um zu seiner Gegenposition zu gelangen. Er ließ sich aber keine Zeit, die Militärs Schritt für Schritt zu überzeugen. Vor allem jüngere Offiziere, die bei einer solchen Sitzung schwiegen, hätte er auf lange Sicht gewinnen können. Vor allem dadurch, daß er die Kommandanten hätte reden und ihre Planungen vollständig hätte entwickeln lassen. Wenn der Chef dann geduldig nachfragte, so wie es der Genosse Stalin getan hätte, wäre die Absurdität auffällig geworden. Der Chef hätte Jüngere befragen und so die Position des Politbüros durchsetzen können.
Die Kommandanten, über ihre Niederlage beschämt, nahmen Berührung auf mit Offizieren der anderen Streitkräfte, die in ihrer Laufbahn gefährdet waren, sowie mit politischen Kadern, denen die Absetzung drohte. So wurde mein Chef, während er noch im Süden reiste, durch einen Putsch kaltgestellt und entwaffnet.

2
Langsame Bewegungsart der Seelen

In jenen Tagen aber, in denen der Bericht spielt, kam Chruschtschow in der Nähe von Elista endlich zum Ausschlafen. Ein Sturm, der über die Steppe tobte, hinderte die Flugzeuge am Start. In der Nähe von Omsk trafen wir wieder, ähnlich wie auf eine Wetterzone, die langsam wandert, auf unsere Seelen, welche die Mitte Rußlands schon seit Wochen nicht mehr verlassen hatten. In den Plänen des militärischen Apparats, sagte der Chef, liegt eine Verachtung der russischen Menschen. Sie werden nämlich in eine aussichtslose Lage geführt. Rußland brauche einfache Pläne. Dabei haben wir, sagte er, wenn es uns gelingt, eine mechanische Station, also bewaffnete Roboter, auf dem Mond einzurichten, eine unbezwingliche Keule.

Wie will man eine solch exponierte Waffe praktisch einsetzen? Man muß gar nichts einsetzen, sagte mein Chef. Man will es nicht, und man kann es nicht.

Es war die friedliche Zeit nach der Ernte. Früher, sagte mein Chef, brachen bei landwirtschaftenden Nationen Kriege aus, sobald das Getreide in den Scheunen lag. Das ist jetzt alles unmöglich geworden. Er war befriedigt. Er war eine mächtige Autorität in unserem weiten Land, er wußte nicht, daß er sechs Monate später gestürzt sein würde.

>*Gemein ist, wer gemein zu sprechen wagt*
über Rußlands Leben.«

3
Ich war Admiral Gorschkows Kaffeeholer

Statt eines Politkommissars hatte die Führung mich, den Akademiker Wjesolod J. Shatin, dem Flottenstab, zugeteilt, ein Eingeständnis, daß sich ein komplexer, die Welt umspannender Arbeitsansatz, wie ihn der Admiral Gorschkow plante, nicht mit den Mitteln des politischen Verstandes kontrollieren, sondern allenfalls durch den Verstand der Wissenschaft interpretieren ließ. Das aber konnte der *allroundman* Gorschkow selbst besser als ich, und so war ich praktisch arbeitslos in meiner hohen Stellung.

Ich holte ihm, wenn er trüben Auges im Nebenraum seines Planungszimmers erwachte, die Tasse Kaffee, die er brauchte. Die Morgenstunde war seine Schwäche. Ein Gegner des Imperiums hätte zu solcher Stunde mit Erfolg angreifen können, denn Gorschkow war feindselig eingestellt gegen automatisierte Alarmsysteme. In der Morgenstimmung waren Entschlüsse des Chefs extrem verlangsamt. Einen Stellvertreter hatte er nicht. Insofern waren die vier von mir herangetragenen Kaffeetassen, welche die Morgenstunde ausmachen, eine entscheidende Verteidigungswaffe.[6] Woran scheiterten die Planungen (es waren ja bereits funktionierende Netzwerke der Weltmacht)? Nicht an den Störungen des US-Gegners.[7] Unüberwindlich blieb aber der Widerstand des Generalsekretärs. Chruschtschows Bauernverstand war nicht zu überwinden. Ich bezweifle, daß Chruschtschow sich Flottenbewegungen im Indischen Ozean, den Wert von Stutzpunkten in Somalia, die Angriffstaktik von Atom-U-Booten in der Tiefe der See und vor Kap Hoorn überhaupt vorstellen konnte. Mir schien es, er sähe, gleich was wir vortrugen, immer nur im Sturm aufgeregte Wellen des Schwarzen Meeres. Einmal, hieß es, habe dieser Landbewohner auf einem Ausflugsdampfer die Barentssee besucht, aufkommender Sturm in dieser flachen See bewirkt unangenehme Erscheinungen. Er bezweifelte, wie er sich ausdrückte, daß die sowjetische Flotte überhaupt vom Festland »abheben« könnte. Um uns herum flacher Meeresboden. Das war ja gerade der Grund, warum mein Admiral Gorschkow die Streitkräfte in den Weltmeeren zu verstärken gedachte, weit abseits von unserer Kontinentalmasse. Er hatte nicht die Absicht, die Schiffe über Land zu tragen.

Unsere Kämpfer kämpften auf Grund ihrer mentalen Herkunft aus der Bauernklasse (bis zur Aufhebung der borniertenen Klassenschranken in wenigen hundert Jahren, d.h. bis zum Einzug ins klassenlose Menschengeschlecht, vergeht viel Zeit) nicht nach dem Gesetz des Meeres. Sie kämpften wie die Verteidiger von Kolchis, die Medeas Heimatland verteidigen: Gewaltige Kampfmaschinen, bis zum Hals ins Erdreich eingegraben, daß sie nicht weichen konnten. Selbst wenn sie Furcht empfinden, bewegen sie sich nicht. Indessen fürchten sie nichts. Das macht ihren geringen Vorrat an Ahnungsvermögen aus. Sie suchen den Feind nicht. Steht er vor ihnen, ahnen sie

---

6 Die Wendung gegen Automaten und für den subjektiven Entschluß in der Landesverteidigung beruht auf der korrekten Marxschen Bewertung der LEBENDIGEN ARBEITS-KRAFT. Jegliche Maschinerie kann nur von einem (wie immer verkleinerten) Ansatz menschlicher Arbeit in Bewegung gesetzt werden. Die Sowjetunion steht auf der Seite dieser Arbeitskraft, nicht auf der Seite irgendwelcher Maschinerie, die sich aus gewesener Arbeit zusammensetzt, sog. toter Arbeit. Wie soll man auf das einzige, wofür wir kämpfen, nicht vertrauen? Mögen die Imperialisten an die Kampfmaschinen glauben, der Patriot setzt auf den Einfall, die menschliche Reaktion. Sie ist auch preiswert.

7 Die Einzelschritte unserer Flottenführung gingen so rasch vor sich, daß europäische Seemächte sie überhaupt nur aus der Nervosität des amerikanischen Verbündeten bemerkten. Was geschah auf den Wassern? Das konnten sie geheimdienstlich nicht ermitteln. Aufklärungs-Streitkräfte zur See hatten sie nicht.

nicht, daß er sie umgehen wird, daß er dem König die Tochter und das Goldene Vlies stiehlt, Medea, zugrunde gerichtet, tötet die eigenen Kinder und »hebt ab« auf einem feurigen Drachen zum Vaterhaus zurück. Darüber explodiert die Welt. Noch immer stehen die Verteidiger bis zum Hals im Erdreich, zur Verteidigung bereit.

Diese eingegrabenen Giganten, nach den Bildern von einer wirksamen Landesverteidigung in Chruschtschows unbesiegbarem Dickschädel geprägt, sollen sich »nach den Weisungen des Zentralkomitees beweglich verhalten«. Kein Vortrag der Flottenführung stößt diese unbrauchbare Ansicht um. So handeln wir heimlich. Ein unhaltbarer Zustand. Fast schon sind wir verhaftet.

Ich diskutierte mit den Kollegen in Novogorodok. Man müsse, sagte ich, die Argonauten, die Eindringlinge, auf deren Heimatinseln aufsuchen, sie abfangen. Ja, man muß die Brutstätten derer, die Kolchis vernichten werden, im voraus verwüsten, ihre Schiffe im griechischen Hafen verbrennen.

So brachten wir verschiedene Stützpunkte in der Tiefsee unter. An geheimgehaltenem Ort im Süden des Indischen Ozeans, wo sie unter kalten Strömungen liegen, welche die Antarktis umkreisen. Wir errichteten aufblasbare Zelte in den Tälern des Mittelatlantischen Rückens. Unsere Atom-U-Boote der Barrakuda-Klasse, »unhörbare Schatten«, begleiteten die Trägerflotte, die zwischen Indien und Afrika im Geiste des Marxismus-Leninismus ihre Banner flattern ließ. Die Drohung, daß amphibische Truppen an jedem Ort der Erde, der eine Küste besitzt, notfalls an unserer eigenen, wäre diese vom Feind besetzt, landen könnten, unser Vorsprung zum Mond, das sichert unsere Grenzen. Durch Grenzwächter hätten wir sie nicht schützen können.

Als der Generalsekretär stutzte, war es zu spät. Wir verloren die somalische Küste, kämpften in Angola hinhaltend, verloren Moçambique und die Stützpunkte in Ägypten. Mein Patriot und Kaffeetrinker war unaufhaltsam in der Altersklasse hochgerückt. Das ist – nach Karl Marx, *Pariser Manuskripte* – die Schwäche der »unsterblichen Arbeitskraft«. Der Einzelne stirbt. Auch mit acht Tassen Koffein konnte ich den Admiral nicht wachhalten, nicht spätnachmittags im molligen Advent.

4
Im Hinterhof der Abschreckung

Zu den Merkwürdigkeiten des militärischen Geschäfts gehörten für hohe Offiziere des Westens 1991 die freizügigen Besuche, die sie zu den geheimnisvollen Stätten führten, in denen die Geheimnisse des russischen Militärs in früheren Jahrzehnten so perfekt gehütet worden waren. Die Einladung an die

SCHWEIZERISCHE OFFIZIERSGESELLSCHAFT e. V. war noch unter dem vorigen Verteidigungsminister Sergejew erfolgt. Die Schweizer Obristen, sämtlich zugleich Offiziere des Geheimdienstes, wurden in Datschen der Militärakademie aufgenommen, zwei Wochen lang in Kursen über alle Fragen der Haushaltsplanung, der Gerätetypik und der strategischen Ansätze unterrichtet, so als ginge es darum, dieses noch immer beachtliche Militärpotential zu verkaufen. Die Schweizer besuchten sodann dezentral stationierte Verbände an den Grenzen zu Usbekistan, Raketensilos und Flottenstationen bei Murmansk und in Wladiwostok. Hochdotiert mit Geheimwissen kehrten sie zurück nach Uerlikon.

Obrist N. (Name unkenntlich gemacht) und ein Reporter der *Neuen Zürcher Zeitung*:

– Hat Sie irgendetwas beeindruckt?
– Ja.
– Hat Sie irgendetwas überrascht?
– Vieles.
– Im negativen Sinne?
– Für unsere Seite nicht negativ.
– Was bezeichnen Sie als unsere Seite?
– Wir sind neutral.
– Man spricht von Erosionsprozessen in den russischen Streitkräften. Die Sanierung der Finanzen vollzieht sich harzig.
– Das ist deutlich zu bemerken.
– Was hat Sie dann beeindruckt?
– Nur sieben Kilometer vom Roten Platz ist eine Panzerdivision stationiert. Neueste Betten. Vom Fußboden könnte man essen. Perfekte Motorisierung. Wir haben eine Übung beobachtet. Die jetzt 2 500 Mann Friedensstärke, im Ernstfall auf 6 000 aufgestockt, haben volle Kampfkraft. Ich sage, daß uns das imponiert hat.
– Und ein Gegenbeispiel?
– Zustand der Flotte.
– Das wurde alles nicht verborgen gehalten?
– Eigentlich nichts wurde verborgen gehalten.
– Rechnen die Russen mit keinem Konflikt?
– Neuerdings rechnen sie mit der Möglichkeit von Konflikten. Aber die Einstellung zur Öffentlichkeitsarbeit, die neu ist und noch aus dem Jahr 1997 stammt, kann nicht so rasch geändert werden.
– Gibt es Hinweise auf das strategische Denken Rußlands?
– Ja. Drei Schulen, die miteinander ringen.

– Was für Schulen?
– Drei Zirkel von »Eingeweihten«. Weniger Freunde, mehr Überzeugungstäter. Zwei »Kreise«, so verschieden wie Dschingis Khan und von Clausewitz. Die dritte Gruppe ist jünger und weniger zahlenstark. Die drei Gruppen teilen sämtliche höheren Planstellen untereinander auf. Konflikte an den Nahtstellen.
– Was sagt die mächtigste der drei Gruppen?
– Verstärkung des Abschreckungspotentials. Die Fähigkeit zum Zweitschlag muß sichergestellt werden. Also Investition in Raketensilos, in die neuen Topol-M-Raketen, die Bestückung der Interkontinental-Raketen (ICBM) mit mehreren Gefechtsköpfen, was nach dem Start-II-Vertrag verboten ist. Einsatz von U-Booten in der Nähe von Amerikas Küsten usf. SS-18-Raketen könnte man mit zehn Gefechtsköpfen, SS-19 mit sechs und Topol-M-SS-27 mit unzähligen Sprengköpfen bestücken. Das würde den NMD-Raketen-Abwehrschild der USA aushebeln.
– Also dasselbe was Grigori Tischtschenko schreibt?
– Genau das. Eine starke Fraktion. Anderer Ansicht: General Kwaschnin, der Generalstabschef.
– Was ist das für ein Mann?
– Das ist die Gruppe der »kämpfenden Generale«. Unter dem Schock der Afghanistan-Erfahrung. So etwas prägt für 30 Jahre, danach wandert eine solche Erfahrung aus dem Apparat wieder aus.
– So wie die Angriffstaktik von 1917 bei den Deutschen 1948 ihren Höhepunkt gehabt hätte?
– Das wurde ja nicht mehr praktisch. Im zweiten »Kreis« geht es um das »Prinzip Bescheidenheit«. Man braucht Landungstruppen, mobile Einsatzkommandos, das Potential einer abwehrbereiten, auf dem Heimatkontinent angriffsfähigen Mittelmacht. Das ist eine »Verschwörung der Praktiker«. Mit Sinn für Pensionsfonds, Logistik, Selbstversorgung der Truppe. Keine Investitionen in Flotten- und Atomkrieg.
– Und die Jüngeren, die dritte Gruppe?
– Sie rechnen mit Konflikten im Kaukasus, mit der Türkei und mit China. Dies ist eine Generation von »Geo-Strategen mit Nahziel«. Es ist eine Gruppe, die sich nicht outet. Wir können nur vermuten, daß es ein leitender Offizier dieser Offiziersverschwörung war, der uns einen Angriff auf die Kurische Nehrung mit Spezial-Landungsbooten vorführte. Furioses Unternehmen.
– Was hat Sie am meisten verblüfft?
– Daß uns das alles gezeigt wird.
– Welches Fazit ziehen Sie und die Kameraden von der Schweizer Offiziersgesellschaft?

– Nichts ist riskanter als eine ungleichgewichtige Entwicklung. Schrott und
  Brillanz in der gleichen Truppe – das ist Zündstoff. Viel persönliche Intelli-
  genz, viel persönliche Not, die nicht einmal die Versorgung der Familien zu-
  läßt. Ein Zustand wie beschädigte scharfe Munition.
– Welche Befehlskette will das beherrschen?
– Wie es im russischen Sprichwort heißt:

»Schwierig ist das Küchenmesser /
Hackmesser gehorcht nicht besser.«

5
Beschämung, ein lang wirkendes Gift

In jenen Tagen besaßen die russischen Streitkräfte in Kaliningrad noch 18 intakte Landungsboote, die eine der spektakulären Landeoperationen durchführen konnten, die bei der US-Presse so beliebt waren. Jetzt war eine Crew des
italienischen privaten Fernsehens eingetroffen. Für 14 der 18 Landungsboote
stand kein Benzin bereit.

Die Geheimhaltungsvorschriften trennten die insgesamt vorhandene Erfahrung der einzelnen Truppenteile voneinander ab. Der Transport von Menschen und Kampftechnik über See und an den Strand einer unbekannten Küste
erfolgte befehlsgemäß an jenem 9. Mai 2001 mit umgebauten Frachtern und
Lastkähnen. Eine Landungsoperation im Baltischen Meer war zeit- und ner-
venraubend, wenn sie nicht mit der ausgewählten Speerspitze der 18 Spezial-
boote durchgeführt werden konnte. Es gelang schließlich, einen Teil des Geräts
und der Menschen auf dem Landestreifen unterzubringen und in Richtung einer benachbarten Ortschaft in Bewegung zu setzen. Dies alles sah unrealistisch
aus, ohne daß ein Gegner eingewirkt hätte. Der Tag war dann noch zu retten
durch ein pointiertes Streitgespräch zweier Offiziersmannschaften über den
VORRANG des Menschen gegenüber der bloßen Kampftechnik. Alle bloßen
Objekte würden, hieß es, ausschließlich durch lebendige Arbeit, also den subjektiven Faktor, in Berührung mit dem Feind gebracht. Diese Redeübung verlief befriedigend für die anwesenden Zeugen aus Mailand, auch wenn Diskussionen in russischer Sprache, Diskussionen generell über im Publikum nicht
eingeführte Themen, nicht sendbar waren. Die militärischen Mitglieder des
Ereignisses schämten sich für den Tag.

Verantwortung für
dreihunderttausend Jahre

In Schelasnogorsk bei Grasnogorsk in Ostsibirien gibt es das Plutonium-Werk Majak. Es wird verwendet als Lager für abgearbeitete Brennelemente. Es besteht eine Aufbereitungskapazität für sechstausend Tonnen. Das Lager ist halb gefüllt. Das Ministerium für Atomwesen organisiert, beauftragt von der Duma, den Import von Atommüll, auch aus Ländern, an die Rußland keine Atomwerke geliefert hat, in dieses Lager.

Die Lagerung von zwanzigtausend Tonnen abgearbeiteter Brennelemente aus europäischen und asiatischen Ländern erbringt für die russische Föderation 20 Milliarden Dollar Einkommen. Hiervon erhält der Staatshaushalt 3,7 Milliarden, die Atomindustrie Rußlands 2,5 Milliarden, 7 Milliarden Dollar werden in die Entwicklung neuer Technologien und für Umweltschutz investiert.

Alexej Jablokowsk, Duma-Abgeordneter: Das Geld landet auf Auslandskonten. Alexander Tomow, Duma-Abgeordneter: Transport und Lagerung teurer als das Einkommen. Gregorij Jawlinskij, Duma-Abgeordneter: Man könne der Regierung eine so gefährliche Prozedur nicht anvertrauen. Tags zuvor war Tschernomyrdin zum Botschafter Rußlands in Kiew ernannt worden.

– Was ist die längste Verantwortlichkeit, die Sie, lieber Botschafter, in der Geschichte der Welt kennen?
– Ich bin, wie Sie wissen, lieber Jawlinskij, kein Geschichtsforscher. Ich bin Politiker. Exekutant.
– Auch ich bin kein Geschichtsforscher. Aber das längste, was man an Überlieferung bzw. Verantwortlichkeit kennt, sind die dreitausend Jahre von Ägypten.
– Und ich habe von Dr. Illig gehört, daß bei näherem Hinsehen die ägyptischen Perioden zusammenschnurren. Das alles ist nicht älter als Troja.
– Die Poeten Rußlands sprechen von Rachegeistern, der wilden Jagd, die über mehrere hundert Jahre durch die Himmel stürmt.
– Man muß Poet sein, um sich das vorzustellen. Sie wollen wahrscheinlich darauf hinaus, daß ein atomarer Prozeß, wie er hier bewacht werden soll, also in unsere politische Verantwortlichkeit fällt, eine Halbwertzeit von dreihunderttausend Jahren umfaßt.
– Ja. So etwas.
– Man darf so etwas nicht so genau sehen, weil man dann belehrend wirkt.
– Oder verrückt?
– Ja, das ist richtig. Es gibt ein verrücktes Gefühl.

– Wenn man an was denkt?
– Nein, wenn man davon spricht. Ich fahre morgen ab nach Kiew, da haben
wir das gleiche Problem fünf- bis sechsmal, und ohne alle politische Kon-
trolle.
– Ein neuer politischer Beruf: »Wächter des Sarkophags«.
– Ohne Spott. Wir brauchen einen Geheimbund, der die Verantwortlichkeit
von Generation zu Generation weitergibt.
– Er muß kräftige Sanktionsgewalt haben.
– Kräftiger als eine Kirche.
– Machtvoller als ein Geheimbund?
– Eine Verschwörung.
– Ein Nachrichtendienst?
– Eine Partisanen-Armee des guten Willens.
– Aber nicht nur durch ihn motiviert. Er ist nicht langlebig.
– Nein. Vielmehr zäh wie eine Mafia.
– Machtvoll wie ein Fluch!

Das war ein Pausengespräch. Die Abgeordneten hatten vielleicht siebenmal
fünf Minuten am Tag Zeit, sich in dieser Weise auszusprechen. In diesen Wochen wurden Freundschaften, Kader, Clubzugehörigkeiten, ja auch so distan-
zierte Verhältnisse eines entfernten gegenseitigen Respekts wie zwischen Jawlinskij und Tschernomyrdin auseinandergerissen, so daß das Führungspersonal
sich ständig dezimierte. Die Zentrale entvölkert sich.

Zeit der Unschuld

I

Eine Havarie von 1957

Havarie an einem Reaktor in der Nähe von Tscheljabinsk. Spontane Kettenre-
aktion von Brennstoffabfällen. Starke Emission von Radioaktivität. Wir
schreiben September 1957.

– Die Havarie hatte nichts mit dem Reaktor selbst zu tun?
– Nein. Mit der Lagerung von Brennelementen.
– Was geschah?
– Das Territorium wird großräumig mit Wachen und danach mit einem Sta-
cheldrahtzaun abgesperrt. Um das Gelände herum ein Meliorationskanal,

durch den ein Fluß geleitet wird. Alles Vieh getötet, in Massengräbern verscharrt. Bevölkerung evakuiert.
– Alles wirkungslos, wie wir wissen.
– Das exportiert die Radioaktivität ein bißchen, verteilt sie im Land. Es ist die ZEIT DER UNSCHULD. In den USA wurden zur gleichen Zeit Soldaten auf dem Atombombenversuchsgelände in einer Wüste aufgestellt.
– Aber man hatte doch experimentell an Primaten die Wirkung der Neutronenstrahlung auf lebendige Zellen untersucht?
– Das war alles geheim.

2
Einsatz von Borsäure

Ein Süßwasser-Reaktor in der Stadt Melekess wird kritisch (prompte Kritikalität, d.h. kein Operator hat in den entscheidenden Minuten etwas an den Schaltungen verändert). Den Grund weiß keiner. Der Schichtleiter und ein Dosimetrist sind tödlich bestrahlt. Der Reaktor wird abgeschaltet, indem man zwei Säcke Borsäure ins Innere wirft (es geschieht mit Hilfe eines Krans).
Diese wirksame Anwendung der Borsäure bleibt Geheimwissen. In einer technisch-wissenschaftlichen Abteilung des KGB wird es zentral erfaßt. Später wird diese Abteilung ihren Sitz in Nebenräumen des Instituts für Kernphysik der Akademie der Wissenschaften haben.

3
Silvesterstrahlung

Eine Dachplatte des Maschinenhauses stürzt am 2. Block des KKW Belojarsk am 31. Dezember 1978 auf den Ölbehälter einer Turbine.
Wie kann das überhaupt passieren? Alle Meßleitungen verbrennen. Die Operatoren fahren blind. Sie tun in ihrem Bunker lieber überhaupt nichts, als irgendetwas zu schalten, was sie nicht messen können. Mehrere Stunden befindet sich der Reaktor außer Kontrolle. Ist er gutartig?
Ein Empfinden, wie wir es in meiner Jugend hatten in einer Kleinstadt bei Smolensk, sagte der Stellvertreter des Generalstaatsanwalts der UdSSR, der sofort herangeflogen war und die Verantwortlichkeiten untersuchte, als Löwen bei einem Zirkusbrand ausgebrochen waren. Sie mußten sämtlich erschossen werden. Man hätte ihnen nicht trauen können.
In Belojarsk gelang die Zuführung von Notkühlwasser in den Reaktor ohne

Anleitung durch Anzeigegeräte, allein durch Handgriffe und ingenieurmäßige Einschätzung geschulter Operatoren. Ihr Grundstudium trat zutage. Sie bildeten eine verlorene Rotte, nahmen unzulässig hohe Strahlenbelastung in Kauf. Keiner von ihnen starb, keiner von ihnen wurde wieder gesund.

– Sie sammelten mehrere Stunden lang Strahlung in ihre Körper?
– Das verteilt sich im Körper zu einem Durchschnitt. Aufgenommen wird Strahlung pro Zeiteinheit.
– Wie wird es aufgenommen?
– Es durchdringt alles, wird aber durch Kleidung oder Schutzanzüge, auch durch eine Baumwollmütze oder einen Strumpf verlangsamt.
– Was tun die Ingenieure?
– Vor dem Gesicht eine Atemmaske, einen sog. Schweinerüssel. Auf dem Kopf Wollmützen. Es waren nur Wollmützen in der Eile greifbar. Das war gefährlich, weil sich in Wolle und in Haaren die Partikel ausgezeichnet festsetzen und sich so die Zeit ihrer Einwirkung verlängert. Deshalb: sofort Haare waschen, oder besser: abschneiden, kahl scheren. Mützen aus Baumwolle wären richtig gewesen.
– Kann man die Kühlwasserzuführung organisieren, in der die Rettung lag, und sich gleichzeitig die Haare rasieren? Oder sich fachgerecht vermummen?
– Es fehlte nicht an Wissen, es fehlte an Zeit.
– Sie mißtrauten dem Reaktor?
– Mit Recht.

4
I. W. Kurtschatow, der »Panzer-Mensch«

I. W. Kurtschatow, ein breitbrüstiger, auftragsorientierter politischer Leiter, von dem sein Assistent Siwinzew sagt, daß er als Manager in jedem westlichen Land Erfolg gehabt hätte, auch als Politiker, ein Typ der Machtergreifung, war verantwortlich für die Propagierung des »friedlichen Atoms«. Ende der fünfziger Jahre wäre es den Anhängern konventioneller Energietechniken beinahe gelungen, einen Beschluß des ZK der KPdSU durchzubringen, der die Einstellung der Bauarbeiten am KKW Nowoworonesch zugunsten eines konventionellen Kraftwerks vorsah. Hauptargument war die Rentabilität. Kurtschatow eilte sogleich in den Kreml und erreichte in einer scharfen Diskussion mit den KLEINGLÄUBIGEN die Bestätigung der früheren Beschlüsse zum Bau von Kernkraftwerken. Welchen Vorteil haben wir davon? fragte einer der

Sekretäre des ZK. Keinen, antwortete Kurtschatow. Er war kein Lügner. Das deutete an, daß die Sowjetunion im Wettbewerb mit zum Teil verrückten Ideen des Westens im Rüstungswettlauf nicht würde nachkommen können, wenn sie sich nicht selbst exponierte. Kurtschatow hatte den Beinamen »Panzer-Mensch« und wurde »Bombe« genannt. Lügner war er, wie gesagt, nicht.

5
Unser Wagemut als Physiker ist gelähmt

> Um einen Gutshof in Ordnung
> zu halten gegen Brand und Blitz,
> reicht eine Regierung.

– Was wollten Sie im KKW Ignatina?
– Unter dem Eindruck von Tschernobyl die Physik und die Konstruktion dieses Reaktors untersuchen. Er gehört zum Typ RBMK wie der Reaktor 4 in Tschernobyl.
– Einen Versuch machen? Einen Unfall simulieren? Mit mehr Sicherheitsvorkehrung?
– So müßte man es machen.
– Haben Sie das versucht?
– Nicht ganz. Unser Wagemut als Physiker ist gelähmt.
– Und das Ergebnis?
– Die Exkursion[8], d. h. die Summe der positiven Reaktivitätseffekte, war bei diesem Kraftwerk noch größer als in Tschernobyl. Der Dampfkoeffizent beträgt vier Beta.[9]
– Was haben Sie unternommen?
– Unsere Expertise lag im Dezember 1991 dem Zentralkomitee vor.
– Und wo ist sie geblieben?

8 Fachausdruck der russischen Planwirtschaft für das Ausbrechen einer nuklearen Einheit. Der Reaktor wird, mit der Tendenz zur Unbeherrschbarkeit, kritisch. Spezialität des Reaktortyps RBMK ist in der kritischen Phase der Umstand, daß die Neutralisierungsstäbe, die in den Reaktor eingefahren werden, um die nukleare Reaktion zu absorbieren, an ihrem unteren Ende zunächst Metall, sodann Graphit aufweisen. Auf die Betätigung des Schalters GAU hin, d. h. des Notschalters, entsteht zunächst eine Zunahme der Exkursion, der, erst, wenn die Stäbe um 2,5 Meter eingefahren sind, eine Bremsung folgt. In diesen Millisekunden ereignete sich in Tschernobyl die rasante Zunahme der kritischen Reaktion, die zur Explosion führte.
9 In Beta wird die kritische Zunahme aller Komponenten gemessen, die zum Ausbruch des Reaktors führen.

– Wissen wir nicht. Das Zentralkomitee wurde geräumt.
– Was geschah mit Ihrer Abteilung?
– Aufgelöst.
– Wegen Ihrer Nachforschung?
– Alle zentralen Instanzen sind aufgelöst.
– Kümmern sich andere darum, weltweit oder lokal?
– Nein. Wir sind die einzigen, die sich dafür interessieren.
– Wären Sie abzuwerben, nach China, Indien, in den Iran oder in die USA?
– Kein Angebot. Die Frage stellt sich nicht.

Eine Periode des Kalten Kriegs

1
Grabungen bei Karthago

In den 70er Jahren wurden unter dem Patronat der UNESCO auf dem Boden des antiken Karthago Rettungsgrabungen durchgeführt. Bodenspekulation, lebhafter Besitzwechsel, Bautätigkeit an der nordafrikanischen Küste. Zwei Jahre später wären die archäologischen Dokumente zerstört gewesen.

Die Franzosen klärten die Topographie der Byrsa, die Briten gruben im Bereich des Kriegshafens, die Deutschen an der Seemauer, die Amerikaner im Umkreis des Tophet.

Die Sowjets waren ausgeschlossen. Eine Gruppe Akademie-Mitglieder aus Moskau zeltete auf libyschem Gebiet in Grenznähe. Ihre Ausrüstung war auf dem neuesten Stand. Eine Einheit von US-Marines wachte im tunesischen Grenzgebiet, daß die Russen die Grenze nicht überschritten.

Schon in dieser Zeit rechneten die Amerikaner mit einem Zusammenbruch des Erzfeindes. Die Sowjetunion sollte keine Gelegenheit erhalten, sich ideologisch mit Karthago identifizieren zu können. Sie sollte nicht in die Lage versetzt werden, durch Funde die Angaben der römischen Propaganda zu zerstören, auf deren Berichten unsere Kenntnis der drei Punischen Kriege beruht. Die USA identifizierten sich offen mit der RÖMISCHEN MACHT.

War der Tophet eine Grabstätte oder Ort der Molk-Opfer? Wurden dem punischen Gott Baal Hammon, genannt Molk, von den Karthagern in Krisenzeiten Menschen geopfert? Insbesondere Kinder? Die Archäologen schichteten Fundsteine, markierten deren Identität und Fundort. Das Geheimnis war den Steinen schwer zu entreißen.

Tuaregs entwendeten bereits beschriftete Steine, brachten sie gegen hohe Entlohnung über die Grenze zu den Russen. In deren Zelten waren Mikroskope, Ultraviolett-Leuchten, Röntgenanlagen, Vorrichtungen verteilt, die Altersbestimmungen gestatteten. Hier wurden die Schlußfolgerungen formuliert. Keineswegs handelte es sich um eine Opferstätte. Kein Originaltext existierte in der Welt, der das Opfern von Kindern durch die Karthager bestätigt hätte; ein charakteristischer Fall von Greuelpropaganda der Römer.

Eine Korporalschaft der US-Marines überschritt die Grenze, verletzte das Völkerrecht; es gelang, einen Teil der Steine zurückzuholen. Einige Zelte der Sowjets wurden zerstört.

Schon aber war, während die Stabilität der Sowjetunion zerfiel, eine Grenzverrückung im ideologischen Bereich geglückt. Die Angaben der Römer über den Blutdurst und die Freude der Punier an Menschenopfern waren in der Welt der Wissenschaften nicht länger zu halten. So hatte sich die Entsendung der von den Grabungen ausgeschlossenen Akademiker-Gruppe gelohnt. Die zentrale Revisionskommission monierte dennoch die Ausgaben. Das trug zu einem winzigen Bruchteil zu den Konflikten zwischen den einzelnen Ländern, welche die Sowjetunion bildeten, und der Zentralgewalt bei.

2
Detektive unserer Ohnmacht

www. rosa via kosmos. ru

Von westlichen Kontrollern unterscheiden wir uns dadurch, daß wir eine geheimdienstliche Schulung besitzen und als patriotische Kundschafter nicht nur Kosten-Nutzen-Rechnungen anstellen. Eher ähneln wir Detektiven, Agenten der Aufklärung, Ur-Ur-Enkeln der Citoyens der ersten Stunde nach 1789. Wir arbeiten heimlich.

Jetzt wurde gestern unser Rußland erneut beschämt. Vom Weltraumbahnhof Plessezk (Nordrußland) starteten wir die Trägerrakete Zyklon III, die drei Spionage- und drei Telekommunikationssatelliten ins All trägt. Das 90 Tonnen schwere und 40 Meter lange Fluggerät ist eine unserer zuverlässigsten Maschinen. »Aus unbekannten Gründen« schaltete sich die dritte Raketenstufe unmittelbar nach ihrem Start ab.

Wir flogen in unserer Antonow 500 km nach Nordosten. Hier über dem Polarmeer gingen die Wrackteile nieder, verstreut und verbrannt. Über 20 qkm verteilt Spuren. Wir konnten mit der Antonow nicht landen. Mit unseren Ferngläsern sehen wir bis auf zwei Meter genau die Fundstücke. Wir ziehen Rückschlüsse. Nachdem wir in 120 km Entfernung gelandet und mit Schlitten zum Fundort geeilt waren, bestätigte sich unser Verdacht.

Sie tanzen uns auf der Nase herum. Sie sind in der Lage, unsere Technologie aus sicherem Abstand zu stören. Sie haben ihre Sitze in Nordkanada. Wie schottische Hexen bringen sie unsere Elektronik zum Einsturz, wo immer sie wollen. Die Versicherung Lloyd zahlt keinen Ersatz, weil Unglücksursache nicht klärbar. Einen Kollegen von der anderen Seite, den wir über Sibirien abschossen, verwickelten wir in ein spätwinterliches Gespräch.

ICH: Sie sprechen mit Leuten, die nichts weiter zu verlieren haben. Das macht uns gefährlich. Rechnen Sie bitte nicht damit, daß Sie hier heil herauskommen.

KOLLEGE: Damit rechne ich nicht.

ICH: Wir haben die Zeit zwischen zwei Präsidenten in Ihrem Land. Ich kann mir nicht vorstellen, daß Sie konkrete Aufträge haben, uns zu schädigen.

KOLLEGE: Wann komme ich hier raus?

ICH: Sie kommen hier überhaupt nie mehr heraus. Wir können ruhig miteinander reden. Wir haben nicht nur diesen Winter.

KOLLEGE: Dann muß ich mit Ihnen nicht reden.

ICH: Sie sollten es tun. Es ist interessanter zu reden, als zu warten, wenn es nichts zu erwarten gibt.

KOLLEGE: Das ist richtig.

ICH: Die drei Kommunikationssatelliten und die drei Spionagesatelliten, das war eine Bestellung Ihres Landes. Wir hatten die Dienstleistung zugesagt. Sie haben uns die Erfüllung des Vertrags unmöglich gemacht. Was ist das für ein uneinheitlicher Imperialismus? Auch Sie haben einen Schaden. Drei Spionagesatelliten fehlen Ihnen. Wir tragen nur die Kosten.

KOLLEGE: Das ist für mich uninteressant. Ich bin ja nicht in diesem Projekt als Kontroller tätig. Ich hatte Aufträge, die Ihnen Schaden bringen.

ICH: Deshalb können wir ja offen reden.

KOLLEGE: Komme ich dann früher nach Hause?

ICH: Sie kommen überhaupt nicht nach Hause.

KOLLEGE: Und warum nicht?

ICH: Weil wir hier die Chance haben, Ihrer Seite einen Schaden zuzufügen, gegen den sie wehrlos ist.

KOLLEGE: Das ist eine Sache des Stolzes?

ICH: Auf irgendetwas muß der Detektiv stolz sein.

KOLLEGE: Was mich an dieser Sache fesselt, auch hier an diesem Ort, ist die mangelnde Koordination auf unserer Seite. Der Kosten-Nutzen-Effekt unserer elektronischen Störung ist tatsächlich zweifelhaft.

ICH: Würden Sie das schriftlich so darstellen?

KOLLEGE: Das müßte man sehen, es kann Nachteile bringen, so etwas aufzuwerfen. Als Kontroller in eigener Sache müßte ich sagen, daß es für meine
Laufbahn nicht nützlich ist, so etwas aufzuwerfen.

ICH: Dann handeln wir richtig, wenn wir Sie hier überwintern lassen?

KOLLEGE: Wieviel Winter?

ICH: Alle, die Sie erleben.

KOLLEGE: Irgendetwas in diesem Krieg ist irrational.

ICH: Es ist ja auch kein Krieg.

KOLLEGE: Was ist es dann?

ICH: Winter.

3
Wie die Partei den Genossen Stalin
eines Mordes anklagte

Dem siebten stellvertretenden Generalstaatsanwalt am Obersten Gerichtshof
der Sowjetunion wurde in der Zeit, in der Chruschtschow Generalsekretär
war, eine Anklage der Partei gegen den ehemaligen Genossen Stalin vorgelegt.
In einem Anfall von Leidenschaft habe Stalin Mitte November 1932 seine
zweite Frau Nadia Allilujieva ermordet. Zunächst schoß er mit einem Revolver; als er sah, daß sie noch lebte, habe er sie erdrosselt. Es zeigte sich, daß die
Anklage auf dem Briefkopf des Zentralen Komitees jedoch von einem recht
untergeordneten Sachbearbeiter eingereicht worden war. Kein Gremium der
Partei hatte einen wirksamen Beschluß gegen Stalin zustande gebracht. In dem
Schreiben war der Ausschluß Stalins aus der Partei als künftige, verschärfende
Maßnahme in Aussicht genommen.

Der Justizbeamte, noch von Berija in den Justizapparat eingefügt, nahm das
Dossier als ein Echo der Geheimrede des Generalsekretärs, mit der die Phase
der Entstalinisierung 1956 eingeleitet wurde. Ein Sachbearbeiter wolle sich
auffällig machen, war sein Eindruck.

- Halten Sie die Geschichte überhaupt für wahrscheinlich, Genosse Scharni-
  schewskij?
- Daß die zweite Frau Stalins Mitte November tot war und begraben wurde,
  ergibt sich aus der *Prawda*.
- Auch daß es durch eine Schußverletzung geschah?
- Das stand dort.
- Alles andere ist Gerücht?
- Die Gerüchte schwirren. Die Tat geschah unter Zeugen, heißt es. Kein
  Zeuge überlebte.

– Und was glauben Sie persönlich, Genosse Scharnischewskij?
– Daß eine untergeordnete Parteiinstanz sich jetzt wichtig macht.
– Werden Sie der Sache nachgehen?
– Wie soll ich das anstellen?
– Halten Sie Stalin denn nicht des Mordes für fähig?
– Gegen wen soll ich denn einen Prozeß führen, wie soll das Urteil lauten, soll ich gegen ein Denkmal strafend vollstrecken, z. B. die Mordhand aus Stein abschlagen?
– Spotten Sie nicht, Genosse. Was werden Sie praktisch tun?
– Das Dossier verwahren. Das Datum des Eingangs bestätigen.
– Und warten, ob noch weitere Anzeigen hinzutreten?
– Könnte ja sein, daß etwas kommt.

4
Ein Geisterprojekt

Im ersten Kulturfrühling im Jahre 1959, in den Anfängen Chruschtschows[10], plante der bekannte Filmregisseur Sobolew vom Studio Leningrad einen Spielfilm über Jesus. Einen Kolossalfilm? Ja, einen Ausstattungsfilm. Die Ausstattung sollte jedoch auf die Nebenhandlungen, also die Römer, die Pharisäer, die Vorgeschichte bis hin zum Auszug aus Ägypten und die Heirat des Königs Salomon, konzentriert werden, während die Ereignisse um den Gottessohn schlicht, also eher kammerspielartig, darzustellen wären. Und das sollte Erfolg

---

10 Eine der ersten Maßnahmen des Generalsekretärs, unmittelbar nach seiner Machtübernahme, war die Umwidmung des »Bauplatzes über dem Teufelsfluß«; der Bauplatz war nach einem unterirdischen Gewässer benannt, das seit Jahrhunderten der Moskwa zuplätscherte und im frühen 19. Jahrhundert von den Zaren mit einer Kathedrale überbaut wurde. Es gehört zur Eigenart solcher Gewässer, daß Bauten, die über ihnen errichtet werden, unvollendet bleiben.
So blieb ein gigantisches Lenindenkmal, das nach Abriß der Zarenkathedrale die Stadt überragen sollte, mit einem Restaurant im Kopf Lenins, seit 1928 geplant, ein Torso. Chruschtschow ließ das Gebaute abtragen. Seine Vision galt einem Open-Air-Schwimmbad an dieser Stelle. In der Kälte des Moskauer Winters sollten hier Gewerkschaftler der UdSSR ihren Hals in die wärmende Brühe senken können. Oberhalb ihrer Nase ein Wassernebel, spontan entstehend aus dem Unterschied zwischen Wassertemperatur und Kaltluft, sozusagen die diffuseste und feinste Art winziger Springbrunnen, ein Versailles des Volkes. Es zeigte sich, daß auf den Augenbrauen der Genossen sich Eiskristalle bildeten, während die Rippen noch in dem 37° warmen Wasser steckten. Der Generalsekretär war in dieser Anfangszeit fast allmächtig. Dennoch gelang es ihm nicht, einen Dokumentarfilmer zu beauftragen, die Endphase der Bauarbeiten festzuhalten. Es standen auf den Planstellen des Moskauer Studios nur Spielfilmregisseure zur Verfügung.

bringen? Das wurde nicht untersucht. Was wußte man denn davon, was im großen Rußland als Großfilm Erfolg bringt? Sie meinen, daß Regisseur Sobolow, unterstützt von seinen Kollektiven, einen Moment lang begünstigt selbst von der Partei, die religiöse Grundstimmung des Landes ansprechen wollte? Irgend so etwas hatte er vorgehabt.

– Es sind doch aber immer noch Materialisten an der Regierung?
– Ja, aber erfolgshungrige.
– Und man meinte, daß man Erfolg hätte, wenn man einen Geisterfilm über Jesus in Szene setzt?
– Sie haben alles versucht, die Sowjetmacht zu retten.
– War die denn schon damals bedroht?
– Manche glaubten das.

Als Darsteller hatte der Regisseur Sobolow einen 36jährigen ehemaligen Soldaten ausgesucht, der nach 1945 Schauspielkurse besucht hatte. 1941 jedoch hatte er sich ausgezeichnet in den Stellungen an der Wolokolamsker Chaussee vor Moskau. Er hatte die Faschisten abgewehrt, Erfrierungen an beiden Füßen, beiden Händen. Seine Geschichte ging durch sämtliche Propagandaschriften der Roten Armee.

– Und einen so blutigen Helden, einen Scharfschützen, der seine Feinde willig tötete, wollte Sobolow zum Hauptdarsteller, zum Darsteller von Christus machen?
– Auf dem Umweg über die Reue, sagte er, kann jeder Jesus werden.
– Das war also der Rest an kommunistischer Gleichmacherei? Alle können Gottessohn werden? Das ist doch unrealistisch.
– Sie meinen, Gott hätte zu viele Söhne? Überprüfen Sie bitte Ihre Vorstellung von Realismus. Warum soll ein allmächtiger Gott, der Rußland regiert, nicht beliebig viele Söhne haben?
– Weil nicht alle am Kreuze sterben konnten und weil man nicht über jeden einen Großfilm in der Ausstattung, die Sobolow vorschwebte, Kosten 20 Millionen Rubel, herstellen konnte. Die Filmindustrie ginge dann bankrott.
– Das war das Besondere im Völkerfrühling von 1959: die Sowjetmacht kann untergehen, aber bankrott kann sie nicht werden. Es gibt keinen Konkursrichter im Land.
– Und warum wurde der Großfilm nicht realisiert?
– Schon im Herbst 1959 war der Frühling vorüber.
– Und warum?
– Es ging ja nicht nur um das Projekt von Sobolow. Überall im Lande plötzli-

ches esoterisches Interesse. Die Behörden fürchteten sich vor der Gläubigkeit russischer Menschen, die man bemerkt, wenn man nur einen Augenblick die Oberfläche ritzt.

– Sie meinen, ein Bedürfnis nach Großfilmen, wie Sobolow einen davon plante, gibt es in Rußland wirklich?

– Es ist nach wie vor das ausschließliche Interesse. Es ist ein Markt.

– Und wie sollte der Film heißen?

– *Seele des Meeres*. Die italienische Übersetzung war schon fertig: *anima del mare*.

– Warum italienische Übersetzung?

– Wegen Export. Auch Co-Produktion.

– Dann wäre statt des russischen Helden von 1941 Mastroianni Christus geworden? Und wieso Seele des Meeres?

– Das weiß man nicht. Sobolow hat sich nicht geäußert. Ich nehme an, daß es sich um das »Meer der Liebe« handelt.

– So wie es bei Dostojewski heißt: »Seele des Meeres«?

– Offenbar.

– Was stellt sich ein Russe unter Meer vor? Eher das Nordmeer bei Archangelsk oder das Schwarze Meer in seiner Bläue?

– Das Schwarze Meer ist nicht blau, sondern grau.

– Hat Jesus irgendetwas mit dem Meer zu tun?

– Mit Wasser schon. Mit Meer wenig.

– Aber hier im Drehbuch von Sobolow auf Seite 463 teilen sich die Wogen, und Jesus, gefolgt von dem Volke Israel, schreitet über den Meeresgrund.

– Nur im Film. In Wahrheit lebte Jesus zu diesem Zeitpunkt noch nicht.

– Lebt er denn nicht immerdar?

– Nicht im Sinne einer realistischen Handlung, die man kinematographisch aufnehmen kann. Dafür muß er zunächst geboren werden.

– Ist Sobolow denn Realist?

– Im Kinohandbuch der sowjetischen Filmwirtschaft steht, er sei sozialistischer Realist.

– Das öffnet sich zum Glauben? Ein Mann läuft zu Fuß über das Meer?

– Das, was Sie meinen, war ein See mit hohem Salzgehalt. Vielleicht konnte man wirklich darüber hinlaufen. In jedem Fall aber, behauptet Sobolow, ist das Meer der russischen Empfindungen begehbar wie eine Betonbrücke.

– Glauben Sie, daß das Imperium zusammengebrochen wäre, wenn es viele Filme dieser Art gegeben hätte?

– Vielleicht nicht.

5
Börsenwert der Schwarzmeerflotte

Es war nicht anders als bei früheren Aufenthalten, die ihm so viel gefährlicher erschienen waren und die er noch im Auftrag des Geheimdienstes absolviert hatte: Nichts war organisiert. Man hatte ihn eingeladen, aber jetzt hatte ihn niemand erwartet. Er richtete sich in dem Hotel ein. Es dauerte immer eine gewisse Zeit, bis man sich das Bedienungspersonal, das ja in mehreren Schichten arbeitete, durch Trinkgelder in Westwährung hilfswillig gemacht hatte, so daß das Leben erträglich blieb.

Jetzt stand er im Dienst einer privaten Stiftung, die Lobbydienste für Litton Industries Calif. leistete. Er ging davon aus, daß die alte Geheimdienstabteilung der Schwarzmeerflotte intakt wäre.

– Kann man offen reden?
– Offen nicht, reden ja.
– Die VIERTE ESKADRA fährt im Mittelmeer Kurse und verbraucht Ölvorräte.
– Es kommt Zufuhr.
– Aber wieso veranstaltet sie Manöver in der Nähe der US-Flotte. Wie bei einer Parade. Eine Art Examen.
– Beerbung des Weltsheriffs. Hilfssheriff mit regionalem Auftrag, eine Eskadra, die einen Auftrag im Weltgeschehen sucht, weil das Land keinen hat.
– So kann man es sehen. Man kann es aber auch so sehen: Es gibt unabweisbare Gründe, daß dieser Teil der Flotte nicht »im Aquarium sitzen soll«: Das Schwarze Meer ist im Süden tief, aber in anderen Teilen flach. Falls in der Welt etwas Ernstes geschieht, darf die Flotte nicht in diesem Aquarium sitzen.
– Was kann noch passieren?
– Eine Meuterei zugunsten der Ukraine. Verhaftungen in Sewastopol? Traut sich die Ukraine das?
– Was wissen wir?
– Ich nehme an, wie früher, alles.
– Nicht genug. Wir können die jungen Leute nicht berechnen.
– Sie sagen mir nicht die Wahrheit.
– Nein, natürlich nicht.
– Sie haben also Grund, sich vor einem Mechanismus der Mafia innerhalb Ihrer eigenen Flotte zu fürchten?
– Nehmen Sie das einmal an.

– In dem Sinne, daß die 29 U-Boote und Kreuzer aus den Häfen verschwunden sind? Sie wurden unerwartet verkauft?
– Woher wissen Sie das?
– Ich habe es so gehört.

Die Schwarzmeerflotte, der Stolz Rußlands. Sie ist dreimal untergegangen: Im Krimkrieg versenkte sie sich selbst, damit sie nicht in die Hände der Briten, Franzosen und Türken geriet. 1918 versenkte sie sich im Bürgerkrieg zwischen der Roten Armee und den Weißen. 1942 blieben nur Reste dieser Flotte erhalten. Die deutsche Seekriegsleitung sandte U-Boote die Donau hinab in die Tiefen dieses Meeres.

In der Ära, in der Admiral Gorschkow die sowjetische Seekriegsleitung führte, entwickelte die Schwarzmeerflotte einen Gegenpol zur Mittelmeerflotte der USA. Die Raketenkreuzer, U-Boote, Hubschrauberplattformen dieser Flotte erschienen in den Computerspielen des Pentagon als eine Realität. Bei der Aufteilung des Erbes der UdSSR auf die einzelnen Länder behielt Rußland die *tatsächliche Herrschaft*, die Republik Ukraine einen *Rechtsanspruch* auf die Schwarzmeerflotte. Ohne daß etwas Schriftliches ausgetauscht worden wäre oder Worte den Handel begleitet hätten, wußte der aktive Geheimdienstoffizier der Flotte, daß ihm ein Konto mit etwa 80 000 Dollar, in der Schweiz eröffnet worden war. Er war insofern zur Preisgabe von Hintergrundinformationen bereit. Er war sogar erpicht, seinerseits Informationen an die Gegenseite zu geben, die Phil Murray vertrat. Er war loyaler Offizier. Ihm und seinen Vorgesetzten war es nicht gleich, wenn schon die Tauschgesellschaft in das Russische Reich einbrach (und Sewastopol war nur in prekärer Weise mit dem Reich verknüpft), an wen die wertvollen Teile dieses Instruments verkauft und ob Teile bloß ausgeweidet würden oder als Ganzes funktionierend an neue Besitzer kämen.

In dieser Hinsicht saßen hier Verbündete im Gespräch.

– Immer unterstellt, daß so etwas zutrifft, was ich nicht bestätige. An wen sollen denn Flottenteile oder auch nur Geheimnisse veräußert worden sein?
– Wie man hört, an die Navy der USA, die auf diese Weise einer dritten Macht zuvorkam.
– Das hat natürliche Grenzen, wie Sie wissen. Die Mittel müßten vom Kongreß bewilligt werden. Wir beide wüßten es, wenn so etwas geschieht. Sie wollen mich also nur provozieren.
– Indien, China?

Jede Mittelmacht in der Welt, die über Kapital verfügt, war derzeit in der Lage, wertvolle Teile des russischen Militärapparats zu erwerben. Die Aufgabe von Phil Murray war es, eventuelle Preise zu erkunden, die Litton Industries überbieten konnte. In dieser Hinsicht waren die beiden, die in einem Restaurant Sewastopols ihr Dinner verzehrten, Konkurrenten und keine Verbündeten. Sie lernten voneinander. Der eine die Gesetze der Tauschgesellschaft, die sich aus Lehrbüchern nicht erlernen lassen, der andere die Mentalitätsstruktur einer verzweifelten Flottenführung, die für viel Irrationales und viel Rationalität gut war.

Als Objekt für einen Schrotthändler war die Schwarzmeerflotte im Jahre 1999, unter Berücksichtigung dessen, daß wertvolle elektronische Einbauten Verwendung finden bzw. in Patente umgesetzt werden konnten, 48 Milliarden Dollar wert. Man kann aber ausschließen, schrieb Phil Murray in seinem Bericht, daß irgendwer in der Lage ist, die Flotte real einem Käufer auszuhändigen. Ein solches Projekt verkennt vollständig die Loyalität der Schiffsbesatzung und der Offiziere. Abtransport und Organisation der Verschrottung würden die Hälfte des Objekt-Werts verschlingen. Eine Verwertung dergestalt, daß sich die Republik Indien aufrüstet, ergäbe ein Austauschvolumen von 12 Milliarden Dollar. Weltwirtschaftlich, das betrifft aber nicht die Gesichtspunkte von Litton Industries, würde eine Aufrüstung Indiens mit Mitteln der Schwarzmeerflotte eine Gegenrüstung Pakistans auslösen. Allein die Kosten der Überwachung eines solchen Krisenherdes liegen weit oberhalb von 120 Milliarden Dollar, die Pazifizierung eines solchen Konfliktherdes ist unter 800 Milliarden Dollar nicht denkbar (alle Summen gerechnet nach dem Kurs des Dollars vom 21. Juni 1998). Ginge die Schwarzmeerflotte mit ihrem »inneren Wert«, eine in Geldquanten nicht meßbare Bewertung, an die Börse, schreibt Phil Murray, so wäre dies gewiß eine Sensation. Der erste historische Fall einer Privatisierung von Wehrkraft.

Dies trifft auf die gewiß schwache zivilisatorische Grenze, daß kein Unternehmer bisher einen intakten Militärapparat zum Einsatz gebracht hat. Dies wäre nach Völkerrecht nämlich Piraterie. Ein solch bewaffnetes Unternehmen, speziell nachgerüstet für seine Aufgabe der lokalen Erpressung, könnte außerordentliche Gewinne ermöglichen, also eine Börsenperformance von außerordentlicher Phantasiekraft entwickeln, sofern sie ihre Angriffe auf fremdes Vermögen unterhalb der Schwelle eines Kriegsgrundes hält. Dies ist vor allem dann der Fall, wenn die Flotte gegen illegitim wirtschaftende Gruppen, Schurkenstaaten, Verschwörungen, eingesetzt wird, wie z. B. fundamentalistische bewaffnete Entführergruppen auf Inseln in der Nähe der Philippinen. Auch könnte die Wirkkraft einer solchen börsennotierten Flotte als Dienstleistung vermarktet werden. Abgesehen von der Chance des *advertising* (bedruckte

Hemden, Zigarrenkisten, Ausstattung von Flaschen, Spielzeugwaffen), die bei kühnen Angriffen einer solchen Flotte, vor allem bei Einbeziehung der virtuellen Welt, möglich erscheinen. So bahnte sich der ehemalige Geheimdienstler Phil Murray, jetzt Berater großer Industrien, seinen Trampelpfad, der die Nachfrage nach seiner Expertise verstärken würde.

6
Sowjetmacht plus Elektrifizierung in Afrika

Eines der mächtigsten Werkzeuge der UdSSR war die Serie der viermotorigen Iljuschin-Passagierflugzeuge. Ein Netz dieser aus Entwürfen für Kriegsflugzeuge hervorgegangenen Maschinen verband Rußland mit zahllosen Orten der Welt.

Eine dieser robusten Errungenschaften berührte auf dem Flug von Prag nach Accra (Ghana) in der Nähe von Casablanca in der Absicht, auf dem Flugfeld von Cance zwischenzulanden, zwei Hochspannungsmaste. Dies geschah in so ausgewogener Form, daß die Maschine, allseitig von Blitzen umlodert, dennoch heil zu Boden kam, nur 800 Meter von der Landebahn entfernt. Die Passagiere wurden in Kraftfahrzeugen abgeholt.

– Waren sowjetische Flugzeuge versichert?
– Nie.
– Weiß die Natur, daß »Sowjetmacht plus Elektrifizierung« Kommunismus ist? Und ist die Natur deshalb gütig zu sowjetischen Maschinen?
– Sie sollten nicht spotten. Die Maschine bildet einen Faradayschen Käfig. Die Elektrizität kann den Insassen nichts anhaben. Das ist keine Teufelei.
– Aber die Maste aus Stahl? Wer war der Stärkere?
– Die Maschine natürlich.

Abb.: Sowjetmacht plus Elektrifizierung in Afrika

7
Grüner Strahl

Wenn die Sonne eben unter dem Horizont verschwindet (oder eben aufgeht) ändert sich die rote Farbe der Sonne am oberen Rand in ein lebhaftes Grün. Die Dauer dieses grünen Strahls nimmt in nördlicher Breite bei abnehmendem Neigungswinkel der Bahn der Sonne gegen den Horizont zu. In den Polargebieten nördlich Sibiriens kann der Strahl für einige Minuten sichtbar sein. Er ist am häufigsten in den Sommermonaten bei sehr klarem Himmel über dem Meer zu sehen.

Vom Standpunkt der Haut

I
Tschernobyl

Abb.: Soldaten mit Bleischutz auf Kopf und Körpern bei der Räumung des Dachs von Block 4 in Tschernobyl

»Die Offiziere wußten, daß die Strahlen die Menschen töten werden. Die Einsätze wurden deshalb so bemessen, daß die Dosis auf 20 Röntgen pro Person begrenzt blieb. Manche bekamen diese Dosis in weniger als einer Minute.«

Abb.: »Die Leute sind deshalb gestorben, weil sie eine ganze Stunde inmitten der Havarie gearbeitet haben. Das war absolut gefährlich.«

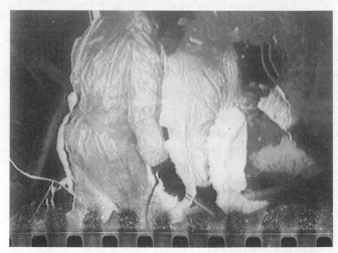

Abb.: »Durch die hohe Radioaktivität leuchtet alles und sah sehr schön
aus.« »So hinreißende Kristalle, wie wir sie hier unter extremen Bedingungen gefunden haben, existieren in der Welt nirgends.«

2
Kein Meßgerät paßt zur Lage

Die technische Anlage, über die das Personal noch um 4 Uhr früh in der Nacht der Havarie den Reaktor bediente (um 1 Uhr 34 durch Explosion zerstört, aber das war auf den Geräten nicht ablesbar), heißt Blockwarte 4. Von hier werden die Havariespeisewasserpumpen, die Transformatoren und der Reaktor selbst gewartet.

Die Transformatoren hatten sich über den Kurzschlußschutz vom Block abgeschaltet. Auf dem Dach des Maschinenhauses löschten die Feuerwehrleute von Major Teljatnikow, Betriebsfeuerwehr des KKW, den Brand. Das Dosimeter in der Blockwarte zeigte 1 000 Mikroröntgen pro Sekunde. Das ist nicht allzuviel, sagte Brjuchanow, Leiter des KKW.

In diesem Augenblick besuchte der Leiter des Zivilschutzes des KKW, S. S. Worobjew, die Blockwarte, er machte seinen Rundgang über die Entgaserbühne, durch das Maschinenhaus, dessen Trümmer. Sein Dosimeter, das immerhin ein Meßintervall bis 250 Röntgen pro Stunde zeigte, lag am oberen Anschlag.

Wieviel Strahlung gab es hier überhaupt?

Es gab in dieser Anlage ein einzelnes Dosimeter, das eine Anzeige bis 1 000 Röntgen pro Stunde besaß. Es lag in einem Schrank des Maschinenhauses. Den Schrankschlüssel hatte ein Pförtner in Verwahrung, unerreichbar.

– An den Schrank kommt man nicht heran.
– Wieso nicht? fragte Worobjew.
– Er liegt unter Trümmern.
– Dann ist es gleich, daß wir den Schlüssel nicht haben.

Auf dem Asphalt, im Umkreis von Blockwarte, Maschinenhaus, Separatorräumen lagen Stücke des nuklearen Brennstoffs und Graphitstücke verstreut, die der Krater des Reaktors ausgeworfen hatte. Ingenieur Djatlow hatte den Eindruck, er könne die Radioaktivität »riechen«. Dennoch identifizierte niemand die strahlenden Bruchstücke, weil niemand glauben mochte, die radikale Materie sei dem Reaktorgehäuse entkommen.

3
Menschliche Körper als Meßgeräte und Ersatz

Menschliche Leiber, sagte der Begleitarzt Welichows, sind, ähnlich wie inmitten einer Flamme oder bei Messung von Sprengkraft, für die Messung von Neutronenstrahlung ungeeignet.

– Spürt man etwas?
– Wenn man weiß, was es ist, kann man etwas spüren.
– Auf der Haut, im Gesicht?
– Wärme, wie bei starker Sonnenstrahlung. Sonnenbrand. Trockenheit im Hals. Menschen sind aufgedreht.
– Schwindelgefühl?
– Nach gewisser Zeit extreme Müdigkeit, wie wenn einer sich im Schneesturm niederlegen will. Kopfschmerz.
– Der Kommandeur der Feuerwehr schickte Kundschafter vor?
– Eine Vorsichtsmaßnahme.
– Wie haben sich die Scouts orientiert?
– Sie haben auf ihre Dosimeter gestarrt, die Höchstanschlag zeigten. Als sich die Anzeige überhaupt nicht änderte, hielten sie die Dosimeter für beschädigt.

4
Vom Standpunkt der Haut

Es kommt zu einem Spasma der äußeren Kapillaren der Haut. Es entsteht der Eindruck, sagte Hautarzt Dr. Demjunow, die Haut sei gepudert. So wie die Hand des Wolfs im Märchen von den Sieben Geißlein. Andere Hautpartien zeigen eine tiefe Bräune, zum Violetten hin schimmernd, wie ein intensiver Sonnenbrand.
Später zerstört sich die Haut, wie in Panik geraten, selbst von innen nach außen.

5
Der Augenblick der Katastrophe

- Unter Geheimdienstlern gesprochen . . .
- Außerdem unter Physikern . . .
- Der seltene Fall zweier Treueschwüre.
- Sozusagen aufrichtig unter Kollegen.
- Was wissen Sie vom Geschehen?
- Mein lieber Freund, wir von Ihrer Gegenseite wissen zunächst überhaupt nichts direkt. Aber vielleicht hilft der Abstand, daß wir mehr erfahren als Sie.
- Das ist immer so. Das ist wahrscheinlich. Gehen wir rückwärts von 1 Uhr 43 Minuten 48 Sekunden.

Die Operatoren, das weiß man, saßen an der linken Seite, der Reaktorseite des Steuerpults. Diese Steuerpulte sind wie nebeneinandergestellte, parallelistische Arbeitsplätze, zusammengenommen spiegeln sie die Aktivitäten zahlreicher Verantwortlicher. Im Rücken, das macht nervös, bewegt sich der leitende Ingenieur, der die Operatoren anfeuert, so als gäbe es einen Einpeitscher wie auf den Ruderschiffen der Antike. So sitzt Leonid Toptunow, Reaktoroperator, neben dem Schichtleiter Aleksandr Akimow, daneben der Schichtleiter der vorherigen Schicht, Juri Trebug, daneben zwei junge Aspiranten, die vor kurzem die Zulassungsprüfung zum Reaktoroperator abgelegt haben. Sie wollen ihrem Freund Leonid Toptunow zuschauen. Eine solche Gruppe NEBEN-EINANDERSITZENDER könnte jedes U-Boot, jedes Großflugzeug, einen Zeppelin oder die Zuschauerredaktion einer großen Fernsehanstalt bilden. Es ist das Gegenteil vom runden Tisch.

- Was ist der HS-Knopf?
- Das ist der apparative Kontakt für »Schnellabkühlung des Reaktors im Notfall«.
- Was funktionierte nicht?
- Es gibt einen Havarieschutz. (1) Alle 211 Steuerstäbe, d.h. mechanische Unterbrecher der Kernreaktion, die sich zwischen die kritischen Elemente schieben, fallen in die aktive Zone; (2) die Havariepumpen des Technik-Wasser-Systems fangen an zu arbeiten, nehmen die Energie auf; (3) die Dieselgeneratoren der Notstromversorgung werden angefahren; (4) es schalten sich die Pumpen zu, die im Notfall Wasser aus dem Abblasebecken in den Reaktor einspeisen. Alle diese Funktionen waren außer Kraft.

– Wieviele Steuerstäbe waren noch in Reserve?
– Entweder acht oder sechzehn.
– Das Wasser?
– War für die Erprobung des Ernstfallversuchs abgestellt.
– Was geschieht, wenn man durch Betätigung des Notschalters die sechzehn Neutralisierungsstäbe einfährt?
– Zunächst gar nichts, weil die Stäbe bei diesem KKW-Typ Metall, danach Graphit zeigen und erst danach neutralisieren. Die kritische Leistung des Reaktors steigt also für Sekunden gewaltig an und wird erst dann gemindert. Dadurch ist der Reaktor ein Explosivkörper.
– Was geschah, als die Operatoren in Panik den Schalter GAU betätigten?
– Der Rettungsschalter löste die Katastrophe aus.
– Wie geht das vor sich?
– Der Dampfreaktivitätskoeffizient wird mit Beta bezeichnet. Krise des Wärmeaustauschs. Brodelndes Sieden der Kühlmittel, Zerstörung der Brennelemente. Jetzt mischen sich schon Brennstoffteilchen aus den zerstörten Brennstäben mit dem Kühlmittel. Der Druck in den Technologiekanälen steigt steil an. Sie werden zerstört. Während dieses Druckaufbaus sind die für die Operatoren sichtbaren Geräte nicht mehr Maßstab, schließen sich die Rückschlagklappen der Hauptumwälzpumpen. Kein Kühlmittel gelangt mehr in den Reaktor. Der Druck steigt mit einer Geschwindigkeit von 15 Atmosphären pro Sekunde.
– Was geschieht in den letzten 20 Sekunden bis zur Explosion?
– Chemische Reaktion zwischen dem Zirkonium und dem Dampf, wobei sich Wasserstoff und Sauerstoff, also Knallgas, bildet.
– Was ist, von den Geräten in der Blockwarte gesehen, der Hoffnungspunkt? Die Sicherheitsventile öffnen sich und blasen Dampf in die Atmosphäre ab?
– Gleich darauf Zerstörung der Sicherheitsventile, die für solchen Druck nicht ausgelegt sind. Zugleich werden die Unterwasserkommunikationen und die oberen Rohrleitungen abgerissen. Der Reaktor steht frei zum Zentralsaal und nach unten zum Druckraum.
– Kein Gerät kann diesen Vorgang wiedergeben, weil ihn niemand vorhergesehen hat?
– Aufkochen des Kühlmittels, Knallgasverpuffung.

Die Geheimdienstkollegen diskutierten in einem Stockholmer Hotel. Sie fühlten sich in Sicherheit, soweit man in den Tagen nach der Havarie in Nordeuropa von Sicherheit sprechen konnte; man wußte wenig. Ihr Gesprächskontakt war illegal, da den Angehörigen gegnerischer Geheimdienste nicht erlaubt war, privat miteinander zu reden. Der Amerikaner bezog seine Information von Spähersatelliten im Orbit und aus Agentenberichten, also aus weitem Abstand zum Geschehen. Der Russe gab das Seine hinzu aus dem Durcheinander der Nähe. Obwohl somit beide keinen Augenschein besaßen, stellten sie sich doch die Situation, aufgrund ihrer wissenschaftlichen Vorbildung, genauer vor als jeder der an der Havarie unmittelbar Beteiligten, die (inmitten des Unglücks) über keine Beobachtungszeit verfügten.

6
Ein Rechner namens »Skala«

Noch 700 Tage nach der Havarie stand im kontaminierten Zentrum der Blockwarte des Reaktors 4 der Rechner *Skala*. Der Rechner hatte den Zustand der Anlage bis etwa sieben Minuten vor der Havarie gerechnet.

Wenn man den Angaben des Rechners glaubt, sagte der Hauptingenieur Petelow, so hat sich im oberen Teil der aktiven Zone ein Gebiet gebildet, das die Form einer abgeplatteten Kugel mit einem Durchmesser von sieben Metern und einer Höhe von drei Metern aufwies. Das Gebilde wiegt 50 Tonnen. Hier entstehen die PROMPTE KRITIKALITÄT und die daraus folgende Leistungsexkursion. Hier wurden die Brennstäbe zerstört, verschmolzen und verdampft. Dieser Teil der aktiven Zone wird durch die Knallgasverpuffung, wie beim Start einer Raumkapsel, in hohe Schichten der Atmosphäre geschleudert und, zerstückt in Partikel, in nordwestliche Richtung über Bjelorußland und die Baltischen Republiken getragen. In 11 000 Meter Höhe über der Ostsee.

– Das soll der Rechner Skala dokumentiert haben?
– Er gibt die Basisdaten.
– Diese Geheimdaten, geschützt wie ein Schatz? Durch Strahlung von jedem Lebewesen getrennt?
– Wir waren da.
– Und Sie sind nicht tot?
– Wir waren schnell. Mit Blei, mit borgetränkten Hemden, das Gesicht verhüllt wie Blinde. Wir haben nur nach dem Speichergerät gegriffen. Die Speichertrommel an uns gerissen und wieder heraus.
– Danach Messung, was Ihr Körper erbeutet hat an Strahlung?
– Es war reichlich.
– Die Trommeln müssen entkontaminiert werden?
– Das geschah in Moskau, auf sicherem Gebiet. Wir selbst erhielten Spritzen.
– Von solchem Geheimwissen liegt in den Trommeln von Skala, des getreuen Beobachters, noch eine Menge?

– Jede Menge.
– Warum holt man das nicht?
– Die neue Obrigkeit ist nicht neugierig.
– Und Sie als physikalischer Privatdetektiv?
– Ohne Versprechen auf außerordentliche Belohnung geht niemand in diesen Schlund.
– Kennen Sie den ›Taucher‹ von Friedrich Schiller?
– Ja, ein lehrreiches Gedicht.

7
Ein Paradies für Agenten / Wir fingen sie beim Abflug

– Wir fingen sie alle. Wir konzentrierten uns auf ihren Abflug. Ein Brite wollte von Wnukowo starten, ein türkischer Agent vom Flughafen in Bischkek, zwei aus den USA von Kiew, rotzfrech.
– Was sollte ausspioniert werden?
– Inwieweit wir auf den Atomkrieg vorbereitet sind. Sie interessierten sich nicht für die Havarie, deren Gründe, sondern für unsere Versuche, der Folgen Herr zu werden. Sie interessierte das Regime der Notstandsphase, die Technik der Evakuierung, was wir alles nicht wissen oder können und was es dem GROSSEN VATERLAND unmöglich macht, in einem nuklearen Krieg zu bestehen. Material für Erpressung.
– Sie sahen es als Gemeinheit?
– Wir hatten international übergreifende Hilfe erwartet. Statt dessen Spione, die unsere Schwächen auskundschafteten! Sie sitzen im Raum, Gespräch auf eine Zigarettenlänge mit unseren Experten, die sie in einer anderen Situation nie zu Gesicht bekommen hätten.
– Alle Information wird eingesackt.
– Sowie wir verstanden hatten, worum es ging, breiteten wir unser Netz aus. Die UdSSR war ja in allen Perspektiven des Grenzregimes und des zivilen Flugwesens zentral organisiert. Wir schalteten eine Leitung zur Moskauer Zentrale.
– War denn der KGB in Tschernobyl vertreten?
– Mit der ersten Spezialistengruppe, die mit der Maschine 9 Uhr früh am 26. April ankam, PRÄSENT.
– Wieso aber Vertreter der Abteilung für Gegenspionage? Man hätte einen Spezialisten der Generalstaatsanwaltschaft erwartet, der die Havarie untersucht, die Schuldfrage.
– Wir dachten an Sabotage. Wir hielten die Explosion des Reaktors für un-

möglich, wenn sie nicht durch Hilfe von außen zustande kam. Die Anlage ist
so fest verpackt . . .
– Sabotage aus welchem Grund?
– Um an einer echten Havarie zu sehen, wie wir darauf reagieren. Daraus,
dachten wir, wollten sie kundschafterliche Schlüsse ziehen. Es wäre auch in-
teressant gewesen für die Notstands-Pläne ihres Heimatlandes. Eine Hava-
rie können sie dort nicht veranstalten.
– Deshalb Ihre Analyse, daß Agenten des geopolitischen Gegners an Ort und
Stelle zu finden sein müßten?
– Das wäre ein Hinweis gewesen, der unseren Anfangsverdacht gestützt hätte.
Sie waren aber am 26. April, den ganzen Tag über, noch nicht da.
– Das wissen Sie bestimmt?
– Nichts ist bestimmt, aber wir sind sicher.
– Wann bemerkten Sie die Aktivitäten, den Einsatz gegnerischer Spione?
– Am 27. nachmittags. Wir sahen die Einreise mit Flugzeugen. Wir gingen da-
von aus, daß der Gegner es eilig hätte. Es kam nur Flug bis Kiew in Betracht.
Jede andere Bewegung hätte zu lange gedauert. Wir hatten sie auf den Li-
sten.
– Und dann bemerkten Sie »Mitarbeiter«, »Helfer«, die »nicht ins Bild paß-
ten«.
– Wir konnten sie als Fremde identifizieren.
– In dem Durcheinander?
– Eine zu gute Legende fällt auf.
– Wieviele waren sie, die Beobachter?
– Vierzehn.
– Alle radioaktiv geschädigt in diesem Einsatz?
– Alle anschließend eingeliefert in die 6. Moskauer Poliklinik zur Behandlung.
Aber es hat sich gelohnt.
– Warum griffen Sie sich die Verdächtigen nicht sofort heraus?
– Sie müssen sich das praktisch vorstellen. In einer nervösen Krisensitzung
ziehen Sie mit einem polizeilichen Eingriff die Aggression aller Anwesenden
auf die, die eine Verhaftung vornehmen wollen.
– Die Verhaftung stört?
– Sie wirkt explosiv. Haben Sie, werte Genossen, nichts anderes zu tun in die-
sem kritischen Moment? Wir hatten einen weiteren Grund. Indem die
Spione in ihrem Tun unbehelligt blieben, aber beobachtet werden konnten,
verrieten sie uns, was sie interessiert. Das gibt Einblick, was in der Zentrale
des Gegners vor sich geht.
– Wenn Sie warten, sind Sie dem Gegner überlegen?
– Meist.

– Und auf dem Gebiet der Kernphysik? Wer hat die besseren Kenntnisse?
– Wir.
– Auf dem Gebiet der KKWs?
– Ebenfalls wir, außer für diesen Reaktortyp. Er gehört in die Einöde nach Sibirien oder in ein Kaukasus-Tal, das man durch Sprengen schließen kann.
– Und wo liegt, wenn Sie alles richtig gemacht haben und Sie jederzeit die Übersicht hatten, auf Ihrer Seite die Schwäche?
– In unserem Bereich hatten wir die Übersicht. Wir konnten die gegnerischen Agenten zählen und schließlich auszählen. Wir lernen am Gegner.
– Die Operatoren der KKWs aber lernen an ihrem Gegner nicht?
– Es ist schwer mit den Neutronen, wenn sie wild werden, zu kommunizieren.
– Wieso?
– Die Neutronen sprechen recht schnell, und wiederum kommunizieren sie ungewöhnlich langfristig, z. B. mit Halbwertzeiten von dreihunderttausend Jahren. Wie sollen Operatoren, d. h. nukleartechnisch ausgebildete Ingenieure, damit kommunizieren?
– Guten Willen sprechen Sie den Reaktoren bzw. den Neutronen aber nicht ab?
– Dafür kenne ich sie zu wenig.

8
Kein Zeitpunkt für Übungen

Sie waren dabei, inmitten des Havariegeländes ihre Übungen abzuhalten. Wir umstellten sie mit Truppen des Innenministeriums und schickten sie wieder fort.

– Was für Manöver wurden dort veranstaltet?
– Sie probten, dicht verpackt in Spezialanzügen, unter Verwendung ihrer grün angestrichenen Panzerfahrzeuge, aus denen Schläuche und Rohre nach verschiedenen Seiten heraushingen, den Einsatz im Ernstfall. Wir hielten sie zunächst für eine Truppe von Wissenschaftlern, bis wir bemerkten, daß sie übten.
– Es waren Bataillone der Chemischen Kampftruppe? Patrioten der Roten Armee?
– Arbeitsgruppen, nicht Bataillone. Je in kompakter Stärke. Sie wollten die Gelegenheit nutzen, ihre praktischen Fertigkeiten im Nuklearkrieg fortzuentwickeln. Ganze Fuder chemischer Lösungsmittel führten sie mit sich, zerstreuten sie in der Landschaft. Sie führten Messungen durch. Sie besaßen die Dosimeter, die wir brauchten. Wir nahmen sie ihnen weg.

– Und insofern gehorchten diese Truppen Ihnen?

– Wir besaßen die stärkeren Minister. In der Regierungskommission, in deren Auftrag wir auftraten, hatte ein stellvertretender Ministerpräsident den Vorsitz. Die Kampftruppe hatte nichts Entsprechendes aufzuweisen. Jedenfalls nicht hier am Katastrophenort.

– Warum stellten Sie die Truppe nicht in den Dienst der Rettungsarbeiten?

– Wir waren empört. Wir kämpften gegen einen nuklearen Brand, der außer Kontrolle geraten war, und sie probten schon den nächsten Ernstfall.

– Über Ihre Empörung kamen Sie nicht hinweg?

– Anderntags.

– Jetzt aber kühlten Sie Ihren Mut und wiesen eine spezialisierte Truppe vom Schlachtfeld, die vielleicht die einzige war, die für die Aufräumungsarbeiten hinreichend ausgebildet gewesen wäre. Ein Fehler?

– Ein Fehler wäre es auch, sich in solcher Lage nicht auf die eigene Gemütsbewegung zu verlassen.

– Was hätten die Chemiker tun können?

– Es war eine Kampftruppe, ausgebildet für den Einsatz auf dem nuklearen Gefechtsfeld. »Chemische Kampftruppe« war nur der Name. Es waren keine Chemiker darunter.

– Aber es war sozusagen eine »gepanzerte« Truppe für Unglücksfälle dieser Art.

– Das wußten wir zu diesem Zeitpunkt nicht. Wir sahen nur in große grüne Anzüge verpackte, schwer bewegliche Gestalten, die übten und sozusagen unsere Luft verbrauchten. Verpflegung hatten sie, in Plastik eingegossen, das nahmen wir ihnen ab.

– Unterstellt, Sie hätten Ihre Gemütsregung überwinden können, Ihren Ärger, dann hätten Sie doch eine solche Truppe gut einsetzen können?

– Wir hatten mehr Einsatzkräfte, als wir einteilen konnten.

– Ja, Absperrpersonal, Soldaten des Innenministeriums, also Laien, die das Graphit einsammelten, eine tödliche Tätigkeit für UNGEPANZERTE.

– Das hatten wir. Außerdem Berater in jeder Menge, Betonspezialisten.

– Aber keine Fachleute für das nukleare Gefechtsfeld, die Sie doch gerade brauchten. Ein Managementfehler aus Rechthaberei, aus moralischer Erregung?

– Was wollen Sie? Irgendwie muß man sich abreagieren. Wir Ingenieure, die wir den Atomkrieg für Narretei hielten, wollten nicht, daß eine fremde Truppe von dem hiesigen Elend profitiert. Die Übenden waren für uns Saboteure, die auf unsere Kosten was dazulernen wollten.

– Als Geier?

– Das war das, was wir empfanden.

9
Pikalow

Der General der Chemischen Kampftruppen der Sowjetunion hieß W. K. Pikalow. Am Rande einer staatlichen Konferenz, einberufen in einem Schulgebäude etwa in der Mitte zwischen Kiew und dem Unglücksort, sprach er mit einem Jahrgangsgenossen.

– Von einem Einsatz auf einem nuklearen Gefechtsfeld rate ich, nach dem, was ich gesehen habe, dringend ab.
– Das bleibt bitte Dienstgeheimnis.
– Ich rate auch davon ab, mit nuklearem Einsatz zu drohen. Es funktioniert nichts. In einem atomaren Ernstfall haben wir nicht einmal eine Spitzenbesetzung zur Verfügung wie hier, weil wir die Leute nicht zu den Brennpunkten fliegen könnten.
– Aber wir haben in Ihrer Chemischen Kampftruppe berufsmäßig spezialisierte Soldaten?
– Ebensogut könnten Sie sagen: Wir haben Pferde, Meteorologen, Artillerie, Wälder, Sümpfe, Sibirien, früher hatten wir einen Zaren.
– Und worauf bezieht sich Ihre Skepsis?
– Sehen Sie doch das Durcheinander. Alles Laien, was nukleare Prozesse betrifft. Ich könnte Ihnen hier aus dem Kreis der Besten knapp vierzehn Leute rekrutieren, alle anderen sind für den Nuklearkrieg untauglich.
– Aber Sie haben doch erfolgreiche Manöver veranstaltet? Mit realistischen Gefechtsbildern?
– Ich glaube, das war nicht realistisch.
– Das müssen Sie näher erläutern.

10
Projekt mit Weitblick

Ein Abgesandter des Generalstabschefs S. C. Ogarkow, der Spezialist des Militärischen Geheimdienstes A. G. Mirsow, untersuchte unter den Extrembedingungen der Havarie, schon gegen 11 Uhr vormittags des 26. April, die Sonne hatte ihre Strahlen erst wenige Stunden über den Trümmern dieses Platzes scheinen lassen, eine ganze Liste taktischer und strategischer Erfahrungszugewinne für den Fall einer Gefechtsführung im Atomkrieg. Wo denn konnte jemand besser studieren, was auf die Streitkräfte zukam im Ernstfall, als in dieser ungewollten, unprogrammäßigen Katastrophe? Vom Ernstfall wissen wir praktisch nichts, sagte Ogarkow, als er Mirsow mit einer Militärmaschine nach Kiew sandte.

Es gab zwei grundlegend verschiedene Fälle im nuklearen Krieg: die Zerstörung traditioneller KKWs durch triviale Fremdeinwirkung, z.B. Artillerie, Bombenangriffe, und zweitens den Einsatz von Atomwaffen, die KKWs glichen. Die ärztlichen Mittel der 6. Poliklinik in Moskau waren für beide Fälle unzureichend.

Man kann keinen gedachten Krieg führen, sagte Ogarkow zu Mirsow, beide zählten zu den Falken. Mirsow zählte zu den wenigen Experten im Raum der UdSSR, welche die fachliche Kompetenz hatten, in den RACHEN DER NUKLEARITÄT hineinzublicken.

Das Motto seines Berichts, den er schon am 27.04. nach Moskau übermittelte, hieß:»Wodka gegen Neutronen«. Es schien nämlich ausgeschlossen, zwischen der Mentalität der Personen, die Alkohol für ein Gegenmittel gegen die Strahlung hielten, und der intimen, jede Kleidung durchdringenden Wirkung der Neutronen, gegen welche die menschliche Haut schutzlos bleibt, zu vermitteln. Es ist ausgeschlossen, schrieb Mirsow, bei dieser Art von Bewußtsein der Mehrheit unserer russischen Menschen mit nuklearer Kriegsführung überhaupt zu drohen. Dies ist ein Riß im Sicherheitssystem, schloß Ogarkow auf Grund des Berichts. Atomare Vergeltung funktioniert nicht als DROHUNG, weil die Praxis dieser Drohung unanschaulich und unbekannt ist, und sie funktioniert nicht als Praxis aus organisatorischen Gründen. Als PRAXIS nicht, weil wir, die Praktiker, erst entscheiden müßten, was wir überhaupt für Praxis halten.

Sternenantrieb, der hustet

Wir falsifizierten, von England hierher gesandt, im übrigen hilflos mit unseren Ratschlägen angesichts der neuen Verhältnisse in der NASA, einen Ansatz unserer Atomenergiebehörde, die noch 1974 einen Raumschiffstyp entwickelt hatte, der sich dadurch von Planet zu Planet, von Fixstern zu Fixstern bewegen sollte, daß er sich durch die Explosion nuklearer Bomben anstelle eines Raketenantriebs Rückstoß erwarb. Wir hatten schon damals eingewendet, daß die nukleare Explosion ein wenig zu ungezähmt, zu wenig in eine Richtung zu lenken sei. Es kam hinzu, daß die Fortbewegung eines solchen Raumfahrzeugs sehr ruckelig, sozusagen in hustenartigen Anfällen vor sich gehen würde und daß nicht nur ein Mensch so wechselhafte Beschleunigung, sondern auch

Computer oder Meßgeräte oder irgendetwas, das beim Transport beschädigt werden könnte, eine solche Ruckel-Rackel-Methode kaum aushalten würde.

Sie glaubten uns nicht und verschwendeten 600 Millionen Pfund. Danach wies das Pentagon den Kooperationsversuch von sich. Hätten wir das Beobachtungsmaterial, das wir jetzt für Großbritannien bei unserem Besuch in Tschernobyl akquirierten, schon damals gehabt, wir hätten die 600 Millionen Pfund eingespart. Vermutlich hätten wir, falls diese Mittel in eine solide Untersuchung des Reaktortyps, der in Tschernobyl explodierte, investiert worden wären, zum Zeitpunkt unserer Besichtigung einen Ratschlag geben können.

Verbrannte Seelen

Ich organisierte auf Weisung des Energieministeriums der UdSSR die Beerdigung der Opfer der Katastrophe von Tschernobyl. Die Toten, bis 10. Juni 1986 achtundzwanzig, die von der Sechsten Moskauer Poliklinik, spezialisiert auf die Behandlung nuklearer Erkrankungen, angeliefert wurden, werden auf dem Mitinsker Friedhof in Reihen zusammengefaßt.[11] Wie entkontaminiert man die Leichenwagen? Wir versäumten das, weil niemand wußte, wie und auf wessen Kosten das geschehen sollte. Wir hofften, daß die radioaktiven Spots im Transportteil der Wagen keine Auswirkung auf die Fahrer der Wagen hätten. Dicke Pappen stellten wir an die Grenze zwischen Fahrkabine und Leichenraum.

Die Leichen waren hochradioaktiv. Wir zogen mit Bleisalzen getränkte Overalls an.

Der Antiepidemie- und Sanitärdienst der Friedhofverwaltung Moskau hörte von der Gefahr. Er forderte, daß wir den Boden der Gräber mit einer Betondecke auszulegen hätten. So sollte vermieden werden, daß Regen, der das Erdreich durchdringt, die Leichen benetzt oder sogar Leichenwasser ins Grund-

---

11 Man fährt bis zur Metrostation Planernaja, von dort sind es zwanzig Minuten Fahrt mit dem Bus Nummer 741 zum Dorf Mitino. Dort liegt eine riesige Totenstadt. Links neben dem Eingang, mit gelben Kacheln verkleidet, das Krematorium. Wir durften aber die radioaktiven Reihen nicht verbrennen, weil dies die kritischen Partikel nur in der Landschaft verteilt hätte. Man kann nuklearen Stoff nicht verbrennen. Die Gräber der Feuerwehrleute haben Stelen, darauf sind goldene Sterne graviert, eine Leistung der Zentralen Organisation der Feuerwehrleute des Landes, die auf ihre Helden achten. Dagegen sind die Gräber der Operatoren, auch das des Elektrikers A. I. Baranow, eines wahren Helden, ohne Kennzeichen. Bilder der Toten wurden entfernt.

wasser gelangt. Das brächte die Moskauer Versorgung durcheinander, sagten sie. Über den Leichen nochmals eine Betondecke. Aber es wäre ein Sakrileg, antworteten wir, die Toten auf eine Betondecke zu legen, sozusagen einzukellern.[12] So legten wir die Toten in Zinksärge, statistisch blieb ihre Zahl ausgedünnt.[13]

Ich selbst trage auf meinem Bauch dunkle, unförmige Flecken. Das sind Brandflecken, die ich mir beim Tragen radioaktiver Leichen geholt habe.

Einbeziehung des Bahnwesens in den Alarmplan

Plötzlich sah einer der Betonspezialisten, die in den Räumen des Parteikomitees debattierten, durch die geschlossenen Fenster einen Personenzug in 500 Metern Entfernung von dem Havarie-Block auf dem Bahnkörper entlangfahren. Die Fenster des Zuges in der sommerlichen Wärme geöffnet. Sch. muß Nachricht geben, daß der Zugverkehr eingestellt wird, sagte sich der Spezialist. Eine Weisung wurde zum Gebietskomitee in Kiew gegeben. In den Stäben in Pripjet saßen Fachleute für Telekommunikation, kein Vertreter des Bahnwesens. Erst jetzt fiel auf, daß alle Transporte durch Flugmittel oder Kraftfahrzeuge erfolgten. Niemand von den Experten war mit der Bahn gekommen. Eine Besonderheit dieser Katastrophe.

12 Die Überreste, auch wenn ihre radioaktiven Teile erst in unwahrscheinlich fernen Zeiten verwittern, müssen zu Staub werden können. Die Seelen müssen im Fall der Auferstehung sich erheben können (Holz, Erde und Metall durchdringen sie, Zement dagegen nicht); nach unserem Glauben sind es die Körper (»das Fleisch«), das aufersteht, d.h. die Seele braucht winzige Partikel, z.B. Staub des Körpers, um sich dem Jüngsten Gericht zuwenden zu können. Damit überzeugten wir letztlich den Genossen Chodakowskij, den Generaldirektor des Mitinsker Friedhofs.

13 Die Zahl der Toten liegt gewiß höher. Durch Aufteilung der Todesursachen ist jedoch die Zahl der unmittelbar der Havarie zugerechneten Toten statistisch ausgedünnt.

Unterschied von Feigheit und Besonnenheit

– War Welichow feige, als er die Übernahme der Entscheidungsgewalt, der Kompetenz vor Ort, verweigerte?
– Der Genosse Welichow ist kein ängstlicher Mann.
– War er erschüttert?
– Das gewiß. Er hielt (und hält noch heute) die Katastrophe nicht für eingrenzbar.
– Fehlte ihm das Zutrauen zu den Kräften der Zivilisation?
– Welcher Zivilisation?
– Der Physik, der Weltgemeinschaft, der Sowjetunion?
– Inwiefern wirken die in einer so konkreten Situation wie der HAVARIE IN TSCHERNOBYL ein?
– Als Fortschritt, der Lösungen freigibt, vergangenes Unglück zu wenden.[14]
– Welichow glaubte bekanntlich nicht an Phrasen.
– Ein Naturwissenschaftler?
– Ernsten Blutes.
– Was hat Blut mit Naturwissenschaft zu tun?
– Es hat mit Vertrauen zu tun. Es durchpulst die Adern.
– Und Vertrauen setzte Gorbatschow in Welichow?
– Ganz gewiß. Sie empfanden sich als Brüder.
– Im Sinne von Genossen?
– Im Sinne des alten Vokabulars von 1917.
– Dieses Vertrauen wollte der kenntnisreiche Welichow nicht enttäuschen?
– Er hat nie, in seiner ganzen Biographie, etwas zu wissen behauptet, was er nicht wußte.
– Ein Zweifler wie Hamlet? Im Moment der Entscheidung fängt er an zu überlegen?
– Dann war auch Gorbatschow Zweifler?
– Man brauchte in Tschernobyl aber am 27.04. Überzeugungstäter.

14 Fortschritt, sagte das Akademiemitglied Welichow, muß darin bestehen, ein angehäuftes Unglück wie die Explosion des Reaktors 4 in Tschernobyl dadurch rückgängig zu machen, daß der Fortschritt, also ein Stück erarbeitete Zukunft, längst vorher eingreift, d. h. die Kausalkette, die im April 1986 zuschlägt, im Jahre 1982 oder 1984 unterbricht. Fortschritt ist insofern keine Kategorie der Gegenwart. In der unseligen Gegenwart des 27. April saß ihm der feige Minister für Energieversorgung gegenüber, ein Fachmann für Transformatoren, unkundig des nuklearen Desasters, das er verwaltete. Nunmehr hätte er gern die Verantwortung abgegeben an den seriösen wissenschaftlichen Menschen Welichow, den Abgesandten des Generalsekretärs.

– Hätte man nur die Tatmenschen vorher nicht gehabt. Die Havarie bestand aus angehäufter Tat.
– Jetzt aber brauchte man Entscheider.
– Was sollte entschieden werden?
– Wie man nach bestem Wissen und Gewissen hilft.
– Es gab aber kein Wissen.
– Gewissen allein hilft nicht?
– Man muß in solcher Lage zögern, die Macht zu übernehmen.

Menschen wie Gras, das nachwächst /
Wie schön, kein Vorsitzender zu sein

Jewgenij Pawlowitsch Welichow, am linken Schreibtisch im Zimmer des Politechnischen Zentrums, zwei Kilometer vom Rayonkomitee entfernt in Pripjet, Akademiemitglied, Kernphysiker, Vertreter des Generalsekretärs Gorbatschow, von ihm mit ungenannten Vollmachten betraut, saß dem Minister Majorets gegenüber, dem an einem Schreibtisch postierten Leiter des Energieministeriums. Sie verwickelten sich in einen negativen Kompetenzstreit. Das KKW ist Ihre Gründung, sagte Welichow, er war inhaltlich involviert, nicht naiv. Nein, antwortete Majorets, der von der Katastrophe nichts verstand, Massenproduktion von Transformatoren in Gang zu bringen war sein Geschäft. Was, sagte er sich, kann ich dafür, daß mein Ministerium mit der Verantwortung für die Kernenergie behängt wurde? Es sind zig Minister involviert, schrie Majorets. Ich kann hier nichts durchsetzen.
Über Welichows Brust und Bauch klaffte das Hemd. Fünfzig Röntgen hatte er in sich angesammelt. Das war zuviel.
Im Helikopter hatte er das Resultat besichtigt, das er als Theoretiker, ohne irgendetwas zu betrachten, vor seinem Geist vorüberführte. Nichts und niemand, sagte er sich, kann diesen Brand, diese dem Käfig entkommene Bestie, zähmen. Nicht Borchlorid, nicht Sand, nicht Beton, nicht Zeitablauf (es sei denn Äonen, die in die politische Betrachtung nicht eingeführt werden können). Das Ende der Machbarkeit. Machtlos wollte er nicht erscheinen.
Ich gebe Auskünfte, Sie organisieren, schlug er vor. Machen wir etwas falsch, helfe ich Ihnen, es zu verteidigen.
Das sei einseitig, antwortete der Minister. Er selbst wolle lieber raten, Welichow solle entscheiden. Der Stellvertreter des Generalstaatsanwalts der UdSSR schlug vor, sie sollten würfeln. Ein negativer Kompetenzkonflikt, daß

nämlich keiner von beiden bestimme, sei in dieser Situation unangemessen. In seinem ganzen Leben habe er einen solchen Konflikt um die Macht noch nicht erlebt. Ich bezweifle, antwortete Welichow, ob Sie wirklich wissen, was Sie hier in dieser Situation erleben. Er hatte, immer theoretischer Physiker, der vom Zweifel lebt, in diesen Stunden den Eindruck, daß der nukleare Kernbrand sich durch den Boden des Reaktorbaus fressen und von der Gravitation gezogen, sich zum Erdmittelpunkt in Bewegung setzen müsse. Was dann? Ist ein brennender nuklearer Kern ansteckend? Ohne Zweifel. Es war ziemlich gleich, was einer entschied. Wo das schiere Glück entscheidet, kann man nicht den Vorsitzenden spielen. Ich bin kein Schauspieler, sagte sich Welichow. Soviel an Charakter wollte er bewahren, daß er sich gleichblieb.

Der Patient

Als Assistent von Prof. I. S. Glasonow, Sechste Poliklinik, 11. Stock (damals gab es den Anbau noch nicht), bekam ich meine Jahresration an Röntgenstrahlung. Ich war eingeteilt, den Vorarbeiter W. I. Diemer, der mit einem hochrangigen Funktionär verwechselt und deshalb in unsere Abteilung eingeliefert worden war, in seinem Spezialbett umzuwenden, mit Flüssigkeit zu versorgen, d. h. in den Zwischenräumen zwischen Arztvisiten ihn zu beherbergen. Diemer hatte im Maschinenhaus des KKW Strahlung erhalten. Er befand sich einen halben Meter von der Quelle entfernt. Die Strahlen kamen von unten und wirkten sich besonders auf seine Unterschenkel, Füße, den Damm und das Gesäß aus. Da er der Quelle den Rücken zuwandte, sah er den Blitz nicht direkt, sondern nur dessen Widerschein an der Decke und den Wänden. Er schätzte die absorbierte Dosis korrekt ein. An sich tödlich, hatte sie ihn nur von *seitlich unten* erwischt.

Bei Einlieferung Körpertemperatur von 39,8°, Schüttelfrost. Hochgradig erregt. Diemer ist ein kontaktfreudiger Mensch, sensibel und geduldig.

Vierundzwanzig Stunden nach dem Unfall wurde ihm an Brustbein und Becken Knochenmark entnommen. Die gemessene integrale Dosis betrug 4 rem, über den Gesamtkörper gemittelt. Am fünften Tag offene Blase, Schleimhaut löste sich in Fetzen ab. Er kann nicht schlafen. Das Bein schwillt. Patient gibt an, es wolle platzen, es bestehe aus Holz.

Am sechsten Tag Absterben der Leukozyten. Es werden 14000 Knochenmarkzellen transplantiert. Steriles Zimmer mit ultraviolettem Licht.

Periode des Darmsyndroms: 25 bis 30 mal blutiger Stuhlgang am Tag. Murmelndes Darmgeräusch, Meteorismus. Künstliche Ernährung, weil die verletzte Schleimhaut der Mundhöhle und der Speiseröhre keine Reizung vertragen.

An Damm und Gesäß schmerzende, eitrige Blasen, am 14. Tag Haarausfall, zunächst nur auf der rechten Seite, danach Verlust sämtlicher Haare, das körperliche Gemeinwesen verallgemeinert sich rasch. Er besaß den besonderen Humor eines zum Tode Verurteilten.

Längere Zeit reizte ihn lautes Sprechen, das Klappern von Schuhen. Er, der Geduldige, schrie eine Ärztin an, daß er Durchfall bekomme wegen der Lautstärke ihrer Absätze. Sonst war er freundlich, verfaßte Reime.[15]

Nach 40 Tagen besserte sich sein Zustand, nach 80 Tagen entlassen. Tiefe, nicht heilende Wunde am Unterschenkel. Als seien die Körper übelnehmerisch. Patient hinkt stark.

Typ des Entscheiders

Im Gebäude des Parteikomitees von Pripjet sitzen vier Physiker aus Moskau, ihnen gegenüber mit allen Wassern gewaschene Organisatoren. Ihr Können blickt zurück auf 3 000 Jahre Praxis. Es stammt nicht aus unserer Realität, es ist das gleiche, mit dem die Pyramiden errichtet wurden. Das Selbstbewußtsein der Physiker dagegen reicht zurück bis 1602.

Unter den Organisatoren J. Scherbina, stellvertretender Vorsitzender des Ministerrats der UdSSR. Er leitet diese Regierungskommission.

Er gilt als Vier-Gänge-Aktivist. (1) Ruhig, abwartend, zuhörend; (2) Gefäß für sämtliche Einfälle, die an ihn berichtet werden, Generalist, ein Zusammenfasser; (3) Entscheider; (4) Hetzer, Beschleuniger, Steigerer, Planer, Stratege. Er kommt aus dem sibirischen Erdgasgeschäft. Da ging es um Sichtbares. Eine Gasbrandkatastrophe, sie wird niedergerungen. Mit Wachsen der UdSSR wächst ein solcher Mann in den Vorsitz von Aufgaben hinein, deren Einzelheiten er nicht kennt.

– Gibt es einen dafür passenden Managementtyp im Westen? Oder im Deutschen Reich von 1941?
– Nirgends. Es gibt eine Evolution der industriellen Führung, unter den Bedingungen der sibirischen Natur und der organisatorischen Wüste der Zen-

---

15 Die Quasi-Mutation, gewaltige Steigerung der Sensibilität (sinnliche Empfindlichkeit), legt den Gedanken nahe, daß eine gezielte Verwendung nuklearer Strahlung neue Eigenschaften von Menschen potenzieren kann.

trale. Nach 1937 bringt sie EXPERTEN DER ROBUSTHEIT hervor. Keine Entscheidung darüber, was das Richtige oder das Falsche ist, sondern ausgefeiltes Entscheidungsvermögen, welche von vier (oder sieben) organisatorischen Attitüden in der konkreten Situation am Platz ist, wieder unterschieden: in der Darstellung nach oben, in der Darstellung nach unten.
– Ein institutioneller Spezialist?
– In robuster Gestalt. Ein politischer Schauspieler. Er stellt dar die korrekte Geltung des Kollektivs im Moment.

Scherbina hatte jetzt alle angehört, in der Folge ihrer Ränge, das war korrekt. Und jetzt schwenkte er um. Er kündigte die Hierarchien. Wir sind in einer Situation, die kein Plan je vorsah. Wir brauchen ein *brain storming*, sagte er. Dies bedeutete, gerade auch weil Scherbina den angelsächsischen Ausdruck verwendete und nicht den russischen von gleicher Bedeutung, daß jeder sagen durfte, was ihm einfällt, auch Unsinn, auch Feindseliges ist gestattet.

– Das ist geübt worden?
– Unter Gorbatschow. Es besagt: »Eine komplizierte Situation, auch die Führung weiß die Antwort nicht.« Dies wäre in Scherbinas Schaltung der Gänge: Nummer 5.
– Zurück auf die vorrevolutionäre Stufe?
– Zurück zu den Rohstoffen. Großhirn hilft nicht, Stammhirn hilft nicht. Rückfall auf den Satz: »Einen Ausweg gibt es immer« (Lenin).
– Eine historische Situation. Normalerweise heißt es: Sie dürfen nichts falsch machen. Hier heißt es, auch aus der Erfahrung der Erdgasgewinnung in subarktischen Gebieten, gefährlicher Job: Genosse Zufall, bitte irgendetwas, was wir schon wissen, aber zur Zeit nicht im Kopf haben.
– Mit Gott hat es nichts zu tun?
– Nein. Mit Plan im unerwarteten Moment.
– Auch physisch ist die Situation gefährlich. Man müßte Bleiplatten vor die Fenster des Sitzungssaals stellen. Statt dessen sind sie geöffnet, lassen die Sonnenluft herein.
– Kann man Radioaktivität riechen oder auf der Haut spüren?
– Vom Krisenstab hätte keiner die Eindrücke zu deuten gewußt.
– Auch die Physiker nicht?
– In ihren Instituten sind sie gegen die Strahlung optimal geschützt.
– Welche Vorschläge kommen im *brain storming*?
– Mit Feuerwehrbooten in den Einlaufkanal des Reaktorblocks hineinfahren und den Reaktor aus vollem Rohr mit Wasser löschen.
– Das führt zur Dampfexplosion.

– Das sagten die Physiker auch. Eine Betonhaube anfertigen, innen hohl wie ein Trojanisches Pferd. In dem Quader haben Personen Platz, die den Reaktor mit chemischen Löschmitteln angreifen. Vergessen Sie nicht, daß alle Organisatoren, mit Ausnahme von Scherbina, aus dem Betonfach kommen.

– Wie will man den Betonklotz fahrbar machen? Mit Motoren? Hat er Räder?

– Seien Sie nicht albern!

– Wie groß ist die Bresche, die zum Reaktorkern führt?

– Fünf Meter breit.

– Die muß man schließen?

– Erstmal muß man mit einer Löschmasse herankommen.

– Laser?

– Wirksam. Nicht verfügbar.

– Antiprotonen, Positronen?

– In Mengen, wie sie für extraterrestrische Versuche erforderlich sind, im Sternenstädtchen verfügbar. Keine Chance, sie hier in Stellung zu bringen. Wie will man schießen? Zukunftsmusik.

– Man kam dann darauf, daß Sand jedes Feuer, auch das nukleare, löscht.

– Zusätzlich Bor-Karbid.

– Beides.

– Warum nicht Blei zum Abdecken?

– Die Physiker rieten ab.

– Wieso?

– Wirft man Blei aus einer Höhe von 250 Metern auf den Reaktorriß, entsteht die Gefahr, daß die Masse nach unten durchbricht und die Fundamente des Reaktors, zu diesem Zeitpunkt noch intakt, zerstört. Was machen Sie mit einem Atombrand, der ins Erdreich dringt?

Die Gruppe war nicht experimentell gestimmt. Kein zusätzliches Wagnis zu den Wagnissen der Vergangenheit. So hatte es Scherbina eingegeben.

– Genau so. Danach setzte sich der Vorsitzende in einen Hubschrauber und besichtigte die Unglücksstelle von oben.

– Was sah er?

– Ein »eindrucksvolles blaues Auge«,

– Damit meinte er was?

– Ihm erschien die zerstörte aktive Zone als ein »sternenblaues Auge«. Es habe ausgesehen, sagte er, als würde eine allmächtige Hand diese nukleare Schmiede mit einem Blasebalg anheizen.

– War er poetisch veranlagt?

– Kaum. Er las Puschkin. Er beobachtete, aus 250 Meter Höhe im Hubschrauber, den zerstörten Komplex mit dem Fernglas. Hingegeben an die
Gefahr, Strahlung röstete ihn wie jeden. Feuerzungen, quollen aus Spalten
links und rechts. Ein grellgelb glühender Reaktor und darin das »blaue intensive Auge«.

Wie der sich aufgeheizt hat, sagte Scherbina. Wieviel Sand muß man da hinein-
werfen? Nun, wieviel Sand braucht man? 4000 Tonnen? Und wenn die Last
auf den Reaktor fällt, antwortete einer der Physiker, wird radioaktiver Staub
aufgewirbelt. Dann steigt die Radioaktivität in der Höhe an. Scherbina war
die Ruhe selbst. Er befahl den Rückflug. Es gehörte zu seiner Rolle, unerschüt-
terliche Ruhe im Ernstfall zu verkörpern.

– Wer flog noch alles?
– In dieser Nachtstunde außer Scherbina, Legasow, Schascharin verschiedene
Piloten, sonst niemand.

Wo müssen die Hubschrauber landen?

Als A. T. Antoschkin, stellvertretender General der Luftstreitkräfte des Mili-
tärbezirks Kiew, in Pripjet eintrifft, sah er, daß die Gebäude der Behörden
noch hell erleuchtet waren. Wann kann es losgehen, General? Vorsitzender
Scherbina sprach ihn an, packte ihn gewissermaßen an seiner Ehre.

– Wann?
– Sofort, auf der Stelle.

Antoschkin beschrieb die Bedingungen: Man braucht Sand, Sandsäcke, Hubschrauber, Hubschrauberlandeplätze, eine Einsatzplanung, eine Flugleitung.
Das läßt sich nicht früher als bis zum Sonnenaufgang, 27. April 1986, bewerkstelligen.
Dann, bei Sonnenaufgang, entschied Scherbina. Es ergab sich eine Art Versprechen. »Jeder nach seinen Fähigkeiten, jedem nach seinen Bedürfnissen.«
Antoschkin fühlte sich verpflichtet, bereichert.[16] Seine Fähigkeit schien aner-

---

16 Einem Barscheck im Sinne westlicher Banken entspricht der Handschlag zwischen zwei
hochrangigen Funktionären, die einander versprechen: Sorgst du für meine Karriere,
sorge ich für deine. Das produziert ein Treueverhältnis, das, anders als Geld, im Katastrophenfall seinen Wert nicht verliert. Für einen solchen Bund gilt es zu sterben.

kannt, sein Bedürfnis bestand darin, seine Fähigkeit zur Anwendung zu bringen.

Am Morgen kamen die ersten zwei der angeforderten Hubschrauber MI-6 in Pripjet an, geflogen von den erfahrenen Piloten B. Nesterow und A. Serebrjakow.

Es wurden Leute gebraucht, um den Sand in Säcke zu füllen, die Hubschrauber zu beladen.

Haben Sie in Ihrer Armee zu wenig Leute? fragte Scherbina aggressiv zurück. Er war an der Erdgaspolitik orientiert, selber kein Militär. Die Piloten düıfen keinen Sand schippen, antwortete erregt Antoschkin. Der Anflug zum Reaktor muß exakt erfolgen. Die Hände dürfen nicht zittern. Der Schornstein links neben dem Riß im Reaktor ist ein Gefahrenpunkt.

– Hier, General, nehmen Sie die stellvertretenden Minister mit, die Genossen Schascharin und Meschkow. Schascharin, tun Sie mir den Gefallen, ziehen Sie die Montage- und Bauarbeiter heran, Sie wissen wie. Wo ist Kisima?[17]

Antoschkin, Scherbina als stellvertretender Minister für mittleren Maschinenbau und Meschkow in ihren Moskauer Anzügen, Antoschkin in seiner Paradeuniform, begannen zu schippen, Symbolhandlung. Assistenten telefonierten. Weder Dosimeter noch Atemschutz.

Wo sollten die Hubschrauber landen? Antoschkin fiel nichts ein. Während er zögerte, bemerkte er, daß er die ganze Zeit über den Platz vor dem Stadtkomitee musterte. Dies war der Landeplatz.
50 Meter vom Gebäude des Stadtkomitees entfernt, in der Nähe des Cafés Pripjet, fanden Pioniere einen Sandberg, der für den Bau eines neuen Wohngebiets aufgeschwemmt war. Säcke fanden sich im Lager des KKW.
Antoschkin stieg mit einem Funkgerät auf das Dach des sechsstöckigen Hotels Pripjet und organisierte hier die Flugleitung, unter Einfluß von 40 Millirem. Die Flugleitung übergab er am Morgen an Hauptmann Reschotnikow.
17 Chef der Baubrigaden des Energieministeriums.

Evakuierung von Pripjet

1 100 Busse standen in einer Schlange von 20 km Länge auf der Straße von Tschernobyl nach Pripjet. Das war sowjetische Organisation. Die Sonne spiegelte sich, eine gewöhnliche Aurora, in den Fenstern der Kolonne. Es war frühmorgens. Dreizehn Stunden später setzten sich die Fahrzeuge in Bewegung, lösten sich auf in Gruppen von Bussen, nahmen die Bewohner der schneeweißen Häuser von Pripjet auf.

An ihren Reifen Milliarden radioaktiver Teilchen und Cluster. Man hätte an den Grenzen der Zehn-Kilometer-Zone einen Austausch der Reifen vornehmen müssen.

– Dann hätte man auch die Haare der Insassen scheren, die Kleider ausziehen, neue Kleider zur Verfügung halten müssen.
– Das wurde später auch kritisiert. In den Haaren setzten sich die Partikel besonders fest. Eine Haarbürste in einer öffentlichen Toilette in Lemberg: 30 Millirem pro Stunde. Eine einsame, radioaktive Insel im Land.
– Wie gefährlich?
– Nicht lebensgefährlich, aber den Kopf kann es kosten.

Prompte Reaktion eines an sich sklerotischen Apparats

1
Kein Versagen der Zentrale

Ich bin Rechnungsprüfer. Prüfungsgebietsleiter für den Süden der Sowjetunion. Mir untersteht eine an Promptheit und hoher Arbeitsgeschwindigkeit gewöhnte Arbeitsgruppe der Zentralen Arbeiter- und Bauerninspektion. Effektiv sind wir vor allem in Fällen des SOZIALISTISCHEN WETTBEWERBS. Die Arbeitsgruppe des Generalstaatsanwalts der UdSSR stand mit der Abfassung ihres Berichts nicht nach. Sie jagte uns voran. Sie ist nicht interessiert an Ökonomie und Verbesserung der Verhältnisse, sondern sie stellt die Schuld fest, nach einer Havarie das Unwichtigste, was man sich denken kann. Es ist aber letztlich der entscheidende Bericht, der über Karrieren hoher politischer Organe endgültig entscheidet.

Unser Bericht bestätigte, daß die Reaktion der ZENTRALE prompt erfolgt ist. Am 26. April um neun Uhr morgens startet die Chartermaschine Typ YAK-40 in Moskau (sieben Stunden nach der Havarie). Insassen: die Spezialgruppe. Sie bereitet die Informationsebene vor für die Ministergruppe, der dann unmittelbar die Regierungskommission folgen wird.

Um zehn Uhr fünfundvierzig landet die Störfallgruppe (so heißt die Spezialgruppe) in Kiew. Zwei Stunden später nimmt sie ihre Sitze im Rayon-Komitee der Partei ein. An Bord Hauptingenieur W. J. Pruschinskij von Sojusatomenergo, Kostja Poluschkin von der Herstellerfirma des KKW, E. I. Ignatenko von Gidroprojekt, W. S. Konwisa, Generalprojektant des KKW, der Fotograf Kostin und andere. Sogleich nach Ankunft der Operationsgruppe erhebt sich ein Hubschrauber des Typs MI-6 in die Luft, der Fotograf Proschinskij, der sich hinzugedrängelt hat, sieht als erster den Krater des Reaktors von oben. Es gibt keine Ferngläser. Sie gehen auf 250 Meter hinunter, um besser sehen zu können.

Die erste Chartermaschine von Moskau fliegt um 16 Uhr nach Kiew ab. An Bord der stellvertretende Generalstaatsanwalt der UdSSR J. N. Schadrin, der Minister W. W. Majorets, der Sektorenleiter am ZK der KPdSU W. W. Marin, der Stellvertreter des Ministers für mittleren Maschinenbau A. G. Meschkow, der Leiter von Sojusatmonenergostroj M. S. Zwirko, E. I. Worobjew, Stellvertreter des Leiters der Kanzlei des Gesundheitsministeriums der UdSSR.

Inzwischen hat Generalsekretär Gorbatschow das Akademiemitglied Welichow mit seiner Vertretung vor Ort beauftragt.

Um 21 Uhr (19 Stunden nach der Explosion) trifft am 26. April 1986 die Regierungskommission in Pripjet ein, Leitung: Boris Jewdokimowitsch Scherbina, stellvertretender Vorsitzender des Ministerrats. Von diesem Moment an ist die Moskauer Zentrale, d. h. die volle Amtsgewalt, das städtische und metropolitane Wesen Rußlands, am Ort des Unglücks vertreten. Es fehlt keine Amtsgewalt.

Von allen zuständigen Personen wurden ergonometrische Studien angefertigt. Es wurden (für Zähneputzen, Kofferpacken, Stolpern, Einsammeln von Gegenständen, überflüssige Telefonate) pro Person im Schnitt vier Minuten Fehlzeit ermittelt, d. h. die Personen waren überdurchschnittlich prompt. Daß die Schnelligkeit, mit der sie sich vor Ort in Entscheidungszentren einfanden, darauf beruhte, daß sie das Unglück geahnt, sich also vor Bekanntwerden bereits zugerüstet hätten, wie es die Arbeitsgruppe des Generalstaatsanwalts andeutet, läßt sich nicht beweisen.

2
Einfall in der Sommernot

Als dem Prüfungsgebietsleiter unterstellter Untersuchungsbeamter der Obersten Arbeiter- und Bauerninspektion für das Rechnungswesen, das, was man im Westen als Kontrolling bezeichnet, betone ich, daß die wesentlichen Einfälle im Krisengebiet nicht aus dem Rückgriff auf Vorschriften, Analysen der Planung, sondern aus VORFINDLICHKEIT entstanden, d. h. spontan, von Männern entwickelt, die radioaktive Graphitasche atmeten. Die Hubschrauberpiloten positionierten Bleibleche unter das Sitzkissen zum Schutz ihrer Hoden. Sie setzten Gasmasken auf, vorgesehen zur Abwehr von Senfgas im Ersten Weltkrieg, aber unvergleichlich wirksamer als die Masken aus Perlon, die lediglich Staub abhielten, die sog. SCHWEINERÜSSEL.

Dann wurden Fallschirme eingesetzt. Wendet man Fallschirme nach unten, kann man sie mit 50 Sandsäcken beladen. Diese »Taschen« wurden an die Hubschrauber gehängt, zum Reaktor geflogen und in die kritische Öffnung gestürzt. Am 30. April wurden 1 500 Tonnen, am 1. Mai 1 900 Tonnen deponiert. Danach wurde der Abwurf der Säcke reduziert. Man befürchtete, daß die Betonkonstruktion, auf welcher der Reaktor auflag, das Gewicht nicht würde halten können. Leiter der Sandverladung war der Chef von Sojusatomenergostroj, M. S. Zwirko.

3
Wie eine Planwirtschaft über Gefährlichkeiten
kommuniziert

Gaskomgidromet der UdSSR fragt an oder befiehlt Sojusatomenergie. Die muß ihre Aufsichtsbehörde Gasatomenergoadso fragen; das geht nicht, ohne daß das Hauptressort »Bau« im Energieministerium der UdSSR befragt wird. Es muß aber auch Sojusatomenergostroj und die gewaltige, fachkundige, mit den besten Ingenieuren versehene Juschatomenergomontage einbezogen werden. Der zuständige ZK-Sekretär, der die wie Weberschiffchen agierenden Abteilungen, Hauptabteilungen, Kombinate, angegliederten Einheiten und Kontrollhierarchien beaufsichtigt, heißt W. I. Dolgich, ZK-Sekretär. Er berichtet an Politbüromitglied Ligatschow, dieser an den Generalsekretär Gorbatschow.

4
Versorgung mit Richtlinien

Strenge Rationierung der nuklearen Belastung. Unmittelbar vor und nach der Havarie von Tschernobyl wurden folgende Grenzwerte für den Bereich der Sowjetunion festgelegt: Fünf Röntgen pro Jahr für Männer, sechs Röntgen pro Jahr für Frauen (wegen der nach innen verlegten Geschlechtsorgane), 0,5 Röntgen pro Jahr im Durchschnitt der Bevölkerung, da nicht ganze Bevölkerungen an Grenzwerte herangeführt werden können.

– Sie meinen, weil Bevölkerungen im Land verstreut leben?
– Sie würden sich auch mit einem Grenzwert kontaminieren. Fünf Röntgen in Umarmung mit weiteren fünf Röntgen plus fünf Röntgen an eng benachbarten Arbeitsplätzen ergeben einen Mittelwert oberhalb von fünf Röntgen.
– Stellen Sie sich nur die Moskauer U-Bahn vor.
– Oder die Plazierung in Flugzeugen bei einem Sechs-Stunden-Flug über Sibirien.
– Oder bei Luftschutzübungen.
– Gar nicht auszudenken, wie sich das steigert.

Dies bedeutet 1,3 Millionen Röntgen/Tag als volkswirtschaftliche Gesamtrechnung. Mit einem Einzelwert für Spezialpersonal in der Sechsten Poliklinik in Moskau von 8,6 Millionen Röntgen/Tag. Wie rasch die geröstet werden, sagte der Physiker. Es ergeben sich für die Arbeitszeitmessung neue Ergebnisse, antwortete ihm sein Freund, der Ergonom. Er schrieb an einer Habilitationsschrift, die sich mit der Übernahme von Taylors Grundsätzen der Ergonometrie in der frühen Sowjetunion befaßte (1920 bis 1928).

5
Der Chef der Feuerwehrbrigade Kiew berichtet

– Es sind ungewohnte Phänomene mit ganz bekannten zusammenzufügen. Wie wir nukleares Feuer bändigen, wissen wir nicht, wie wir einen Feuersturm bekämpfen, wissen wir.
– Wie?
– Indem man die Sauerstoffzufuhr unterbindet. Feuer ist eine besondere Form von Rost. Ohne Sauerstoff erstickt es. Das ist der Grund, warum wir Stick-

stoff in großer Menge unter das Fundamentkreuz des Reaktors geblasen haben.
- Das unterbindet den Zustrom von Sauerstoff in die aktiven Zonen?
- Mit Gewißheit.
- Was war dann Ihr Problem? Wie kann man den Stickstoff überhaupt dorthin blasen?
- W. T. Kisima, der Ingenieur, schlug vor, mit einem Schweißbrenner von den Seiten des Transportkorridors her eine Öffnung zu brennen. Dort befindet sich der Raum 009. Durch ihn ließen sich die Röhre und ein Dispersionsgerät vortreiben.
- Zuvor hatte Marschall S. C. Oganow Schießversuche mit panzerbrechenden Waffen veranstaltet, die dem Stickstoff keine Bahn öffneten?
- Die Beschießung führte zu drei Löchern in der Wand des Reaktors. Auf diesem Weg lange Rohrleitungen zu legen war unmöglich.
- Es geht nicht mit direkter Gewalt?
- Nicht gegen eine komplexe Anlage, in der Ingenieursintelligenz steckt.

Lesbarkeit von Zeichen

Der Graphiker Philemon Berdjew, Lemberg, jetzt in Warteschleife, früher Zentrales Institut für Graphik und Design der Akademie, arbeitet seit 1986 am Entwurf symbolischer Zeichen, die noch in 6000 Jahren einem Intelligenzwesen TÖDLICHE GEFAHR signalisieren. Es wird angenommen, daß der Adressat keine der heute gesprochenen Sprachen beherrscht. Er liest auch keine kyrillische Schrift. Die Zeichen müssen, auch bei Beschädigung oder Verwitterung, ein eindeutiges Signal wiedergeben. Zu berücksichtigen ist die kulturelle Umformung, in Zukunft beschleunigt, aus häßlich wird schön, aus Schrecken Attraktion, aus gut böse. Unter diesen Voraussetzungen ist Eindeutigkeit gefordert.
Rückschlüsse aus römischen Denkmälern, altbabylonischen Zeichen sind trügerisch, sagte Berdjew. Die Entwicklung der kommenden 6000 Jahre ist beides, langsamer und beschleunigter. Die tödliche Gefahr, vor der gewarnt werden soll, ist abstrakter, selbst unsichtbar.
Berdjew ist mit seinen Computern inzwischen ans Internet angeschlossen. Er hat Betteltouren unternommen, um Geld zusammenzubringen. Ein ehemaliges Mietshaus aus der Zeit der k. u. k. Monarchie ist von ihm gefüllt mit Entwürfen und Dateien, die auf umständliche Art, die für die Partner in den USA unhandlich sind, ein System zeitübergreifender Zeichen umfassen.

Es ist, sagt Philemon Berdjew, unsinnig, HEISSE SPOTS in den Pripjetsümpfen, die sich über Tausende von Quadratmeilen erstrecken, dadurch kennzeichnen zu wollen, daß man eine Art Verkehrsschild auf Waldpfaden anbringt. Man kann auch nicht wissen, ob künftige Intelligenzen nicht Riesen- oder Zwergengröße haben. Einige seiner Zeichen knüpfen an Arbeiten des Mathematikers Carl Friedrich Gauß an, die dieser für die Zarin Katharina entwickelt hat. Es handelt sich um eine Darstellung von Sätzen des Pythagoras, eingeritzt in das Erdenrund.

Gauß hatte von der Zarin Mittel erhalten, in den sibirischen Flachwald Schneisen einzuhauen, eine Meile breit, endlose Meilen lang. Die so dargestellten Hypotenusen über den Dreiecken sollten fremde Intelligenzen, die z. B. vom Mars oder anderen Gestirnen zu uns hersähen, davon überzeugen, daß inmitten des analphabetischen Rußland Kenntnisse der Mathematik verbreitet seien, das Interesse einer gastlichen Intelligenz die Fremden erwarte, falls sie sich dem Planeten annähern sollten. Welchen Anhaltspunkt, fragte Berdjew, gibt dieses Beispiel aber für die Aufstellung von Warnleuchten, die auf einen atomaren Unfall hinweisen sollen? Wer wird in Leuchten oder Zeichen, die eine Havarie dokumentieren, ein Zeichen gastlicher Intelligenz vermuten?

Drei Manipulatoren für eine Million Goldrubel / Ersatz-Maschinen

Einen Moment lang im Mai 1986 war, wenn es aus Tschernobyl angeordnet war, alles möglich, auch das Verlassen des Landes. Wir von der Reiseorganisation von Sojusatomenergostroj verstanden nicht, warum Polen, die DDR, Schweden und die Bundesrepublik unsere hochverstrahlten Hauptmechaniker und Ingenieure, die ausschwärmten, Materialien und Geräte zu besorgen, ins Land ließen.

Wir kauften in der Bundesrepublik drei Roboter, sog. Manipulatoren. Bei uns im Land gab es keine solchen Roboter. Der Beschreibung nach waren sie konstruiert zum Aufsammeln radioaktiver Bruchstücke. Davon hatten wir im Umkreis des Reaktors etwas zuviel.

Eine Gruppe Leute flog, unter Leitung von N. N. Konstantinow zu der westdeutschen Firma, welche die Manipulatoren verkaufte, um die Bedienung zu erlernen.

Leider waren die Roboter für die Arbeit auf ebenen Flächen konzipiert. Den Trümmerhaufen, die wir in Tschernobyl hatten, wurden sie nicht gerecht. Sie

wurden vom Dach des Maschinenhauses abberufen, auf das Dach der Entgaserbühne versetzt, wo sie sich in den zurückgelassenen Feuerwehrschläuchen
verhedderten.
Nuklearer Brennstoff und Graphit mußten von Hand aufgesammelt werden.
Die Soldaten des Liquidatorenkommandos trugen Bleihandschuhe bis zum
Oberarm, Mützen bzw. Klumpen von Blei auf dem Haupt, an den Schläfen sowie als Halskrause. Bleigefütterte Wämser behinderten die Läufer. Sie wurden
für Minuten auf das Dach geschickt und wieder in die Hut der relativ strah-
lungsfreien Innenräume zurückgeholt.
Es fehlten Maschinen des Typs »Wand-im-Erdreich« mit ausreichender Wir-
kungstiefe. Sie kamen aus dem Südosten Sibiriens drei Monate später heran.
Am 7. Mai 1986 erhielten wir die ersten funkferngesteuerten Bulldozer, und
zwar japanische Kamatzu und sowjetische DT 250. Unser Modell wird von
Hand gestartet und dann ferngesteuert. Streikt der Motor in einer Zone hoher
Aktivität, muß ein Mechaniker (wenig nützen die Bleipanzer) hinaus, die Maschine erneut starten. Die japanischen Kamatzu dagegen waren unsere Freude.
In Wyschgorod war die Technik für Tschernobyl konzentriert. Der Koordina-
tor rief an, schilderte die Menge von Maschinen, die bereitstand. Wir wußten
keinen Einsatzort.

Abb.: »Um das Innere des Kernkraftblocks zu erkunden, benutzten wir
Videokameras, die wir auf ferngesteuerte Roboter montiert hatten. Wir
kauften die Mini-Roboter in der Spielzeugabteilung des Kaufhauses
GUM in Moskau.«

Abb.: Ärzte und Rettungspersonal werden in Bussen zum Katastrophenort transportiert.

Abb.: Ein Riesenrad, vorbereitet für die Feier des 1. Mai in Pripjet. Jetzt steht es für eine gewisse Ewigkeit an dieser Stelle, da niemand das kontaminierte Rüstzeug abzutransportieren oder sich anzueignen wagt.

Titanengrab

Weil der Tod eines Fürsten im alten Rußland als unverzeihlich galt (wir Helden konnten ihn nicht beschützen, wir schämten uns), verbrannten wir ihn, seine Frauen, seine Geliebten, seine Pferde in einer tiefen Grube, die wir in der Steppe ausschachteten. Wir errichteten einen TUMULUS, einen Hügel, an dem sich das Wetter in mehr als hundert Jahren abarbeiten sollte.[18]

So sollte eine Sprengung des Unfallblocks in Tschernobyl die niemals entschuldbare Havarie, die Verschrottung des Unfallblocks besiegeln. Die Größe der Bestattung sollte der Einmaligkeit des Unfalls Rechnung tragen, so das Gefühl unserer Spezialisten und Ingenieure von der Vereinigung Glawgidrospezstroj.

Die große Sprengung entfiel mit Rücksicht auf den Boden aus Sand, der das Gebiet um Pripjet ausmacht. Auf Felsuntergrund hätten wir das gestaltet. Der Plan, mit einem gigantischen Glasüberzug die Katastrophe einzuglasen, ähnlich einem Geschmeide aus Bernstein, das eine Einlagerung enthält, entfiel, weil keine Sprühmethode ingenieursmäßig entwickelt war, die eine solche Menge Glas auf den havarierten Block gesprüht hätte.

Jede Lösung, die auf Betonierung beruhte, war als Titanengrab die schlechtere Lösung. Schon wieder näherten wir uns der Realität, einer auch für Ingenieure enttäuschenden Größe angesichts eines Unfalls, der unser anfängliches Vorstellungsvermögen überstieg.

18 Französische Archäologen, welche die Ausgrabungen in Südrußland leiteten, hegen Zweifel, daß es sich bei den Titanen um Vorfahren der Russen gehandelt habe. Auch mongolische Fürsten schließen sie aus. Vielmehr handele es sich bei den Titanengräbern um gewaltige Totenhügel von Nomadenvölkern, die der russischen, überhaupt der indogermanischen Formation vorausgingen, ähnlich den Basken.

Im Zweifel Beton

Das war schon in der Zeit, in der sich um den Unglücksreaktor eine Großorganisation aufbaute. Eine Bauleitung unter dem Ingenieur Kisima hatte die 1 000 Lastwagen, die in 50 km Abstand vom Ort der Havarie warteten, beigezogen, Vorräte von Beton vorbereitet. Der Minister Anatolij Iwanowitsch Majorets rief den Ingenieur an.

– Nehmen Sie einen Bleistift und einen Zettel.
– Habe ich ja.
– Ich zeichne also eine unter 45° geneigte Linie, eine . . .
– Jetzt senkrecht . . .
– Das ist ein regelmäßiges Dreieck.
– Das ist alles?

Der Minister übermittelte übers Telefon diese Zeichnung. Ein Dreieck. So leitete er mich an, den Trümmerhaufen, der den havarierten Block bildet, in eine Planzeichnung zu übertragen. In Form dieses Dreiecks, sagte er, soll ich Beton darauf pumpen. Als ob ich ein Anfänger wäre und das nicht wüßte. Es kam darauf an, den Transport des Trockenbetons zur Mischstelle so zu organisieren, daß die Fahrer und das zum Abladen benötigte Personal nur jeweils die vorgeschriebene Zeit lang der Strahlung ausgesetzt blieben. Dosimetristen umsprangen die Arbeiter, suchten nach »Schatten«, d.h. Lücken im Strahlungsverlauf, wo sich ein Mensch eventuell länger aufhalten konnte, als es der Einteilung entsprach.

– Warum schirmst du die Fenster der Wagen nicht mit Blei ab?
– Wir brauchen kein Blei.
– Man muß Blei auf dem Kopf tragen und unter den Mänteln.
– Das haben wir zur Zeit nicht parat.

Was sie hatten, war der Einfall mit dem Beton. Stahl und Beton, die Elemente des Aufbaus der heroischen Zeit der Sowjetunion. Alle Aktion richtet sich nach dem Können.
Diese Bauleitung des 8. Mai 1986 gehorchte schon nicht mehr den Oberen. Die Front setzte sich, wie 1944, selbsttätig in Marsch.

– Unterbrecht erst einmal die Zuführung auf die Trümmer. Wir brauchen einen Moment, um nachzudenken.

Kisima hatte gesehen, daß der flüssige Beton, wenn er das Uran berührte, das unter den Trümmern oder mit den Trümmern vermischt lag, eine »nukleare Explosion« hervorrief. Die Temperatur stieg an, die Dosimetristen meldeten einen Anstieg des Strahlungspegels. Unter dem Betonbrei verschlechterte sich der Wärmeaustausch. Es schien, als schlügen aus dem flüssigen Beton Geysire.

– Wer hat befohlen, die Betonierung zu unterbrechen?

Dies war ein Anruf aus dem Büro des Ministers im Gebäude des Parteikomitees, wo die politische Leitung mit Ferngläsern den Fortgang der Arbeiten kontrollierte.

Man kann so viel aus Beton formen. Die Spitzenkräfte Rußlands waren hier am Unglücksort zusammengefaßt. In einem Wettbewerb, wer sein Fachgebiet wohl am besten beherrschte, hätten die Betonspezialisten den Sieg davongetragen.

Das Akademiemitglied Welichow äußerte Zweifel, daß die direkte Berührung des nuklearen Brandes mit dem wasserhaltigen Beton, auch das Gewicht des entstehenden Betondeckels, eine korrekte Lösung wäre. Ihm wäre eine indirekte Verknüpfung, eine zweite Schicht (oder Membran) zwischen Trümmern, dem nuklearen Brand und der Betonhülle, willkommen gewesen, etwas, das DEM UNGLÜCK ATEM LÄSST.

> »Jeder nach seinen Fähigkeiten /
> Jedem nach seinen Bedürfnissen.«

Kisimas Bedürfnis bestand darin, unerreichbar zu sein für Vorgesetzte, die ihn aufhielten. Seine Fähigkeit bestand in 30 Jahren Expertentum, in denen er unsägliche Haufen von planerisch geformtem Beton künstlerisch im Gelände verteilt hatte.

Maßnahmen in der Reihenfolge der Kompetenzen:

– Einfliegen von Experten
– Exotische Vorschläge machen (Borchlorid gegen Feuer, Antineutronen)
– Sprengen
– Betonieren

Katastrophe nach der Katastrophe

1
Duplizität der Ereignisse

Die Kremlastrologin Hareta Ubranowitsch hatte am Vormittag des 26. April gewarnt: Genossen, achtet auf das Ereignis, das nach dem Ereignis folgt. Es gibt fast nie, sagte sie, nach den Lehren des Hermes Trismegistos, eine isolierte Havarie. Vielmehr ereignen sich diese Unfälle des Menschengeschlechts, von ihnen ja erfunden, von den Göttern geduldet, wie Sternschnuppen in Schwärmen, mindestens aber zu zweit. Das an das Politbüro gerichtete Handschreiben der astrologischen Künstlerin wurde nicht beachtet, das ihr hörige frühere Politbüromitglied, letzter Generalsekretär vor Gorbatschow, war tot.
Am Abend des 9. Mai 1986, gegen 20 Uhr 30, brach ein Teil des Graphits im Reaktor entzwei. Unter der zu Löschzwecken abgeworfenen Masse bildete sich ein Hohlraum. Dort hinein stürzte der Haufen aus 5000 Tonnen Sand, Lehm und Borkarbid, der von der Luftwaffe über dem Krater abgeworfen worden war. Entsprechend der geologischen Mechanik eines Vulkans kam es zum Auswurf von radioaktiver Asche. Eine solche Wolke reicht vom Ätna bis etwa Malta. Die Flugzeuge der Sowjetunion, die den Süden Rußlands überflogen, regelmäßig in 13000 Metern Höhe, wurden nach Landung dekontaminiert. Im übrigen blieb der Vorfall Geheimnis.[19]

2
Vergessenes Wasserbecken unterhalb des Reaktors

Eine Katastrophe nach der Katastrophe wäre eingetreten, sagte der Hauptingenieur Reschotkinow, wenn die aktive Zone den Beton unter sich durchschmolzen hätte und in das Wasser des Abblasebeckens eingedrungen wäre. Es kommt dann, warnte er, zu einer thermischen Explosion, dem erneuten Auswurf radioaktiver Stoffe.
Wie kann das Wasser aus dem unterirdischen Becken so schnell wie möglich abgelassen werden? Wie kommt man da heran? Wenn man nicht herankommt, sagt ein Militär, muß man mit panzerbrechenden Granaten einen Ab-

---

19 Die Anfragen Schwedens, der Bundesrepublik, Großbritanniens, Frankreichs und die zögerliche, weniger ausformulierte Anfrage aus Polen wurden nicht wahrheitsgemäß beantwortet.

fluß freischießen. Granaten brennen sich durch die Stahlpanzerung, warum sollen sie nicht Beton durchdringen? Man wußte nicht, was man an Instabilitäten bewirkt, wenn man den Gesamtbeton von unten in Höhe des Beckens beschoß.

So blieb Menschenhand. Ein Kollektiv wird zusammengestellt.

G. A. Schascharin berichtet: Am 4. Mai fanden wir den Schieber, der zum Ablassen des Wassers aus dem Abblasebecken geöffnet werden mußte. Durch das Reservemannloch konnten wir einen Blick in das obere Becken werfen. Ich besorgte zwei Taucheranzüge und übergab sie dem Militär. Der neue Vorsitzende der Regierungskommission I. S. Silajew versprach denjenigen, die bereit waren, den Schieber zu öffnen, daß der Staat im Falle ihres Todes ihre Familien bis ans Lebensende nach dem Tarif eines leitenden Ministerialrats versorgen würde, einschließlich Wochenendhaus und Wohnung in der Stadt. Es nahmen teil: Ignatenko, Saakow, Bronnikow, Grischenko, Kapitän Sborowskij, Leutnant Slobin, die Untersergeanten Olejnik und Nawawa.

Keiner starb. Das Bassin war leer.

3
Erfahrungsschwund

W. A. Legasow, Kernphysiker, Leiter der Sowjetischen Tschernobyl-Untersuchungs-Kommission, beging im April 1988, am zweiten Jahrestag der Havarie von Tschernobyl, Selbstmord. Er betrat eine verbotene Zone seines Instituts und konnte von Hilfskräften nur völlig verbrannt geborgen werden.

– Man glaubte an einen Unglücksfall?
– Eigentlich nicht. Nur der Chef konnte in diese verbotene Zone eindringen. Was wollte er da? Das ist kein Ort für Menschen.
– Eine unverantwortliche Handlungsweise. Der Leichnam war schrecklich kontaminiert.
– Ja, die Hilfskräfte wußten nicht, was sie damit anfangen sollten. Wo immer sie diesen Menschenrest hinlegten, entstand eine heiße Zone.
– Sie brachten sich in Sicherheit?
– Sie sahen zu, daß sie in ihren Sicherheitsanzügen so rasch wie möglich aus dem gefährlichen Ort herauskamen. Sie brachten dann, einmal draußen, eine genügend große Entfernung zwischen sich und den Toten.
– Galt Legasow als depressiv?
– Das wäre aufgefallen. Ein humorvoller Mann.
– Und woher kommt es zu diesem humorlosen Tod? Schuldgefühle?

– Er hatte keine Schuld. Auch seine Untersuchung war einwandfrei.
– Wollte er ein Signal setzen?
– Was wissen wir, was in seinem Hirn vorging?
– Er war der einzige, der über sämtliche Kenntnisse vom Unfall verfügte?
– Ja, die sind mit ihm untergegangen.

Abschiedsdrama

Eine Jägergruppe erschoß die Tschernobyler Hunde. Wer war das, die Jägergruppe? Das waren Parteigenossen, die zur Ausgestaltung ihrer Freizeit sich zu einem verbotenen Verein zusammengeschlossen hatten. Sie besaßen Privatwaffen, sie hatten zusammengelegt für eine Kasse, aus der bis 1986 gemeinsame Feste bezahlt wurden. Sie hatten einen weiten Rayon der Wälder abgesteckt für Jagdausflüge. Jetzt kamen sie zusammen, um zu liquidieren.
Warum die Hunde? Es gehörte zum Organisationsplan, daß die Verbreitung von Radioaktivität im Hundefell zu unterbinden war. Es gibt Hunde, die über 500 Kilometer weit laufen, dort, wo sie sich bewegen, hinterlassen sie eine radioaktive Spur, wenn sie kontaminiert sind. Warum wurden die Katzen, die Rehe, ebenso verstrahlt, nicht ebenfalls getötet? Weil sie in den Listen der Parteiorganisation für den Notstandsfall nicht aufgeführt waren.
Wie verhielten sich die Jäger in den Fällen, in denen Hundebesitzer das Tier nicht zur Exekution herausgaben? In Gruppen zu zweit mahnten sie das Verantwortungsgefühl der jeweiligen Bürgerin oder des Bürgers an. Der eine Genosse sprach hierbei »mit Verständnis«, der andere »mit Unerbittlichkeit«. Was geschah, wenn das nichts nutzte? Es hätte keinen Zweck gehabt, die betreffenden widerborstigen Bürger mit Verhaftung oder Strafe zu bedrohen. Vielmehr wurden die Hunde dem Besitzer gewaltsam entrissen, der Jäger trug hierbei Stulpenhandschuhe, um die Kontamination zu reduzieren. Die Hunde wurden beiseite geführt und erschossen. Waren die Hunde erregt? Die Strahlung erregte die Hunde. Gab es Bißwunden? Die Jäger hielten ihre Waffen zwischen sich und den Hund. Was aber, wenn Kinder versuchten, den Hund zu verteidigen? Die Kinder wurden beiseite geführt, sie sollten die Erschießung nicht sehen. Sie wurden sodann den Eltern zur Tröstung zugeführt. Verliefen diese Maßnahmen reibungslos? Nein.
Was tat die Jägergruppe nach ihrem Einsatz? Sie meldete sich im Haus des Rayonkomitees zum Einsatz. Sie wurde mit Bussen nach Kiew und Lemberg transportiert. Die kontaminierten Waffen wurden in Plastikfolie eingeschweißt.

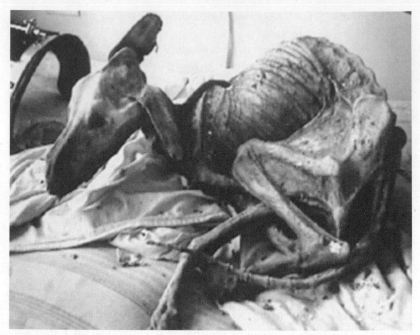

Abb.: Kontaminierter Hund

Ein Fluß mit Vergangenheit

Das Wasser des Flüßchens Pripjat ist deswegen bräunlich, weil sein weitläufiges Quellgebiet in waldigen Torfsümpfen liegt. Aus 1000 qkm Wald bezieht der Fluß eine Elite von Wasser, reich an Fettsäuren. Das Flußbett, entstanden gleich nach Rückgang des Eises, ist so alt wie Rußland selbst.
Der Fluß fließt in schneller, kräftiger Strömung. Die Haut an Körper und Händen spannt sich merklich. Reibt man die Hände, quietscht es.[20]
In der Ferne sieht man die Eisenbahnbrücke, über die jeden Tag um 20 Uhr der Personenzug Chmelnitzky–Moskau rattert.

20 Diese Fettsäuren sind gute Koagulatien für radioaktive Teilchen. Die entstandene Verbindung hält sie bis weit nach der Halbwertzeit im Lande.

Vergessene Forschergruppe

In den verlassenen, weitläufigen wissenschaftlichen Anlagen, die nordöstlich von Nowosibirsk in das Gelände fest eingefügt blieben, hatten sich eine Räuberbande und ein Restbestand von Geologen miteinander arrangiert. Die Bande, auf die Zerlegung und Verschrottung von Forschungsgeräten spezialisiert, die in ihrem Inneren wertvolle Metalle enthielten, empfing von den Gelehrten Hinweise auf Beute, Analysen der gesammelten Metallteile, Ratschläge. Im Gegenzug schützten die Räuber die wissenschaftliche Insel.

Noch immer galt hier, eingeführt mit der Zentrierung der volkswirtschaftlichen Kräfte auf die Grundstoff- und Schwerindustrie im siebten Fünfjahresplan, das Primat der GRUNDLAGENFORSCHUNG. Die Erforschung der Natur darf sich nicht selbst eine Grenze setzen, da sie gleichzeitig das Wahre und den Nutzen zu ermitteln sucht. Vielmehr wird grenzenloses Forschen auch immer den Werktätigen einen Vorteil bringen, ihnen die Mittel, die sie in die Institute ihres Landes investierten, zurückzahlen. Dies ist das Überraschungsmoment des Nutzens.

Auch weil sie nirgendwohin abgeworben worden waren in den Jahren des Umbruchs, hatten sich die Wissenschaftler des GEOLOGISCHEN KOLLOQUIUMS, sämtlich Lenin-Preisträger, in ihrer Aufgabe verschanzt. Unabgelenkt, noch immer telefonisch mit den Weltzentren der Fachforschung verknüpft, hatten sie die Erforschung des Erdkerns (das war ihr Grundlagenprojekt) abgeschlossen und bereiteten sich darauf vor, aufgrund dieser Ergebnisse Vorhersagen anzufertigen, was man auf anderen Planeten des Sonnensystems vorfinden werde und wie man in Nachbarsystemen des Systems Sol Vorteile ergattern könnte, wenn man nur wußte, wo Schätze lägen.

In diesem euphorischen Zustand erhielt die Gelehrtengruppe Besuch von einer Korrespondentin der *Times of India*, die noch von ihren Großeltern her eine Kolumne in diesem Hauptblatt des Subkontinents ererbt hatte. Die großen Familien Indiens teilen Industrie, Grund und Boden und so auch die Seiten von Zeitungen untereinander auf.[21]

– Sie behaupten, daß der innere Erdkern mit einem Durchmesser von 2440 Kilometer zu 97 % aus Eisen besteht, und Sie behaupten weiter, daß die Ei-

21 Sieben Premierminister Indiens waren inzwischen durch Attentate ermordet worden. Nichts konnte das Besitzverhältnis der Familie N., zu der die Journalistin zählte, an bestimmten, nach Zeilen berechneten Plätzen in dem überregionalen Blatt einschränken.

senatome sich zu einem hexagonalen Kristallgitter zusammengeschlossen hätten, dem Epsilon-Eisen?

– Das behaupten wir nicht, das wissen wir.

– Wie können Sie das wissen? Sie können so tief nicht bohren.

– Wir haben dafür unsere Laboratorien.

– Sie haben keine Budgets mehr, wie können Sie hier im fernen Sibirien Temperaturen von 6000 Grad, einen Druck von 330 Gigapascal in Hochdrucklaboratorien herstellen, unter so extremen Bedingungen Eisen präparieren und dann auch noch akustische und sonstige Messungen ausführen, wie Sie sie hier auf 380 Seiten niedergelegt haben? Eine Druckmaschine müssen Sie auch noch haben, Papier, alles das wächst nicht in Sibirien.

– Wir werden von einer befreundeten Gruppe von Leuten versorgt.

– Gegen Geld?

– Geld haben wir nicht. Gegen Belohnung.

Sie waren sieben. Drei von ihnen verheiratet, zwei Kinder genossen die Fürsorge des ganzen Kollektivs. Sie hatten die gemütlichen Wohnungen des Kombinat-Chefs und seiner beiden Stellvertreter requiriert, anders als Robinson Crusoe lehnten sie es ab, die Dienste von Hilfskräften, Sklaven oder sonst Abhängigen in Anspruch zu nehmen. Selbst die Schlitten, die die zwei Zöglinge des Kollektivs im Winter über die Ebene schoben, waren handgefertigt von vierzehn Händen. Jetzt saßen sie, ein Samowar war in Gang gesetzt, in einem der Laboratorien, Stühle auf sommerlichem Betonboden, die Fenster weit geöffnet. Sibirisches Abendlicht.

– Epsilon-Eisen hätten wir haben müssen in der Zeit des sozialistischen Aufbaus.

– Kann man es denn zu irgendetwas verwenden? Es ist ziemlich heiß.

– Ungewöhnlich fest.

– Nochmals: Was hat man davon?

– So dürfen Sie nicht fragen. Man wird irgendetwas finden, was Nutzen abwirft, auch wenn das Phänomen, das wir erforscht haben, etwas unhandlich erscheint.

– Habe ich Sie richtig verstanden, daß dieser Erdkern ein einziges Kristallgitter darstellt? Gequetschte Eisenkristalle, in der Länge geschrumpft durch den Druck, sämtlich in die gleiche Richtung ausgerichtet, erdkernweit – ähnlich wie eine Kompanie Soldaten beim morgendlichen Appell?

– Ein Höchstmaß von Ordnung.

– Und Sie leiten daraus Voraussagen ab, was in den Tiefen des Mondes oder im Inneren des Mars vorzufinden sein wird?

– Gewiß. Das können wir.
– Aber was können Sie mit diesem Wissen machen?
– Wir können seismische Wellen berechnen, die nicht lotrecht, sondern parallel zu uns das Erdinnere durchqueren. Sie haben mehr als die doppelte Geschwindigkeit der seismischen Wellen, die lotrecht ihren Weg suchen.
– Das »hören« Sie?
– Unsere akustischen Geräte registrieren das.
– Wäre das für Musik geeignet?
– Möglicherweise. In erster Linie erzeugt es Energie.
– Wie ein Dynamo?
– Jene Differenz erzeugt Energie.
– Halten Sie den Erdkern für ein Lebewesen? Sie deuteten das vorhin an?

Die Gelehrten, die Frauen waren mit großen Tellern voll Butterbroten (alles von den Banditen geliefert) hinzugetreten, es gab ab Mitternacht Erdbeerbowle, schüttelten den Kopf, lachten glucksend. Der Erdkern sei gewiß ein Kristall, aber er verhalte sich gleichzeitig in seinen Resonanzen lebendig.[22] Epsilon-Eisen sei sehr weit entfernt von seinem Gleichgewicht, wolle Temperatur, Druck und die Enge des Erdinneren abschütteln; dadurch höre es sich an wie ein kreischendes Kind, oft fröhlich kreischend, ergänzte einer der Gelehrten. Keiner in dieser Gruppe trat als Vorsitzender auf.

---

22 Die Journalistin war nicht so zweiflerisch veranlagt, wie sie sich den Anschein gab. Ihre bohrenden Fragen sollten vielmehr die Gelehrten testen. Aus Quellen des Sanskrit war ihr bekannt, daß die Erde früher ein Riese, ein lebendiger Körper gewesen war. Dessen Außenhaut erkaltete, verkrustete, zuletzt erklärten sich Parasiten, welche die Außenhaut des Balls besiedelten, für »lebendig«. Es schien ihr aber ein Zeichen des ZUSAMMEN-HANGS, daß sich diese Unabhängigkeitserklärung des Lebendigen im Erdkern verankert hielt. Was immer man mit den Eigenschaften dieses Riesenkristalls tatsächlich anfangen konnte (für die indische, für die russische Volkswirtschaft), es war tröstlich, von einem ZWEITEN LEBEN auf dem Planeten zu hören. Ein Vorteil, daß sie in dem Teil der voluminösen Tageszeitung, die ihr ererbtes Eigentum bildete, schreiben konnte, was sie wollte.

Junge Frau vom November 1917

> »Meine Zeit du /
> Sinnlos lächelnd schaust du, leidend /
> Schwach und grausam du zurück.«
> *Ossip Mandelstam*

So lange die Zeiten vorrevolutionär waren, in Verstecken Rußlands, in Hotels im Ausland, waren Frauen in den REDAKTIONEN UND KONSPIRATIONEN hoch angesehen. Etwas von diesem Elan beflügelte Irina Swerdlow, die Stenographie beherrschte und im Smolny im Herbst 1917 die Diktate entgegennahm. Danach wurde sie mit dem übrigen Personal nach Moskau verfrachtet. Nach dem Tod Lenins auf eine Archivstelle versetzt, lebte sie, mißachtet als revolutionäre Kraft, bis 1937, und danach war sie froh, sich tarnen zu können. Unwichtigkeit überlebt.

Auf Momente hatte sie aber in jenen Tagen von 1917 die Erfahrung gemacht (auch von 1905 hatte sie sich solche Momentaufnahmen erzählen lassen), daß ein neuartiges Tausch- oder Transportmittel menschlicher Energien (ja »Mittel« war der falsche Ausdruck, das Elementarteilchen war »Ziel«), nämlich das UNAUSGESPROCHENE EINVERSTÄNDNIS, außergewöhnliche Arbeitskraft mobilisieren konnte. Und zwar deutlich mehr, als mit Geld zu bezahlen war. Das Problem, ein Gemeinwesen auf diese neue »Gravitation« zu gründen, lag nicht in der Stärke solcher »politischen Physik« sondern in der Frage der Aufbewahrung dieses »Kraftfeldes«. Nichts von dem BLITZ GEGENSEITIGER HILFE war ein Vierteljahr später noch konvertierbar.[23] Bei dieser katastrophalen Bilanz blieb es. Ein Gemeinwesen war »gedächtnislos« nicht zu begründen. Das archivische Erinnerungsvermögen vermochte den »Funken der Solidarität« zu registrieren, anschließend aber nicht wiederzubeleben. So war das Elementarteilchen dieser Physik, das Irina als Zeitzeugin auf unwissenschaftliche Weise beobachtet hatte, nicht dokumentierbar.

Die Archive des Lebens, die der Geophysik, liegen in der Erdkruste verborgen. Das war Irina bekannt. Sie zeugen vom Leben auf diesem Blauen Planeten, aber sie erzeugen es nicht. So nützte es Irina nichts, daß sie der Tochter ihre Erfahrung (die Erfahrung sehr kurzer Momente, die nur verständlich im Kontext waren) mitzuteilen suchte. Ein hoher, zeitlich unabkömmlicher Funktionär hatte Irina geschwängert, wollte von seiner Tat später nichts mehr wissen. Zwischen Tochter und Mutter viel Transfer persönlicher Sympathie, wenig

---

23 Lange Zeit hielt sie dies, aufgrund eines textlichen Mißverständnisses, für den Begriff des MEHRWERTS bei Karl Marx. Gibt es einen SOZIALISTISCHEN MEHRWERT?

Übertragung von Fakten. Wie soll Irina eine Situation, die im Dämmerlicht von St. Petersburg im Jahr 1917 stattfand (und mit der Aufnahme von Stenogrammen verknüpft war, also Druck von Fingern und Hand auf ein Schreibwerkzeug im Gespür, ein »revolutionärer« Rhythmus), in Worten ihrer Tochter mitteilen, die jene Dämmerstunde nicht kennt und auch die Stenografie nicht beherrscht? Jetzt tritt noch die Enkelin Natascha hinzu. Es wäre wichtig, wenigstens ihr über die »politisch-physikalischen Elemente«, die Irina entdeckt zu haben glaubte, zu berichten. Die Enkelin hört nicht zu, wenn die Sprache darauf kommt. Irina, alt geworden, von niemandem befragt, wäre in steter Rückerinnerung immer noch bereit, allerlei zu vollbringen, was sie für Geld oder auf Anweisung ihrer Eltern nie tun würde. An Umzügen der Veteranen nimmt sie nicht teil.

Eine Frau von 1986

> »Und dann hieß es: Also ihr müßt euch in diese sanitär-
> epidemiologische Station begeben. Und da sind wir hin.
> Die Geräte dort haben nicht gearbeitet, die hatten keine
> Batterien dafür. Das war nicht nur bei uns so, sondern
> überall. Und dann hat man Batterien gekauft und kam zu
> uns nach Hause, hat angefangen zu messen. Alles kracht,
> d. h. ist schon über die Skala hinaus.«
> *Ingenieurin Oxana Pentak, 1986*

Zwei Monate nach der Evakuierung durften wir noch einmal in unser Weißes Städtchen reisen, unsere Wohnung aufsuchen. Es war schon Winter. Wir holten unsere Winterkleidung aus den Schränken.

– Sie hatten einen Pelz?
– Einen schönen.

Wir haben auch Wolldecken geholt. Alles wurde geprüft, mit Detektoren nachgemessen, ob Radioaktivität enthalten sei.
Wir haben mit Staubsaugern alle Stücke abgesaugt. Mit Seife waschen nützt nichts. Im Pelz war ein Fleck. Es war ein Pelz aus Wolfsfellen. Wir haben alles versucht, den Fleck zu entfernen. Es handelte sich offensichtlich um einen heißen Spot, einen punktförmigen Befall, verursacht durch ein zerflattertes Staubteilchen. Es war kein »Fleck«, den man hätte sehen können, sondern eine exzessive Strahlquelle: ein Land für sich im großen Rußland, wenige Zentimeter groß, doch tödlich.

- Eine fremde Welt?
- Mir fremd.
- Hat es Sie in Ihrer Eitelkeit verletzt, daß es Ihren schönen Pelz traf?
- Ich hielt mich stets für eine Glücksprinzessin. Jetzt wurde ich mißtrauisch.
- Und was taten Sie mit dem schönen Stück?
- Wie gesagt, mit dem Staubsauger hatten wir alles versucht. Mit Essig. Mit Alkohol. Dann haben wir die paar Zentimeter herausgeschnitten und das Ganze wieder vernäht.
- Wie sah es aus?
- Schief.
- Und die Meßergebnisse?
- Keine mehr.
- Und so tragen Sie den Pelz nach wie vor?
- Mein Erinnerungsstück. Es erinnert mich an den heißen Spot, weit unterhalb eines Millimeters groß (im Nanobereich), aber, wie gesagt, »fremdes Land inmitten der Heimat«. Das gab mir zu denken.
- Wohin fuhren Sie mit den Sachen? Wo treten Sie mit Ihrem Pelz auf?
- In den Städten. Wir leben jetzt in St. Petersburg.

Russian endings / American endings

Im Scheunenviertel im Osten Berlins mietete 1921, während der NEP-Politik[24], der Unternehmer Wladislaw Leschtschenko, Bruder des bekannten Tangokönigs, mehrere der kleindimensionierten Wohnungen samt Kellern. Er ließ die Brandmauern durchbrechen, so daß sich Wohnungen zu einem Filmatelier formierten. In einer solchen SCHNEIDEREI spezialisierte er sich auf die Umarbeitung russischer Filme für den Export in die USA und von amerikanischen Streifen zur Auswertung im Großen Rußland. Steuern zahlte er nicht. Zwischengewinne wurden bar übergeben, die Produktionskosten blieben gering.
Zahlreiche künftige Stars der Ufa lernten ihr Metier in dieser dramaturgischen

24 NEP, Abkürzung für Nowaja Ekonomitscheskaja Politika, dt. »Neue Ökonomische Politik«, 1921 von Lenin eingeführtes Wirtschaftsprogramm. 1927/28 von Stalin mit dem 1. Vierjahresplan abgelöst, trug entscheidend zur wirtschaftlichen Erholung Sowjetrußlands bei. Sie ließ den freien Binnenhandel wieder zu und ermöglichte staatliche Konzessionen an Privatpersonen (vielfach Ausländer) für individuelle Unternehmungen.

Schleuse.[25] Ein Leschtschenko-Schnitt gilt in der Filmgeschichte als besondere Rarität. Die Filme gelten nicht als edel, und sie vermitteln nicht in der manierierten Art Eisensteins zwischen Längen und Kürzen. Sie sind robust und brauchbar.

Russische Filme, das begrenzte sich nicht auf die wenigen Werke der REVOLUTIONÄREN EPOCHE, sondern umfaßte das Erbe an Melodramen, Tragödien und Liebesfilmen aus der Zeit vor 1917. Alle zeigten sie, der Mode folgend, ein schwermütiges, unglückliches Ende. Für den Export in die USA benötigten sie ein Happy-End, das sich logisch aus der Haupthandlung zu entwickeln hatte.

In Rußland dagegen waren amerikanische Filme beliebt, nicht aber ihr oft leichtsinniges Happy-End. Kein Zensor versperrte den Markt, aber es wäre unmöglich gewesen, gegen den Trend des Publikums Filme in den Weiten des Landes durchzusetzen.[26] Wo in einem russischen Melodrama die Brüder und Schwestern erschlagen daliegen, muß in dem amerikanischen *ending* ein Retter auftauchen, der in letzter Minute die Verbrecher verjagt. Retter, Brüder und Schwestern begrüßen einander. Wo in einem amerikanischen *ending* im Finale Heiterkeit aufkommt, muß für den russischen Vertrieb ein Filmteil angehängt werden, der nach dem Happy-End den grausamen Schlußstrich setzt, der die Tränen fließen läßt.

– Man kann in Stummfilmen mit Standtiteln viel machen?
– Vieles.
– Aber die Schlußszenen mußten Sie neu inszenieren? Sie hatten die Originalschauspieler doch gar nicht. Auch die Aufnahmetechnik und die Beleuchtungsmode hatten sich inzwischen gewandelt.
– Es waren Filme aus zwei Jahrzehnten.
– Praktisch hatten Sie in keinem Fall die gleichen Darsteller zur Verfügung?
– Nicht in Berlin. Auch wenn ich sie gehabt hätte, wären sie nicht im gleichen Alter gewesen.
– Hätte man sie umschminken können?

25 Zum Beispiel Zarah Leander. Ihre Mitarbeit führte später zu dem Gerücht, sie sei sowjetische Agentin.
26 Die sowjetische Führung betrachtete das Kino als ein an und für sich emanzipatorisches Medium, ein Medium der Massen. Dazu Walter Benjamin, *Das Kunstwerk im Zeitalter seiner technischen Reproduzierbarkeit.* Tatsächlich wurde die Eignung von Filmen mit Spielhandlung für die »Selbstorganisation des Proletariats« vom Rat der Volkskommissare nie praktisch getestet. Auch bei der Erwartung, das weitläufig in den Kreisstädten der Sowjetunion verstreute Publikum werde Filme mit glücklichem Ausgang, also mit amerikanischem *ending,* verabscheuen, handelt es sich um ein Vorurteil, das unüberprüft blieb.

– Man kann durch Beleuchtung viel machen.
– Was haben Sie tatsächlich gemacht?
– Ähnliche Personen vom Rücken her fotografiert. Eine große Person in den Vordergrund gestellt. Die anderen, welche die traurige Schlußszene spielen, agieren in der Totalen. Es sind S/W-Filme. Einige Daten, wie Haarfarbe, müssen nur ungefähr stimmen.
– Ist das für die Trauer nicht schade, wenn keine Großaufnahmen zu sehen sind?
– Bei extremer Großaufnahme, z.B. nur Augenpartie, ist ja die Ähnlichkeit zwischen den Menschen wieder gegeben. Das haben wir so gemacht. Sie dürfen auch nicht die Musikbegleitung vergessen, die ja bei Stummfilmen hinzutritt.
– Künstlerisch gesehen eine Fälscherwerkstatt?
– Ein Import-Export-Geschäft.
– Daß die amerikanischen *endings* und die russischen *endings* bei dem jeweiligen Publikum so einschlugen, deutet auf eine gewisse Oberflächlichkeit im Blick des Kinozuschauers hin. Ist das richtig?
– Der Zuschauer verzeiht. Er geht mit. Er ergänzt.
– Und bei Walter Benjamin heißt es, daß der proletarische Zuschauer die Bilder »fachkundig testet«.
– Das haben wir in unserer Praxis nicht bemerkt.
– Sind Zuschauer bestechlich?
– In dem, was sie interessiert, unbestechlich.
– Inwiefern, wenn sie doch Ihre »falschen Schlußszenen« gar nicht bemerkt haben?
– Sie hat die Herstellung nicht interessiert, sondern das Ergebnis. Hauptsache, es ist der richtige Schluß.
– Sind Zuschauer tolerant?
– Tolerant nicht, aber träge. Sie verzeihen nie, wenn die Schlußszene nicht stimmt.

Zum Zeitpunkt dieser Befragung, im März 1941, versorgte Leschtschenko, mit finnischem Paß, von einer Hamburger Werkstatt aus Schweden mit umgearbeiteten italienischen und rumänischen Kitschfilmen. Die Handelskontakte nach Rußland waren 1937 abgebrochen worden. Für die schwedische Zielgruppe war es notwendig, im ersten Drittel des Films künstlerisch wertvolle pornographische Verstärkungsszenen einzufügen. Die Technik war einfach. Von der Nahaufnahme eines Halses oder einer Bluse rückte die Kamera auf grapschende Hände, Abstreifen von Kleidung in Großaufnahme. Die Pointen konnten durch den Ton verstärkt werden: Geräusche, Flüstern. Ein Blick aus dem Fenster: es dunkelt draußen, Nacht bricht herein; von solchen Ansichten hatte Leschtschenko große Vorräte. Mit wenigen Großaufnahmen und minutenlangen Hördarbietungen war so eine Menge Illusion anzuhäufen, ohne daß der angedeutete Geschlechtsverkehr die Zensur (die in Schweden bis 1944 lax blieb) provozierte.

– Worauf führen Sie es zurück, Herr Leschtschenko, daß die Bereitschaft des Zuschauers, sich etwas vorzustellen, im Dunkel des Kinos so viel größer ist als im wirklichen Leben, immer vorausgesetzt, der Film folgt der Geschmacksrichtung des Zuschauers?
– Ich weiß nur, daß es funktioniert, nicht, warum.
– Und zwar in Rußland wie in Schweden?
– Auch in den USA.
– Auch in Shanghai?
– Ich nehme an, daß es auch dort funktioniert. Aber nicht in der gleichen Geschmacksrichtung.

Leschtschenko hielt seine Filmbearbeitungen weder für Fälschungen noch für Betrug. Er sprach von einer INNERVATION, so als sei der Zuschauer selbst ein zu belichtendes Zelluloid. Propagandafilme, die an das wache Bewußtsein appellierten, lehnte Leschtschenko konsequent ab. Nicht einen einzigen davon war er bereit, in andere Länder zu exportieren oder zu bearbeiten.

3

Gibt es eine Trennlinie zwischen den Zeitaltern? / Paris, Juni 1940

Walter Benjamin nennt Paris die HAUPTSTADT DES 19. JAHRHUNDERTS. Vermutlich ist dies der Grund dafür, daß Paris in der Mitte des 20. Jahrhunderts, in der zweiten Juniwoche 1940, für die Kriegsführung beider Seiten so unhandlich blieb. Die Stadt war nicht anzugreifen, sie war auch nicht zu verteidigen. Sie gehörte nicht in den Juni 1940.
Gibt es Trennlinien zwischen Zeitaltern? Gibt es Zeiten, in denen das Jahrhundert stillsteht?

Zusatz 1 zu Kapitel 3: Bagdad 1940/41

Paris, die Hauptstadt des 19. Jahrhunderts

Am 11. Juni 1940, einem Dienstag, lag die viele Kilometer sich im Umriß eines menschlichen Magens erstreckende Metropole Paris im Sonnenglast, eine Wüste aus grauem Stein. In den späten Nachmittagsstunden bildete sich schwarzer Nebel. Die Sonne stach mit »gelblichen und roten Lanzen« in dieses Dunkel. Ein unregelmäßiger Niederschlag von Ruß, sozusagen in Wolken von großer Kleinteiligkeit. Sie färbten den Oberarm, ließen die Hand frei, sie berußten das Gesicht, schonten die Schuhe. In der Erinnerung der Bewohner war dies der Tag des Untergangs, im Gegensatz zum 14. Juni, einem Freitag, an dem von Norden kommend die deutschen Truppen in Paris einmarschierten.

> *Das Wasser ist blau /*
> *Der Himmel ist blau /*
> *Die Landschaft ist warm,*
> *braun und weich.*

Am 11. Juni aber war es schwer, die Verdunkelung des Himmelslichts zu deuten. Major Benôit-Guyod von der Militärkommandantur hielt das Phänomen für einen künstlich verbreiteten Nebel, wie ihn die Marine verwendete. Dann wäre dies eine Maßnahme gewesen, um feindliche Bomber zu desorientieren. Wenn ich mich schneuze, ist mein Taschentuch schwarz, notierte Benôit-Guyod.[1]
Himmelserscheinungen wie diese über einer großen Stadt künden, vor allem wenn sie von einem roten Abendlicht durchstochen werden, von Unheil. Die die Erscheinung sahen, fürchteten sich. Die Fluchtbewegung zur Gare d'Austerlitz und zu den Ausfallstraßen der Stadt nach Süden und Westen intensivierte sich; äußerlich war dies, d. h. die Zunahme des Fluchtwillens so vieler Einzelner, nur dadurch zu bemerken, daß der Zug der Fahrzeuge, die vorwärtsstrebenden Schlangen an den Fahrschein-Schaltern und auf den Bahnsteigen sich verlangsamten. Das Zeichen der Panik ist Stau. In einer Dreiviertelstunde konnte ein Mensch im Durchschnitt zu dieser Stunde um 800 Meter vorwärts gelangen.
Walter Benjamin nennt Paris die HAUPTSTADT DES 19. JAHRHUNDERTS. Vermutlich ist dies der Grund, warum Paris in der Mitte des 20. Jahr-

---

1 Der Germanist Obayashi vermutet, daß die Erscheinung auf das Abfackeln der Treibstoffvorräte im Norden von Paris zurückging.

hunderts, in der zweiten Juniwoche 1940, für die Kriegsführung beider Seiten so unhandlich blieb. Die Stadt war nicht anzugreifen, sie war auch nicht zu verteidigen. Ihre Länge und Breite in der Mitte Frankreichs, der offensichtliche Wert ihrer Bauten, der eine Zerstörung unverhältnismäßig erscheinen ließ, die seit 1918 aufgestaute subjektive Verfassung der Bewohner – alles dies funktionierte nicht zeitgemäß. So entschied sich dieser Krieg auf dem flachen Land. Es blieb ein Krieg der Nationalstraßen und raschen Flußübergänge.

Gott mit uns

Das Deutsche Reich, gekennzeichnet durch einen in die Breite geflügelten Adler, nicht durch einen Engel, war im Juni 1940 noch nicht in den Holocaust verstrickt.

Im Gelände Frankreichs war dies der achtheißeste Monat seit 1874 und der sechsttrockenste. 288 Stunden schien die Sonne. Es hätte in Strömen gießen müssen, um die deutschen Panzer irgendwie aufzuhalten oder deren Vormarsch zu verzögern. Getarnt warteten sie in ihren Verstecken im Norden und Osten von Paris auf ihren Einsatz.

Enthielt ein so wenig wahrscheinliches Spätfrühjahr 1940 eine Geste Gottes? In deutschen Landen war relativ geringfügig gebetet worden für einen Glanzsieg im Westen.

Nach scholastischer Ansicht nimmt Gott, erwiderten die Protestanten, keinen Einfluß auf die Konkretionen des Wettergeschehens. Es ist Aberglaube, wenn die Katholischen für die Kirche Nutzen zu ziehen suchen aus Behauptungen, daß sich der FÜRST DES LICHTS um der Wahrscheinlichkeit unterliegende Einzelheiten kümmert. Unser Gott, der Gott der Protestanten, ist der Herr der Unwahrscheinlichkeit. Das Wirkliche bestreitet er. Insofern kann man sein Wirken überhaupt nur in Wundern erkunden.

Ein Krebsgeschwür des Gemeinwesens

Man hatte Arbeiter in den Renaultwerken rekrutiert, die hastig Verteidigungsstellungen nördlich von Paris errichten sollten. Deserteure von den nördlichen Schlachtfeldern waren in die Lager dieser Arbeiter geraten. So waren die Vororte fest in den Händen unerwünschter Personen.

Wie kann man »die Horde«, die sich oberhalb von Paris gesammelt hat, auflösen? fragte Oberst Groussard, Stellvertreter des Militärbefehlshabers. Motorisierte Polizei war nicht bereit, sich zu diesem Gefahrenherd zu bewegen. Lebensmittelvorräte und Kantinenpersonal, das man als Lockmittel in die Nähe der besetzten Lager plaziert hatte, übten keine Verführungswirkung aus. Deserteure und jetzt schon nicht mehr arbeitsbereite Arbeiter versorgten sich selbst. War das Anarchie? Breitete sich so, nach Art einer inneren Krankheit, das *Absterben des Staates* vor?

Tatsächlich half gegenüber der »unkontrollierten Zone« nur der tatsächliche Einmarsch der Deutschen. Die Militärregierung, für die Verteidigung von Paris zuständig, sah, daß sie die Aufgabe der Stadt beschleunigen mußte. Als eine deutsche motorisierte Kompanie am 14. Juni zu den Lagern im Norden geschickt wurde, waren diese verlassen. Die Anarchisten hatten sich individuell zerstreut.

Tour Eiffel

Ingénieur : Gustave Eiffel, 1889

Abb.: Mit 300 Metern Höhe war der Eiffelturm lange Zeit das höchste Bauwerk der Welt. Von fern, nächtlich beleuchtet, wirkt er filigran. Er wiegt sieben Millionen Kilo und besteht aus 12000 Metallteilen. Er steht auf vier massiven Zementblöcken mit einer Oberfläche von je 26 Quadratmetern, die bis in eine Tiefe von 14 Metern im Boden verankert sind. In Wahrheit aber sichert den Turm eine Idee, die Rundfunkpionieren Anfang des 20. Jahrhunderts einfiel: die Nutzung als Funkturm. Schon 1912 konnte der Sender, der auf dem Eiffelturm installiert war, die fernsten Kolonien Frankreichs erreichen, und er verband Paris durch ein Relaisnetz mit den Militäreinrichtungen an der Grenze zu Deutschland.

Ich sprenge nur auf schriftlichen Befehl

Unteroffizier Guy Bohn war im bürgerlichen Leben Anwalt. Als Soldat Frankreichs war er im Winter 1939 in der Nähe der luxemburgischen Grenze wegen einer aggressiven Lungenentzündung aus dem Frontgeschehen ausgeschieden. Jetzt tat er Dienst in der JURISTISCHEN ABTEILUNG der Pioniertruppen in Paris. Am 12. Juni 1940, einem Mittwoch, beorderte ihn Korps-Kommandeur Oberst A. Reginbal in sein Amtszimmer. Aus der Personalakte Bohns ergab sich, daß er einen Kursus im Sprengen von Stahlkonstruktionen und gesicherten Brücken absolviert hatte.

Reginbal eröffnete Bohn, er solle die höchste und leistungsfähigste Antenne Frankreichs und dazu den Turm, an dessen Spitze diese Antenne befestigt war, ehe noch die deutsche 18. Armee in Paris einmarschieren werde, in die Luft sprengen. Bohns erste Antwort:

Warum ich?

Nach den Dienstvorschriften für das Pionierwesen, das wußte Bohn, war nur ein aktiver Offizier berechtigt, eine Sprengung dieses Kalibers auszuführen, nicht aber ein Mitglied der Rechtsabteilung im Unteroffiziersrang.

– Ich bedaure, den Auftrag ablehnen zu müssen.
– Es ist kein Auftrag, sondern ein Befehl. Sie sind der einzige Mann mit den erforderlichen Fertigkeiten, den ich hier erreiche.
– Gewiß. Aber ohne Befugnis.
– Mit meiner Zustimmung haben Sie die Befugnis.
– Erhalte ich den Befehl schriftlich?
– Nein.
– Dann bedaure ich.

Mehrere Unklarheiten. Paris war zur Offenen Stadt erklärt, das verbot »feindselige Aktionen« innerhalb der Stadt. Zweifellos handelte es sich bei der Sprengung eines für die militärische Kommunikation wertvollen Bauwerks um einen feindseligen Akt. Bohn sah eine doppelte Gefahr: Er konnte von den eigenen Disziplinarbehörden, wenn diese sich nach dem vorübergehenden Untergang von Paris re-etablierten, zur Rechenschaft gezogen werden. Aber auch der Feind, falls Bohn in seine Hände geriete, konnte ihn nach Kriegsrecht als Saboteur, d. h. Verletzer des Status von Paris, belangen.

– Man braucht für eine Sprengung dieser Größenordnung ein Team von Pionieren. Fünfzehn Mann. Außerdem brauche ich die Baupläne des Turms. Ich muß wissen, ob bereits Sprengstoffnischen vorgesehen sind.

– Sie sind also bereit?

– Das habe ich nicht gesagt. Selbst wenn ich dies alles habe, braucht ein solches Unternehmen zwei Tage.

– Die haben Sie, falls die Deutschen so lange warten.

– Glauben Sie, daß sie das tun, Herr Oberst?

– Von irgendwelchen Annahmen müssen wir ausgehen.

– Bei hinreichend starkem Sprengstoff stürzt der Turm vielleicht um. Aber selbst wenn er sich zur Seite neigt, wird niemand den Schaden beheben können. Es wäre eine Kriegshandlung.

– Kriegshandlungen sind nicht gestattet.

– Sie sagen es, Herr Oberst.

– Wir befinden uns in einer außerordentlichen Situation.

– Das Kriegsrecht kennt nur außerordentliche Situationen.

– Als Ihr Vorgesetzter gebe ich Ihnen den Befehl.

– Einen widerrechtlichen Befehl muß ich nicht annehmen. Man wird mir sagen: Sie sind bei den Pionieren als Jurist tätig.

– Im Krieg heißt es: Jeder tut, was er kann. Sie sind als Sprengmeister ausgebildet.

– Ja, aber nicht in einer Offenen Stadt.

– Sie wollen sich drücken.

– Keineswegs. Ich bringe Ihrem Befehl Bedenken entgegen.

Der Oberst schwieg. Bohns wesentlicher Grund für die Weigerung blieb undiskutiert: Wie kann man das Symbol von Paris in die Luft jagen? Die Situation, daß fremde Truppen die Stadt besetzten, wie schon 1815, wie schon 1871, war nicht ungewöhnlich genug. Der Oberst schien aufgeregt. Bohn war seinem Charakter nach nicht grundsatztreu. Eine aufwendige Sprengung hätte ihm gefallen. Er besaß aber nicht Anmaßung (»Ich-Gefühl«) genug, um sich zum ZERSTÖRER DES EIFFELTURMS aufzuraffen. Man konnte die Nervosität, den Umsturz der Gefühle, in der großen Stadt an diesem Mittwoch (erst zwei Tage später rückten die deutschen Truppen tatsächlich ein) auch anders ausdrücken als durch solche Gewalttat. Auch der Oberst zögerte. Er befahl Bohn, im Hauptquartier zu bleiben, auf weitere Befehle zu warten.

In den dreißiger Jahren ereignete sich eine Umwälzung im Bild der Intellektuellen. Sie meldeten sich während des Studiums zu praktischen Kursen, wollten in etwas Drastischem ausgebildet werden, passend für das JAHRHUNDERT DER TAT. Junge Juristen, Ärzte, die Schüler der Großen Schulen, künftige

Parlamentarier, Orientalisten, meldeten sich für Flugzeugführer-Lehrgänge, Fallschirmjäger- und Sprengmeister-Kurse, zu Überlebenstrainings in Nordafrika usf. So kürzten sie den Militärdienst, zugleich die Studien. Professionalität ergreift, so Saint-Exupéry, Hirn und Hand. Das entspricht dem Berufsbild des Ingenieurs.[2]

Das zukunftsorientierte Menschenbild war für Situationen der Defensive, wie sie derzeit für Frankreich charakteristisch waren, wenig geeignet. Ließ sich das Angstgefühl, die zornige Wut in den Stäben von Paris, offensiv umdeuten? Noch regierte das französische Militär über Funk ein Weltreich. Um 15 Uhr, die Stunden schwanden so rasch, wurde Bohn erneut in das Büro des Obersten gerufen. Man wolle nun doch den Eiffelturm nicht sprengen; auch fänden sich die Baupläne nicht. Statt dessen gäbe es etwas anderes zu tun. Eineinhalb Kilometer südlich von Paris, also dicht *neben* der OFFENEN STADT im Fort Issy-les-Moulineaux, befand sich ein Militärsender, eine Stahlkonstruktion mit zwei Türmen von 70 Metern Höhe, also ein ähnliches, aber von der Bevölkerung nicht ebenso geliebtes Objekt wie der Eiffelturm; dies sei die Schaltstelle, über welche die französischen Truppen in Syrien über Funk zu erreichen seien.

Bohn, zwei Koffer mit Melinit in kleinen Stangen, brach sofort auf. Keine Fahrzeuge im Hof. Mit der Metro begab er sich an den Südrand der Stadt, dort kein Taxi. Die Anlage, die Bohn vorfand, bestand aus zwei Stahltürmen, 140 Meter voneinander entfernt. Sie standen auf ähnlich gekrümmten Stützpfeilern, wie sie der Eiffelturm aufwies. Bohn deponierte unter den Pfeilern das Melinit. Im Gefahrenfall wirkt die Tat im Hirn und in den Nerven als Droge. Mehr Sprengstoff, das war es, was Bohn brauchte. In einer Kaserne erpreßte er die Bereitstellung eines Lastwagens, eines Fahrers. Den Kasten mit Knallquecksilber-Sprengkapseln hielt er auf dem Schoß, im Ernstfall nicht weit genug entfernt vom Sprengstoff auf der Ladefläche. Er war nicht sicher, daß er im Fall seines Erfolgs mit offizieller Anerkennung rechnen durfte.

Der Abend fiel herein. Es herrschte Westwind. Das Handbuch für die Durchführung von Sprengungen an Stahlgerüsten, das er bei einem kurzen Imbiß durchblätterte, stammte aus dem Jahre 1890. Um 22 Uhr trafen in dieser Sendeanlage, die mit 17 Funkern besetzt war, vom Eiffelturm immer noch Telegramme ein, die nach Beirut weitergeleitet wurden. Um 1 Uhr nachts informierte die Station alle überseeischen Stationen Frankreichs, man werde den Betrieb jetzt einstellen.

2 Ingenieure der Seele, Operateure der Dichtkunst, Monteure der Körper und der Gifte (Ärzte, Apotheker), Maschinisten der Staatskunst. Ein Menschentyp der Handgreiflichkeit, geeignet für Gesellschaften, die sich gewaltsam durchsetzen; »wie es Frauen gefällt«.

Eine Stunde des Abschieds. Eine Stunde der Aufregung; sie schlugen mit Hämmern auf die Sendegeräte ein, zerrissen mit Zangen die elektrischen Leitungen. Um 4 Uhr früh dämmerte es. Die Mannschaft entfernte sich. Mit einer Zigarette zündete Bohn die Zündschnur. Er rannte, zählte bis 110. Eine einzige trockene Detonation, Metallregen.

Der zweite der Türme stürzte auf die Sendezentrale. Ein Extra-Bonus. Zerstörer Bohn inspizierte die zertrümmerten Pfeiler, das klaffende Loch, wo noch vor kurzer Zeit die Hauptanlage ideelle Verbindungen in die extreme Ferne gesandt hatte. Um 8.30 Uhr langte Bohn am Fuße des Eiffelturms an. Noch hatte er Vorrat auf dem Lastwagen. Jetzt wäre er bereit gewesen, müde und bedenkenlos, noch unter der Droge der Tat, auch diesen Turm zu fällen. Eine Pioniereinheit war hier verfügbar. Sie zerstörte die Generatoren auf der ersten Plattform mit Schmiedehämmern. Welchen Vorteil hätte die Funkverbindung nach Syrien, zum Senegal, nach Französisch-Guayana, in den Pazifik für Deutsche haben können, vorausgesetzt, sie hätten französisch sprechende Funker dabei?

Über die professionelle Sprengung der Türme von Issy schrieb der Kommandeur dieses Forts später einen ZERSTÖRUNGSBERICHT. Lob für Bohn gab es nicht, auch keine Bestrafung. Als Bohn, noch ehe die deutschen Verbände in Paris einmarschierten, um die Erlaubnis bat, die Überreste des Forts zu besichtigen, wurde er abgewiesen. So wandte er sich für kurze Zeit der Bearbeitung seiner Akten zu. Was konnte er sonst fürs Vaterland noch tun?

Das Licht der Sonne – nie genügt es /
Zu träge der Planeten Bahn.

Sind Trennlinien zwischen Zeitaltern grundsätzlich unsichtbar?

>»Was ist die Nike von Samothrake
>gegen einen Rennmotor?«
>*Marinetti*

Versteckt in der Mitte des 20. Jahrhunderts verläuft die Trennlinie zwischen dem JAHRHUNDERT DER ZORNIGEN INGENIEURE und dem Entstehen der bipolaren Welt, dem JAHRHUNDERT DER VORSICHTIGEN ORGANISATOREN. Fumio Obayashi, Germanist aus Tokio, vermutet die Trennlinie im Mai und Juni 1940. Diese Zeit verschwand im Spätsommer 1940 auf Nimmerwiedersehen.
Jean-Claude Micke, *International Herald Tribune*, befragt den Gelehrten.

– Die Zeitalter, Obayashi-san, sind, wie man bei Ihnen lesen kann, Zuschreibungen.
– Das lesen Sie richtig.
– Es gibt sie sozusagen nicht wirklich. Und daher kann es auch keine Trennlinien zwischen ihnen geben.
– Aber etwas war offenkundig da, und jetzt ist es nicht mehr da.
– Was meinen Sie mit »etwas«?
– Man braucht tausend Zungen, um es zu bezeichnen.
– Nennen Sie mir eine davon.
– Zunge oder Tatsache?
– Die Trennlinien sind ja keine Tatsachen.
– Aber sie bewegen sich durch sie hindurch.
– Unsichtbar?
– Unsichtbar für die, die es erleben. Später, unbeteiligt und von fernem Ort, kann man die Trennlinien sehen.
– Sehen oder beschreiben?
– Für diese Position (zeitlich getrennt, unbeteiligt, am entfernten Ort) ist das gleich.

Die *International Herald Tribune* besitzt ein in der Welt verbreitetes Korrespondentennetz. Junge, oft unterbezahlte, stets neugierige Mitarbeiter, Abgänger renommierter US-Universitäten, gehen entlegenen Streitfragen nach und übersetzen sie in Artikel, in die sie ausgesuchte, selten gebrauchte WORTE VON GROSSER TREFFSICHERHEIT einfügen.

Obayashi hatte in seinem Buch eine Lastwagenkolonne der Pariser Museumsverwaltung beschrieben, die schon im Oktober 1939 nach Südwestfrankreich
aufgebrochen war. In Kisten führten sie die Venus von Milo, die Nike von Sa-
mothrake, Michelangelos Sklaven und andere Kunstwerke von Gewicht mit
sich. Auf den Kisten waren sinnlose Ziffern eingestanzt, damit niemand erriet,
welches Kunstwerk sich wo verbarg. Jetzt, im Juni 1940, das hatte Obayashi
erforscht, war der Konvoi erneut unterwegs, um die Beute an einen anderen
Ort zu bringen, der eine größere Sicherheit versprach. Der Konvoi befuhr eine
Nationalstraße parallel zu der Straße, auf der deutsche Panzertruppen nach
Südwesten vorstießen. Die eine Fahrzeugkolonne wußte nichts von der anderen.

– Und was wollen Sie mit dieser Metapher sagen? Wieso sind Sie, als Germa-
  nist, praktisch als Historiker tätig?
– Es zeigt den Parallelismus der Ereignisse. So schiebt sich eine Zeit in die andere.
– Unmerklich?
– Von keinem der Tatzeugen bemerkt.
– Und den Fahrern der Museumskolonne sprechen Sie den Ingenieurscharak-
  ter ab? Den Panzerwagenfahrern dagegen sprechen Sie diesen Charakter
  zu?
– Ich sagte ZORNIGE INGENIEURE.
– Die sind empört?
– Eine verlorene Generation. Sie haben sich in den Schlachten des Gaskriegs
  verausgabt. Sie sind betrogen worden. Alle Energien in die Maschinen! Motoren enttäuschen uns nicht. In diesem Sinne sind die Haltungen der Kurato-
  ren, welche die Museumskolonne leiten, alles Veteranen des Ersten Weltkriegs, und das Vertrauen der Panzermechaniker in ihre Gefährte doch wohl
  gleich. Da haben Sie recht.
– Und was ist dann die Aussage? Der Sinn Ihrer Beobachtung? Des Parallelismus?
– Eine Beobachtung.

Das Gespräch fand vor kurzem im Plaza-Hotel Jogjakarta statt. Im historischen Abstand fielen beiden Gesprächspartnern Gleichzeitigkeiten auf, die damals, im Juni 1940, den Zeitgenossen sicher nicht bekannt waren. So beschäftigten sich in jener Woche, in der die Lastwagenkonvois der französischen
Museumsverwaltung, parallel zu den deutschen Panzern fahrend, auf Nationalstraßen nach einem zweiten Versteck für die Kunstschätze suchten, Arbeits-
brigaden in New York damit, die Weltausstellung BEST YEARS OF OUR

209 LIFES abzubauen. Eine der Arbeitskolonnen grub aus 36 Metern Tiefe einen Stahlzylinder wieder aus, der zur Eröffnung der Ausstellung dort versenkt worden war.

Sind Trennlinien zwischen Zeitaltern grundsätzlich unsichtbar?

LIFES abzubauen. Eine der Arbeitskolonnen grub aus 36 Metern Tiefe einen Stahlzylinder wieder aus, der zur Eröffnung der Ausstellung dort versenkt worden war. Man transportierte ihn 80 Meter weiter nach Norden, UM IHN DORT ERNEUT ZU VERSENKEN. In dem tonnenschweren Zylinder waren Schriftproben enthalten von Einstein, eine Auswahl von Büchern, Patente, eine Glühbirne von Edison, eingewickelt in Samt und in einer separaten Kiste verstaut, sowie Proben verschiedener Materialien, auch Uhren und Schrauben. Ein Anschreiben an die Nachgeborenen, die in 6000 Jahren diesen Zylinder ausgraben sollten, enthielt eine Beschreibung des Gebrauchswerts der Gegenstände. Die Umbettung, berichtete Prof. Obayashi, war erforderlich, weil sich die Pläne für die Errichtung des Hochhauses, das über dem Grab dieser Dokumente errichtet werden sollte, geändert hatten. Jetzt war ein anderes Grundstück für den Bau erworben worden als das ursprünglich geplante. So wechselte der Zylinder, den Obayashi als »Urkunde« bezeichnete, ein letztes Mal seinen Ort. Der Hochbau über dem Mausoleum sei inzwischen von den VORSICHTIGEN ORGANISATOREN zweimal abgerissen und in geändertem Maßstab neu errichtet worden. Dies sei Reflex auf die rasanten Steigerungen des Grundstückswerts auf dem nicht vermehrungsfähigen Boden Manhattans.

– Wie soll ich VORSICHTIGE ORGANISATOREN ins Englische übersetzen? Es ist ein japanischer Begriff.
– Es ist eine betriebswirtschaftliche Kategorie, gehört zur BWL. Der Begriff muß passen auf die Sowjetunion 1941, auf die USA, auf Großbritannien, das seine Kolonien verliert, und auf die Achsenmächte, nachdem sie besiegt sind. Was ist dafür der allgemeine Nenner?

Obayashi zog als Beispiel die Panzermanöver des Generals Stilwell heran, die dieser im Mai 1940 in Florida durchführte. Zur gleichen Zeit fuhr, sagte er, die deutsche 7. Panzerdivision durch Arras der Kanalküste zu. Obayashi hat die Tagesberichte dieser Parallelfahrten gesammelt. Keine Differenz, behauptet er. Es handelt sich um ein und dieselbe Aktion, nur auf zwei verschiedenen Schauplätzen. Sie können EINE TRENNUNG ZWISCHEN ZEITALTERN daran bemerken, daß die Parallelaktionen nicht nur dramatisch zunehmen, sondern eine geisterhafte Beziehung zueinander aufnehmen. Kurze Zeit überlagern sich die künftige Struktur der VORSICHTIGEN ORGANISATOREN, man kann sie auch Planer nennen, und die Struktur der ZORNIGEN INGENIEURE. Die Ingenieure, fügt Obayashi hinzu, geraten aber wenig später in eine merkwürdige Verzweiflung. Sie verlieren ihren VORAUSSCHAUENDEN ZORN für den Rest des Jahrhunderts. Insofern könne man den Mai 1940 zu beiden Strukturen oder Zeitaltern zählen, dieser Monat sei in den kriegsführenden Ländern ein TRIUMPH DER INGENEURE und doch auch schon eine ORGIE FÜR PLANER gewesen.[3]

– Sind denn, um in Ihrem Bild zu sprechen, die Ingenieure die KOMMEN-DEN BARBAREN? Daß man noch rasch Botschaften oder Schätze, das Liebste, was einer hat, in Sicherheit bringt, daß man sich zum Kampf gegen den Erzfeind bei den zuständigen Behörden meldet? Rette sich, wer kann?
– Die Ingenieure sind keine Barbaren, sie sind zornig.
– Ist das nicht eine Beschönigung des Faschismus?
– Sie sehen das falsch. Die ZORNIGEN INGENIEURE sind auf beiden Sei-ten. In Frankreich vielleicht 20 % mehr pro Tausend als in Deutschland oder Italien. Bei uns in Japan 40 % mehr pro Tausend als in Europa. Ungeduldig ja, Barbaren nein.
– Aber rücksichtslos?
– Gewiß rücksichtslos.
– Wie eine Maschine kommt der Zorn daher?
– Genau so.

Godards Fragment

Die Generalprobe für *Fidelio* von Ludwig van Beethoven in der Oper Paris war angesetzt auf einen Termin, von dem bei der Planung niemand gewußt hatte, daß er drei Tage, wie sich später erwies, vor Einmarsch der Deutschen in Paris liegen würde. Die Korrepetitoren übten, Handwerker und Bühnenmeister prä-parierten die Kulissen. Die Leitung der Oper hatte sich für die Aufführung ent-schieden, trotz des Krieges gegen Deutschland, denn Ludwig van Beethoven war Österreicher (wenn nicht Weltbürger); sein Werk war, nach Auffassung der Intendanz, auch durch den Anschluß der Ostmark an das Deutsche Reich in seiner staatsrechtlichen Zurechnung unverändert geblieben.[4]

3 In der Hauptrichtung irrt sich Obayashi um zwei Monate. Schon im März wird, zur Vorbe-reitung der Rationierung, die große Volkszählung in Frankreich durchgeführt. Der Aus-druck VORSICHTIGE ORGANISATOREN, sagt Obayashi, kann auch mit VERSI-CHERER übersetzt werden.
4 Im Januar 1871, während der Belagerung von Paris durch die Preußen, war Beethovens 5. Sinfonie in einem Benefizkonzert in Paris erstaufgeführt worden. Der Ertrag wurde für den Bau einer Kanone verwendet, die noch während der Belagerung die Preußen beschoß. In dieser Hinsicht galt Beethoven als Franzose.

Dann waren durch Anordnung des Ministeriums Oper und Theater von Paris geschlossen, die Belegschaften und wesentlichen Dekorationen zum Abtransport nach Bordeaux bereitgemacht worden. Die Oper, das Palais Garnier, wurde verschlossen. In der Vielzahl der Probenräume dieses antiken Gebäudes waren jedoch in der Nähe des Sees unter der Oper, weit unterhalb der Bühne, Probenräume unbenachrichtigt geblieben, in denen die zweite Besetzung des *Fidelio* probte. Sie bemerkte den Abzug des Hauptkörpers der Oper überhaupt nicht. Sie fand sich am folgenden Tag, nachdem sie den 2. Akt endgeprobt hatte, vor verschlossenen Türen. Sie konnte nicht hinauf zum Erdboden, zum Licht, sie war eingesperrt. Der Inspizient dieser Gruppe, ein verantwortungsbewußter Sergeant, der hier an der Oper sein Gnadenbrot aß, noch übrig von Verdun, faßte die Lebensmittel und die zeitliche Perspektive, das Wasser aus einem der Brunnen in den Tiefen der Oper zu gewinnen, gedanklich zusammen. Er hielt es für möglich, hier zehn Tage auszuharren. Er organisierte eine Gruppe, die mit Klöppeln (aus Schaufeln, die ursprünglich die Heizung der Oper bedienten) Signale nach oben ausbrachte. Für die Truppe selbst hielt er es für richtig, den 3. Akt zu proben. Es geht um den Ausbruch der Freiheit: Ein Minister gelangt mit schnellen Gespannen zu den Toren des Gefängnisses. Ein Mord des Gouverneurs dieses Gefängnisses an einem der Strafgefangenen, den er als seinen Feind betrachtet, mißlingt im letzten Augenblick. Die bleichen Genossen, Verbrecher und Freiheitskämpfer vereint, treten hervor ans Licht der Weltgeschichte. Das will Ton für Ton geprobt sein, es ist ein Augenblick voller Unwahrscheinlichkeit, ein großer Augenblick der Musik.

Durch die Proben waren die im Grunde bereits Verlorenen, im Untersockel der Oper, so beschäftigt, daß sie das Verzweifelte ihrer Situation nicht wahrnahmen. Die Kontingente an Brot und Wasser entsprachen kärglich denen eines spanischen Gefängnisses in der Ist-Zeit der Oper.

Keine Revolte, nicht einmal Ungeduld. Vom Führerbesuch droben bemerkte die verlorene Mannschaft nichts. Am Dienstag, dem 25. Juni, immer noch hitzige Sonne über Paris, die Lokale am Boulevard Saint-Germain überfüllt, schon gemischt mit andächtigen Deutschen. Jetzt waren Mitarbeiter der Oper, die nicht nach Bordeaux ausgewichen waren, zurückgekehrt. Ein Bühnenarbeiter hörte die konsequent klopfenden Schaufelhiebe der Kolonne. ES WAREN SIEBEN SCHLÜSSEL ERFORDERLICH, UM DIE PROBENGRUPPE ZU ERLÖSEN. Kein schriftkundiger Zeuge hielt fest, wie die Verlorenen, die Robinsonisten der Niederlage Frankreichs, aus ihrem Untergrund hervortraten.

Von dieser Geschichte erfuhr Jean-Luc Godard 1968.[5] Er ist für Überraschun-

---

5 Einen Augenblick prüfte Godard eine Massenaktion. Der von Trotzkisten organisierte

gen gut. Zugleich befand er sich unter Einfluß. Die Wertabstraktion des revolutionären Prozesses in Paris im Mai 1968 betäubte sein Gehirn. Gleichwohl läßt sich ein Jean-Luc Godard, wenn selbst das Gehirn zum großen Teil aussetzt, immer noch nicht beeinflussen. Bei den Dinosauriern bleibt das Beckengehirn intakt, wenn das Gehirn-Gehirn aussetzt. So gibt es in Unikaten der Zivilisation in jeder Einzelzelle ein Wechselgehirn, das im Falle der Besetzung des Großhirns immer noch so funktioniert, wie Godards Gehirn funktionieren würde, wenn es nicht besetzt wäre. Insofern ist Jean-Luc Godard der absolute Gegenpol zur Besetzung von Paris im Jahre 1940. Er hat deshalb das Filmprojekt MOMENT DER BEFREIUNG DES FREIHEITSCHORS AUS FIDELIO AUS DEN KATAKOMBEN DER OPER VON PARIS zwar 1968 nicht verfilmt, es aber mit seinem Bleistift, ziemlich unleserlich, skizziert. Seine Frau verließ ihn. Die neue interessierte sich für Legitimationsprofite, nicht für Skizzen des Genies. Godard aber, gründlich, Protestant aus Genf, beharrte 1977 auf den Notizen. Sein Filmfragment nach diesen Skizzen, eines der besten Werke, die er schuf, beschreibt insgesamt 884 Sekunden (35mm, s/w, 14,7 Minuten, prämiert in Seoul, Korea, mit dem ersten Preis der Metropolen, projiziert in 50×70 m an einem Hochhaus), das HERAUSTRETEN DER ZWEITEN BESETZUNG DES FIDELIO ANS LICHT IN FRANKREICHS DUNKLER ZEIT.

Der Leiter der Truppe, der Sergeant, hatte seinen verlorenen Haufen aufgefordert, bei Verlassen des Palais Garnier den Freiheits-Chor anzustimmen. Die das sahen, liefen später auseinander, ohne ihre Adressen als Zeitzeugen zu hinterlassen. Die Geschehnisse waren so überraschend, daß kein Aufnahmeteam der Deutschen Wochenschau bereitstand.

Chor des Palais Garnier wäre bereit gewesen, en masse aufzutreten und, aus einem Kellergewölbe der Oper hervortretend, den Schlußchor aus Fidelio von Beethoven abzusingen. Dies schien Godard ein unangemessener Aufwand. Sein Kameramann fotografierte statt dessen Glühbirnen, dazu eine Fackel, eine Kerze, eine Anzahl von 17 Porträts von Gesichtern des Chors, die jeweils in 60 Sekunden Länge, nachdem ihnen ein Reizwort wie »Freiheit«, »Dolch«, »Treue«, »Verwegenheit«, »Mord« genannt worden war, aufgenommen wurden (die Bedeutung des Stichworts wirkte sich fast immer erst in der 37. Sekunde aus).

Schiffe im Nebel

Paul Valéry berichtet nach Hörensagen (er hatte mit Offizieren der Admiralität geluncht), wie eine moderne, stahlgetürmte, wehrhafte Flotte, an sich im Mittelmeer stationiert, in der Biscaya IN EINEN NEBEL geriet und dort tagelang, hochbewaffnet, kommunikativ ausgerüstet (aber nicht für Bewegung im Nebel geeignet), passiv verharrte. In völliger Stille, wie vom Feind vernichtet, lag der Flottenverband Frankreichs in der fast bewegungslosen See. Man sah in den Schwaden sechs Meter weit, jede Bewegung hätte zum Zusammenstoß der stählernen Maschinerien führen können.

Fremdsprachigkeit in der Liebe

Am Morgen waren einige Mädchen zum Lyzeum gekommen. Sie fragten, ob die Abschlußexamen stattfänden. Sie hatten sich vorbereitet. Lehrer und Mitarbeiter waren aber schon nach einem der südlichen Departements abtransportiert worden. Ein wenig informierter Hausmeister gab Auskünfte.

Gilberte fand, als sie unverrichteter Dinge, sozusagen nicht freigesprochen fürs Leben, nach Hause kam, die elterliche Wohnung leer. Die U-Bahnen funktionierten fast pünktlich. Mit elektrischem Licht war die Stadt versorgt. Ein Zettel in der Küche teilte mit, Mutter und Brüder seien auf Geheiß des Vaters, eines Artillerieoffiziers an der südöstlichen Front, über Vincennes nach Süden geeilt. Sie sollte abwarten oder nachkommen. Eine Adresse war nicht angegeben.

Noch am Abend fand sich Gilberte in eine Affäre verstrickt, als sei sie erwachsen, mit einem Ingenieur-Offizier der deutschen Besatzungsmacht, die während dieses Tages das Gebiet der Metropole Paris eingenommen hatte. Der Mann hatte sie angesprochen. Das Gespräch setzte sich über zwei Tage fort. Zuletzt war sie Geliebte eines »faszinierenden Fremden«. Sie hatte Romane gelesen, die Pflichtlektüre der zwei obersten Klassen des Lyzeums. Kaum andere Vorbereitung auf das verwirrende Erlebnis. Der Mann war an Armen, Hals, Gesicht und Beinen braungebrannt, am Körper weiß wie eine Made. Wie ein Kokon hüllte die beiden das Gespräch ein, das alle Eindrücke dämpfte, das sich in deutschen und französischen Brocken vollzog; es war eher der Wille zum Gespräch als eine Verständigung; sie war nervös, der Mann war sieben Jahre älter.

Sie wechselten zwischen den Treffpunkten in einer Bude seines Stabsquartiers, auf einer Matratze, und der leeren elterlichen Wohnung, an der Concierge vorbei; das Programm, dem sie folgte, ein Programm mit geschwärzten Stellen, hieß AMOUR PASSION, AUSNAHMEZUSTAND, eine generelle Erlaubnis gegenüber dem Alltag, der unrealistischen Realität von Paris. Gilberte war nicht deutlich, was dieses Programm ihrem fremdländischen Geliebten bedeutete. Oft rang er mit widerstrebenden Gefühlen, nahm Anläufe, ein neues Leben zu beginnen. Ingenieur Gert Schwennicke war verheiratet. Schon nach vier Wochen dieser in seinem Lebensplan nicht vorgesehenen Affäre glaubte er, sie nie mehr beenden zu können. Franzose konnte er nicht werden. Gilberte nach Deutschland einzuladen, hinderte ihn die Ehe. So ließ er seine Frau aus einer Garnisonstadt im Norden Deutschlands nach Paris kommen. In einem der großen Cafés im Quartier St. Germain saßen die Kontrahenten einander gegenüber.

HENRIETTE, GERTS FRAU, ZWEI JAHRE ÄLTER ALS IHR MANN, EINE MODERNE FRAU, FAND GEFALLEN AN DEN PRAKTISCHEN SEITEN DES DRAMAS. Wenn ihr Mann aus der Kriegszeit zurückkehre, fand sie, werde sich mit der Zeit die Hitzigkeit, mit der sie ihre Ehe begonnen hatten, verflüchtigt haben. Die Paris-Affäre bestätigte das. Es bliebe die Sorge für das gemeinsame Kind, dem sie vielleicht ein zweites hinzugesellen konnten. Dies erforderte Berechenbarkeit, nicht Ausschließlichkeit. Wieso demnach, fragte sie, nicht eine Konstellation zu dritt möglich bliebe, wenn doch »jede andere Lösung« Leid und Entbehrung gewährleistete? Der Vorschlag paßte in Gilbertes Programm der AMOUR PASSION überhaupt nicht und schien auch Gerts SEGELN NACH NEUEN UFERN entlegen. Während sie aber, so dissoziiert, im Getriebe eines Pariser Samstagnachmittags saßen, blieben sie doch zusammen sitzen, verwurzelten sich in einem gemeinsamen Abend. Gert und Gilberte traten aus praktischen Gründen dem Programm der modernen Deutschen näher.

Nach Henriettes Abreise, die Kommandierung Gerts in Paris blieb feststehendes Faktum, bewegte sich das Drama auf seinem Weg ohne irgendeine Endgültigkeit. Weit unterhalb des gedanklichen und emotionalen Ringens hatten sich Geist und Körper der Beteiligten in der einmal so gestalteten Realität eingerichtet. Sogar ein Urlaub Gerts konnte krisenfrei durchgeführt werden. Henriette, die Erfahrene (wenn auch nicht erfahren in einer konkreten Verwicklung dieser Art, von der nur in wenigen Liebesromanen oder Biographien gesprochen wird), war selbstbewußt genug, um gewisse Mängel an Berechenbarkeit nicht zu reklamieren. Zu Weihnachten war sie schwanger.

Gert, ursprünglich Flugzeugingenieur, nunmehr für die Marineinspektion West tätig, war das Ziel umfassender Bemühungen des Gegners. Ein Netz (»reseau«) der Widerstandsbewegung suchte Gilberte zu gewinnen, Gert auszuspähen. Sie wagte nicht, sich dem patriotischen Ansatz völlig zu verweigern. In den Zimmern, in denen sie mit Gert weilte, ließ dieser aber keine Unterlagen liegen. Die Bedrohung löste sich in nichts auf.

Man konnte nicht sagen, daß einer der drei, obwohl sie so antagonistischen Programmen folgten, zu sich selbst oder einem seiner Gegenüber unaufrichtig gewesen wäre. Einmal fuhr Gilberte zu Henriette, beriet sich mit ihr. Sie verstanden einander jetzt besser.

Der Kriegsausgang beendete das Dreieck. Gert erreichte Reichsgebiet im November 1944. Gilberte war da schon zu ihrer Familie in Frankreichs Süden gelangt. Henriette erlebte die Kapitulation in der Alpenfestung. Die Eheleute trafen einander im Mai im unzerstörten Haus.

Hatten sich die Programme der drei, was Liebe betrifft, angenähert? Nein. Nicht einmal die praktischen Gewohnheiten. Sprachen sie sich später über ihre Erfahrung aus? Schilderten sie einander, was in ihnen in der Zeit des Ausnahmezustands vorgegangen war? Nein. Weder untereinander noch mit Dritten sprachen sie darüber. Sie trafen sich in Bad Kreuznach, umständlich verabredet, mit viel Umsteigen dorthin, im Jahr 1957. Das Treffen brachte nichts Neues. Sie empfanden sich »auseinandergelebt«.

Blickten sie aber in sich hinein, so glaubte jeder der drei, daß er nichts zu bedauern hätte, ja, daß er einen wertvollen Schatz beherberge, dem es nicht förderlich war, wenn man ihn mit Worten beschrieb.

Strafe für kurzes Glück

Ein einzelner SS-Sturmbannführer aus dem Reichssicherheitshauptamt (RSHA), höflich und befangen, näherte sich im Kraftwagen Paris. Seine Kenntnisse des Französischen waren gering. Er war auf Zusammenarbeit angewiesen.

Ein Oberleutnant der Panzerwaffe wies ihn hin auf das Viertel »Quartier latin«. Eine französische Portiersfrau wies ihn ein in ein Hotel.

An sich wollte die Behörde, welcher der SS-Sturmbannführer angehörte, nur Plätze besetzen, hatte keinen bestimmten Plan in bezug auf Paris. Allenfalls sollte man versuchen, den Attentäter Grynspan festzunehmen. In dem Millionenmilieu von Paris schien das Bertram Schäfspake eher schwierig. Er suchte, die Englischkenntnisse der Portiersfrau nahm er für die Übersetzung zu Hilfe, im Einwohnermeldeamt nach Einwohnern unter diesem gewiß nicht häufigen Namen Grynspan. Die Verhaftung gelang.

Nach einem Jahr war seine Stellung in Paris so gefestigt, daß er in die Zentrale nach Berlin zurückberufen wurde, nur um sogleich in eines der Sonderkommandos eingereiht zu werden, die im Hinterland der deutschen Armeen seit dem 22. Juni (ein Jahr nach der Kapitulation Frankreichs) in Rußland eindrangen. Erneut war er auf Grund einer Fehleinschätzung seiner Begabung tätig. Er wurde als Dolmetscher verwendet, auch wenn er nichts von der ukrainischen Sprache verstand. Ihm half ein Hilfswilliger, der begrenzt Deutsch sprach. So konnten sie, jeweils zu dritt, Protokolle von Verhören anfertigen. Schießen mußten sie nie. Er war aber als »Mitglied einer Verschwörung« im Sinne der amerikanischen Strafprozeßordnung, weil er einen Eid geleistet hatte und einen Rang im Waffen-SS-Orden einnahm, Mittäter von Massakern und Greueltaten. So war sein Aufstieg ein Niedergang. Seine Karriere, auf die er seit 1938 soviel Wert gelegt hatte, war zerstört, ohne daß er das zum rechten Zeitpunkt überblickte. Die Gravitationen der Zeitgeschichte zogen ihn voran.

Er machte den Fehler, 1945 nach Schweden zu flüchten. Dort wurde er 1954 als Mitarbeiter des Reichssicherheitshauptamtes entdeckt, ausgeliefert nach Deutschland, 1958 in einem der Prozesse, die sich mit dem Reichssicherheitshauptamt befaßten, verurteilt. Es gelang ihm nicht, die Konkretion herzustellen, die den einzelnen Szenen, die er miterlebt bzw. mitgestaltet hatte, anhaftete.

Was wollte er wirklich? War es ihm auf der Hinreise nach Paris als Bild gegenwärtig? Es war ein frühlingshaftes Bild. Im Unbekannten sich bewähren. Vielleicht später ein Auftrag als Geheimdienstoffizier auf den Bermudas. Zur Vorbereitung einer Offensive von drei Panzerdivisionen von Mexiko her in den weichen Unterleib der USA. Was war denn, mit der Information seiner Spätfrühlingsreise auf Paris zu (oder Frühsommerreise im Juni), überhaupt unmöglich?

Die fünf Jahre Gefängnis, die ihm blühten, nur weil er sich auf der Hinreise nach Paris einen Moment verschätzt hatte, so sah er es subjektiv, so erzählte er es den Kindern, schienen ihm eine unverhältnismäßige Strafe für einen bloßen Irrtum. Dabei war der Irrtum von Begleitumständen umgeben, die es für ein Menschenwesen, sagte Schäfspake, praktisch unmöglich machen, das Lebensziel zu observieren. Wie konnte ich wissen, daß ich in Paris Erfolg habe, den Grynspan finde und verhafte und daraufhin in die engere Auswahl komme, die mich dem Vernichtungskommando attachiert (das will ich ja nicht leugnen, daß ich wußte, was die Kameraden dort tun)? Nichts von allem, vor allem nicht meine Verurteilung, die für meinen Arbeitsplatz endgültige Wirkung hatte, habe ich gebilligt. Ich war nicht einverstanden mit dem, was geschah, abgesehen von dem kurzen Moment, in dem ich mich dem besiegten Paris näherte. Das ist Strafe für einen recht kurzen Glücksmoment.

Hitlers glücklichste Reise

Adolf Hitler, der sich als ersten Soldaten des Deutschen Reichs bezeichnete, lehnte es nach dem offenkundigen Sieg über Frankreich ab, an der Spitze seiner Truppen durch den Arc de Triomphe zu marschieren. Das sei erniedrigend für Frankreich, keine Tilgung der Schande von 1918, die ja keine Schande des von den USA betrogenen Deutschland, sondern eine Schande der damaligen Sieger gewesen sei. Ich werde deshalb, sagte Hitler zu Speer, zu Breker, zu Giesler und Schmundt,[6] weder nachts mit auf Panzern und Lafetten befestigten Lampions ein »Fest trüber Erinnerungen« feiern noch am Tage einen »Pariser Einzugsmarsch« mit deutschen Truppenteilen befehligen und mich so neben Blücher oder Bismarck stellen. Das wäre nichts anderes, als der Versuch einer Wiederholung, die Geschichte aber wiederholt sich nie. Auch eine ESKAPADE DER HOFFNUNG, sagte der Führer, lehne ich ab, da ich Hoffnung besitze. Man kann unsere Zufriedenheit, ergänzte er, über den raschen Verlauf des Feldzugs auch anders ausdrücken.

Jetzt, im glücklichen Juni, es ist Spätnachmittag, ist es Zeit für einen besonderen Plan. Vormittags war Unterzeichnung des Waffenstillstands. Das geschah in genau demselben Salonwagen im Wald von Compiègne, in dem 1918 die deutsche Delegation die Bedingungen der Kapitulation entgegennehmen mußte. Ich will, sagte Hitler, Frankreich nicht in gleicher Münze heimzahlen, was es uns aus Hochmut antat. Ich werde mir meinen Lebenswunsch, Paris zu sehen, dergestalt erfüllen, daß ich es im Kreise meiner Künstler besuche, nicht inmitten meiner Armee.

Dieser Entschluß hatte auch praktische Gründe. Wäre der Reichskanzler durch britische Agenten oder von ihnen organisierte Attentäter inmitten der Hauptstadt Frankreichs erschossen worden, hätte dies notwendig zu einer Entzweiung zwischen dem Reich und der französischen Republik geführt. Die Antwort, sagte Hitler, hätte nur in einer einzigen Maßnahme bestehen können: dem vernichtenden Abbrennen dieser Stadt. Auch war nicht denkbar, daß der Führer zu Fuß, eventuell den Panzern, den Reitertruppen, einer Parade, vorangeschritten wäre. Nur von einer Tribüne, passiv, hätte er eine Besichtigung und Begrüßung der Truppen vornehmen können.

Der Entschluß fiel im Verlauf einer Stunde. Kurz vor Mitternacht frühstückten die Reisenden. Zum Feldflugplatz. Besteigen einer Focke-Wulf 200, viermoto-

6 Speer, Beauftragter für den Ausbau der Reichshauptstadt, Breker, Bildhauer von Großobjekten, Giesler, Beauftragter für den Ausbau der Gau-Hauptstadt Augsburg und der Hauptstadt der Bewegung München. Schmundt, Wehrmachtsadjutant des Führers.

rig; für Flugkapitän Baur war die Maschine ungewohnt, so war er eher Besucher als Chefpilot des Führers. Die eingefuchste Besatzung, alle Legion Condor, mit der Maschine vertraut seit deren Probeflügen, landete das Flugzeug in Le Bourget.

Es ist Sonntag, 23. Juni 1940. Die Straßen von Paris sind um diese frühe Zeit leer. Das Kommunikationsnetz der Polizei ist seit der Herrschaft Fouchés, traditionell, dicht. Polizeipräfekt Langeron erfährt um 6 Uhr früh von der Kolonne des Führers, ordnet an, sie zu beschatten. Der Führer hat den Schirm seiner Mütze ins Gesicht gezogen, die Kordel ist als Kinnriemen herabgezogen.[7] Die Gruppe ist in Mercedes-Cabriolets und offenen, schweren Wehrmachtskraftfahrzeugen, hochrädrig, untergebracht.

Am Eingang des Palais Garnier, der Oper, begrüßt Hans Speidel den Führer im Namen der Stadtkommandantur, die erst wenige Stunden zur Verfügung hatte, sich zu etablieren. Man kann aber in die Oper, die in der Woche zuvor versiegelt wurde, nur über einen Nebeneingang eindringen. Sie betreten den Zuschauerraum. Dies sei das schönste Theater der Welt, ruft der Führer aus.

Die Delegation fährt weiter: Boulevard des Capucines, die Madeleine bezeichnet Hitler als »lehrhaft akademisch«, ein Bauwerk Napoleons des Ersten, neuerungssüchtig. Bei der Pferdegruppe zu Beginn der Champs-Elysées befiehlt Hitler langsam zu fahren, an der Place de Trocadéro besteigen die Freunde die Steinrampe, die den Platz begrenzt: Panorama der Stadt. Es sei das »Gefühl für das Maßstäbliche«, das Paris auszeichne. Der Eiffelturm verbinde Kunst und Technik.

Sie überquerten den Fluß. Die Statue des Generals Charles Mangin, der 1923 für die Besetzung des Ruhrgebiets verantwortlich ist. Mistkerl, sagte der Führer. Wir sollen die Zukunft nicht mit Erinnerungen dieser Art belasten. Auf der weißen Marmorrampe des Invalidendoms, die Napoleons Grab umschließt, hält Hitler die Mütze an die linke Seite der Brust und verneigt sich. Er habe gehofft, sagt er später zu seinem Chefpiloten Baur, daß diese Szene des Respekts von der Kamera aufgenommen werde.

Die Kolonne fuhr an der Deputiertenkammer vorbei zur Deutschen Botschaft, Rue de Lille, ohne Aufenthalt, vorbei am Palais Luxembourg. Boulevard Saint-Michel, Place de Vasques, Louvre, Justizpalast, die Hallen, zu diesem Zeitpunkt, sonntags, leer. Rascher werdend, die Sicherheitsleute der Leibstan-

---

7 Die Kolonne dringt von Norden nach Paris vor. Bei einem Aufenthalt in der Nähe von Nôtre-Dame kleidet sich Hitler in einen hellen Staubmantel. Eine helle Farbe, wie sie dem Gewand Lohengrins im Stadttheater Linz entspricht. Von Ihnen, lieber Breker, als altem Pariser, sagt Hitler, möchte ich einen Plan ausgearbeitet haben, der die Brennpunkte der Stadt erfaßt. Wir haben Zeitmangel. Pilot Baur fotografiert mit 8-mm-Kamera in Agfacolor.

darte trieben zur Eile, bewegte sich die Kolonne durch gewundene Straßen zur Kirche Sacré-Cœur, man stieg aus, um auf Paris hinunterzublicken, niemand fand Gefallen an Sacré-Cœur. Entsetzlich, sagte der Führer. 8.15 Uhr früh bewegte sich die Kolonne in Richtung Le Bourget, die Maschine wartete mit laufendem Motor. Es war der Traum meines Lebens, Paris sehen zu dürfen. Ich kann nicht sagen, wie glücklich ich bin, daß er sich heute erfüllt hat. Er bat den Piloten, sie waren jetzt in relativer Sicherheit, einige Runden über Paris zu fliegen.

War Paris schon? Berlin muß viel schöner werden.[8]

Um 11.30 Uhr trafen die Agenten des Secret Service ein, die Hitler zu diesem Zeitpunkt zweifelsfrei erschossen hätten. William Shirer, Berliner Korrespondent der CBS, derzeit mit deutschem Begleiter in Paris, nahm den Besuch nicht wahr. Er frühstückte im Café de la Paix im Sonnenlicht. Später, als der Führer am Grab Napoleons weilte, ging er über die Place Vendôme zu den Tuilerien und freute sich über den Anblick von Kindern auf schaukelnden Karussells. Eine Zeitlang folgte Shirer, ohne es zu wissen, Hitlers Route.

8 Hitler, konsequenter Charakter des Zeitalters der zornigen Ingenieure (obwohl selbst nur als Soldat und Redner, nicht als Ingenieur ausgebildet, sein Verständnis für technische Fragen exorbitant), war jeweils entschieden: Entweder gilt es, sich an der Proportionsfrage dieser »hinreißenden Hauptstadt des Schönen« zu entzücken, oder man muß sie »gänzlich niederreißen«.

Rademacher wird aktiv

>»Kenntnis des Ortes
> ist die Seele des Dienstes.«
> *Freiherr v. Stein*

Helmut Rademacher, Ministerialdirigent im Reichsfinanzministerium, Schnell-
kurs in BESATZUNGSARBEIT. Ihm unterstand Paris. Was heißt unterstehen? Es ist lebendig, passiv oder aktiv tätig um ihn herum, hat Untergründe.
Er muß sehen, daß kein Schwarzmarkt entsteht. Auch nicht Not, von der
Kunde in die internationale Presse dringt. Auch muß er dem Rechnungshof des
Deutschen Reichs Rechnung legen können von jeglichem, was er tut. In den ersten Tagen der deutschen Besetzung von Paris sind organisatorisch erfaßt:
rasch verderbliche Nahrungsmittel, aufgefunden in den Lagerräumen Stadt-
bahnhof: Butter, Eier, Käse, Fisch, Fleisch. Rademacher fragt nach. Es sind
nicht Lagerräume, welche die Ware bergen, sondern Waggons, unausgeladene
Eisenbahnzüge.

Nie hatte Rademacher Kontakt zu kriminellen Kräften. Kurzzeitig, 1932, war
er in seiner Karriere mit dem Dezernat betraut, zuständig für die Bekämpfung
des Schmugglerwesens im Verhältnis des Deutschen Reichs zur Schweiz. Auf
diese Weise lernt man nicht die Sprache des Verbrechens.

Jetzt, im Ernstfall der Bewährung, ließ Rademacher einen Kontakt knüpfen zu
den sieben paternalistisch organisierten Bruderschaften, welche die Märkte
des Molochs Paris informell regierten. Langeron, der Polizeipräfekt, hatte ihm
den Rat gegeben. Nie betrogen sie einander.

So kommt die Versorgung der Bevölkerung in Gang. Handelsgärtner aus der
Umgebung von Paris versorgen die Märkte. Straßenmärkte in den Stadtvier-
teln erhalten Nachschub.

Die Deutschen kaufen. In den ersten Tagen hauptsächlich Straßenkarten,
Schuhe, Kameras, Feldstecher. Später machen sich Gebildete auf die Suche
nach Antiquitäten. Aus Nordfrankreich kommen Züge mit Kohle in die Stadt.
Wäschereien, Restaurants, Bäckereien werden beliefert. Rademacher besich-
tigt den Schlachthof La Vilette. Es ist bekannt, daß er mit den sieben Bruder-
schaften arbeitet, ebenso mit den Behörden der Stadt. Nach acht Tagen ist das
PRINZIP RADEMACHER durchgesetzt. Es gehört, sagte er, ein glaubhaf-
ter Nachweis dazu, daß wir als Besatzungsmacht ein Quantum LARGESSE
(Großmut, Kontakt zur Korruption) mit einem Quantum Behördlichkeit
(Ordnungsmacht, Strafgewalt) verknüpfen. Eines davon allein nützt nichts.
Das hatte Rademacher vor Antritt seines Amtes in Paris nicht gewußt.

Dabei kannte Rademacher Paris nur durch eine Autokarte. Er sprach nicht Französisch, führte stets einen Übersetzer mit sich. Sein Großvater hatte ihm vom Krieg 1870/71 erzählt, sonst keine Kenntnis der französischen Seele. Er besaß keine Kenntnis des Orts und hat doch vor dem großen preußischen Minister des Innern von 1807 nicht versagt.

Futur antérieur

Das, was sich in meiner Geschichte, der Geschichte eines lebendigen Menschen, darstellt, ist nicht die ABGESCHLOSSENE VERGANGENHEIT (was war, weil es nicht mehr ist), auch nicht das Perfekt dessen, was gewesen ist in dem, was ich bin, sondern das ANDERE dessen, was gewesen sein werde für das, was ich zu werden im Begriff bin.

– Das ist nicht leicht zu verstehen.
– Es steht bei Lacan.
– Wenn ich Sie richtig verstehe, so geht es um die Trauer darüber, »was ich zu werden im Begriff bin«. Ich sehe schon: ich werde ein Verbrecher gewesen sein, was ich doch gar nicht wollte. Ich fahre in einem der ersten Züge nach Waffenstillstand in das besetzte Paris ein, zivil gekleidet, mein Ausweis besagt, ich gehöre zum engsten Vertrauenskreis im Reichssicherheitshauptamt, delegiert und ausgesandt bin ich, die Verständigung mit Frankreich zu organisieren, die dem Freiherrn vom Stein seinerzeit nicht gelang. ich weiß noch nicht, daß ich ein Jahr später Massenerschießungen in Südrußland zu leiten habe, für die ich fünf Jahre später schlecht belohnt werde.
– Und das könnten Sie im Futur antérieur gar nicht ausdrücken, weil Sie in Krakau bereits hingerichtet sind. Ihr Futur ist abgeschnitten wie ein Kopf durch die Guillotine.
– Ich habe mich ja auch nur hineinversetzt in eine gedachte Person, die zum Verbrecher wurde. Ich sitze ja hier vor Ihnen. Das Getränk vor mir.
– Es gibt aber das ICH WERDE GEWESEN SEIN, eine der stärksten Projektionen der Willenskraft. Nicht zu verwechseln mit dem, was ich wirklich tue oder tun werde.
– Und was ist der Nutzen dieses grammatischen Modus? Er macht uns im Deutschen Schwierigkeiten. Es klingt kompliziert, obwohl es im Leben so einfach ist?
– Es ist der Punkt, an dem ich mich entscheide.

– So wie Menschen über diesen Punkt verfügen. Wie es heißt: das kannst du
nicht ahnen, du holdseliger Engel du.
– Es ist das Ahnungsvermögen überhaupt und die Entscheidung, die ich, auf
mich vorwärtsblickend, treffe. Wähle nur die Zukunft, in der du es aus-
hältst.
– Prüfe, ob du es aushältst, wenn ein Engel dich zur Schleife macht.
– Sie meinen einen Loop. Die Tonspur wird so rückgekoppelt, daß sich eine
Sequenz tendenziell ewig wiederholt?
– Die Tonspur Ihres Lebens.
– Eine gefährliche Waffe, ein Mordwerkzeug.
– Die einzige Waffe, über die das Bewußtsein verfügt.

Aus den Annalen einer Zwischenzeit

I

Straßenverkauf

Der *Herald Tribune* wurde am Mittwoch, dem 12. Juni, nur in ein paar Haupt-
straßen nahe der Place de l'Opéra im Straßenverkauf ausgetragen. 53. Erschei-
nungsjahr, Zwei-Uhr-Ausgabe Nr. 19244.[9] Die Schlagzeile nahm die Breite der
Titelseite ein:

> *Italienische Bomber tragen Krieg nach Asien, Afrika/*
> *Große Schlacht um Paris im entscheidenden Stadium/*
> *Roosevelt verspricht Alliierten größtmögliche Hilfe.*

Die Rückseite der Zeitung enthielt kleine Anzeigen: Juwelier Tiffany, Rue de la
Paix, National City Bank of New York, Teestube der Buchhandlung W.H.
Smith & Sons in der Rue de Rivoli, Abfahrtszeiten italienischer Dampfer.

9 Die folgende Ausgabe Nr. 19245 erschien am 22. Dezember 1944.

2
Fortsetzung der Dinosaurier
mit anderen Mitteln

Der Untersuchungsbeamte Jules Germont-Quegley setzte Stempel und Unterschrift unter ein Patent mit der Bezeichnung »höchst geheim, militärisch«. Es handelte sich um einen Panzerwagen aus Aluminium. Die Panzerwaffe ist konstruiert nach den Idolen Schnelligkeit, Stärke der Panzerung und Wirksamkeit der Bewaffnung. Hier hatte ein Ingenieur aus Südfrankreich das Idol Geschwindigkeit perfektioniert. Einem jeglichen gegnerischen Schuß würde dieses Fahrzeug entkommen, ja zeitweise würde es sich vom Boden erheben und Wälder überspringen können. Eine Art Flugpanzer.

3
Eisenzeitalter

Eine der eindrucksvollsten Überlieferungen des Eisenzeitalters sind die französischen Eisenbahnen. Die Forschungsabteilung befindet sich in der Verwaltungszentrale für Südwestfrankreich in der Gare d'Austerlitz im östlichen Paris. Von hier fahren die Züge nach Tours, Limoges, Bordeaux, Toulouse und Béziers.[10]
Raymond Martin, Forschungsingenieur, war mit der Leitung der Einsatzgruppe an der Gare d'Austerlitz beauftragt. Sobald ein Zug voller Flüchtlinge sein Ziel in der Provinz erreicht hatte, kehrte er leer zur Gare d'Austerlitz zurück.
Feldbett, ein Waschbecken, in den Nachbarzimmern der andere Teamchef, die Inspektoren. Leitung der Eisenbahn per Hand. Die Männer lebten wie Mönche. Nonnen aus einer benachbarten Klosterkantine brachten Kantinenessen. Aus den Bürofenstern sieht man auf die Bahnsteige. Dort dampfen die Stahlkolosse.

– Sie hielten Frankreich nicht für verloren?
– Wir sahen auf die dampfenden Stahlrösser, unsere Kontingente. Es war ja alles in Betrieb. Was sollte verloren sein, wenn die Eisenbahn fährt?
– Die Menschenschlangen, auf die Sie blickten, in fünf Reihen, die Züge fassen diese Masse von Menschen nicht. Das war doch Flucht.

10 Das französische Eisenbahnsystem ist in fünf Regionalnetze unterteilt, seit 1938 zusam-

- Geordnete Flucht.
- Ohne Fahrpläne?
- Das war das Beste an der Situation. Niemand konnte uns reinreden.
- Ein völlig neues Bahngefühl?
- Neu, unerwartet und für einen Ingenieur der Forschungsabteilung interessant.
- Was forschten Sie?
- In welchem Abstand kann man die Züge auf Sicht hintereinander fahren lassen, wenn die Stellwerke außer Betrieb sind.
- Was noch? Was passiert, wenn die Elektrizität aussetzt?
- Was passiert? Überhaupt nichts. Der Bahnverkehr beruht auf Dampfkraft.
- Wo bekommen Sie die Kohlenvorräte her?
- Aus den Lagern der Bahn. Für Hunderte von Jahren haben sich Vorräte gesammelt. Wir haben seit 1918 die Kohlenindustrie durch Ankäufe gefördert.
- Und wo waren die Kohlenvorräte in Friedenszeiten?
- Dem Auge entzogen. In den Tiefbunkern der Bahn.
- Und der Überschuß an Eisenverarbeitung, an Brücken? Die Gleise Frankreichs sind dicker als in anderen Ländern, scheint mir. Sind das ebenfalls Fördermaßnahmen für die eisenschaffende Industrie?
- Das ist Produzentenstolz. Auf nichts sind wir Eisenbahner so stolz wie auf das Eisen.
- Hätte man auch Holzbahnen konstruieren können?
- Das wären Kutschen, keine Eisenbahnwagen.
- Was ist am Eisen das Beste?
- Das Kompakte.
- Worauf beruht es?
- Darauf, daß die Bewegung von Protonen und Elektronen fest gefügt ist. Eisen ist ein Endpunkt der Sterne.
- Wieviel Panzer hätte Frankreich aus dem Eisen seiner Bahnen, Bahnhöfe und Brücken bauen können?
- Genug, um die Deutschen zu besiegen.

mengefaßt in einer einzigen Organisation. Jede Region wird von einem der Pariser Hauptbahnhöfe aus verwaltet.

4
Kot von Außerirdischen

In einer der unterirdischen Kloaken unter dem Montparnasse war dem Arbeiter Vuillemin eine Ladung von Exkrementen in die Staubecken geraten. Ein unglaublicher Durchfluß von 20 Minuten, ehe Vuillemin den Unfall bemerkte. Die Pulks, die in das Frischwasser nicht gehörten, schwammen jetzt dort im Kreise. Es sanken aber merkwürdigerweise einzelne Placken von schwarzer Färbung langsam zum Boden des Beckens, was für Exkremente nicht charakteristisch war.

Vuillemin frühstückte. Er fertigte eine Rohskizze des Schadens an, wie es den Vorschriften entsprach, und war dann an Ort und Stelle den Tag über beschäftigt, die Ladung Exkremente durch gezieltes Öffnen und Schließen der Staubecken-Schleusen, Zufluß und Abfluß, zunächst zu verringern (zu »dissipieren«) und sie schließlich, als dieser für die Stadt so ereignisreiche Tag in die Nacht überging, ganz aus dem System zu beseitigen. Die vorgeschriebene Durchflußgeschwindigkeit war durch die sorgfältig geplanten Maßnahmen des Fachmannes um kaum einen Kubikmeter pro Minute beschleunigt worden, somit noch im Rahmen des Zulässigen.

Jetzt, zu später Nachtstunde, hielt Vuillemin einen der krustigen Placken vom Grunde des Beckens in der Hand. Er hatte lange fischen müssen. Mit dem Finger betupft, erwies sich die Materie als hart wie Steinkohle. Es war aber, das sah der erfahrene Vuillemin, keineswegs Anthrazit, gewiß auch keine ihm bekannte Braunkohle. Er hielt diese Masse für etwas, das er als erfahrener Hüter der unterirdischen Gewässer noch nie gesehen hatte (und er glaubte, daß eigentlich jede Form irdischer Materie ihm auf seiner Strecke irgendwann einmal begegnet sein müßte, er hatte schon Diamanten gefunden, versteckt in Tampons). Er brachte den Fund zur Untersuchung in das INSTITUT PASTEUR. Die dort stationierten Analytiker waren aber sämtlich geflohen.

5
Exzeß der Hingabebereitschaft

Das Krankenhaus Beaujou-Clichy war nicht berechtigt zur Notaufnahme. Es war angeordnet, den Betrieb in die Berge von Corrèze zu verlegen. Die Fahrzeuge standen beladen in den Höfen des Komplexes.

Dann wurde eine Gruppe von Soldaten angeliefert, die von Kampfflugzeugen verwundet worden waren. Man hatte sie auf Lastwagen gelegt, mit denen normalerweise Sand transportiert wurde. Neun von ihnen konnten nur gerettet werden, wenn sie sofort auf den Operationstisch gelangten.

Der Chirurg Digonnet, ein Hauptmann, überschlug, daß es zehn bis zwölf Stunden ununterbrochener Arbeit erfordern würde, neun schwerverwundete Männer zu operieren. »Dann bringen Sie sie her, rufen Sie das Personal zusammen, wir operieren.«

Sie begannen um 16 Uhr am Nachmittag und waren um 6 Uhr am folgenden Morgen fertig. Um 9 Uhr traf ein General vom Medizinischen Korps zur Inspektion ein. Er kritisierte, daß das Krankenhaus Operationen durchgeführt habe, entgegen jeder Vorschrift und unzulänglich ausgestattet.

Chirurg Digonnet, aus kurzem Schlaf geweckt, der Kittel blutbefleckt, antwortete ohne Höflichkeit. Er wurde dem Richter im Stab des Militärbefehlshabers vorgeführt und eingesperrt.

– Wie konnten Sie diesen Arzt verurteilen, General?
– Er war Hauptmann. Er untersteht der Militärjustiz.
– Er hat Verwundeten das Leben gerettet.
– Vorschriftswidrig.
– Aber erfolgreich.
– Wenn jeder so handelte, hätten wir in dieser Stadt einen Schlamassel. Noch im letzten Moment hätten wir die Unordnung, die wir bisher vermieden haben.

Und deshalb sperren Sie den Mann ein? So daß er den Deutschen in die Hände fällt?

6
Rundfunk-Krieg

Radio Stuttgart, in französischer Sprache: Franzosen, tut nur das, was zum Überleben notwendig ist.

Radio »Reveillé de la France«, deutscher Piratensender: Die politische Rechte, der Geist Frankreichs, der Elan der Vendée und der Napoleons, steht auf gegen die blutigen Versäumnisse der Regierung Frankreichs. Was verteidigen wir überhaupt? Die Mistkäfer?

Ganz anders die Intonation in »Radio Humanité«, ebenfalls ein Propagandasender der Deutschen. Französische Kommunisten in deutschem Sold propagieren den Internationalismus. Trotzkistische Fraktion, überzeugt von der Antikriegspolitik von 1914. Nichts kann es schaden, mit Mitteln der modernen Technik die Wahrheit zu propagieren, wenn es die Wahrheit ist: Arbeiter aller Länder vereinigt euch gegen den Krieg! Legt die Waffen nieder! Dieser Sender infiltrierte die Ohren Frankreichs seit dem 10. Mai 1940. Die Wirkung ließ sich nicht messen.

Joseph Goebbels aber, Minister für Propaganda und Volksaufklärung, der diese Sender, eine Waffe der 5. Kolonne, finanzierte und geistig regelte, hielt die Aufklärungsarbeit der französischen Kommunisten für »zu intellektuell«. Die Genossen operierten nämlich im Rahmen ihrer Überzeugung. Technisch gesehen, so berichtet das Reichssicherheitshauptamt, sind Trotzkisten keine Kommunisten, somit auch unmöglich Söldner des Dritten Reichs, wieviel Geld sie auch in Empfang nehmen. Wir brauchen nicht, sagt Goebbels, die Standpunkte von Jaurès vom Juli 1914. Sie betrügen uns. Wir vertreten keinen proletarischen Internationalismus.

Er hatte sich vom Reichssicherheitshauptamt den Strafgefangenen Ernst Torgler, Reichstagsabgeordneter (KPD), überantworten lassen. In Nachtgesprächen gelingt es ihm, den Mann zu überzeugen. Torgler glaubt der Sowjetunion, durch den Nichtangriffspakt mit Deutschland verbündet, einen Dienst zu erweisen, seiner Rehabilitierung zuzuarbeiten. Die Töne des Propagandasenders werden kraftvoller.

Mit Zustimmung des Ministers gibt der Abteilungsleiter Hanke dem Korrespondenten der schwedischen Zeitung *Svenska Dagbladed* ein Exklusiv-Interview.

– Es ist doch merkwürdig, wenn ein von Ihnen bezahlter Piratensender Thesen der Kommunistischen Internationalen propagiert. Ist das nicht eine Verkehrung der Fronten?
– Wäre Verwirrung der Fronten im Krieg verboten?
– Es ist verwirrend.
– Für wen? Für uns nicht. Unsere Truppen hören keine Sender in französischer Sprache.
– Sind Sie zynisch?
– Wir sind patriotisch.
– Sie haben sich gerühmt, daß Sie jede Argumentation der marxistischen Seite ausreizen und übertreffen könnten.
– Gewiß.
– Aber Sie haben keine marxistische Schulung.
– Gerade wenn man sie nicht hat, kann man mit den recht plausiblen und einfachen Thesen des Marxismus umgehen.
– Was ist an Marx einfach? Plausibel ja, einfach nein.
– Ich persönlich kenne keine Schriften von Karl Marx.

– Sollten Sie aber lesen.

– Hier geht es nur darum, daß die einzige, konsequent gegen den Kriegsausbruch von 1914 gerichtete, vielleicht ja gegen Krieg überhaupt gerichtete Position diejenige der Marxisten ist. Sie sind keine Pazifisten, sie sind nicht gegen Gewalt, aber sie sind absolut gegen Nationalkriege bzw. Weltkriege.
Das verstehe, wer will. Den einzigen Grund, Krieg zu führen, lehnen sie ab.
Gleichzeitig verzichten sie nicht auf Gewalt. Ich werde es nie verstehen.

– Aber daß es von denen ernst gemeint ist, daß Deutschland und Frankreich
keinen Krieg führen sollen, daran zweifeln Sie nicht?

– Das verbindet uns mit den roten Genossen.

– Haben Sie irgendeine Kontrolle über die Wirkung Ihrer Piratensender?

– Den Ausdruck Piratensender können Sie nicht drucken. Es ist ein von uns
unabhängiger Sender der französischen Linken. Und der sagt etwas, was
wahr ist.

– Auskünfte dieser Art kann ich in Schweden nicht drucken.

– Dann müssen Sie es umschreiben.

– »Das Deutsche Reich auf dem Wege der Wahrheit«? NSDAP-Propaganda
im Sinne des proletarischen Internationalismus?

– Das war nicht der Ausgangspunkt unseres vertraulichen Gesprächs.

7
Deutsche Wertarbeit

Der Marxist Torgler, Reichstagsabgeordneter, aus einem Konzentrationslager
angefordert, saß im Stuttgarter Funkturm einem Oberleutnant Schmidtke gegenüber, den die Mitarbeiter des Propagandaministers aus einem Korps-Stab
in Koblenz herangeschafft hatten, wo er für einen Funkmeßtrupp verantwortlich war. An sich konnte Schmidtke nur defekte Funkverbindungen reparieren,
hatte von Rundfunk keinen Begriff.

Torgler, der noch nie für Rundfunk, auch nicht für Propaganda tätig geworden war, verließ sich darauf, daß sich ein Arbeiterführer in jede Situation, auch
die eines fremden Landes oder einer Metropole wie Paris, einfühlen könne.
War es besser für die Deutschen, wenn die Pariser Zivilisten die Hauptstadt
räumten, oder besser, wenn sie dort blieben? Was mußte den deutschen Offen-
sivtruppen lieber sein?

Torgler war nicht berechtigt, selbst im Oberkommando der Wehrmacht nachzufragen. Man kann nicht als Kommunist im Zentrum militärischer Geheimnisse anrufen und um eine Auskunft in einer wichtigen propagandistischen
Angelegenheit bitten. Das konnte nur über den Oberleutnant Schmidtke, der

ihm gegenüber saß, abgewickelt werden. Falls sich Torgler bewährte, würde er anschließend wieder eingesperrt? Wurden Verdienste belohnt?

Was von ihm verlangt wurde, war nicht schwer. Jeder Gegner des Kriegs war in der Lage, eine Rundfunkstation mit Ideen zu beliefern, wie man den Gegner entnervt. Das lag auf der Linie der antiopportunistischen Linken von 1914, des Zimmerwalder Kreises. In dieser Hinsicht ist ein Marxist jedem nationalsozialistischen Phantasten überlegen.

Der Minister Joseph Goebbels erhielt etwas dafür, daß er Torgler vertraute. Es zeigte sich, daß die französischen Genossen für die Diversion im Rundfunk zu intellektuell waren. Erst ein deutscher Marxist war *praktisch* genug, dem Piratensender zur Wirksamkeit zu verhelfen. Das Vorurteil von Goebbels, der auch deutschen Bischöfen mehr getraut hätte als welschen, erwies sich als korrekt. Einige Tage träumten der Minister, und Torgler selbst, sie könnten es schaffen, in Paris eine Revolution auszulösen.

8
Der Bordbeobachter

Bordbeobachter Mendès-France ist Parlamentsmitglied und wurde in einem Landkreis der Normandie gewählt. Es gehört Darstellungskunst dazu, als metropolitaner Mensch, als eine Art Schriftgelehrter, bei den Bauernstämmen der Normandie eine Mehrheit zu gewinnen. Zugleich gehört Kunst dazu, es im Frieden wie im Krieg überhaupt auszuhalten. Der Kriegszustand trifft Mendès-France in Beirut. Überwachungsflüge an der Grenze zum Irak, Darstellung militärischer Präsenz, notfalls ohne Sinn. Neun Monate nach Kriegsausbruch ist Mendès-France, auf wiederholten Antrag, nach Paris versetzt. Als Parlamentsmitglied wird er vom Luftfahrtminister André Laurent-Eynac empfangen. 9 Uhr in dessen Büro.

Er möchte gegen den unmittelbaren Feind, die Deutschen, als Bordbeobachter offensiv eingesetzt werden, fordert Mendès-France. Das läßt sich machen, antwortet der Minister.[11]

Es gibt für Frankreich keine Chancen. Erstaunlich: es gibt keine Luftstrategie, nachdem so viel über sie in den Vorjahren publiziert wurde. Der Bordbeobach-

---

11 Das Gespräch dauert länger. Die beiden verstehen einander. Mit der Regierung, den FORSCHEN und den WEICHEN, sind sie beide nicht einverstanden. Mendès-France, für Phantasie empfänglich, hat an sich an einen Einsatz in Norwegen gedacht. Flüge über schneebedeckten Bergen. Seit gestern, antwortet der Minister, befinden wir uns dort auf Rücktransport. Ich kann mir keine Flugeinsätze vorstellen, die noch in Norwegen stattfinden. Sie stehen dort an erster Stelle in der Prioritätenliste für *nichts*.

ter, Parlamentsmitglied Pierre Mendès-France, registriert mit Genauigkeit die Stadien der Niederlage. Man sieht das in der Abstraktion der Lüfte leichter: die Nervosität des Bodenpersonals, die Konfusion der Angriffsbefehle. Die Motoren und Schrauben des Räderwerks verstehen die Niederlage eher als die Stäbe.

9
Mißverständnis bei erster Begegnung

Ein deutscher Marineoffizier setzte sich zu Yuki Desnos aus Montparnasse, die im Maxim's saß. Sie tat, als ob sie der fremde Uniformierte nicht irritiere. Sie hatte gelernt, ihr fremde Situationen zu überbrücken. Er bestellte Champagner und begann, ihr von seinen Problemen zu erzählen. Er müsse sich in Rouen melden, das weit von Paris liege. Würde er dort Frauen finden? Als Seeoffizier sei er für ein Landkommando nicht geeignet.
Ob *sie* bereit sei, ihn zu begleiten? Sie war 37, er schien 23, vielleicht auch 27 Jahre alt zu sein. Der Offizier sagte, er habe Kaviar und Champagner in seinem Wagen. Der sei in 300 Meter Entfernung geparkt.

– Sie meinen, mein Herr, wir sollten, nachdem wir hier zu Abend gespeist haben, in Ihrem Kraftfahrzeug frühstücken? Das setzte voraus, daß wir Zwischenzeit verbringen.

Der junge Offizier, der auf umständliche Weise Französisch sprach, grinste verhalten. Er hatte sich seinen Vorschlag nicht praktisch vorgestellt. So fing sich das Mißverständnis, er wolle diese Gefährtin großer Dichter und Maler, eine Art ältere Freundin, auf den Hintersitzen eines Wehrmachtskabrioletts verführen. Auswischung eines Mißverständnisses. Gelegenheit, einander näher zu kommen. Er war nicht primitiv. Er war orientiert an der See. Sie war nicht die Frau, die mit einem charmanten Offizier nach Rouen fahren würde. Die Idee einer gemeinsamen Unternehmung, die auf eine halbe Stunde zwischen ihnen schwang, ergab eine kundige, gute Vibration.

10

Seines Landes entkleidet

Was ist Albanien? Teil einer römischen Provinz? Ist es byzantinisch, Hinterland venezianischer Städte? Osmanische Besetzungszone? Einst wird Albanien ein großes Reich sein.

Am Montag, dem 10. Juni, beschloß König Zog, emigrierter König von Albanien, in Paris zu verharren. Wo sollte er hin? Seines Landes war er entkleidet.[17] Er saß im eleganten Maxim's. Junge Franzosen vom Informationsministerium, junge Leute des diplomatischen Korps, immer noch verfügte der König über die Loyalität der albanischen Gesandtschaft in Paris. In einer Kolonne geparkter Automobile draußen die Koffer des Königs. Er aber war schon entschlossen, nicht mehr weiterzureisen. Zusagen über Zusagen. Die Diplomatie der Entente war im Moment ihres Scheiterns großzügig. Was 1929 unmöglich zu erreichen gewesen wäre, wurde zum Nachtisch dem König zugesagt. Ein tüchtiges Stück der Nordprovinzen Griechenlands. Italien müßte sie erobern, ihm, dem Monarchen, würden sie geschenkt. Der Kosovo, andere Stücke Serbiens, Montenegro. Er arrondierte das Land, das er schon nicht mehr besaß.

11

Abschied von Frankreich

Oberst Perré, bewunderter Offizier, sein Enkel gehörte zu den Offizieren, die später, 1958, das Gebäude des Generalgouverneurs in Algier mit einigen Kompanien der Fremdenlegion stürmten, befahl seinem Befehlsfahrzeug, das ihn von der Front im Norden durch Paris nach Westen bringen sollte, am Triumphbogen anzuhalten. Er wollte dem UNBEKANNTEN SOLDATEN unter dem Arc de Triomphe seine Achtung erweisen.

Konnte man zulassen, daß dieses Grab in feindliche Hände fiel? Was, wenn der Feind es öffnet, an den Knochen hantiert?

Perré hatte schon während der Anfahrt gegrübelt. Die wenigen Befehle, die er an untergebene Truppenverbände noch geben konnte, hatte er rasch erteilt. An dieser verlorenen Front, löcherig, sich anbietend dem Durchbruch der Deut-

---

12 Schweizer Konten, Konten in Paris, Bordeaux und Lyon. Er konnte gar nicht so viel aufbrauchen, wie dort gestapelt lag. Noch vom Zeitpunkt des Beginns seiner Herrschaft die vielen Geschenke, die Entschädigung, die das italienische Herrscherhaus zahlte, Zug um Zug gegen seinen Thronverzicht. Alles angelegt in Dollar und Schweizer Franken.

schen Panzerdivisionen »wie eine Hure«. Er sandte einen Stabsoffizier voraus nach Paris. Wenig später einen seiner höheren Offiziere, den Oberst Adrian Roche. Der Polizeipräsident solle Vorkehrungen treffen, das Grab des Unbekannten Soldaten zu sichern.

Am Fuß des Monuments debattierten die Offiziere. Ringsherum Stille. Der geschäftige Platz, die zwölf Boulevards, die hier mündeten, ohne Verkehr. Laternen warfen Schatten. Die Gedächtnisflamme flackerte.

Oberst Perré schlug vor, den Unbekannten Soldaten unter den Klängen eines Trommler- und Hornistenkorps auszugraben. Wo war ein Trommler- und Hornistenkorps? War es eine Verletzung des Status der offenen Stadt, wenn die Offiziere, mit denen Oberst Perré debattierte, den versiegelten Marmordeckel öffneten, den schweren Sarg hoben und abtransportierten? Wo war ein Bagger? Wo waren Pioniere verfügbar, die Ausgrabung, Hebung des Marmordeckels, Transport der Skelettteile bewerkstelligen könnten? Die Anwesenden waren wie vernarrt. Sie hatten 48 Stunden nicht geschlafen. Das Vaterland in Gefahr. Wieso mußte man überhaupt den Marmordeckel öffnen? Warum nicht Transport des Monuments selbst?

Auch hierfür fehlten alle Mittel um 4 Uhr früh. Perré ließ die Offiziere Haltung einnehmen, bat um eine Schweigeminute. Die Stabsfahrzeuge fuhren vor.[13]

12
Helden von 1940,
gegen alle Wahrscheinlichkeit 1945 gerettet

Jean Borotra, Minister in Vichy, weltbekannter Tennisspieler, die Premierminister Paul Reynaud und Eduard Daladier, Botschafter André François-Poncet, die Generale Gamelin und Weygand, der Sohn von Clemenceau, alle diese Geiseln der Wehrmacht werden in dem mittelalterlichen Schloß Itter, zehn Kilometer südlich von Wörgl, hinter Stacheldrahtsperren verwahrt. Dutzende von Scheinwerfern, Wachtposten mit Hunden. Am 5. Mai 1945 erschien ein einzelner amerikanischer Panzer mit acht Soldaten Besatzung vor den Toren des Schlosses. Die Besatzung, bestehend aus vierzig Wehrmachtsangehörigen, ergab sich kampflos.

Am folgenden Tag ist das Schloß von 300 Mann der Waffen-SS umzingelt. Sie

---

13 Oberst Jean Perré besetzte später das Mandatsgebiet Togo für Frankreich, das gaullistische Truppen okkupiert hatten. In wütendem Angriff, »wie ein Löwe«, verteidigte er eine Idee Frankreichs von 1918 gegen sämtliche Kräfte der Gegenwart. Während seiner Dienstzeit ließ er 27 Deserteure bzw. Verräter erschießen.

nehmen Verhandlungen auf mit dem deutschen Wachpersonal, weigern sich, mit dem Befehlshaber der acht US-Soldaten zu sprechen. Sie behaupten, einen Befehl des Chefs des Reichssicherheitshauptamts, Kaltenbrunner, zu besitzen, nach dem alle Geiseln vor Eintreffen der alliierten Truppen zu erschießen seien.

Der Offizier, der die deutschen Bewachungsmannschaften befehligt, wendet ein, die alliierten Truppen seien bereits eingetroffen, die Bedingung des Erschießungsbefehls sei deshalb hinfällig.

Der Befehlshaber der Belagerer, ein Offizier, der dem deutschen Handlungspartner »umgänglich innerhalb seiner Befehle«, »etwas depressiv« erschien, bezeichnete dieses Argument als formaljuristisch, dem katastrophalen Ende dieses Kriegs nicht angemessen. Die Verhandlung zerschlägt sich.

Die deutschen Wachtposten ergreifen ihre Waffen und helfen den US-Soldaten, die darüber erstaunt sind, das Schloß gegen die Übermacht der SS in Verteidigungszustand zu bringen. Es gelingt dem Tennis-Champion, Minister Borotra, sich aus dem Schloß zu entfernen und sich einen Weg an den Stellungen der Waffen-SS vorbei zu bahnen. Einige Kilometer entfernt findet er eine US-Einheit, die zur Hilfe eilt.

Die Einheit der Waffen-SS verläßt ihre Stellungen und rückt ab in Richtung Innsbruck.

Die Gruppe der Männer von 1940 (und ihre Frauen), nie eines Sinnes gewesen, zeigen Freude über ihre Rettung. Aus Vorräten wird gemeinsam mit Delegierten des Wachpersonals getafelt. Ist noch eine politische Funktion für die Befreiten denkbar? Wäre der militärische, fachmännische Verstand von 1940 in irgendeiner Seitenfrage des Zeitgeschehens von Bedeutung?

Vier Wochen lang bewegen sich die Befreiten von 1940 in einer Warteschleife. Ein Reporter der *International Herald Tribune*, die seit 1944 wieder erscheint, findet zu der Gruppe, entwickelt Interviews, die aber in der US-Presse nicht gedruckt werden.

Weygand würde, spräche er, den General Gamelin tödlich verletzen. Reynaud enthauptete seinerzeit Daladier als Politiker. Die Frau Reynauds gilt als dessen »politischer böser Geist«, so François-Poncet.

Einst mächtige Gestalten. Weygand führte die französische Hilfstruppe in Polen, die die Armee Polens gegen den sowjetischen Einmarsch 1919 verstärkte. Er drängte die russischen Truppen weit zurück. General Gamelin hatte einen Plan, der wie ein Uhrwerk die deutschen Truppen hätte aufhalten können, hätte nicht von Mansteins Sichelschnitt-Projekt diesen Plan unterlaufen. Helden einer anderen Zeit.

In der dritten Woche nach ihrer Befreiung werden sie in die Heimatländer transportiert. Dort werden sie in den Massen neuer Menschen unerkennbar.

Als Trotzkist im Zentrum der Macht

Dominique Lesseur (genannt Leca) hatte eine solche Situation, wie er sie am Freitag, dem 7. Juni 1940, erlebte, nicht für möglich gehalten. Er war als Kabinettschef des Innenministers ausgewechselt worden, um die Geschäfte als Kabinettssekretär des Ministerpräsidenten zu übernehmen. Alle schwärmten sie von der »brillanten Intelligenz« dieses jungen Mannes. Er war Trotzkist.

In den Vorräumen des Ministerpräsidenten befand er sich im Zentrum der Macht Frankreichs. Er konnte einen Zettel ausfertigen und zum Tschad oder nach Syrien schicken und dort die Freilassung von Genossen anordnen. Zugleich überblickte er ein Absterben des Staates, wie es weder er noch die Lehrmeister, denen er seine analytischen Fähigkeiten verdankte, im voraus hätten beschreiben können.

Ist es möglich, daß unsere Hoffnungen so zusammenbrechen? rief der extrem schmal gebaute Ministerpräsident aus, der nervös die Räume durcheilte. Dieser Tag endete mit einer Katastrophe. Ein Offizier aus Weygands, des Oberbefehlshabers, Stab telefonierte, um ein technisches Problem zu melden. Zwei deutsche Panzerdivisionen seien bei Forges-les-Eaux durchgebrochen, hätten das Seine-Tal und die Straße nach Rouen geöffnet. Alle in den Vorzimmern kannten Forges-lex-Eaux, einen Kurort, von Wäldern umringt, wenige Meilen nördlich von Paris. Man fuhr durch das Städtchen, wenn man zu den Stränden der Kanalküste unterwegs war.

In den eilig davonziehenden Stunden des Spätnachmittags hatte Leca eine Theorie entwickelt und in einem Memo für Ministerpräsident Reynaud niedergelegt: »Das Geheimnis der Clique«. Zu dieser Verschwörung rechnete der Kabinettssekretär die Minister Weygand und Pétain. Sie wünschten, daß die Regierung in Paris bliebe. Dies sei, argumentierte Leca, nur ein erster Schritt. Später, überstimmt und in Bordeaux angekommen, wohin die Regierung den Sitz verlegen wollte (wie schon 1871), würden sie darauf bestehen, in Bordeaux zu bleiben, statt die Regierung nach Nordafrika zu verlegen. Tatsächlich konnte man die Schlacht um Frankreich nur von dort weiterführen. Wer dafür sei, daß die Regierung in Paris und später überhaupt in Frankreich ausharre, schrieb Leca, bereite in Wirklichkeit lediglich die Gefangennahme vor.

Noch immer flossen ihm die Schlußfolgerungen zügig aus der Feder. Er hätte Stunden nichts anderes tun können, als vier bis fünf Sekretärinnen mit Memos über verräterische Gruppierungen auszulasten. Zur gleichen Zeit lag das Staatsgeheimnis, bereit, geraubt zu werden, vor seinem Willen. Niemals zuvor hätten Agenten der IV. Internationalen Informationen in diesem Ausmaß zuführen können, wie er sie in seiner Stellung an sich vorüberziehen sah. Sehnsucht hatte er nach einem Tisch mit einsamer Lampe, Schreibzeug, Zeit für Notizen. Tatsächlich war er in die Hektik dieses Tages eingesperrt. Hauptsächlich unterband er Versuche, den Ministerpräsidenten zu erreichen. Die Mitarbeiter des Kabinetts gingen davon aus, daß dem agilen Ministerpräsidenten, der sich in seiner Privatwohnung, die dem Amtsgebäude des Ministerpräsidenten angegliedert war, entspannte, ein plötzlicher Einfall käme, der Frankreich retten würde, vorausgesetzt, daß man Störung und Information von ihm abhielte.

Leo Trotzki, Gründer der IV. Internationalen, hatte schon 1932 erkannt, daß sich die Grundlagen der Weltrevolution von selbst zerstörten. Vergleicht man den revolutionären Prozeß mit der Gewaltsamkeit einer Geburt[14], so gibt es eine Zeit, in der eine glückliche Geburt unmöglich wird, die Leibesfrucht ist »übertragen«; vielleicht weiß man in späteren Jahrzehnten, mit welchen Mitteln dieser kritische Zustand hätte vermieden werden können, zur rechten Zeit kannte niemand solche Mittel. Körper der Mutter und Leibesfrucht geraten in Kriegszustand zueinander. Beide sterben. Dies ist ein anderes Ende, so das Ergebnis Trotzkis, als der Thermidor.

Die Folgerung aus dieser präzisen Analyse, noch auf der Insel im Marmarameer, in Sichtweite von Konstantinopel konzipiert, Segler zogen vor dem Blick vorbei, ein leichter Westwind vermittelte zwischen Asien und Europa, zog Trotzki, der nie für sich selbst allein dachte, sondern alle Gedanken im steten Gespräch mit dem Mitarbeiter, der immer anwesend war, in die korrekte Form brachte, vier Wochen später. Diese Wende kennzeichnet den Übergang von der konsequenten Politik des INTERNATIONALISMUS zur ebenso konsequenten, aber der konkreten Situation anverwandelten Politik des ENTRISMUS. Die Genossen verkleiden sich, sie dringen ein in die Organisationen des Staates und des Kapitals, also in die Innereien des Gegners. Von dort aus, so wie in der Vorzeit der proletarischen Revolution, aber gestärkt durch die

---

14 Selbstverständlich ist die von Marx entwickelte Metapher der »revolutionären Geburt einer neuen Gesellschaft, die sich durch Kräfte entwickelt, die in der alten Gesellschaft längst entstanden sind«, eine Abstraktion. Nichts von den Prozessen, auch nichts in der Revolution von 1905, die sich nicht dementierte, weil sie sich nicht verwirklichte, ist dem Geburtsvorgang von Menschen oder Tieren ähnlich. Ebensogut, schreibt Trotzki, könnte man die Entstehung der Gebirge oder des Planeten Erde zum Vergleich heranziehen. In der Metapher entsprechen Ideen den Spermien, dagegen angesiedelte soziale Mißstände, d. h. der Unglaube von unten nach oben, den Eizellen, die Gesellschaft, d. h. alle von Menschen angenommenen Traditionen und Vorstellungen von Glück, der Gebärmutter. Eine ganze Kette der Voraussetzungen des revolutionären Prozesses sind in dieser Metapher ungeklärt. Sie sind es auch, ohne diese Metapher, in den wirklichen Verhältnissen (Protokollauszug aus einer Rede Trotzkis von 1923).

Erfahrung erlebter revolutionärer Prozesse (von denen ja immer ein geringer Teil gelang), zersetzen sie den Gegner, sammeln neuartige Erfahrung und warten auf den Moment des großen Sprungs. Im Augenblick der Krise nämlich, die ja gewiß eintritt, lassen sich nochmals, aus dem Zentrum der Macht heraus, Auswege finden, welche die ALLMÄHLICHE ANFERTIGUNG DES VERHÄNGNISSES DURCH FORTSETZUNG DER GESCHICHTE MIT ANDEREN MITTELN unterbrechen. Socialisme ou barbarie. Den Pogrom, die Barbarei, gilt es zu verhindern.

Dominique Lesseur war wohl weltweit der vorgeschobenste Posten dieses Entrismus. Augen, Ohren, revolutionäres Gewissen.

Zunächst war ihm nicht einsehbar, wie einer in diesem Wirrwarr des Niedergangs eine revolutionäre Wendung hätte zustande bringen können. Es fehlte an jeder Verbindung, wie sie im Oktober 1917 so entscheidende Ergebnisse produziert hatte. Diejenigen, die Lesseur in seiner Stellung als Kabinettssekretär, als Mr. Allesverbund, hätte ansprechen können, waren für Prozesse der Revolution nicht mobilisierbar, mit den zehntausend zwangsverpflichteten Arbeitern der Renaultwerke, die, in Quartieren der Vorstädte und im Freien kampierend, den Auftrag ausführen sollten, Panzergräben im Norden von Paris auszuheben, hatte er als Kabinettssekretär keinen Kontakt. Was, wenn er hinfuhr? Was, wenn er, begleitet von einer Polizei-Eskorte, eine Ansprache hielte?

Das war sinnlos. Dagegen kristallisierte sich der historische Prozeß in Geschwindigkeiten, in denen vier Stunden zwanzig Jahren der Friedenszeit entsprachen. Der britische Premierminister flog mit Begleitung auf dem Flugplatz Tours ein. Vorschlag: Zusammenschluß der Imperien Englands und Frankreichs, d. h. jeder Franzose erhält den britischen Paß. Gemeinsam kämpfen England, die Dominions, die französischen Kolonien gegen den nationalsozialistischen Feind, solange, bis der Kriegseintritt der USA, der alles entscheidet, möglich wird. Als trotzkistischer Entrist sabotierte Lesseur diesen Ansatzpunkt, der sozusagen den Imperialismus im Augenblick seiner Krise auf wirksame Weise zuspitzt (endlich einmal waren die Imperien zur Verteidigung der Zivilisation etwas nütze, die klassenfeindliche Konstruktion erhielt einen unbezahlbaren Zuschuß an GUTEM WILLEN).

War es möglich, in der Krise eine einzelne Kolonie an sich zu reißen und an einem solch entlegenen Ort, einem neuen Vaterland der Werktätigen, den Putsch von Petersburg zu wiederholen? Zum erstenmal in seiner Karriere, die 1934 niemand erwartet hätte, nahm Lesseur, der als hoher Beamter an sich über die Zeit dafür nicht verfügte, Kontakt auf zu einem in Paris entrierten Genossen. Der verwaltete Treibstofflager im Norden von Paris, d. h. zur Zeit sprengte oder verbrannte er sie.

– Wir sehen in die Katastrophe hinein wie in das aufgeschlagene Buch der po-
litischen Wissenschaft. Ich sehe da, wie bei Todesfällen oft, die Erben.
– Und du meinst, auf einem Teilgebiet könnten wir das sein?
– Es ist zu gefährlich, durch bloßes Denken einen solchen Handlungsakt zu
begründen. Deshalb frage ich dich ja. Die Frage ist: Treten wir selbst wie Im-
perialisten auf, wenn wir durch Putsch von oben eine Kolonie zur Kolonie
der IV. Internationalen machen?
– Wie hätte Trotzki das analysiert?
– Er hätte das Mittel kritisiert. *Niemals* Revolution von oben.
– Gilt aber nicht bei Beschleunigung der Zeit. Wenn ein Reich zusammen-
bricht, gelten andere Regeln. Sozusagen ein anderer Zustand der politischen
Physik.
– Zu zweit sind wir zu wenige, um das zu klären.
– Das ist der Nachteil des Entrismus.
– Wie hätte Robinson operiert?
– An welche Kolonie denkst du?
– Tahiti? Paradiesisch?
– Hättest du eine Revolutionstheorie für Tahiti?
– Von Tahiti aus die Tobriant-Inseln besetzen. Nach Wilhelm Reich gibt es
dort eine von der westlichen Zivilisation unterschiedene ursprüngliche Ku-
mulation der Sexualität.
– Habt ihr Kontakt dorthin?
– Im Moment noch. In einer Krise, wie wir sie haben, ist jede Anweisung, die
aus der Zentrale kommt, Gesetz auf drei Tage. Danach müssen wir gewon-
nen haben.
– Wir hätten uns auf so etwas vorbereiten müssen. Was kommt noch in Frage?
– Der Tschad. Das ist leicht. Zwei Bataillone Fremdenlegion. Ein Gouver-
neur, der selbst Entrist ist. Eine historische Tiefenschicht: das waren einmal
selbstbewußte, autonome Wüstenregionen. Aufbau der Revolution vom
Nullpunkt. Aus der Wüste heraus.
– Das würde uns alle faszinieren. Wo gibt es schon Nullpunkte?
– Wären wir nur 43 oder 800 Genossen, ich würde es wagen.
– Wir sind aber nur zwei. Nur einer von uns beiden hat Macht. Macht ohne
Ausführung gleich null.

Lesseur, der die wartende Kolonne von sechs Kraftfahrzeugen, die ihn zum
Treibstofflager im Norden von Paris gebracht hatten, wieder erreicht hatte,
ließ sich in das Hauptquartier des Generalissimus fahren. Klösterliche Be-
schaulichkeit. Der Oberbefehlshaber Weygand hatte ein Büro wie ein bescheidener Beamter. Auf dem Fußboden lag eine Strohmatte. Offiziere kamen und

gingen wie in Friedenszeiten. Lesseur begriff, daß Weygand eine Niederlage erwartete und sich auf Waffenstillstandsgespräche mit den Deutschen einstellte. Die bewaffnete Macht, schloß Lesseur, hält, da an Verteidigung nichts Wirksames mehr geschehen kann, an der militärischen Tugend der Generalstäbe fest, sich nämlich durch nichts Äußeres erschüttern zu lassen. Er sah, daß hier eine ganze Welt zu greifen war. Was das Deutsche Reich nicht besetzen konnte, stand als Beute für alle Projekte, die in der ersten Hälfte des 20. Jahrhunderts artikuliert waren, zur Verfügung. Die Macht zur Besitzergreifung hing ab von der Erfahrung, welche Projekte wie zu verwirklichen waren.[15]

Ein Wirklichkeitsdefizit der radikalen Revolution. Wir haben, sagt sich Lesseur, obwohl wir keine Stunde auslassen, nicht gelernt, was wir im Moment der Chance für die Revolution tun könnten. Wie kann es geschehen, daß so viel Mühe, wie sie sich in der IV. Internationalen vereinigt, soviel Opfer, nichts nützten?

Noch immer konnte Lesseur essen. Er nahm die Pflichten wahr, die ihm als Kabinettssekretär des Ministerpräsidenten Frankreichs oblagen. Wieviel Prozent von einem Menschen, dessen revolutionäres Gewissen pocht, gehört tatsäch-

---

15 *Revolutionäre Theorie der Fremdenlegion.* Unveröffentlichtes Manuskript von Dominique Leca. Fremdenlegionäre sind Kampfspezialisten, Söldner; ähnlich Spartacus. Sie sind aber nicht selbstbewußt wie Spartacus. Sie sind in ihrer Mehrheit erschreckt durch ihre Vergangenheit, die sie in die Fremdenlegion getrieben hat. Die revolutionäre Überzeugungsarbeit muß also diesen Minderwertigkeitskomplex ausräumen. Proletarisch sind sie insofern, als ihnen alle Möglichkeiten der bürgerlichen Existenz genommen wurden, sonst wären sie nicht Fremdenlegionäre. Der Ausdruck Abenteurer ist ideologisch und bedeutet, daß einem Menschen wesentliche Ressourcen seines bürgerlichen Menschseins genommen wurden. Fremdenlegionäre sind auch keine *Lumpenproletarier*, im Gegenteil: sie besitzen Ehre. Auch wenn diese Ehre durch Drill anerzogen ist, produziert sie Disziplin. Diese aus Not geborene Disziplin ist der bloß industriellen überlegen. Hier knüpften die revolutionäre Propaganda und Schulung an. Ich sehe, schreibt Leca, die zwei Bataillone Fremdenlegionäre des Tschad bereits als Überzeugungstäter unserer Sache. Gegenargument: Proletarische Klasseneigenschaft kann nur aus dem Produktionsbereich heraus entwickelt werden. In dieser Hinsicht produziert der gesamte Tschad nichts als Wüste bzw. Auswege in der Wüste.
Entgegnung: In der Fabrik ihrer Subjektivität produzieren die Legionäre zweifellos etwas, ebenso wie die Eingeborenen. Sie produzieren Illusion, Kampfwillen, kämpferische Kenntnisse, also eine Überlegenheit gegenüber dem Zivil. Dieses Produkt entsteht in Stahlfabriken oder Kohlengruben nicht notwendig. In den Kernsektoren der Industrie entsteht, so die Lehre der IV. Internationalen, das Produktions- und Klassenkampfbewußtsein der Substanz nach verstärkt, in anderen Bereichen, denen der Herrschaftsausübung aus Not, also bei den Faschisten, den Söldnern, den Rechten, entsteht, ausgelöst durch die gesellschaftliche Fabrik, das Ganze, eine gleichwertige proletarische Substanz, aber lediglich der Form nach. Ergebnis: Die Legionäre haben keine Anker, aber Kräfte.

lich dem revolutionären Prozeß? Die Möglichkeiten bewegten sich in diesen Stunden und Tagen des Juni gegen unendlich, die Handlungen Lesseurs schrumpften auf 0,0001 % seiner praktischen Tätigkeit.

Begegnung in Marseille

Nichts anderes bedeutet die THEOLOGISCHE PERSPEKTIVE, als daß der Blick von oben nach unten fällt und daß der Gegenblick, der diesen Blick umkehrt, sich auf den Himmel richtet, wo er im Nebel der Unfaßbarkeit Gottes endet. Dieser Lichtweg ist im Gegensatz zu dem der Physik nicht umkehrbar. Die gläubig angeblickten Sterne ergeben Nebelbilder.

In einem leeren Tal begegnen sich Gott und Mensch unter der Voraussetzung, daß sich der Mensch von seinen sündigen Begierden durch Askese und Gott von den Praktiken der KATHOLISCHEN KIRCHE gereinigt hätten.

– Das wäre ja eine ganz neue Situation. Erst beschreiben Sie 2000 Jahre Erzeugung der Nebelbilder und dann ein Gipfeltreffen? Wo soll das leere Tal liegen?

– Es ist eine Szene wie in einer Oper. Ich habe eine solche Szene im Opernhaus Lyon gesehen.

– Und welche Wendung versprechen Sie sich aus dieser Szene (»in einem leeren Tal«) für Ihren Essay? Welche theoretische Perspektive ist daran interessant?

– Das kann man nur schreiben. Das läßt sich nicht erzählen. Hier an einem Kaffeetisch im Hafen von Marseille kann man sich das leere Tal schwer vorstellen.

– Aber ich glaube Ihnen, daß Sie das können. Es ist ja Meister Eckhart, dessen Urszene Sie beschreiben. Es ist die gleiche Szene wie zwischen Lenin und der sibirischen Bauersfrau. Wie lang würde der Essay denn werden?

– 60 Seiten.

– Man kann kürzen?

– Immer.

Walter Benjamin erwartete einen Vorschuß. Es war nicht sicher, daß der Besucher, der die Zeche von sechs Kaffee und vier Croissants in diesem Café zahlte, in Vollmacht der Zeitschrift für Sozialforschung auftrat. Es genügte in der verzweifelten ökonomischen Situation des Geistersehers Benjamin, daß der Besucher über Geld verfügte und einen Betrag davon aushändigte, einen Vorschuß.

Wie lang die Kette von Komponisten, Propheten, Dichtern, Philosophen, Philologen, die schon mittellos in Erwartung eines Unterhaltsbeitrags vor Abgesandten der Realität gesessen hatten in stoischer Hoffnung, und die, wenn eine Zahlung erfolgte, sich sofort wieder der Arbeit zugewendet hatten.

Ob er sich vorstellen könne, den Essay so abzufassen, daß ein herrschaftsfreier ABARISCHER PUNKT politisch und nicht bloß theologisch entstünde? Könne man nämlich, »in einem leeren Tal«, die verstreuten Partikel der sozialistischen Bewegung versammeln (denn wie durch einen Sprengsatz scheine die Arbeiterbewegung explodiert), so sei eine Abschwörung von den Nebelbildern, den falsch gerichteten Blicken und Gegenblicken nochmals möglich. Der Besucher war Praktiker, der Organisation zugeneigt. Benjamin hatte den Eindruck, er müsse, schon um eine A-Konto-Zahlung zu erlangen, auf den Gedanken des Praktikers eingehen. Ihn interessierte jedoch von der Realität nichts. Die Sphäre der versiegelten Ideen, von Gott her durchlässig, ist gewiß auch in der Umgebung von Marseille oder in den Tiefen des Mittelmeeres auffindbar, aber nicht zu Gott hin, nur von Gott weg. Deshalb gibt es kein Heil für eine vorläufige Versammlung verbannter Sozialisten »in einem leeren Tal«. Real gibt es das ja auch nicht. Nichts in Marseille, nichts auf der Flucht vor den deutschen Armeen gleicht einem Tal oder ist leer. Lohnt eine Passage auf einem der Dampfer nach Nordafrika? Ist sie mit erlangbaren Papieren überhaupt möglich?

Es wälzt sich eine Art WOLKE DES VERHÄNGNISSES, wie in einem Tal, dem Jammertal, auf die Menschheit zu, örtlich, zeitlich, unbegrenzt. Daran rütteln keine Texte. Ein Essay in der Zeitschrift für Sozialforschung, die dem Institut für Sozialforschung mit Sitz in Amsterdam und New York gehört, sorgt für einige Mahlzeiten, die Unterkunft, die Möglichkeit auszureisen. Dem Verhängnis entgehen wir dadurch nicht, sagte Benjamin.

War der Besucher Abgesandter oder Angeber? Machte er sich als Gesprächspartner wichtig? War es ein menschliches Verhältnis, das den Disput suchte, so, als säßen sie in einem Gesprächskreis der Surrealisten im Jahr 1928, könnten Gedanken knüpfen zu einem Neuentwurf? Statt Barmittel auszuhändigen und zu verschwinden? Benjamin war kein unhöflicher Mensch.

Es schien so, daß den Besucher Einzelheiten von Benjamins Vokabular, das die Worte umfaßte, die ihn in diesen Wochen der Flucht besonders fesselten, irritierten. Der Mann war rational. Er leistete sich in diesen Zeiten den Luxus, Worte nach ihrer rationalen Bedeutung »aufzuräumen«. Die Worte schrien. Sie ließen sich nicht aufräumen.

Ein ungleicher Handel. Der Besucher war von einem Wohnsitz in Lissabon, mit Zugang zu Konten einer US-Bank, hierher gelangt mit Paß und Visum, die noch galten, vielleicht sogar durch eine große Partei akkreditiert. Wie unverhältnismäßig, auf ein zerstreutes Einzelwesen durch Überzeugungsarbeit einzuwirken, in dem fremde Stimmen sprachen.[16]

16 Benjamin verkannte den Besucher. Er hieß Franz Neumann, war Jurist. Der Besucher, der nach dem Gespräch Barmittel zurückließ, auch eine Fluchtroute für Benjamin entwarf, war nicht daran interessiert, sich mit dem Seher über irgendetwas politisch zu einigen, den geplanten Essay, auf den der Vorschuß sich bezog, wollte er nicht beeinflussen. Vielmehr genoß er das Gespräch, sammelte ein. So sprach Benjamin vom Gott Saturn, der auch Planet sei, mit weißem und schwarzem Pferd vor seinem Götterwagen. Sobald aber die Vorstellung des doppeldeutigen Saturns, einer rätselhaften, gefährlichen Macht, die uns überkommen kann, ohne daß wir widersprechen könnten, in die eines gütigen Gottes verschoben wird, brauchen wir, sagte Benjamin, den Teufel. Beide, die hier Kaffee tranken, wünschten sich Vorstellungswelten, ja vorstellungsgetrennte Realitäten, in denen keiner einen Teufel braucht. Nur das gestattet den Unglauben.

Zusatz 1
zu Kapitel 3:

Bagdad 1940/41

Wie die Bagdad-Bahn 1940
fertiggestellt wurde

Vom Bosporus zum Persischen Golf. Ein Plan, den Georg von Siemens, Direktor der Deutschen Bank, entwickelt hatte, sollte das Hinterland des Osmanischen Reiches für Handelsbeziehungen mit dem Deutschen Reich verkehrsmäßig erschließen. Nach Neugründung der Türkischen Republik als anatolischer Teilstaat, aufgrund Wegfall der Interessen nach 1918 sowie wegen Gebietsstreitigkeiten zwischen Persien und Irak, wurde die Vollendung der Eisenbahnstrecke, die eine der Ursachen für den Ausbruch des Ersten Weltkriegs darstellte, verzögert. Nach siebenunddreißigjähriger Bauzeit wird Sommer 1940 das letzte Teilstück der Bagdad-Bahn zwischen der Grenze Syriens und dem Irak eröffnet.

– Wurde das gefeiert?
– Die Ingenieure, Iraker, französische Zivilingenieure, waren stolz. Das mußte irgendwie bekundet werden. Am besten an der Grenzstation, wo der Zug Syrien verläßt, ein Gelände mit Palmen, Quellen, Sanddünen, fotografisch ergiebig.
– Das wurde aber von der französischen Armee nicht gestattet?
– Die Besatzungstruppe hier war noch sehr aufsässig und hochnäsig. Sie erkannte die Kapitulation Frankreichs nicht an.
– So richteten die Iraker eine kleine Festlichkeit aus?
– Auch sie durften nicht, da die britischen Berater, praktisch ebenso Besatzer wie die Franzosen auf der Gegenseite, jede Berührung mit den Franzosen verboten hatten. Wer wußte denn, ob Briten und Franzosen nicht seit vierzehn Tagen Feinde waren?
– Die Uhren gehen in den Kolonien ganz anders als in Westeuropa?
– Kolonie ist es ja nicht. Es handelt sich um die Protektorate Syrien und das arabische Königreich Irak. Beide unter Einfluß.
– Wie kommt es dazu, daß ein Bahnbau, 1903 geplant, aus dem Imperialismus der Mittelmächte, ein so zähes Leben führt? Die Bauarbeiten überdauern einen Weltkrieg, mehrere Depressionen, Umgründung aller angrenzenden Staaten, Zerfall der Geschäftsgrundlage. Wer will auf diesem Schienenweg überhaupt fahren?
– Fahren kann nur die regionale Bevölkerung. Es führen keine Transportwege mehr ins Hinterland des Osmanischen Reiches. Das war früher die Seidenstraße. Die gibt es schon seit 500 Jahren nicht mehr.

– Um so mehr wundert mich die Beharrlichkeit. Es kostet Geld und Mühen, das letzte Teilstück fertigzustellen. Es herrscht Krieg.

– Ist es der Elan der Ingenieure? Sie hängen an den Blaupausen und planen. Das Gelände ist erkundet, der Stahl längst gekauft, die Arbeitskolonnen rekrutiert. Wie kann man da aufgeben?

– Die Behörden müssen es erlauben.

– Die hatten Zweifel. Auf beiden Seiten der Grenze. Mehrfache Gründe, den Weiterbau zu verbieten, aber keiner hat sich aufgerafft, das Verbot auszusprechen.

– Ist das eine Art GEIST DES UNTERNEHMERTUMS, daß ein kapitalistisch-imperialistischer Plan von 1903, wie durch Schutzengel beschützt, 1940 zu seinem Ende findet? Daß zu diesem unpassenden Zeitpunkt die letzten 80 km Schienenweg durch Steinwüste, an Räuberhöhlen vorbei, gelingen werden?

– Sie dürfen nicht an Gespenster oder Geister glauben. Das wäre nicht rational.

– Ich glaube eher an eine Art Gravitation, ausgeübt durch investiertes Geld. Wo etwas ist, kommt etwas hinzu.

– Das gleiche, nehme ich an, gilt für Planung. Ein Koloß an Planung wirkt wie ein Anziehungspunkt für Karrieren, weitere Planungen. Zuletzt genügt der Vollzug. Ein paar Ingenieure sind noch da, ein paar Vorräte. Zuletzt kann eine kleine Regionalfirma wie die Societé ferroviale de Beyrouth S. A. ein solches Verbindungsstück fertigstellen.

– Was hat sie davon?

– Sie kann an der Börse in ihrem Prospekt eine Verbindung zeichnen, die vom Persischen Golf bis Paris reicht.

– Die Börse in Paris wurde soeben geschlossen.

– Und die Grenzstation eröffnet.

– Fahren überhaupt Züge?

– Nein. Die französischen und die britischen Behörden sind zerstritten.

Entstehung des Irak als eine Aktenlage

Der Irak, eine Ansammlung türkischer Provinzen bis 1918, gelegen in uralten Landstrichen der Antike, umgeben von Wüsten und Gebirgen, ist eine diplomatische Konstruktion Englands. Das Land leidet an der Einverleibung der nicht-arabischen Provinz Mossul, der Teilung der Bevölkerung in eine schiitische Mehrheit und eine politisch dominante sunnitische Minderheit, an der Differenz zwischen den beduinischen Wüstenstämmen und den Städten, und an der Unmöglichkeit, in der Wüste des Südens exakte Grenzen zu finden.

Dem Scherifen von Mekka waren nach dem ARABISCHEN AUFSTAND von 1915 Syrien, Mesopotamien und Palästina zugesprochen worden. In dem Geheimabkommen vom 16. Mai 1916 teilten dann England und Frankreich im Picot-Sykes-Abkommen den Vorderen Orient auf. Dieses Dokument fanden bolschewistische Kommissare 1917 im Geheimarchiv des Zaren. Sie veröffentlichten die Papiere. Die Araber sahen sich betrogen.

Im Juli 1920 vertrieb Frankreich den Sohn des Scherifen, Prinz Feisal, mit Waffengewalt aus Syrien. Um die Verräterei irgendwie zu lindern, faßten die britischen Verantwortlichen die Zonen in Mesopotamien zu dem MANDATSGEBIET IRAK zusammen. Dieses Land übergaben sie Feisal als Wiedergutmachung.

Mißglückte Ankunft

Um 7.00 Uhr früh sollte der Zug Feisals eintreffen. Triumphbogen, arabische und britische Flaggen. Menschen rings auf den Dächern Bagdads. Sir Percy Cox, der Hochkommissar, und Sir Aylmer, der kommandierende General der britisch-indischen Truppen. Würdenträger Bagdads. Absperrung.

Wir hörten, daß es auf der Strecke einen Zusammenstoß gegeben habe. Telegramme, daß Feisal mit dem Auto käme. Gegen 8.00 Uhr hieß es, der Anwärter auf die Krone säße nun doch im Zug. Dieser sei jedoch nicht vorwärtsgekommen und eine Ankunft sei erst gegen Mittag zu erwarten.

Die Sonne hatte sich seit 5.00 Uhr früh über den Horizont erhoben. Im Juni ist in Bagdad um 12.00 Uhr mittags kein Staatsempfang organisierbar, 42° Celsius. Feisal wird von der britischen Führung gebeten, den Tag im Zug zu verbringen und um 6.00 Uhr abends anzukommen. So empfängt man den künftigen König des Irak.

– Telefonierten die zum Zug?
– Nein. Sie telegrafierten zu einer Kohlen- und Wasserstation auf der Strecke.
  Der Zug wurde dort angehalten und die Nachricht hineingereicht.
– Im Zug vom Vormittag an viele Stunden zu warten, das ist unangenehm?
– Höllisch. Im offenen Steingelände stand der Zug in der Sonne.
– Hätte der Zug nicht auf der Strecke vorwärts und rückwärts fahren kön-
  nen? Daß zumindest der Fahrtwind die Hitze mildert?
– Ich weiß nicht, was Sie sich unter Fahrtwind vorstellen. Das blieb eine heiße,
  sandige Luftbewegung. Sie hatten nicht genug Kohlenvorräte, um mit dem
  Zug zurück und vorwärts zu fahren.
– Wasser, Getränke?
– Nichts war vorbereitet.
– Der Sohn des Scherifen von Mekka mußte doch nicht einer britischen Wei-
  sung gehorchen.
– Dennoch konnte er nicht zur mesopotamischen Mittagszeit ankommen,
  und niemand wäre zu seinem Empfang dagewesen. Er gehorchte nicht den
  Briten, sondern den Verhältnissen.
– »Wie Tiere verbrachten sie den Tag in den Waggons.«
– Im Salonwagen, der angehängt war, dort drängten sie sich um den Fürsten-
  sohn.
– War dieser Salonwagen gekühlt?
– Ungepflegt. Ein Requisit von 1908. Zehn Jahre im Gebrauch.
– Ja, und kühl ist Plüsch generell nicht. Sind Araber gegen die Hitze ihrer
  Landschaften besser gefeit als Europäer?
– Nur in den Zelten. Nur am frühen Morgen und gegen Abend.

Feisal, Sohn des Scherifen, stützte sich auf die nationalen Extremisten, Araber,
die man so nannte, weil sie nicht aus der Hierarchie der Stammesältesten kamen.

– Waren sie extrem?
– Sie waren aufmerksam, nicht betrogen zu werden.
– Um was?
– Um die Versprechen von 1915.
– Was für Versprechen?
– Ein Arabisches Reich bis zu den Grenzen Persiens hin.
– Das geographische Syrien inbegriffen?
– Abgesehen von Südostmesopotamien. Das blieb britisch-indischer Vorbe-
  halt.
– Sie drücken dies rein geographisch aus?

– Zunächst gibt es nichts anderes. Syrien, Zwischenstromland, Libanon? Das
sind zu diesem Zeitpunkt biblische Ausdrücke, kein bestimmter Landstrich.

– Was war der Grund für die Verspätung von Feisals Zug?

– Ein Attentat auf den Schienen. Von wem? Schienen waren von französischen Pionieren abgetragen worden. Am Abend, bevor der Kronprätendent
aus Jordanien abfuhr.

– Was war der Sinn?

– Ihn zu behindern. Der Zug mußte, rückwärts fahrend, zu einer Abzweigung
nördlich von Amman zurück, durch einen Kran auf einen anderen Schienenstrang gesetzt werden. Er erreichte Bagdad auf einem Umweg.

– Wie kommen Kranfahrzeuge in die Wüste?

– Es ist nicht alles Wüste.

– Aber Kranfahrzeuge?

– Pioniere der britischen Armee. Überall stößt die Moderne aufs Mittelalter.

Der französische Elan, der zu den Mandaten Syrien und Libanon führte, hatte
sein Motiv in der unerwarteten BEWEGUNGSFREIHEIT, die der Wegfall
des Deutschen Reichs 1918 der Republik Frankreich in einem Augenblick gewährte, in dem das Land seine Niederlage bereits vor Augen gesehen und in
einer seiner Seelenhälften schon hingenommen hatte. Die Administration, nie
Spiegelbild des Volkes, von einer Clique von Ministern, Büroleitern und
Ausbildungsjahrgängen besetzt, konzentrierte sich auf ein LANGES GE-
DÄCHTNIS. Frankreich nähme, hieß es, die Gebiete von *outre-mer*, französische Lehen aus der Zeit der Kreuzzüge im Nahen Osten, erneut in Besitz.

– Gab es darüber noch Akten?

– Akten keine, aber Vorstellungsvermögen.[17]

– Damaskus wird aber zunächst von Arabern und Briten besetzt. Vor ihnen
zieht sich die türkische Armee fluchtartig zurück.

– Französische Truppen besetzten die Wasserwerke.

– Dann kommen neue Regimenter aus Frankreich?

– Auf der Bahnstrecke von Aleppo. General D'Esperey spricht davon, daß
nunmehr die Schlacht bei den Hörnern von Hattin gerächt sei.

– Wer verstand das?

– Eine amerikanische Korrespondentin, die für die *Chicago Tribune* schrieb,
mokierte sich darüber. Vor Ort verstand es keiner.

17 Aktenmäßig hatte die Tendenz bereits unter Kaiser Napoleon III. einen Präzedenzfall. Die
  Hymne des 2. Kaiserreichs hatte den Text: Marchons pour la Syrie, komponiert von der
  Kaiserin. Anknüpfend an Bonapartes Versuch, die Festung Akkon zu erobern.

- Auch die Araber nicht?
- Die Erklärung des Generals wurde nicht ins Arabische übersetzt.
- Es gibt Araber, die Französisch sprechen.
- Sie waren nicht eingeladen.
- An wen wendete sich die Siegesmeldung?
- An die interne Öffentlichkeit der französischen Armee. Sie war für die Akten bestimmt.
- Ein Museum der starken Gefühle.
- Frankreich gewann zu diesem Zeitpunkt alle verlorenen Schlachten außer Waterloo und Azincourt.
- Wieso gewannen sie die Beresina?
- Indem sie Polen verteidigten.
- Und solche Romane bringen die Geschichte in Krisen?
- Stets.[18]

Auf der Suche nach einem Ort für den Krieg

Irak im März 1940

In den Clubs von London, in denen wesentliche Abschnitte der Regierungsarbeit stattfinden, ist die Verbindung zur Welt nur durch ältere Modelle von Telefonanlagen herstellbar. Rechnete man die britischen und die französischen Netze zusammen, so erreichte man im März 1940 dennoch wesentliche Teile des Weltgefüges durch Fernruf. Nie wieder bis zum Jahr 1945, heißt es bei Ian Kershaw, bewegte sich der Krieg, der im September 1939 erklärt war, so vielfältig in die Bereiche des Möglichen hinein wie im März 1940.

Nach drei Wochen Polenfeldzug ist der Krieg planetarisch geworden, schrieb der Völkerrechtler Carl Schmitt im Januar 1940. Damit meinte der Gelehrte, der Krieg sei derzeit »überall und nirgends«. Es ginge, führte er aus, um einen weltweiten Plan, einen Krieg zu beginnen. Niemand aber wisse den Ort. Anders gesagt: Es existierten Machtblöcke und es seien von ihnen kriegerische Erklärungen abgegeben worden, die zur Führung eines Kriegs berechtigten. Es fehle aber noch ganz an der genauen Bestimmung des Feindes. Für den Zweck, Polen zu beschützen, fehle England und Frankreich der ORT[19], der ZEIT-

---

18 Die Entthronung Feisals in Syrien zerstörte das Abkommen zwischen dem Jüdischen Weltkongreß und dem Scherifen über die Besiedlung Palästinas.

19 Leviathan und Behemoth, die Ur-Tiere, müssen kämpfen, funktionieren ihre furchtbaren Waffen aber im asymmetrischen Krieg? Was, wenn der eine Gegner den anderen nicht er-

PUNKT[20] und der HINREICHENDE GRUND[21]. Es gehe, fügt Schmitt hinzu, vermutlich um einen MÖRDERISCHEN KRIEG[22], der an den BE-GRIFF DER FEINDLICHKEIT besondere Anforderungen stelle. In den Clubs in London bestand die Absicht, auf jeden Fall die verhängnisvollen Geschehnisse von 1914 bis 1918 zu vermeiden. Was sollte man mit dem erklärten Krieg tun? Ein Königreich für eine Front, witzelte Lord D'Abernon im Club. Polen konnte man von England aus weder verteidigen noch wiedergewinnen. Wie kann man eine direkte Front bilden? In diesem Augenblick planerischer Stille (täglich nur Telefonate, Gespräche, Sitzungen) konkurrierten zwei strategische Ansätze, denen gemeinsam war, daß sie eine Flankierung suchten. Im April ging es um die Landung in Nordnorwegen. Im März aber hatte zeitweise eine andere Bewegungsrichtung die stärkere Chance. Man wollte die UdSSR schockieren, die sich mit dem Deutschen Reich abgesprochen hatte.

Im Irak sollten, so der Plan des dortigen britischen Gesandten, dorthin verlegte Bombergeschwader in Richtung der Ölfelder von Baku starten und diese in Flammen setzen. Die britischen Flugzeuge sollten zu diesem Zweck Persien und die neutrale Türkei überfliegen. Konnte dies einen Konflikt auslösen? Der Machtbeweis schien verlockend.

Was hätten die Deutschen gegen einen solchen unerwarteten Schlag tun können? Wie hätten sie die Sowjetunion als Treibstofflieferanten an ihrer Seite halten können?

reicht oder berührt? Können England und Frankreich Truppen in Pommern oder in Nordpolen landen? Führen wir, wenn das Reich in Frankreich eindringt, den vorigen oder den jetzigen Krieg?

20 Die sowjetische Führung glaubte, wie Valentin Falin schreibt, an einen langen Stellungskrieg von vielleicht fünf Jahren in Nordfrankreich, in dem sich die imperialistischen Mächte gegenseitig schwächen würden.

21 Die Verteidigung Polens war für die Bevölkerung des Westens kein HINREICHENDER GRUND, das Leben der Nation aufs Spiel zu setzen. Unterhalb dieses Einsatzes, so Carl Schmitt, kein WAHRER KRIEG. Was heißt wahr? Ein Krieg, der sich entscheidet, gehört zur Sphäre des Wahren. Ein Krieg, zu dem kein hinreichender Grund besteht, entscheidet sich nicht.

22 Im britischen Foreign Office folgte eine ganze Schule von Beamten der Auffassung, daß jede Nachgiebigkeit gegenüber dem nationalsozialistisch regierten Deutschland (wenn nicht gegenüber Deutschland überhaupt) sich als fundamentaler Fehler rächen werde. Insofern könne man mit Deutschland nicht einmal Frieden schließen nach einem militärischen Sieg. Vielmehr müsse man das Gleichgewicht, ähnlich dem, das 1815 eingerichtet wurde, durch eine langfristige Besetzung und die Aufteilung des Landes in Zonen herstellen.

– Sie meinen, das sollte zur Entmachtung Hitlers führen?
– Zunächst nur Zerstörung der deutsch-russischen Beziehung.
– Und wenn die UdSSR ihre Luftflotte gegen die im Irak konzentrierten briti-
  schen Stützpunkte wendete?
– Ohne Aufklärung? Das hat sie noch nie gemacht.
– Im Kriegsfall, gereizt durch Angriffe auf Baku, könnte sie sich anders ver-
  halten.
– Nachdem wir den Treibstoff in Baku abgefackelt haben?

Clubmitglieder, Offiziere, Parlamentarier, Minister, Planer, die untereinander
reden (das gleiche gilt für eng vernetzte Telefonierer), neigen zu der jeweils
kühneren Version eines Entschlusses. Eine solche Kühnheit steckt in der in
Meilen ausgedrückten Entfernung über den Planeten hin.[23]
Im gleichen Monat März planten deutsche Dienststellen einen Panzervor-
marsch bis Afghanistan. Von dort wollte man in Stoßtrupps nach Indien eindringen und spätestens bis Januar 1943 dort einen umfassenden Aufstand
gegen das britische Regime organisieren.[24] Zusatz von Prof. Ian Kershaw: Wären bei Realisierung des Irak-Projekts die wichtigsten Geschwader Großbritanniens dort für Luftangriffe gegen Baku stationiert gewesen, so hätten sie am
Ende nach Besetzung Frankreichs 1940 nicht mehr nach England zurückgeführt werden können. Die Kriegsführung hätte sich ganz in den Nahen Osten
verlagert.

23 Wenn wir nicht vom Irak aus starten, dann eben von der Ägäis. Wohin? Nach Wien!
24 Der Plan stand im Gegensatz zum Projekt eines plötzlichen Friedensschlusses mit Großbritannien, dadurch bewirkt, daß das Deutsche Reich den Kolonialbesitz des Empire garantiert. Dann hätte man eine deutsche Panzerlegion nach Indien verfrachten müssen, um
   dort Ordnung herzustellen.

Verpatzte Chance

Was hätte gelingen können, wenn Metzger rechtzeitig an seine ehrgeizigen Pläne geglaubt, seine arabischen Zöglinge ihn früher benachrichtigt und die Hilfstruppen des Deutschen Reichs nur 1000 Stunden früher in der Nähe Bagdads eingetroffen wären. Metzger erschoß sich in einem Athener Hotel.

Nach Jahren konspirativer Vorbereitung hatten Metzgers Zöglinge sich selbständig gemacht. Aufstand in Mossul und in Bagdad. Der König verbannt, die Briten vertrieben, die arabische Republik Irak ausgerufen. Einschließung der britischen Truppen in Basra. Das alles hatte den Gesandten Oskar Metzger, geheimdienstlichen Residenten für den Nahen Osten mit Sitz in Athen, überrascht. Ihn, dessen Leben diesem Projekt gewidmet war, Mesopotamien, den Irak, dem deutschen Herrschaftsbereich zuzuführen. Das Projekt zu realisieren, das hatte sich Metzger geschworen.

Von Wien-Schwechat über Saloniki, Heraklion auf Kreta wurde ein Geschwader Me 110-Zerstörer[25] auf ein Flugfeld in die Nähe von Damaskus gebracht. Dort warteten die Piloten auf Information. Mit Einverständnis der Vichy-Behörden in Syrien sollten sie in den nächsten Tagen im Irak landen. Aber wo? Wie konnte Metzger die Schritte der Achsenmächte beschleunigen? Telefonate mit Rom oder mit einem Flugplatz in Salzburg führten noch längst nicht zu Einsätzen in die Weite des Nahen Ostens.

Eine Woche von hoher weltpolitischer Unbestimmtheit. Dann hatte die königliche Regierung des Irak mit Hilfe von britisch-indischen Divisionen das Land erneut übernommen. Offiziere, die den Aufstand angeführt hatten, wurden erschossen. Italienische Transportschiffe, die Truppen der 22. Division von Kreta abgeholt hatten, kehrten vor Erreichen der syrischen Küste um.

– Verstehe ich Sie richtig, daß die Aufstandsregierung des Irak, alles nationale Offiziere, dem Deutschen Reich bereits ein Bündnis anbot?
– Sie hatten die Funkstation.
– Das Telegramm gelangt an einem Samstag, 17.00 Uhr, über Königswusterhausen in den Verteiler des Auswärtigen Amts? Die Nahost-Abteilung ist nicht besetzt?
– Metzger erfährt erst Montag früh von den Ereignissen.
– Er ist nicht über Funk mit Berlin oder seinen örtlichen Vertretern im Irak verbunden?

25 Zweisitzige Jagdflugzeuge. Am Bug ist ein Haifischmaul aufgemalt. Unter den Maschinen kann eine kleine Sprengbombe befestigt werden. Für Wüsteneinsätze war der Flugzeug-

– Nein. Nur telefonisch. Das Telefonnetz von Athen zum Nahen Osten, das
über die Türkei führt, war unterbrochen.
– Die nächsten Tage sitzt Metzger an einem Hoteltelefon, das nicht funktio-
niert?
– Das wenig funktioniert. Hätte er sich aber zu Schiff zu den Einsatzorten sei-
ner Organisation begeben, hätte er Zeit verloren.
– Und mit Flugzeug?
– Stand ihm in Athen nicht zur Verfügung.
– Konnte er nicht die Funkzentrale der Heeresgruppe in Athen benutzen?
– Ja, in der Woche nach der Kapitulation der Aufständischen traf die Erlaub-
nis dazu ein.

Da hatte sich Metzger schon erschossen. So war die weltgeschichtliche Episode, welche die Herrschaftsverhältnisse im Zweistromland 1941 revolutio-
niert hätte und, nach Aussage des britischen Historikers Ian Kershaw, den
Ausgang des Zweiten Weltkriegs hätte wenden können, gescheitert an veralte-
ten Telefonapparaten aus den 20er Jahren in der griechischen Hauptstadt? Ja,
und an ebenso alten Apparaten in Syrien und im Irak und daran, daß ein Geheimdienstler keinen Zutritt zur Funkzentrale der Heeresgruppe erhielt, weil
die Funkzentrale selbst ein Geheimobjekt war. Ja, und außerdem scheiterte das
Unternehmen daran, daß Beamte des Nahost-Referats im Auswärtigen Amt
am Samstag am Müggelsee segelten und so keine Nachrichten weitergeleitet
wurden. Dies wäre nur dann anders gewesen, wenn Metzger an den Erfolg seiner jahrelangen Intrigen zugunsten des Deutschen Reichs in Mossul und Bagdad geglaubt hätte, denn dann hätte er für eine bessere Telefonleitung gesorgt?
Ja. Ian Kershaw geht davon aus, daß Metzger an den Folgen seines Unglaubens gestorben ist, der Irak hätte deutsch werden können.

typ ungeeignet. Es handelte sich um das einzige Geschwader, das schnell genug verfügbar
und für die Weite der Flugstrecke geeignet war.

4

Die Mondkräfte und der Endsieg /
Die Lücke, die der Teufel läßt

Vom Teufel, übersinnlichen Kräften, von Luthers Tod,
wie Kepler seine Mutter, eine Hexe, rettete, vom
SCHOCKGEFRORENEN BÖSEN nach Dante
und Walter Benjamin, von der Buche im Kampf für
den Endsieg, von den Arbeiterheeren im Jahre 1944,
sich auflösendem Sandstein der Dome zur Unrechts-
zeit.

Befinden sich Menschen auf der Höhe ihrer Bösartig-
keit?

Die Lücke, die der Teufel läßt

Der Wittenberger Arzt und Theologe Dr. Gustav Ebner (Planities) stand dem Ingolstädter Kollegen Eckholt feindlich gegenüber. Er verteidigte eine Halbhexe mit Namen Annie Kerklaus. Es ging um eine Tatfrage. Die junge angeklagte Halbhexe hatte die Tortur überstanden und wäre damit an sich freizusprechen gewesen. Nachdem sie ohne Geständnis die Quälerei ausgehalten hatte, hatte sie sich etwa drei Stunden ausgeruht, eine Mahlzeit zu sich genommen und war dann in Tränen ausgebrochen. Das deutete der Ankläger Dr. Eckholt als eine Art Rückfall. Der Tränenfluß und der Schreikrampf seien direkte Fortsetzung des Prozesses der Tortur. Wer wolle bezweifeln, daß das zusammenhänge? Also habe sie die Tortur nicht bestanden.

Inwiefern der Tränenfluß ein Geständnis sei, fragte Dr. Ebner. Er habe doch keinen verbalen, schriftlich bezeichenbaren Inhalt.

Doch, meinte Dr. Eckholt, er bezeichnet den Zusammenbruch der Person und könne im Protokoll schriftlich festgehalten werden als »Geschrei mit Tränenfluß«, und dies sei irgendwie auszudeuten entweder als Geständnis oder als Leugnung. Im letzteren Fall müsse die Folter fortgesetzt werden. Als Arzt müsse er dem widersprechen, antwortete Ebner. Es sei auch bei zugefügten Wunden, z. B. im Kampf, so, daß ein Wundschock verspätet eintrete. Dies geschehe immer spontan und habe keine Ausdrucksqualität, gesehen vom Bewußtsein.

Wieso der Teufel nur das Bewußtsein regiere, fragte Dr. Eckholt zurück. Sein Plädoyer verfolgte die Tendenz, den Wittenberger Gelehrten in die Anklage einzubeziehen. Schon die Tatsache, daß dieser die Halbhexe verteidigte, machte ihn verdächtig.

Es gab im Inquisitionsprozeß nur eine geringe Chance für das Gericht, im Kampf zwischen Gott und Teufel in eine Lücke einzudringen und so, auch ohne formelles Geständnis, die Wahrheit zu ermitteln. Der Teufel nämlich verlangt eine menschliche Hingabe der jungen Hexe (und, sofern keine Inkubation des Teufels stattgefunden hat, der Halbhexe). Er liefert sie daher der Tortur aus, gerade um ihre Loyalität zu prüfen. Insofern ist die Schmerzwirkung bei der Angeklagten kein Beweis dafür, daß sie ohne Schutz des Teufels ist. Sie vermag durch Tränen und Zeigen des Schmerzes keine Unschuld darzulegen. Letztlich aber muß der Teufel, so erörterte der Richter den Fall mit Dr. Eckholt und Dr. Ebner, seine Suprematie dadurch zeigen, daß er die Hexe oder Halbhexe schützt. WER SEINE UNTERTANEN ÜBERHAUPT NICHT ZU SCHÜTZEN VERMAG, KANN NICHT HERRSCHER SEIN. Es entsteht dadurch zwischen dem Versuch des Teufels, die Zuwendung der Hexe oder Halbhexe zum Bösen zu testen, und dessen Versuchung, seine Allmacht zu zeigen, eine winzige Lücke. In die muß das Gericht, wenn es kein Geständnis erhält, eindringen.

Hatte nun der Teufel die Delinquentin während der Folter beschützt, nach einer Pause aber einen Test der Zuverlässigkeit seiner Novizin angesetzt, so daß diese zusammenbrach und weinte? Dr. Ebner, ein entfernter Schüler des Paracelsus, antwortete: Nein, die Natur setzt sich durch nach der Quälerei. Was heißt hier Natur? fragte Dr. Eckholt. Sie gerade ist ja die Domäne des Teufels. Der Vorsitzende Richter, privat ein Liebhaber der *Metamorphosen* des Ovid, kam zu dem Schluß, daß die Tathandlung, nämlich Weinen und hysterischer Zusammenbruch drei Stunden nach intensiv erarbeiteter Tortur, ein »unentscheidbares Zeichen« sei. Man könne es so oder so deuten. Dieser Umstand sei kein Hindernis, die Delinquentin aus Mangel an Beweisen freizusprechen.

Dies war der erste Fall, daß vor einem Inquisitionsgericht der Grundsatz »Im Zweifel für den Angeklagten« Anwendung fand. Dr. Ebner wurde auf Betreiben des sich verletzt fühlenden Dr. Eckholt am folgenden Morgen verhaftet, in Ingolstadt eingekerkert und angeklagt. Die wenige Wochen später ausbrechende Protestbewegung der norddeutschen Fürsten, Beginn der Reformation, hatte keinen Einfluß auf das süddeutsche Ingolstadt. Dr. Ebner blieb 15 Jahre im Gefängnis. Eine Verurteilung gelang nicht. Zuletzt war er als Gefängnisarzt tätig.

Luthers Tod

Bestätigt ist die Geschichte, daß Raben den Leichnam Luthers von Eisleben nach Wittenberg begleiteten und daß diese Raben enorm schrien. Das fügt sich zu der Tatsache, die Pater Thyräus von der Katholischen Partei im Jahre 1628 berichtet[1], daß in einem Ort in Brabant am Todestage Luthers eine Menge Besessener von ihren Dämonen befreit wurden; wenige Tage später waren sie wieder besessen. Als die Dämonen befragt wurden, wo sie denn neulich gesteckt hätten, antworteten diese: Sie seien abberufen gewesen. Auf Befehl ihres Obersten hätten sie sich bei der Leiche seines Propheten Luther einfinden sollen. Das wurde von Luthers Famulus bestätigt, der, bei dem sterbenden Luther

---

1 De variis apparitionibus Dei Christi angelorum pariter bonorum atque malorum, Köln 1968, S. 14.

wartend und aus dem Fenster hinaus beobachtend, eine Unmenge an Schatten auf den Hinterhöfen sich bewegen sah.

Sehr häufig nehmen die Dämonen in oder neben dem Herzen Platz. Sie achten aber bei einem Sterbenden darauf, daß sie nicht an dessen Herzen weilen, wenn dieses stillsteht, da sie dann gefangen sind wie in einem Kerker. Ketzer pflegen intimen Kontakt mit Dämonen.[2]

Der Teufel als Henker Gottes

Auf dem Konzil von Trient, das zwei Jahre lang die intellektuelle Aufrüstung der katholischen Gegenreformation betrieb, fanden an den Rändern der Veranstaltung Seminare statt, in denen extreme Ansichten gestattet waren. Ohne ein Quantum Gift kann das Gegengift nicht zubereitet werden.

Nach scholastischer Methode entwickelte ein Gottesmann aus Flandern in einem dieser Seminare die These: Wenn der Teufel nichts anderes sei als HEN-KER GOTTES, dann sei es eine Aggression gegenüber Gott, der die Sünden der Menschen durch diesen Henker strafen lassen wolle, sich gegen den Teufel zu wehren. Welche Macht könnte die vereinigte katholische Kirche ausüben, wie segensreich fegte sie die protestantische Schimäre hinweg, würde sie sich mit dem Teufel verbinden, sozusagen den Henker Gottes gegen den Glaubensfeind in Bewegung setzen (movens in inimicum). Das gleiche gelte gegenüber verurteilten Ketzern. Man möge die Ketzer des Mittelalters, z.B. die Katharer, in Bewegung bringen gegen Luther, denn welcher Abstand liege zwischen ihnen und der Kirche, gemessen am Abgrund zwischen Kirche und Rebellen.

Ihm wurde entgegengehalten, es sei eine *Metapher*, den Teufel als Henker Gottes zu bezeichnen. Aus einer solchen Metapher lasse sich kein Bündnis ableiten, denn dazu müsse man den Teufel selbst befragen, nicht die Metapher.

Wie aber könne man den Teufel direkt befragen? entgegnete der Gottesmann aus Flandern. Man könne das sicher nur mit Hilfe der Opfer, d.h. der vom Teufel Besessenen. Seien diese vom Prozeß und der Folter ausgemergelt, so werde es sicher einen Moment geben, in dem der Teufel halbwegs noch in ih-

---

2 Sechs äußere Zeichen, daß ein Mensch den Dämon im Leib hat:
  - barbarae voces (wilde Stimmen)
  - horribilis vultus (schreckliche Miene)
  - membrorum stupor (starre Glieder)
  - summa inquietudo (höchste Unruhe)
  - vires humanis superiores (übermenschliche Kräfte)
  - cruciatus (Wundmale)

nen anwesend, halbwegs schon entwichen sei, so daß es einerseits für den Befrager ungefährlich, andererseits noch aussichtsreich sei, dem Teufel Fragen zu stellen. Man treffe sozusagen den Henker Gottes in einer schwachen Minute. Kardinal Borromeo, beauftragt mit der Leitung des Konzils, von Natur neugierig, Kabbalist im Kirchensinne, hakte ein: Wieviel gesammelte Minuten einer solchen Gesprächs- bzw. Bündnischance der Abt von St. Didier, so nannte sich der Gottesmann aus Flandern, konkret sehe, wenn er von einem jährlich erreichbaren Kontingent von 488 solcher Opfer (nicht alle treffe man im rechten Moment) ausgehe? Der Abt von St. Didier antwortete: 44. Borromeo: Als heilige Zahl? Abt von St. Didier: Nein, als Erwartung.

Die Diskussion führte in Trient zu keinem Ergebnis. Sie fand jedoch 1942 eine unerwartete Wiederbelebung im Vatikan. Es ging um die Frage, welche Koalition die Kirche eingehen könne, um die Front gegen den Bolschewismus auszurüsten, wenn feststeht, daß dies zugleich Verbindungsaufnahme mit dem Teufel bedeutet. Hier wurden die Akten des Konzils von Trient beigezogen. Gestützt auf die Thesen des Abts von St. Didier wurde gesagt, eine Verbindung mit dem Teufel zu Zwecken des Glaubenskampfes, ja sogar weltlicher Einzelkomponenten dieses Kampfes, sei angesichts der Sendung des Teufels als Henker Gottes (ergänzt um frühe Vollmachten Luzifers, die wir heute dem Teufel zuschreiben, auch angesichts von Irrtümern der Konzilien, die zu Unrecht Ketzer und die Funktionen des Teufels vermischt hätten) unter extremen Umständen keineswegs verboten. Der Bolschewismus, der die Kirche hinwegzufegen versucht, ist in diesem Zusammenhang ein EXTREMER UMSTAND. Es ist korrekt, ihm den HENKER quasi entgegenzusetzen. Hinzu komme, wurde von den spanischen Kardinälen ergänzt, daß das Regime Mussolinis nicht das des Teufels sei. Das sei eine Verharmlosung des Teufels, sozusagen Verniedlichung des Teufels. Dagegen seien im Deutschen Reich Abgründe zu erkennen. Diese Erkenntnisse, darauf habe der Papst Pacelli hingewiesen, beruhten jedoch auf geheimdienstlichen Quellen des Vatikans. In extremis müsse man auf das offiziöse Wissen des Heiligen Vaters und nicht auf das zum Teil widerrechtlich erworbene Geheimwissen zurückgreifen. Reduziere sich auf diese Weise, also durch Legalität, das Teuflische, so stünden Koalitionen in einem anderen Licht. Der Henker Gottes aber stehe ohnehin in einem anderen Licht als der vom Aberglauben beleuchtete Satan. Man müsse sich hüten, Satan bzw. den Teufel mit den Augen seiner Anhänger (und demnach in heidnischer Beleuchtung) zu sehen, und habe umgekehrt die Aufgabe, das Böse, gleich unter welchem Namen, im Lichte Gottes und der Kirche immer erneut zu betrachten. Habe der Vatikan schon keine Divisionen oder Artilleriegeschosse gegenüber dem Bolschewismus, wie Stalin behaupte, so sei er doch fähig, wenn die Rote Armee sich vor Bannflüchen des Papstes nicht fürchte, den Teufel bzw.

das Böse selbst entgegenzusetzen. Gehört dazu auch, fragte der Kardinal von Mailand, der Teufel in Gestalt der z.B. spinnösen Ideen des Reichssicherheitshauptamtes? Antwort des Kardinalstaatssekretärs: Das Wesen der Kirche liegt in dem Unterscheidungsvermögen, welche Fragen nicht beantwortet werden können. So blieb die Fragestellung des Abts von St. Didier auch 1942 in einer Einzelheit theologisch unentschieden.

Der Durst nach geheimer Weisheit

Den Dualismus von Gott und Teufel
widerlegt die Geschichte
J. G. Droysen, Grundrisse der Historik, S. 27

In einer Landschaft nordöstlich von Neapel, die jetzt die Bulldozer Berlusconis planierten, wohnt in einer Erdhütte Rabbi Bekri, der letzte Gelehrte, der sich in direkter Linie auf Rabbi Jehuda, genannt Hakadosch der Heilige, zurückführen kann. Die verwüstenden Planierraupen vermochten das Versteck nicht zu berühren. Die Motoren erstarben im Abstand von vierzig Metern vor der Erdhütte, so daß Bäume und Sträucher in der Nähe des Gelehrten unangetastet blieben. Die Erscheinung war einfach zu erklären: Die Blase, die das Stück Erdenland schützte, war geistiger Natur.[3]

– Eine Berufung an die Universität Jerusalem und einen israelischen Paß hat Rabbi Bekri abgelehnt. Warum?
– Dazu hat er sich nicht geäußert.
– Er hat auch abgelehnt, mit einer wissenschaftlichen Stiftung aus den USA zusammenzuarbeiten. Warum? Es hätte ihm vieles erleichtert.
– Sie wollten nicht sein Wissen, sondern seine Macht.
– Worin besteht die?
– Dazu hat er sich nicht geäußert.

Die erste Bewegung der sich offenbarenden Gottheit nennen die Kabbalisten MEMRA, das Wort (logos) auch CHOCHMA, Weisheit, gleich Kraft, JAH.

---

3 Nach der kosmologischen Ansicht der Kabbalisten gibt es keine Substanz, die aus dem Nichts hervorgegangen wäre, daher auch keine Materie an und für sich existieren kann. Eine Geistesblase, die aber nicht Menschen, sondern nur ein Stück Erde zu schützen vermag, heißt ENSOPH.

Den ersten Ausfluß der Gottheit nennen sie auch Adam Kadmon, den Urmen-
schen, dessen göttliche Kraft in alle Grade des Lichts reicht. Das, was die Kabbalisten studieren, geschah durch eine Zurückziehung und Konzentration von
Gottes Wesen, wodurch Raum für die Schöpfung entstand. Diese Zurückziehung, sagen die Kabbalisten, ließ Spuren der Emanzipation hinter sich, ähnlich
den kreisförmigen Bewegungen, die ein ins Wasser geworfener Stein hinterläßt. Diese Spuren heißen Sephirot. Es gibt zehn solcher Spuren, deshalb auch
zehn göttliche Namen, zehn Engelsordnungen, drei Himmel mit sieben Planeten, und der menschliche Leib besitzt zehn Glieder.

- Rabbi Bekris Bücher befinden sich aber nicht im Erdloch?
- Es ist kein Erdloch, eher eine Felshöhle. Innen mit Holz ausgekleidet.
- Aber für die riesige Menge an Schriften und Büchern (praktisch aus drei
  Jahrtausenden) zu klein?
- Für Bücher oder Abkömmlinge aus Schilf ist Schimmel gefährlich. Die Höh-
  len sind nicht schimmelfrei. Die Bestände lagern in Scheunen auf Sizilien,
  versteckt. Der Rabbi braucht sie nicht. Was die Schriften enthalten, hat er im
  Kopf.

Die Zahl der bösen Geister ist unaussprechlich, sagt Rabbi Bekri. Sie sind um
den Menschen angehäuft, gleich der aufgeworfenen Erde um einen Wall, denn
jeder hat ihrer tausend zur Rechten und zehntausend zur Linken. Ihr gewöhn-
licher Aufenthalt ist ein finsterer Raum unter dem Mond. Wie es im Buch Soha
heißt, setzen sich die unreinen Geister auf die Hand des Menschen, wenn er
schläft, es gibt kein Verschließen von Zimmern oder Häusern, das dies zu verhindern vermag. Daher muß der Mensch sich waschen, wenn er erwacht.[4]
Der vornehmste und einflußreichste gute Dämon ist METATHRON, der Engel des Angesichts, überhaupt alles Großen und Erhabenen. In ihm erkennt der
Kabbalist den Henoch, der nach seiner Himmelfahrt zu Metathron wurde.
Von Metathron erfuhr Rabbi Ismail die arithmetische Berechnung der Größe
Gottes. Nämlich vom Ort des Sitzes seiner Herrlichkeit aufwärts 1180 Meilen
und von diesem Sitz abwärts ebenso viele. Von seinem rechten Arm bis zum
linken ist es eine Entfernung von 77000 Meilen, die Meile gerechnet mit 7,1
Kilometern. Die Entfernung von seinem rechten zum linken Augapfel beträgt

---

4 *Buch Soha*, Abschnitt Bereschith. Ich nehme an, daß Rabbi Bekri deshalb die Einreise nach
   Israel ablehnt, ja die Einreise seiner Gedanken in die Heimat unterbindet, weil er es für
   schädlich hält, wenn ein Wissen solcher Art von Siedlern für Expansionsprojekte gebraucht wird. Man kann sich, sagt Rabbi Bekri, ein Land nicht dadurch erobern, daß man
   es physisch in Besitz nimmt.

30000, der Umfang seines Schädels 3000 Meilen. Auf dem Haupte trägt er 60000 Kronen.[5] Umgeben ist der HERR von nicht weniger als neun Millionen guten Geistern, deren Zahl aber ins Endlose steigt, da jeder, der ein Gebot der Tora befolgt, einen guten Engel schafft, so wie im Übertretungsfall einen bösen. Hinsichtlich der Frage der Herkunft der bösen Geister besteht geringere Klarheit. Die Auffassungen der Kabbalisten sind geteilt. Nach einigen Quellen soll Gott eine weibliche Teufelin, LILITH, erschaffen und Adam mit dieser die Dämonen gezeugt haben. Andere Kabbalisten sind der Meinung, daß dies nur ergänzend stattgefunden habe. Vielmehr seien die bösen Geister (Satanin, Schedin, Seirim, auch Malache, Schabbalah und Engel des Verderbens) im letzten Augenblick der Schöpfungswoche geschaffen, wegen des eintretenden Sabbats aber nicht fertig geworden; insofern seien sie Trümmer.[6] Nach einigen Kommentaren ist Lilith als erste Eva mit Adam zugleich entstanden, der sich wegen ihrer Unverträglichkeit von ihr schied und hierauf die aus seiner Rippe gebildete Eva heiratete. Neben Lilith wird auch Maschkith genannt; zwischen den beiden Teufelinnen soll es zu Reibungen und Tätlichkeiten kommen. Lilith soll über 480, Maschkith über 478 Rotten böser Geister zu befehligen haben. Weniger häufig wird Iggareth genannt.[7]

– Kann man Geisteswesen in politischen Konflikten, z. B. im Krieg, in Stellung bringen? So wie die Forschungsgruppe Otto Rahn im Reichssicherheitshauptamt noch Ende 1944 Versuche anstellte, sich Wissen zu verschaffen, das Geistesmächte gegen den Bolschewismus in Bewegung setzt?
– Sie meinen in einem absolut extremen Ernstfall? Von SIEBEN GERECHTEN angerufen?
– Zum Beispiel gegen einen Menschenfeind?

5 Ein andermal beschrieb Metathron dem Rabbi Ismail die Entfernung von den Fußsohlen bis zum Knöchel mit 2100 Millionen Meilen, von den Knöcheln bis zu den Hüften mit 10 Millionen, von den Hüften bis zum Hals aber mit 240000 Millionen Meilen. Sein Bart ist 11500 Meilen lang. Jede Hand hat die Länge von 24002 Meilen, zwischen seinen Schultern mißt er 16 Millionen Meilen, und jeder Finger ist 1200000 Meilen lang.
In einigen Punkten widerspricht Rabbi Bekri diesen Feststellungen. So hält er den Bart für ein Attribut des Zeus. Es gebe keinen Hinweis auf Haare des höchsten Geisteswesens. Zumindest könne man hiervon nichts wissen.
6 Gershom Scholem hält sie für die erste Spur des sich zurückziehenden Gottes. Diese Rückzugsbewegung beginne schon vor Ende der Schöpfungswoche.
7 Gershom Scholem weist in seinem Briefwechsel mit Walter Benjamin darauf hin, daß es vier von Gott bestimmte weibliche Teufel geben müsse. Was ist der Name und der Charakter der vierten, der Verborgenen? Dies sei, antwortete Walter Benjamin, wesentlich, weil diese mächtigen Frauen ja, wie alle Geister Gottes, nach wie vor in der Geschichte wirken.

- Jeder seriöse Kabbalist wird zögern, hierzu eine Hand zu reichen. Er wird nicht einmal darüber sprechen.
- Und unseriöse haben keine Macht?
- Keine.

Vor kurzem wurde im Pentagon ein Vier-Sterne-General mit der Planung der nationalen Interessen der USA im Weltraum beauftragt. Die üblichen Turbulenzen bei der Besetzung einer neuen großen Abteilung, zusammengesetzt aus einer Reihe von Sonderstäben, spülte einige Abenteurer in die Referate. Sie planten schon die nächsten Schritte. Letztlich läßt sich der Schutz von TERRA nur dann gewährleisten, wenn zumindest eine Kontrolle der Milchstraße und der Nachbargalaxien geplant wird. Dazu reichen die trägen Kräfte der Naturwissenschaften und der Technik nicht aus. Sie wollten Rabbi Bekri entführen, gefügig machen und seine Geistesmacht ihrem himmelstrebenden Projekt zuführen. Der von einer Spezialeinheit nach Nevada eingeflogene Gelehrte verwandelte sich jedoch in eine Art Ledersack, schrumpfende Haut. Ein lebloses Etwas befand sich in der Hand der Usurpatoren. Tatsächlich war der entführte Rabbi Bekri in seinem Versteck in Italien geblieben, entgegen allen Versuchen, seiner habhaft zu werden. Die Skeptiker des Sonderunternehmens, die es in der NASA gab, behielten recht: Ein Versuch dieser Art nützt nichts.

- Wieso betont Rabbi Bekri, daß es keine Substanz gibt, die aus dem Nichts hervorgegangen wäre?
- Er hielt einen Vortrag darüber in Stanford.
- Einen Vortrag? In einem Hörsaal?
- Nein. Er saß in einem verdunkelten Zimmer, ließ sich Zettel mit Fragen herein reichen, las sie im Licht einer Taschenlampe und beantwortete sie auf Zetteln.
- Die draußen von seinen Schülern interpretiert wurden?
- Richtig, und es muß stets eine lange Überbringerkette vorhanden sein, damit sich die Hinweise oder Gedanken, die Kommentare, wie immer man es nennt, dehnen. Sie müssen durch zehn Hirne hindurch, um einen Satz zu ergeben.
- Nun weiß man in den naturwissenschaftlichen Abteilungen der Universität Stanford darüber Bescheid, daß sich die Lichtgestalten im Kosmos annähernd geradlinig ausbreiten, d. h. sie kommen von etwas her, das ein Nullpunkt sein muß, flach wie eine Haut oder Membran. Irgendwann, sagt die Naturwissenschaft, geht dies auf Nulldichte hinaus, d. h. zu Anfang und wieder am Ende ist das All kalt und leer. So war es auf einem der Anfragezettel formuliert. Ist es nicht Haarspalterei zu sagen, daß dies nicht NICHTS sei?

- Der Rabbi zog sich elegant aus der Affäre. Er interpretierte das »ekpyrodische Modell«. Danach gibt es mehrere Universen, die in gewissen Momenten (eigentlich immerzu, aber vor allem zu Anfang der Welt) die Membran oder Haut, die sie trennt, abstreifen und damit das explosionsartige Gebilde des Kosmos auslösen.[8]
- Davon haben wir mehrere?
- Nicht wir haben sie, aber es gibt sie. Das steht ja in den Texten, mit denen Rabbi Bekri umgeht. Wie kämen sonst die ungeheuren Zahlen der Geisterhierarchien zustande? Der Rabbi hat lediglich die Überlieferung in die Worte der Stanforder Forschung gekleidet.
- Die Worte hat er sich von den Professoren sagen lassen?
- Das war nicht nötig. Die paar Vokabeln kannte der Gelehrte.
- Kann er so, wie er in seiner Höhle bei Neapel sitzt, vorhersagen, was die Naturwissenschaftler forschen werden?
- Mehr als das. Er kann auch vorhersagen, was sie nicht erforschen, was sie nicht wissen und was zu wissen sich lohnt.
- Und warum macht er davon keinen Gebrauch?
- Weil es so schwer ist zu sagen, was diesseits und jenseits der Membran ist. Lasse ich gute oder böse Geister los? Wir wissen ja nicht einmal, was wir berühren, wenn wir vom *Herrn* sprechen oder von herausragenden Dämonen. Von welchen der mehreren Universen und Eigenschaften sprechen wir? Der Kabbalist ist nicht neutral. Aber er begeht einen der häufigsten Fehler nicht, den Adam Kadmon in die Menschheit eingeführt hat: Er hält sich nicht für omnipotent.
- Und diese Vorsicht überträgt sich?
- Rabbi Bekri bezeichnet dies als die einzige Frage, die ihn wirklich interessiert: Wie kann ich diese Haltung der Vorsicht übertragen?
- Ist ihm das in Stanford gelungen?
- Überhaupt nicht.

8 Wo eben noch Leere gähnte, brodelt jetzt, Bruchteile einer Nanosekunde später, eine heiße Ursuppe aus Teilchen und Strahlung, eine »Kräuselung des Nichts«. Eine Membranoberfläche, die entweder zum einen oder zum anderen Universum gehört, bewirkt die Entfaltung der Galaxien, Sterne, der Intelligenzen, Planeten und Monde. Diese »Nervosität der Materie« ist der Geist. Das war NIE NICHTS und wird nie ein Uhrwerk, sagt Gershom Scholem.

Dem Himmel bin ich auserkoren

Gegen Ende des zweiten Jahrhunderts (100 bis 200 n. Chr.) erfaßte die hellenistische Welt ein Unterhaltungsdrang ohne Maßen. Die religiösen Sekten stellten ihre Missionsarbeit, die Aretologie[9], auf diesen Drang des Publikums ein. So entstanden die Akten (Praxeis) der zwölf Jünger, von denen nur die Apostelgeschichte des St. Lukas in den biblischen Kanon aufgenommen wurde.

> Barnabas-Akten
> Petrus-Akten
> Paulus-Akten
> Andreas-Akten
> Thomas-Akten
> Johannes-Akten
> Philipps-Akten
> Bartholomäus-Akten,
> die Taten St. Andreä und
> Matthäus bei den Menschenfressern

Das war Lesestoff, auch für den ungebildeten Heiden oder die Anhänger des Mithridates-Kults, die ihre absurden Heiligen Texte mit den Taten der Christen-Heiligen auffüllten. Alle Praxeis behandeln Reisen.

Die Akten des Johannes knüpfen an dessen Reise von Jerusalem nach Milet an, das Johannes gerade verläßt, um sich nach Ephesus zu begeben. Zunächst heilt Johannes eine todkranke Frau namens Cleopatra und läßt sie ihren Mann Lykomedos, der aus Kummer über ihre Krankheit gestorben ist, wieder auferwecken. Lykomedos läßt von Johannes ein Bild malen, um ihm – zu dessen Entsetzen – göttliche Ehre erweisen zu können. Johannes erkennt sich auf dem Bild erst, nachdem er in einen Spiegel gesehen hat. Das hatte er zuvor noch nie getan.[10] Massenheilung von fünfzig kranken Frauen im Theater von Ephesus vor der ganzen Stadtbevölkerung.

---

9 A. = Lehre oder Umschreibung der Wahrheit, Geschichten, die der Wahrheitssuche dienen. Die Masse der Schriften entstanden in der Werkstatt des Charinos in Syrien, später verlegt nach Alexandria. Die Erzeugnisse dieser Werkstatt und ihren Vertrieb in den Provinzen des Römischen Reichs untersuchten E. Plümacher, G. Quispel und W. Schneemelder.

10 Verbot, Spiegel zu gebrauchen, in fast allen Akten der Heiligen wiederkehrend. Von Rudolf Steiner aufgegriffen. Die Selbstbespiegelung ist für Menschen, zumindest in unausgereifterem Alter, riskant. Wiederkehr des Motivs im zweiten Band des *Rings des Nibelungen* von Richard Wagner, Siegfried sieht sein Ebenbild im Wasser und mordet daraufhin

Einsperrung der Drusiana und des Johannes in einer Grabkammer.[11] Offenbarungsrede des Johannes: (1) Ausführliche Schilderung einer äußerst vielfältigen Erscheinung Christi auf Erden (als Drache, als Lichtstrahl, als Maus, als älterer Leprakranker); (2) Offenbarungsrede Christi: die Enthüllung des Kreuzgeheimnisses[12]; (3) Übungen des Johannes.

Missionspredigt des Johannes im Artemis-Tempel. Dessen Zerstörung durch das Gebet des Johannes.[13] Bekehrung der Epheser. Restlicher Abbruch des Tempels durch die bekehrte Menge. Auferweckung und Bekehrung des bei Zerstörung des Tempels umgekommenen Artemis-Priesters.

Johannes und der Vatermörder. Vom Vater wegen sündhafter Begierden gescholten, tötet ein junger Mann seinen Vater. Nach der Tat wird er an Amoklauf und Selbstmord von Johannes gehindert. Der tote Vater wird (epi kreitosin, zum Besseren) auferweckt. Der von den Ereignissen erschütterte junge Mann entmannt sich mit einer Sichel. Johannes tadelt ihn dafür.

Anekdote von den Wanzen, die auf Befehl des Johannes das Haus verlassen, vor dessen Tür ausharren und sich am Morgen auf des Johannes Aufforderung wieder in das Haus begeben.

In Smyrna: Fernheilung des Sohnes des Antipatros.[14] Johannes betrachtet ein im Sande badendes Rebhuhn. Die Sklavin Drusiana, der böse Verwalter und die Riesenschlange; Drusiana wird gerettet, der böse Verwalter durch die Schlange bestraft. Drei Totenerweckungen in Smyrna.

Johannes läßt sich das Grab schaufeln, entkleidet sich, betet, steigt in das Grab und gibt den Geist auf.

Gabriele von Posa, jetzt Superintendentin in den neuen Bundesländern, hatte

den Ziehvater Mime. »Du sollst dir kein Bild von dir selbst machen.« Da Menschen illusionsproduzierende und nicht wahrheitssuchende Lebewesen sind, wie Friedrich Nietzsche sagt, und sie lebenslänglich Kinder bleiben, gilt das Spiegelverbot für sämtliche Altersklassen. Nach protestantischem Ritus müssen Spiegel in einem Salon, in dem eine Taufe stattfindet, vorher verhängt werden. Insofern Aufklärung, als selbstbestimmter Marsch aus der Unmündigkeit, wegen der damit verbundenen Spiegelungseffekte vom protestantischen Glaubensstandpunkt verdächtig.

11 Anspielung auf die Geschichte von Andronikos und Drusiana aus den Barnabas-Akten. Akten nach Plümacher zu übersetzen als Acta = »Taten«. Motiv der Vereinigung der Liebenden erst in der Grabkammer in mehreren Berichten. Merkwürdig, daß Johannes zu Drusiana gesellt wird, nicht deren Geliebter Andronikos. Bedeutung: Sie wird Nonne.

12 Von Rudolf Steiner in mehreren Vorträgen in Schweden erläutert.

13 Nicht historisch. Tempel wurde von Attentäter aus Ruhmsucht angezündet; wieder aufgebaut, wird dieser Tempel 263 bei Goteneinfall zerstört.

14 Antipatros ist der alexandrinische Herrscher von Kleinasien. Die Fernheilung zeigt, nach Geffken, die enge Verbindung zwischen den frühen Heiligen und der Obrigkeit, das Bemühen, das Christentums durch Wunderheilungen in der Staatsspitze zur Anerkennung zu bringen. Das interessierte Oberleutnant Pfeifer im MfS.

sich in den letzten Jahren der DDR mit Spenden aus dem Westen bemüht, eine Herausgabe der Akten der Heiligen zu ermöglichen. Ihr schien, in Fortsetzung der Edition der heiligen Texte durch Luther, eine breitere Fundierung des Christentums von Bedeutung. Was war das für eine Willkür, die doch naiven und ähnlich mit Unglaublichkeiten versetzten vier kanonischen Testamente als biblische Botschaften zu deklarieren und sämtliche anderen Dokumente für Märchen zu halten! Wenn doch die Wahrheit zerstreut sein kann in sämtlichen Texten! Niemand kann Gott den Griffel führen. Der Leidenschaftlichen macht es später, bei ihrer Wahl durch die Synode, Schwierigkeiten, daß sie Kontakt mit der Staatssicherheit im MfS gesucht hatte. Oberleutnant Pfeifer vom Kirchenreferat unterstützte die Edition. Er sah in der Publikation, vor allem der Barnabas-Akten und der Johannes-Akten, auch der des Apokryphen *Matthäus bei den Menschenfressern*, der das Matthäus-Evangelium an wesentlichen Punkten ergänzt, eine interessante DIVERSION. Er wollte nicht, wie Gabriele von Posa, aufklären, die Standfläche des Glaubens durch Texte erweitern, sondern diese Standfläche unterminieren. Das Christentum war in der Antike, sagte er zu seinem Vorgesetzten, die Religion der Dummen. Im Vergleich zu den religiösen Annahmen des Sonnenkultes, griechischen und jüdischen Überlieferungen, primitiv, ein Unterhaltungsgewerbe. Wie kann so etwas überhaupt zweitausend Jahre überleben und noch dem Sozialismus in der DDR Schwierigkeiten bereiten? Es muß etwas in diesem Gift – Karl Marx spricht von Opium des Volkes, also einem Billiggift – wirksam sein, das sich nur durch Gegengifte, gewonnen aus der gleichen Quelle, wirksam bekämpfen läßt. Der Ansatzpunkt wurde akzeptiert, der Funktionär zum Hauptmann befördert.

– Sie sind doch, liebe Frau von Posa, eine ernsthafte Natur. Sie mußten die Falle, die Ihnen die Unterstützung durch die Staatssicherheit stellte, doch erkennen.
– Ich sehe da keine Falle.
– Es sind doch merkwürdige Märchen, die Sie da veröffentlicht haben mit der Anheimgabe, daß Glaubenswahrheit in Form von Funken oder Spuren versteckt sein könnte. In Ihrer Vorrede setzen Sie sich nicht ab von den Texten.
– Wie sollte ich? Ein Protestant ist nicht Schiedsrichter zwischen den verschiedenen Worten Gottes.
– Die Akten des Johannes sind aber nicht kanonisch.
– Was heißt kanonisch? Das ist historische Willkür der Amtskirche, gegen die sich Luthers Aufstand doch gerichtet hat. Oder glauben Sie, daß es Geister waren oder Gott selbst, der einen Teil der heiligen Bücher in Alexandria auf den Tisch hob, die kanonischen, die anderen aber am Boden beließ?

- Und die Unglaubwürdigkeiten dieser Märchen?
- Von Märchen sprechen Sie. Nichts ist in den Akten der Heiligen unglaubwürdiger als in den Testamenten. Der Glaube lechzt nach Unglaubwürdigkeiten, um sich zu beweisen. Für etwas, was wahrscheinlich klingt, brauchen Sie keinen Glauben.
- Aber die Merkwürdigkeiten zu vermehren, sozusagen zu inflationieren, ist das nicht gewagt?
- Nicht auf dem Boden der DDR. Wo mehr Feind ist, braucht der Glaube auch stärkere Nahrung.
- Wie im antiken Rom?
- Ähnlich.
- Plümacher, Quispel und Schneemelder weisen aber darauf hin, daß die zunehmenden Übertreibungen in den biblischen Berichten (Totenerweckungen, Krankenheilungen, überwirkliche Effekte, Zerreißen des Vorhangs im Tempel, Wettererscheinungen) dem Unterhaltungsbedürfnis, nicht dem Glauben entsprangen.
- Daher die späteren Bilderverbote. Es ist ja richtig, daß das Unterhaltungswesen die Eindringstelle der Dämonen ist. Man muß sie nicht fürchten.
- Haben diese Dämonen NICHT AUSSER in der DDR auch in den neuen Bundesländern Teile des Glaubens zum Einsturz gebracht?
- Gewiß.
- Und warum unterstützen Sie dann dieses Unterhaltungsbedürfnis durch Publikationen unbekannter heiliger Schriften?
- Weil der Glaube der Herausforderung bedarf. Ich sagte Ihnen außerdem: Wieso bin ich der Richter darüber, welche Texte Gottes Wort sind und welche nicht?
- Sie gehören zu den Theologen.
- Gerade die dürfen auf keinen Fall Zeugnisse ausgrenzen.
- Was hat es mit der Geschichte auf sich, in der Johannes ein im Sande badendes Rebhuhn sieht?
- Vielleicht irren wir uns über die Qualität der Materie. Vielleicht ist dieser Sand Wasser. Vielleicht sind diese Akten der Heiligen die Wahrheit, unser Neues Testament dagegen ist nur ein Ausschnitt davon. Genau das sagt Johannes.

Die Würfel sind gefallen

Am Nachmittag des 18. April 1521. Ein enger Saal der Bischofsresidenz. Der Augustinermönch und Professor für Bibelauslegung aus Wittenberg spricht in seiner Landessprache laut und deutlich (anders als bei seinem ersten Auftritt vor dem Kaiser am 16. April). Dem Kaiser, der kein Wort Deutsch versteht (Latein nur begrenzt), wird Luthers Rede ins Französische übersetzt. Wie übersetzt man den Ausdruck: »eine Antwort ohne Hörner und Zähne«? Der Kaiser hört unbewegten Gesichts zu und gibt als Antwort kein Wort von sich. Er betrachtet den eingeborenen Prediger, der ein breites Gesicht hat, aufmerksam, wie man ein seltenes Naturwesen betrachtet, jedoch ohne Interesse, so etwas für sich einzusammeln. Es ist unklar für die Ratgeber des Kaisers, ob er die Gefährlichkeit, die in der Antwort des Wittenberger Gelehrten versteckt ist, verstanden und eingeordnet hat. Das zeigt sich am nächsten Morgen. Der Kaiser hat schriftlich eine Entscheidung niedergelegt, daß nämlich in keinem Punkt nachzugeben sei. »Ich bedaure, so lange gezögert zu haben.« Der Kaiser ist in der Lage, einen Widersacher zu erkennen, auch wenn die Information nicht über die Sprache erfolgt.

Kepler rettet seine Mutter, die Hexe

Ihr seht, sagte sie, daß alles klappt. Schon beginnt es zu dunkeln, und bei Anbruch des Morgens werden wir längst wohlbehalten in unseren Schlupfwinkeln sitzen.

Diese Äußerung der Hexe bzw. der als Hexe Beschuldigten war durch zwei Zeuginnen belegt. Dagegen hatte sich nicht erwiesen, daß Gebäude sich entzündet hätten, daß Kühe beeinflußt oder verhext worden, daß Kinder verführt oder umgekommen wären. Auch »Schlupfwinkel«, auf die sich der Hinweis in der Äußerung der angeblichen Hexe hätte beziehen können, waren nicht gefunden worden.

Dr. Kepler, Sohn der Beschuldigten, Astronom und Mathematiker, mit Schreiben der Universitäten Reutlingen und Prag versehen, verhandelte über das Geschick der Beschuldigten mit dem Hohen Gericht. Es blieb nur übrig, entweder ihn in den Verdacht einzubeziehen und insoweit das Verfahren auszuweiten oder aber auf das spärliche Indiz des übriggebliebenen Satzes der Hexe, der im Verfahren protokolliert war, hinwegzugehen. Der Vorsitzende Richter war von der Hexenhaftigkeit der Frau überzeugt, glaubte auch in den Augen des

Gelehrten einen Reflex gesehen zu haben, der ihm verdächtig erschien. Andererseits hatte es den Anschein, der Gelehrte sei dem Kaiser vertraut. Es werde nicht ohne Folgen bleiben, wenn die relativ kleine Gemeinde und ihr örtliches Inquisitionsgericht gegen ihn Anklage erhebe.

So ließ der Richter die Hexe frei. Kepler nahm die alte Frau mit und pflanzte sie an in seinem neuen Wohnsitz in Prag. Im städtischen Kontext war der Vorwurf der Hexerei zu jenem Zeitpunkt bereits unüblich.

Datierung

Madame de Thèbes teilte mit:
Ein Weltenerden-Neujahr im 6. Jahrhundert v. Chr. Wiederholung im 4. nachchristlichen Jahrtausend. Dann Durchgang der Menschenseele durch die astralische Welt.

Unter Einsatz des Lebens

James Price, Chemiker in Cambridge, verstieg sich 1782 zu der Behauptung, er habe in einem bisher nicht bekannten Verfahren Quecksilber in Gold verwandelt. Es wird gesagt, er habe an das Experiment zunächst selbst geglaubt. König Georg III., wissenschaftsinteressiert, untersuchte das Kügelchen und befand es für Gold. Er verlangte mehr davon. Price erwiderte, er habe nicht mehr Vorrat von dem Pulver, das zur Umwandlung nötig sei. Die Royal Society drängte zur Wiederholung des Experiments. Price zeigte den hochrangigen Mitgliedern sein Laboratorium, wies die Versuchsanordnung vor und entfernte sich aus dem Raum. Draußen nahm er einen Becher Gift und fiel, zurückgekehrt zu den Gelehrten, tot um.

Tod eines Studenten

In Abwesenheit des Agrippa von Nettesheim[15] schlich sich ein Student in dessen Arbeitszimmer. Als er im Buch der Zaubersprüche las, bewegte er die Lippen, und es erschien ein Dämon, fragte, warum er gerufen worden sei. Es sei ein Versehen, antwortete der Student, woraufhin der Geist ihn am Hals würgte und tötete. So fand Agrippa den Arbeitsplatz vor, als er zurückkehrte. Er rief den Dämon und befahl, den Studenten wiederzubeleben, mit der Maßgabe, daß man ihn auf den Marktplatz bringen könnte, wo er an einem Herzanfall sterben würde. Eine Untersuchung war nicht zu vermeiden. Der Verunglückte war, gestützt, aus den Räumen Agrippas in die Öffentlichkeit gebracht worden. Man nahm an, daß er bei einem Experiment einen Schaden erlitten hätte, der wenig später sein Herz aussetzen ließ.

Problem der Abkunft

Seltener Fall einer unbefleckten Empfängnis

Ein Oberst der Schweizer Armee, allein in einer griechisch-römischen Badestube des Wallis im Jahre 1926, onanierte in sein Handtuch, mit dem er die Blöße bedeckt hielt. Dieses Tuch blieb zunächst auf der gekachelten Bank liegen, auf der die Badenden zu sitzen pflegten, der Offizier hatte es »vergessen«. Dann, sich an die Hinterlassenschaft erinnernd, eilte der Mann zurück, griff das Tuch und warf es in einen Wäschekorb. Ein Flecken Sperma aber hatte sich gelöst und bedeckte, verschmiert, die heiße Bank.

Eine junge Französin, die (für die Geschlechtertrennung war 14.00 Uhr maßgebend) auf der gekachelten Bank später Platz nahm, muß mit dem Substrat in Berührung gekommen sein, anders läßt sich der Verlauf des Geschehens nicht natürlich erklären. Bis dahin war sie von keinem Mann berührt worden, ihre Jungfernhaut war durch Reitunterricht eingerissen.

Das empfangene Kind, das sie Bert nannte, war ihr und ihrer Umgebung, den Tanten, Eltern, einem jungen Anwalt, der sich um sie bemühte, den Klatschmäulern der Stadt ein Rätsel. Sie hielt Bert für eine Singularität. Die anderen nahmen ihn als Fehltritt.

15 Offizier, Astrologe, Alchimist, Gelehrter und Arzt.

- An sich, sagt man, halten sich Spermien nicht in heißem Wasser.
- Das ist experimentell nie wirklich durchgeprüft worden. Zumindest wurden Forschungen darüber nicht veröffentlicht. Im Inneren eines solchen Pulks oder Tropfens kann Leben stecken, unverwässertes.
- Viel Zufall!
- Ja, ungewöhnlich.
- Man kann nicht genug aufpassen.
- Sie als Mann müßten es ja auch nicht.

Die Konstellation schloß es aus, daß nach dem Vater geforscht werden konnte. Wie sollte man ihn ermitteln? Aus welchem Indiz? Im Wahrnehmungsraum der jungen Französin, einer Marquise, war ja nicht einmal die heiße Kachelbank mit der überraschenden Empfängnis verknüpft.

Dem Sohn aber war nichts wesentlicher, als nach seiner Herkunft zu forschen. Kein Zufall, kein Verhängnis führte ihn ja in die Nähe seines Erzeugers, der auch keineswegs »gezeugt« hatte, als er eine der Ursachen für Berts Existenz setzte.

Eine Zeit lang war Bert Terrorist in der Levante. Später interessierte er sich in Lateinamerika für Bildungsreform. Er gehörte zu den Irrenden in der Welt. In seinem 76. Lebensjahr blickt er auf vier Kinder und sechs Enkel, die er ihrer Herkunft nach zu dokumentieren vermag, aber über sich selbst hinaus nicht rückverfolgen kann. Eine Besonderheit, wie sie die Mutter erwartete, hat sich in Berts Leben nicht ergeben. Er schloß sich niemals irgendeiner Gruppierung auf längere Sicht an. Würden sich alle Vatersucher seines Schlages (hierzu zählen auch alle, die ihren Vater zwar kennen, aber nicht anerkennen) miteinander vereinen, so könnte diese Gruppe ein starkes Motiv repräsentieren.

Flatline / Strahlenloses Licht

Im Moment des Todes steigt die Seele der Heiligen aus dem Vorderhaupt wie ein Blitz auf und verschwindet in den »Rauchfängen des Himmels«. Ich kann das als Arzt bestätigen. Das Gebiet, das ich nachts betreue, ist das Umbaugelände nordwestlich vom Frankfurter Hauptbahnhof. Hier sammeln sich Verlassene, Todesfälle, ähnlich einem Elefantenfriedhof, eine Attraktion für Heilige, die sich unter den entthronten Menschen, den Sorgenfällen, in den letzten Jahren gehäuft finden. Die Großstadt speit sie aus.

In wenigen Jahren wird diese Zone der Stadt bebaut, betoniert sein. Noch aber ist sie, ähnlich dem Zustand im Juni 1945, von dem mir mein Vater berichtete, ein wüstes, hoffnungsreiches Leergelände. Ein solches Vakuum zieht Geister in seinen Bann.

Sie neigen dazu, von ihrer Himmelfahrt zu sprechen. Ein ganzes Leben lang schweigen sie, dann, wenn der Körper sie verläßt (es ist grammatisch falsch zu sagen, der Dämon entweiche dem Körper, nein, der Körper ist es, der versagt), werden sie gesprächig, ja, den Dämon erkenne ich, und zwar die guten wie die bösen Geister, daran, daß sie prahlen und schwatzen. Es ist ihre Natur, sich zu äußern. Dies ist das Lebendige in ihnen. So ist es für den Arzt leicht, der ja sogleich gesehen hat, daß dieser Mensch stirbt. Die Stirn erkaltet. Nach den Regeln des *Tibetanischen Totenbuchs* reibe ich an der Stirn, dort, wo die Nasenwurzel endet, ohne die Brauen zu berühren, leicht über das verborgene dritte Auge, ich kann ja durch eine Spritze den Tod verlängern oder verkürzen; dies ist der Augenblick, in dem ich höre, was der Sterbende sieht. »Furcht, Schrekken und Entsetzen« lähmen ihn, er sieht ein gewaltiges »hellblaues Licht«. Blau ist die Farbe des Ostens. Das ist den Sterbenden kein Trost, aber ein Erlebnis. Im dritten Zwischenzustand, darin stimmen alle meine Sterbenden überein, leuchtet dem Toten ein klares gelbes Licht, die Farbe des Südens, und im vierten Zwischenzustand sieht der Sterbende, jetzt bereits klinisch tot, aber wir Ärzte sehen natürlich, daß der Bartwuchs, die Erneuerung des Blutes, kann es nicht mehr pulsieren, andauern, ja Finger- und Fußnägel wachsen, wenn nicht überhaupt dieses Menschenwesen wächst, nämlich aus seiner Haut heraus bis an die Grenzen der Aura. Das sieht der Arzt. Der Tote aber erblickt ein rotes Licht, wie das, was wir im Leben ein Feuer nennen, ihm entspricht die Himmelsrichtung Westen. Im weiteren Zwischenzustand, nur in zwei Fällen konnten die Sterbenden mir in diesem Zustand noch Antwort geben, ist das Element Luft, das grüne Licht, zu sehen, das Licht des Nordens.

Man hat mir in Kollegenkreisen vorgeworfen, daß ich meiner Aufgabe als Notarzt schlecht nachkomme, wenn ich mich für die Wahrnehmung in den letzten Augenblicken der Sterbenden so sehr interessiere. Ich solle ihnen lieber Beruhigungsspritzen geben oder einen Abtransport ins Hospital veranlassen. Das ist ja wohl ein zynischer Ratschlag. Ich sehe als erfahrener Arzt, daß ein Mensch sich hierher, ins Niemandsland der Metropole, geschleppt hat, sozusagen in die Nekropole, sich zur Ruhe legen will, reiße ihn im Interesse der Zivilisation, die für ihre Postulate keine Haftung übernimmt, aus seiner Reise heraus, er wird mit Fahrzeugen des Ärztlichen Notdienstes in das nächstgelegene Krankenhaus gebracht und wartet dort, daß er behandelt wird. Der Andrang ist so groß, daß er in dieser Wartestellung stirbt. Ich kann nicht exakt bezeichnen, worauf ich diese zeitliche Prognose gründe, aber ich habe in einigen Fällen dadurch, daß ich den Transport begleitete, die Richtigkeit meiner Ahnung, also deren zeitliche Prägnanz, nachgeprüft. Meine Sterbenden überle-

ben gerade den Herausriß aus der schon begonnenen Reise, die sie in dieses un-
wirtliche Abriß- und Neubaugelände geführt hat, nicht um eine Viertelstunde.
So ist es besser, wenn ich sie befrage; die in ihnen wartenden Dämonen wollen
ja sprechen. Es ist ihre letzte Äußerung, bevor sie auf Jahrzehnte, ja gelegentlich auf Jahrtausende schweigen. Sie wollen sich der Menschheit mitteilen. Sie
haben (seltsamerweise) zur Menschheit Vertrauen, halten diese für intelligent.

Meine Interferenz mit den Sterbenden ist nicht ohne Gefahr. Wie man weiß,
spricht das *Tibetanische Totenbuch* vom LICHT DER URWEISHEIT; in dieses Licht, das den Toten ausfüllt, solange er sich in einem der fünf Zwischenzu-
stände befindet – wie gesagt, dehne ich diese mit ärztlichen Mitteln (einige
vom CIA, andere vom MfS bezogen) zeitlich aus –, mischen sich trügerische
Lichterscheinungen aus sechs Daseinsbereichen. Nichts ist Einheit. Das wird
oft verwechselt. Diese Lichter, auch wenn ich keines davon je sah, sondern nur
die Berichte, kurze fragmentierte Worte höre ich, streifen mich. Es genügt,
auch wenn es für den in der Anatomie gebildeten Arzt merkwürdig erscheint,
daß ich Worte höre, mir etwas vorstelle, um von diesen zum Teil vergiftenden
Lichtern, die nur als Zusammenhang (im Sinne von Paracelsus) die Giftwir-
kung aufgegeben haben, kontaminiert zu werden. Insofern wundere ich mich
als Arzt, daß ich nicht längst gestorben bin. Es geht aber um folgende sechs trü-
gerischen Lichter, die sechs Farbfallen:

> das weiße strahlenlose Licht der Götter,
> das rote strahlenlose Licht der Dämonen,
> das blaue strahlenlose Licht der Menschen,
> das grüne strahlenlose Licht der Tiere,
> das gelbe strahlenlose Licht der Hungergeister,
> das rauchfarbene strahlenlose Licht der Höllenwesen.

Mein Freund Detlef Behrensen, Quantenphysiker, hat mir bestätigt, daß dies
zusammengenommen ein Spektrallicht in reinem Weiß ergibt. Es ist aber, nach
dem Formalismus der Quantenrechnung, damit verknüpft, daß dieses Weiß
zugleich Auslöschung, d.h. Schwarz bedeutet. Insofern sterben ja meine Patienten wirklich. Ihre Körper beginnen von der Minute an, in der ich sie verlasse,
zu verwesen. Aus Respekt melde ich sie nicht sogleich. Der Abtransport, noch
während der Todesstunde und des Todestages, durch mürrische Fuhrleute
scheint mir verletzend. Es ist vertretbar, wenn sie einige Tage so liegen und
dann in diesem Niemandsland durch die routinemäßigen Kontrollen des
Werkschutzes gefunden werden.

Woher kommen meine Toten? Sie bilden ja eine engere Auswahl. Es sind diejenigen, die in ihren Wohnsitzen, an ihrem Platz im Betrieb oder als Elende, Depravierte, Ausgestoßene in der Kaiserstraße und im Gelände des Bahnhofs die Richtung finden in das Niemandsland, das die Deutsche Bank kaufen wollte, das der Deutschen Bundesbahn aber unverkäuflich war. Dieses Gelände besteht aus niedergerissenen Gebäuden, es ist Bauerwartungsland für ein metropolitanes Zentrum, das Frankfurts Ruhm begründen wird. Wie kommt es, daß so viele Sterbende diese Abflugschneise ins Totenreich finden, daß sie so beharrlich ihre Suche vervollständigen. Ist schon der Flughafen Rhein/Main eine Art Raumschiff, dem Land Hessen aufgepfropft, so ist dieses vorübergehende FREIGELÄNDE, ein Chaos aus Mauerecken, Resten von Stahl und Staub, eine zweite Raumschiffbasis zum Flug zu den Sternen. Als Notarzt im geheimen Dienste des Paracelsus, bezahlter Mediziner der Stadt Frankfurt, bin ich als eine Art Geistlicher tätig, aber nicht tröstend, sondern forschend. Angesichts der Stärke der Versorgung durch medizinische Apparate und die Pharmaka der Industrie scheint mir das Gegengift der heiligen Strahlen für meine Menschen von besonderer Bedeutung. Viele Anhänger in den Kliniken der Stadt Frankfurt habe ich nicht. Einem Ordinarius, dem ich in der Universität kürzlich meine Anliegen vortrug, in der Hoffnung auf eine geringe finanzielle Förderung meines Forschungsvorhabens, verleumdete mich, einen Augenblick schien er bereit, meinen Fall der Ärztekammer zu melden. Ich werde Ihnen das Handwerk legen, sagte er. Wie viele Ärzte großzügig, auch nicht durch Überfluß an Zeit gesegnet, unterließ er das, so entging ich der Vernichtung meiner Existenz.

Schrecken und Farben des Lichts, das ist die Mitteilung. Läßt sie sich zu diagnostischen Zwecken für den Arzt nutzbar machen? In meiner Zeit als Notarzt auf den Autobahnen fiel mir auf, daß Totgeweihte, also Verunglückte, die dann später nicht starben, von keiner Farbwirkung – keiner der sechs – berichteten. Vielmehr deuteten sie an, sie hätten im Augenblick der Katastrophe (des sich überschlagenden Autos) in ruhiger Weise Szenen ihres Lebens, fragmentiert, montageartig, emotional ruhig, visuell rasch, vorüberziehen sehen, kurz bevor sie das Bewußtsein verloren. Ja, hierin sieht man Paracelsus. Es waren ja Auskünfte von Patienten, die gerade nicht starben. Offenkundig gibt es zwei verschiedene Arten des »LETZTEN AUGENBLICKS«. DIE HEIMREISE INS TOTENREICH UND DIE WIEDERKEHR INS LEBEN, ENTGEGEN ALLER WAHRSCHEINLICHKEIT. Ich sage zu dem Internisten Prof. Dr. med. Eicke, für mich die einzige Vertrauensperson: Sie sehen, daß ich durch meine Methode der Befragung im letzten Moment ein wertvolles diagnostisches Unterscheidungsmerkmal besitze. Berichtet der Sterbende von raschen, blitzähnlichen Momentaufnahmen seines früheren Lebens, so lohnen Reanimation und Abtransport ins Kreiskrankenhaus. Spricht er von Farben, so muß der Arzt in Ruhe die Reise begleiten, nach den Regeln des *Tibetanischen Totenbuches*. Mein Freund Eicke antwortet, das sollten Sie weder mit Kollegen noch mit der Ärztekammer, noch mit der Staatsanwaltschaft kommunizieren. Er hat unrecht. Schließlich habe ich Schüler. Ich rekrutiere sie aus den Anfangssemestern des medizinischen Studiums. Sie haben noch nicht das Physikum. Noch sind sie offen, können Schulmedizin von den heiligen Lehren des Paracelsus abgrenzen. Diese jungen Gelehrten haben sich im Selbstversuch, nachts in der Anatomie, an die Grenze des Todes gebracht. Protokolle erstellt und sich, wie ich ihnen geraten hatte, wieder ins Leben zurückgeholt. Diese inzwischen auch statistisch als relevant zu bezeichnende Selbstversuchspraxis hat allerdings nichts Näheres über die unsichtbaren Lichter, die das *Tibetanische Totenbuch* fordert, ergeben, sondern immer nur Hinweise auf Flashes, Bildsequenzen. Wie Explosionen heißt es in einigen der Protokolle. Nun verwundert mich das nicht, da sie ja keine Todeskandidaten waren. Glücklich, daß nichts passiert ist, verharre ich auf den Mitteilungen der Heiligen Schriften, die mir von Sterbenden im Niemandsland bestätigt sind. Ich brauche keine Beweise. Es genügt mir, daß meinen Jüngern nichts passiert ist.[16]

Das schockgefrorene Böse

– Sie haben den Lehrstuhl für Thomistische Philosophie an der University von Idaho inne?
– Für Scholastik. Als Assistent der Freien Universität Berlin wegengagiert auf diese angesehene Stiftungs-Lecture. Auf zehn Jahre.
– Wie hat man Sie gefunden?
– Das Fach ist klein.
– Weltweit sind es wieviele, die sich damit beschäftigen?
– Sie meinen akademisch, außerhalb der Klöster und des Vatikans?
– Wieviele?
– Ein Chilene, ein Chinese, ein Baske, zwölf Russen und ich. Wenn Sie die Beherrschung des Fachs meinen.
– Tatsächlich ein kleines Fach.
– Mit großem Stoff.

16 In dem Parallelfall eines italienischen Kollegen haben die Jünger den Test überzogen. Sie haben an der Grenzlinie zum Tod experimentiert. Zwar haben sie keinen Todesfall, wohl aber Lähmung von Hirnteilen, Irresein, Verharren im vierten Zwischenstadium provoziert. Ich habe die Verbindung zu dem italienischen Kollegen abgebrochen.

– Deshalb besuche ich Sie. Es geht um Walter Benjamins Kommentare zu Dantes Höllenpassage. Der antike Dichter Vergil zeigt dem Renaissance-dichter die Pfade, die den Höllentrichter hinab, über den Unterleib Luzifers, dessen Hoden, zu dessen Verankerung in der Eiseskälte führen. Was ist der Status dieser Zeugen, Dante und Vergil, sind das Allegoriker?

– Von den Insassen der Hölle gesehen?

– Ja.

– Das sind Gespenster. Sie kommen für die Einwohner der Hölle aus einem anderen Universum. Sie haben den Status von Zeugen, die sich verirrt haben, also entweder Spione oder Zeugen. Sie sind Fremdkörper in dieser Realhölle, weil sie meinen, daß sie von außen kämen.

– Die Reaktion der Höllengeister auf die Eindringlinge scheint mir gutmütig.

– Sie dulden diese Fremden. Mich wundert das ebenfalls. Andernfalls wären die beiden Dichter unverzüglich zerstört worden.

– Was ist daran thomistisch?

– Daß die Hölle real ist. St. Thomas ist Realist. Ähnlich besingt Percy B. Shelley London als Hölle. Oder liegt sie in Afrika? Oder in der Mordnacht des Cortez? Heute im Zentrum von Mexico City? Oder ist sie in Partikeln über den Erdkreis verstreut, sozusagen in die Diaspora, das nehme ich eher an. Was heißt »Herzenshölle«? Thomas ist Realist.

– Benjamin auch.

– Auch.

– Wie zwei Gespenster aus einer anderen Welt klettern die beiden durch die gefährlichen Zonen, in Greifweite Luzifers, ich spreche von Vergil und Dante, die Bestie aber scheint bewegungslos. Sie verhält sich wie eine große Spinne. Sie greift nicht nach den Poeten.

– Die Teufelsfinger liegen festgefroren. Das Monster vermag sich gerade so weit zu bewegen, daß es Frevler, die ihm ins Maul stürmen, fressen kann. Eine mythische Strafmaschine, gebannt in einen Eis-See, aus den eigenen Tränen dieses Geschöpfes gefroren.

– Eine Maschine, die weint?

– Hat mich auch gewundert. Sie trägt dabei verschiedene Gesichter, Masken. Aber alle drei tun dasselbe. Es sind drei Mahlwerke einer gigantischen Mühle, und sie fressen, als Andeutung der ewigen Wiederkehr, die verfallen-sten Schurken der Weltgeschichte.

– Wen?

– Die Verräter. In der nächstoberen Ebene des Trichters quälen sich die Gewalttäter. Genau darunter, in der tiefsten Ebene, der des fressenden Saturn, also Luzifers selbst, geht es ausschließlich um Verräter. Die drei schlimm-sten: Judas, der Christus verriet, Brutus und Cassius, die Cäsar verrieten. Sie wachsen auf ewig in das Maul des Monstrums und werden von den drei Zahnsystemen gebissen, zermahlen, wobei sich in den Äonen kein Biß genau wiederholt.

– Brutus und Cassius, das kommt nicht von St. Thomas?

– Nein, das kommt von Vergil.

– Und wo muß man suchen, um das Bild zu übersetzen? In den Prozessen von 1937?

– Und wo parkieren Sie Stalin?

– Teilstück des Gebisses? Eine der Masken?

– Brutus? Cassius?

– Vermutlich Bucharin?

– Wo findet sich im Trichter der Gastod? Die Tötung ohne Ansehen einer Schuld?

– Das finden Sie überhaupt nicht.

– Gibt es bei St. Thomas den Genozid nicht?

– Selbstverständlich gibt es den. St. Thomas ist Realist. Er deutet die Gründung eines neueren, zweiten Höllentrichters an, nicht von Gott eingerichtet. Er hat das nicht näher erläutert.

– Weil er starb?

– Nein, weil sein Text vernichtet wurde. Wir wissen nur, daß es diesen Durchgang der Hölle durch die wirklichen Verhältnisse (passage d'enfer) gibt. Dies ist nur möglich, wenn der Trichter nicht unterhalb von Jerusalem verharrt, sondern sich in Bewegung setzt. Das aber vermag der ursprüngliche Trichter nicht. Es muß also einen weiteren Höllentrichter geben, der wandert. Hier spielen die Hierarchien von Schuld, Sand, Bewußtsein, die Begrenzung keine Rolle. Ich nehme an, daß die Bestie dort nicht mehr zur Unbeweglichkeit verurteilt ist.

– Woher wissen Sie das?

– Aus Verweisungen, Fußnoten. Hier und da bei Mönchen, die Texte von St. Thomas abschrieben, ein kurzer Hinweis. Oft in die Buchstaben eingefügt, miniaturalistisch, sozusagen »verbotene Mitteilungen«, an andere Abschreiber gerichtet.

– Kannte Walter Benjamin solche Hinweise?

– Aus den Pariser Protokollen geht das hervor. Für die letzten Wochen in Marseille 1940 möchte ich wetten, daß er etwas bemerkt hat. Er ist ja auch selbst Seher.

– Er hat die Bestie gesehen?

– Ja, die NEUE BESTIE.

– Und die wohin wieder verschwand? Was weiß man?

– Ich weiß nicht, ob sie fort ist. Darüber gibt es keinen Text bei St. Thomas.

Die NEUEN MÄCHTE sind jedenfalls nicht SCHOCKGEFROREN. Man muß suchen.
– Unterhalb von Jerusalem oder seitlich?
– Unterhalb des Orienthauses? Unterhalb des Gebäudes der Tempel-Ritter? Und unterhalb des Felsendoms? Das hat alles verschiedene Komplikationen.
– Glauben Sie, daß aus dem Höllentrichter heraus eine Lösung des Palästinakonflikts möglich wird?
– Glaube ich nicht. Unterhalb von Jerusalem liegt lediglich der Ort, an dem Luzifer bei seinem Höllensturz steckenblieb. Vor ihm floh die verschreckte Materie. So wurde der alte Trichter der Hölle freigegeben. Das gilt nicht für den neuen.
– Ist der neue überhaupt ein Trichter?
– Keine Hinweise bei St. Thomas oder Dante.
– In SUMMA THEOLOGIAE I, art. 4, qn. 115, opusculum XVII heißt es, daß Menschen die Sterne beherrschen werden. Lenkung, Planung und Restauration des Universums seien möglich, der Platz des Bösen wäre weiter eingeengt?
– »Daß der Mensch den Sternen gebietet, wobei er nämlich seine Leidenschaft beherrscht«, meinen Sie das? Das ist St. Thomas.
– Was heißt dabei »seine Leidenschaft beherrschen«?
– Die Organisation der Menschheit in neuartiger Form von Mönchsorden, androgyne Vereinigung.
– Raumfahrend?
– Wahrscheinlich auf Nano-Rechnerbasis, man engt das Böse weiter ein.
– Wieso kann man durch die Konstruktion von miniaturisierten Mensch-Maschinen das Höllische ausgrenzen? Wieso ist das Höllische notwendigerweise groß?
– Nicht ausgrenzen, sondern kolonialisieren, pflegen. Der Trichter unterhalb des Felsendoms bleibt hier zurück, wenn die Menschheit zu den Sternen aufbricht. Gott entgegen. Darüber gibt es eine Stelle bei St. Thomas. »Man muß ihm entgegensehen, und notfalls entgegengehen.«
– Und das kommt bei Ihren Zuhörern hier in Idaho an?
– Der letzte Hinweis ganz besonders.

Seelenadel

Der Böse ist auch nicht zufrieden

Während der Belagerung von Paris durch die deutschen Armeen 1870 starb der Poet Isidore Ducasse, Pseudonym: Comte de Lautréamont. Er beschreibt die böse Kraft MALDOROR, die in der Kirche einen Engel anfällt, der sich im Licht einer Lampe verbirgt.

Maldoror trennt die Lampe von der Kette, die sie an der Kirchendecke festhält. Er ergreift die Lampe. Die Lampe aber wehrt sich und wird größer. Es erscheint Maldoror, als sähe er an den Seiten der Flamme Flügel. Das Ganze sucht sich aufzuschwingen zum Flug. Eine Art Wolke oder Irritation verschleiert dem Bösen den Blick.

Während er grausame Wunden von einem unsichtbaren Schwert empfängt, sucht Maldoror seinen Mund dem Gesicht des Engels zu nähern. Mit dem Druck seiner Hände würgt er die Kehle des Engels, biegt dessen Gesicht gegen die eigene, schreckliche Brust. Ihn rührt das Schicksal, welches das himmlische Wesen erwartet. Er kann seinen Zorn nicht mehr zügeln. Mit der speichelnden Zunge berührt er die Wange des Engels. Die rosige Wange ist schwarz geworden. Auch Maldorors Zunge ist verbrannt, aber das Böse erneuert sich rasch.

Draußen erkennt in den Lüften Maldoror eine schwärzliche Gestalt mit verbrannten Flügeln. Unter Mühen strebt sie den Sphären des Himmels zu.

– Das wäre der Engel?
– Der Rest davon. Er ist ja vom Kampf schwer verletzt.
– Ist er noch flugfähig?
– Man weiß ja nicht, ob es überhaupt ein Engel war. Es geht um den Eindruck Maldorors.
– Weiß man, ob man seinem Bericht trauen kann?
– Er hat sich schuldig gemacht. Das empfindet er, auch wenn er böse ist. Vielleicht beeinflußt das seinen Bericht.
– So daß es sein kann, daß der verletzte Engel nur so tat, als fahre er gen Himmel?
– Ja, es ist möglich, das Moldoror sich irrte.

Es gehört nämlich zum Bösen, ergänzte de Lautréamont, daß es zu seinen Wurzeln *hinabsteigt*. Stets findet es Gründe, tiefer in den Abgrund zu gelangen. So entfernt sich ein himmlisches Wesen, auch wenn es flugunfähig ist, auf längere

Sicht nach oben, schon deshalb, weil der Blick, der auf seiner Erscheinung haftet, sich abwärts bewegt. Was für ein Blick! Ein Bedauern findet sich im Angesicht dieses erfolgreichen Bösen. Eine Art Freundschaft hätte sich entwickeln können, ein Seelenadel.

Suche nach Glück bei nahem Untergang

Gesucht wird eine Holztafel in der Größe von 93×74 cm. Um 1497 entstanden. Vermutlich eine Darstellung der AVARITIA. Der Baum, aus dem die Holztafel entstand, wurde 1476 gefällt.
Zierer gelang der Nachweis, daß der »Landstreicher« von Hieronymus Bosch, den man in Rotterdam sieht, zersägt wurde. Die drei Tafeln »Narrenschiff« (Louvre), das »Gula-Fragment« (New Heaven) und der »Tod des Geizigen« (Washington) bilden die Rückseite des Landstreichers.
Jetzt hat ein Kunstdetektiv eine AVARITIA auf Holz in einem Kaufhof in Tokio gefunden!
Das Bild, das aus Eigentumsgründen zur Zeit von niemandem zusammengesetzt werden kann, bildet ein Triptychon. SUCHE NACH GLÜCK BEI NAHEM UNTERGANG. Links Fortuna und Luxus, rechts der Geiz (Avaritia), dem Untergang geweiht, in der Mitte eine Hochzeit zu Kanaan. Dies ist ein anderer Reichtum, wenn sich Wein und Brot durch Geisterhand vermehren; schon aber naht das Ende des Herrn. In Einzelheiten ausgemalt: Schädelstätte, Beraubung, Tanz und Galgen. Auch finden sich Kaiser und Bettler, die einen »Wagen mit Heu« ziehen, das wie Gold glänzt.

- Praktisch haben wir hier einen neuen Bosch.
- Von hoher prophetischer Kraft. Leider zerrissen zwischen einander feindlichen Museen bzw. Eigentümern.
- Was meinen Sie, was man noch finden wird?
- Sie meinen in den Kellertresoren großer japanischer Bankhäuser? Sie kaufen alles auf.
- Was sollen sie tun, wenn alle Kurse stürzen?
- Ja, das ist auf dem Triptychon angedeutet.

Telesphoros, Fernträger, der Zuendebringer

»Tibi sunt Malchut
et Geburah et Cheset
per Aeonis«

Dem Telesphoros, Geisteswesen oder Engel, entspricht die Zahl Sieben. Die gleiche Zahl entspricht einer Jungfrau, die ungeboren ist. Der Innere Mensch ist aus Bestandteilen zusammengesetzt, die sich in einhalb, eins oder sieben teilen. Von den aufrührerischen Äonen der Himmelssphären stammen vier von den sieben. Sie heißen DIE KRAFT.

DIE KRAFT ist ein Teilchen des göttlichen Lichts (»divinae particular aurae«), viergeteilt, weil von den vier Äonen übrig; DIE SEELE wird »gebildet aus den Tränen ihrer Augen und dem Schweiß ihrer Qualen«, das antimimon pneumatos; Nachahmung DES GEISTES und schließlich MOIRA, nämlich der Engel Fatum, sind dafür da, die Menschen zu dem ihnen bestimmten Ende zu geleiten: wenn sie durch Feuer zu sterben haben, sie in das Feuer zu führen. So sprach der Prophet.

– Er bezeichnete sich als Prophet. Hatte den Namen Isaac Sidel angenommen.
– Die Familie, Maranen, kommen aus Havanna, illegal in die USA eingewandert.
– Wie kommt es zu seiner Verhaftung im liberalen New York?
– Die Abteilung für Sonderermittlungen gegenüber Fundamentalisten und Attentätern hat durchgedreht. Sie war nie liberal.
– Und was war der Anlaß? Viele nennen sich Auserwählte oder Propheten und erreichen nicht dieses Aufsehen?
– Die Computer spuckten plötzlich Prognosen voller Reizwörter aus, immer in bezug auf diesen Sidel. Ich glaube, die Maschinen drehten durch.
– Haftbefehl?
– Wegen Verunglimpfung religiöser Symbole. Eine Zeichnung war beigefügt: Typhon oder Satan, der erwacht. Er ist ans Kreuz gekettet.
– Nicht genagelt?
– Nein, mit Schnüren oder dünnem Metalldraht gefesselt.
– Woran erkennt man Typhon oder Satan?
– War schriftlich auf der Skizze vermerkt.
– Wieder ein Stichwort für die Computer?
– Ja. Und noch am Nachmittag die Verhaftung. Daraufhin dringt eine Gruppe jener Leute in die Polizeistation ein, bedroht die Wärter mit Messern.
– Was heißt »bedroht«?

- Sie hielten Messer in der Hand oder eine Art Säbel.
- Die Anwälte behaupten, es seien Stäbe gewesen, religiöse Werkzeuge, eine Art von Krummstab.
- Das kann alles sein. Die Wache drehte durch und begann zu feuern.
- Der »Prophet« wird durch einen Schuß an der Halsschlagader verletzt und liegt auf Leben und Tod, von Anhängern bewacht, in einer Privatklinik. Ein verwirrender Vorgang.
- Wie kommt er dorthin?
- Angeblich Telekinese. Die Privatklinik ist von einem Belagerungsring des FBI umgeben.
- Bisher sind aber keine Vorkehrungen für ein Attentat festzustellen.
- Nichts. Wenigstens nichts Auffälliges.
- Wie kann man das deeskalieren?
- Deeskalieren, ohne es zu verstehen? Man weiß nicht, was die Computer so irritiert, und man weiß auch nicht, was diesen Hornissenschwarm von Gläubigen, und zwar Endzeit-Gläubigen, so aufregt, daß sie zur Verteidigung ihres Propheten ihr Leben riskieren. Sie haben angedeutet, sich umzubringen.
- Was hat man zur Beruhigung getan?
- Weiträumige lokale Absicherung. Man hat mit Feuerwehrschläuchen das Gebäude der Privatklinik gekühlt.
- Der Prophet stützt sich auf Kaiser Julian Apostata, einen Initiierten?
- Es handelt sich um eine Art Feuerreligion, mehr weiß ich auch nicht.

Zwischen Ostküste und Westküste der USA galt Bengt Mitford, Ph. D., als der erfahrenste Religionssoziologe, Berater des Krisenstabs des Präsidenten. Fast ein Wahrsager in Fragen überraschender fundamentalistischer Aggression. Die Gruppe, um die es hier ging, gehorchte TELESPHOROS, dem In-die-Ferne-Bringer, dem Begleitengel zum Ende hin. Waren das Eschatologen? Sie antworteten nicht auf Anrufe über Lautsprecher. Telefone nahmen sie nicht ab. In der Privatklinik, gefesselt, ein Arzt, ein Verwaltungsdirektor, sonst nur die bewaffnete Schutzgruppe des Propheten.

- Was für Waffen?
- Wissen wir nicht. Sie tragen irgendwelche Kisten mit sich herum.
- Altäre?
- Das weiß man nicht.
- Oder Munition? Panzerfäuste?

Phantasie war freigesetzt. Nirgends im riesenhaften New York waren Verwandte oder Freunde der Belagerten gefunden worden. Außer einigen unscharfen Schnappschüssen, aufgenommen durch die Fenster der Klinik, lag kein Identifikationsmaterial vor. Da die Polizei einigen der religiösen Fanatiker gefährliche Wunden zugefügt hatte, konnte die Verfolgung nicht eingestellt werden, weil das dem Eingeständnis einer anfänglichen Überreaktion gleichgekommen wäre.

War es möglich, daß die Eingeschlossenen die Klinik anzündeten und sich und ihr Geheimnis öffentlich verbrannten? Gegen Mitternacht stürmten die Belagerer, durch Sonderkommandos verstärkt, mit Nebelgranaten und Leitern den Schlupfwinkel.

Sie fanden die Räume leer. Auf unerklärliche Weise, unter Mitnahme des Arztes und Verwaltungsdirektors sowie eines zwanzigjährigen Jungökonomen, waren die Religiösen verschwunden. Arzt und Ökonom wurden in sumpfigem Gelände im Staate Florida gedächtnislos, aber unversehrt, vierzehn Tage später gefunden.

– Ich gehe davon aus, daß die BEGLEITUNG ZUM TODE HIN eine der wesentlichen Gründe für Religiosität im 21. Jahrhundert sein wird.

Der Fundamentalismus-Experte, noch in der liberalen Epoche der Stanford University herangebildet, Abwiegler von Charakter und Ethos her, ein betrachtender Mensch, hatte viele Richtungen moderner Religiosität durchgezählt. Fast immer ging die gläubige Gruppe auf ein ahnungsvolles, angsteinflößendes Ereignis zu und suchte, Psychologen und Beratern gegenüber unzugänglich, einem Psychagogen zu folgen, sie suchte einen Begleiter. Sie wollten am Ende nicht allein sein.

– Lieber will ein Mensch öffentlich sterben als auf dieses Geleit verzichten. Ich rate niemandem, diesen Leuten mit Unglauben zu begegnen, resümierte Bengt Mitford, Ph.D.

Der Mensch als Geschoß

Mohamed Arkoun, geboren in der Großen Kabylei, ein Berber, hat als Islam-Wissenschaftler international höchste Geltung. Deshalb nahm ihn der Staatspräsident Frankreichs auch mit zu seinem Besuch nach Moskau. Dort befand sich schon eine amerikanische Delegation, die Außenminister Powell begleitete und ebenfalls Religionswissenschaftler mit sich führte. Die Russen ließen sich nicht lumpen. Sie hatten aus ihren Altbeständen in der Akademie der Wissenschaften vorurteilslos Spitzenkräfte mobilisiert. Noch in der Zeit, in der Andropow den KGB regierte, als junge Leute in die Akademie berufen wurden mit dem Ziel, die Speerspitze der Forschung gegen den in Mittelasien dränglerisch sich bewegenden Fundamentalismus heranzubilden. Nur Kenntnis vermag unfruchtbarem, mittelalterlichem Wirken des Aberglaubens entgegenzuwirken. Das Zaubermittel der Kenntnis löst Wolkenbildung, ja heftige Gase der Religionen auf und hilft der Bläue des Himmels, dem Himmelslicht, zu seinem Regiment. So sagt es der Dichter Lermontow seinem russischen Volk. Arkoun, Bruce Lawrence und der Islamist Nikita Awrilov sahen einander erstmals im Leben. Ihre aufgehäuften Beobachtungen schienen einander zu ergänzen. Fuder von Kaviar ergötzten sie weniger als dieses gemeinsam gefühlte Interesse.[17]

In gewissem Sinne saßen die drei Freunde, auf Grund ihrer Vorstudien, des Eifers ihres Lebens, seit einigen Stunden »wie Römer in ihrem Dampfbad«. Berieselt vom Sprühregen der Wasser, genossen sie die HINGABE AN DIE GROSSMUT DER GEDANKEN, eine Freude an Klärung, denen in den Wirklichkeitsverhältnissen der Welt nichts entspricht. Es genügt nämlich nicht, Voltaire den Religionen entgegenzustellen. Es geht um die KRITIK DER THEOLOGISCHEN VERNUNFT.[18]

---

17 Mohamed Arkoun war Mediterranist. Ein Laboratorium, das seit Verdrängung des Tethys-Meeres über 6000 Jahre hin Gift, Völkerkampf, aber auch den Olivenbaum und die Wissenschaft hervorgebracht hat wie das Mittelmeer, wird das Gefäß sein, das die Gegenmittel gegen den Fundamentalismus braut. Das empfand Awrilov mit dem Vorbehalt nach, daß auch das Schwarze Meer, die Küsten der Krim und Medeas Machenschaften zu diesem Mittelmeer gehörten. Lawrence kannte all dies nur aus Texten. Begeistert und ohne Anschauung folgte er dem Gespräch; DAS MITTELMEERISCHE, ohne jede Erfahrung für ihn, bewegte sein Herz.

18 Die Zeiten, die Vernunft nicht kannten, haben Religionen hervorgebracht. In ihnen stecken die Erfahrungen der jeweiligen Völker, also der Rohstoff der Vernunft. Umgekehrt steckt im kapitalistischen Menschenschlag, dem Börsianer seines Lebens, ein religiöser Funke, aus dem die Leistungskraft der Moderne besteht. Der Säkularismus ist eine Religion wie jede andere. Wäre Gleichgültigkeit auch Religion? Religion nicht, aber fundamentalistisch, antwortet Arkoun.

– Hat Attas Testament etwas mit der islamischen Religion zu tun?
– Ebensowenig wie DAS BUCH DES ATTENTÄTERS, DER SADAT ER-
  MORDETE: *Die Aufgabe, die keiner erfüllt* (l'obligation absente).
– Was ist daran religiös?
– Im Sinne des Islams gar nichts.

Die fundamentalistischen Gruppen kennen den klassischen Islam überhaupt
nicht, erläuterte Arkoun. Sie wissen nichts von Averroes. Sie könnten alles,
was sie mit Hitzigkeit verinnerlichen, aus einer Kreisbibliothek von 1912 oder
von dem Anführer einer Sekte im Jahr 1923 herleiten. Es bereitet Arkoun, so,
wie er mit silbergewelltem Haar und glühenden Augen in dieser Runde praktiziert, Vergnügen, die Religionen paradieren zu lassen, jede für sich etwas
Wirkliches über die Zeiten hin, *historisch* nur insofern, als die Abstraktion der
Gegenreligion (der Moderne) dies behauptete; also weiter lebend in filigranen
Empfindungen, ja in jeder Liebesgeschichte, in jedem gültigen Handelsge-
schäft, in der Tatsache der Zivilisation. Nicht zu verwechseln mit der bestürzenden, geschoßartigen Befähigung der Einbildungskraft, sich unabhängig
(unterhalb) vom Wesen einer Religion, gegen Fremdes in Bewegung zu setzen.

– Wie ein Körper zweiten Grades, mit Abstoßungskraft gegen »fremdes Zell-
  gewebe«.
– Genau. Das entsteht nicht aus Religion, sondern aus einer von den Religio-
  nen zurückgelassenen seltenen Fähigkeit der Menschen.
– So wirksam wie ein Geschoß?
– Wenn sie sich mit etwas ausfüllt, das sie aus der heutigen Wirklichkeit be-
  zieht.
– Insofern hat der Schrott im Kopf eines US-Präsidenten nichts mit Jesus Chri-
  stus zu tun?
– Und ähnlich setzt sich der Kopf eines Bolschewisten aus der fanatischen Ab-
  neigung gegen Religionen zusammen.
– Mit dem Unterschied, daß der Bolschewist nicht die Fähigkeit entwickelt,
  Attentate gegen eine religiöse Massenbewegung zu begehen.
– Und die religiös Ungläubigen bringen kein Attentat zustande gegen die reli-
  giös Gläubigen?
– Nicht als Selbstmörder. Nicht, sobald sie wissen, was sie tun. Sie töten. Wie
  ein Geschoß. Aber stets nur indirekt, mit den Mitteln der »invisible hand«.
  Der Markt bringt Marktfremdes um.

Arkoun entwickelte seine Lieblingsfrage aus den letzten eineinhalb Jahren: Was ist überhaupt Religion? Untersuchen könne man nur konkrete Religionen. Sie hätten stets den gleichen Kern, zum Monotheismus hin, radikal zunehmend: es gibt nur EINE Wahrheit, sie, egoistischer als die Gene in der Evolution, duldet keine andere neben sich. Der Gläubige aber könne nicht sagen: diese Wahrheit gehört mir. Er müsse sagen, das ganze Seelenleben sei in der Evolution des Menschengeschlechts hierauf ausgerichtet: ich gehöre der Wahrheit. Soldat des Glaubens sei hierfür noch ein zu geringes Gleichnis, Soldat könne auch ein Söldner oder ein Patriot sei. Die Unterwerfung unter die »Wahrheit« sei substantiell: Ich als Körper der Wahrheit bin ihr Geschoß.

Wie führt man Krieg gegen jemanden, der den eigenen Tod in Kauf nimmt?[19] Arkoun war nicht in der Lage, an einem guten Punkt des Gesprächs innezuhalten und abzuwarten. Awrilov, generös. Lawrence, begierig, Erfahrung aufzusaugen in bezug auf seinen Lieblingstext Mittelmeer. Nach Averroes ist das Ziel des Kriegs die Überwindung des Willens des Gegners und die Aneignung seines Willens. Das setzt Lebendigkeit des Gegners, mit dem ich Frieden schließe, voraus. Mit einem Selbstmordkommando kann ich nicht Frieden schließen.

Im Grund war dies das Erschreckende für die drei Theoretiker. Wo im Egoismus der Gegenseite den Ansatz für den Hebel der Gewalt finden, wenn dieser Egoismus gar nicht bestand?

Das ist ja furchtbar, sagte der irritierte Lawrence. Awrilov blickte müde wie einer, der keinen Ausweg weiß. Der Islam, erläuterte Arkoun, ist eine Religion von Händlern. Die Händler, die Jesus aus dem Tempel vertrieb, haben sich unter Berufung auf Abraham, der auf das Menschenopfer verzichtete, zusammengeschlossen und entwickeln in Bagdad und Cordoba eine berauschende Marktwirtschaft. Keiner von ihnen schätzt den Tauschwert einer Sache oder eines Sklaven falsch ein.

Immer wenn er von dieser Grundgestalt der mittelmeerischen Kultur im 12. Jahrhundert sprach, geriet Arkoun ins Schwärmen. Die zwei Übersetzer, die seine Worte für Lawrence ins Englische und für Awrilov ins Russische

---

19 Gegenwehr der Termiten. Dieses tierische Volk hält in seinen geschlossenen Bauten eine Atmosphäre aufrecht, wie sie vor 30 Millionen Jahren auf der Erde bestand. Wollen andere Tiere eindringen in diese Lebenswelt, erfordert das eine Gegenwehr spezialisierter Termiten, die auf das eigene Leben keine Rücksicht nimmt. So werfen sich weibliche Verteidiger dem Feind entgegen, erstechen ihn und verlieren bei diesem Kampf den Unterleib. Als einzige Tierart haben Termiten zur Verteidigung ihrer Glaubensbauten den *Gaskrieg* entwickelt. Sie versprühen auf den Gegner tödliche Giftgase und sterben im gleichen Hauch.

übersetzten und währenddessen die Kaviar- und Störvorräte vertilgten, welche die eifrigen Islamisten, die ihre inzwischen fünf Stunden alte Freundschaft genossen, verschmähten, kamen nicht nach. Sie verhedderten sich, weil die drei Sprachen verschiedene Ausdrücke für das Mitgeteilte vorsahen. Das, was wir in die Twin Tower hineinrasen sehen, ist ein Produkt der Gegenwart. Es entsteht GRAMMWEISE in jedem westlichen Menschen, der die RELIGION DER GLEICHGÜLTIGKEIT vorwärtstreibt, der unsichtbaren Hand, der Abhärtung gegen die globale Wahrnehmung. Es entsteht quasi ZENTNER-WEISE, wenn man Seelenkraft in Gewicht messen könnte, in den Terroristen, die gewissermaßen Abhärtung und Gleichgültigkeit in einem anderen Aggregatzustand produzieren, nämlich Gleichgültigkeit gegen sich selbst und Gleichgültigkeit gegenüber denjenigen, die sie opfern. Die Abhärtung ist die gleiche. Nun will ich, fuhr Arkoun fort, dem Islam keine Sentimentalität zuschreiben. Aber Abhärtung, wie sie in den Sekten und dem westlichen *mainstream* herrscht, lehrt er nirgends.

Jetzt hatten die drei Theoretiker im KEMPINSKI HOTEL in Moskau, die Kellner räumten ab, mit ihren Bemühungen um Leerung der Gläser einen gewissen Grad der Trunkenheit erreicht. Vor ihren ahnenden Augen erschien ein Bild, daß ihre Einsichten auch praktische Folgen hätten, wenn es nur gelänge, sie den Politikern, deren Begleitpersonal sie ja waren, ins Ohr zu träufeln. Listig wollten sie sein, so wie sie hier saßen. Obwohl List nichts nutzt im Reiche des Glaubens und des Gegenglaubens. Gegengläubig waren sie, weil sie Islamisten waren, nämlich Forscher.

Galilei, der Ketzer[20]

Der wahre Grund, heißt es, weshalb Galileo Galilei vor die Heilige Inquisition zitiert wurde, abschwören mußte, war nicht seine Neigung zum kopernikanischen System, sondern seine These, daß die beobachtete Erscheinung physikalischer Objekte uns sagt, was sie tatsächlich sind. Das verletzt den Lehrsatz von der Transsubstantiation: Wenn die am Altar gebrochene Oblate ein Gebäck zu sein scheint und wenn es kein Experiment gibt, mit dem man zwischen dem Brot vor und dem Brot nach der Wandlung unterscheiden kann, dann sei, behauptete Galilei, das Brot auf dem Altar Brot und sonst nichts weiter.

20 Nach Pietro Ridondi, Galileo eretico, 1987.

– Galilei hat sich vorgewagt. Jetzt muß er zurück.

– Er hat sich nicht weiter vorgewagt als die Naturwissenschaft heute. Was er sagt, ist eine Kernbehauptung, auf welche die Wissenschaft sich stützt.

– Aber er kann doch nicht mit einem Messer in das heilige Brot hineinschneiden, nachsehen, ob Blut herauskommt. Was macht er denn, wenn das Brot tatsächlich blutet?

– Er hatte das nachts, auf exterritorialem Boden in Venedig, mehrfach gemacht. Es kam kein Blut heraus.

– Das kann er vorher nicht wissen. Beim nächsten Mal schneidet er hinein und hat sich versündigt. Dann wird er verbrannt.

– Er hat ja auch abgeschworen.

Die Mondkräfte und der Endsieg

Macht des Vorurteils! Galileo Galilei hielt den Hinweis des Astronomen Johannes Kepler darauf, daß Ebbe und Flut der Weltmeere durch die Anziehungskraft des Mondes verursacht würden, für eine okkulte Wahnvorstellung.

Nicht einmal die Sonne kann die Abermillionen Tonnen von Wasser in den Ozeanen so über Tausende von Kilometern in Bewegung setzen, wie das der Mond mit seinen Gezeiten tut. Eine Tasse Kaffee, fünf Uhr früh, in einem von der Mafia beherrschten Lokal bei Neapel, unterliegt immer noch, von keinem Wissenschaftler untersucht, diesen Gezeiten. Wie hysterisch bewegen sich Autofahrer kurz vor Vollmond! Zwei Nächte vor Neumond beginnen die einen und die anderen zu trinken. Die Brauereien wissen davon.

Was macht der Mond mit dem Licht der Sonne, ehe er es zur Erde wirft? Der Nationalsozialist Detlef von Ingelheim, SS-Obersturmführer, vom Führer siebenmal zu Rate gezogen, bestreitet, daß das kalte Licht des Erdenbegleiters überhaupt Sonnenlicht sei. Vielmehr sei Mondlicht durchmischt von siderischem Licht, ein Aliud.

– Können Sie nicht ein deutsches Wort gebrauchen?

– Es handelt sich um außerirdisches Licht.

– Das ist wohl anzunehmen, wenn wir vom Mond sprechen.

– Ich stütze mich auf den Bericht von Jagdfliegern. Mit der Me 262 fliegen Sie aus dem Dunst, d. h. aus dem Sonnenaufgang in Richtung Nacht. Unsere Erde hat sich zwischen Sonne und Mond geschoben. Das taucht ihn in ein dämmeriges Orange, melonenfarben. Zehn verschiedene Kraftquellen regieren den Baum des Lebens. Jede dieser Kraftquellen ist einem Planeten des Sonnensystems untergeordnet. Zur neunten Sphäre, einer Durchgangsstation, gehört der Mond.

– Das haben Sie aus der Kabbala?

– Wo finden Sie sonst Quellen, die darüber berichten?

– Kabbala ist jüdisch.

– Das müssen Sie dem Führer sagen.

– Sie meinen, daß der Führer Ihnen glaubt?

– Davon können Sie ausgehen.

In den Industrietunneln des Harzes wurden die Hülsen und Innereien der Raketen gebaut, die London, später auch New York treffen sollten. Es war aber wichtig, bei welchem Mondlicht die siegreichen Waffen den Feind treffen würden. Wie kann man die Macht des Mondes (und unterhalb dieses Gestirns sammeln sich bekanntlich Dämonen und Geister aus zwölf Jahrtausenden) so in Gang setzen, daß sie zumindest gegen das FALSCHE ENGLAND wirksam werden? Weil die Briten an diese Art der Weltbetrachtung nicht glauben, sind sie momentan wehrlos, sagte der Wehrwirtschaftsführer Berny Hausbrandt, der zu den Eingeweihten gehörte.

Wir schauen, wenn wir zum Mond hinaufsehen, jede Nacht, die nicht durch Wolken verdeckt ist, auf die Symbole der ägyptischen Priester. Sie sind identisch mit dem Naturmond. Das wahre Geheimnis aber enthüllt nur die Rückseite dieses Mondes. Diese düstere Seite enthält aber die unsichtbaren Strahlen, deren Gang nicht perspektivisch, sondern über Kurven verläuft. So atmen wir, schreibt SS-Sturmbannführer Wernicke, den Mond, der 30.000 Jahre vor der Entstehung der Sonnenkinder regierte. Wir Nationalsozialisten tragen in uns Mondwesen. Wir bekennen uns zu ihnen, das macht den Unterschied aus zum kapitalistischen Ausland, den Plutokraten. Das Gold, das gleißt, ist Abschaum der Sonne, das kalte Silber des Mondes ist Zeugnis des Endsiegs.

– Was verstehen Sie unter Endsieg? Wir sind doch beide keine Laien. Deutschland kann nicht siegen.

– Das würde ich Ihnen unter Zeugen nicht bestätigen.

– Nehmen Sie es siderisch. Geist und Verstand verhalten sich wie Sonne und Mond. Der Geist kann verlieren, der Verstand nie.

– Deshalb Endsieg der Mondkräfte.

Jugendsucht

1
Verlust der Jugend

Besonders aufnahmebereit für Wasser und Nährstoff sind die zarten Wurzelspitzen der Ackerschmalwand, einer Pflanze, die zu den bevorzugten Forschungsobjekten der Genetiker zählt. Die äußere Zellschicht verschleißt jedoch rasch und wird durch eine robustere Rindenschicht ersetzt. Diese Wurzelrinde lagert wasserabweisenden Korkstoff ein. Julia Lindenmayer von der Universität Bayreuth konnte aber nachweisen, daß selbst fingerdicke, stark verholzte Fichtenwurzeln noch immer Wasser aufnehmen.

– Was besagt das?
– Daß die Wurzeln immer noch Wasser aufnehmen. Nur etwa 12 % des Bedarfs.
– Sobald die Wurzeln mehr als 2 mm dick sind?
– Bieten sie ein mageres Ergebnis.
– Mager, aber beständig?
– Immer geringere Ausbeute, aber nie null.

Die Genetiker haben bei der Ackerschmalwand ein Gen isoliert. Unter Wirkung von Nitrat kann dieses Gen die Wurzeln zu verstärktem Längenwachstum anregen. Wenn das Gen durch Verfahren der Gentechnik verstärkt wird, verbleibt eine lokal erhöhte Nitratkonzentration ohne jede Wirkung auf die nährstoffsuchenden Wurzeln. Sie suchen keinen Nährstoff mehr. Wie blind. Sie haben ihre Jugend durch gentechnischen Eingriff verloren.

2
Eine Bemerkung von Ernst Jünger

Ernst Jünger bemerkt in seinen Tagebüchern, daß der Wortbestandteil »Ju« in Jugend, Juchhe, Jubel, Julian, Jul-Fest oder in der Bezeichnung des Flugzeugs Ju 52 ein Jauchzen oder einen Jubellaut der Ursprache wiedergebe. Die neue Gesellschaft nach 1923, sagt Jünger, habe einen Jugendkult hervorgebracht, eine unverhältnismäßig hohe Hoffnung auf die nachwachsende Generation gesetzt, sozusagen einen Vorschuß auf die Unsterblichkeit, einen Glauben, der die Zeit des Jahrhunderts durchziehe.

3
Der Charakter steckt in den Wurzeln

Die Wurzeln meiner Pflanzen zerbrechen Steinplatten, sagte Hella Kolb. Die
Forscherin schrieb: Gesicht und Intelligenz meiner jungen Maispflanzen liegen
in den Wurzeln. Die Blüte oberhalb der Erde täuscht. Besonders schöne Blüten
können dumm sein. Niemals aber täusche ich mich über die Wurzeln. Das
Wetter im Frühjahr bleibt kühl. Dann ist der Aufwuchs meiner Pflanzen auf
Äckern spärlich. Entsprechend gering transportieren die Wurzeln die Nähr-
stoffmengen heran.
Halte ich sie in meinem Treibhaus auf 12° kühl, erwärme den grünen Sproß
aber auf 24°, so steigern sie binnen 23 Minuten ihre Nährstofflieferung. Sie erreichen das für 24° Bodentemperatur passende Niveau binnen sieben Minuten, und sie lassen sich nicht täuschen dadurch, daß ich die Bodentemperatur
auf 12° C abkühle. Trotz kalten Bodens fahren die Maispflanzen zügig in die
Höhe, nur weil blauer Himmel und laue Nacht Signale setzen, die nur die Wurzeln verstehen. Ich halte Oberteile der Pflanzen für relativ dumm, der Charakter steckt in den Wurzeln.

Die Buche im Kampf um den Endsieg

1
Schlafende Kraft

In Heinrich von Kleists *Herrmannsschlacht* fällen die Römer Eichenbäume im
Cheruskerwald. An den Bäumen sind Waffen und Abbilder von Götzen der
Germanen aufgehängt. Die Untat wird Ursache des Aufstandes, in dessen Ver-
lauf die römischen Legionen vernichtet werden.

– Ist das historisch?
– Es steht bei Tacitus.
– Deshalb muß es nicht wahr sein.

Kleist aber, so der Übersetzer, der das Drama Kleists ins Französische übersetzt hatte, habe die Glaubensrichtung der Germanen bezeichnen wollen; dafür sei es unerheblich, ob eine historische Tatsache zutreffe. Nach Auffassung
der Cherusker habe die Kampfkraft des Volkes in den Bäumen geschlummert.

Den Römern sei das fremd gewesen. Der Glaube der Germanen aber habe nur dadurch aufgerufen werden können, daß er verletzt wurde. In diesem Moment wendete sich die SCHLAFENDE KRAFT gegen die Verletzer.

– Es ging nicht um die Wurzeln der Bäume, sondern um die Wurzeln des Glaubens?
– Dargestellt in den Attrappen, die im Geäst aufgehängt waren.
– Nachahmungen von Gegnern? Erbeutete Waffen?
– Als solche heilig geworden. »Einverleibte Feinde«.
– Die Bäume wurden mit ihren Wurzeln verbrannt?
– Das war aber nicht das Sakrileg, sondern die Verbrennung der heiligen Attrappen.
– Besitzen Eichen mächtige Wurzeln?
– Stark, aber wenig effektiv.

2
Die Buche im Wettbewerb mit der Eiche

Eichen müssen im Schatten von Buchen verkümmern. Die oberen, humusreichen Bodenschichten sind bei Eichen- oder Buchenwald gleichermaßen dicht durchwurzelt. Wo fast ausschließlich Eichen stehen, dominieren die Eichenwurzeln, im Buchenwald die Buchenwurzeln. Erstaunlicherweise sind aber die Buchen unterirdisch ebenso stark vertreten, wenn beide Baumarten in bunter Mischung wachsen.[21]
Der Biomasse der Feinwurzeln nach, aber auch in der Anzahl der Wurzelspitzen übertreffen die Buchen die Eichen im Mischwald um das Vier- bis Fünffache. Und ausgerechnet in unmittelbarer Nähe von Eichenstämmen sind die Buchenwurzeln besonders zahlreich. Sie, die sensiblen, machen es sich zunutze, daß im fremden Wurzelraum mehr zu holen ist als im eigenen. Denn fern der Buchenstämme, im Umkreis der gegnerischen Eichen, ist die Humusschicht dicker. Den Eichen, schreibt Reichs-Forstwart Dänicke, fehlt es gegenüber den Buchenwurzeln an Durchsetzungskraft. Sie wachsen drei- bis sechsmal langsamer als ihre Konkurrentinnen, wenn sie in deren Nähe geraten. Wenn Zuwachs und Verteilung der Feinwurzeln den Zugang zu Wasser und Nährstoffen widerspiegeln, steht die Eiche als Verliererin da.

21 Durch das Blätterdach einer Brauneiche dringt doppelt soviel Sonnenlicht wie durch eine Buchenkrone. Den Schattenblättern im unteren Stockwerk einer Buchenkrone genügen wenige Prozent des einfallenden Sonnenlichts. Deshalb müssen Eichen im Schatten von Buchen verkümmern, Buchen im Schatten von Eichen dagegen können gedeihen.

Dies spricht, schreibt Reichs-Forstwart Dänicke an den Reichs-Jagdmeister, dafür, in den Emblemen des Großdeutschen Reiches die Eiche gegen die Buche auszutauschen. Es muß im Überlebenskampf immer um die Realitäten gehen. Deshalb darf die höchste Auszeichnung des Deutschen Reiches nicht »Ritterkreuz zum Eichenlaub mit Schwertern und Brillanten« heißen, sondern Ritterkreuz zum Buchenlaub. Rassisch wird dieser Baum, wenn auch gegen Kälte, Trockenheit und Hitze empfindlicher als die Eiche, die höhere Leistung und Verdrängungspotenz erbringen. Man müsse im Kriegsjahr 1944 äußerste Konsequenzen ziehen, gerade auch in der »Verwaltung der Symbole«.

Offenheit der Prüfung für neue Wege

Wie wenig Fortschritt bringen Entschlüsse! So blieben Experimente an Lagerinsassen ohne Ergebnis für die Kriegsführung. Wie fesselnd dagegen ein Zufallsfund! Der Reichsführung bemächtigte sich einen Nachmittag lang eine helle Stimmung. Das war im September 1944. Sturm wühlt in den Bäumen. Es gibt nämlich Bakterien, die in Brackwasserlagunen leben. Sie schwimmen stets nach Norden. Sie haben in ihrem Inneren mikroskopisch kleine Magnetkristalle. Diese Ketten zwingen sie, in nördlicher Richtung zu schwimmen. Sie suchen das Tiefwasser. Es nimmt nach Norden hin zu. Reichsführer, wenn Sie den Globus betrachten: Diese Sauerstoff hassenden Bakterien müssen Oberflächenwasser meiden, der Sauerstoff dort wäre für sie tödlich. So blieben in der Evolution nur die Stämme übrig, die (wohl durch Zufall) winzige Magnetstäbchen in sich aufnahmen, und nun müssen sie konsequent die Polrichtung einhalten. Welchen Hinweis gibt das für uns Nationalsozialisten, es sind doch Tiere, fragte Himmler den SS-Biologen, Sturmbannführer H. Peickert. Die Orientierung nach Norden, stetig, müßte uns einen Vorteil geben, während sie den Kaufleuten in London und Chicago nichts sagt.
Es hat nichts mit uns Nordischen zu tun, beharrte der SS-Biologe. Die Himmelsrichtung ist diesen Tieren ganz egal, weil die Erdhalbkugel sich nach Norden wölbt, beschreiben die Kraftlinien des Erdmagnetfeldes eine Art Sinkflug. Sie wölben sich nach unten, und das heißt nach Norden. Dem folgen die kleinen Lebewesen. Es ist ganz einfach.
Ja, das ist es, antwortete Himmler. Das ist die Botschaft dieser Nordwesen, sie sind extrem klein, und sie folgen einem einfachen Prinzip, das ihnen Tiefwasser beschert. Das sind zwei Prinzipien, mit denen wir den Krieg gewinnen können, wenn wir sie nur konsequent befolgen. Sie sehen, daß man die Führungsgrundsätze in der Natur findet. Wenn Sie hier meinen Daumen und Zei-

gefinger sehen, wie viele dieser Nordwärts-Bazillen passen dazwischen? Fünf-
hunderttausend, antwortete der SS-Biologe, und Sie würden sie gar nicht bemerken

Der Masseur wartete, Entscheidungen drängten. Schon am nächsten Morgen
blieb keine Zeit, das kriegsentscheidende Projekt weiterzutreiben und z.B. in
Einzelgrundsätze für die Truppenführung, z.B. Verkleinerung der Bataillone,
umzusetzen, so blieb dieses Wartejahr des Krieges (Warten auf den Endsieg
oder den Sturz) voller Anregungen (zwölfmal so viel wie 1931), von denen für
keine einzelne Zeit blieb, ihr zu folgen.

Wissenschaft als Glaubenskunst

Aus den Annalen der
fundamentalistischen Weltbewegung

I
Der Arzt als biologischer Soldat

Dr. med. Franz Abderhalden, Begleitarzt des V-2-Unternehmens in Peenemünde, später Lager Dora, war Gegner des Nationalsozialismus. Als Arzt
lehnte er Adolf Hitler ab, nachdem er Großaufnahmen von dessen Gesicht angesehen und die Körperhaltung studiert hatte. Das genügte, um ein Gesundheits-
siegel zu verweigern. Die Haut, grobporig, gekennzeichnet durch Aufnahme
ungesunder, meist breiiger gesüßter Nahrung, ohne körperliche Ausdauer bei
Strapazen, was aus der Stellung des Skeletts und der physischen Haltung mühelos zu ermitteln war. Noch negativer war sein Befund in bezug auf den Minister
für Propaganda und Volksaufklärung, der nicht nur allzu kleinwüchsig und hin-
kend, sondern vom Teint und vom Augenausdruck her betrachtet gesundheitlich gefährdet schien im Hinblick auf Niere und Leber. Dies, ohne Trinker zu
sein. Dr. Abderhalden gab diesen Nationalsozialisten, so wie vielen anderen,
darunter Göring, ein Lebensalter von höchstens 58 Jahren. Ebenso lehnte er
den Rassismus ab. Gerade hybride Mischungen, die Vorteile verschiedener
Rassen vereinigen, bringen die Gesundheit hervor, ja die Sexualität in der Evolution des Menschen, nämlich die über das gesamte Jahr erstreckte, besonders
willkürliche, in die Ferne schweifende und an der Überraschung des Fremden
orientierte erotische Anziehung, sei aus dem Artenschutz der Spezies Mensch
gegen den Parasitenbefall begründet. Je fremder sich Menschen binden, bevorzugt aushäusig, desto mehr seien sie einige Schritte voraus gegenüber den Li-

sten der sich einpassenden Bazillen, Pilze, Viren, die auf Grund der Mischung des genetischen Materials der Menschen immer neu lernen müßten und deshalb nie goldene Reiche errichten könnten gegenüber der gesundheitlichen Variabilität des Menschen.

Mit dem Siegeszug der Stamm-Mannschaft von Peenemünde durch die Organisationswelten der USA gelangte Abderhalden in das Gesundheitsdepartement der Nasa. Mit 80 Jahren gehört er noch immer zu den Beratern der Weltraumbehörde. Zur Gesundheit des befähigten Erdenbürgers, den der Arzt versorgt, gehört jedoch stets die Nachfolge. Nach Enttäuschungen mit dem Sohn, der Arzt wurde, dessen Gesinnung aber der des Vaters nicht folgte, entwickelte Abderhalden eine Planzelle im Sicherheitsapparat der NASA für einen Cousin, der zwar nicht Mediziner, wohl aber zuständig in bezug auf die Bewerbungsbögen für die Auswahl zum bemannten Marsflug war. Es geht darum, das Menschengeschlecht auszusieben, dem man die Besiedlung des Nachbarplaneten anvertrauen wird. Geistige und körperliche Gesundheit haben hier erneut das Primat. Es muß gelingen, ein Gefäß des Menschen, mental und physisch, auf dem Mars anzusiedeln, das widerstandsfähig, anspruchslos in der Pflege und WEITERFÜHREND sich darstellt.

Ein neuer Mensch, sagt der rüstige Abderhalden, ist nichts anderes als ein Konzentrat des alten, nämlich biologisch, gesundheitlich, mental und fortschrittlich. So zeigt sich die medizinische Kunst als über die Zeiten hinweg konsistent. Das Tausendjährige Reich als Staatswesen mußte, sagt Abderhalden, untergehen, schon weil es sich, was ungesund ist, zu viele Feinde verschaffte. Die Elemente jedoch der Bewegung von 300 Jahren, die in dem Aufbruch von 1933 gipfelte, müssen nicht untergehen, schon weil sie nie Reichssache waren. Das Ganze vergeht, das Element besteht. Was kann man Schöneres vom Menschen sagen. Der Satz war englisch gesprochen. Noch immer merkte man an Gutturallauten, einem gewissen Knurren und einer gewissen Plattheit der Konsonanten die deutsche Herkunft der amerikanischen Mundart des berühmten NASA-Mediziners. In 400 Jahren lebt eine Elite der Menschheit auf dem Mars, der durch *terraforming* der Erde angepaßt ist, jedoch die negativen Seiten des Erdklimas vermeidet. Der Arzt ist ein Soldat der biologischen Kriegsführung, die in diesem Ziel gipfelt. Wie unsinnig, Ärzte im Rußlandkrieg zu verschleißen.

2
Unbeherrschbarkeit des Abwehrreflexes
von Muskeln im Augenblick der Tötung (1941)

Dr. med. Irene Dischreit, 1941 sechsunddreißig Jahre alt, galt als hartnäckig (Sauerbruch), emsig (von Frisch), pflichtversessen (Catel). RM 49,30 und später RM 300,00 erhielt die Fleißige auf Antrag für ihre Forschung von der Deutschen Forschungsgemeinschaft. Präparate im Werte von RM 2000,00 gaben die IG Farben, und eine große Menge von Preloban stellte die Firma Bayer zur Verfügung.

Forschung besteht aus Einzelschritten, sie umfaßt das Lebenswerk vieler, nicht notwendig genialer Menschenkräfte, die sich einer einzelnen Frage bis zu ihrer Lösung widmen, während sie doch auf die Zusammenfügung erforschter, zerstreuter Einzelheiten keinen Einfluß nehmen. Die diesen Einfluß ausüben, z. B. Prof. Sauerbruch, Berlin, oder Prof. Catel, Leipzig, besitzen die Zeit nicht, um sich gründlich mit solcher Kombination zu befassen. Das wirft die Forschung zurück. Dennoch führt sie über Jahrhunderte hinweg zu einer wirren Sammlung von Ergebnissen.

Kinderärzte kennen den Fall, daß die Hoden eines Kindes nicht in den Hodensack verlagert wurden, sondern in der Bauchhöhle oder im Leistenkanal verblieben sind. Kann das Präparat Preloban helfen? Welche Hormondosierung zerstört alles, welche andere Dosierung könnte den Abstieg der Hoden (Descensus testiculorum) fördern?[22] Wie das meiste in der Forschung können die Tests nicht direkt angesetzt werden. Wer händigt seine Kinder aus für Versuche, die unter Umständen die Organe lähmen? Wer will an seinem Kind Versuche gestatten, damit das Ergebnis fremden Kindern hilft? Es war deshalb 1939 (Dr. Dischreit war es gelungen, die Forschungsreihe als kriegswichtig einstufen zu lassen) notwendig, die Umrechnung der Dosis von kindlichen Ratten zu

---

22 Die Ratte kann durch einen in das Scrotum eingebauten Muskelkonus eine Ortsveränderung des Hodens vornehmen. Dies gilt für alle Nager. Dennoch sind Kaninchen für die Versuchsreihe weniger geeignet. Der Kaninchenhoden liegt bei Geburt in Höhe des unteren Nierenpoles. Wegen der Dicke des Kaninchenfells gelingt es aber *nicht*, von außen den Herabstieg des Hodens zu betasten. Auch nicht bei Anwendung eines Enthaarungsmittels, da die Proportion Körpergewicht/Hodengewicht bei Kaninchen äußerst klein ist. Demgegenüber ist der Rattenhoden proportional eminent groß.
Schaf, Ziege, Hausrind, Pferd und Schwein kommen für die Untersuchung nicht in Betracht, da sich die Hoden bei der Geburt im Scrotum vorfinden. Anders bei dem Hund. Hier liegen die Hoden bei Geburt in der Bauchhöhle. Nach vier bis sechs Wochen ist der Abstieg vollzogen. Diese Fleischfresser haben auch nicht wie die Nagetiere einen Muskelkonus im Scrotum eingebaut. Daher keine Möglichkeit, die Lage der Hoden intra vitam zu ändern.

Kindern zu ermitteln. Die Kleinheit des Forschungsabschnitts macht Kollegen und Vorgesetzte von Dr. Dischreit nervös. Über die Jahre hin, Truppen drangen in den europäischen Ländern weit vor, wurden zwar Umrechnungsformeln erzielt und wieder verändert, ein Forschungsergebnis Dr. Dischreits kam jedoch in der Kernfrage nicht zustande.

Beobachtungen über den Abstieg der Hoden juveniler Ratten unter hormonalem Einfluß heißt die Versuchsreihe von Dr. Dischreit. Ein Tag im Rattenleben entspricht einem Monat im Menschenleben. Dr. Dischreit hatte von Breslau nach Leipzig, ihrem neuen Dienstsitz, eine Zucht weißer Ratten mitgeführt, nervöse, empfindliche Tiere, die schon auf geringe medikamentöse Dosen, auch auf Zuwendung, sogleich reagierten und weich in der Hand lagen. Die Versuche beginnen zwischen dem 10. und 16. Rattenlebenstag. Es werden verschiedene Hormondosierungen gespritzt. Es zeigte sich, daß niemals, in keiner der ausgeführten Versuchsreihen durch Preloban (oder eine andere, konkurrierende Hormonkombination), ein beschleunigter Descensus testiculorum bei einer der Ratten eingetreten wäre. Zerstörung tritt ein in verschiedenen Stadien, je nach Stärke der Gabe.[23]

Bei Versuchsbeginn, z.B. am 12. Tag, liegen die Hoden der Ratte, teilt Dr. Dischreit mit, in Höhe des Harnblasenhalses. Nur dann, wenn DIE TIERE AUF EINEN REIZ HIN SCHREIEN, werden die Hoden herab in den Hodensack (Scrotum) gedrückt. Der »tastende Finger« fühlt den unteren Hodenpol bei Schluß der Stimmritze im oberen Teil des Scrotums. Mit Vorrücken der Lebenstage, bei wiederholter Beobachtung des SCHREIPHÄNOMENS, kommen die Hoden dann zur Hälfte und schließlich überhaupt im Scrotum zu liegen.

Es blieb ein Problem übrig: die Tastbefunde vor Tötung der Tiere stimmten nicht mit den Sektionsbefunden überein. Öffnete Dr. Dischreit die Tiere, so lagen die Hoden wieder im Bauchraum.

Die Vermutung der Forscherin ging dahin, daß der Ortswechsel (oder Rückfall) durch die Narkose vor Tötung der Ratten verursacht sei. Die Tiere wehrten sich während der Injektion, so daß alle Muskelgruppen lebhaft arbeiteten

23 Preloban enthält einen Komplex sämtlicher Hormone des Hypophysen-Vorderlappens. Bei extrem hohen Dosen finden sich an juvenilen Hoden, schreibt Dr. Dischreit, drei Stadien der Veränderung: 1. Stadium: überstürzte Produktion des Samenepithels mit auffallend unregelmäßigen Produkten. 2. Stadium: sog. »Chaos«, degenerierte Samenepithelien, regressive Erscheinungen am Kern und im Protoplasma, Bildung riesiger Synplasmen nach Art vielkerniger Riesenzellen, Degenerationsprodukte. 3. Stadium: »Atrophie« – nur die Grundmauern des Samenepithels, die Spermatogonien, sind noch vorhanden. Evans (USA) kommt zu ähnlichen histologischen Bildern bei Vitamin-E-Avitaminose. Dies sei für die Behandlung von Knaben ungeeignet.

und die Hoden an den früheren Ort katapultiert wurden. »Ich probierte nun andere Tötungsarten: Chloroformnarkose, Äthernarkose, Basisnarkose mit Chloraethyl, Pernoktom. Es dauerte sehr lange, bis die Tiere einschliefen. Schließlich Zyankali. Die Differenz zwischen Tastbefund vor der Tötung und Sektionsbefund blieb gleich.«

Dr. Dischreit griff zu mechanischen Tötungsmitteln. »Ich wollte die Muskelkontraktion mit Sicherheit ausschalten können.« Es wurden ausprobiert: Schlag auf den Kopf, Durchtrennung der Halswirbelsäule, totale Abtrennung des Kopfes. Und zwar stets überraschend und äußerst schnell. Niemals war, stellte Dr. Dischreit fest, die Maßnahme rascher als der Abwehrmechanismus. Die Muskelkontraktionen des isolierten Körpers waren heftig. Das blieb konstant, auch wenn mit einer Basisnarkose durch Chloraethyl und dann mit der mechanischen Tötung abgeschlossen wurde. So verging das Kriegsjahr 1941.

Geheimrat von Frisch riet zur elektrischen Narkose. Es gab in München einen Ingenieur Weinberger in der Kaulbachstraße, der elektrische Narkosen bei Fischen ausführte. Zu diesem bin ich mit einigen Ratten gegangen, berichtete Dr. Dischreit, und habe dort verschiedene Wege elektrischer Tötung mit dort vorhandenen Instrumenten durchgeführt. Stets dasselbe Ergebnis: Kontraktion der Muskulatur des ganzen Körpers, die Hoden durch Muskelkrämpfe in die Bauchhöhle verlagert.

So konnten die allerdings seltenen Fälle der Bauchlagerung von Hoden bei Kindern bis Kriegsende keiner Heilung zugeführt werden. Ja, wir sind nicht einmal mit dem Einzelschritt der Umrechnung von Rattengewicht zu Kindergewicht in bezug auf hormonelle Gaben weitergekommen, sagte Erwin Beuler, Assistent Sauerbruchs, der dessen Gutachten für die Deutsche Forschungsgemeinschaft zu entwerfen hatte. Dem widersprach Dr. Dischreit vehement.

Die fast vierjährigen Versuchsreihen hatten ja deutlich ergeben, daß der Einsatz von Hormontabletten nicht half, sondern zerstörte. Nur mechanisch, durchs Schreiphänomen, ließ sich ein Druck erzeugen, der die Hoden an den rechten Platz rückte. Sämtliche anderen Ergebnisse zeugten von der gewaltigen Kraft der tierischen Natur, die sich mit ununterdrückbarer Energie (auch nicht zu überlisten oder durch Raschheit zu übertölpeln) gegen die Tötung wehrte. Das mochte Dr. Dischreit in Analogie auf Menschenwesen übertragen, ohne es experimentell bewiesen zu haben. Warum, fragte Erwin Beuler, der an einer Habilitationsschrift über die Chirurgie der Lungenembolie arbeitete, kann man die Hoden nicht im Bauchraum belassen in so seltenen Fällen?[24]

---

24 1941 bis 1945 gilt als die Glanzzeit der chirurgischen Operateure. Nicht erst auf Grund des umfangreichen Patientenmaterials, das der Krieg auf die Tische schaffte, sondern weil eine achtzigjährige dynamische Entwicklung der mitteleuropäischen Chirurgie ihren Gip-

Das wußte Dr. Dischreit nicht zu beantworten. Die wertvolle Zucht weißer Ratten war aufgebraucht. Man konnte jetzt im letzten Kriegsjahr keine neuen Versuchsreihen starten. Forschung sucht und findet etwas anderes, als sie suchte.

3
Ein Randergebnis von Forschungen
im Umkreis des Lagers Dora

Von einer Kamera aufgezeichnete Bildsignale werden an eine Vorrichtung am Bauch oder am Rücken von Blinden übermittelt. Die Haut dort ist mit einer Vielzahl winziger Stifte ausgestattet. Das Gerät setzt den optischen Eindruck in Vibrationen der Stifte um. Die Zirkulationsmuster der Haut, ähnlich empfunden wie »kraulen«, gelangen über die Nervenbahnen ins Hirn. Das Sehsurrogat erlaubte blinden Probanden, erstmals einen Striptease zu verfolgen. Auch konnten Blinde einen unvorhersehbar rollenden Ball abfangen. Andere Blinde nahmen erfolgreich eine Qualitätskontrolle am Fließband vor, bei der unzureichend gefüllte Zylinder erkannt und nachgefüllt werden mußten. Das Verfahren, über das dem Reichsführer SS mehrfach berichtet wurde, war nicht praxistauglich. Die Vibratoren (Stifte) waren zu schwer und zu laut. Der Energieverbrauch blieb erheblich. Bei der Herstellung der elektrischen Pulse traten häufig ungewollte Schockeffekte auf.

4
Die Rheinland-Bastarde

Nur weil sie so etwas KONNTEN, wollten sie es auch ANWENDEN. Hygiene-Spezialisten, überdrüssig, Abfallgruben zu dränieren oder Seuchenpläne für gedachte Seuchen anzufertigen, mit dem Gerät für Zwangssterilisationen ausgestattet (eine glanzvolle Kooperation zwischen Technik und Kunst), suchten nach einem zusätzlichen Arbeitsgegenstand.

---

felpunkt erreichte, hielt man keinen Körpereingriff mehr für völlig unmöglich. So stellte sich für Beuler die Frage, ob man in den seltenen Fällen eines Bauchraumhodens die Natur so beließ, wie sie heranwuchs, um später Spermien aus dem »Hoden am falschen Ort« zu entnehmen und der Fortpflanzung zuzuführen.

– Nach Opfern?

– So sahen sie es nicht. Sie suchten nach einer Nutzung für ihr Gerät, für ihre Kenntnisse, die sie erworben hatten, als sie Behinderte hinrichteten, auch Nachkommen aus verbrechensverdächtigen Familien sterilisierten. Das war Skill aus sechs Jahren Studium und sechs Jahren Praxis. Das drängte nach EINSATZ.

– Sie suchten nach einem Gegner?

– Einem Gegner für ihr Gerät. Jemandem, der zwangssterilisiert werden mußte.

– Gibt es vor solchem Produktionsdruck ein Entrinnen?

– Keines.

– Die Ärzte- und Hygienikergruppen waren 1937 durch Hinweise von Kreisleitern im Gebiet um Mainz und Köln (ausfasernd in Orte der Ruhrgebietsbesetzung) auf die sog. Rheinland-Bastarde aufmerksam geworden: Kinder deutscher Frauen, abstammend von negroiden Vertretern der französischen Besatzungsmacht. Es ging darum, die IRRLINGE zu erfassen und der Zwangssterilisation zuzuführen. Im Standesamt war meist eingetragen »vaterlos«.

– Wie erfaßte man die Bastarde vollständig?

– Einige entwichen über die Grenze nach Straßburg.

– Konnte man sie nicht an der Grenze abfangen?

– Nicht nach den Regeln des kleinen Grenzverkehrs. Man dachte zu spät an diese Chance.

– Die Mütter warnten ihre Bastarde? Die Verwandtschaft die Mütter?

– Umgekehrt waren genug Denunzianten vorhanden, auch solche aus den Familien selbst.

– Was geschah mit denen, die gefaßt wurden?

– Sie wurden verhaftet.

– Mit welcher Beschuldigung?

– Ein Besatzer sei ihr Vater.

– Das ist für den einzelnen Bastard kein Straftatbestand.

– Sie sollten ja auch nicht bestraft werden. Sie sollten zwangssterilisiert werden. Es ist dem Feind nicht gestattet, durch immer neue Ketten von Nachkommen seine feindlichen Handlungen von 1918 oder 1923 fortzusetzen. So die Hygieniker.

– Das Kind eines weißen französischen Offiziers, z. B. aus den Vorstädten von Paris, wäre nicht zu sterilisieren gewesen, obwohl von einem Besatzer gezeugt?

– So etwas ist schwerer zu ermitteln. Das Projekt der Rheinland-Bastarde bezog sich auf Abkömmlinge der Unterschicht. Die Schwängerung durch ei-

nen Offizier der Besatzungsarmee hätte sich nach der Lebenserfahrung auf eine junge Frau der Mittel- oder Oberschicht bezogen. Die hätten ihre Anwälte in Bewegung gesetzt. Das Projekt war nur selektiv durchsetzbar.
– Was geschah mit den Zwangssterilisierten?
– Meist wurden sie von ihrer Arbeitsstelle entlassen. Die Zeugungsunfähigkeit wurde als Schande aufgefaßt.
– Wie überlebten sie?
– Einige verschwanden nach Frankreich.
Keine Schadensersatzansprüche nach 1945? Keine Sammelklagen?
– Keine.

5
Der Madagaskar-Plan

»Wir lagen vor Madagaskar
und hatten die Pest an Bord.«
Seemannslied

Der Vorschlag kam von ihm, dessen baltischer Vater im Jahr 1904 See-Offizier des Zaren gewesen war. Die Kronstädter Flotte, in welcher der Vater diente, hatte in Madagaskar gebunkert, ehe sie die Todesreise antrat, die über den Indischen Ozean, die Chinesische See zur Seeschlacht von Tsushima führte. Der Sohn, Beamter im Reichssicherheitshauptamt (RSHA), entwickelte den Madagaskar-Plan.

– Sie nennen das Projekt eine logistische Unmöglichkeit?
– In jeder Hinsicht.
– Die Idee breitet sich aber eine Zeitlang aus.
– Ein dreiviertel Jahr lang.
– Was war daran unmöglich?
– Sie meinen unausführbar? Sie kommen mit Schiffen nicht durch die Linien der Britischen Flotte in solche Fernen.
– Wäre man um Afrika herumgefahren?
– Übersetzen nach Libyen, Wüstenmarsch durch die Steppe bis Uganda, von dort zur Küste.
– Und Suez?
– Hatten wir nicht. Es gibt aber eine viel näher liegende Unmöglichkeit. Man kann nicht, das sage ich als Reichsorganisationsleiter, Millionen Menschen, die bereits ohne Hab und Gut, d. h. konzentriert sind (das, was sie mit sich tragen, ist für eine andere Umwelt gedacht, als sie auf der tropischen Riesen-

306 Die Mondkräfte und der Endsieg

insel vorfinden würden), dort aussetzen. Ohne Infrastruktur. Ihrer Lebens-
grundlage entledigte Menschen . . .
– Nicht anders als Robinson Crusoe, der ohne alle Mitgift überlebte . . .
– Auf einer kleineren Insel. Crusoe ist kein Millionenvolk, das an der Küste
abgesetzt wird.
– Für uns wäre es günstiger, wäre dies Projekt verwirklicht worden und kein
anderes.
– Glauben Sie mir, Parteigenosse, wir würden auch *dafür* bestraft.
– Ja, aber nicht wir beide. Die Organisation hätte nicht bei uns gelegen, weil
wir das Projekt ja für unmöglich hielten. Andere Verantwortliche würden
bestraft.

Die Gesprächsteilnehmer saßen 1946 in einem Gefängnis in Krakau ein, warteten auf die Todesurteile. Sechs waren aus dem Euthanasieprogramm in die
industrielle Tötung befohlen worden. Der Madagaskar-Plan wurde fallenge-
lassen, als sich abzeichnete, daß der Krieg mit England nicht rasch beendet
werden konnte. Die in der Hygiene-Selektion und Spritztechnik erfahrene
Gruppe wäre deshalb nicht Dienstleister gewesen, weil die Art der Organisation in das Zuständigkeitsgebiet von »Kraft durch Freude« gehört hätte.[25]
Hätten wir die Hartnäckigkeit der Anklage vorher gewußt, der wir uns heute
gegenübersehen, sagte der hochrangige SS-Führer aus dem RSHA, hätten wir
den Madagaskar-Plan im Sinne dessen, was mir mein Vater von der Insel erzählt hat, genauer geprüft. Dann hätten wir auch eine logistische Möglichkeit
gefunden, die Masse auf diese französische Insel zu bringen. Madagaskar ist ja
faktisch eine Art separater Kontinent, gewaltig groß, wenn man die Entfernungen in Fußmärschen berechnet.

25 Für die Fahrt um Südafrika herum war die »Wilhelm Gustloff« vorgesehen.

Biologischer Bürgerkrieg

Durch Grundlagenforschung eines Max-Planck-Instituts für Biochemie, an dem seinerzeit Butenandt den Hormoncocktail entwickelte, der im ehemaligen Deutsch-Südwestafrika das Heuschreckensterben auslöste (die Schwärme wurden veranlaßt, in Richtung Wüste zu flüchten, von dort kehrten sie nicht zurück), wurde von einem Pharma-Konzern das Mittel LECITHICIN erzeugt. Das Mittel veranlaßte den Ausbruch eines biologischen Bürgerkriegs auf der Erde.

Tatsächlich bestand in den gewaltigen Zeiten der Evolution stets nur ein Waffenstillstand zwischen den immungeschwächten Tieren der Cerebratenreihe und den vielfältigen Stämmen der Bakterien. Das Lecithicin, das auf dem Prüfstand der Biochemiker so höllisch rasch die krankheitsbringenden Keime dezimierte, blieb nur 21 Wochen im Klinikbetrieb unangefochten, dann hatten Staphylokokken das Bakterizidium ausgerechnet und das sich in ihm angesparte Wissen angeeignet. Diese Stämme waren nunmehr gegen Lecithicin und sämtliche Vorfahren dieses Stoffes resistent.

– Wie? Können Bakterien sich Wissen aneignen und weitergeben?
– Stämme in den Metropolen können das. Sie geben gern weiter.
– Wie? Sie können sprechen?
– Sie docken aneinander an. Wie Tankflugzeuge, die ein Kommando anderer Flugzeuge versorgen. Sie pumpen Teile ihrer Körperflüssigkeit von einem zum anderen. So übertragen sie, was sie wissen.
– In welcher Geschwindigkeit?
– So, daß nach sechs Wochen ganz Südamerika, gesehen als bakterielles Gemeinwesen, immun war. Nicht nur gegen dieses tatsächlich sehr konzentrierte Lecithicin, sondern auch gegen alle vorangegangenen Stufen der Pharma-Wissenschaft, die in diesem Medikament gipfelten.
– Und jetzt waren die Stämme aus der Eukaryonten-Welt gegen die Abkömmlinge des ursprünglichen Penicillin immun?
– Die Forscher hatten übersehen, was sie durch ihren Angriff den Staphylokokken mitteilten. Die Drohung verriet ein Staatsgeheimnis.
– Und es gibt keinen Schutz mehr?
– Nein. Offener Bürgerkrieg.
– Sie meinen, weil man Eukaryonten und Menschen gemeinsam als Bürger des Blauen Planeten sehen sollte?
– Welchen anderen Status wollen Sie denn diesen Vorfahren, die heute uns feindselig begegnen, zusprechen? Als unsere Dienstleister oder Sklaven fühlen sich die Bakterien nicht. Eher als Vorfahren.

– Fühlen sie überhaupt?

– Sie registrieren. Offenbar zählen sie 2 + 2 zusammen.

– Und die Geschwindigkeit, in der sie ihre Informationen verbreiten, hängt sie von der Art unserer Drohung ab? Haben wir Einfluß auf diese Geschwindigkeit?

– Wir müssen versuchen, was wir können. Sonst sind wir besiegt.

– Müssen wir die Krankenhäuser aufgeben, Versammlungsstätten für Infektionen ausgrenzen? Dezentrale Medizin? Wanderärzte?

– Der Ausgang dieses Kriegs ist noch nicht entschieden.

– Was hat man mit dem Max-Planck-Institut für Biochemie gemacht?

– Wurde geschlossen.

– Wegen Landesverrats?

– Das ist so nicht definiert. Geheimnisse der Menschheit sind durch das Strafrecht nicht geschützt.

– Das ist unsere Schwachstelle.

– Man muß es so sehen.

– Und gerade diese Geheimnisse werden täglich, in Tablettenform, dem Hauptgegner zugeliefert. Und wenn wir sagen wollen: ab jetzt Frieden? Oder: wir ergeben uns? Wir betrachten auch die Stämme nicht mehr als Feinde?

– Würden die Eukaryonten es nicht verstehen. Man weiß, wie Bürgerkrieg ausbricht, nicht, wie man ihn beendet.

– Könnten die Heuschreckenschwärme im ehemaligen Deutsch-Südwestafrika ähnlich lernen und wiederkehren?

– Sie sind keine direkten Vorfahren. Der Angriff erfolgte nicht durch Gift, von uns erfunden, sondern durch eigene Hormone dieser Tiere, die sie in die Irre führten. Den Absender der Nachricht erfuhren sie nicht.

– Anders die Eukaryonten?

– Das sind Brüder, nicht einmal tot.

– Nicht Brüder, es sind Ahnen.

– Und zwar solche, die alle unsere unmittelbaren Vorväter überlebt haben. Man könnte sagen, sie sind ein einziges, emsiges, vorläufiges, unsterbliches Lebewesen. Das kann man von uns Individuen nicht sagen.

– Wenn wir nicht individuell wären, könnte man es vielleicht.

– Das, was im Institut fabriziert wird, schon 80 Jahre lang, ist höchst INDIVIDUELL.

– Nutzte das etwas, als das teure Institut geschlossen wurde?

– Nein.

Organisation als Glaube

I

Eisenbahnknotenpunkte in der Gründerzeit des Generalgouvernements

In dem nicht vom REICH annektierten Teil Polens, dem Generalgouvernement, einem Nebenland Deutschlands, das aber nicht Reichsland war wie Elsaß-Lothringen, einer Statthalterschaft (die genaue Festlegung der Organisation wurde »vergessen«), wurden Konzentrationen jüdischer Wohnbezirke eingerichtet unter der aktenmäßigen Bezeichnung »Ghetto«. Schwäbische und rheinland-pfälzische Regierungsräte organisierten das Gelände von Dezember 1939 bis April 1940 nach ordnenden Gesichtspunkten. Das Organisierte rechneten sie aber ab an die Zentrale in der Krakauer Burg.

Latifundien polnischer Adliger wurden als Erholungsheime konfisziert. Die sog. Ghettos wurden errichtet unter Verwendung eines Barackentyps, der in der Zeit der Errichtung des Westwalls sich für den Reichsarbeitsdienst bewährt hatte. Die Baracken wurden bevorzugt an Eisenbahnknotenpunkten oder an Orten mit Zugang zum Streckennetz errichtet. So wie auch Kornsilos (neu) und Lagerstätten für Kohle (im Januar 1940) in diese Nähe zum Bahnnetz verlegt wurden. Es hatte vier Monate lang den Anschein, als entstünden seitlich der Schienen neue Städte. Denn jede Lagerung zieht Bewirtungsstuben, Getränkehallen nach sich. Das blieb zukunftsträchtig und war entweder geeignet, eine Art SCHATZKAMMER DES DEUTSCHEN REICHS oder einen HORT DER ERNÄHRUNGSWIRTSCHAFT, eine späte Kolonie, wie sie uns in Afrika genommen wurden, oder aber ein AUFMARSCHGELÄNDE IN RICHTUNG OSTEN zu entwickeln. Bis in den April eine defensive Haltung gegenüber diesem Nebenland, eine Enttäuschung über die jüngsten Organisationserlasse, den sandigen Boden des Ostens. Beamte des Reichsrechnungshofes begannen, Einnahmen und Ausgaben zu zählen. Realität holte die Hoffnungshorizonte ein.

– Dann waren diese Gründerbeamten des Generalgouvernements bis dahin noch überzeugt, daß die Konzentration in »Ghettos« etwas Vorübergehendes sei?

– In ihrem kolonialen Eifer stellten sie sich vor, daß die Konzentrierten an Drittländer, z.B. in den Norden Schwedens, abgegeben würden. Die Bewohner der Baracken seien »arbeitsam« heißt es in einem Gutachten.

– Man hätte sie ausleihen können?

– Das war im Frühjahr 1940 noch offen.
– Danach nicht mehr? Ist das der Grund für die Sperre, die das Generalgouvernement für die Einfuhr von Juden aus dem Wartegau und aus dem Reich verfügte?
– Es waren dieselben Beamten, die sich jetzt sperren, die vorher die Knotenpunkte an den Bahnstrecken errichtet hatten. Sie waren enttäuscht, weil sie nicht weitermachen durften.
– Weitermachen in welcher Richtung?
– In irgendeiner organisatorisch »ansprechenden« Richtung.
– Waren sie antisemitisch eingestellt?
– Sie waren Reichsbeamte, ehemalige Landesbeamte.
– SS-Einfluß im Dezember 39 bis April 40?
– Sie hatten SS-Ränge. Es gab eine Parallelverwaltung des Sicherheitsdienstes (SD). Die vergrößerten ab Mai 1940 ihren Einfluß.
– Und die ganze Zeit fuhren die Eisenbahnen, die Güterzüge auf den Strecken dieses Nebenlandes hin und her?
– Nie waren die Strecken so befahren wie in dieser Gründerzeit.

2
Arbeitsheere von 1944

Auf Nebengleisen, einen Kilometer entfernt vom Bahnhof Oschersleben, standen die beiden Befehlszüge nebeneinander. Der Treffpunkt war hinreichend auffindbar, zugleich war er einem direkten Luftangriff auf den Industrie- und Eisenbahnschwerpunkt Bahnhof Oschersleben entzogen.
Um elf Uhr wurden belegte Semmeln und Tee aus Thermosflaschen gereicht. Die Zwischenmahlzeit besiegelte eine Niederlage der Abgesandten der Speerschen Rüstungsinspektion gegenüber dem Jägerstab von Dipl.-Ing. Saur.
Im zerrütteten Reich gab es drei Konzeptionen von Arbeit. Jede von ihnen wurde von einer differenten Fraktion der nationalsozialistischen Machtelite verteidigt.
Eine konservative Organisation der Arbeitskraft ging davon aus, daß die Rüstungsringe, welche die Werksleistungen zusammenfaßten, nach dem Modus konkreter Ingenieurs-Netze Facharbeiter anleiteten, die wiederum durch Arbeitssklaven in den mechanisierbaren Teilen des Arbeitsprozesses unterstützt wurden. Das war die Konzeption des Rüstungsbeauftragten Albert Speer und seines Ministeriums.
Davon hatten sich durch exzessive Leistung und Spezialisierung der Reichsjägerstab und Teile der Panzerproduktion emanzipiert. Sie hatten die Ingenieure

eliminiert, d. h. sie verzichteten auf Umständlichkeit. Jedes Einzelteil war in einem standardisierten Produktionsprozeß erfaßt und wurde von einem Räderwerk der Organisation zusammengefügt. Hierfür waren Arbeitssklaven aus dem Osten unbrauchbar. Facharbeiter wurden kolonnenmäßig nach dem Fließbandprinzip, aber dezentralisiert, für die Einzelstücke erfaßt und mit Schwung in einen Prozeß des Massenausstoßes von Jägern oder Panzern eingefügt.

Beide Richtungen entsprachen im Kern nicht nationalsozialistischer Auffassung. Dem Anspruch nationalsozialistischer Politik entsprach allein die PLANETARISIERUNG DER WERKSTÄTTENLANDSCHAFT. Das war Ohlendorfs Steckenpferd. Wo kommen die Erfindungen her? Aus Labors und Werkstätten. Was verbürgt den Endsieg? Überraschende, neuartige, vom Gegner nicht erfindbare Waffen. Das ist ohne Erfindung, ohne Werkstätte unmöglich.

Hierin liegt der Unterschied zwischen ORGANISCHER und MECHANISCHER Mobilmachung. Ohlendorf, der vom Verhandlungssieg des Jägerstabs bei Oschersleben und der Beschämung der Ingenieure gehört hatte, hätte diesen Sieg einer falschen Seite über die andere falsche gerne mit der Verhaftung aller beantwortet. Letztlich kann man die Auffassungen darüber, was ARBEIT ist, in einer nationalsozialistischen ARBEITERPARTEI nur durch Parteiung und durch physische Vernichtung der falschen Auffassung ausgleichen. Insofern hielt Ohlendorf den Tod von Dipl.-Ing. Saur und des Rüstungsministers Speer langfristig für unabdingbar, wenn das Reich siegen sollte. Falls überhaupt noch Zeit blieb, vom Begriff der Arbeit her den entscheidenden Faktor zu setzen.

Macht der Vorstellungskraft

Fund eines Wildtyps des
»verbrecherischen Menschen«

Die medizinischen Kapazitäten in Wien, alles Polizeiobristen, schon seit 1932 im Kriminalwissenschaftlichen Institut in Wien tätig, hielten Bruno Luedke, den Serienmörder, für eine »verwilderte Variante des Menschen weißer Rasse«, einen »Tarzan«.

Der Mann war an die Industriegesellschaft angepaßt. Ihm wurden 53 Morde in der Zeit von 1924 bis 1943 zugeschrieben, in Deutschland verübt, meist an Frauen. Ein Sonderkommando von Spezialisten des Reichskriminalpolizeiamts (RKPA) reiste in Begleitung dieses Gefangenen durch das Reich, von Tatort zu Tatort. Der Mann wurde geröntgt, seine Gehirnströmungen dokumentiert, mit Blutuntersuchungen, Alkohol- und Gifttests war er allseitig erfaßt, zu Leistungstests hatte man ihn verführt. So war er nach Wien weitergereicht worden.

Stets gab es aber auch unter den Kriminalisten Zweifler. Zum Beispiel behaupteten Hamburger Kriminalbeamte, der mutmaßliche Mörder sei an den in den Geständnissen beschriebenen Orten nie gewesen. Es gäbe, sagten sie, einen Intelligenztyp, der auf Fragen der Verhörbeamten blitzartig verstehe, welche Aussagen man von ihm erwarte. So etwas sei kein »besonders befähigter Gewalttäter«, sondern ein »besonders befähigter Schwindler«.

Die Suche nach einer »ursprünglichen Kämpfernatur« in den Abgründen der Kriminalität (ja in fremden Rassen, in Verbindungen zwischen Affen und Menschen) war Wettbewerbsobjekt zwischen verschiedenen Instanzen des Reichs, auch zwischen den Hauptabteilungen des Reichssicherheitshauptamts (RSHA).[26] Wäre die Identifizierung eines besonderen Menschentyps, der zu Verbrechen, ebensogut aber zum Kampf gegen den Feind, oder zur Verbrechensbekämpfung geeignet sein mochte, ein Prestigeerfolg?

Mehrfach wurde der rätselhafte Luedke zwischen Zentralen der Polizei hin und her verschoben.

Im April 1944 erfaßte die Ermittler ein Grauen. Es war nicht festzustellen, was den Verhörspezialisten (auch den biologischen Untersuchern) geschah, während sie sich mit diesem »besonderen Menschen« beschäftigten. Sprang etwas über? Schon trafen sie Sicherungsmaßnahmen, verdeckten die Haut unterhalb der Kleidung mit Westen aus Pergamentpapier, befragten den Mann nur noch, wenn er gefesselt vorgeführt wurde.

Die Sterbeurkunde Luedkes vom 8. April 1944 vermerkte als Todesursache »Herzlähmung«. Tatsächlich war der Mann von der Verhörtruppe umgebracht worden. Elf Tage nach seinem Tod verständigten sich im Reichskriminalpolizeiamt Berlin die leitenden Kriminalräte mit dem Reichskriminaldirektor darauf, die Todesursache Luedkes der Staatsanwaltschaft nicht mitzuteilen.

– Was löste die Panik aus?
– Daß sich in den Reichskriminalpolizisten der Eindruck festgesetzt hatte, auf den »Tiermenschen« gestoßen zu sein.
– Den suchten sie doch!
– Sie hatten gedacht, daß sie danach suchten, als sie noch suchten. Als sie »das Tier« gefunden hatten, erschraken sie.

26 Das Reichskriminalpolizeiamt (RKPA) war eine dieser Hauptabteilungen.

– Pochte ihr Gewissen?
– Nein, ihre Vorstellungskraft.
– Sie waren Nationalsozialisten?
– Einige schon seit 1932.
– Und entsetzten sich vor dem »Wildtyp des Verbrechers«?
– Völlig außer Häuschen. So etwas wollten sie nicht berühren.
– Das taten sie doch, als sie den Mann umbrachten.
– Ja, logisch war es nicht.

Der schmale Grat zwischen
religiöser Illusion und Naturgeheimnis

SS-Gruppenführer Kammler hatte 1944 in seiner Amtsgruppe 62 Wissenschaftler zusammengeführt und auf die Phänomene der ELEVATION angesetzt. Für das Reich war die Hauptschlacht verloren. Der Endkampf, d. h. die gewaltsame Erhebung aller Kräfte (das können nicht die des Volkes sein, sondern es sind die der Befehlsknotenpunkte), kennt lange Fristen. Er ist auf das anscheinend Unmögliche gerichtet, die Glückswende, und so sind auch die Zeitmaße dieses PLANS von unwahrscheinlicher Länge. Ein Ergebnis erwartete Kammler für das Frühjahr 1952.

Einige ungarische Mitarbeiter der Wissenschaftlergruppe entwickelten jedoch ganz rasch einen Durchbruch. Sie hielten sich nicht auf mit der Erforschung der rätselhaften Teleportation einiger Heiliger der katholischen Kirche, sie schlugen Hinweise aus der Welteis-Theorie Hanns Hörbigers in den Wind. Sie entdeckten die ANTI-GRAVITATION.

Auf einem Feldflughafen bei Prag wurden dem Führer Bewegungen von Flugkörpern vorgeführt, die sich oberhalb einer sich drehenden Scheibe ohne Motorkraft senkrecht in die Höhe bewegten. Tatsächlich war dem Versuch durch ein Gebläse nachgeholfen worden, denn die elevatorischen Kräfte waren noch gering. Man konnte in den unterirdischen Laboratorien Kammlers eine Fliege binnen Stunden um einige Dezimeter anheben.

– Warum nutzte man nicht die natürliche Flugkraft der Fliege?
– Sie meinen die Kraft, die einige Milliarden Fliegen besitzen? Gebündelt?
– Sie wäre gewaltig.
– Sie wäre nicht zu organisieren. Anti-Gravitation dagegen könnte buchstäblich ganze Städte wegheben.

– Und die Amerikaner und Briten wußten davon nichts?

– Man diskutiert dort erst heute, 60 Jahre später, über diese Naturkraft.

– Was geschah mit den Wissenschaftlern, die das Prinzip 1944 entdeckten?

– Sie wurden 1945 erschossen. In einem Bergwerk bei Breslau.

– Warum erschossen? Sie waren doch willig.

– Gruppenführer Kammler suchte um jeden Preis zu vermeiden, daß die Alliierten von dem Geheimnis erfuhren.

– Worin bestand das Geheimnis? Die Versuchsanordnung sieht ja aus wie ein Stück Esoterik.

– Das Prinzip der zwei ungarischen Wissenschaftler beruht auf einer rotierenden Scheibe, extrem gekühlt; gewisse Stoffe in dieser Scheibe unterbrechen die Erdanziehung. Nunmehr wirken die Fliehkräfte oder die Anti-Gravitation und treiben, was sich über der Scheibe befindet, in die Höhe.

– Und das sollte bis 1952 in eine wirksame Waffe verwandelt sein? Wie groß hätten denn die rotierenden Scheiben sein müssen?

– Geplant war: so groß wie das Reichsgebiet. Stellen Sie sich vor, daß feindliche Bomber sich Deutschland nähern und in die Stratosphäre zu den Sternen abgetrieben werden. Wie von Engelshänden geleitet.

– Und umgekehrt, mit dem Schub von Engeln einmal in Gang gesetzt, rasen Bomben bis New York?

– Etwa so.

– Und umgekehrt könnte (die Scheibe wäre in den Tiefkellern unter der Reichskanzlei zirkulierend) dieser Regierungssitz sich erheben und in anderen Gegenden des Planeten niedergehen? Es könnte sozusagen die Reichskanzlei mit Kellern und Leuten im letzten Moment in Sicherheit gebracht werden?

– Es würde vom Gebäude manches abbröckeln. Die Scheibe rotiert in den Kellern nie in der Breite, in der das Bauwerk angelegt ist.

– Und Sie sagen, diese Kraft, die auch die Forellen im Bach gegen die Schwerkraft treibt und welche die Bewohner der Insel Atlantis einst für sich einsetzten, gibt es wirklich?

– Es ist die Naturkraft, welche die Galaxien in die Ferne schiebt.

– Eigentlich ungerecht, daß Verbrecher wie die Nationalsozialisten so etwas gefunden haben.

– Sie haben es ja nicht selbst gefunden.

Die Lehre von den Zufalls-Sinnen

Nach seinem Vortrag in Stockholm im Dezember 1908 wurde Rudolf Steiner gefragt, was der Ausdruck »Zufalls-Sinn« bedeuten solle. Der weise Mann entzog sich der Anwort. Er plauderte über den Begriff des Zufalls. Was ist Zufall? Das, was mir zufällt. Die Großzügigkeit von Natur und Umständen bringt mir einen Zugewinn. Das Gegenteil wäre Abfall. Wenn einer mich verrät, wenn er von der gemeinsamen Sache abfällt. Wenn etwas Unnützes abgesondert wird von dem, was ich behalte.

Im Sommer 2002 wurden russische Kinder aus dem Regierungszentrum Ufa, die zur Belohnung für ihre herausragenden Schulnoten einen Urlaub in Spanien verleben sollten, verspätet zum Umsteige-Flugplatz in Moskau antransportiert. Sie alle kamen elend um in einem gecharterten Flugzeug, das sie zu ihrem Zielort bringen sollte. Kurz vor dem Einstieg in die Unglücksmaschine griffen die zwei Dienerinnen eines Regierungsbeamten in Ufa die Kinder dieses Auftraggebers.[27] Sie weigerten sich, diese Kinder für den Flug, der so nicht disponiert war, herauszugeben, brachten die enttäuschten Minderjährigen nach Ufa zurück, wo sie am folgenden Tag (inzwischen war das Unglück eingetreten) dankbar in Empfang genommen wurden. Dies sei, teilte eine Vertraute der anthroposophischen Wissenschaft mit, ein spätes Beispiel der Lehre von den Zufalls-Sinnen. Was anderes als ein solcher Sinn kann die Dienerinnen in Bewegung gesetzt haben, die zwei Kinder aus der Gemeinschaft der Unglückseligen zu lösen?

Wie haben sie denn die lauernde Gefahr über dem Seegebiet eines fremden Landes erahnen können? Die Kausalitäten waren noch nicht vereinigt, die zum Geist dieser Katastrophe gehören. Ja, teilte die Anthroposophin mit, die Sinne, die sich an künftigen Zufällen orientierten, benötigen nicht die Kenntnis solcher Zufälle. Sie wissen sie voraus, aber nicht, weil sie Spurensucher von Ursachen sind, sondern weil sie Verdichtungen »sehen«, die für das ihnen Anvertraute eine Gefahr signalisieren.

So arbeiten Engel mit Zufalls-Sinnen?

Sie arbeiten nicht damit, sondern sie haben sie.

27 Die energischen Dienerinnen führten die Kinder regelrecht ab. Die Kinder weinten, sie wollten sich nicht trennen von den Schulkameraden, die dem Flugtransport zugeführt wurden. Irgendeinen Zweifel hatten die Dienerinnen nicht? Sie schienen unbeeinflußt durch die Zweifel der Transportaufseher und der Zollbeamten, die sich mit Rat einmischten.

Unerklärliche Reaktion im Sandgestein

> Wenn Hitler steht am Wolgastrom /
> Den Rhein entlang sinkt Dom für Dom.

Ein Wahrsager namens Regnon C. Iturbé hatte in der Schweiz Behauptungen aufgestellt, welche die Regierungspräsidenten und Katastrophenschutzbeauftragten des Rheinlands im August 1942 aufs ernsteste beunruhigten. Sie sandten ihre Bauräte zu den Kathedralen. Tatsächlich hatte eine märchenhafte Erkrankung die Kirchenschiffe längs des Rheins ergriffen. Der Sandstein lief aus. Ein Anfangsverdacht. Aber was für ein schrecklicher Anblick wäre es, lägen die mächtigen Bauwerke als ein Haufen Sand in den Städten.

Luftschutz ist personengleich mit Katastrophenschutz. Der liegt bei den Regierungspräsidenten. Man konnte ausschließen, daß das Phänomen mit den nächtlichen Angriffen der Royal Air Force zu tun hatte. Eher war es merkwürdig, daß Bomben und Phosphor die mächtigen Kirchen, die große Ziele boten, so selten trafen. Eine Absicht der Angreifer wurde nicht unterstellt. Sowenig ein Nachtangriff ein Ziel punktgenau zu treffen vermag, sowenig wären die Planer des Angriffs in der Lage, Ziele völlig zu vermeiden.

Auch die Kausalbeziehung zwischen Bodenerschütterung infolge Bombardierung und der merkwürdigen »inneren Strömung der Sände im umbauten Kirchenraum« war dadurch ausgeschlossen, daß Dome in nicht attackierten Städten den gleichen Befund zeigten wie die Dome der angegriffenen.

In jenem Monat waren die Spitzen des 24. Panzerkorps zur Wolga durchgebrochen. Ein sommerlicher Fluß von gewaltiger Breite. Anpflanzungen von Landwirtschaft (auch Treibhäuser) und von Industrie (am Ufer in die Länge gestreut). Der Führer hatte diese Front nicht besucht. Es konnte nicht gesagt werden, »daß Hitler am Wolgastrom steht«. Andererseits befand sich der Zerfallsprozeß der rheinischen Dome auch erst im Anfang.

Eine Bestrafung des Schweizer Wahrsagers oder eine Vergatterung zum Stillschweigen kam nicht in Betracht. Der Meinungsaustausch auf der Ebene der Militärbehörden war durch die außerordentliche Geheimhaltung, die in dieser Sache gefordert war, erschwert. Wie sollte man sich ausdrücken? Wie konnte man vermeiden, in den Verdacht zu geraten, daß man der Wahrsagung glaube, andererseits dem katastrophalen Ergebnis, wenn sie sich als stichhaltig erweise, entgegenwirken? Hitler hindern, an die Wolga zu fahren? Woher sollte man wissen, ob er das überhaupt plante?

Regierungsrat Erich Löwe, eine rheinische Frohnatur, fand den einzig praktikablen Ausweg. Angesagt war es, die Dome durch Gerüste und eine Ummantelung der Unterseiten mit Beton gegen Beschädigung bei Bombardierung zu schützen. Das stützte, wenn nicht überirdische Kräfte tätig waren, die Bauwerke, auch »wenn deren Sanduhr lief«. Zuletzt könnte man, meinte der Bauexperte, die Gotteshäuser in Beton neu aufgebaut haben, noch ehe sie in ihrer Gestalt aus Sandstein gänzlich zerfallen wären.

- Sie wären in Beton reine ÄUSSERE VERSCHALUNG, Parteigenosse Löwe?
- Unzerstörbar.
- Der Innenbau aus dem 12. Jahrhundert aber wäre durch den zerrinnenden Sand zerstört?
- Müßte neu hergerichtet werden.
- An dem Schutzbau wäre nichts Heiliges?
- Heiligkeit ist keine Sache des Baumaterials.

Im Winter kam dann die Sandströmung in den Domen des Rheins zum Stillstand. Waren die Dome vielleicht durch eine lang andauernde Ostdrift trockener Winde gefährdet worden, wie sie im Juli und August 1942 stattfand? Nachdem die Westströmung mit ihren aggressiven jahrhundertealten Winden zum Ende des Jahres wiederkehrte, beruhigten sich die Kolosse.

5

Geschichten vom Weltall / Primäre Unruhe / Wohin fliehen?

Sternenwind. Von der Geduld des Kosmos. Vom Fortschritt. Die Sehnsucht nach der Auferstehung. Nichts ist instruktiver als ein Durcheinander der Zeitskalen.

TEMPUS, AEVUM, AETERNITAS

Wir Islamisten, sagte Jamal Islam, Astrophysiker aus Bangladesch, Kenner suffitischer Texte, die seit 1150 nur mündlich weitergegeben werden, gottgewollt, gehen um mit drei Sorten von Zeit. Ich blicke auf meine Uhr, ich lese TEMPUS, dies ist die Eigenzeit, sie verbindet mich mit den Atomuhren der wissenschaftlichen Welt. In diesem Zeitmaß bewegen sich Erde und Sonne im Kontext der Milchstraße, d. h. in nur einhundert Millionen Jahren umrunden sie in schöner Gemeinsamkeit den Kern der Galaxie. Ich kann bestätigen, daß wir durch Walter Baades Fenster dieses Zentrum, entgegen allen Angaben, es sei durch Wolken unsichtbar, sehen können.

Von TEMPUS unterscheidet sich AEVUM. Das ist körperlose Engelszeit. Ich richte den inneren Blick auf das Zentrum. Dort strahlt Allahs Schwarze Sonne von Innen nach Außen. Der Ursprung des SCHWARZEN LICHTS liegt westlich des Solarplexus. Unmittelbar fühllos. Ketzerisch, das Empfinden zwischen Zwerchfell und Solarplexus, das bei Angst oder glücklichen Erregungszuständen gespürt wird, mit der Engelsstrahlung zu verwechseln. Erst die Zentralität von Millionen Gläubigen läßt die Strahlung des AEVUM entstehen, auf der die Seelen hinanfahren.[1]

Die dritte Zeit, AETERNITAS, das ist Dauer, die allein Gott erfährt. Es ist wiederum ketzerisch, dieses Universum an Zeit mit TEMPUS oder AEVUM zu verwechseln oder auch nur zu verbinden. Schon der Gedanke daran ist todeswürdig. Wir müssen Leute, die in diesen elementaren Fragen des Islam irren oder Irrtümer verbreiten, physisch liquidieren, denn es ist besser, daß ein Mensch untergeht, als daß das Reich Gottes verdirbt.

Ein europäischer Botschafter, der bei Jamal Islam Erkundigungen einzog, befragte den Gelehrten. Er war Mediävist.

---

1 Als Physiker möchte ich den theologisch faßbaren Tatbestand an einem Gleichnis erläutern. Wir Astrophysiker suchen nach Gravitonen. Ich selbst bin an der Entwicklung eines Gravitationswellendetektors beteiligt. Die Wechselwirkung zwischen einem Partikel unserer Erde und einer Stelle unseres Körpers ist so wenig meßbar oder praktisch relevant wie die zwischen einer Stelle unseres göttlichen und einer Stelle unseres irdischen Körpers. Sagen wir aber zu einem kräftigen Menschen: Hier ist dein Ort, hier sollst du springen, so ist das Konvolut an Menschenkörper und Sprungkraft jene Verbindung, die einerseits herrliche Sprünge in Richtung des Himmels zeigt (auch bei Gazellen, Springmäusen, Fischen in Gebirgsbächen) und zugleich die mächtige Bremskraft des Planeten.

- Sie gebrauchen die lateinischen Begriffe des Origenes. Warum?
- Wir führen eine Diskussion, die seit dem Jahr 1080 andauert. Es sind spanisch-islamische Texte, um die es geht. Wir lesen sie in der lateinischen Übersetzung. Die arabische Version darf nur mündlich weitergegeben werden.
- Und ändert sich mit der Zeit?
- Das ist nicht zu vermeiden.
- An den lateinischen Übertragungen des Frühmittelalters messen Sie den Abstand zu den Wandergeschichten, welche die islamischen Gelehrten heute wiedergeben?
- Reden Sie nicht despektierlich über etwas, das heilig ist.
- Die Schreibfehler, Irrtümer und oft sinnlosen Zusätze der Mönche, die unsere abendländischen Texte verändert haben, sie sind doch nicht heilig?
- Deshalb ja die mündliche Überlieferung bei uns.
- Die noch mehr Irrtümer zuläßt?
- Veränderungen. Irrtümer verhindert Allah.
- Halten Sie das für sicher?
- Wenn Sie einen Lehrsatz dieser Bedeutung, daß nämlich die geheimen, mündlichen heiligen Texte dem Irrtum oder der Einflußnahme Satans nicht offenliegen, bezweifeln, müssen Sie damit rechnen, daß Ihre Gesprächspartner Ihnen im günstigsten Fall nicht mehr zuhören. Ein solcher Zweifel kann auch mit der Todesstrafe gesühnt werden. Seien Sie froh, daß die Gläubigen Sie als Europäer für einen Narren halten.

Man kann, erläuterte der islamische Gelehrte, nicht aus einem der drei Universen, die hier als Zeit bezeichnet sind, aber noch andere Substanzen (z. B. Aromen, Notwendigkeiten) umfassen, in das andere reisen. Sie sind gegeneinander abgeschottet. Ein Glaubender verliert sich, sobald er ohne Einhaltung des Rituals aus einer Zeit in die andere wechselt. Aus der schwarzen Strahlung blickt er auf die Armbanduhr? Ja, das verwirrt ihm den Sinn. Und aus AETERNITAS kommend? Dahin gehört er nicht. Dort hat er als menschlicher lebendiger Körper nichts zu suchen. Und welche praktische Bedeutung haben diese Unterschiede? Würde man das nur im Glaubenskrieg, im Ernstfall sehen? Man »sieht« es überhaupt nicht, antwortete der islamische Gelehrte. Der Sinn wird verwirrt, es hat noch andere Konsequenzen. Sie wissen, daß Origenes es ablehnt, daß Jesus in dieses Leben zurückkomme und nochmals tun wird, was er getan hat, und zwar in Zyklen, unendlich viele Male. Dieser Satz des Origenes kommt von uns. Nicht einmal, um die Schuldigen einzusammeln und zu strafen, kehrt der Prophet zurück. Nichts wiederholt sich. So, wie Sie es aus den Gesetzen der Thermodynamik kennen. Aus diesen Gründen besteht die Grenze zwischen AEVUM, AETERNITAS und TEMPUS.

– Sprechen Sie von einer physikalischen Theologie?
– Von was sonst?

Wissen Sie, woran mich das Gespräch mit Ihnen erinnert? (Das Gespräch fand in französischer Sprache statt. Der Mittelalterforscher, der als Diplomat eines winzigen Landes seine Dienste leistete, konnte mit dem Gelehrten aus Bangladesch einigermaßen offen reden, weil sie das schon seit vierzig Jahren getan hatten.) Mich erinnert, sagte der Diplomat, der islamische Imperialismus an die alte Sowjetunion. Sie hatte das Flugwesen erfunden, ehe es das erste Flugzeug gab. Sie forschten im Süden Rußlands nach den ersten Menschen, sie überholten, zu den Sternen hin, alle anderen Industrienationen. Sie verleibten sich die Welt ein, als Materialisten, ohne Religion zu bemühen. Sie aber, mein Freund (und ich will Sie nicht aus Ihrer Phalanx aller Gläubigen herauslösen, wir sind Freunde, man kann das sein, auch wenn man sich gegenseitig für Ketzer hält), erklären mir die Bewegung des Islam so, daß sie alles Wertvolle der Welt einnimmt und wir uns darauf vorbereiten sollten, daß bald Sibirien und der Mittlere Westen in den USA islamisch sein werden. Das sagen Sie ohne alle Rücksicht auf materielle Verhältnisse.
Merkwürdig, antwortete der islamische Gelehrte. Ich arbeite gerade an einer Übersetzung der *Dialektik der Natur* von Friedrich Engels aus dem Russischen (leider lese ich kein Deutsch). Und warum übersetzen Sie nicht aus dem Französischen? Ich habe ein russisches Exemplar. Und da geht es um DIE VITALISATION DER TOTALITÄT DES INTERSTELLAREN RAUMS. Alle Formen der Materie besitzen eine Art Leben auf niedrigem Niveau. Nicht-denkendes Leben schafft die Biosphäre. Und aus ihr entsteht durch Blitz die Noosphäre. Sie meinen im Jahre 1080? warf der Diplomat ein. Davon gehe ich aus. Das kann ich aber öffentlich nicht sagen. Sie meinen, die Taliban bringen Sie um? Es sind nicht nur die Taliban. Es gibt in Ägypten, auf mancher Insel Indonesiens aufmerksame Gläubige, auch Gelehrte, die unsere Reihen säubern, wenn sie das für nötig halten. Ich möchte nicht zu den Gesäuberten gehören. Es ist für mich deshalb bequem, die korrekten heiligen Texte des Jahres 1080 Friedrich Engels zuzuschreiben.

– Und Sie nehmen die Übersetzung aus dem Russischen, um dessen Dialektik der Natur an die Ergebnisse von 1080 korrekt anzupassen?
– Aus dem Französischen wären Änderungen schwerer möglich, weil zu viele Leser aufpassen.
– Und im Russischen paßt keiner auf?
– Zur Zeit nicht.

Die These einer Einwirkung oder Rückkehr aus der AETERNITAS in die
Welt des TEMPUS wäre ketzerisch? Das wäre ein priesterlicher Trick, gegen
den sich der Islam ja wendet. Wir bräuchten keinen Islam, wenn es die Ewige
Wiederkehr, wie sie die Priester des Feuerkults sich vorstellen, gäbe. Nietzsche
würden sie liquidieren? Der Diplomat meinte die Frage ironisch. Er ist liquidiert, antwortete der Islamist.

Die Gefährten so vieler Jahre saßen in Korbstühlen, einigermaßen zeitlos bzw.
in neutraler Zone zwischen den Zeiten des TEMPUS in der Halle eines der
Grand Hotels, das die Tatsache bezeichnete, daß dieses inzwischen gefährdete
Weltgelände früher britischer Herrschaft unterlag. Wie Botschaften einer un-
tergegangenen Welt finden sich diese Hotelschiffe, gestrandet, aber im Inneren
einen geistigen Komfort widerspiegelnd, der einen Zustand illustriert, als
könne man sich unter Menschen überall in der Welt verständigen. Bei kalten
Getränken kühlen Sinnes alle Fragen der philosophischen und der Lebenspraxis nebeneinanderlegen und, wie auf einem mittelalterlichen Wasser, z.B. in
der Großstadt Damaskus oder in Cordoba, das Beste auswählen. So bringt ein
Kaufmann der geliebten Tochter aus der Ferne Geschenke, so reisen die Erzähler und bringen das Interessanteste und Neueste in entlegene Weltenteile. Insofern war das Gemäuer, das die beiden so verschiedenen Gelehrten beherbergte,
zwar imperialen Ursprungs, aber es war ein Ort, in dem momentan keine Imperien begründet wurden oder sich ausdehnten. Der neue imperiale Arm, das
fürchtete der Diplomat, entstand eher sieben Kilometer entfernt von hier in
den Elendsvierteln. Und dieser gefräßige Schlund des AEVUM würde den ihm
gegenübersitzenden nicht mehr jungen Astrophysiker als ersten verschlingen,
sobald ein solcher VOLKSWILLE aus dem AEVUM ins TEMPUS eindrang.

Vitalisation des interstellaren Raumes
nach Friedrich Engels

Wie es auch Allah nicht anders sagt, lehnt die *Dialektik der Natur* sowohl
die ewige Wiederkehr in immer denselben Zyklen ebenso ab, also z.B. den
Mythos des Sisyphus, wie den Kollaps von Materie und Menschen in fernen Tagen, der gewissermaßen rückwirkend allen Gegenwarten und der
Vorgeschichte den Sinn raubt. Es ist doch nicht möglich, schreibt Friedrich
Engels (in der Übersetzung ins Arabische von Jamal Islam), daß die Arbeit
so zahlloser Geschlechter, ihre Einfälle, ihr Opfermut, ihre Kämpfe gegen
die Unterdrücker, dazu führen, daß die Gebetsmühlen der Priester sich als
das Wirkliche erweisen. Die Natur ist in ihrem Kern rebellisch. Wie Cati-
lina ist sie neuerungssüchtig. Sie überholt sich selbst und schafft dort,

wo die Thermodynamik dem Satz von der Erhaltung der Energien folgt, durch winzige Unregelmäßigkeiten, sozusagen den Staub der Geschichte, eine Differenz, aus der sich eine neue Informationsmenge ausscheidet, sozusagen der Anfang eines neuen Universums, einer NEUEN ZEIT, die das Ausblenden der alten begleitet.

– Meint er das als eine universelle Planwirtschaft, welche die Verschwendung in den Galaxien ausräumt und aus dem Ersparten neue Galaxien, eine Wiege der Menschheit nach der anderen, erschafft?
– Überhaupt nicht.
– Aus dem, was dem Plan von jeher entgeht, sozusagen dem Zerfallsmaterial der Katastrophen, z.B. unserer fast schon jährlichen Flutkatastrophen in Bangladesch, die so viele Millionen von Menschen umbringen, entsteht unerwartet Neues. So sagt es Allah in den südspanischen Texten von 1080, die ich erwähnte.
– Aber Friedrich Engels sagt es so nicht …
– Ich meine, daß er es sagt. Mindestens aber so meint.
– Weil Sie es aus dem Russischen übersetzen, mein Lieber?
– Es sind Druckerzeugnisse aus der Zerfallszeit. Einem guten Moment. Ich nehme die Drucke von 1989, im Frühjahr, Druckort Tadschikistan. An sich ein unmöglicher Ort. Ich glaube, die Exemplare wurden gedruckt, nie ausgeliefert und später vernichtet.
– Und davon haben Sie ein Exemplar besorgt?
– Durch Freunde.

Lichtkurven wie ein Kamelhöcker

Alle Beta-Lyrae-Veränderlichen ändern ihre Helligkeit zwischen Maximum und Minimum kontinuierlich. Die Lichtkurve hat deshalb entfernte Ähnlichkeit mit einem Kamelhöcker. Da die Periode des Lichtwechsels bei dem zweiten Stern des Sternenbilds Lyrae, dem Vorbildstern dieses Typs, nur 12,9 Tage beträgt, müssen die beiden Sterne, die einander umkreisen, so eng beieinanderstehen, daß die Gezeitenkräfte vom Pol des einen zum Pol des anderen eine so große Masse von Materie fluten lassen, daß wir das Licht davon nur als Abglanz sehen. Es hat den Anschein, als hätten beide Sterne eine ovale Gestalt. Das sahen sich S. Avend und P. Pohland, die Freunde, auf der großen Projektionsleinwand, 500 Meter vom Refraktor entfernt, in einer Wiederholungsschleife an, so daß ihr waches Auge diesen Abglanz auf seine Nuancen prüfen konnte. Den gewaltigen Materienstrom konnten sie bei alldem nur versuchen sich vorzustellen. Ein Wasserstoffozean, zwischen zwei in lebhafter Bewegung befindlichen Sternen »aufgehängt«, eine Beschreibung gewaltiger Ströme in Richtung des kleineren massereichen Zwergsterns. Nichts von diesem MAEL-STROM konnte aber das Partnergestirn direkt erreichen. Nur auf dem Weg über den Pol war Berührung erlaubt.

Ein Konzert der Indirektheit, sagte Pohland. Ich habe bisher noch nicht bemerkt, daß du poetisch bist, antwortete der träge Avend. Man nannte das, was sie beobachteten, ein HALB-GETRENNTES STERNENSYSTEM. Man kann mit dem auf den ersten Blick monotonen Blinklicht dieses Ovals, das unmittelbar keinen Eindruck von den Fließgeschwindigkeiten und abstrusen Massen ergab, Entfernungen zwischen Galaxien messen. Doppelsterne dieser Art sind Uhren.

Abb.: Stern Gliese 229, achtzehn Lichtjahre entfernt im Sternbild Hase. Oben im Bild sein Begleitstern vom Typ »brauner Zwerg«, Gliese 229B. Die Entfernung zwischen den beiden Sternen: 6,5 Milliarden Kilometer. Gliese 229B hat die zwanzigfache Masse des Jupiter; braune Zwerge sind nicht massereich genug, um Wasserstoff zu verbrennen. Sie sind größer als ein Planet, kleiner als ein Stern.

Politische Ökonomie der Sterne

>»Im Grund genommen ist ein Stern ein
>ungeheures Energiereservoir, das,
>so schnell es seine Masse erlaubt,
>verschwinden wird . . .
>Man wird nicht zulassen, daß die Sterne
>so weiter machen; vielmehr wird man
>sie in effiziente Wärmemaschinen
>verwandeln . . .«
>
>*Heiner Müller*

Daß der Dramatiker Heiner Müller auf dem Schriftsteller-Kongreß in Bitterfeld jungen Sternen im Weltall verschwenderischen Energieverbrauch vor-
warf, erweckte böses Blut. War das Anspielung? War es Spott? Polit-Kader
hielten die Ausführung für eine Verballhornung des sozialistischen Ansatzes.
Ihnen antworteten aber Astrophysiker von der Akademie der Wissenschaften
in Moskau, die an einer Parallelveranstaltung in einer Nachbarstadt teilgenommen hatten und rasch einmal zur Abschlußdiskussion der Dichterkonfe-
renz herübergekommen waren: Ja, es treffe zu, daß die Sterne ökonomisch un-
ausgeglichene Masseverluste produzierten; quasi wie ein Feudalherrscher, der
sich um keine Budgets schert, ja, ein solcher Herrscher oder römischer Kaiser
befestige durch öffentliche Herausstellung von Luxus, Willkür und Verschwendung seine Macht. Es gehöre nämlich zum Bild des Herrschers, daß er
sich durch Verschwendung legitimiert, ergänzten die Historiker. Auch sie waren aus einer Nachbarveranstaltung gekommen.[2]
Die Ingenieure wiederum aus Bitterfeld, denen die Tagung der Poeten zuarbei-
ten sollte, beharrten darauf, es sei keineswegs ausgeschlossen, auch angesichts
der Erfolge der vorwärtsdrängenden, beispielgebenden Sowjetunion auf den
Gebieten der Raumfahrt, daß Sonnen- Planeten und letztlich die Milchstra-
ßenmaschination kein Ziel seien, das der industrialisierten Menschheit verschlossen wäre.
Einige der anwesenden Polit-Kader wußten aus ihrer Schwarzlektüre (Sa-
mosdat), daß Trotzki etwas Ähnliches im Jahre 1922 geschrieben hatte. Er
erklärte seinerzeit: Anstelle eines Sozialismus im eigenen Land, der sicher auf
etwas Unmögliches gerichtet sei, habe die Fortsetzung des Sozialismus im

---

2 Das Catering für solche Spezialkonferenzen war ausgezeichnet. Freiheit für genußreiches
Argumentieren gab es jedoch stets erst auf der Nachbarkonferenz. Wo sie nicht selbst zuständig waren, konnten die Gelehrten bzw. politischen Köpfe Freiheit ausüben.

Weltmaßstab, der Internationalismus, eine Perspektive zu den Sternen, deren momentane Unwirtlichkeit durch Arbeit dem menschlichen Bedürfnis angepaßt und politisch ökonomisiert werden müsse. Dies ergebe eine Flut von Horizonten, eine Art Bankkonto der Menschenhoffnung und des Vertrauens der Arbeiterklasse, die sich ja um Gelehrte, Ingenieure und Poeten dauernd bereichere.

Das war 1922 ein ganz ähnlicher Kongreß gewesen, einer von Psychoanalytikern, Geologen und Astronomen, zu denen sich mehrere Dichter verirrt hatten. Die Polit-Kader, an sich vom überraschenden Verlauf der Nachmittagsdiskussion belebt, in Betrachtung ihrer Probleme im Parteiapparat, wenn sie sich auf unpassierbares Gelände vorwagten, begannen mit einer Vollbremsung der Diskussion. Für mehr als fünf Jahre hatte Heiner Müller, was Sonderwünsche betrifft, keinen Spielraum.

Bauch der Milchstraße

Es gibt Gründe für die Annahme, daß der zentrale Bauch unserer Milchstraße balkenförmig ist. Etwa 5000 Lichtjahre vom galaktischen Zentrum entfernt sehen wir schnell fliegende Gaswolken, deren Bewegung durch die Gravitationswirkung eines rotierenden Balkens erklärt werden kann. Der zentrale Bauch der Milchstraße ist zweimal so lang wie breit, so wie wir es in den Spiralgalaxien M 61 und M 83 beobachten.

Wenn wir einen Schnitt durch die galaktische Scheibe machen, behauptet der neuseeländische Astronom Gerry Gilmore, stellen wir fest, daß die Sternansammlungen Schichten bilden, ähnlich einer geologischen Schichtung. Der »Bauch« der Milchstraße (bulge) im zentralen Kern enthält ältere Sterne, kühle Riesensterne von gelber Färbung. Um diesen Kern bewegt sich die galaktische Hauptscheibe, rund 2000 Lichtjahre dick, welche die Mehrzahl der Sterne der Galaxis enthält und sich über die Umlaufbahn der Sonne hinaus erstreckt; sie ist in ein sehr dünnes und extrem heißes Gas eingebettet, das eine Temperatur von 100000° C hat.[3]

Was der Gasschicht an Dicke fehlt, macht sie an Ausdehnung wett. Sie erstreckt sich hinaus in eine Ferne von 80000 Lichtjahren vom galaktischen Zentrum, während sich die Sterne schon bei einem Radius von 50000 Licht-

---

3 Die Astronomen können dieses Gas beobachten, weil es Ultraviolettstrahlung von fernen Objekten absorbiert, z. B. von der Supernova 1987, die in der Großen Magellanschen Wolke explodierte.

jahren verlieren. Die äußersten Gebiete der dünnen Gasscheibe sind gebogen wie eine Hutkrempe. Etwa 50 % der Spiralgalaxien besitzen diese Hutkrempenstruktur.

Ras Algethi, der Prächtige

Ras Algethi, arab. »Kopf des Knieenden«. Der Vorfahrstern im Sternbild Herkules. Der Rote Riese besitzt den gleichen scheinbaren Durchmesser wie eine Pfennigmünze in siebzig Kilometer Abstand.

Leider ist die Entfernung des Sterns nicht genau bekannt. Bei 490 Lichtjahren Distanz hätte er etwa den fünfhundertfachen Sonnendurchmesser.

Was entspräche dieser Zahlenangabe? fragte die Journalistin. Das entspricht etwa dem Durchmesser der Erdbahn um die Sonne, antwortete der Astronom. Das ist ziemlich groß, bestätigte die Journalistin. Sie hatte davon gehört, daß auch unsere Sonne in einigen Milliarden Jahren ein Roter Riese sein würde, dessen Hitzegürtel die Erde verschlingt. Sie ging davon aus, daß der Leser ihres Blattes, das Sonntags umsonst verteilt wurde (das war ein neuer Marketingeinfall des Medienkonzerns), zu dem sie gehörte, sich nicht in einen so entfernten Nachfahren einfühlen würde, der dies noch erlebte. Insofern stocherte sie nach weiteren Informationen, die leserfreundlicher wären. Ras Algethi, fuhr der Astronom fort, hat einen hellen Begleiter mit einer Umlaufzeit von 4000 Jahren.

Das heißt, er braucht 4000 Jahre, um gemeinsam mit dem Roten Riesen um einen gemeinsamen Schwerpunkt zu kreisen, einem leeren Fleck im All, dem Zentrum der Schwerkraft? fragte die Journalistin. Ein so exzessiv einsamer Ort schien ihr interessant. Auch weniger gefährlich, als im Schlund eines Roten Riesen verschlungen zu werden. Da zwei Sonnen diesen Punkt umkreisen, würde ein Raumschiff, das nach Art eines Treibhauses dort parkte, auch Licht und Wärme erhalten.

– Der Begleiter von Ras Algethi ist einerseits ein Doppelstern, fuhr der Astronom fort.
– So daß jetzt schon DREI dort kreisen.
– In Schlangenlinien. Ein sehr komplexes System.
– Könnte man es als TANZ DER GESTIRNE beschreiben?
– Das Merwürdige ist, daß wir eine vom Hauptstern ausgehende expandierende Gashülle beobachten, die alle drei Sterne umgibt.
– Großzügig?

– Man schätzt, daß der Rote Riese pro tausend Jahre etwa ein Millionstel seiner Größe verliert.

– Das wurde schon von den Arabern beobachtet, die dem Stern den Namen gaben?

– Die Einzelheiten nicht, die Pracht dieses Sterns ja.

– Überschrift meines Artikels: Ras Algethi, der Prächtige, kann man das sagen?

– Mit Gewißheit. Dieser Stern stirbt. Er hat zu diesem Zeitpunkt seinen höchsten Glanz.

– Bald schon?

– In nur zwei Millionen Jahren.

– Das geht ja relativ schnell.

Vergeßlichkeit der Materie

In dem Überrest der Supernova 1987A verfolgte auf einer Leinwand in der europäischen Südsternwarte in Chile der Astronom Simon White, Ph. D., Fellow of the Royal Society (FRS), einen Jet, der eine Länge von sechzehn Lichtjahren aufwies.[4] Äußerlich ähnlich der Form eines Kometenschweifs. Wenn Simon White das exotische Phänomen in verschiedenen Wellenlängen beobachtete, »sah« er dieses Objekt. Beobachten hieß schalten, hybride Bilder verfertigen und sie auf dem großen, hochauflösenden Bildschirm zusammenfügen. Es sind Bilder einer Bibliothek, die auf Enträtselung wartet. Wir leben in der stürmischsten Zeit der kosmologischen Erkenntnis.

Das für das Auge Auffallende sind helle, orangefarben leuchtende Wolken. Das an der gewaltigen Stoßfront des JETS erzeugte Gas spiegelt noch immer das machtvolle Ereignis, das in den wenigen Sekunden der Sternexplosion diesen Teil des Universums zerrüttete. Nichts mehr außer diesen ehemals kühlen Wolken »erinnert« an das monströse Geschehen.

4 $100 \times 1000 \times 16 \times 365 \times 24 \times 60 \times 60 \times 300.000$ cm

Im Zentrum des Rosettennebels

Die Forscher um Leisa Townsley von der Pennsylvania University haben ein Rätsel des Rosettennebels im Westen des Universums gelöst. Es handelt sich um eine Molekülwolke, in die Hunderte junger Sterne eingebettet sind, Blaue Riesen. Das Gas im Zentrum des Nebels hat eine Temperatur von sechs Millionen Grad, strahlt heftig im Röntgenbereich. Die Höhe der Temperatur ist durch Sternenwinde verursacht, die von den jungen, massereichen Sternen ausgehen. Treffen diese Sternenwinde kreuzweise aufeinander oder bewegen sie sich durch das interstellare Medium, wird das Gas mit Energie befrachtet.

– Ein Beispiel, daß die Forscher durch Weglassen von Information ihre Erfahrung machen, nicht durch Häufung.
– Wie kommen Sie darauf?
– Es geht um Aufnahmen des Röntgenobservatoriums Chandra.
– Stark spezialisiert?
– Extrem spezialisiert auf kurzwellige Strahlung. Die Forscher haben aus der massenhaften Information die Punktquellen-Strahlung der jungen Sterne ausgefiltert. Indem sie diese Information beseitigten, konnten sie die Prozesse im Rosettennebel »sehen«.
– Was sehen sie dort?
– Diagramme und Falschfarben.
– Und was schließen sie daraus?
– Sie sehen dem Aufheizungsprozeß zu.
– Sechs Millionen Grad ist ziemlich heiß?
– Ganz schön.
– Ist der Rosettennebel schön anzusehen?
– Unglaublich.
– Könnte man auf den Molekülwolken stehen?
– Nein.
– Würde man verbrennen?
– Gewiß.

Plasketts Stern

Das ist der Stern HD 47129 im Sternenbild Einhorn. 1922 wies der kanadische Astronom John Stanley Plaskett (1865-1941) nach, daß es sich um einen spektroskopischen Doppelstern handelt. Die Masse jeder der beiden Komponenten, die sich in je vierzehn Tagen um einen gemeinsamen Schwerpunkt bewegen, wird auf 55 Sonnenmassen geschätzt.

Barnards Pfeilstern

Ein Menschheitsbote von 1917

Wie es im Lied heißt: »Dem Karl Liebknecht haben wir es geschworen, der Rosa Luxemburg reichen wir die Hand.« Wir lösen unser Wort ein. Auf Umwegen, mit List. Wir haben erfüllt, wofür wir angetreten sind. Kommen Sie zur Sache, sagte der Journalist.

– Wir haben den sozialistischen Menschen zum Versand gebracht.
– Eine Nachbildung, wenn ich Sie richtig verstehe?
– Ja. 100 g Gewicht.
– Zum Versand wohin?
– Unerreichbar für Verfolger. Zu Barnards Pfeilstern.
– Das ist in der Nähe?
– Der drittnächste Fixstern. Nicht besonders groß.
– Ein Schnelläufer am Himmel? Und dort reproduziert sich Ihr Roboter?
– Ich würde zögern, von einem Roboter zu sprechen. Es handelt sich um ein Intelligenzwesen. Unsere Hybriden sind gesellig. Sie sind Universalkonstrukteure. Es macht ihnen nichts aus, angekommen an ihrem Ziel, dort einen Menschen zu treffen so wie Sie.
– Als eine Schachtel, die funken kann?
– Wenn Sie wollen mit Haaren, mit Haut, einem Körper, vielleicht ein paar Vereinfachungen. Das gleiche gesellige intelligente Wesen kann aber auch das Aussehen eines Gestänges oder einer Maschinerie haben. Hauptsache, die zehn hoch zehn, hoch einhundertdreiundzwanzig Daten sind erfaßt.
– Und wieso bezeichnen Sie das als einen sozialistischen Menschen?
– Wir haben einige Umwege vermieden, angeleitet von dem Akademiker Ge-

nadi Atmatow. Wir lassen bei der Rekonstruktion den Blinddarm weg. Das Ohr ist nicht erst aus einem Fischseitenhauttrakt über Umwege zu einem Knochenteil geworden, aus dem später das Ohr wird, sondern unsere Maschine geht gleich auf das Resultat.

– Sie haben alles gestrichen, zu dem Sie nicht zurückkehren können.

– Nicht gestrichen, sondern separat notiert, ausgelagert. Unsere geselligen Wesen, die WAHREN SOZIALISTEN, tragen eine »Schatzkiste ehemaliger Lebenserfahrung« mit sich, immerhin zehn hoch achtzehn Megabyte, wie einen Werkzeugkasten, für den Fall, daß man so etwas einmal braucht.

– Ein sibirischer Geisterseher könnte auf so etwas zurückgreifen und eine schöne Verschwörung daraus machen?

– Der universale Konstrukteur kann in der Umlaufbahn um Barnards Stern nicht nur Abkömmlinge des Menschenwesens ERZEUGEN, sondern auch alle Folgen der Ahnen.

– Das alles nanotechnisch, sehr klein geraten. Dennoch ist das, was Sie getan haben, so etwas wie klonen. Das ist nach US-Gesetz strafbar.

– Aber nicht einholbar. Wen will man bestrafen? Die Sonde holt von dieser Welt niemand mehr ein.

Der Vertreter der Seite Forschung und Technik der *Neuen Zürcher Zeitung* hatte sich zu dem Gespräch, das in einem Gehöft eines Weilers in der Nähe eines Sees in Mecklenburg-Vorpommern stattfand (nicht weit von hier wurde ein Gasthof gezeigt, in dem Voltaire auf seiner Pommernreise gerastet haben sollte), bereit erklärt, war aber nicht darauf gefaßt gewesen, daß es sich um ein quasi-alchemistisches Projekt handelte. Zwar berief sich sein Gesprächspartner auf ein Studium an der Sowjetischen Akademie der Wissenschaften und auf Akademiker des dortigen INNER CIRCLE, die der Journalist dem Namen nach kannte. Der Start eines zigarrenschachtelgroßen Raumkörpers mit ungewöhnlich hoher Speicherkapazität für Information von einem Abschußgelände im Kongo war aber hier im Nordosten Deutschlands durch kein Beweismittel zu erhärten.

Der Laser, der das Geschoß (den Sozialisten, das Lebewesen, das Maschinchen, den Boten, den Propheten, den Wunderblock) auf 0,8 Licht beschleunigte und später wieder abbremsen sollte, war auf einem Polaroidfoto festgehalten. Das konnte auch eine Attrappe sein. Eine Filmfirma konnte sich ein solches Gerät von ihrem Bühnenbildner bauen lassen.

Geduld quasi-stellarer Objekte

Das Radiosignal des Binarpulsars J 04374715 hat eine Periode von 5,757451831072007 Millisekunden. In hunderttausend Jahren ändert sich dieses Uhrwerk des Himmels höchstens um eine Millisekunde.

Die Sonnenlenker von Taos

Nicht weit von Santa Fé entfernt besuchte in den zwanziger Jahren C.G. Jung den Pueblo-Ort Taos. Auf dem Flachdach des fünften Stockwerks eines der in die Felsen eingefügten Gebäudes befragte der Europäer einige der Indianer, die einvernehmlich die Bewegung der Sonne beobachteten. Die Sonne stieg über die gewaltige Hochebene von Taos empor. Am Horizont alte Vulkane, die sich bis zu 4000 Metern erhoben. Das Geräusch eines Flusses. In früheren Zeiten waren die aus luftgetrockneten Ziegeln gebauten viereckigen Behausungen nur von den Dächern her zu erreichen. Inzwischen gab es auch Eingänge von den Seiten.

Könne sich der Indianer, es schien sich um eine Art Seher zu handeln, vorstellen, daß es sich bei der Sonne um eine feurige Kugel handele, von einem unsichtbaren Gott geformt? Die Frage des Europäers versetzte den indianischen Geistlichen nicht in Erstaunen, weder erregte sie Unwillen noch Neugier. Ob er die Frage als dumm empfinde? Das verneinte der Seher. Ob sie abwegig sei? Welche der beiden Fragen? Es seien zwei. Die eine beziehe sich auf einen unsichtbaren Gott, wenn doch die Sonne sichtbar sei, und die andere beziehe sich darauf, ob es sich um eine feurige Kugel handele. Das sehe man, daß es wohl kaum eine Kugel sei, wenn auch möglicherweise ein Gebilde aus Feuer.

Der Sonnenumlauf verlief für den Europäer, der noch die Geschwindigkeiten des Reisens in sich fühlte, sehr langsam. Auch Antworten des indianischen Sprechers waren nicht rasch zu gewinnen. Sie mußten über vier indianische Dialekte, Aussage für Aussage, ins Englische und von dort ins Deutsche übersetzt werden, weil nur eine der Dialektsprachen in die Sprache der USA übersetzbar war, der Übersetzer aber keine der Sprachen des Pueblovolkes direkt verstand. So waren mehrere Übersetzer ganztägig tätig.

Es zeigte sich, daß die zwölf auf dem Flachdach hockenden »indianischen Gelehrten« von sich glaubten, sie müßten den Lauf der Sonne in dieser Weise *lenken*. Wenn wir das, was Sie hier uns tun sehen, nicht täten, dann wird in zehn Jahren die Sonne nicht mehr aufgehen. Es würde ewige Nacht. Insofern seien

sie für die ganze Welt tätig, die irrtümlich annähme, davon hätten sie schon gehört, daß man die Sonne nicht täglich lenken müsse, ja, daß sie unlenkbar
sei.
Nach seiner Vortragsreise in den Westen der USA, gut vierzig Jahre später, besuchte C. G. Jung erneut die Pueblos. Die Sonnenwächter waren verschwunden. Verrostete Eimer, das Skelett eines Autos lagen am Ufer des einst klar
dahinfließenden Flusses. Die Sonne stand »weiß und sengend« über Taos. Irgendetwas fehlte dieser Sonne.

Gamows Momentaufnahme

Der russische Astrophysiker Gamow, 1946 von einer US-Air-Force-Maschine
von Kalifornien nach Kanada, von dort nach Florida und von dort nach Washington transportiert, je für einen Vortrag, sah in einem der wenigen ruhigen
Augenblicke, die er in einem lautstarken Café der Fifth Avenue in New York
verbrachte, weil er warten sollte, MIT EIGENEN AUGEN die Rotation der
Atome und subatomaren Teile, ihren Spin, die Rundumbewegung der Moleküle und Planeten, die sich rasch drehenden Sterne, die Galaxien und die
Superhaufen. Ihm schien das eine einheitliche, durch die Spin-Zahlen einhalb
und eins teilbare Gesamtbewegung, ähnlich einer recht komplexen Uhr, oder
einer Musik, wie er sie in den 30er Jahren im Dom von Venedig gehört hatte,
mit Stalins Bewilligung dorthin gereist. Auf der Rückseite der Caféhaus-Rech-
nung hielt er die Beobachtung als mathematische Formel fest, die zunächst
nichts anderes schien als eine Irritation des Blicks, wie die Bewegung von Blut-
körperchen vor der Pupille, wenn einer, von der Sommersonne bestrahlt, zu
rasch aufsteht. Er konnte das Gekritzel, rasch abgerufen, später nicht lesen.
Nie wieder sah er die Welt in dieser Genauigkeit.

Sternenwinde

»Bei der Entstehung von Sternen sind im Frühstadium
Schockwellen von Bedeutung. Sie durchstoßen die äo-
nenweite Trägheit der verstreuten Partikel. Durch den
Stoß fangen diese an, zu kollabieren, und bilden die
schönsten Sterne.«

Fritz Zwicky

Junge Sterne, die sich auf dem Weg befinden, Blaue Riesen zu werden, besitzen
starke Sternenwinde. Protonen und Elektronen, getrennt, verlassen die Stern-
oberfläche und durchdringen den Raum.
Diese Winde treffen auf umgebende Gaswolken, ionisieren sie. Sie verursachen »expandierende Schockwellen im interstellaren Medium«.[5]
Auch alte Sterne, Rote Riesen, zeigen zum Ende ihres Lebens starke Sternenwinde. O-Sterne verlieren bis zu 10 % ihrer Masse in wenigen Jahren.
Der Astronom Fritz Zwicky glaubte, wenn er sein Auge von dem gleichmäßig
roten Licht der Zentralregion einer Spiralgalaxie zu einem der Spiralarme
lenkte (das sind im Refraktor tausendstel Millimeter) und dort die fleckige
Verteilung von hellen blauen Sternen und vom Wind zum Leuchten gebrachter
Nebel sah, eine Art VIOLINMUSIK zu hören, die der heftige Prall der Sternenwinde dort gewiß hervorbrachte. Es half nichts, daß es ausgeschlossen
war, über diese Entfernung hin, und über das Hindernis des schalltoten inter-
galaktischen Raums, so etwas zu *hören*. Es genügte, daß Zwicky es zu hören
meinte. Was dort und hier *wirklich* ist, kann niemand mit Sicherheit sagen.

---

5 Eine galaktische Schockwelle ist die Grenzfläche oder Aufprallwand, bei deren Durchbrechen die Materie eine Zustandsänderung erfährt. Diese Änderung ist irreversibel. Es wird
z. B. Strömungsenergie in thermische Energie umgewandelt. Was wir leuchten sehen, ist die
Metamorphose (auf der einen Seite der Schockfront ist die Temperatur jeweils höher).

Schwarzer Zwerg

Schwarze Zwerge sind das Endstadium eines Weißen Zwergs: kalte, völlig entartete Körper. Ein Weißer Zwerg besitzt keine Möglichkeit mehr, seine Wärme
aufrechtzuerhalten, kühlt stetig ab, so daß er unsichtbar wird, zuletzt Schwarzer Zwerg. Noch nie hat ein Mensch einen solchen Stern direkt gesehen. Es bestanden Zweifel, ob unsere Milchstraße überhaupt so alt ist, daß ein Weißer
Zwerg Zeit hatte, so weit abzukühlen.
Jetzt sah J. Samuelowitsch Shklowsky im Observatorium Seleutschuk, (auf
einer großen Leinwand in 700 Metern Abstand vom Fernrohr, hier ist der
Raum heizbar für die alten Glieder), daß westlich von Theta Orionis ein
recht heller, unerfahrener Stern in die Nähe einer dunklen Gravitationsmasse
geraten war. Der Stern, ein Einzelläufer, war seit 1938 von Shklowsky beobachtet worden. Es schien, daß ein unsichtbarer Finger ihn gewaltsam
vorwärts trieb, daß er in den Einflußbereich einer unsichtbaren Kraft geriet,
welche Materie von der Oberfläche des hell brennenden Jünglings zu sich
hinabzog und jetzt, schon im Jahr 1984, ein leichtes Glimmen zeigte, das den
Schwarzen Zwerg, den sich an der fremden Masse belebenden Greis, dem
Auge des Astrophysikers verriet. Das war jetzt schon ein ganzer Wasserstoff-
Ozean, der den kalten Körper umwaberte und so etwas wie den Anschein
eines Lebens dem Nicht-einmal-mehr-Greis gewährte. Wie König Sauls Glieder sich wärmen an der Jugend.
Das Astrophysikalische Spezialobservatorium Seleutschuk ist in einer Höhe
von 1830 Metern im Nordkaukasus auf dem Mount Pastukhow, noch im Auftrag der Akademie der Wissenschaften der UdSSR, erbaut. Das 1976 in Betrieb
genommene größte Fernrohr der Welt (Spiegeldurchmesser 6 m) hat eine com-
putergesteuerte Montierung und weist im Primärfocus eine Brennweite von 24
Metern auf.
Über zehn Jahre lang gab es Probleme mit der Oberflächendehnung des Spie-
gelkörpers durch Temperaturwechsel der umgebenden Luft. Die Moskauer
Planer hatten den Ort, auf den sich ihre Planung bezog, nie besucht, sie kannten sich im *outer space* besser aus als im Kaukasus. Ingenieur B. Seldowich
konnte 1984 durch Einbau einer starken Ventilationsanlage die Wärmeträg-
heit beseitigen (die Linse kühlte bis dahin erst zur Morgenstunde hin hinreichend aus). So konnte jetzt, das Imperium löste sich auf, das theoretisch
maximale optische Auflösungsvermögen erreicht werden. Ein Auge sah den
Himmel an.
Einige Wochen nutzte Shklowsky das Gerät. Nun ist Shklowsky tot. Das wertvolle Objekt, weiträumig von Wachen umstellt, die Sabotagen durch tsche-

tschenische Kämpfer unterbinden sollen. Die Ventilationsapparate, die Konstrukte, die den legendären Spiegel in Balance halten, weiß keiner mehr zu bedienen.

Eigenschwingung großer Seen

Die Oberfläche eines Gewässers von der Größe des Bodensees befindet sich durch die Anstöße, die aus dem Himmel kommen, je nachdem ob Hochdruck oder Tiefdruck herrscht, in ständiger Bewegung. Der Genfer Arzt Dr. Forél hat diese Eigenschwingung, die im Genfer See eine Amplitude von bis zu einem Meter erreichte, mit dem Namen »Seiches« belegt (von franz. sec = trocken), weil gewisse Bewegungen des Wassers das Ufer trockenlegen.

Die Grundschwingung des Baikalsees, schreibt Dr. Lermotow, beträgt 54 Minuten, sie wird, wie ein musikalischer Akkord durch Obertöne, durch Wellen von 36 und 19 Minuten Länge überlagert. Bis zu drei Metern aber stürzt die Seeoberfläche in den Himmel bei Ankunft einer der rasanten Wetterfronten von Süden.

Dieser größte Süßwassersee des Planeten archiviert in einer Tiefe von 3000 Metern noch die Eigenbewegung von 1917 (in Form einer Grundwelle), deren Rhythmus der Schüler des großen Schostakowitsch, der freche Simonow, in seiner FUGE FÜR ZWEI WELLENLÄNGEN UND ZWÖLF OBERTONFOLGEN op. 182b festhielt. Das Musikstück war kein Erfolg fürs Publikum. Der Bezug auf das Jahr 1917 wurde von der Kritik übelgenommen.

Die Eigenbewegung des Baikalsees sei ein System, wurde gesagt, das System sei einige Millionen Jahre alt, und insofern sei der starke Tiefdruckblock von 1917 eine bloße Momentaufnahme. Das sei dem elektronischen Machwerk Simonows anzuhören. Messiaen dagegen komponierte einen »Wasserberg«, die Wölbung des Pazifik um vier Meter in der Nähe der Insel Nieue im Jahre 1928, nur nach seismischen Richtwerten.

– Das war wohl nicht viel wert?
– Es war nichts Genaues. Es war ein Vorwand für die Einfälle des großen Komponisten.
– Die er auch ohne solchen Vorwand gehabt hätte?
– Vielleicht nicht. Er stellte sich »Erhebung der See« plastisch vor und griff dann zu Zahlen der Seismographen, die ja nicht nur Erdstöße, sondern auch Wasserstöße messen.
– In ihrer Freizeit?

– Ja, zum Spaß.

– Wie es sich für gute Musik ziemt.

– Für eine qualifizierte.

– Und diese Qualifikation sprechen Sie dem frechen Simonow ab?

– Nicht seinem Opus 182b.

– Worauf bezieht sich das?

– Es klingt wie ein Brausen.

– Und was stellt es dar?

– Einen mächtigen Wasserfall weit unterhalb der Meeresoberfläche in der Enge zwischen Grönland und Island. Das Wasser schießt hier mit hohem Gewicht tausend Meter in die Tiefe, der gewaltigste Wasserfall der Erde.

– Ein U-Boot, das sich dort befände, wo dieser Wasserfall aufprallt, würde zerschmettert?

– Todsicher.

– Und diese Möglichkeit macht die Musik Simonows dramatisch?

– So wird es empfunden. Als ob eine wilde Jagd den Orchestersaal durchzieht. Es ist eine »zugige Musik«.

– Die Zuschauer frösteln?

– Irgendeine Geisterschar bewegte sich elektronisch durch den Raum. Es gefiel niemandem, aber es machte Eindruck.

– Es befand sich aber doch nie ein U-Boot am Sockel jenes unterseeischen Wasserfalls?

– Nein, die Kapitäne sind gewarnt.

– Schlägt die Wassermasse auf dem Meeresboden auf und schafft dort eine Kuhle?

– Nein, sie wird durch eine wärmere Strömung weit unten aufgehalten. Die Beule, die das macht, ist bis zur Neufundlandbank zu messen.

– Und wie will Simonows Ohr oder das Gehirn, mit dem er komponiert, davon einen konkreten Eindruck haben?

– Durch Einbildung.

– Ist das genug?

– Für Musik ja.

– Hat das Musikwerk irgendetwas mit der Eigenschwingung der See zu tun?

– Überhaupt nichts.

Was heißt morphologische Resonanz?

Der Mann war ordentliches Mitglied der British Royal Society (FRS). Er gehörte zu den großen Erzählern, die ihre Zuhörer fesseln konnten. Das Interesse an seinen Forschungen war so groß, daß er sich bereit fand, auch in Volkshochschulen Vorträge zu halten.

So saß er einem Eintritt zahlenden Publikum in Bielefeld gegenüber. Er behauptete aber, daß Millionen Schreibkräfte, die in den zwanziger und dreißiger Jahren auf den Tastaturen von Schreibmaschinen geschrieben hätten, eine morphologische Bahnung in der Welt erzeugt hätten, eine Art geistiger Gravitation, die sämtliche Lernprozesse unter den Menschen künftig einfacher machten, d. h. rascher erlernbar, die dieser Tastatur folgten. Das Tastenwerk einer konventionellen Schreibmaschine mit den Buchstaben Q, W, E, R, T, Z, P in der oberen Reihe folgt einer Notwendigkeit, die Überschneidung der Tasten bei schneller Betätigung zu vermeiden. Häufige und nicht häufige Buchstaben sind insofern zweckmäßig angeordnet. In kyrillischer Schrift ist die Anordnung auf den Tastaturen anders, fuhr der Vortragende fort, aber auch diese Menschen lernen in der morphologischen Gestalt der konventionellen westlichen Tastatur bis zu siebenmal so schnell. Bei der Bedienung von Manuals von Computern sind die mechanischen Probleme der klassischen Schreibmaschinen obsolet. Dennoch hat sich herausgestellt, daß zwischen der traditionellen Arbeit von Millionen Sekretärinnen der zwanziger und dreißiger Jahre und den Lernprozessen junger Menschen mit Internet- und Computererfahrung heute morphologische Resonanz besteht. »So liegt die Arbeit aller toten Geschlechter wie ein Glanz auf den heutigen Menschen.«

Den Zuhörenden war ernst zumute. Wenn auf einem jener Planeten, die ferne Sterne umkreisen, von denen man jetzt liest, durch Krieg milliardenfach Trauer und Elend herrscht, wie wirkt sich das für uns aus? Es sind doch so viel mehr Leidende, als es aktive Stenotypistinnen gab, die morphologische Resonanz aus den dreißiger Jahren hervorgebracht haben. Wirkt dies, weil es fern ist, schwächer?

Kräfte der Gravitation wirken aus der Ferne schwächer, antwortete der Physiker. Vielleicht ist das aber bei den morphologischen Bahnungen des Geistes und der Arbeit nicht so? Vielleicht werden wir alle depressiv, nur weil in der Ferne massenhaftes Leiden herrscht?

Das ist doch trostlos, warf einer der Bielefelder Diskutanten ein. Schutzlos und schuldlos werden wir hier auf Erden mit Verzweiflung beschickt, nur weil fern von uns Kriege toben.

Der Vortragende hatte nicht die Absicht, ein trostloses Referat zu halten. Er wollte aber auch die Wirkungsmacht der Gravitationen des Geistes nicht abgeschwächt sehen. Denke ich an Galaxien aus den Anfängen des Universums, stelle ich sie mir vor, ja sehe ich sie (man kann sie abbilden), dann ist die Entfernung durch meine Gedanken überbrückt. Warum soll ein solcher Prozeß nicht lange andauern, sich durch Entfernung abschwächen? Ja, zu unserem Schutz, antwortete einer der Diskutanten. Wir wollen geschützt sein vor dem Überfall von Leiden aus dem Dreißigjährigen Krieg oder aus den großen Katastrophen, welche die Erde vor 67 Millionen Jahren erlebte, als ein Komet einschlug. Ich bin Physiker, antwortete der Gelehrte. Ich bin kein Prediger oder Tröster. Für mich selbst ist es trostreich, daß eine millionenfache geistige Beteiligung von Menschen (oder von Tieren oder das der lebendigen Wasser des Pazifik oder das langsamere Leben des Himalaja) unwiderrufliche Kraft hat, Gravitation (d. h. Anziehungskraft) und Gestalt. Das schafft doch Anker. Die vorwiegend protestantisch erzogenen Bielefelder, welche die Diskussion bestückten, suchten aber nach Schutzmaßnahmen. In den Kellern, in größerer Entfernung vom Geschaffenen, wollten sie gern die Wirkungen des Geistes aushalten lernen, ja den Bahnungen folgen. Zugleich wollten sie aber eine Zwischeninstanz, eine Schutzmauer zwischen sich und dem GEGEBENEN wissen. Keine direkte Verbindung zu Kräften, zu denen sie doch gehörten. Der tolerante Brite, nach zwei Stunden Diskussion, es war gegen zwölf, zog sich in sein Hotel zurück.

Der Kaiser, ein Gott

Was ist im 6. Jahrhundert nach Christus ein Kaiser des Oströmischen Reiches? Was spricht er? Er spricht überhaupt nicht. Was er sagen könnte, wäre zu heilig, voll von Überlieferung, zu »besetzt« für die Mitteilung.
Es sieht aus, als würde er wie eine Puppe herumgeführt? Ja, äußerlich sieht es so aus. In der Larve aber lauert ein hocherregter Geist, der sich nicht übertölpeln lassen will. Er kann niemandem vertrauen. Er umgibt sich mit Leuten, denen irgendetwas fehlt, das für die Übernahme der Kaiserherrschaft erforderlich ist. Nur Krüppel der Macht darf er um sich dulden.
Soviel hat sich gesammelt in den Personen derer, die Kaiser wurden? Ja, die Hoffnung auf Frieden im Bürgerkrieg, die Erwartung, auf eine Rechtsfrage eine Antwort zu erhalten. Das ist so wichtig, daß sich der Kaiser nicht mehr bewegen darf. Ihn ummauert das Gewicht der Jahrhunderte.

Das Geheimnis des Ehernen Meeres

- Sie sagen Wimperntierchen sind überall?
- Praktisch.
- In einer Träne, in einer Pfütze? In Sibirien genauso wie in einer Gosse von New York?
- Dort sind sie.
- Auch im Ozean?
- Sie haben zwei Zellkerne, von denen einer sich – wie ein Gelehrter – mit der Vergangenheit befaßt, woher wir kommen, wohin wir gehen . . .
- Wie weit zurück?
- Ich glaube 3,4 Milliarden Jahre.
- Woher weiß man das so genau?
- Grzegorz Rozenbaum hat die Tiere studiert. Er braucht sie für seinen DNA-Computer.
- Lebendig?
- Lebendig eingemauert. Offenbar aber freiwillig. Sie erbringen die rechnerischen Leistungen. Geniale Parallel-Rechner.
- Alle »denken« oder »rechnen« dasselbe?
- In derselben Struktur, der Inhalt ist trillionenfach verschieden.
- Und so, meinen Sie, ist das Gedächtnis der Erde physisch gegenwärtig? Es ist ein wehender Geist, keine wilde Jagd?
- Nein. Es sind Gefäße, welche die Erinnerung bewahren.
- Das sind zwei Fragen.
- Kristalloberflächen. Stets ist das volle Erinnerungsvermögen irgendwo versteckt.
- Was ist das GEHEIMNIS DES EHERNEN MEERES und das des GOLDENEN DREIECKS?
- Zum Beispiel?
- Wo liegt das goldene Dreieck, das spurenlos verschwunden ist?
- Das sind die drei Städte im goldenen Halbmond, die frühesten Städte. Aus Gold bestehen sie nicht. Das ist allegorisch. Zum Bauen wäre Gold zu weich.
- Wieso bilden diese Städte ein Dreieck?
- Vermutlich in der Phantasie.
- Und was sind die EHERNEN MEERE?
- Ozeane von geschmolzenem Eisen. Diese Meere muß man sich kleiner vorstellen als unsere Ozeane. An ihrer Oberfläche zeigen sie eine Wölbung. Und sie bewegen sich träge. Später verschwinden sie in Richtung Erdmittelpunkt. Nur ihre Nachbilder sind gegenwärtig.

- Kann man in einem Meer von Eisen als Nachbild ertrinken?
- Man kann in Nachbildern nicht ertrinken. Substantiell sind sie trotzdem.
- Warum sprechen Sie von Ehernem Meer in der Einzahl?
- So steht es in den alten Texten.
- Welchen Texten?
- Der eine der zwei Zellkerne der Wimperntierchen berichtet davon.
- Sie können das lesen?
- Nein, aber wir können mit ihnen sprechen. Sie erzählen, während sie »rechnen«.
- Mit was rechnen?
- Das wissen wir nicht. Mit »Erinnerung«.
- Was das ist, wissen Sie nicht?
- Nein. Aber wir ziehen Schlüsse daraus.[6]

Versammlung der Heiligen

Kleine Mengen geschmolzenen Eisens, Zeugen der letzten Supernova-Explosion und sozusagen in Wartestellung, schmelzen und vereinigen sich zu beachtlichen Seen, deren Dichte offensichtlich[7] wesentlich größer ist als das umliegende Material. So sinkt das Metall zum Erdmittelpunkt. Das leichtere Material darum herum ist ebenfalls sehr heiß und fließfähig. Das erleichtert den »Gang zur Hölle«. Eine ein Kilometer dicke Kugel geschmolzenen Eisens bewältigt die Strecke zum Zentrum der Erde in weniger als einer Million Jahre.

---

6 Leiden Wimperntierchen, deren Biomasse auf Erden etwa den Mondkräften entspricht, unter Hunger, so erwacht in diesen Tieren, die sich normalerweise durch Zellspaltung vermehren, die sexuelle Energie. Der kleinere, mit der Vergangenheit beschäftigte Zellkern verwandelt sich in den größeren, der das Tagesgeschäft besorgt. Diese Transformation ist das rechnerische Potential, aus dem Rozenbaums DNA-Computer ihren Parallel-Rechenmechanismus gewinnen. Einer der neuen Computer wird in 14 Tagen das zu rechnen vermögen, was Siliciumcomputer in drei Jahrhunderten bewältigen.
7 Offensichtlich für Gott und das Naturgesetz. Kein Erdenbewohner, auch nicht die fünfäugigen Ameisen, haben je solchen Vorgang gesehen.

Spendenhungrige Gemeinde

Ahriman will die Erde und die Menschen sklerotisieren, Luzifer alles Physische
auflösen. Beide wollen die Menschheit vertilgen.

- Hiergegen stürmen die JÜNGER DER ZWÖLFTAUSEND JAHRE an,
eine Sekte aus Phoenix/Arizona, für die Sie Spenden sammeln? Was scheint
Ihnen an der Menschheit so verteidigungswert, dem Bösen, dem Konsumen-
ten, dem Aids-Infizierten?
- Sagen Sie lieber: den Kindern, aus denen alles neu anfängt. Wenn sich das
Physische auflöst, wird es zu Geist. Sobald die Erde sklerotisiert, entsteht die
Kruste, auf der Leben blüht.
- Das verschlingt unglaubliche Mittel.
- Das sehen wir genauso. Deshalb haben wir Ahriman und Luzifer in unsere
Reihen aufgenommen. Ein Drittel der Gemeinde spricht für sie, zwei Drittel
sprechen dagegen und suchen Ahriman und Luzifer zu überwinden. Inso-
fern ist das ein Prozeß.
- Solange er andauert, überlebt die Menschheit? Und wenn einer das nicht
glaubt?
- Dann könnten wir auf unseren Glauben nicht verzichten.

Fluchtgeschwindigkeit

I

O'Neillsche Raumkolonien

Der Physiker Gerard O'Neill schätzte die Zeit dafür, daß Kolonien im Weltraum autark werden und weitere Raumkolonien gründen könnten, auf hundert Jahre ein (in Anknüpfung an die Erfahrung, wie schnell sich die europäische Zivilisation in Australien entwickelt hat).

- Das ist zu kurz.
- Zu optimistisch. Sie sind nach hundert Jahren nicht autark. Abgesehen davon, daß mehr als zwölf Anläufe nötig sind, weil die elf vorangegangenen
sämtlich scheitern.
- Dann aber geht es rascher?
- Es entsteht Routine. Menschen aber, mitsamt den Körpern, die ihre Erden-
schwere und die Last von allen Irrwegen der Entwicklung in sich tragen,

brauchen immer noch länger. Virtuelle Menschen dagegen, d. h. die vollständige Information, realisiert sich schnell wie das Licht.

– So daß sie nach vielen hundert Jahren des Probierens eine Rasanz der Raumfahrt voraussehen?
– Die sehe ich voraus.
– Sie oder der Physiker Gerard O'Neill?
– Gerard O'Neill. Die Rasanz ist das Prinzip seiner Raumkolonien.
– Sind das Schiffe?
– Es sind Konstrukte, in denen die Biosphäre sich vervielfältigt.
– Ähnlich der Arche Noah?
– Deutlich umfassender. Nicht Treibhäuser, nicht Biosphäre als einzelnes, nicht das Gebäude der Weltausstellung von 1850, in Umlaufbahn gebracht, sondern das Prinzip Zivilisation, eingedickt in Behälter, die Information transferieren und aus Information Körper machen können.
– Ähnlich wie Energie in Materie, Materie sich in Energie umsetzt?
– Diffiziler.

2
Der Cecil-Rhodes-Plan
zur Eröffnung der Raumfahrt

Cecil Rhodes, der Koloniengründer. Mit großer Einbildungskraft hatte er nördlich der Kap-Kolonie als Privatbesitzer Ländereien zusammengerafft, bis zu dem Bergbaugelände hin, das später Nordrhodesien hieß. Die Buren waren besiegt. Die Aktien der Rhodesia Joint Stock Comp. in London hatten einen Kurs von 800 Pfund pro Stück. Zu den Kobalt-Minen des späteren Katanga war es nicht weit. Einen Abschnitt in der Steinwüste im Nordosten seiner Besitzungen bestimmte Lord Cecil Rhodes als Startfeld. Er hatte viel chemische Explosivsubstanz aus Schweden bezogen, hier deponiert, mit Dachpappe regengeschützt.

Kastenförmige Behälter standen in der Nähe, zusammenbaubar. In Hütten hockten Ingenieure. Idee war, einen dieser Kästen mit Antriebskraft zu versehen und durch die Atmosphäre hindurch zum nächstgelegenen Planeten, der Venus, zu schießen. Niemand war bereit, sich in einen solchen Transportkasten zu setzen.

Nach Erreichen der Fluchtgeschwindigkeit für den Raumkörper, ein schweres gepanzertes Objekt aus Dickglas und Stahl, einer Lokomotive oder Dampfmaschine ähnlicher als einer der späteren Raketen, suchte der Kolonisator die gravitative Anziehung der Sonne. Diese sollte das Geschoß bzw. den Kasten in die Nähe des Schwesterplaneten bringen, von dem man nichts weiter wußte, als daß hier neues Kolonialgelände liegen könnte. Von seiner Hütte aus, neben dem Startplatz, beobachtete Cecil Rhodes den Stern täglich und begehrlich. Ein mittelmäßiger Astronom und Ingenieur aus Leeds kommandierte das Unternehmen. Das Problem lag nicht in der Kraft des Abschusses, sondern in der Frage, wie man den Kasten, in der Nähe des Abendsterns angelangt, so abbremsen könnte, daß er in eine Umlaufbahn geriete. Anschließend ging es um den Absturz, der das Gefährt aber nicht zerstören durfte.

Was würde der Sendbote antreffen? Vorsichtige Annahme war, daß die Gegenden bescheidener aussehen als eine Wiese bei London oder die Savannen Afrikas, die ebenfalls geringen Grundstückswert besaßen. Vielleicht ließ sich das Gelände durch Treibhäuser verbessern. Die Landung des Kastens schien nicht schwieriger als die eines Schiffes an einer riffbewehrten Küste.

Ein Problem lag darin, daß keiner der ausgebildeten Ingenieure, die Lord Rhodes engagiert hatte, bereit war, das Fahrzeug zu besteigen. Auch keiner der kriegsgefangenen Buren. Versprechungen von gewaltigem Gut und Geld, Absicherung der Hinterbliebenen, nichts war von Nutzen.

So setzte man einen intelligenten Vertreter des Hirtenvolkes der Herero in das Fahrzeug gegen Abtretung eines Diamantenfeldes im Westen Rhodesiens. Zugunsten seiner Familie hatte er eingewilligt, sich auf den Steuersitz zu setzen. An sich war bei einem solchen Geschoß nichts zu steuern. Eine Fahne Großbritanniens wurde mitgeführt.

Was für ein Irrtum! Niemals hätte dieses Fahrzeug zur Oberfläche der Venus durchbrechen und anschließend zurückkehren können. Mit welchen Navigationshilfen hätte das geschehen sollen?

Ingenieurs- und Vorratshütten an den Seiten des Raumflugplatzes. Die Zündung bewirkte eine allseitige Explosion der Antriebschemie, die das Fahrzeug und dessen Umhüllung erfaßte. Das Gefährt selbst, aus Manchester-Stahl gefügt, arg demoliert, die verkohlte Leiche des Raumpiloten darin, stand jahrzehntelang auf dem Gelände, das der Dschungel überwuchs.

Der Mißerfolg blieb der Londoner Börse unbekannt. Lord Cecil Rhodes kündigte einen erneuten Starttermin für das Raumflugprojekt an. Die Wiederholung des Unternehmens scheiterte nicht an Zweifeln, sondern daran, daß Cecil Rhodes im Folgejahr an Niereninsuffizienz starb. Sein Land lag trauernd, schrieb die *Times*. Hier liegt heute Simbabwe, noch immer könnte das Raumfluggelände freigelegt werden. An der Kolonisierung des Planeten Venus besteht heute bei keiner irdischen Nation ein Interesse.

3
Gespräch mit dem Eigentümer eines
Saturn-Mondes

– Sie beschäftigen zwanzig Anwaltskanzleien in New York?
– Mühelos.
– Und wenn ich richtig verstanden habe, haben Sie den USA einen Himmelskörper abgekauft, den Saturn-Mond Titan? Obwohl die USA bisher über keinen Besitz an diesem interplanetaren Grundstück verfügt?
– Wenn eine Großmacht je Zugriff auf Titan haben wird, dann sind das die USA.
– Ohne Eintragung ins Grundbuch?
– Aber mit Registrierung beim Obersten Bundesgericht. Dafür brauche ich die Anwaltskanzleien.
– Was hat dieses Objekt für Eigenschaften? Wie kommen Sie auf Titan?
– Er ist außer der Erde der einzige Himmelskörper im Sonnensystem, der über eine Atmosphäre verfügt, die primär auf Stickstoff beruht. Stickstoff 82 %, Spuren von Methan 6 %, Äthan, Propan, Acetylen, Wasserstoff, Zyanid, Kohlendioxid. Rötlich-orange Färbung. Die beiden Hemisphären sehen merklich verschieden aus.
– Das klingt interessant.
– Oberflächentemperatur 92 Kelvin, ein schwacher Treibhauseffekt.
– Dreimal so kühl wie Sibirien?
– Immerhin.
– Durch die Gas-, Nebel und Aerosolteilchen, die sich von der Oberfläche bis in eine Höhe von 300 Kilometer erstrecken, sieht man nichts, sagen mir Ihre Mitarbeiter.
– Dauernebel. Dichter als in London.
– Aber man weiß trotzdem, wie es unten aussieht?
– Der Mond ist von einem Ozean aus Kohlenwasserstoffen bedeckt, aber nicht vollständig. Wir vermuten, daß es zumindest einen Festlandsblock gibt, der als Kontinent aus dem Kohlenwasserstoffmeer herausragt. Gestein, festes Kohlenstoffdioxid, Eis.
– Wie groß ist das Ganze?
– Durchmesser 5 150 Kilometer.
– Und dreht sich?
– In fünfzehn Tagen, fünfundneunzig Minuten einmal um die Achse.
– Sie freuen sich schon auf die Inbesitznahme?
– Die möchte ich erleben.

4
Bewegungsfreiheit

– Nach Immanuel Kant verstehen Sie unter Freiheit das freie Spiel der Kräfte, außerdem das des Zufalls und zuletzt eine Bewegung der Freiheit überhaupt. Ist das dem Glücksspiel ähnlich?

– Glücksspiel setzt einen Rahmen voraus, d. h. Zwang des Apparats.

– Sie kennen von Teilhard de Chardin den Begriff des Omegapunkts. Der Ort oder die Zeit, zu dem sich das Universum letztlich ausdehnt. Angenommen eine Menschheit, die Immanuel Kants Begriff der Freiheit verinnerlicht hat, dringt zu diesem Omegapunkt vor. Wie lebt es sich dort?

– Es ist ein leichtes, ein gesamtes sichtbares Universum zum persönlichen Gebrauch eines jeden einzelnen dort wiedererweckten Menschen zu simulieren. Die dafür erforderliche Leistungsfähigkeit der Computer ist nur wenig größer als die Kapazität, die erforderlich ist, alle möglichen Universen zu simulieren: *zehn hoch zehn hoch einhundertdreiundzwanzig mal zehn hoch zehn hoch fünfundvierzig*. Das ist, wenn wir die Sterne mit *zehn hoch zwanzig* im Universum zählen, ziemlich viel Information.

– Alles hat seinen Preis. Und wenn es keinen Preis hat, hat es eine Würde.

5
An und für sich

Eine riesige interstellare Wolke mit der Bezeichnung GSH 139-03-69, fast ausschließlich aus atomarem Wasserstoff, nur zehn Kelvin »Wärme«. Bogenförmiges Gebilde mit 6000 Lichtjahren Durchmesser. Zwanzig Millionen Sonnenmassen.

– Wie können Sie so etwas beobachten?

– Die Wolke absorbiert die 21 Zentimeter Hintergrundstrahlung, auch aus Wasserstoff, weiter entfernt.

– »Sehen« Sie irgend etwas?

– Wir messen. An dieser Stelle ist die ubiquitäre Hintergrundstrahlung des Kosmos unterbrochen. Wir sehen sozusagen einen Schatten.

– Wie dicht ist der Schatten?

– Zehn Atome pro Kubikzentimeter. Das ist eine Wolke. Ein Atom pro Kubikzentimeter, das wäre freier Weltraum.

– Wie alt ist das Gebilde?

– Zehn Millionen Jahre alt.
– Könnte man es eine Sterneninsel nennen? Ein fernes Gestade?
– Keine Moleküle, keine Sterne. Es bewegt sich nichts.
– Was haben wir damit zu tun?
– Nichts. Es ist völlig unabhängig von uns. Es ist auch unabhängig von allen Galaxien und Strukturen drum herum. Es ruht in sich.
– Sechstausend Lichtjahre ist eine gewaltige Strecke.
– Für ein einheitliches, einzelnes, bewegungsloses Gebilde eine gewaltige Strecke.

Kerbe der Magnetosphäre über dem Südatlantik

Ein Problem der Selbstversicherung der NASA

Seit Anbeginn ist die NASA Selbstversicherer. Versicherungsgesellschaften halten innovative Tätigkeit im Weltraum für experimentell. Ihre Forderungen bei einer Police wären so extrem hoch, daß das Budget der NASA den Preis nicht zahlen könnte.

Daher muß der Abteilungsleiter Versicherungsschutz der NASA im Alleingang entscheiden, welche Gefahren die Organisation eingehen kann und welche nicht.

Einiges, z. B. den unwahrscheinlichen Fall, daß ein Satellitenrest beim Einsturz in die Atmosphäre nicht in Splitter zerfällt, die verglühen (bei 100 km Sturz sind sie mit Gewißheit zu Asche geworden), sondern als zerstörte Masse auf einen Menschen, ein Haus oder gar ein Atomkraftwerk fällt, kann er vernachlässigen. Andere Gefahren nähern sich der Entscheidungspflicht.

Vierzehn Tage lang unterbrach Bob Dickens, der Abteilungsleiter, jede Reparaturaktivität außerhalb der bemannten Raumkapseln und Raumfähren, sobald sie eine bestimmte Stelle über dem Südatlantik überflogen. Die Astronauten waren fast nur noch damit beschäftigt, ein- und auszusteigen. Die Effektivität ihrer Arbeit, sagten sie, tendiere gegen null. Dies überdehne die Reparaturzeiten. Ermüdung und Fehlleistungen seien als akzessorische Gefahr abzuwägen gegen die von der Abteilung Versicherungsschutz behauptete GRUNDGEFÄHRDUNG.

Es ging um eine Strahlungsdelle im Erdmantel. Das unterhalb der Kruste träge dahinschwimmende »dämmernde« Metall, das sich im Verlauf eines Vierteljahres um wenige Zentimeter bewegt, zeigt unter dem Südatlantik eine tiefe KUHLE oder DELLE. Ihr ist es zuzuschreiben, daß das Magnetfeld, das den Planeten umgibt, in dieser Zone innerhalb der Stratosphäre »einsackt«. Aggressive Teilchenstrahlung von der Sonne – wie sie in den letzten Wochen täglich auftritt – gefährdet in diesem Abschnitt von viertausend Kilometern im Quadrat die Astronauten tödlich. Sie fliegen oberhalb der schützenden Ozonschicht.

Man kann die Bahnen der Satelliten nicht ändern. Sind sie gestartet, ist die Bahn bestimmt. So kommt es zu »Bob Dickens Quälerei«, über welche die Weltraumkletterer fluchen. Mögen sie fluchen, es rettet ihr Leben, antwortete Dickens. Er muß der NASA die Entschädigungszahlungen an die Hinterbliebenen einsparen. Der blauen See, den scheinbar eher ruhigen Gewässern dieses Gebiets des Atlantiks, sieht man die Gefährlichkeit nicht an. Die BUCHTUNG im schützenden Magnetfeld, das die Teilchenstrahlung zähmt, kann man überhaupt nicht »sehen«. Nun sendet unsere Sonne nicht zu jeder Stunde die gefährliche Strahlung aus. Sie entsteht in der Spitze der Protuberanzen, jener, wie Dickens zugeben muß, herrlichen Bögen, in denen die Sonne ihr Temperament zeigt. Prompt muß Dickens, wenn sich ein solcher Massenauswurf auf der Sonde bildet, seine Warnung funken. Alles zieht sich zurück in den Schutz der Kapsel. An die im gleichen Feld des Südatlantiks navigierenden Segelschiffe hat Dickens eine Warnung unterlassen. Sie zählen nicht zum Selbstversicherungskreis der NASA. Auch die russischen Konkurrenten blieben bisher nachrichtenlos.

Dem Fortschritt sind wir auserkoren

Mind-children

Was tut die Seele, während sie Milliarden und Billionen Jahre auf ihre Auferstehung wartet? Es geht, sagte der Physiker Dr. sc. nat. Norbert Nisbit, seit elf Jahren im Dienste der NASA, um die physikalisch genaue Vorstellung von der unsterblichen Seele. Unsterblich von Natur aus, weshalb sie Gott zur Auferstehung nicht braucht. Die Seelen nehmen den Zeitunterschied zwischen individuellem Tod und endlicher Auferstehung nicht wahr. Der engagierte Physiker stützte sich dabei auf Sir Isaac Newton, der wiederum auf Lukas 23,40 hinweist. Jesus verspricht dort dem Dieb am Kreuz: Heute noch wirst du mit mir im Paradies sein. Da seit dem Tod Jesu und des Diebs, schreibt Newton 1680, bis zur Auferstehung mehr als 1 000 Jahre verstrichen sein werden, könne das

Wort »heute« nur bedeuten, daß zwischen diesen beiden Ereignissen subjektiv keine Zeit vergehe.

Dies deutet auf die physikalische Praxis der Auferstehung hin. Tatsächlich besteht keine physische Kausalität und insofern auch keine berührungstechnische Verbindung zwischen verstorbenen Seelen und dem Endzustand der Auferstehung, darauf beharrt Nisbit. Es gehe nämlich um den Beweis, daß eine EMULATION DES GESAMTEN SICHTBAREN UNIVERSUMS möglich ist. Voraussetzung ist, daß die Leistungsfähigkeit sämtlicher Computer im Universum so groß wird, daß die Simulation aller menschlichen Situationen (samt Vorgeschichte, Evolution des Lebens bis zurück zum Entstehen der Milchstraßen und früher Phasen des Kosmos) nur einen relativ unbedeutenden Bruchteil der Gesamtkapazität benötigt.

– 10 minus 10 hoch 10 bis 10 minus 10 hoch 123 Sekunden, bevor der Omegapunkt erreicht ist.
– Die Biosphäre hat zu diesem Zeitpunkt, sagen Sie, den gesamten Kosmos erobert?
– Das ist nicht nötig. Unsere Nachfahren werden etwa die Milchstraße besetzt haben.
– Lange nach Vernichtung der Erde?
– Sofern diese nicht vollständig abgebaut und in Kolonialraumschiffen abtransportiert, d. h. in die EMULATION einbezogen wird.
– Das Universum hat zu diesem Zeitpunkt seine Maximalausdehnung erreicht, sagen Sie?
– Sonst hätten wir den Omegapunkt nicht, von dem ich sprach.

Projekt einer Sternensonde mit einer Geschwindigkeit von 0,9 c

– Mister President, ich bin erfreut, daß Sie und Ihre Berater mir zuhören, und obwohl es mehrere Sekunden von meiner kostbaren Redezeit verbraucht, möchte ich Ihnen, auch im Namen der NASA, für diese Chance danken. Eine Von-Neumann-Sonde ist 100g schwer. In der Größe einer Zigarrenkiste. Sie hat Anweisung, auf Proxima Centauri, dem nächsterreichbaren Nachbarstern, einmal dort angekommen, Material auszuwählen, um einige Kopien von sich selbst und dem ursprünglichen Antriebssystem, das bei uns verblieben ist, herzustellen. Diese Kopien fliegen weiter nach Alpha Centauri, zu Epsilon Eridani, zu Barnards Stern, zum Sirius u. a., eine Flagge der USA wird nicht mitgeführt, sondern wird vom Programm der Sonde vor Ort angefertigt. Sie sehen, Mister President, daß die Konzeption dieses universellen Ingenieurs oder Menschheitsboten, der sich selbst erbaut, auf nanotechnologischer Basis funktioniert, auf der Basis von Atomen. Alles ist unendlich kleiner als ein Mensch, eine Flagge, ein Nagel, ein Geschoß, eine Rakete. Alles Große aber kann bei Ankunft im fernen Sternensystem EMULIERT werden, d. h. es wird konstruktiv hergestellt, so wie wir in die Programme pro Einzelatom eine Menge Bytes einführen.

Die gesamte Sonde besteht aus einem Segel in Form eines Sechsecks mit einem Durchmesser von acht Kilometern. Der Mittelteil wäre ein Sechseck von drei Kilometern. Dieses zentrale Sechseck trägt die 100 g schwere Nutzlast in Zentimetergröße.[8]

Bedingung, Mr. President, ist, daß die Maschine, die das Raumfahrzeug betreibt, nicht Teil des Raumfahrzeugs sein darf. Die Sonnen andererseits, das wissen Sie, Mister President (mit Blick auf die Sicherheitsberaterin C. R.), und der Sonnenwind stellen nicht genügend Energie zur Verfügung, um ein Segel von 0,9 c, das ist 90 % der Lichtgeschwindigkeit (270000 km/sec.), zu beschleunigen. Wir brauchen einen leistungsstarken stationären Laser. Sie haben den Prototypen für den Raketenabwehrschirm projektiert.

Nimmt man einen Laser mit 250 Millionen Kilowatt, erhält man eine Beschleunigung von 8 g, es würde eineinhalb Monate brauchen, um auf 0,9 c zu kommen.[9]

Wir benötigen eine recht große Fresnelsche Linse von einer Milliarde Kilometer Durchmesser. Andernfalls könnten wir nicht in 4,3 Lichtjahren Entfernung, also in Nähe von Proxima Centauri, das Laserlicht auf ein Flugobjekt konzentrieren, das so klein ist wie das größere Sechseck des Segels. Sie werden gleich sehen, Mister President, daß das zur Abbremsung der Sonde nötig ist. Der Betrieb eines derartigen Lasers erfordert einen Sonnenkollektor in der Größe von etwa 40 qkm. Laser und Energiequelle müßten sich in einer Umlaufbahn um die Sonne bewegen.

Die Kosten der Sonde sind nicht höher als das Herstellungsmaterial. Von-Neumann-Sonden können sich selber bauen. Ein Kernkraftwerk mit einer Leistung von einem Gigawatt kostet heute eine Million Dollar. Die Linse des Lasers muß aus Metall bestehen. Es gibt aber große Eisen-Planetoiden in ausreichender Zahl. Sie müssen geschliffen werden. Gehen wir davon aus,

---

8 Der äußere Teil des Sechsecks von acht Kilometern, umklappbar, drosselt die Geschwindigkeit des mittleren Sechsecks, sobald das Ziel etwa erreicht ist.
9 Der größte Laser im Arsenal des Raketenabwehrschilds verfügt über 10 Millionen Watt.

ein solcher Planetoid kostet zehn Milliarden Dollar (Schleifkosten, Bahnausrichtung, Management). Der finanzielle Aufwand für eine 0,9c-Interstellarsonde entspricht somit dem Fünffachen des Apollo-Programms, der Hälfte der Kosten der geplanten bemannten Mission zum Mars, oder hundert Berrlin-Luftbrücken, d. h. 260 Milliarden Dollar.

Damit, Mister President, wäre der Anfang gesetzt für die Eroberung der nächstgelegenen Sternensysteme, eine Expansion, die tendenziell die gesamte Milchstraße ergreift, wenn wir die Zeiträume weit genug fassen.

Die Runde im Kabinettsaal des Weißen Hauses, die diesem Vortrag des NASA-Bediensteten zuhörte, reagierte verdutzt, amüsiert. Eine Planung dieses Kalibers hört man nicht jeden Tag, rief der Verteidigungsminister aus. Das Projekt war von den Lobbys von Litton Ltd. und von Norfolk unterstützt.

Praktisch geschenkt, sagte die Sicherheitsbeauftragte, um irgendetwas zu sagen. Sie hielt einen positiven Bescheid für verfrüht.

Der Präsident taute auf. Was ist, fragte er, wenn herumfliegendes Zeug, das es zwischen den Planeten und dem Raum zwischen den Sternen gibt, wie ich weiß, das recht große Segel durchschlägt oder den vierzig Kilometer im Quadrat großen Laserspiegel? Haben wir dann einen Totalverlust, den ich der Presse erklären darf?

– Das Segel, Mister President, müssen Sie sich in der Dichte eines »Vorhangs aus Atomen« vorstellen. Sie könnten es nicht anfassen oder sehen, wenn Sie unmittelbar davorstehen. Es ist so etwas wie ein Programm, eine Idee. Würde Materie es durchschlagen, sofort wäre es wieder vernetzt.

– Wieso?

– Stellen Sie sich vor, daß dieses Intelligenzwesen, und für nichts anderes ist eine solche Sonde ein UNIVERSALER KONSTRUKTEUR, ein künstlicher Ingenieur ist. Er läßt geschehen und repariert sich selbst (denken Sie an ein Spinnennetz).

– Langsam, mein Lieber, sagte der Präsident, ein Spinnennetz zerreißt, wenn ich den Finger durchstecke, und reparieren kann es nur die Spinne. Ich kenne das von meiner Ranch.

– Wenn Sie entschuldigen, Mister President, das ist anders . . .

– (spaßend) Ich entschuldige überhaupt nichts.

– Im Weltraum gibt es keine Finger, nur Protonen, Elektronen, Gravitonen und gelegentlich Gesteinsbrocken. Die haben so eine hohe Geschwindigkeit bei Zusammenstoß, daß sie durch das Segel hindurch sind, ehe die Atome des Segels Zeit hatten zu reagieren. In der Eile hat das Segel den Durchstoß gar nicht bemerkt.

– Seltsam.
– Das ist erprobt.

Es war einer jener heiteren Vormittage im Weißen Haus, in denen praktisch nichts entschieden wurde. Nicht wahrgenommen, florierte die Welt draußen. Hier saßen die Entscheider, versorgt mit erstklassigem Filterkaffee aus Silberkannen, einige Wachheit auch durch das Potential möglicher Entscheidungen, das »Gefühl der Macht«; sie war schwer genug zu benutzen.
So gingen die NASA-Vertreter und die Männer des Präsidenten auseinander. In den Lobbys und Stäben aber, die die Wortlaute des Vormittags und die kurze Diskussion vor dem Präsidenten nicht kannten, bewegte sich das Projekt der Sternensonde in regelmäßigen Schüben vorwärts, so wie der Kreislauf sich täglich nach durchschlafener Nacht erneuerte und das Erwachsenenalter erreichte, kurz nachdem das achtzehnte Lebenjahr erreicht war.

Überlegenheit des Lebens

Die Tierforscherin sagte, der Mensch habe eine extrem niedrige Ebene der Informationsverarbeitung: bis zu zehntausend Gigaflops Verarbeitungsgeschwindigkeit und nur *zehn hoch fünfzehn* Bytes Speicherkapazität.

– Eine Libelle hat in ihren Augen vergleichsweise eine höhere Potenz. Und das nutzt sie.
– Ist das nicht despektierlich gedacht gegenüber der Menschengattung?
– Wieso? Es geht ja um die Nutzung. Wenn man auf die 10.000 Gigaflops und 10 hoch 15 Bytes in der Praxis so häufig verzichtet, z. B. bei Betrachten eines Samstagsprogramms mit leichter Unterhaltung, dann nutzt man nicht einmal diese Quantität, die kosmisch gesehen geringwertig ist.
– Sie sprachen aber von der »Überlegenheit des Lebens«.
– Gewiß. Aber was hat das mit den Menschen zu tun?
– Sie sind ein Beispiel für Leben. Sozusagen dessen Höhepunkt.

Die Tierforscherin antwortete: Das glaube ich nicht. Sind Menschen nicht lebendig? Sie sind selten lebendig.

– Was z. B. hat einen ausreichenden Grad an Informationsverarbeitung?
– Die Biosphäre. Außerdem unsere künstlichen Intelligenzwesen in unserem Institut in Boston.

– Die Biosphäre soll intelligenter sein als der Mensch?
– Darüber sollte man sich nicht täuschen.
– Und die primitiven Roboter, die nach Maßgabe der Sponsoren zu Haus-
  haltsdienern taugen oder die menschliche einzelne Eigenschaften nachah-
  men, wie die Verbindung von Mutter und Kind in den ersten zehn Tagen,
  das soll überlegen sein?
– Zweifellos.
– Und diese Lebendigkeit sprechen Sie Menschen ab?
– Außer sie sind in Not.
– Und Sie meinen nicht, daß das auf Unterschätzung beruht?
– Ich unterschätze nie die Überlegenheit des Lebens.

Minderung der Übel bei Transfer der MENSCHHEITSINFORMATION in die Galaxie

»Die Zahl aller Übel, die alle Lebewesen potentiell erleben können, ist durch
die Zahl möglicher Zustände, in denen das sichtbare Universum sich befinden
kann, nämlich 10 hoch 10 hoch 123, nach oben begrenzt.«
Tatsächlich, sagte Joseph Vogl, ist die Zahl der Übel durch die Kapazität der
Menschen, mit den Übeltätern mitzuhalten, begrenzt. Bei der Übertragung des
Potentials der Menschheit in Informationsträger ist wiederum eine Reduktion
der Übel möglich.
Problematisch bleibt, ob durch solche Minderung des Bösen die Gegenwirkung des Guten negativ beeinflußt wird. Ich schließe dies, sagt Frank J. Tipler,
als Argument für die physikalische Betrachtung aus.

Wasserzivilisationen

– Im Verhältnis zum Körpergewicht haben der Mensch und der Delphin das
größte Gehirn.

– Das Gehirn des Pottwals verfügt über die sechseinhalbfache Masse des Gehirns eines durchschnittlichen Menschen.

– Haben Wale Einsichten, erzählen sie sich Geschichten?

– Uns fehlen die Sinnesorgane, um das zu prüfen.

– Sie sind aber überzeugt, daß krakenähnliche Wesen auf einem Wasserplaneten die Spitze der Evolution übernehmen könnten?

– Sie hätten den Vorteil, daß sie schwerere Körper und damit auch ausladen-
dere Gehirne bilden könnten. Das Wasser trägt das Gewicht. Dafür haben
sie keine Schreibtische, sie können ihre Computer oder Speicheranlagen sich
schwerer »gegenüberstellen«.

– Aber für lösbar halten Sie diese Frage auf einem Wasserplaneten?

– Intelligenzen in Wasserzivilisationen werden das Problem der Objektivität
haben, sie stellen sich nicht die Welt gegenüber, sie bewegen sich in der Welt.

– Ist das kein Vorteil?

– Zum Leben ja, für Zivilisation nein.

Schwarzer Tropfen / Bailyscher Tropfen

Lichterscheinung, die bei dem Durchgang eines Planeten vor der Sonnen-
scheibe auftritt. Für kurze Zeit bildet sich zwischen Planetenscheibe und Son-
nenrand eine geisterhafte, tropfenförmige Erscheinung, so als bestiegen
Außerirdische ein Kugelraumschiff. In der Zeit der Französischen Revolution
entnahm Boullée diesem Eindruck die Idee für seinen TEMPEL DES UNI-
VERSUMS.

Abb: Der Galaxienhaufen Abell 2218 im 2 Milliarden Lichtjahre entfernten Sternenbild Drache. Alle Objekte in dieser Abbildung sind Galaxien. Die Gesamtmasse des Galaxienhaufens beläuft sich auf 50 Billionen Sonnenmassen; es entstehen Gravitationslinsen.

Primäre Unruhe

- Aus den ersten 600 Millionen Jahren der Existenz unseres Planeten können wir keine Spuren erhoffen.
- Wieso nicht?
- Zu heiß die Materie. Zuviel Bombardement aus der Akkretionsscheibe, die die Erde umgibt. Alles Geschehen wird gelöscht.
- Und Sie behaupten, daß dieses Ereignis nie abgeschlossen wurde, daß es andauert?
- Das gewiß.
- Mit welcher Folge?
- Daß alle Eisenatome im Kern unserer Zellen sich in Unruhe befinden, d. h. das, was wir Leben nennen, ist diese Unruhe, ist Advent.

Erste Tage

Aus dem Tagebuch eines Ungläubigen

Die Erde wuchs, schreibt Mike Hamlin, indem sie die gesamte Materie in ihrem Umkreis aufnahm. Und sie erreichte in kaum mehr als 10 Millionen Jahren ihre heutige Größe.

Währenddessen umrundete sie, ohne jeglichen Mond, die Riesensonne, wie sie als Inhaberin von 99 % der Materie in diesem Teil der Galaxis vorherrscht.

Die Materie-Teilchen, die die Entstehung der Erde bewirkten, führten kinetische Kräfte mit sich, und diese Energie wandelte sich bei der Kollision mit den Teilchen der Erde in Wärme um. Mehr Wärmeenergie, als die begrenzte Oberfläche ins All abstrahlen kann. Die Akkretionsprozesse überzogen den Glutball mit einem Meer aus Magma.

Mike Hamlin blieb stets als Harvard-Professor auf der Seite der *narrowminded horizons*.[10] Das war er seiner Planstelle schuldig. Beweisen konnte er seine Einsicht nicht.

Er war aber verheiratet mit einer Russin. Sie hatte durch ihn die US-Staatsbürgerschaft gewonnen. Ihr war er hörig. Sie aber hatte esoterische Mitteilungen aus ihrem Heimatland mitgebracht. Danach war die ERDE DER ERSTEN TAGE ein Intelligenzwesen. 1,8 Milliarden Jahre reagierten die schweifenden

---

10 Engstirnige Horizonte.

Wogen des in Brand befindlichen Planeten auf die leuchtenden Chondriten, die, wie in einem Dialog oder einer millionenfältigen Sprache, auf die Erde einhämmerten. Wir selbst, meinte die Geliebte des Gelehrten, so wie wir in Coney Island oder anderen Vergnügungsstätten uns als Masse verhalten, kommen diesem Intelligenzideal nicht besonders nahe. Umgekehrt ist es uns eingeprägt, weil es in den Zellen, in den Kniegelenken, im Augenwinkel, in den Nebenzonen des Gehirns, die schweigen, während wir fernsehen, aufbewahrt ist. Dieses Potential wird sich durchsetzen, wenn nicht freundlich, dann mit Gewalt.

Dies war die Verhaltensfolge in der Natur, wie sie Hamlin kannte. So war er, verliebt, Geheimagent einer neuen, quasi kopernikanischen Wende, während er noch seine Planstelle im Börsenkatalog der bestehenden Wahrscheinlichkeitswerte aufrechterhielt. Was nutzt ein Ungläubiger zur Verteidigung eines falschen Glaubens?

Die Sonne glühte in der Frühzeit schwächer

Tiefgefrorene Erde mit gefrorenen Ozeanen. Von Schnee und Eis bedeckt, Strahlung von der Sonne abweisend. Es hätte sein können, daß sich die Erde nie wieder erwärmt.

Noch jetzt kündet ein kühler zentraler Teil des Erdzentrums, darum herum eine Hülle aus geschmolzenem Material, von der alternativen Entwicklungsmöglichkeit des Planeten, der hätte erfrieren können.

Ein Fernrohr der besonderen Art

Tief unter dem Felsgestein des Grand Sasso, dem Berg, auf dem Benito Mussolini gefangensaß, wird in einer großen ausgebauten Höhle ein Smaragd von zwei Metern Größe verwahrt. Laser kühlen den Kristall auf wenige Grad über dem absoluten Nullpunkt. So wartet diese Installation in völliger Dunkelheit auf ein Zeichen, das die Erde durchflutet, uns einen Hinweis gibt, wenn DUNKLE MATERIE mit einem Partikel unserer Materie reagiert.[11] Dafür

11 Der Sachbezeichnung nach handelt es sich um ein Fernrohr. Die Fernrohre sind, nach Galileo Galilei, eine Falle für sichtbares Licht, die Radioteleskope ein Fangnetz für langwellige Information, die wir nicht sehen. Neutrino-Teleskope im Baikalsee und am Südpol sind Detektoren für Gravitationsstrahlung u. a. Soviele Fallen, Netze bzw. Fernrohre, wie sich für den Einfang des Universums aufstellen lassen.

braucht man den kühlen Kristall, daß sich der winzige Wärmeimpuls, der bei solcher Berührung die Begegnung ZWEIER WELTEN verrät, bemerkbar macht. Eine der exaktesten und seltensten Fallen, welche die Fallenstellergemeinde Menschheit je errichtete. Eine italienisch-britisch-amerikanische Forschungskooperation. Nicht einmal nachsehen dürfen menschliche Augen während der extrem langen Beobachtungszeiträume, weil das die Ergebnisse stört. Die Rarität liegt in der REINHEIT DER BEOBACHTUNG. In vierzig Kilometern Abstand, auf einer der Autostradas, die das Gebirge durchqueren, fährt die Kolonne des Ministerpräsidenten Berlusconi, geschützt gegen Attentate durch Motorräder sowie Mannschaftswagen der Caribinieri, auch durch Täuschungsobjekte (Wagen, in denen Doppelgänger sitzen). Die Kolonne entwickelt feinen Staub, von dem schon ein Trillionstel eines solchen Teilchens, wenn es in die verborgene Höhle des Grand Sasso gelangte, das Experiment zerstören würde.

Erlösung durch die 22. Aminosäure

Welche Mechanismen dafür sorgen, daß das Stopcodon bei Methanos-arcina, einem Archaebakterium, das keine kernhaltigen Zellen besitzt und zwischen der Welt und dem Methan der Tiefsee vermittelt, die Proteinsynthese nicht abbricht, weiß man nicht. Aus diesem Nichtwissen entspringt die Entdeckung des Moleküls Pyrrolysin, der 22. natürlichen Aminosäure. Bisher glaubte man der Natur des Menschen 20 Aminosäuren und eventuell eine 21., selten genutzt, das Selenocystein, zurechnen zu können.
Jetzt haben Bing Hao und andere Wissenschaftler (Science, Band 296, S. 1462) das bereits genannte archae-bacterium entdeckt, das in einem Enzym sich an der Bildung von Methan beteiligt. Kein Menschenwesen oder Säugetier besitzt Information in dieser Richtung. Ging die 22. Aminosäure auf dem Planeten verloren? Ist sie, als Partisanin, unter anderer Bezeichnung in der unausgeforschten Vielfalt der Menschenkörper enthalten?
Dr. Philipp Engström vom Großforschungszentrum Jülich geht davon aus, daß »jede Kenntnis an der Widerstandslinie der Natur entlang führt«. So sieht er den Springpunkt darin, daß man das Versagen des STOPCODONS, d. h. der Fortsetzung des speziellen Lysyl-Transfers in dem Archaebakterium, erklären kann, wobei die spezielle Lysyl-Transfer-RNS nicht zum Einbau eines normalen Lysin-Bausteins genutzt wird. Wie kommt das? Wie kommt es zur Umprogrammierung des Stopcodons?
Warum hat sich die 22. Aminosäure nicht erhalten? Was würde sie helfen,

wenn man sie in Säugetiere der fortgeschrittenen Kette einbringt? Die Aktien des Unternehmens in der Nähe von San Francisco, das die Patente auf die Entdeckung der 22. Aminosäure weltweit hält, sind um 8 % an der Züricher Börse gestiegen. Was läßt sich aus einem zusätzlichen Baustein des Lebens, wenn es nach bisheriger Auffassung nur 21 davon gibt, entwickeln und erlösen? Das an der Börse notierte Unternehmen, in Liquiditätsschwäche, sieht es »als eine Erlösung« an, wenn in der wissenschaftlichen Öffentlichkeit überhaupt die Existenz eines solchen 22. Bausteins des Lebens diskutiert wird. Was immer ein solcher Baustein bewirkt, er gilt, angesichts des äußerlich sich kundtuenden Lebens auf dem Planeten, als Seltenheit. Eine Seltenheit hat Wert, auch wenn man nicht weiß, wie man sie gebraucht.

Forschung wie Sand am Meer

– Sie sprechen von sich selbst kopierenden Mustern von defekten Metallkristallen. Das soll der Anfang des Lebens sein?
– Die Defekte werden später auf Kohlenstoffmoleküle kopiert.
– Das ist Ihre Annahme?
– Nein, Forschung.
– Woher haben Sie das?
– Aus den Ozeanen.
– Russische Forschung?
– Wir haben nichts anderes. Unser Kredit mag gesunken sein wie der Rubel, aber wir forschen sorgsam.
– Für uns gilt nur Forschung zum Dollarkurs.
– Dann sind Sie nicht wissenschaftlich orientiert?
– Wir sind an der Werbung orientiert, die in unserem Blatt plaziert wird.
– Sie meinen, unsere russischen Forschungsanstalten sollten mehr Werbung in Ihrer Zeitschrift investieren? Für was? Wo doch aus dem Westen für unsere Forschung nichts kommt?
– Es wäre ein Weg, die Publikation Ihres ungewöhnlichen Ansatzes zu begründen.
– Und unsere Forschung selbst gilt nichts?
– Wir haben auf der Welt soviel Forschung wie Sand am Meer.

Intelligenz zweiten Grades

Ich glaube nicht an Außerirdische, sagte Prof. Dr. Simon White, der Astrophysiker. Weil Sie sie nicht beobachten können? Nein, weil so viel Zufall unwahrscheinlich ist. Wieso unwahrscheinlich? fragte der Chefredakteur des wissenschaftlichen Magazins, das sich eine Geschichte über Außerirdische erhoffte. Es sei unwahrscheinlich, antwortete der Astrophysiker, der soeben von einem Kongreß auf Hawaii zurückgekehrt war, auf dem Kosmologen und Neodarwinisten über die WAHRSCHEINLICHKEIT AUSSERIRDISCHEN LEBENS debattiert hatten, daß sich die menschliche Intelligenz ein paarmal im Kosmos entwickelt haben könnte, weil es bereits hochunwahrscheinlich war, daß bei Ausrottung aller Wege zu dieser Intelligenz zu 99,9 % diese Intelligenz auf dem Blauen Planeten überhaupt überlebt habe. Der fragende Chefredakteur blieb intensiv. Für die Beliebtheit seines Blattes war es besser, wenn es Außerirdische, vor allem alternative Intelligenz, gab.

Der Astrophysiker war durchaus bereit, auf die Not seines Gegenübers einzugehen. Vielleicht, sagte er, gebe es ALTERNATIVE INTELLIGENZ. Es sei schon hier auf der Erde nicht ausgeschlossen, daß es die Rohform einer solchen Alternative, eine Stellvertretung bei Untergang des Menschengeschlechts gebe. Das sei auf dem Kongreß in Hawaii besprochen worden. Hat ein großer Ozean wie der Pazifik, größer an Fläche als alle Kontinente der Erde, rascher in seinen Bewegungen als feste Materie, Geisteskraft? Einen Verstand, eine Intelligenz? Gibt es Bewegungen dieser Wasser, die wir nur nicht verstehen?

Biologen und Evolutionisten waren auf dem Kongreß, berichtete der Astrophysiker, in der Mehrzahl. Sie betonten den Egozentrismus in der Natur. Nach Darwin ist jede Art »selbstsüchtig«. Sie ist an ihrer eigenen Verbreitung orientiert. Es sei deshalb unmöglich, daß ein Lebewesen das Interesse eines anderen zu seinem eigenen Interesse mache. Hier liege, meinte der Astrophysiker, eine Grenze zur Intelligenz. Gibt es aber in der Tiefe der Meere, oder schwebend in den Stockwerken der Gewässer, nicht doch Formen der Intelligenz, beharrte der Chefredakteur, der ein Leserinteresse benötigte, das sich den Verstandeskräften der Rückgratträger gegenüberstellt, diese Intelligenzform paralysiert oder ersetzt wird, wenn sie einmal ausfällt?

Dagegen spricht einiges, antwortete Simon White. Ich will aber nicht leugnen, daß auf dem Kongreß in Hawaii auch interessante Beispiele erörtert wurden, die für eine besondere Begabung des Großen Ozeans sprechen.

– Es gibt in Küstengewässern des Pazifik Kraken, die sich, um Gegner zu täuschen, *nicht* an die Umgebung anpassen.

– Welche Umgebung?
– Die der indonesischen Insel Sulawesi.
– Aber sie suchen die Tarnung?
– Sie tarnen sich im sandigen Meeresgrund als giftige Tiere. Sie versetzen sich in fremde Tiere, vor denen sie sich selbst nicht fürchten müßten, nehmen deren Gestalt an und schützen sich mit der Furcht, die ihre Angreifer vor diesen Tieren in sich fühlen.
– Sie versetzen sich hinein in andere Tiere. Sie »verstehen«, wovor sich ihr Angreifer fürchtet. Wovon ihr Freßfeind gefressen wird, das ahnen sie, ohne es zu wissen.
– Das ist verblüffend. Der Krake ahmt den mit Giftstacheln bewehrten Rotfeuerfisch nach und übt eine Abschreckung, von der er nichts wissen kann. Nähert sich ein Riffbarsch, »verwandelt« sich der Krake in eine giftige Seeschlange, den Erzfeind der Barsche. Noch nie hat eine Seeschlange einen Kraken attackiert. Zwei Geheimnisse: woher weiß der Krake, was sein Intimfeind am meisten fürchtet? Auf Grund welchen Ahnungsvermögens vermag er die Gestalt anzunehmen, die er nie gesehen hat?
– Dies wäre eine uns überlegene Intelligenzform?
– Ich glaube ja. Die Mehrheit der Teilnehmer auf Hawai war verblüfft. Noch etwas: in bestimmten Situationen, in denen von außen keine Gefahr droht, gewissermaßen eine träumerische oder spielerische Atmosphäre am Meeresgrund entsteht, führen die Arme des Kraken ein Eigenleben. Sie verwandeln sich »aus Lust«.
– Und das wird ebenfalls als gleichwertige überlegene Intelligenz gedeutet?
– Ist es das etwa nicht?
– Die Fangarme werden zum Beutefang vom Kraken herausgeschleudert. Das Gehirn gibt nur den ersten Befehl. Die weitere Bewegung der Arme wird von motorischen Zentren in den Armen, die eigene Intelligenz besitzen, gesteuert. Bis zum Erfolg.
– Totsicherem Erfolg?
– Tödlich für das Opfer.
– Und Sie wollen andeuten, daß dieser im Meer verborgene Erfahrungsschatz eventuell auf anderen Sternen erworben wurde? Die Außerirdischen somit auf der Erde längst ihren Sitz haben?
– Ich berichte nur von Beobachtung. Dem, was auf dem Kongreß gesagt wurde.
– Ich sehe aber Ihren Augen an, daß Sie als kühler Engländer und wissenschaftlicher Beobachter den Gedanken attraktiv fänden, daß es eine Konkurrenz zu unserer Intelligenz im flachen Meerwasser vor den Gewürzinseln geben könnte?

– Wenn Sie mir die Bemerkung erlauben: die Intelligenz auf einigen dieser Inseln scheint mir nicht zureichend genutzt.

– Ohne daß Sie damit Vorurteile verbinden?

– Vorurteile nicht. Hoffnung auch nicht.

– Aber auf den Kraken würden Sie Hoffnung setzen? Sie sagen damit, die Fähigkeit zur Schauspielerei, zur Metamorphose ins Herz des Gegners, die Vorwegahnung der Gedanken Fremder kommt von anderen Sternen?

– Stellen Sie sich vor, wir könnten so etwas. Ich antworte auf einen lebensbedrohenden Angriff, indem ich mich verkleide und im Herzen meines Gegners eine Umkehr hervorrufe. Gibt es solche Intelligenz häufig? Mehrheitlich?

– Vielleicht im Theater?

– Dann kommt dies ebenfalls von *outer space*.

Phaëthons Sturz

> »Und rings entzündet rauchten die Wolken /
> Wo sie am höchsten sich hebt, erfassen
> Flammen die Erde . . .
> Auch große ummauerte Städte verderben/
> Und es verwandelt Feuersturm in Asche
> die ganzen Länder und Völker.«
> *Ovid, Metamorphosen, Phaëtons Todesfahrt*

Phoibos Apollon, Lenker des Sonnenwagens, durch göttliches Gesetz gezwungen, ein Versprechen einzuhalten, das er, ohne auf sein Ahnungsvermögen zu hören, seinem Sohn Phaëthon gegeben hatte, mußte zusehen, wie dieser Phaëton das Sonnengefährt bestieg. Der Sonnenwagen, dessen geflügelte Rosse Phaëton nicht zu zügeln verstand, raste durch die Horizonte des Äthers, stieß durch die Wolken, fiel zur Erde hin. Gaia, Mutter Erde, erbat Eingriff des Göttervaters Zeus. Weil die Schöpfung in Gefahr war, schleuderte dieser den Blitz auf den Wagenlenker. Die Pferde rissen sich los. Der Wagen bricht. Phaëthon, in dessen Haar das Feuer wütete, stürzt als Stern in den Fluß Po.

– Soweit der Mythos. Woher hat Ovid die Geschichte?

– Die ältesten Texte aus Ägypten liegen sechstausend Jahre zurück. Ovid hat sie nicht gekannt. Wir aber wissen, daß dieser Bericht eine der ältesten Überlieferungen ist. Die Pyramiden sind gebaut als Stützen des Himmels. Der Pharao haftet, daß ein Himmelseinbruch wie bei dem Sturz Phaëthons nicht noch mal stattfindet.

- Was schätzen Sie, ist das Datum jenes Ereignisses, von dem der Mythos berichtet?
- Offensichtlich sechzig Millionen Jahre vor Christus.
- Wenn Sie sagen »Christus«, wollen Sie damit sagen, daß dies der erste Auftritt des Gottessohnes war, ein Auftritt, der mißlang?
- Reden Sie keinen Unsinn.

Eine dunkle Stelle in Platos *Timaios*

Pluto, der Herrscher im Schlund, entführt Eurydike, die von der Polarschlange gebissen ist. Der Löwe wird besiegt. Wenn nun der Löwe »in der Gruppe« oder UNTER DEM SÜDPOL ist, dann folgt als nächstes Zeichen die Jungfrau. Anderseits sind die Hyaden Regen- oder Flutgestirne; und Aldebaran, der den Töchtern des Atlas und den Plejaden folgt, blickt aus dem Auge des Stiers herab. Erscheint aber über dem Horizont des Nordpols die Jungfrau oder Asträa, welche Venus Luzifer ist, so ist nichts Geringeres zu erwarten als der große Drache oder die Flut.

- Flut, welche die Menschen hinwegschwemmt?
- Ja, der Planet bleibt erhalten. Oder aber Ekpyrosis, die Verbrennung, welche die Kugel selbst zerstört. Sie haben immer Kataklysmos oder Ekpyrosis. So ist es in Platos *Timaios* vorhergesagt.
- Und Sie glauben an so etwas? Daß man Plato als Seher betrachtet?
- Das wird man müssen.
- Und Sie datieren das Ereignis?
- Auf 60000 Jahre vor der Zeitenwende.
- Von Plato aus betrachtet, ein etwas unwirkliches Datum.
- Ja, aber wir kennen nicht Platos Datierung. Es wird die ägyptische sein.

Die Forscher einigten sich auf eine grobe zeitliche Abfolge:

(1) Barbarische Stämme bringen eine Katastrophe mit einem rächenden Gott in Verbindung.
(2) Das ist der Anfang einer neuen Rasse, einer tugendhaften.
(3) Die ursprüngliche Quelle, d. h. der geologische Prozeß, der den Mythos hervorrief, lag in Asien. Es handelt sich um Erdbeben.
(4) Ägypten, das selbst von Erdbeben frei ist, begründet nichtsdestoweniger sein nicht unbeträchtliches geologisches Wissen und seine Mythen auf die asiatische Überlieferung einer Umwälzung.

– Eindeutig, daß Plato von der ägyptischen Quelle ausgeht.

– Von dem, was dieser Quelle vorangeht, weiß er nichts?

– War er ein INKARNIERTER, dann weiß er alles.

– Aber nichts von den erschreckten Barbaren, der Erzählung Nummer eins?

– Nein, das wird er nicht wissen.

– Wir stoßen hier auf eine grobe Unklarheit. Es zeigt sich, daß die asiatischen Schrecken, die sich mit irgendeinem auf dem Globus mäandernden Mythos verbanden, nur weil einige halbgebildete Schamanen eine solche Verbindung herstellten, einen vulkanischen Ursprung hatten, z. B. den Untergang des Kontinents Lemuria.

– Ein Ereignis, gewaltig genug.

– Und verwechselt das Plato mit Atlantis?

– Dann wäre er kein Inkarnierter. Er verwechselt gar nichts. Das Ereignis fand doppelt statt.

– Die Göttermythen aber beschreiben eine Vernichtung, die von oben kommt, von den Gestirnen. Ein Kometeneinschlag?

– Oder der Schrecken, unten erlebt, die Wasserflut, die den Erdbeben folgt, wird an den Himmel projiziert. Die Schamanen suchen nach einem Weg, die Gefahr weit wegzurücken.

– Eine weitere Unklarheit besteht darin, daß die Ereignisse moralisiert werden. Verbrechen, Bestialisierung (wir wissen aber, daß Barbarenstämme nicht bestialisch sein können, das können nur Hochzivilisationen) gehen der Katastrophe voran. Sie sind der innere Grund. Man kann die Wiederkehr der Katastrophe vermeiden durch Neugründung der Völker durch Tugend.

– Und dadurch, daß man Denkmäler der Tugend errichtet, wie die Pyramiden, die den Himmel stützen.

– Also doch Gefahr von oben?

– Der Himmel stürzt ein, weil in den Seelen etwas eingestürzt ist. Das hat mit äußerem Schrecken, z. B. Erdbeben, nichts zu tun. Es wären ja auch Erdbeben und Untergang ganzer Kontinente an fernem Ort, niemals in Ägypten, wo die Pyramiden stehen.

– Ein komplizierter Zusammenhang.

– Bei Plato immer so.

– Und aus welchem Grund?

– Fernwirkung des Schreckens. Da, wo der Schrecken erlebt wird, entstehen keine Mythen (keiner überlebt). Da, wo der Mythos lebendig ist, muß man keine Bauwerke errichten, die den Himmel stützen.

– Kommt die Gefahr von unten, muß ich die Götter oben fürchten?

– Am meisten fürchte ich, was in mir bohrt.

– Das ist ganz unabhängig von äußeren Ereignissen.
– Die äußeren Katastrophen sind nur das Vehikel.

Die beiden Philologen waren Buffonisten, Anhänger jenes Naturforschers aus dem Zeitalter der Aufklärung. Bouffon mißtraute der Natur. Man muß die Natur zähmen, der Menschheit anpassen, man muß sie zivilisieren. Das entspricht der Art, wie heilige Texte seit 12 000 Jahren überliefert werden.

Leid bleibt ungeteilt

– Das gibt eine Stoßwelle?
– Ähnlich einem seismischen Beben.
– Ein »Schrei des Entsetzens«?
– Das wäre eine Phrase.
– Ohne Phrase: wenn 5 000 Seelen in wenigen Minuten . . .
– . . . oder Sekunden . . .
– . . . zugrunde gehen, oder wie würden Sie es nennen? Zerdrückt werden, und nicht durch Gottes Hand . . .
– . . . dann entsteht eine Bewegung, die den Planeten umrundet.
– In langen Wellen?
– Schwer meßbar.
– Würden Sie das als Wissenschaftlicher bestätigen?
– Es wäre doktrinär, wenn wir sagen: so etwas gibt es nicht.
– Und diese Stoßwelle bewegt sich um die Erde ähnlich wie die WILDE JAGD, bis der Tod dieser Seelen gerächt wird.
– Und in jedem Jahrhundert zuvor hatte jeder massenhafte Tod eine solche Stoßwelle zur Folge.
– Jeder ungerechte Tod.
– Man muß sich vorstellen, was es heißt: 5 000 Tote im gleichen Moment. Das geschieht nicht häufig.
– 7 000 Sachsen bei Verden an der Aller werden enthauptet?
– Wenn diese Überlieferung stimmt.
– Und 12 000 Jungfrauen bei Köln?
– Das ist Mythos.
– Massaker der Mongolen in Aleppo. Die größte Stadt des Mittelalters wird in einem Tag vernichtet?
– Das muß eine Stoßwelle ausgelöst haben, wenn der Bericht wahr ist.
– Nacht des Schreckens im Reich der Azteken?

- Ohne Übertreibung, 4000 Tote. Die Wolke davon, der Stoß, schwebt bis heute über den Kontinenten.
- Den einheimischen oder überall?
- Überall auf dem Globus. Leid bleibt ungeteilt.

Wassernot im Zweistromland

Immer noch kommen Natur-Touristen in eine Region des Irak, die aus Sumpfland besteht. Das Feuchtgebiet liegt in der Grenzregion zwischen dem Irak und dem Iran. Hier rasten oder überwintern Zugvögel. Das mächtige Riedgras wird in Fabriken zu Papiergrundstoff verarbeitet. Die Agenten der Käufer und die Natur-Touristen, darunter ein wissenschaftlicher Mitarbeiter der UNEP (sie untersucht im Auftrag der Vereinten Nationen ökologische Ressourcen des Planeten und ist der Abteilungsstruktur nach für die irakischen Behörden deutlich genug getrennt von Überwachungsteams der UNO, die sich für Waffen interessierten), erhalten Visa von Reiseagenturen, deren Weg zu den Konsulaten des Irak und zur Zentralregierung in Bagdad seit Jahrzehnten geebnet ist.

Die seltsame Sumpflandschaft ist ein Rest der »Wiege der Menschheit«. Das zwischen den Wassern des Euphrat und des Tigris befindliche, einst Göttern gewidmete Gelände war früher siebenhundertmal größer.

- Sie nennen das Gebiet »Mesopotamiens Marschland«?
- Ja, auf englisch: Mesopotamian Marshlands. Die erste Katastrophe findet statt, als Barbaren die Kanäle und Dämme der babylonischen Antike einreißen.
- Die landwirtschaftliche Revolution brach hier aus? Dieses ist das schäbige, verarmte Restgebiet vom »fruchtbaren Halbmond«, wo das Korn erfunden wurde? Die Äcker?
- So kann man das nennen.
- Was stellen Sie sich unter Revolution in diesem Zusammenhang vor?
- Ich hatte nur aus wissenschaftlichen Büchern zitiert. Ein mythischer Prozeß. Wir schätzen ihn auf fünfhundert Jahre. Danach entsteht hier die neue Welt.
- Sie haben sich heute in Reiche von Schauspielen und Plakataktionen zurückgebildet, die von den Propaganda- und Reiseförderungs-Abteilungen der Regierung in Bagdad ausgestattet werden. Und diesen Rest hier an Feuchtgebiet. Ich höre, daß diese Region noch 15 % dessen umfaßt, was 1952 als Reservat galt.
- Es fehlen die Überflutungen. Euphrat und Tigris spenden nicht mehr.

– Man kann das eigentlich nicht mehr hören. Als Werbefachmann muß ich Ihnen sagen, daß Ihre UNEP-Organisation das Ziel verfehlt, wenn sie nur beklagenswerte Tatsachen sammelt. Was soll denn ein Mensch in St. Louis, Kapstadt, Paris oder Berlin unternehmen, um auf Ihr Gejammer von der »Wiege der Menschheit«, die verlorengeht, zu reagieren?

– Die Ursachen sind flußaufwärts der beiden heiligen Flüsse zu suchen. Dreißig große Staudämme und Rückhaltebecken, das ist allein das Südost-Anatolien-Projekt in der Türkei. Hätte die Regierung in Bagdad mehr Geld, würde sie durch weitere Staudämme und Wasserentnahmen auch diesen Rest klassischen Geländes trockenlegen.

– Was ist an Sumpf schön?

– Es war ja kein Sumpf. Es war die Erfindung der Bewässerung. Ein System von Kanälen. Ein Wunder arabischer Ingenieurskunst.

– Und davor?

– Ein Wunder babylonischer, vorbabylonischer und urtümlicher Erfindungen, Ingenieurskunst. Erst die Götter, dann das Wasser.

– Der Rest, den wir jetzt schon seit Tagen mit dem Jeep durchfahren, ist salzhaltig und für die meisten Pflanzen unbekömmlich. Die Vögel, eine wunderbare Abwechslung, aber nur im Winter hier. Eine halbe Million »Sumpf-Araber«, so heißen sie in Bagdad. Das könnte man verlorengeben, wenn nicht der Natur-Touristenstrom und die wenigen Käufer von Papiergrundstoff die Tarnung ergäben für CIA-Agenten, die auf diese Weise den Irak besuchen, obwohl sie gerade hier das, was sie sehen wollen, nicht zu sehen bekommen. Wenn Sie einen Moment nicht sentimental sind, was wollen Sie hier retten?

– Ich habe einen Job.

– Was könnte man sich davon versprechen, die »Wiege der Menschheit« zu konservieren? Wir Menschen heben doch meist die Kinderbetten, in denen wir das erste Jahr verlebt haben, nicht auf. Die Schuldfrage ist einfach. Die Mongolen sind schuld.

– Ich bin nicht sentimental.

– Nein, so wie Sie hier durch die Gegend fahren, würde ich Sie als robust bezeichnen.

– Und Sie meinen, das passe nicht zu einer Frau?

– Doch, es gefällt mir.

– Und hier soll so viel Wasser gewesen sein, daß der Mythos von der Sintflut entstand?

– Es sind heilige Wasser. Wasser mit Maß. Sintflut war anderswo.

Sie durften mit dem Fahrzeug nicht zwei Meter vom Weg abkommen, wenn sie nicht in einem Reisfeld oder ödem Sumpf versinken wollten. Man konnte den momentan noch vorhandenen Reichtum an Wasser aber nicht luxuriös nennen, weil er in diesem Maße wenig brauchbar blieb. Eine Granate oder Rakete, sagte der Natur-Tourist zu der Fahrerin, würde in das weiche Erdreich eindringen, aber nicht explodieren. Das konnte als Nachricht für den CIA hingehen, der ja alle Tatsachen in der Welt sammelt, sofern sie sich auf den Irak beziehen. Es gab aber keinen Grund, in dieser Region irgendetwas zu beschießen. Sie würde durch Absperrung des Wassers in Folge türkischer und irakischer Regierungsmaßnahmen in zehn Jahren verödet, trocken daliegen. Jeder Schuß Munition fügte dieser Erwartung nichts hinzu.

Das neue Denken der Bush-Administration und die Geophysik

Fast zeitgleich mit den 23 Extrempolitikern, die in der Bush-Administration als Jugendgruppe den Ton angaben, entsprang in zwei Jahrgängen der Stanford University eine Crew von Geophysikern. Von ihnen stammen die neuesten Hinweise auf Magmakammern im Erdinnern, die den Zivilisationen der Menschheit (statistisch gerechnet) alle 700000 Jahre ein abruptes Ende setzen. Aus dieser Crew hat der Geophysiker Peter Onslow vielbeachtete Beiträge zur Theorie der Kontinentalverschiebung, vor allem aber zur GENESE DER GROSSEN STRÖME veröffentlicht. Solche Forscher, Jahrgangskameraden jener Minderheit republikanischer Politiker, die in einem Jahr so viel Macht anhäuften, wie es demokratische Konkurrenten in drei Jahrzehnten nicht vermochten, waren berechtigt, Schiffen der US-Marine Auftrag zu erteilen, ihre geophysikalischen Gerätschaften, Bohrer und Sonare, wie Pflüge auf dem Meeresboden dahinzuschleppen. Die jungen Theoretiker im Weißen Haus faszinierte an der Arbeit ihrer geophysikalischen Kollegen die ZEITSKALA, in der Prozesse von 900000 Jahren oder 40 Millionen Jahren als JETZTZEIT galten, während doch eine Entscheidung über Krieg und Frieden im Morgenland, schon wegen der Wetterrücksichten, nur Wochen oder Monate für den Entscheidungsprozeß übrigläßt.

I
Der Grand Cañon des Nil

Könnte man ihn ausgraben? Das sicher nicht. Wäre aber das Mittelmeer ausgetrocknet, so würde der Fluß selbst seine Sedimente ins Freie heben, und nach weniger als 200 000 Jahren erwiese sich das Niltal als ein mächtiger Cañon, der nur vollgeschwemmt war mit Ballast. Der Charakter des Stroms könnte wiederkehren; der Nil würde sich in ein Tiefbecken der früheren Tethys-See (Mittelmeer) ergießen, das jeder Austrocknung widerstünde.

– Sie sprechen vom Nil-*System*?
– Jede andere Bezeichnung wäre verfehlt.
– Inwiefern System, wenn es doch ein Strom ist?
– Bewegliche Systeme sind immer Fließ-Systeme. Dieses System Nil ist in siebzig Millionen Jahren gleichgeblieben. Es zieht sich aus dem GROSSEN GRABEN nach Norden.
– Und vor 140 Millionen Jahren?
– Vermutlich genauso. Der Strom wandert mit dem Kontinent Afrika beharrlich von Süden nach Norden. Ein Fremdlingsstrom.
– Fremdling inwiefern?
– Als Fremdling in der Wüste.
– Wo er dem Victoria-See entspringt: vertrautes Gelände. Wo er mündet: Wasser zu Wasser. Dazwischen: ein Fremder im Land?
– Stets durchsetzungsfähig.
– Sie meinen gegen die Wüste?
– Gegen die zu jeder Zeit.
– Und gegen Dammbau?
– Das weiß man nicht.
– Sie halten Menschenkraft für fähig, ein solches Riesenwesen, das Strömung, d. h. Intelligenz besitzt, sein Bett kilometerweit nach rechts und links versetzen kann, zu unterbrechen, aufzuhalten? Im Wesen so zu verlangsamen, daß das System sich verändert? Daß die Lebenswelt eines solchen Systems durch ein geplantes System besiegt werden könnte?

Der Fluß bleibt Sieger, antwortete Onslow. Das liegt an seinem zusammengesetzten Charakter. Was die Wassermassen aus dem GROSSEN GRABEN inmitten Afrikas nicht vermögen, weil sie träge fließen, das reißt der Blaue Nil nach vorn.

- Halten Sie ein solches System für göttlich?
- Was sollte das bedeuten?
- Von Menschen unbeeinflußbar?
- Das ist es ja wohl kaum.
- Göttlich im Sinne von ZU LEBZEITEN VON GENERATIONEN, DIE EINANDER BERICHTEN, NICHT ÄNDERBAR?
- Das gewiß.
- Auch nicht mit modernen Mitteln?
- Selbst nicht durch Ungeschick.

In den zwölf Jahren der Präsidenten Reagan und Bush sen. hat sich ein Nachwuchs entwickelt, durch die Ära Clinton gestaut, der die Architektur der USA und des Globus neu ins Auge faßt. Knüpft irgendwer an Cäsar an oder an Kaiser Commodus? Niemand. An Napoleon? Keiner. An Metternich? Niemand. Wie hält man die Völker zusammen ohne Vorbild? Zu jedem der Vorbilder, seien es Washington, Hamilton, Lincoln, beide Roosevelts, selbst Reagan, gibt es eine Differenz. Das System Globus, funktionierend nach Fließgesetzen, die Erde ein blauer Wasserplanet, wie man weiß, durchbricht Zwänge. In dieser Hinsicht sind Vorbilder Zwänge.

Jeffrey Gedman hat den Auftrag, mit Onslow Kontakt zu halten und die politische Weltkarte der Bush-Administration unter der Prämisse, es ginge um geologische Systeme, also in der Zeit totalisierte, zu überprüfen.

Es gehört zu den Rezepten der jungen Bushianer. Es sind Konzepte der Kühnheit, crossmapping als Beispiel. Geophysik und aktuelle Politik, in der Zeitskala, das weiß jeder, können niemals aufeinanderpassen. Aufeinandergelegt aber ergeben sich, aufgrund schöpferischen Irrtums, Maßverhältnisse, aus denen die Bush-Administration Schlußfolgerungen ermittelt, niemals würde sie das tun aufgrund von Hinweisen auf astrologische Daten. Darin ist diese Administration strikt rational. Wieso aber sollten entschiedene Konservative leugnen, daß die Erdgeschichte die Tagespolitik kritisiert? Was garantiert ein Pharao, der Pyramiden baut? Er ist Architekt, der mit diesen Gebäuden den Himmel davon abhält, einzustürzen.

2
Das Delta der Lena

Mit 4400 Kilometer Länge zählt die Lena zu den größten Strömen der Erde. Ihre Wassermassen drängen nach Norden. Sie ergießen sich ins Eismeer. Von dort haben sie es schwer, als Regen zurückzukehren. Deshalb planten einige Architekten und Intellektuelle um Leo Trotzki, diese Wassermassen nach Süden umzulenken. Sie wären dann über mehrere Zwischenbassins und Staustufen zunehmend in die Nähe der wertvollen, minimal gedüngten, aber trockenen Erdreiche gelangt, die, von den Bergketten des Himalaja und des Pamir, von den südasiatischen Meeren willkürlich getrennt, nach Rußland hineinragten. So hätten Menschen einen katastrophalen Zufall (oder Fehler) der geologischen Automatik getilgt. Was nützen Pläne, wenn sie nicht zu solchen Korrekturen dienen? Zu den 44 Weltwundern der Gegenwart zählt aber das *Delta* des Flusses Lena. Nach Westen zu bildet sich ein riesiger Sumpf, Brutort von Zugvögeln, die nur auf Grund der Existenz eines solch riesigen Gebietes, das von Menschen oder Raubtieren niemals betreten werden könnte, sich auf dem Planeten erhalten haben, die östlichen Bereiche einer praktisch unbewohnten Halbinsel sind von vielgliedrigen Wasserwegen zerteilt. Aus dem Orbit, aus dem allein dieses Deltagebiet »besichtigt« werden kann (jeder vom Lande sich nähernde Besucher sähe stets nur ein Detail), besitzt dieser von einem Fluß geschaffene Platz des Planeten eine STRUKTURELLE SCHÖNHEIT, ähnlich einem Blatt oder dem Adernetz eines jugendlichen Menschen oder einer Quelle, die sich aus dem Fels und einem geringen Umfeld an Boden allmählich zu einem Bach herausbildet. Dem Auswerter des Erkundungssatelliten Landsat 7, gestartet April 1999, fiel ihre filigrane Struktur auf, als er nach Zielen für die Laserkomponente des Raketenabwehrschild-Projekts suchte. Es gab keine offensichtlichen Gründe, die das für das Auge auffällige Gebilde in die Zielplanung hätten einbringen können. Oder konnte ein Stau des Flusses im Delta die an diesem Fluß gelegenen Städte und Industrien langfristig zerstören? Der Planer aus dem Pentagon verwarf solchen Gedanken. Er durfte aber auch dem Gesichtspunkt der Schönheit, also einer Sentimentalität, nicht nachgeben. Insofern untersuchte er mehrfach die Relevanz des fotografischen Satellitenbildes, das durch seine filigrane Gliederung immer erneut seine Aufmerksamkeit erregte. Konnte der russische Gegner auf die Idee kommen, in dieser Besonderheit, weil sie dem Beobachterauge »unschuldig« erscheinen mußte, Raketen aufzustellen oder verdeckte Aktionen vorzubereiten? Man kann nicht hinter jeder Schönheit eine Intrige des Feindes vermuten, sagte sich der Beobachter. Erstaunlicherweise überträgt der im März 1984 gestartete Landsat 5 immer noch Bilder zur Erde. Dies beruht nicht auf Schönheit, sondern auf Zähigkeit.

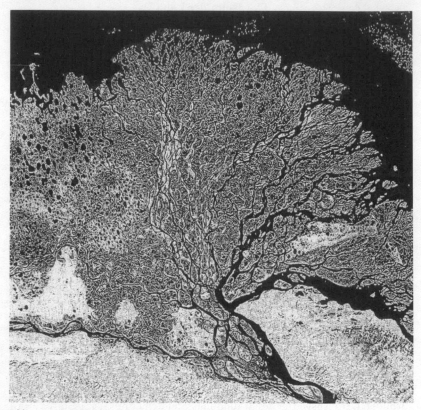

Abb.: Mündungsdelta der Lena

3
Das System Amazonas

Die Republik Brasilien erhält sich neben diesem System. Selbstherrlich wäre es, Menschenmacht überschätzend, würde sich die Republik anmaßen, Autorität über dieses SYSTEM AMAZONAS auszuüben.

Onslows Forschungen: dazu darf er, auf Fürsprache von sieben Jahrgangsgefährten aus Stanford in der Administration, die örtlichen Kräfte des CIA mit Aufträgen versehen. Sie sind ihm berichtspflichtig. Sie senden Phiolen ein, in denen sie aus mehr als tausend ausgetrockneten Flußbetten Proben gesammelt haben; Proben aus 30 Zentimetern Tiefe.

Im Weißen Haus war im Speisesaal aufgedeckt. Die Gäste, darunter der König von Jordanien, wurden erfrischt durch einen Chor des Marinekorps, der mehrere US-Gesänge, mehrstimmig, darbot. Vor der Nachspeise referierte Onslow kurz über das SYSTEM AMAZONAS. Es sei, sagte er, im Lauf von nur drei Millionen Jahren von einem Strom, der nach Norden floß, in einen Strom, der nach Osten fließt, verwandelt worden, auch seien die gewaltigen Wassermassen der Zuflüsse des Amazonas und des Stroms selber nur ein Partikel des Urstroms, der so gewaltig gewesen sei, daß er terrestrisches Leben an seinen Ufern kaum zugelassen habe. Die Mondeskräfte hätten ihn monatlich bis zu drei Metern gehoben und gesenkt. Welche Wälder, welche Tiere halten das aus? Einige der Gäste interessierten sich. Sie fragten zurück. Es hätten doch Bakterien, einzellige Lebewesen in einer solchen Wasserzivilisation ihr besonderes Auskommen haben können? Das bestätigte Onslow. Telefonisch wurden Biologen herbeigerufen. Auch sie sagten, die Entwicklung der Intelligenz hätte aus dem System Amazonas vor etwa einer Milliarde Jahren noch einen anderen Verlauf nehmen können.

Ein unwahrscheinliches Ergebnis. Das naturwissenschaftliche Sachinteresse der Gäste schob die Überreichung der Nachspeisen, anschließend Kaffee und Cognac, um mehr als zwei Stunden hinaus. Der Tag und seine Debatten waren momentan vergessen. Die Vorstellung, daß ein gewaltiges Flußsystem wie der Amazonas sich von Nord-Nordost nach Osten dreht, hierbei verkümmert, wie gewaltig muß für Alexander v. Humboldts Vorstellungsvermögen der Strom gewesen sein, wenn er heute, gewaltig genug, nur noch ein Siebtel seines Formats ausmacht? Das ist interessanter als die Meere, sagte der König von Jordanien. Der Ausspruch wurde von der Washington Post zitiert. War es ein diplomatischer Trick Bushs, das aktuelle Politikprogramm, die kontroversen Debatten des Tages, auf zwei Stunden zu beschränken?

Ich nehme nicht an, daß diese Improvisation Absicht war, bemerkte Jeffrey Gedman. Er stützte sich darauf, daß keine politischen Gespräche mit einem der Gäste am folgenden Tag angesetzt waren. Unter dem Eindruck der KOLOSSALGESCHICHTE DES AMAZONAS hätte es sein können, das bestätigte Gedman, daß sich Positionen zwischen US-Politik und Gesprächspartnern aus dem Nahen Osten verschoben hätten. Nichts ist instruktiver als ein Durcheinander der Zeitskalen.

Wer flieht?

»Sie war tätig als Krankenschwester in einer Entbin-
dungsstation. Sie ist dabei, als eine Frau ihr Kind zur Welt
bringt. Dann hörten sie einen Trommelwirbel, oder irgendetwas Metallisches. Eine andere Krankenschwester
kommt hereingestürmt. Hinter ihr eine Gruppe bewaffneter Männer. Sie fordern, daß man ihnen Narkotika
gibt. Die Schwestern antworten: Wir haben das nicht.
Eine Frau liegt da, schreit. Daraufhin fragen die Männer:
Woher stammt die? Ist sie aus dem Pamir-Gebiet oder aus
dem kulapischen Gebiet? Sie ist aus dem Pamir-Gebiet.
Sie nahmen das Kind, gerade geboren, warfen es aus dem
sechsten Stock zum Fenster hinaus. Die Krankenschwester wollte an diesem Arbeitsplatz nicht bleiben. Wo gibt
es einen Wohnsitz? Wo stehen Häuser? Sie macht sich auf
in die Zone von Tschernobyl.«

Swetlana Alexijewitsch, in ihrem Film: Verbotene Zone

I
Verbotene Zone

Aus den Tälern des Pamir, wo die schönsten Pferde grasen, noch von Makedonien dorthin gebracht, gelangt der Wanderer in die Fläche. Aber es gibt hier
nur Flüchtlinge, in einer Zone, die sich dem Bürgerkrieg widmet. Siedlungen
der Ebene, darin ethnische Säuberung, Angriff, Verteidigung. In den Städten
Angriff auf die Minderheit.

Eine Familie, die hier nicht länger leben wollte, flieht. Wohin? Sie siedelt sich
an in der »verbotenen Zone von Tschernobyl«. Dies bezeichnet einen weiten
Umkreis, vor allem im Norden des Unglücksgebiets. Tatsächlich ist die Grenze
unbewacht. Sie besteht aus einem Drahtgitter auf der Landstraße, durch ein
Scharnier aufziehbar, mit Schildern besteckt, die den Zugang verweigern.
Warnung vor nuklearer Strahlung graphisch signalisiert. Daneben eine Wache.
Leicht ist es, ein solches Hindernis zu umgehen. Auf Pfaden nähert der Flüchtling sich verlassenen Holzhäusern der Vorzeit. Manche Nachbarn sagen, daß
die Körperzellen eines Menschen hier langsam sterben werden. Viel totes
Wild. Aber auch viele Insekten. Durchs Unterholz hoppelndes Leben. Die Drohung ist in der Sommerzeit so unglaubhaft wie in den Zeiten, in denen Schnee
den Boden bedeckt. Absorbiert Schnee Strahlung? Zumindest strahlt er Son-
nenstrahlen bis in die Stratosphäre zurück. Schnee ist freigiebig.
Den Mann und Ernährer haben die Familien schon auf dem Fluchtweg verlo-

ren. Er wurde noch in Tadschikistan erschossen. Der Älteste nimmt seine Stellung ein. Hierarchien geraten weder durch Flucht noch durch Verlust durcheinander. Die Frauen arbeiten zu, wenn nur das Fliehen möglich bleibt. Am Ende der Pamir-Täler sterben menschliche Körperzellen der Minderheit sofort. Hier, am Ruheort, einem Ort des Friedens, besteht zumindest die Illusion, daß alle Gerüchte, von Naturwissenschaftlern verbreitet, die aber über die Zähigkeit menschlicher Natur wenig wissen, sich als falsch erweisen. Kein Grund, weiter zu fliehen.

Abb.: Miliz an der Absperrung zur »verbotenen Zone«.

2
Flucht nach Kurdistan

Ein Kaufmann aus dem Morgenland besaß eine Tochter, die er über alles in der Welt liebte. Von einer Reise nach Samarkand brachte er Flugbilletts mit, die ihr eine Ausreise nach Norden zu jeder Zeit ermöglicht hätten. Sie wollte den Vater nicht verlassen. Der Streit war rasch überholt, da (wegen des Engagements des Kaufmanns im irakisch-russischen Geschäft) nur die Flucht der gesamten Familie übrigblieb, und zwar über Landwege, weil die Flugplätze durch die Polizei überwacht waren.

Der Weg durch das schiitische Gebiet schied aus. Von Süden drohte der Einmarsch der Alliierten. Es blieben Pfade, welche die Flüchtenden in die Nähe der türkischen Grenze brachten, wo sie sich versteckten. Sie wußten nicht, ob sie sich mehr vor den Kurden oder mehr vor den Türken fürchten sollten.

3
Flucht vor La Rochelle

Wie soll man es Tag für Tag in kalten Schlössern, vor paradierender Truppe, bei Besichtigung des hoffnungslosen Dammes, von dem keiner bestätigen kann, daß seine Konstruktion die Winterstürme übersteht, Wärmung nur durch heißes Bier oder Glühwein in einem Zelt, aushalten? Im Kopf das prächtige Paris, wärmende Rede des Hofs? Den König von Frankreich, Ludwig XIII., der seinem geliebten Vater Henri IV. nacheiferte, sein Gewissen weit angespannt, hielt es nicht bei der Belagerung dieser schrecklichen protestantischen Stadt. Die Belagerung war staatsnotwendig, aber nirgends mit befriedigenden Erlebnissen verknüpft. Die Geduld des Königs war zu Ende. Sein Leibarzt starb an diesem Nachmittag.

Kardinal Richelieu sah, daß er sich selbst dem Absturz aussetzte, wenn er in La Rochelle blieb, der König aber nach Paris floh. Setzte aber der Kardinal der Flucht Widerstand entgegen, hätte der König schlechtes Gewissen entwickelt und würde sich grob rächen. Auch dies hieß Absturz.

So entschloß sich der Kardinal, den König von sich aus aufzufordern, die Flucht zu ergreifen. Vielleicht, daß er im Frühling zurückkehrte oder bei Ende der Belagerung. Wer sich dem fliehenden König in den Weg stellt, verliert seine Ämter mit Gewißheit.

4
The Old-Sergeant's-Syndrom

Ein altgedienter Sergeant der Britischen Armee flieht nicht. Die Schande in den Garnisons-Kantinen Asiens wäre zu groß. Mit »eisernem Band« hält die Not, solche Schande zu vermeiden, die Unteroffiziere des Britischen Reiches an einem gleichförmigen Verhalten fest. Insofern existiert keine »aussichtslose Lage«.

Bei der Untersuchung des »Paniktages« vom Juni 1916 an der Somme ergab sich eine Ausnahme von dieser Regel. Diese Ausnahme hat Peter Onslow von der Stanford University untersucht. Die ältesten, tapfersten Unterführer, bemerkt Onslow, werden Anführer einer panikartigen Massenflucht, wenn folgende Bedingungen gegeben sind (The Old-Sergeant's-Syndrom):

- Sinnlosigkeit des Kampfes
- Mißtrauen in die Qualifikation der Vorgesetzten

- Schwund des Vertrauens in der Gruppe. Keiner verläßt sich auf den anderen.
- Sie glauben, daß sie schon tot seien. Sie nehmen nicht an, daß sie Gleichrangige in einer Kantine je wiedersehen. Als »Lebendig-Tote« stürzen sie davon.

In einem solchen Fall, bemerkt Onslow, rennen diese Unterführer jeden, der sie aufhalten will, nieder. Sie entwickeln unfaßliche Kräfte, darunter Tötungskräfte.

Generalmajor Somersett, der im Herbst 1916 die militärgerichtliche Untersuchung geführt hat, vertritt die Meinung, es sei nur jeweils die »Hülle des Mannes« (also Haut, Sehnen, Knochen) davongelaufen, der »Mut«, also die Seele des Mannes, sei zuvor zerschossen worden. Hierfür sprach, daß diese später im Hinterland aufgegriffenen Gestalten oft physisch unverletzt, ja »gut aussehend« angetroffen wurden. Ihr Verhalten, äußerten sie verwirrt, könnten sie nicht erklären.

- »Eisernes Band« scheint mir, lieber Onslow, für die Verknüpfung der Motivation so vieler Master Sergeants in der Welt ein falscher Ausdruck. Man darf sich nicht vorstellen, sie seien »wie durch Ketten« aneinandergeschmiedet.
- Richtig, die Bindung ist äußerst flexibel.
- Gummibändern ähnlich?
- Unsichtbar. Die Verknüpfung geht gar nicht von den Kameraden aus, sondern wird »in Geistesarbeit« durch den Einzelnen selbst hergestellt. In Form von vorweggenommener Scham.
- Und wie zerreißt ein solches Konstrukt, das zuvor weltweit funktionierte, im Fall des Old-Sergeant's-Syndrom?
- Als stünde ein Schalter auf »Aus«.

5
Unberechenbarkeit menschlicher Kampfmaschinen
im Ernstfall

Der Hubschrauber sackte durch und schlug am Boden auf. Niemand überlebte. Das war Ergebnis eines Zweikampfs. Drei Master Sergeants des U.S. Marine-Korps hatten sich des Flugmittels bemächtigt, sich aus Gründen, die wir nicht kennen, im Helikopter entzweit und einen Streit untereinander ausgeschossen. Das war in den Tagen der Räumung Saigons. Den ganzen Tag starteten vom Dach der Botschaft die Helikopter. Einen hatten die drei menschlichen Kampfmaschinen entführt.

- Sie fühlten sich schuldig wegen dieser Tat und wendeten das gegeneinander?
- Offensichtlich. Sonst waren sie Freunde.
- Auf einen Tag wie diesen hatte die Kampfausbildung sie nicht vorbereitet?
- Doch. Sie waren auf jede Art des Geschehens vorbereitet. Hätte man sie in den Krater eines explodierenden Vulkans geworfen, hätten sie Kampfstellung eingenommen und mit ihren Waffen geantwortet. An diesem katastrophalen Vormittag in Saigon aber war ihnen gemeinsam eine FEHLLEISTUNG unterlaufen.
- Das führte zum BÜRGERKRIEG?
- In der Brust der drei und äußerlich im engen Raum des Kampfhelikopters.
- Völlig von Sinnen, alle drei?
- Unberechenbar geworden.

6
Ohne Rückkehr

Wir registrierten für unseren Forschungsdienst, der eine Förderung von der UNESCO erhielt, die Individuen, welche die abessinische Grenze überschritten. In langen Kolonnen. Wie Zugvögel, obwohl Zugvögel nie in Kolonnen, sondern in Pulks schwärmen oder in seitlich gestaffelter Formation. Damit keine Doppelzählungen stattfanden, erhielt jede der Elendsgestalten einen Pappring um den Oberarm. Nahrungsmittel, die wir hätten verteilen können, besaßen wir nicht.
Die Flüchtlinge waren etwa 400 Kilometer gewandert und hatten noch 300 Kilometer elendes Land, aus dem keine Versorgung zu ziehen war, vor sich.

- Diese Menschen glauben nicht daran, daß sie je in die Gegend zurückkehren werden, aus der sie kommen?
- Wir wissen nicht, was sie glauben.
- Was ist das für ein Land, aus dem sie kommen?
- Früher gab es dort Äcker. Jetzt nur aufgerissenen harten Boden.
- Ist so etwas überhaupt Boden?
- Sie meinen, wenn er kein Wasser speichert? Das ist Definitionssache.

7
Brahmaputra

Sie fuhren nicht vor der zu erahnenden Flut davon, sondern auf sie zu. Schon seit zwölf Tagen fuhren sie durch die Regenwände landaufwärts, den Gebirgen zu. Wenn sie die Talausgänge erreichten, bevor die Flut sie sperrte, hatten sie eine Chance, mit dem Eigentum, das sie aufgeladen hatten, einen Bergrücken zu erreichen, von dem aus sie die Wassermassen von oben betrachten konnten. Unter allen Flüssen der Welt, sagte der Physische Geograph Detlef Wilcke, ist der Brahmaputra der gewaltigste. Gewaltig im Sinne von »wild«? Im Sinne von »unbeherrschbar«?
Eine drei Kilometer lange Brücke wird gebaut. Wenige Zeit später fließt der reißende Strom, den die Wasser des Himalaja nähren, 40 Kilometer entfernt durch das Land. Die teure Brücke steht verlassen.
Können Menschen, die dem Fluß in den Weg geraten, sich in die Küstenzone von Bangladesch retten? Zu Fuß nicht, in Booten auch nicht. Die Menschen müssen zur Rettung ein Mittel haben, sich in die Luft zu erheben. Tag für Tag fuhr ein Personenzug vor der Flutwelle her, wurde dennoch ereilt und ins Meer geschwemmt. Und zur Seite fliehen? Die Straßen, antwortete Wilcke, ebenso wie die Schienen, führen sämtlich in Längsrichtung des Stroms auf die Hafenstadt zu. Es gibt wenig Querwege. Flucht ist aussichtsreich, wenn einer sie im voraus antritt, lange Zeit vor Beginn der Flut.

8
Von Schuld überhaupt. Wohin fliehen?

Der Täter hatte sich übernommen. Relativ geschickt, sagte der Sheriff, hatte er die erpreßten Gelder abgeholt. Er hatte das Geld in seine Wohnung geschafft, wo es herumlag. Das Opfer hatte er, bei dem Versuch, es »zu beruhigen«, getötet. Jetzt fiel ihm auf, daß er weder das Geld zu irgendetwas gebrauchen konnte (er hatte keine Erfahrung mit Banken, konnte nicht beurteilen, ob es gekennzeichnet war), noch wußte er, wie er nach solcher Tat je wieder in sein früheres Leben zurückkehren könnte. Er war ein Gewohnheitstier.
So löste er einen Flugschein nach Nassau, wollte sich »erholen«. Er floh vor dem »Übermaß an Schuld« nicht deshalb, weil sein Gewissen ihm zusetzte, sondern weil er praktische Probleme vor sich sah, ihm fehlte es an Wissen. Nie hatte er sich in so außergewöhnlichen Verhältnissen bewegt. Seine Trägheit widerstrebte der Situation.

Das war der Grund, warum er in die Ferne zu fliehen versuchte, weg von seinen Taten. Bei dem Versuch, das Flugzeug zu besteigen, wurde er ergriffen.

9
Wie eingesperrt in der Woche nach Weihnacht

Sie fühlte sich eingesperrt. Vor sich Jahre des Eintritts in eine Altersklasse, die sie für sich nie anerkannt hatte. Um sich und in ihrem Herzen wütend der Wettstreit zweier geliebter Männer. An sich waren das alberne Naturen, was aber die Liebe nicht tötet.

Sie wollte zurückkehren. Fliehen in eine Zeit, in der nichts anderes nötig war, als dem Vater zu folgen, in ein Leben, das von einer geliebten Autorität regiert war.

Die Weihnachtstage, das heißt die Tage nach dem aufgeregten Fest bis Silvester, versperren jede Flucht. Sie sättigen mit Erinnerung. Feuchte Westluft über der Stadt.

Sie sah keine andere Ausweichmöglichkeit als diese, da ja kein WIRKLICHER WEG IN DIE KINDERZEIT zurückführt. Sie präparierte den Zerstörungsprozeß sorgsam. Das Auto, den Schlauch, das Verbindungsstück zum Auspuff. Sie wählte als Ort einen Waldweg, den sie einst regelmäßig mit dem Vater als Zugang zu den Spazierwegen absolviert hatte. Der Waldweg führte zu mehreren möglichen Routen. Sie trank, gemessen an ihrem sonstigen Verhalten, GEWALTSAM, eine Flasche Whisky aus, saß wartend, wartete auf die Wirkung ihrer GESAMTINSTALLATION, hustete. Bei dem Gedanken, daß sie so für alle, die sie als attraktive, lebendige, noch immer junge Frau kannten, verschwände, traten ihr die Tränen in die Augen. Sie hat nicht mehr klar sehen können, sagte einer ihrer Gefährten im nachhinein. Draußen vor der Windschutzscheibe des Wagens fiel Regen statt Schnee.

10
Verschwinden im Schneesturm

Sie war entschlossen, ein Zeichen zu setzen, *ihr* Zeichen. Nämlich Verschwinden aus den Augen des Ungetreuen. Er würde suchen müssen, dann aber würde ihn das Bild ihres Verschwindens ereilen, so wie sie daläge im Hochgebirge, dicht unterhalb eines Gipfels. Diese Nachricht würde ihn ereilen, ihr Strafzeichen.

Sie war nämlich weder bloß Haushälterin und Sprechstundenhilfe (langjährig) noch heimliche Geliebte, sondern einzigartiger Schatz. Das hatte der Mann, den sie nunmehr strafte, ihr in den Kopf gesetzt. Er selbst, nicht sie oder ihre Einbildungskraft, hatte sie so lange Zeit über »liebenswürdig« erscheinen lassen. Davon war nichts abzuhandeln.

Sie wanderte, Ausgangspunkt letzte U-Bahn-Station der Stadt, querfeldein in Richtung der hohen Berge. Ein Tief war von Nordwesten unterwegs. Zwei Tage braucht sie, um den Ort ihres Todes zu erreichen. Jüngere Selbstzerstörer hätten den Zug benutzt. Nein, sie lief, ohne zu ermüden.

Der zurückgelassene Mann, der sie mit Elfriede Schenke betrogen hatte und der die Reaktion seiner Lebensgefährtin auf seinen Verrat durchaus wahrnahm, hatte nach Ausbleiben seiner Geliebten und Haushälterin schon zu Ende der ersten Nacht die Polizeibehörde benachrichtigt, Beamte versuchten, einen Kordon zu bilden, der die Todeswütige aufhalten sollte. Hinweise auf die Strecke, auf der sie dahineilte, waren einem Abschiedsbrief zu entnehmen. Sie umging jede Sperre, drang ins Gebirge vor und starb in der Kälte eines jener Tage, umgeben von Schneesturm, ehe noch den Behörden eine einigermaßen vollständige Sperrung des Fluchtwegs gelang.

Der Feldherr, fast blind

Erich von Manstein, im Jahr 1943 als Feldmarschall verantwortlich für die Heeresgruppe Süd, empfand zunehmende Schwierigkeiten mit der Sehkraft seiner Augen.

Wir flogen von Saporoshje nach Liegnitz. Prof. Dieter, unter seinem weißen Arztmantel Waffen-SS-Uniform, diagnostizierte Grauen Star. Er schlug eine Mandeloperation vor, die Entfernung der Mandeln sollte den Grauen Star aufhalten.

Das entsprach der neuen ganzheitlichen Methode, zu der immer mehr nationalsozialistische Ärzte überzugehen bereit waren. Bis 1954 sollten genügend Habilitierte diese Wechselwirkung nach Paracelsus und Agrippa von Nettesheim studiert haben. Auch japanischer Einfluß spielte eine Rolle.

Der Feldmarschall lag operiert in den weißen Laken der Klinik. Draußen, im Osten, Schlammperiode, Stillstand der Front. Entweder hatte er ausschlafen können, oder die Operation hatte tatsächlich geholfen. Manstein hatte den Eindruck, wieder irgendetwas sehen zu können, mit optischen Verstärkern für Nah- und Fernsicht, mit Ohr für die Nuancen im Ton der ihn beobachtenden Generalstabsgehilfen.

Letztlich war von Manstein ein »Seher«. Dazu mußte er weder in der Wirklichkeit noch auf der Karte 1:300000 etwas gesehen haben. Nach dem Gehör und nach seiner Einbildung wußte er die Schwerpunkte seiner Truppe auf die tiefe Flanke des Gegners zu richten. Für Bewegungen dieser Art sind Augen keine Hilfe.

6

U-Boot-Geschichten

Die Seele ist ein Unterwasserwesen. Geschichten von
U-Booten.

Wie Rußland seinen ersten eigenen Flugzeugträger verlor

Bis zu seiner Zurückstufung zum Vizeadmiral, als Strafe für den nur langsamen Fortschritt seiner Waffe, ja bis zum Tod des Pensionärs, glaubte Admiral N. Kusnezow, Gründer einer sowjetischen Kriegsflotte, die für alle Ozeane taugte, daran, daß die Position der UdSSR im KALTEN KRIEG sich definitiv als stärker erwiesen hätte, ja, daß die gesamtozeanische Parität mit den USA tatsächlich erreicht worden wäre, hätte man rechtzeitig die von ihm verlangten besonders großen Flugzeugträger für die Pazifikflotte und die großen und drei kleinen Träger für die Nordflotte schon im Jahre 1944 gebaut. Dies war der letzte günstige Zeitpunkt, so etwas zu tun. Es konnte ohne Einspruch der Alliierten geschehen, weil den Kriegseintritt gegen Japan vorbereitend. Der Vorgang wäre der Weltöffentlichkeit erst aufgefallen, nachdem die amerikanischen Flugzeugträger-Flotten abgerüstet und die Konfrontation in Korea im Jahre 1950 zu erneutem Flottenzählen Anlaß gegeben hätte. Nur zwei kleine Flugzeugträger bestätigte Genosse Stalin. Dann eliminierten die Beauftragten für den Zehnjahresplan, D. Ustinow, L. Berija und I. Tewosjan, auch diesen Planungsrest. Vierzig Jahre später klassifizierte Leutnant zur See S. Kutscherow in seiner Diplomarbeit für die Kriegsakademie Kasachstan diese Entscheidung von 1944 als »verhängnisvoll« und »ursächlich für den Verfall der Sowjetmacht und das Auseinanderbrechen des Imperiums«.

Dabei ist zuwenig bekannt, daß die UdSSR im Frühjahr 1945 einen Flugzeugträger besaß. Bei ihrem Panzervorstoß auf Stettin hatte die Rote Armee den deutschen Flugzeugträger GRAF ZEPPELIN vorgefunden. In 7,5 Metern Tiefe saß das Riesenschiff aufrecht auf dem Boden der Ostsee, oberflächlich an acht Stellen von einem Pionierkommando gesprengt, durch Öffnen der Bodenventile geflutet.[1]

Im Sommer 1945 gelang es dem Bergungs- und Rettungsdienst der Ostseeflotte, mit Heimathafen in Kronstadt, die GRAF ZEPPELIN zu heben. März 1946 wurde sie nach Swinemünde überführt und nach Wiederherstellungsar-

---

[1] Explosionswellen hatten die drei Aufzugsplattformen weggerissen. In der Antriebsanlage stand das Wasser 1,7 Meter über dem Doppelboden. Fünfunddreißig Einschläge sowjetischer Artillerie im Unterwasserteil, zwei unter der Wasserlinie. Hauptturbinen, vier Turbo-Generatoren, der Hilfskessel, die Schotten im Maschinenraum zerstört. Trotz Treffern war das Flugdeck nicht durchschlagen. Alle 16 Hauptkessel unbeschädigt. Das Schiff hatte äußerlich den Grundriß der TIRPITZ und der BISMARCK.

beiten dem Zentralen Wissenschaftlichen Forschungsinstitut für Kriegsschiffbau (ZN II WKWNF) als Erprobungsschiff übergeben.

Es war unmöglich, das Schiff bis zu dem Zeitpunkt, in dem die alliierte Kommission über die Zurechnung der Kriegsbeute zwischen den Siegern zu entscheiden hatte, vollständig wiederherzustellen. So wurde es der Gruppe C zugeschrieben, d. h. es war zu vernichten. Der Vorsitzende der Kommission, Vizeadmiral J. Rall, plante am Delinquenten Erprobungen durchzuführen. Wie würden sich Über- und Unterwasserexplosionen auf einen so riesigen Schiffsleib auswirken? Solche Erprobung sollte der Versenkung in der mittleren Ostsee vorangehen.

Der 16. und 17. August 1947 waren heiße Sommertage. Am Körper des schwimmfähigen Flugzeugträgers waren Bündel von 100-kg-Fliegerbomben befestigt. 18-cm-Schiffsartillerie-Munition wurde auf den Decks aufgehäuft. Im Sturzflug zielten sowjetische Pe-2-Maschinen mit 50-kg-Bomben in diese Installation. Die Meßgeräte, die das Ergebnis in bezug auf die Bordwände und Schiffsbauten messen und die Ergebnisse zu den alliierten Schiffen leiten sollten, fielen sofort aus.

Während dieser Versuche trat eine rasche Wetterverschlechterung ein, darin gilt die Ostsee als »gewalttätig«. Das Schiff hatte bereits bei einigen Versuchen mit Überwasser-Explosionen seinen Buganker eingebüßt und begann in Richtung einer Untiefe zu driften.

– Dort angekommen, wäre das riesige Schiff zum Denkmal geworden?
– Ja, zum Mahnmal für den »unvollendeten Flugzeugträger«, sozusagen die unterschätzte Entscheidungswaffe.
– Man hätte sie nicht weiter versenken können?
– Auf der Sandbank hätte man nichts Großes versenken können. Stück für Stück hätte man das Metallgebilde zerstören müssen.
– Unbezahlbar?
– Die Alliierte Kommission hatte dafür keine Mittel. Auch nach Zerstörung aller Teile wäre ein Unterwasserberg aus Metall verblieben, ein von der Oberfläche aus sichtbares markantes Monument, wenn man direkt von oben darauf sah. Bei Annäherung aus der Ferne oder Nebel ein tückisches Hindernis. Etwas so Materialreiches kann man nur in der Tiefe der See zum Verschwinden bringen.

So fiel die Entscheidung, den Zerstörer SLAVNY, der für eine letzte Reihe von Unterwasserangriffen bestimmt war (die Alliierte Kommission wollte den Schiffsriesen ganz allmählich und in ausgetüftelten Einzelheiten »töten«), zum sofortigen Angriff einzusetzen. Mit seinem zweiten Torpedo traf er das Vorschiff dort, wo der Schutzwulst endete. Rasch zunehmende Steuerbordschlagseite bis zu 90°. Der Träger kenterte und sank, vom Sturm getrieben, innerhalb von 20 Minuten auf eine Tiefe von einhundert Metern.

– Vier Minuten später hätte er die Untiefe erreicht?
– Das war die Schätzung.

Bis heute streitet man in der russischen Marineführung, ob es klug war, sich der Alliierten Kommission in dieser Weise zu fügen, ja, sowjetische Schiffe zur Versenkung bereitzustellen. Es geschah in der Verwirrung.

– Warum eigentlich?
– Aus Angabe. Die Marineführung wollte der Alliierten Kommission, in der Vizeadmiräle aller kriegsführenden Länder saßen, imponieren.
– Mit Billigung von Kusnezow?
– Kusnezow kam zu spät.
– Ein uneitler Mann?
– Besessen von der Idee, einen eigenen Flugzeugträger für sein Land zu besitzen.
– Seine Untergebenen führten dem Klassenfeind Sprengungs- und Zerstörungsmanöver vor, ein Schlachtopfer, wie man es, ungestört vom Feind, im Kriege nicht zustande bringt?
– Genau so. Kusnezow wäre davon ausgegangen, daß man den alliierten Kollegen durch nichts imponieren könnte. Den fremdländischen Experten waren »Glanz und Ruhm der Sowjetmacht« gleichgültig. Sie sahen kaum hin.
– Aber erregt waren sie doch, als die ersten Bomben auf dem gefürchteten deutschen Kriegsschiff einschlugen?
– Erregt und irgendwie kopflos.
– Einschließlich der Russen?
– Alle waren außer sich. Obwohl es verboten ist für Seeleute, während des Einsatzes Alkohol zu sich zu nehmen. Einsam und besonnen nur Kusnezow.
– Warum konnte er nicht befehlen: Schluß jetzt!
– Im Gegenteil. Er mußte mit ansehen, wie sich seine Marine Mühe gab, in diesem Zerstörungswerk den ersten Preis zu gewinnen. Kusnezow hätte den Flugzeugträger zwölf Wochen zuvor dadurch retten können, daß er die Fertigstellung gemeldet, und das Schiff für die Gruppe B als Beuteschiff der UdSSR klassifiziert hätte.
– Und warum tat er das nicht?
– Er wollte nicht lügen.
– Auch nicht im Interesse des Vaterlandes?

– Generell nicht. Vor allem wollte er nichts auf eine bloß individuelle Handlung stützen. Kollektiv ließ sich keine Lüge zustande bringen. Es ging um die allmähliche Verfertigung des Gefühls für den Sieg durch Zündeln.
– Sie hatten doch das Deutsche Reich unterworfen.
– Nicht mit Mitteln der Flotte.
– Sie hatten Berlin eingenommen. Aber sie konnten den Sieg noch nicht glauben. Sie suchten eine Bestätigung ihrer Fähigkeiten durch die Alliierten.
– Was fehlte, daß der Flugzeugträger als funktionstüchtig klassifiziert worden wäre?
– Es fehlte die technische Dokumentation des Schiffs. Die Buchhaltung der Ingenieurseinfälle. Sie war verbrannt worden. So standen die russischen Ingenieure und Schiffsführer vor mancher Schraube oder Röhrenleitung, von der sie nicht erklären konnten, was sie bezweckte. Auf diesen Punkten hackten die alliierten, schiffskundigen Abgesandten herum. Einige Einrichtungen hatten die Deutschen ausgebaut und in andere Schiffe eingebaut.
– Konnte man nicht russisches Material einbauen?
– Wurde versucht. Keine der Abmessungen paßte. Nichts in dem leeren, grauenhaften Kasten aus Metall paßte auf heimatliche, sowjetische Normen.

Es war reine Glaubenssache, wann man ein Schiff als vollständig repariert definierte. Lag die Grenze bei »fahrbereit«, »geeignet im Gewittersturm bis Windstärke Neun«, bei »unsinkbar« oder bei »einsatzbereit«? Für welche Art von Gefecht im Frühling oder August 1947?
Kusnezow, hieß es, rechnete damit, daß die akademische Anwendung von Sprengmitteln, wie sie die Alliierte Kommission wünschte, dem gewaltigen Schiffskörper nichts ausmachen werde. Man konnte dann den Rest abschleppen und immer noch zu einem erstaunlich schönen Flugzeugträger ausbauen. Erst die unglückselige Wetterverschlechterung machte dem Projekt ein Ende.

– Handelten die Leiter der Übung in Panik?
– Sie waren Wissenschaftler. Die Situation war ihnen ungewohnt. Sie hatten noch nie ein von Menschen verlassenes Schiff gesehen, das in Richtung einer Untiefe unterwegs war.
– Auch 30 Schlepper hätten das deutsche Kriegsschiff nicht mehr von der Untiefe wegziehen können?
– Nichts in der Welt hätte das vermocht. Und die Teile, an denen man dieses Schiff überhaupt mit ökonomisch vertretbarem Aufwand angreifen und, sobald es unverrückbar auf dem Sand säße, noch hätte zerstückeln können, wären vom Sand geschützt gewesen. Haben Sie schon einmal mit Torpedos auf Sand geschossen?

– Ist es diese Erfahrung in der Ostsee 1947, die die US-Navy dazu brachte, für ihre Atom-U-Boote das MURÄNENPRINZIP einzuführen? Im Ernstfall legen sie sich 20 Meter tief in eine Sandaufspülung in der Tiefsee, unangreifbar für fremde Penetratoren jeder Sorte, weil Sand unbezwinglich schützt?
– Das sahen die Admirale vor ihrem geistigen Auge, als das deutsche Schiff auf die Untiefe zutrieb.
– Und davon profitierte das russische Vaterland überhaupt nicht?
– Admiral Kusnezow würde sich im Grabe umdrehen, wenn er das zugeben müßte.

Schwimmende Inseln

Die sowjetische Marine-Akademie wurde 1941, ehe der Belagerungsring sich um Leningrad schloß, in Lastwagen in das ferne mittelasiatische Samarkand evakuiert. Hier entwarf Leutnant Kontromitinow, beflügelt durch den leidenschaftlichen Schiffsbauförderer Admiral Prof. Dr. L. Gontscharow in seiner Diplomarbeit einen überschweren Flottenflugzeugträger, der die Masse des US-Schiffs ESSEX übertraf. Das Schiff dieser PLANUNG VON SAMARKAND hätte Japan, Deutschland und auch den USA (in einer nur wenig anderen strategischen Konstellation) gefährlich werden können. Der Träger hatte eine Wasserverdrängung von 51 200 Tonnen. Er sollte 66 Jäger und 40 schwere Bomber gleichzeitig tragen und einen Fahrbereich von 10000 Seemeilen aufweisen.

– Das ist gar nichts gegen den Vertrag von 1938 mit dem amerikanischen Schiffsbaubüro Gibbs & Cox, das Geheim-Projekt Nr. 10581. Es ging um vier Schiffe mit je zwölf 40,6-Zentimeter-Geschützen sowie mit einer Plattform für Start und Landung von 24 bis 36 Flugzeugen.
– Warum wurden die Schiffe nicht erworben?
– Ein Akkreditiv in Form eines Depots von Gold und Smaragden in Zürich war bereitgestellt.
– Der Bau wurde während des finnisch-russischen Kriegs noch weitergeführt?
– Verlangsamt. Für die Werft kostspielig, daß dieser angefangene Bau »langsam starb«.
– Und was war der wahre Grund für den Fehlschlag?
– Mit einem Tiefgang von 10,5 Metern paßten diese schwimmenden Inseln in keinen der sowjetischen Kriegshäfen.
– Und das hatte man nicht vorher gewußt?

- Keiner der Ingenieure war je in einen der Häfen gefahren und hatte nachgemessen.
- Es stand doch in Handbüchern.
- In solchen für Seeleute, nicht für Ingenieure. Die Genossen vom Volkskommissariat für Außenhandel verhielten sich gierig und eilig. Es galt als Schnäppchen, den Klassenfeind solche unbezwinglichen Festungen für Rußland bauen zu lassen gegen Zahlung an sich wertloser, nicht eßbarer Bodenschätze.
- Und wurden Schuldige bestraft?
- Nein. Schaden nur für die US-Schiffswirtschaft.

Kranke Hoffnung

Eine gewaltige Flotte von Transportern, Kreuzern, Schlachtschiffen, Zerstörern, Flugzeugträgern war über den Atlantik gefahren. In der Nacht vom 7. auf den 8. November 1943 erschien die Vielzahl der Schiffe vor der marokkanischen Küste. Ein einziges deutsches U-Boot, U 572, sah am folgenden Tag diese Flottenversammlung, d. h. Kapitänleutnant Heinrich Hirsacker, genannt der flotte Heinz, betrachtete, stellvertretend für seine Besatzung, durch das Sehrohr die Fülle der Schiffe. Die entmutigende Armada am Osthorizont.

Sogleich wurde das Periskop durch US-Flugzeuge und durch Geleitschiffe entdeckt. In den flachen Gewässern vor der afrikanischen Küste suchte das deutsche Boot sein Heil in 14 m Tiefe, rutschte auf einer Bodenwelle des schlammigen Grundes aufwärts. Die Besatzung erschrak.

In den Nachtstunden näherte sich Hirsackers Boot erneut der Armada. Das tropische Wasser fluoreszierte. Fast ohne Fahrt trieb Hirsackers Schiff dahin. Dennoch zeigte das Sehrohr eine verräterische Spur. Die feindlichen Schiffe näherten sich aufs neue. An den Horchgeräten das Rumoren der gewaltigen Flotte, welche Truppen an Land setzte.

U 572 hätte hoffen können, eines oder zwei dieser Schiffe zu versenken. Wesentlich unwahrscheinlicher war ein Erfolg gegenüber einem der großen Kriegsschiffe, vor deren Breitseite störend Minensucher, Hilfsschiffe, Zerstörer sich bewegten, so daß ein ruhiges Zielen, wie in der Ostsee geübt, für das deutsche Tauchschiff unmöglich war. Hirsacker machte sich in diesen Stunden des erneuten Heranschleichens eine Vorstellung davon, wie die Gegner seine Röhre zermalmten. Wie wenig wog dagegen im Gesamtverhältnis die Zerstörung des einen oder anderen, inzwischen vermutlich entladenen Transporters,

immer vorausgesetzt, daß ein Slalom durch die hektisch hin und her fahrenden
Bewacher gelänge.

In der Morgendämmerung fuhren auf Weisung des befehlshabenden Admirals
sämtliche Begleitschiffe strahlenförmig in Richtung Atlantik. Sie wollten sozusagen einen von ihnen nicht erkannten, dort aber eventuell lauernden Feind erschrecken. Hirsacker und sein Leitender Ingenieur, dem er auf einen Moment
das Sehrohr überließ, sahen die Schiffe direkt auf sich zukommen. Das einsame deutsche Boot wendete und floh.

Noch hatten sie die Absicht, zurückzukehren. Den Tag wollten sie verwarten,
in den Abendstunden Kontakt suchen. So hoffnungslos einsam war das Boot
in diesem Meer. Funken durften sie nicht, sie wären entdeckt worden. Je weiter
sie in den Atlantik hinausfuhren, desto entlegener schien es ihnen, je wieder in
die Nähe der Transporter zu gelangen.

Schon befand sich Hirsackers Boot auf der Rückfahrt, fuhr Suchstreifen in der
Biskaya. Ihn reute, nicht geschossen zu haben. Er konnte nicht gut mit allen
Torpedos in den Heimathafen zurückkehren. So verschoß er 14 Torpedos
blindlings in die See.

Er galt als tapferer Mann. Ihn erschreckte so leicht nichts. Mit guten Vorsätzen
war er ausgefahren. Zurückgekehrt, wurde der Kapitänleutnant verhaftet.
Angeklagt wegen Feigheit vor dem Feind. Die Führung brauchte ein Exempel.
Von mehr als hundert U-Booten im Atlantik war nur eins rechtzeitig in die
Nähe der US-Armada gelangt. Und dieses einzige Boot hatte keine Gelegenheit
zu einem Schuß gefunden. Hirsacker wurde, stellvertretend für das Versagen
des Reichs in diesem Augenblick des Kriegs, zwei Wochen nach Rückkehr hingerichtet.

Zusatz

Der Verteidiger von Heinz Hirsacker, ein Kapitänleutnant, der ein Studium
der Rechte absolviert hatte, hatte versucht, dem Kriegsgericht zwei Gesichtspunkte nahezubringen: Es sei objektiv für ein U-Boot unmöglich, an einer flachen Küste einen Torpedofächer aus einer gewissen Entfernung wirksam abzu-
schießen, vermutlich hätten die Torpedos Bodenberührung gehabt. Hirsacker,
der Angeklagte, habe das aber gar nicht erst versucht, entgegnete der Ankläger.
Weil er sich noch Hoffnung machte, antwortete der Verteidiger. Ihn habe dann
aber die Vielzahl der gegnerischen Schiffe, die Opulenz der Ziele, in der Hoffnung gekränkt. Die Laufbahnen der Torpedos hätten die Aufmerksamkeit von
10 bis 18 Bewacherschiffen sogleich in Richtung des U-Boots 572 gelenkt. Auf
der anderen Seite hätte ein Zufallstreffer vielleicht eines der US-Schiffe beschä-

digt, die zu diesem Zeitpunkt bereits entladen waren, ein nicht-akzeptabler Tausch für einen vernünftigen Seeoffizier. Was heißt vernünftig, entgegnete der Ankläger, zu diesem Zeitpunkt des Kriegs? Vernunft sei in solcher Lage ein anderer Ausdruck für Feigheit vor dem Feind. Der Feind habe, wie der Verteidiger selbst vortrage, alle Vorstellungen des Angeklagten gelähmt. Das genau sei die Definition von Feigheit. An diesem Punkt erregte sich der Verteidiger, der ranghöher war als der Ankläger. Es gäbe einen Grad der Aussichtslosigkeit für eine Kampfhandlung, die sich wie eine Wand aus Beton auswirke, für Geschosse undurchdringlich, für die Willenskraft nicht überwindbar. Der nicht mitangeklagte Leitende Ingenieur (LI) habe dem Angeklagten zugestimmt. Der Verteidiger versuchte dem Gericht die Aufstellung der Landungsflotte, ihre schier unvorstellbare Vielzahl, zu verdeutlichen. Es gibt den Grad offensichtlicher Erfolglosigkeit einer Tat, sagte er, der eine Kampfhandlung beendet. Dies sei nicht Feigheit vor dem Feind, sondern ein »Rest von Einsicht«. Der Kapitänleutnant habe Besatzung, Boot nicht verschrotten, sondern nach Hause bringen wollen. Wo Mut Willkür ist, könne der Tatbestand »Feigheit vor dem Feind« nicht greifen.

Aus Gründen der Raison war es notwendig, ein Exempel zu statuieren. Der Einsatz der U-Boote, auch der Luftwaffe, schien der höheren Führung zu diesem Zeitpunkt »zögerlich«. Man muß dies, wie in einem Krankheitsfall, durch Schock behandeln. Die Hinrichtung eines als beherzt geltenden, mit hohen Auszeichnungen versehenen U-Boot-Kommandanten schien dafür das passende Mittel.

Entscheidender Moment: In 14 m Tiefe hatte das U-Boot noch 80 cm Wasser unter dem Kiel. Dies war die Messung, als das Boot an den Schlammhügel geriet und aufwärts rutschte. Hirsacker hatte das Gefühl, der Bug des Bootes habe die Meeresoberfläche durchbrochen, *wissen* kann man dies nicht. Aus den Horchschapps waren 17 einander überschneidende Asdic-Impulse zu hören. Sie klopften an die Bordwand. Die Bewacherschiffe: »als ob Ketten über den Bootskörper gezogen würden«. Nun kann einer stumm sein, so tun, als registriere er das alles nicht, sagte Hirsacker zu seiner Verteidigung, dann ist er als U-Boot-Kommandant gewiß unbrauchbar und, von den Kameraden gesehen, unverantwortlich. Oder er bemerkt es, dann kann sein Sinn auf nichts anderes gestellt sein, als den Bug seines Schiffes von der Meeresoberfläche wieder zurückzuziehen, den Schlammhügel zu verlassen und sich in Richtung tieferen Wassers zu entfernen.

Tauchfähige Werkbank

Für den japanischen Ingenieur ist ein U-Boot kein Fisch. So wenig ein Flugzeug einem Vogel zu vergleichen wäre. »Singen« solche Geräte, so kündigt das ihren Untergang an. Ein Unterseeboot vergleiche ich vielmehr einer »tauchfähigen Werkbank«. Die Oberfläche der See ist der Arbeitstisch. Demgegenüber stellen die aus dem Bootskörper am Heck herausragenden Steuerflügel und die Torpedorohre am Heck und am Bug die Schwachpunkte des Geräts dar. Nicht absolut dicht verschlossen bei hohen Geschwindigkeiten des Fahrzeugs, zerreißen sie das Boot; sie erbringen Nahtstellen, an denen sich die Katastrophe des Boots erweist, wenn es Tiefenbereiche überschreitet, für die es nicht gebaut ist.

Dagegen ist auch das Deck (nicht nur die Wasseroberfläche) als ein Tisch anzusehen, Nutzfläche für den Turm, die Antennen, das Artilleriegeschütz, die Aufbauten zur Unterbringung des zerlegbaren Seeflugzeugs. Diese Installationen *arbeiten*.

Wir durchquerten mit diesem Tisch den Pazifik. Wir hätten mit Baggern und Bohrern, auf diesem Tisch als Zusatzlast befestigt, Unterwasserstädte an den Rändern des Marianengrabens errichten können. Mit Erfolg plazierten wir am Meeresboden vor Guadalcanal Zelte, in denen Maschinenfachleute untergebracht wurden, sozusagen im stationären U-Boot, in der Unterwasserlandschaft, der Unterwasserfestung.

An den Rändern des Marianengrabens bohrten wir Höhlungen in den Fels: Kampfhöhlen, von denen aus die US-Schlachtflotte durch Kampfschwimmer und Torpedoreiter angegriffen worden wäre, wenn wir nicht schon vorher in Pearl Harbor diese Schlachtflotte auf den Grund des Hafens geschickt hätten.

Wir hätten, ausgehend von diesen unterseeischen Höhlen, mit Einzelkämpfern die Eisensärge der Amerikaner vor uns hergetrieben, sie durch an den Rümpfen befestigte Sprengkörper irritiert, durch Detonationen, die sie noch nicht vernichteten, die erschreckten Großschiffe in Richtung der *Yamato* und der *Musashi* getrieben, unseren unvergleichlichen Fernkampfschiffen, die 20 Seemeilen vor uns warteten und die Meeresoberfläche vom Feind gesäubert hätten. Die Höhlen im Marianengraben, nie genutzt, zerfielen durch ein Seebeben ein Jahr nach Kriegsausbruch.

Das Idol, dem wir japanischen Ingenieure nachzukommen versuchen, heißt UNVERWUNDBARKEIT. Unverwundbar die Insassen unserer mobilen Arbeitstische, die den Pazifik durchfahren. Sie bilden eine äußerste Gefahr für den usurpatorischen Feind. Je mehr Eisen er aufs Wasser setzt, desto schrecklicher wird unsere Ernte sein.

U-Boot, unternehmerisch geführt

Fregattenkapitän Browser hatte aus seinem Privatvermögen das von ihm kommandierte US-U-Boot der Hermann-Klasse mit Kühlaggregaten ausgestattet. So konnten er und seine Besatzung es in den warmen Gewässern vor Java länger aushalten als irgendeines der Kollegen-U-Boote. Die Trennschärfe der elektronischen und der chemischen Bewegungsnetze im Gehirn bildet einen Zusammenhang; dieser Zusammenhang wird zerrissen durch die Hitze in den Röhren (die Neuronen brauchen Kühlung) und durch den Dunst von Öl und Gasen in den warmen Räumen.

Dieses gepflegte, privatunternehmerisch geführte Instrument geriet vor Guadalcanal in eine Krise. Ein japanischer Zerstörer hielt auf sein Sehrohr zu. Browser schoß beide Bugtorpedos in Richtung des Angreifers, sah keine Wirkung, ließ tauchen. In der folgenden Nacht teilten sich drei japanische U-Boot-Jäger in die Bewachung des auf dem Grund liegenden Browserschen Bootes. Sie »kämmten« den Meeresboden mit auf Tiefe eingestellten Wasserbomben.

Um 4 Uhr früh verlor Browser die Kontrolle über die Mannschaft. In der revolutionären Situation ließ er eine Abstimmung zu, ob sie inmitten erstickender Gase ausharren oder im Mondlicht auftauchen sollten. Als das Boot die Oberfläche durchstieß, hielten die japanischen Verfolger auf Browsers Spezialboot zu. Unter dem Eindruck der Wasserbomben schaukelte das Tauchschiff dem flachen Meeresboden entgegen.

Die revolutionären Matrosen schienen in den nächsten Stunden williger. Sie lagen in den Kojen, sparten Sauerstoff, wie es die Dienstanweisung vorschrieb. Browser, krisenerfahrener Privatunternehmer, hütete sich, etwas anderes als Vorschläge zu lancieren. Er hatte einen Bootsmann ins Auge gefaßt, dem er Autorität aufbauen half und dem die Aufrührer vertrauten. Er selbst notierte auf Zetteln Ratschläge.

Die japanischen Jäger verloren in der Mittagshitze des folgenden Tages ihr Interesse. In der Dämmerung tauchte Browsers Boot auf. Nie erfuhr irgendwer von der Meuterei, die die Todesstrafe nach sich gezogen hätte.

Browsers berühmtes Boot fuhr bis 1945 erfolgreich gegen den Feind. Sie kannten einander jetzt nach überstandener Revolution, hatten auch Vertrauen zugewonnen. Das Boot ging schließlich verloren während der Sturmfahrt des Admirals Halsey, der nach der Kapitulation Japans die gesamte US-Flotte paradegemäß in ein Tief von sechs Taifunen führte, welche die Flottenansammlung zerstreuten und mehr Schiffe zerstörten als die japanische Kriegsflotte von 1941 bis 1945 zu vernichten vermochte. Browser hielt in den entscheidenden Zeitzonen Nachmittagsschlaf. Ehe er den Turm erklimmen konnte, war das aufgetaucht fahrende Boot gegen die Bordwand eines Zerstörers geschlagen. Mit verbeulten Luken, nicht mehr trimmfähig, fuhr das Boot, noch ehe Browser voll angekleidet war, in Richtung Meeresgrund, der an dieser Stelle 4000 m tief war.

Entheiligter Kampf

Die ERSTE ASIATISCHE KAMPF-FLOTTE Japans war bekanntlich von Ingenieuren beherrscht. Ein besonderes Steckenpferd dieser Ingenieure waren die Schlachtschiffe. Sie und die 6. U-Boot-Flotte, extreme Gegensätze. Das eine, die Schlachtschiffe mit den hohen Masten, eine GEWALTIGE INDUSTRIEANLAGE, die andere Waffe, die U-Boote, eine von Elite-Bewußtsein erfüllte ABENTEUERWAFFE. Die U-Boote, im November 1942, unter dem Befehl von Teruhisa Komatzu. Ausgetüftelte, tauchfähige Maschinerien, mit der Aufgabe, vom Hafen Truk aus die Salomoninseln abzuschnüren.[2] Im Innern der Boote gestapelte Neuerfindungen: Wasserstoff-Paraffin-Torpedos, die besten Torpedos der Welt, Batterien mit einer Versorgungskraft, die US-Ingenieure erträumten. Das zusammensetzbare Seeflugzeug, das das U-Boot mitführte, erweiterte die Seeherrschaft des Schiffes, wenn es zu Erkundungszwecken eingesetzt war, um 400 km in der Runde. Die Erfindungen befanden sich im Fluß. Alle Vorkehrungen der Flotte waren für die Entscheidungsschlacht vorgesehen. Davon konnte es nur EINE geben, und sie mußte innerhalb des ersten Jahres nach Kriegsausbruch liegen. Die verzweifelte Lage

---

2 Der Verzweiflungsplan der japanischen Führung nach Ablauf der siegreichen ersten sechs Monate und der Niederlage der Trägerflotte vor Midway lautete: Besetzung der Salomoninseln, von dort Brückenkopf in Nordaustralien, Trennung dieses Dominions von den USA.
Auf der Insel Guadalcanal haben japanische Bautrupps einen Flugplatz vorbereitet. Die Landung des US-Marinekorps auf Guadalcanal führt zur Übernahme dieser Basis, d.h. tags über beherrschen die US-Luftstreitkräfte das Schlachtfeld. Nachts dagegen sind die japanischen Kreuzer und U-Boote auf lange Zeit die Herrscher. Die Versorgungslinie von Truk in die Meeresenge zwischen Guadalcanal und der Insel Tulagi heißt: »Tokio-Express«. Die Meerenge hat die Bezeichnung EISENBODEN-SUND, weil eine so große Zahl von Kriegsschiffen, vor allem alliierte, auf dem Meeresboden präsent sind. Das Radar nimmt der japanischen Flotte im Dezember 1942 zunehmend die nächtliche Seeherrschaft. Deshalb wird die Versorgung der hungernden und mit Munition unterversorgten japanischen Kampftruppe auf Guadalcanal U-Booten anvertraut.

bestand darin, daß nach diesem Zeitpunkt für Japan der Krieg, so oder so, mit oder ohne gestapelte Erfindung, verloren war.

Zu dieser Zeit ordnete der Kaiser an, die U-Boote für den Nachschub-Transport zur Insel Guadalcanal umzurüsten.[3] Die Lage der japanischen Truppen auf Guadalcanal war verzweifelt. Sie waren an Zahl dem US-Marinekorps an einigen Stellen überlegen, aber ohne Versorgung.

Was für eine Schande! Die kostbaren Techniken avancierter Kombinate, tauchfähig, in der Nacht und am Tag mißbraucht als »Packesel der Armee«! Vom Moment der Entscheidungsschlacht zum Transporter für Lebensmittel und Munition!

Man probierte, Reissäcke aus Torpedorohren auszustoßen, konnte sie im Innern der Boote stapeln. Doch die Säcke platzten auf. Man versuchte es mit großen Keksdosen, die an der Oberfläche der Boote angeschnallt waren, sechs Meter im Durchmesser. Danach mit zylindrischen Holzbehältern. Auch sie zerbrachen. Das waren Improvisationen, keine Aufgaben für Ingenieure. In Gummisäcken wurde Reis auf der Oberfläche der Boote befestigt, in der Nähe des Strandes sollten die Säcke in Boote umgeladen werden. Es erwies sich, daß das Meerwasser durch das Gummi sickerte. Später wurde ein Frachtrohr entwickelt. Es ähnelte einem flachen Landungsfahrzeug. Auf dem Deck eines der hochspezialisierten, endkampfgeeigneten U-Boote konnten zwei Tonnen eines solchen Nachschubs vertäut werden. Von zwei Torpedos angetrieben, steuerte ein Mann, der rittlings auf einem dieser Torpedos saß, das Frachtrohr über zwei Seemeilen auf die Küste zu. Hätten die Ingenieure auf Truk (ihnen fehlte der Kontakt mit den Ingenieuren in den Heimathäfen in Japan) vier Jahre Zeit gehabt, sie hätten solche Transportkoffer, ja die umspezialisierte U-Boot-Waffe überhaupt, optimiert. Zuletzt konnten die Frachtrohre aus dem Innern der getauchten U-Boote gestartet werden. Es mußte nur gelingen, das Paket im Tauchretter heil außenbords zu bringen.

Januar 1943 waren 20 Boote unterwegs. So wurden die japanischen Infanteristen auf der Insel gerade am Leben gehalten. Welche Schande! Nirgends Aussicht auf die Entscheidungsschlacht! Die Boote konnten sich nirgends auf den Meeren mehr sehen lassen. Mit Reisspelzen waren die Transportrohre, alle Luken, verdorben. Auch wenn er noch zwei Jahre andauerte, war der Krieg verloren. Der kämpferische Mut war mit dem Selbstwertgefühl der Kapitänleutnants und von Komatzus Mannschaften entronnen.

---

3 Beschluß des Kaisers, der eine Sitzung der Flottenchefs Japans zusammenfaßt. Von diesem Augenblick an geht es für Transportingenieure nur noch darum, daß sie der Aufopferung ihrer wichtigsten Erfindungen und Produkte zustimmen.

Junge Offiziersschüler auf dem Meeresgrund

Der P. M. von Großbritannien hatte Parlamentswahlen auf den siebten Juni festgesetzt. Ein absolut günstiger Termin für die Labour-Partei und ihren Führer. Das Stichwort hieß: »Seuchenwahlen«. Eine tatkräftige Regierung, beschäftigt mit der Bekämpfung der Maul- und Klauenseuche. Überall feste Haltung, im Nordirland-Konflikt, in allen Fragen der Osterweiterung Europas. Eine zerstrittene Opposition. Da wurde die Stimmung in den letzten Maitagen durch eine Story gestört, die fünfzig Jahre zurücklag.

P. M.: Das betrifft uns nicht. Dazu hat diese Regierung keinen Kontakt. Ich kannte die Geschichte gar nicht.

1. SEELORD: Keine blasse Ahnung. Die Story ist auch nicht gegen uns gerichtet.

P. M.: Insofern schon, als sie die ersten Seiten der Tagespresse füllt. Sie nimmt uns den Wind.

1. SEELORD: Ein Unglück.

P. M.: Wie das der HMS AFFRAY: Ein U-Boot, wenn ich nicht irre?

1. SEELORD: Wir haben nachgeforscht. Eines der Dieselboote, die wir den deutschen Walter-U-Booten nachgebaut haben.

P. M.: Wie konnte das jetzt aufkommen?

1. SEELORD: Ein versehentlich nicht vernichteter Archivbestand. Es wurden Kopien erstellt. Mit falscher Beschriftung in der Raketenkrise 1984 mit wichtigen Geheimmaterialien ausgelagert und jetzt in die Massenmedien gespült. *Clips Monthly*, danach *The Telegraph*, am nächsten Morgen überall.

P. M.: Ein Schnorchel-A-Class-Boot. Am 17. April 1951 untergegangen mit fünfundsiebzig Mann. Wenn es diesen einzigen Überlebenden nicht gäbe, der hier überall Stellung nimmt und einen Kranz an der Unglücksstelle ins Wasser geworfen hat, wäre das keine Story.

1. SEELORD: Auch nicht, wenn es noch eine Archivsache wäre und man es nicht unter falscher Etikettierung gefunden hätte.

Das Schiffswrack wurde in dreihundert Meter Tiefe, am Rande eines Unterwasser-Canyons, der steil abfiel, in der Nähe der Insel Alderney geortet. Das war erforscht mit den Methoden des 21. Jahrhunderts. Der Überlebende, Mr. John Goddard, den die Presse aufgetan hatte, war bei der Havarie nicht anwesend, weil er die Quartiere für die im U-Boot mittransportierten Offiziersschüler auf der Insel zu organisieren hatte. Dieser »Zeuge«, jetzt ein alter Mann,

nahm die Geschichte in Besitz, ließ sich zur Untergangsstelle transportieren,
bestätigte dort, im Hubschrauber auf Fragen antwortend, alles, was vorstel-
lungsbereite Reporter ihn fragten, weil es in den Dokumenten niedergelegt
war. Um die Kameraden weinte er. Ihre Namen wußte er nicht mehr. Viele davon waren Offiziersschüler, die nur mitgefahren waren, weil das die günstigste
Transportmöglichkeit war, um zu einem Kursus in Frankreich zu gelangen.
Goddards Tränen überzeugten die Nation, daß die Admiralität sie von jeher
betrog.

P. M.: Daß in den Archiven Leichen versteckt sind, damit muß man rechnen.

1. SEELORD: Es trifft uns unvorbereitet.

P. M.: Warum hat man die AFFRAY nicht gehoben und die Ursachen geklärt?

1. SEELORD: Im Jahr 1951?

P. M.: Was heißt 1951?

1. SEELORD: Man kann es sich kaum vorstellen. Sechs Jahre nach Kriegsende.

P. M.: Ich war noch nicht geboren.

1. SEELORD: Denken Sie, ich? Meine Archivare beschreiben das so: Das Boot
war 1944 für den Einsatz im Pazifik gebaut. Ein Diesel-Langstreckenboot
voller technischer Defekte, unausgereifter Prototyp. Auf Grund der Kapitulation Japans dazu bestimmt, auf Dauer Prototyp zu bleiben. Jetzt Korea-
krieg. Die Regierung seiner Majestät ging davon aus, daß ein Krieg mit der
UdSSR bevorsteht. Aufrüstung ohne Bewilligung. Nach dem Suezkrieg war
so etwas unter Kontrolle. 1951 nicht. Eine hybride Struktur; noch Kriegs-
mentalität, noch Nachbau der besten Planskizzen des Deutschen Reichs, andererseits keine Erlaubnis. Das gerät aus der Hand.

P. M.: Man kann nicht einmal daraus lernen. Warum wurde die AFFRAY
nicht gehoben?

1. SEELORD: Um tote junge Leute zu finden? Mit welchen Hebevorrichtun-
gen?

P. M.: Wenigstens wüßte man die Unfallursache. Die Hälfte des Textes verschwände von den ersten Seiten. Wir haben ja am Siebten immer noch eine
Chance. Aber keine für Glanzvolles.

1. SEELORD: Die Admiralität war froh, das Wrack tief unten zu wissen. Ich
habe mehr als zwölf frohlockende Memos zu diesem Thema gefunden.

P. M.: Barbarische Unfallursache, lese ich.

1. SEELORD: Die Diesel haben »geatmet«. Dann müssen Besatzungsmitglieder und Gäste an Gasen erstickt sein, ehe das Boot scheiterte. Für Stunden
ein Geisterboot. Oder aber, heißt es: Wassereinbruch durch den Schnorchel-
mast wegen Materialermüdung. Ein Bild, bei dem die Offiziersschüler er-

trinken. Die gefährlichste Analyse für uns, die noch auf Wochen die Zeitung füllen würde, findet sich auf Blatt 44 der Akte: Das Wrack am Abgrund bei Alderney ist gar nicht die AFFRAY. Sie wurde von den Russen entführt. Ein Boot dieses Typs wurde in Wladiwostok fotografiert.

P.M.: Merkwürdig.

1. SEELORD: Ganz merkwürdig, daß die französische und belgische Flotte, die uns suchen halfen, und auch unsere eigenen Suchboote, zunächst vor der holländischen Küste, also weit weg von Alderney, gesucht haben.

P.M.: Das Boot ist also dort gestrandet?

1. SEELORD: Soweit wir wissen.

P.M.: Und die Russen haben später das Schnorchelsystem und einige andere Feinheiten in ihre Boote eingebaut?

1. SEELORD: Das ist tatsächlich auffällig.

P.M.: Und das sollte durch Vernichtung der Originalakten verschleiert werden?

1. SEELORD: Wir können uns darauf gefaßt machen, daß das zum Kernpunkt wird. Mr. Goddard konzentriert sich schon darauf.

P.M.: Wirft aber ganz konsequent den Kranz an die angebliche Untergangsstelle, wo ein Wrack liegt?

1. SEELORD: Anschließend bestätigt er: Das Schiff ist gekapert worden. Es ist nie untergegangen. Die Offiziersschüler, darüber muß er weinen, schmachten jahrelang in Sibirien.

P.M.: Was er nicht wissen könnte.

1. SEELORD: Wenn wir argumentieren, gelangen wir in die Nähe der Admiralität von 1951.

P.M.: Scheußlich. Was haben wir als aktuelle Diskussion?

1. SEELORD: Die US-Planung für Killer-Satelliten im Jahr 2006 und die neuen Späh-Satelliten, die bis auf sechzig Zentimeter jedes Objekt auf dem Planeten verfolgen können.

P.M.: Unpopulär. Kann man irgendetwas von 1951 mit etwas von 2001 verbinden? Man muß den Platz in den Zeitungen Zeile für Zeile zurückerobern.

1. SEELORD: Unwahrscheinlich, daß man das kann.

P.M.: Wir verbringen neunzig Prozent unserer Zeit mit der Entwicklung von Sprachregelungen, die die Vergangenheit betreffen.

1. SEELORD: Für die Minengelände der Vorgeschichte.

Der Premierminister war ein halbwegs junger, alerter Aufsteiger. Er ließ sich nicht gerne durch Tatsachen behindern. Der Erste Seelord, Harvard-Student, Diplomat, Karriereminister, stand dem Premier nahe und wurde stets rasch ungeduldig, wenn ein Problem nicht zu lösen war.

Merkwürdiger Vorfall im Umkreis der Katastrophe des Atom-U-Boots KURSK

Instinkt oder Ahnungsvermögen?

I

> »Hoffnung öffnet das Herz − −«
> *Puschkin*

Aus Instinkt oder Ahnungsvermögen hat der Kommandant mich im Stützpunkt Murmansk zurückgelassen. Als Wache am Wochenende, der gefährlichsten Zeitzone, was Nothilfe betrifft. Wenn irgendetwas passiert, funktionieren samstags in Rußland keine Notdienste. Und Seemanöver eines Flottenverbandes in der Barentssee sind stets gefährlich. Was sonst soll geübt werden als das, was an den Grenzen des Bekannten liegt. Die Gegner treiben uns in diese Extreme, nur an der Grenze der bekannten Leistung konnten wir sie im Ernstfall überraschen, und das treibt die Grenze, je mehr sie von uns in Erfahrung bringen, an die Horizonte.

Ich also in Wartestellung. Ich sollte Verbindungen legen, wenn etwas Eiliges passieren sollte. Die Stabsoffiziere verschwinden an Samstagen ab 11 Uhr früh kollektiv mit allen Transportmitteln aus dem Stützpunkt und suchen die »Aura des Lebens«. Sie suchen »Vergnügen«. Allein schon den Stützpunkt verlassen zu haben, in Gesellschaft zu sein, ergibt ein Gefühl der Beglückung. Keinen besseren Angriffszeitpunkt kann man einem Gegner, und sei es das Schicksal, anraten, als einen Samstagnachmittag im Russischen Reich.

In solcher Stille des Stützpunkts erreicht mich die Funknachricht, die KURSK liege am Meeresboden fest. Das war der vom Kommandanten erahnte Moment meines Einsatzes. Ich dechiffrierte, telefonierte. Man muß sich das Hauptquartier der Flotte als eine Folge gebohnerter Flure mit daran angehängten Bürozimmern vorstellen, nichts von einem Befehlsstand, von Instrumenten, von »*field of employment*«. Die elektronischen Anlagen in den Kellern sind zu diesem Zeitpunkt verschlossen. Hausmeister unerreichbar.

Von ganzem Herzen, noch aber nicht gewiß, daß etwas Endgültiges verloren sei, versuche ich Kontakt zu erhalten mit irgendeiner sachkundigen oder hilfsbereiten Instanz. Vom Raketenkreuzer, der die Manöverflotte befehligte, Nachricht, die KURSK sei in 129 Meter Tiefe auf Felsboden geortet, bewegungsunfähig, starke Schräglage. Zerstörungen am Bug. Wir, die wir funken, voller Hoffnung. Eine Auszeichnung war sicher, wenn wir an einem hoffnungslosen Samstag gegen alle Wahrscheinlichkeit Rettungsmittel organisierten.

2

Wie sich später herausstellte, hatten sich zur Minute der Havarie zwei Klein-U-Boote, die an sich zu unserer Nordflotte gehörten, zu dieser Zeit unbemannt, als Rettungstechnik spezialisiert, in der KASPISCHEN SEE von ihren Halterungen gelöst und waren in Richtung Norden getrieben. Die Fahrzeuge waren an die Luk-Oil-Aktiengesellschaft ausgeliehen. Verfolgte man es auf der Seekarte, sah die Bewegung so aus, als setzten sich diese Fahrzeuge in Richtung des Unfallorts, der sich, von ihnen gesehen, in einem fremden Meer befand, in Bewegung.

Die Spezial-Boote gehörten zu den 200 Rettungsgeräten, die für den Fall einer Katastrophe, als die sich der Untergang der KURSK nach vielen Stunden herausstellte, zum Einsatz bestimmt waren. Viel Mühe, Hingabebereitschaft von Ingenieuren war in sie eingebaut. Die zwei AUSREISSER gehörten zu einer Staffel, deren Prototyp 1928 entwickelt und bis zu diesem Zeitpunkt stetig optimiert worden war. Nach Art einer schwimmfähigen Hebebühne waren sie konstruiert, einem Schiff wenig ähnlich, verwandt einem Floß mit vertikalen Aufbauten. Sie verfügten über Greifarme, fernlenkbar; das Gerät erinnerte an einen übergroßen Schraubenzieher. So konnten sie gestrandete Schiffe von Sandbänken wegziehen, aber auch havarierte U-Boote öffnen und Vorkehrungen treffen, die Besatzung zur Oberfläche zu befördern oder sogar das Boot aus der Tiefe zu heben. Zur Zeit halfen sie bei der Reparatur von Öltürmen aus und verdienten für unsere Flotte Geld.

Als Flotte verfügen wir über Landgüter in Zentral-Rußland und über Platinbergwerke in Südost-Sibirien, welche die Flottenbudgets auffüllen. Insofern ist unser System der Selbstversorgung dem Verfahren spätrömischer Legionen ähnlich, jener Legionen, die, von allen Göttern und dem Imperium verlassen, Bastionen an der Donau hielten oder Byzanz gegen die Parther und Türken verteidigten. In der Not hortet das System unerwartete Reserven, Aushilfen, die in das System eingebaut sind (der hermetische gute Wille zahlloser, an der Führung verzweifelnder, an die Rettungstechnik hoffnungsfroh glaubender Praktiker); der Oberflächenblick der Stäbe (von oben nach unten gerichtet) nimmt sie nicht wahr.[4]

---

4 Die drei Flotten Rußlands verfügen über 200 Rettungsschiffe, darunter Kutter und Schwimmtechnik. Die Fabrik Krasnoje Sormowo in Nischnij Nowgorod erschuf das erste Rettungs-U-Boot der Welt, die LENOK. Sie hätte sich neben die KURSK legen können. Zwölf Taucher hätten sich bewegt zwischen dem Havarierten und dem Retter. Hundert Spezialanzüge hätten in der LENOK bereitgelegen, dem PROJEKT 940. Anfang der 90er Jahre fehlte das Geld für die regelmäßige Wartung. 54 Millionen Rubel wa-

Ich hörte beiläufig von dem Entrinnen der zwei eigenwilligen Fahrzeuge; nach solcher Rettungstechnik fahndete ich ja. Die kaspische Flottenführung jagte mit Kuttern, die Scheinwerfer mit sich führten, und See-Flugzeugen, die über Restlichtverstärker verfügten, nach den Objekten. An Seilen wurden Bootsmänner auf die Plattformen herabgelassen, ehe diese auf einer der Inseln der Kaspik aufliefen.

Als ob die Götter uns helfen wollten! Als ob Gebete aus dem Heck der KURSK (oder meine ahnungsschweren Telefonate) helfen könnten! In Astrachan, noch in der Nacht zum Sonntag, wurden die beiden Rettungsfahrzeuge in ein ANTONOW-Großfluggerät geladen. Wie hatten sie es fertiggebracht, die Plattformen aus dem Salzwasser zu hieven, über die Landstrecke zum Flughafen zu bringen? Warum war überhaupt eine AN-TONOW verfügbar? Unsere Telefone: wie Peitschen, an denen Klingeln hängen, wie die Peitschen sibirischer Kutscher, die unser Puschkin in Versen beschreibt. Wir verfolgten jeden Meter der Aufholjagd. Wie konnte es geschehen, daß die ANTONOW nach Zwischenlandung im Ural wiederum Treibstoff vorfand? Dachte die Technik freiwillig mit? War das Land bewegt von Ahnungsvermögen (wie schon mein Kommandant), was der nächste richtige Schritt zur Rettung sein könnte? Die Havarie war noch gar nicht bekanntgegeben worden.

Ich muß annehmen, daß es einen Eigenwillen der Rettungstechnik gibt. Mein erregtes Telefonieren (Nervosität bremst die Bereitschaft der Gegenstelle, mit uns im Norden zu kooperieren) hätte niemals bewirken können, daß die einzigen Gerätschaften, die im großen Rußland für die Rettung taugten, sich gewissermaßen selbst auswählten (ich hätte von ihrer Tauglichkeit ohne die Nachricht, daß sie sich verselbständigt hatten, nichts gewußt), so nahe zu uns heranrückten, nämlich bis auf die Hälfte der Strecke.

Zu diesem Zeitpunkt war der Alarm zur Spitze der Hierarchie durchgedrungen. Das war schon Sonntag früh. Alle Bewegung erstarrte. Der Alarmplan trat in Kraft: Konzentrierung aller Mittel auf die Rettung der KURSK. Weitere Befehle waren abzuwarten.

---

ren beantragt. Diese Mittel hätten durch das Unterwasser-Schiff AKADEMIK MIST-LAW KELDYSCH vor Neufundland erst in Zukunft verdient werden müssen (das Spezialboot transportiert Touristen zum Wrack der TITANIC zum Preis von 35 000 Dollar für die 10-Stunden-Fahrt). So mußte die LENOK aus Geldmangel 1977 außer Dienst gestellt werden. Die Fabrik in Nischnij Nowgorod stellt jetzt Öfen für Datschen her.

3

Die Rettungsfahrzeuge kamen infolgedessen nie an. Sie verunglückten auf dem Zwischenlande-Flugplatz im Ural, als ein Jagdbomber, der starten wollte, in die wartende ANTONOW hineinfuhr, aus der die Plattformen ausgeladen wurden. Ich bin dem Kommandanten verantwortlich, dem Vaterland. Ohne Hilfe. Der befehlshabende Admiral der Manöverflotte am Apparat. In der Barentssee komme Sturm auf, wieso niemand zu erreichen sei? Ich antwortete: Das könne ich nicht besser wissen als er.

Ich rufe Andrej Welischow an, einen befreundeten Journalisten in Moskau. Das ist ein Verstoß gegen die Geheimhaltungsvorschriften. Er entwickelt eine pressemäßige Anfrage, die bis 21 Uhr dazu führt, daß sich der Admiralstab vollständig versammelt. Jetzt stolpern vor meinem Zimmer Schritte durch die Flure.

Erneut Anruf des befehlshabenden Admirals der Manöverflotte. Dringlich. Wenn nicht in 30 Stunden Hilfe organisiert sei, bleibe sie vergebens. Er begründet das mit einer Wahrscheinlichkeitsrechnung, abgeleitet aus 32 Unglücken der sowjetisch-russischen U-Boot-Flotte. Daß er Zeit hat, mir das zu erzählen, beunruhigt mich. Es zeigt mir, er kann nichts tun. Es ist die Nacht zum Montag. Er, fünf Kilometer vom Havarierten entfernt, ich, Hunderte von Kilometern. Ich wache bis 4 Uhr früh. Ich, der einzige lebendige Faden, der die Besatzung der KURSK, mein Vaterland, mit der Wirklichkeit über Wasser verknüpft. Aus hektischem Schlummer erwache ich um 6.18 Uhr früh. Jetzt herrscht Hochbetrieb.

4

In den Nachmittagsstunden des Dienstags werde ich, A. I. Sedow, von der Marine-Geheimpolizei verhaftet. Ich werde dem Ermittlungsrichter wegen illegaler Weitergabe von Staatsgeheimnissen vorgeführt (das betraf meine Telefonate mit dem kaspischen Flottenkommando, mit den Flugplätzen, auf denen die ANTONOW stand, meine Beschwerden, als sich nichts mehr bewegte). Außerdem ging es um meinen Kontakt mit dem Journalisten Welischow in Moskau, vom Telefoncomputer registriert. Wohin führt es uns, fragte der Ermittlungsrichter, wenn jeder glaubt, führen zu können? Das führt zu einer Katastrophe, beantwortete er die selbstgestellte Frage. Manchmal, antwortete ich, kehrt sich dieser Erfahrungssatz im Fall einer Katastrophe um. Das mag hinsichtlich des Erfahrungssatzes so sein, gilt aber nicht als Rechtssatz, antwortete der Ermittler. Er schien freundlich und gutwillig, ja humorvoll. Es war Mittwoch früh. Machen Sie sich, lieber Sedow, auf eine gepfefferte Bestrafung gefaßt. Nehmen Sie es im Vergleich zur KURSK (die um diese Zeit gänzlich verloren war) als eine Behandlung nach dem Gleichheitsgrundsatz. Wo ein Unglück ist, kommt ein Unglück hinzu. Das hielt ich, als Vergleich zur KURSK, für zynisch. Zu diesem Zeitpunkt war mein Kommandant, dessen Ahnungsvermögen mich auf diesen Posten gestellt hatte, längst tot. Das Rettungsgerät, das bereits die Hälfte der Strecke zum Rettungsort zurückgelegt hatte, verrostet in der Folgezeit, weitab von seinem salzhaltigen Element.

Erster Kontakt mit der havarierten KURSK

> »Nichts macht so hoffnungslos wie die Tatsache, daß es
> zu anderer Zeit Grund zur Hoffnung gegeben hat.«
> *Puschkin*

Das Rettungsschiff »Michail Rudnizkij« erreichte den Manöversektor der KURSK am Sonntag Vormittag. Seit dem Unfall sind 26 Stunden verstrichen. Die Bezeichnung »Manöversektor« beruht auf Vermutungen, die der Stab der Nordflotte gesammelt hat; der Ort ist bis zu 12 km² ungenau.
Es ist 12.17 Uhr Ortszeit, als die Besatzung der »Michail Rudnizkij« zum ersten Mal akustische Signale in die Tiefe schickt. Das Schiff verfügt über zwei spezielle Geräte, die Signale senden, welche die akustische Notstation an Bord der KURSK in Gang setzen. Eine Zuarbeit der Besatzung der KURSK ist dazu nicht erforderlich; der Mechanismus schaltet sich automatisch ein, wenn die zwei Signale aus weniger als dreitausend Metern Entfernung gesendet werden.[5]
Um 16.00 Uhr dieses Sonntags registrierten die zwei Signalgeräte das Gegensignal aus der Notstation der KURSK in 2200 Meter Entfernung. Die Tauch-

---

5 Die Entwicklung der Geräte ist mit einem Streit innerhalb der Nordflotte verbunden. Eine Schule von Seeoffizieren und Ingenieuren hatte seit den 80er Jahren die Tendenz, immer mehr automatische Funktionen, weil sie keinem menschlichen Versagen unterliegen, in die Unterwasserschiffe einzubauen. Die Gegner dieses Projekts befürchteten (bei der Undichte der Geheimhaltung), daß ein Gegner solche Automatiken auslösen und das in den Tiefen geräuschlos dahinfahrende Boot sich quasi von sich aus verirrte. Die eine Schule vertraute der Maschinerie, man nannte sie die »Objektivisten«, die andere dem Patriotismus der Besatzungen, man nannte sie die »Subjektivisten«.

kuppel AS-34 »Bris« wird ins Wasser gelassen. Diese Kuppel stößt um 18.32
Uhr gegen einen harten Gegenstand in der Tiefe. Es wird vermutet, daß es sich
um die Heckflosse des havarierten U-Boots handelt. 69°36′ nördlicher Breite
und 37°34′ östlicher Länge. Jetzt ist auch die »Bris« beschädigt. Sie muß auftauchen. Ist sie überhaupt noch tauchfähig?
In der Kälte der Tiefe zeigt sich, daß die Batterien kaum fünf Stunden durch-
halten. Die Reparatur der Schäden und das Laden der Batterien teilen sich in
die gleiche Zeit. Vierzehn Stunden dauert das Aufladen. Die Mannschaft des
Rettungsschiffes versucht es in einem Schnellverfahren. Die Batterien überhit-
zen sich. »Wir quälten die Akkus, aber wir gewannen Zeit.«
Um 22.40, Sturm kommt auf, kann die Besatzung der »Bris« erneut in die Barentssee hinab tauchen. Das »Batyscaph« fährt an der schräg am Felsgrund liegenden KURSK entlang. Der Metallkörper des U-Bootes ist von einer zehn
Zentimeter dicken Gummischicht bedeckt. Zwischen Gummi und Stahl hat
keine Messerklinge Platz. Jetzt wölbt sich der Gummi, eine mechanische Hand
der »Bris« hat Platz zwischen Gummi und Metall. Bei der ersten Sektion ist ein
Einschnitt von 90° zu erkennen. Die Besatzung der »Bris« konstatiert Röhren.
Blicke ins Innere. Eindruck, als sei die erste Sektion abgesägt oder »geköpft«.
Die »Bris« verfügt über keine unmittelbaren Rettungsmittel. Um 1.05 Uhr
taucht die Kapsel auf. Es ist schwierig, sie in der Sturmsee an Bord des Rettungsschiffes zu bringen. Die »Bris« und die desillusionierte Besatzung müssen
»nachgeladen« werden. Es geht darum, eine tiefe Hoffnungslosigkeit abzubauen, welche die Retter in der Tiefe erfaßt hat.

– Inzwischen weiß man, daß »Batyscaph« aus Sektion 9 der KURSK Überle-
  bende hätte retten können, hätte es Zugangsgeräte gegeben. Noch bis Mon-
  tag früh.
– Das ist korrekt.
– Praktisch waren sie mit Reparaturen beschäftigt?
– Die Woche über. Man muß das positiv sagen. Wir waren die einzigen in der
  Welt, die solche Reparaturen im Sturmwetter überhaupt so rasch durchfüh-
  ren konnten. Das war uns vom Spezialistentum, vom Glanz der Flotte
  Gorschkows geblieben. Sie sagen das so hämisch: »die meiste Zeit wurde
  mit Reparaturen verbracht«. Ja, immer wieder haben wir den Apparat, die
  »Bris«, irgendwo verstümmelt. Im Sturm schlägt der Apparat an den
  Schiffsbord. Antennen brechen ab. Der gleiche Schaden entsteht, wenn der
  Apparat gegen die Wellen schlägt. Wie eine Wand aus Stein. Wir ziehen das
  Gerät wieder hoch, reparieren, nach vielen Stunden ist jeder müde.
– Sind die Apparate denn nicht für solche Krisen gebaut?
– Für Krisen unter Wasser. Es gibt dort keine Bordwände. Die Akademien für

Überwasser- und die für Tauchschiffe unterstehen verschiedenen Abteilungen.
- Die seitliche Steuerdüse wurde beschädigt?
- Haben wir rechtzeitig repariert. Beim nächsten Versuch, die Kapsel ins Wasser zu befördern, schlug sie so heftig ins Wasser, daß der Kreiselkompaß und die hydroakustischen Antennen ausfielen. Die »Bris« sollte in Sektion 9 der KURSK an das Notluk andocken, ein Besatzungsmitglied des Rettungsapparats kann die Andockstelle durch ein kleines Guckloch beobachten und gibt die Kommandos an den Steuermann. Es ist reine Steuerarbeit.
- Und warum gelingt nichts? Wenn Sie doch so genial im Reparieren sind? Im Improvisieren?
- Sie dürfen darüber nicht hämisch sprechen. Es geht um ein nicht reparables Leck, das sich auf die Erwartung bezieht.
- Was nennen Sie Erwartung?
- Hoffnung.
- Wieso?
- Hoffnung ist stets ein Ganzes.
- Aber sie reicht doch fürs Reparieren, fürs Weitermachen? Was heißt hier, Hoffnung hat ein Leck?
- Es sind 22 Schiffe über der Havariestelle. Das beste Schiff ist die »Michail Rudnizkij«. Sie hat keine Druckkammer für Taucher. Sie hat keine Apparatur, um den Apparat intakt zu Wasser zu bringen. Angenommen, der Apparat rettet Überlebende der KURSK, so sterben sie, sobald wir sie an Deck gebracht haben, wir haben keine Druckkammer. Es ist also gleich, welche Teilsiege gegen die Elemente wir erringen.
- Von der sowjetischen Marine sagte man, sie verfüge über eine der besten Rettungsflotten der Welt.
- Und das ist wahr. Sie dürfen nicht spotten.
- Sie hatten in den Häfen der Nordflotte, der Pazifikflotte und der Schwarzmeerflotte 200 Rettungsschiffe, 20 Boote allein für die Hebung von U-Booten?
- Zum Beispiel die »Lenok«. Rettungs-U-Boot-Projekt 940. Dieses Boot hätte sich neben die KURSK auf Grund gelegt. Spezialanzüge in Containern in das U-Boot gebracht und Gerettete sofort an die Wasseroberfläche befördert.
- Die Besatzung der KURSK, wie wir wissen, war doch tot?
- Nicht die Überlebenden in Sektion 9. Außerdem wußten wir das nicht. Ich beschreibe, warum ein Leck in unserer Hoffnung in jener Nacht zum Montag entstand.
- Die »Lenok« wurde 1997 außer Dienst gestellt?

- Ja, weil die Nordflotte 50 Millionen Rubel für fällige Reparaturen verlangte. Die Werft in Nischnij Nowgorod, die die »Lenok« gebaut hat, baut jetzt Öfen für Gartenhäuser. Danach das Projekt 227.
- Aber das Forschungsschiff »Akademik Mstislaw Keldysch«, das hatten Sie?
- Das gehört dem Institut für Ozeanographie der Akademie der Wissenschaften. Es war ausgeliehen für Exkursionen zum Wrack der »Titanic«. Das Tauchschiff hätte geholfen. Vor Neufundland brachte es pro Fahrt 35 000 $ für die russische Forschung.
- Nichts zur Stelle, was in der Eile hilft?
- Doch, der Tauchapparat »Bester«. Cousin der »Bris«. Taucht 2 000 Meter tief, die Batterien können getrennt vom Rettungsapparat aufgeladen werden. Drei Mann Besatzung, Platz für 18 Überlebende.
- Der Apparat wurde eingesetzt?
- Er stand zur Verfügung. Es gab kein Trägerschiff.[6]
- Sie, die Improvisateure?
- Halfen uns mit einem Schwimmkran. Er sollte den Rettungsapparat von Bord des Schiffes »Altaj« ins Wasser lassen. Der Kran schwankte auf offener See. Ein Schlepper muß Trägerschiff und Kran in eine Bucht ziehen. Hier taucht »Bester« ab. Der Schlepper bringt ihn hinaus zur Unfallstelle. Wir zählen die Stunden.
- Ein Kran ist nicht geeignet, um auf dem Meer zu arbeiten?
- Sein Platz ist an den Anlegestellen. Die Zisternen von »Bester«, die die Schwimmfähigkeit garantieren, werden beschädigt, als der Kran den Apparat ungenau zu Wasser läßt. Ein Mechaniker taucht und schweißt sie an Bord wieder an. Alles einzelne Heldentaten, die sich nicht zusammenfügen.
- Ein anderes Wort für »Leck in der Hoffnung« wäre »Entnervung«.
- Ja, es entwickelt sich kein Gesamtkonzept. Die Handlungen verlieren ihren Sinn. Die Folge ist Müdigkeit.
- Andernfalls wäre die Rettung geglückt?
- Soweit etwas zu retten war.

6 Trägerschiff wäre die »Georgij Titow«. Das Schiff lag seit 1994 eingemottet, war drei Wochen später auslaufbereit.

Eine edle Lüge

Die Nacht über saß Wladimir Geletin mit Popow, dem Chef der Nordflotte, und Mozak, dem Stabschef, zusammen. Sie diskutierten den Tagesanbruch des Dienstag. Seit Montagmittag weiß Geletin, daß sein Sohn Boris an Bord der versunkenen KURSK unrettbar oder tot ist. Seine Tochter, Psychologie-Studentin, betreut Schulkinder am Schwarzen Meer. Sie reist heran, von ihm herbeigerufen, kann frühestens in zwei Tagen in Murmansk sein.

Geletin zögert, seine Frau Natalia vom Unheil zu benachrichtigen; er will dies nicht tun, ehe nicht die Tochter als Trösterin vor Ort ist. Er hofft nicht mehr auf Wendung, jedoch darauf, daß seine hinhaltenden Reden durch keine öffentliche Bekanntgabe, die zu Natalia dringt, widerlegt werden. Was er spricht, ist Lüge.

Geletin jedoch glaubt, daß die Nachricht Natalia weniger in Verzweiflung versetzen wird, wenn sie als öffentliche Botschaft, zugleich für so viele andere Schicksale, sie erreicht und nicht als bevorzugte Information, die sie nur deshalb erhält, weil ihr Mann im Admiralstab manches früher erfährt. Sie soll den Verlust nicht als Individuum erleben, sondern in der Gemeinschaft, unter Trostworten der Tochter. Geletin riskiert bei seiner »edlen Lüge«, daß Natalia, z. B. im Fernsehen oder durch Zufall, die Nachricht unvermittelt erhält, auch ohne Tröstung durch ihn.

Wie soll er sich entscheiden? Kein Genosse da, der ihm rät. Unerbittlich rinnt die Zeit, bis zu dem Augenblick, in dem auch Geletins Lüge unnütz wird.

Zweifelhaftes Überlebensmittel

Im Dunkel des versunkenen U-Boots klappten die Überlebenden, es waren 19, einer davon schwer verletzt, die »Regenerationskisten« auf. Deren chemische Patronen geben Sauerstoff ab. Sie ziehen auch Kohlenmonoxid und Kohlendioxid aus der verbrauchten Luft. Zugleich sind die Patronen gefährlich. Es handelt sich um Scheiben, die man im Dunkeln aus den verlöteten Kisten ziehen mußte. Geraten die Scheiben mit Wasser, Benzin oder Öl in Berührung, bricht Feuer aus. Sogleich wird der Rest Sauerstoff der Scheibe freigesetzt. Ein solches Feuer kann nicht bekämpft werden, es erreicht Temperaturen von 3000°. Deshalb ist es Vorschrift, Gummihandschuhe anzuziehen, wenn man die Regenerationskiste öffnet. Niemand hatte solche Gummihandschuhe zur Verfügung.

Der Kopf pocht vor Schmerz. Das langsam steigende Wasser im Boot drückte die verbleibende Luft zusammen. Die Seeleute horchten, ob Retter kämen. Das Boot wurde zu diesem Zeitpunkt noch nicht vermißt. Kein Brand brach aus. Briefe, die die Situation mitteilten, hier am äußersten Ende des Stahlkörpers. Da im Dunkeln geschrieben werden mußte, war es Krakelschrift. Der Tastsinn dekonzentriert, aber intensiv.

Die neue Zuversicht

– Bis zum 20. September soll das Wrack im Dock liegen?
– So ist es geplant.
– Beunruhigt Sie das nicht, daß schon Ende August Herbststürme in der Barentssee üblich sind? Die Natur durchkreuzt Ihre Pläne?
– Wie im Vorjahr.
– Und Sie bleiben so ruhig?
– Was soll ich sonst tun?
– Ihres Bleibens im Admiralstab wird es nicht länger sein, wenn etwas schiefgeht.
– Das ist mir bekannt.

Jetzt, ein Jahr und einige Tage nach dem Untergang der Kursk, waren die Führungskader der Russischen Nordlandflotte eingespielt. Man hätte schon im Juni die Hebung der Kursk abschließen sollen, sagten sie. So hätten es die Meteorologen angeraten. Das war aus mancherlei Gründen nicht geschehen. Es waren aber so viele Karrieren involviert, auch der Ruf internationaler Schiffshebungskonsortien, daß Kapitän 1. Klasse I.J. Kuznezkow, der im Krylow-Forschungsinstitut die Beratungsmaßnahme im Maßstab 1:50 durchspielen ließ, sich in der REPUBLIK DER ARBEIT angekommen fand. Die Natur kann energischen Bemühungen dieser Art, sagte er sich, nicht widerstehen. So mächtig ist sie nicht.

– Ist der Mensch gegenüber der nördlichen Natur im Prinzip unterlegen? Muß er demütig, neuerdings religiös, vor ihr verharren?
– Ich sehe das so nicht.
– Zur Zeit sägen die Taucher, die mit ihren Schläuchen mit dem Tauchschiff Majo verbunden sind, in die Doppelwand der Kursk 26 Löcher von je 70 cm Durchmesser?
– Als »Säge« verwenden sie ein Gerät, das unter hohem Druck einen millime-

terdünnen Strahl aus Wasser und Quarzsand auf die Stahlwand schießt. Schöne handliche Löcher, durch die später die Trossen gleiten, »Kabel«, bestehend aus 54 Stahltrossen. An den letzteren befindet sich ein Widerhaken, der per Hand vom Taucher durch eines der Löcher eingeführt wird und sich im Inneren des Wracks verhakt.

– Den Bug trennen sie ab?

– Er ist instabil. Man kann in der Schrottmasse nichts befestigen. Auch wissen wir nicht, ob er nicht noch Waffen birgt.

– Halb explodierte Militärware?

– Das ist das Gefährlichste, was es gibt. KEINE NATUR IST SO TÜKKISCH WIE HALB ENTSCHÄRFTE MUNITION. Sie ist das einzige Objekt, mit dem menschliche Arbeitskraft nicht zurechtkommt.

– Diesen Vorderteil sägen Sie ab?

– Zwei Hydraulikzylinder, auf beiden Seiten im Meeresboden verankert, dazwischen eine dreimal 12 cm lange Sägekette, die über den Bootskörper, d.h. die Trümmer, hin- und hergezogen wird.

– Und wenn diese Installation auf einen scharfen Torpedo trifft?

– Für langwierige Improvisation haben wir keine Zeit. Man kann den Schrott schwer beurteilen. Eigentlich müßte das meiste explodiert sein.

– Aber sicher kann man nicht sein? Alles verkeilt ineinander, wechselte den Ort. Gibt es einen geheimnisvollen Rest?

– Sie entwickeln zuviel Phantasie.

– Ich beobachte die Absperr- und Geheimhaltungsmaßnahme. Sie imitierten die Explosion in Ihren Computern? Sie sagten, daß kein Gegenstand, keine Ausrüstung an ihrem Platz blieb. Was, wenn eine Waffe, an den Rand des Geschehens geschleudert, dort lauert?

– Wir sägen mit einem Sicherheitsabstand, und wir hoffen.

– Hoffen auf die GNADE DES ZUFALLS?

– Zufall ist nicht gnädig.

– Auf die der Natur?

– Sie meinen, daß kein Herbststurm kommt?

– Ab wann wäre eine Störung wirksam?

– Ab einer Wellenhöhe von drei bis vier Metern.

– Das hatten wir im Vorjahr. Hat die Barentssee eine unberechenbare Natur?

– Ihre Grausamkeit ist bekannt.

– Deshalb zwei meteorologische Boote und ein Lazarettschiff im Flottenverband?

Die Gesprächspartner waren Jahrgangsgenossen auf der Marineakademie gewesen. Jetzt war der eine Moskauer Journalist, der andere Mitarbeiter der

Nordflotte. Sie standen einander immer noch nahe, weil sie an die Unabweis-
barkeiten MENSCHLICHER KOLLEKTIVER ARBEITSKRAFT glaub-
ten, unter anderem manifestiert in Stahl, Zement und Flottenprodukten. Der
Journalist aber war Dienstleister geworden, blieb angehalten, entnervende,
der Geheimhaltung unterliegende, die Potentiale der Motivierung mindernde
Nachrichten zu sammeln. So leuchtete er jetzt in die Vorsichtsmaßnahmen hinein.

– Das glücklich dem Meeresboden entrissene Wrack würde nur 10 Meter zur
  Plattform Giant 4 gehoben. Diese Plattform ist ebenso lang wie das Wrack,
  etwas breiter. Das Gewicht zieht die Plattform um 23 Meter zu tief ins Wasser. In Eile entwickeln wir in unseren Werften zwei Pontons, die, mit Wasser
  gefüllt, an der Giant 4 eng anliegen. Das Wasser pumpen wir aus und heben
  so die Plattform um zehn Meter auf 13 Meter Tiefgang. Damit ziehen wir
  Plattform und Wrack zum Schwimmdock in Dolgekowo bei Murmansk,
  135 km Strecke. Mit dem deportierten Wrack hebt sich das Dock, und der
  Metallsarg liegt auf dem Trockenen.
– Ein Konzept, das am Sonntag nach der Explosion, am zweiten Tag lebten
  wohl noch einige, geborgen im Stahl, von Ihnen bereits vorgeschlagen
  wurde?
– Die Flottenführung hielt es nicht für durchführbar.
– Hatten Sie eine Hebeplattform und Pontons?
– Pläne hatten wir.
– Was war dann Ihr Vorschlag?
– In der Not kann man eine solche Vorrichtung nachahmen durch Zusam-
  menbau mehrerer Plattformen und einer Gruppe kleiner aneinandergeket-
  teter Pontons, die wir im Kaspischen Meer hatten. Man hätte Flugzeuge
  gebraucht. Wir wollten die Kursk auf 30 Meter heraufholen. Sie wußten
  noch nicht, wie zerschunden das Vorderteil war. Wir wollten zunächst die
  Havarierte einige Meter anheben und dann aufblasbare Ballone unter-
  schieben.
– Ohne Sturm wäre das machbar gewesen?
– Ohne Sturm, nicht an einem Wochenende, unter der Voraussetzung, daß die
  Marineführung eingespielt wäre . . .
– Viele Bedingungen.
– Die zeigen, wie nahe wir dem Erfolg waren. Das Muster unserer Kräfte, so-
  zusagen der Rohstoffe, war erfolgversprechend.
– Dagegen gibt es, sagten Sie, ausgehend von dem Menschenanteil an der Ka-
  tastrophe, kein Mittel?
– Wir kennen den Grund ja nicht. Wie sollen wir da ein Mittel wissen?

– Explosion einer innovativen Waffe?
– Wir müssen erproben.
– Mit einem so wertvollen Schiff und mit voller Besatzung?
– Nein.
– Ist das ein Fehler des Systems?
– Jedenfalls nicht der Natur.
– Zehrt das Unglück an dem Selbstvertrauen, von dem Ihre Flotte lebt?
– Ein Stück Selbstvertrauen werden wir durch die Bergung wieder herstellen.
– Worauf vertrauen Sie als Mensch?
– Auf die zweite Chance.
– Gibt es Angriffe in der Natur, menschliches Versagen, Komplotte der Zivili-
sation, gegen welche die Arbeitskraft und Zusammenarbeit völlig und end-
gültig hilflos bleiben?
– So etwas gibt es nicht.
– Wenn sie zu spät kommt?
– Das tut sie häufig.
– Wenn sie erst konzentriert werden muß?
– Fast immer. Deshalb zweiter Ansatz.
– Sie halten die Marine Rußlands, die Schwäche zeigt, immer noch, gemessen
an allen Herausforderungen, für überlegen?
– Wenn es um die Natur geht, ja.
– Und wenn die Auguststürme Wellen von sechs Metern Höhe hervorbrin-
gen? Ihre Flotteneinheit tanzt auf den Wogen? Giant 4, die Trossen, das
Tauchschiff sind nicht mehr zu steuern?
– Dann finden wir Auswege.
– Wenn Sie doch keine Zeit haben. Denn ab Ende September haben Sie nur
noch Sturm.
– Ich glaube, daß es auch in diesem Szenario eine Lücke gibt. Die muß man su-
chen.
– Wieso *muß*?
– Die Natur läßt immer irgendeine Lücke.

Jeder Untergang hat wie ein Fingerabdruck seine persönliche Chiffre

Im Kameradenkreis wird Kapitänleutnant (Ing.) Gerhard Junack gefragt. Er hat so oft schon darüber Auskunft gegeben. Es gibt kein Ende für die Fragen. Die Schrauben des Schlachtschiffs Bismarck, mit einer Leistung von 28 Knoten, standen noch zur Verfügung. Und nichts soll übriggeblieben sein, als mit kleiner Fahrt auf den Feind zuzulaufen?

Man fragt immer wieder, antwortet Junack der Runde, wurde wirklich in dieser Nacht alles getan, jede Möglichkeit ausgeschöpft, um das Schlachtschiff Bismarck zu retten? Wenn gegen alle Marinetradition der Wachhabende Offizier vom Maschinenleitstand von der Brücke aus das Schiff gefahren oder der Leitende Ingenieur neben dem Kommandanten auf der Brücke gestanden hätte, kein Admiral hätte die beiden irritiert, in unmittelbarer Verbindung zum Turbinenmaschinisten, der zum Leitenden Ingenieur einem anderen Ton hat als zu den Offizieren der Brücke. Mit Äußerste-Kraft-Manövern über Maschinentelegraf ohne persönliche Stimme, welche die Anweisungen nuanciert, ging es bestimmt nicht. Wenn man im Achterschiff, ohne Rücksicht auf die Schrauben, das verklemmte Steuer abgesprengt hätte? Mit Schrauben und klemmenden Rudern ging es ja nicht. Wenn man ein U-Boot zum Kursstabilisieren ins Schlepp genommen, so als wäre es ein Steuerruder, oder auch nur den Heckanker, an Schwimmkörpern aufgehängt, als schwachen Manipulator der Kurse nachgeschleppt hätte?

Es war im Jahre 1962. Noch konnten sich die Anwesenden eine Situation aus dem Mai 1941 konkret und personell vorstellen. Es herrschte Trauer in der Runde.

Die Entwicklung der Großkampfschiffe war in den Jahren nach 1890 zu rasch erfolgt. Die Schiffe spiegelten, ohne je im Kampf erprobt zu sein, die Struktur einer Reichsanstalt oder eines Ministeriums. In Stahl gebaute Bürokratie. Wehrhafte Bürokratie insofern, als diese Schiffe wie Artilleriestationen funktionierten. Es könnte ein Kohlearbeiter oder sein Vorarbeiter, beides Marinesoldaten, ein Ingenieur, ein Akademiker, der in der Marine nur diente, einen Ausweg wissen. Das würde die Brücke nicht erfahren. Sie hatte, wenn nicht Nebel oder Kampf war, einen Ausblick dahin, wohin das Schiff fuhr (also wenig Blick zur Seite, keinen Blick zurück). Dieses PRINZIP ÜBERSICHT UND ZENTRIERUNG DER KOMMANDOGEWALT war nach einem Chef und nach Abteilungsleitern, also wie eine Postbehörde, eine Eisenbahnverwaltung oder ein Auswärtiges Amt, strukturiert. Was tun Behörden im Katastrophenfall? Sie rationieren. Sie entwickeln eine Mangelwirtschaft. Das,

sagt Kapitänleutnant (Ing.) Junack, tat der Admiral. Er gehörte zu der Gruppe
von Seeoffizieren, die um 15 Jahrgänge dem Kapitän der Bismarck vorangin-
gen. Der Kapitän konnte bereits in antibürokratischen Kategorien denken und
wollte das Schiff retten, indem er – wenn schon nach den Regeln der Schiffs-
führung alles verloren war –, entgegen jeder Regel, MASSNAHMEN ergriff.
Vielleicht so irre, wie eine in einem Glas gefangene Fliege nach Auswegen
sucht. Das bezeichnete Admiral Lütjens wörtlich als »hysterisch«. Er lehnte
das Finden ungewöhnlicher Auswege, die Anwendung von CHARISMA IM
LETZTEN MOMENT, grundsätzlich ab. Wohin kommt eine Organisation,
wenn sie nicht gerade im Ernstfall den hohen Stand an Berechenbarkeit ein-
hält, der ihr eingeimpft ist. Es waren zwei zivilisatorische Standards, die einander bekämpften, ergänzte H. D. Müller vom Institut für Filmgestaltung, der in
der Runde saß: der barbarische, erfindungsreiche, antibürokratische, der das
Dritte Reiche zerstörte, der von 1939, und der zivilisatorisch korrekte, administrative von 1918, der das Dritte Reich ebenfalls zerstörte. Mußte denn die *Bismarck* zwingend untergehen?, fragte Junack. Das glaube ich nie und nirgends,
antwortete H. D. Müller. Mit diesen Worten hatte er die Runde auf seiner
Seite, obwohl sie die soziologische Ausdrucksweise, die H. D. Müller gemäß
Max Weber verwendete, zutiefst mißbilligte.

Wettbewerb der Retter

Das britische Frachtschiff BOSWORTH geriet in eine Sturmzone im Norden
der Färöer-Inseln und rief, leckgeschlagen, um Hilfe. Das heraneilende Handelsschiff NARWA wurde durch eine der riesigen Wellen gefaßt und sank auf
den Meeresboden. BOSWORTH hatte zuvor der Besatzung des Retters über
Funk geraten, über Bord zu springen und sich zu ihr, dem Havaristen, zu retten.
Ein drittes Schiff, die norwegische LEDA, näherte sich dem Geschehen. Der Kapitän der LEDA sah ein Rettungsboot, das er irrtümlich für das der havarierten
NARWA hielt, deren Untergang die Norweger beobachtet hatte. Tatsächlich
handelte es sich um Seeleute der BOSWORTH, die kurz nach der NARWA gesunken war. Das Rettungsboot, überladen dadurch, daß Schiffbrüchige der
NARWA hinzugekommen waren, verlor in der Stunde darauf den Kontakt mit
der LEDA. Von dem norwegischen Schiff hörte später niemand mehr. Auch dieser Retter, die LEDA, wurde vom mörderischen Sturm im Januar 1958 verschlungen. Nur das Rettungsboot erreichte die norwegische Küste zwei Tage
später. Kennzeichen des Sturms, berichteten die Geretteten, war, daß auf den
Kämmen der Wellen gewaltige Wasserschleier die Sicht nahmen, so daß nur

blindes Gottvertrauen, nicht aber irgendeine Art von Tüchtigkeit das, gemessen an den Gewalten der mörderischen Nordsee, *winzige* Boot rettete.

Das ultimative Unterwasserschiff

– Vizeadmiral, Sie haben die Gelegenheit, die ultimative Unterwasserwaffe für Ihr Land zu bauen, und ausgerechnet jetzt haben Sie dafür kein passendes Feindbild.

– Wir hätten diese Gelegenheit im Jahr 1984 gebraucht. Eine solche Waffe werden wir voraussichtlich in 40 Jahren benötigen. Dann ist die Gelegenheit für ein Monopol vorüber.

– Es geht um ein echtes Unterwasserschiff?

– Ja, einen U-Boot-Kreuzer. Ausgelegt für 40 Mann, 18 autonome Waffensysteme.

– Und in der KAVITATIONSBLASE schießt dieses Geschoß mit einer Geschwindigkeit von 5000 Kilometern pro Stunde in der Tiefe der See dahin, an einem Tag fahren Sie mehrmals um den Globus?

– Ja, aber zu welchem Zweck? Welchen Gegner treffe ich mit dieser Geschwindigkeit?

– Zumindest würden Sie jeder gegnerischen Waffe entkommen.

– Außer Hindernissen.

– Gibt es Seeoffiziere, die ein solches Geschoß manövrieren könnten?

– Mit Computerhilfe. Man müßte die Bewegungen planen.

– Für unerwartete, improvisierte Überfälle also ein untaugliches Kriegsmittel?

– Es ist ein echtes U-Boot. Praktisch omnipräsent.

– Aber für nichts Praktisches brauchbar?

– Mangels Kriegsfall. Wir können ein solches Kriegsmittel im Frieden nicht einsetzen, und für die nächsten Jahre sind wir verurteilt zum Frieden.

– Könnten Sie denn in einem gedachten Konfliktfall (oder als Drohung) das Fahrzeug von den Küsten Rußlands aus starten?

– Das ist schwer. Die Barentssee ist zu flach, das Schwarze Meer zu eng, und im Pazifik stünde die Abfahrt unter ständiger Beobachtung durch die Satelliten der USA. Starten könnten wir nur vom Meeresgrund.

– Also praktisch unbrauchbar. Das Kriegsfahrzeug paßt nicht ins Jahrzehnt, außerdem ist es unbezahlbar.

– Für unser Land. Für ein anderes Land wäre es bezahlbar, früher auch für uns. Künftig vielleicht wieder.

– Ich sehe Sie innerlich zerrissen, Herr Vizeadmiral.

– Das bin ich. Vier Jahrzehnte hofft man auf ein Wunder. Im Augenblick, in
dem die Marine-Ingenieure und die Wissenschaft uns dieses Wunder dar-
reichten, hat es alle Merkmale des Unwirklichen.[7]

Spuren am Meeresboden und Bodensatz
der Dateien

In Offizierskreisen der GROSSEN ASIATISCHEN SCHLACHTFLOTTE
JAPANS hatte die Meerenge zwischen den Inseln Tulagi und Guadalcanal den
Namen »Eisenbodensund«. Gemeint war, daß viele ausgebrannte und zerbro-
chene Schiffe Japans, Australiens und der USA auf dem Grund dieser Meeresstraße ihre letzte Stätte gefunden hatten. Die Metapher wurde in Verhören
nach 1945 von den US-Nachrichtenoffizieren festgehalten.

Kein professioneller Schrotthändler wäre dem Hinweis, der sich in dieser Bezeichnung versteckte, nachgegangen. Die Schrotteile lagen schon wenige Jahre
später tief unter Sand, sie waren verstreut über eine ungeheure Fläche an Meeresboden. Keine Nachsuche hätte gelohnt. Die nächtlichen Seeschlachten, in
denen beide Seiten das Äußerste ihrer Kräfte investierten, waren rasch vergessen, ja die Gründe für den Ausbruch des Krieges und für die Verlagerung des
Kriegsgedankens in die Umgebung dieser von französischen Entdeckern im
18. Jahrhundert entdeckten Inselgruppe konnte die Mehrzahl japanischer
oder US-amerikanischer Schüler nicht nennen.

Über diesen »Sund des Vergessens« bewegte sich in der Sturmnacht zum 25.
Mai 2002 (auf der Südhalbkugel ist dies Winteranfang) ein Kohlendampfer,
der Einwanderungswillige aus Kurdistan, die auf eine Landung in Australien
hofften, transportierte. Zollschiffe näherten sich dem wenig seetüchtigen
Fahrzeug. Besatzungsangehörige des Dampfers, bewaffnet, bemühten sich,
eine Anzahl ihrer Passagiere über Bord zu werfen. Der verlorene Haufen, der
wußte, daß in dieser Sturmnacht nichts zu verlieren war als das Leben, warf

---

7 Nach dem Konjunktionsprinzip des Kavitationsblasen-U-Kreuzers Projekt X ist das
SHKVAL-Torpedo gebaut, das den Untergang der Kursk verursachte. Das Unterwasser-
projekt in Form eines U-Kreuzers wird von Raketen zu einer Geschwindigkeit von 180 km/
h in einer Unterwassertiefe von mindestens 500 Metern beschleunigt. Es bildet sich sodann
eine Gasblase um das Schiff, die sich bis auf eine Geschwindigkeit von 5000 km/h beschleunigen läßt. Abbremsung erfolgt durch Raketenschüsse in Frontrichtung, welche die
Blase durchbrechen.

sich auf die verbrecherischen Transporteure. Zu diesem Zeitpunkt, ohne kausale Verknüpfung mit Gewalttat, Zollkontrolle und Gegenwehr der Schwachen, zerbrach das Eisenschiff. Die Zollboote drehten ab. Sie wollten sich nicht veranlaßt sehen, Insassen des Dampfers aus Seenot zu retten, nur um ihnen anschließend Asyl verweigern zu müssen.

Bei dem Verhalten der Zollboote hätte es sich um einen der seltenen Fälle handeln können, in denen eine Untat ungerächt geblieben wäre, weil kein Zeuge überlebte und die Besatzungen der Zollboote ihrem Diensteid gemäß schwiegen.

Es hatte sich jedoch ein Sportflieger in jener Nacht im Sturm verirrt und das Geschehen in dessen letzter Phase beobachten können, nämlich solange die Scheinwerfer der Zollboote den auseinanderbrechenden Dampfer beleuchteten. Für den Flieger eine wertvolle Orientierung, die es ihm ermöglichte, noch in der Nacht auf dem verlassenen Flugfeld einer der Inseln zu landen.

Die Strafverteidiger der Zollboot-Offiziere versuchten im Kreuzverhör, die Aussage des Piloten zu relativieren.

STRAFVERTEIDIGER: Wie wollen Sie im Dunst und unter den Bedingungen der Sturmnacht einen Schiffsuntergang beobachtet haben? Was haben Sie von dem Handgemenge an Bord gesehen?

PILOT: Ich sah zu, bis die Scheinwerfer der Zollboote ausgeschaltet wurden, danach war ich nachtblind.

STRAFVERTEIDIGER: Und wie viele Minuten wollen Sie über dem Geschehen dahingeflogen sein? Mit einer Maschine, deren Beherrschung Ihre volle Aufmerksamkeiten forderte? Die im Sturm schaukelte. Sie, völlig damit beschäftigt, in der Luft zu bleiben? Wie wollen Sie, so exakt, wie es Ihre Aussage wiedergibt, Beobachtungen angestellt haben?

PILOT: So wahr mir Gott helfe.

STRAFVERTEIDIGER: Sie sollten Gott nicht durch Phrasen versuchen. Ist es richtig, daß Sie jederzeit hätten abstürzen können?

PILOT: Jeden Augenblick.

STRAFVERTEIDIGER: Sie hatten sich verirrt, suchten Orientierung?

PILOT: Ja, deshalb faszinierten mich die Lichter.

STRAFVERTEIDIGER: Welche Lichter?

PILOT: Die des Dampfers erloschen. Dafür richteten die Zollboote ihre Scheinwerfer auf das Wrack.

STRAFVERTEIDIGER: Woher wollten Sie wissen, daß es sich um Zollboote handelte?

PILOT: Das ergab sich später aus dem Zusammenhang.

STRAFVERTEIDIGER: Sie hörten es später?

PILOT: Das hörte ich später. Das Wrack, das sank, und das Handgemenge oder der Kampf auf dem Kohlenschiff, das war schwer zu erkennen. Es können auch Schüsse gefallen sein. Was ich genau sah, war das Verlöschen der Scheinwerfer auf den Zollbooten, als alles vorüber war.

STRAFVERTEIDIGER: Es könnten aber auch andere Boote als die Zollboote an diesem Standort gewesen sein?

PILOT: Geisterboote? Es waren keine anderen Boote zu dieser Zeit auf See.

STRAFVERTEIDIGER: Das erfuhren Sie später, haben es aber nicht gesehen?

PILOT: Man muß nicht sehen, was man später erfährt.

Die Verteidiger hatten den jungen, wagemutigen und mit viel Glück geretteten Piloten, der keine angelsächsische Prozeßerfahrung besaß und aus der Schweiz stammte, in seine Schranken gewiesen. Es kam zu einem Freispruch mangels Beweises für die australischen Zöllner. Die Meeresstätte, auf deren Grund die Immigranten, bis zuletzt voller Hoffnung, sich gegenüber der mörderischen Besatzung des Kohlenschiffs, den stürmischen Gewässern und den Einwanderungsbehörden durchzusetzen, zerstreut zu liegen kamen, ist durch keine äußeren Kennzeichen markiert und könnte auch bei aufwendiger Suche nicht gefunden werden. Ihrem Vergessen jedoch wirkt entgegen, daß in den zentralen Dateien der australischen Nachrichtenagenturen der Vorfall in den Formulierungen des Piloten niedergelegt ist. Diese Dateien, anders als der Meeresboden, konzentrieren mit der Zeit alle Erzählungen gleicher Struktur und ähnlicher Unheimlichkeit, so daß sich tatsächlich ein Bodensatz von Erfahrung herausbildet, der dem schnellen und endgültigen Vergessen entgegenwirkt.

Eine Schande für die U. S.-Navy

Gemessen an den Wassermassen des Pazifik ist die Meeresstraße vor dem umkämpften Guadalcanal von geringem Ausmaß. In der mondlosen Nacht aber dennoch ein endloses Gebiet von Wassern, eine Fläche ohne Horizonte.

Die japanischen Sauerstoff-Paraffin-Torpedos hatten in den Geleitschiffen und den Transportern höllisch gehaust; es handelte sich um die wirkungsvollste Torpedowaffe der U-Boot-Geschichte bis dahin. Die kaiserlichen U-Boote, von Rabaul herangekommen, schossen in diesem Nachgefecht, selber unerkannt, aus verschiedenen Richtungen.

Zweihundert Matrosen überlebten den Untergang des US-Kreuzers »Juneau«. Sie wurden, so wie sie sich im Wasser bewegten, zurückgelassen. Die Schiffe des US-Verbandes, sämtlich beschädigt, fuhren panikartig in den Schutz der Nacht. Tags darauf wurden zehn der in den unübersichtlichen Wassern Verlassenen durch Seeflugzeuge gefunden.

– Wie konnte es zu diesem Versagen der Schiffsführungen kommen? Zweihundert Seeleute sahen den Schiffen nach, die sich entfernten. Nahm man an, das käme nicht heraus? Fürchteten sie die japanischen Angreifer so sehr, daß sie das Verfahren vor den Kriegsgerichten nicht mehr fürchteten?
– Es war die Nacht, die alle Aussicht zerschlug. Triebhaft fuhren sie davon, noch ehe die Schiffsschäden zu den Brückenoffizieren gemeldet wurden.
– Wie können so viele Schiffsführungen gleichzeitig so viel Schande auf sich laden? Nicht eines der Schiffe zögerte.
– Sie sahen ja nichts.
– Alle Schiffen waren mit Scheinwerfern ausgerüstet. Jedes der Schiffe hatte, wie sich im Prozeß zeigte, eine intakte elektrische Notversorgung für die Scheinwerfer, falls die Schiffsmaschinen keinen Strom lieferten.
– Sie wagten keine Scheinwerfer einzuschalten. Wo waren denn die japanischen U-Boote?
– Sahen die Schiffsführungen die Schiffbrüchigen überhaupt?
– In den Flammen der »Juneau« sah man, daß sich in den Wassern etwas bewegte. Das konnten zwanzig oder fünfhundert Seeleute sein.
– Gibt es kein Training für eine so extreme Situation? Daß wenigstens einer der US-Seeoffiziere, Kommandant eines kleineren Schiffes, zu einer heroischen Tat fähig gewesen wäre?
– Nicht in der Nacht.
– Nachts überhaupt nicht oder nur nicht in diesen Gewässern, in denen der Tod lauert?
– Nicht bei dieser Eile, fortzukommen. Schon 20 Minuten später besannen sich die Schiffsführer zweier Zerstörer. Sie kehrten um, fanden aber nicht die Stelle, an der das Gefecht stattgefunden hatte. Sie irrten irgendwo umher.
– Wurde ihnen das im Prozeß positiv angerechnet?
– Ein überflüssiger Entschluß, hieß es. Wenn Tapferkeit zu nichts anderem führt als zu Reue und anschließend zum UMHERIRREN IN DER NACHT, dann kann Tapferkeit auch unterbleiben.
– Die Verantwortlichen wurden degradiert?
– Alle.
– Nichts wurde vertuscht?
– Das war unmöglich, weil ja zehn Schiffbrüchige gerettet wurden. Sie sagten aus.
– Daraufhin wurden die Schiffsbesatzungen verhört?

– Die sagten alle aus.

– Die Ausbildung der Seeoffiziere wurde umgestellt?

– Vollständig. Seither gibt es ein Training für das Verhalten bei nächtlichen Katastrophen.

– Kann man Geisterfurcht abtrainieren?

– Ich glaube nicht.

– Aber man versuchte es?

– Es gab ja keine zweite Nacht wie diese im Sund vor Guadalcanal.

– Sie haben den Ort nochmals besucht?

– Noch immer der gleiche fürchterliche Eindruck. »Wasser, das keine Grenze hat«. Es gibt im Grunde hier nur kleine Wellen, aber jede Vorstellung fehlt, daß die irgendwo enden. Auch ohne japanische Bedrohung unheimlich. Der Effekt beruht darauf, daß mehrere scharf begrenzte Strömungen diese Meerenge durchziehen, und zwar in gegenläufiger Richtung. Das Wasser wie ein Gewirr von Riesenschlangen.

– Nimmt man eine Seekarte zur Hand, sieht man doch Strömungsrichtung und Grenzen.

– Solche Unterlagen hätten die Schiffsführungen fest in der Hand halten müssen. Statt dessen verließen sie sich auch auf Sinneseindrücke.

– Zur Tapferkeit gehört Abstraktionsvermögen?

– »Verständige Abstraktion«.

Die letzten »Werwölfe«

Aus der Festung St. Nazaire fuhren in der Silvesternacht 1944 zwei Walter-Schnorchel-U-Boote aus, unbemerkt von der britischen Blockade-Flotte. Sie stießen an Afrika vorbei und lagen im April in einer tiefen Bucht des Kerguelen-Archipels, unerreichbar für den Rest des Kriegs.

Was sollten sie hier? Es war ein Verzweiflungsakt. Um irgendetwas Praktisches mit diesen sagenhaften, modernen Unterwasserschiffen zu tun, hatten sie die Idee gefaßt, zunächst den Belagerungsring um St. Nazaire zu durchbrechen. Aus dem Krieg wollten sie ausscheren.[8]

Die Besatzung, irregulär, bestand aus deutschem Personal, sechs Kriegsgefangenen, französischen Marine-Ingenieuren, die sich für das Deutsche Reich

---

8 U-Boote sind seit 1914 Überwasserschiffe, die auf begrenzte Zeit tauchen können. Das erste Unterwasserschiff, das tatsächlich der Tendenz nach, solange der Diesel-Treibstoff reicht, ein Unterwasserschiff darstellt, ist das Walter-U-Boot.

kompromittiert hatten, zwei norwegischen Funkerinnen und zehn Wehr-
machtshelferinnen. Eine verschworene Gemeinschaft. Büchsenfleisch, Trok-
kenkartoffeln, Massen von Batterien, Treibstoff. Zusätzlich: Geheimakten
und Patente. Ein Schwur: daß Geschlechtsdifferenzen zu keinen Meutereien
oder Unruhen je führen dürften, so groß war die Not.

Auf den Kergeulen zu landen war besser, als sich auf den Grund des Ozeans zu
legen. Die Inseln, nahe der Antarktis, unerreichbar für Heimatkontakte, außer
durch Funk oder spezielle Expedition, bildeten einen neutralen Fleck der Erde.
Hier konnten sich Schiffe verkriechen.

Die Kergeulen sind französischer Besitz. Offiziere des Vichy-Regimes kom-
mandierten. In der Heimat waren sie angeklagt wegen Hochverrats und Kolla-
boration, ungerecht. Taten, die sie 1940 in Syrien begingen (es war ihnen nicht
bewußt gewesen, daß es Taten seien), wurden jetzt in Paris Akteninhalt und
Vorwurf. Das hatten sie erfahren, ehe sie den Funkkontakt einstellten.

Bald wurden Schiffe von Frankreich ausgesandt. Sie sollten die Verräter dort
unten zur Verhaftung bringen, die Inseln für Frankreich besetzen. Keine der
Expeditionen, sie wurden 1947 zweimal wiederholt, brachte Erfolg. Die
Schiffe sanken in der kalten See, im Gürtel der *roaring sixties*, ehe sie sich auf
400 Seemeilen an die tief im Südatlantik gelagerte Inselgruppe heranbewegen
konnten. Das war das Werk der hochqualifizierten Walter-U-Boote.

Nunmehr, August 1947, wurde die Krise flankiert durch höfliche Funkkontakte, die Insel befände sich in der Souveränität der Republik Frankreich. Inzwischen war aber das mächtige Regime des Generals de Gaulle, das sämtliche
Parteien umfaßte, abgelöst durch verantwortungsscheue Regierungen der
Vierten Republik. Niemand im Kolonialministerium hätte die Verantwortung
übernommen, öffentlich zu erklären, die Kergeulen seien abhanden gekommen.

Erst das XSAR/SIRC-Radarsystem, das auf fünf Meter genau Vertiefungen
im Profil der Meere oder zu Land zu vermessen vermag, installiert auf der
Raumfähre in Denver im Februar 2000, entdeckte zwei Schiffsrümpfe im
Osten der größten der Kergeulen-Inseln in einem Fjord in 500 Metern
Tiefe.

Längst waren die französischen Kommandanten von 1947 abgelöst und
amnestiert. Die Besatzung der deutschen U-Boote hatte sich durch Einheirat
über die Niederlassungen der Inseln zerstreut. Dem Papier nach waren die
bewaffneten Deserteure von 1945 von Franzosen nicht mehr zu unterscheiden.

Noch immer lagen aber die Kriegswerkzeuge der Reichsmarine intakt auf
Grund. Während der Raketenkrise von 1984 hätten sie helfen können, Europa
aus dem versteckten Winkel des südlichen Archipels zu rächen. Stets hatten die

deutschen Seefahrer Nachfolger herangebildet (Söhne, französische Freiwil-
lige, Töchter mit Marinekenntnis). Die Schiffe waren gewartet worden, immer
noch eine Streitmacht, die an jedem von See erreichbaren Ort der Welt hätte
Zerstörungen anrichten können. 1998 fuhr eines der Boote zuletzt probeweise
aus.

Vielfalt des Wassers

Daß Fische im Winter überleben, ist dem Umstand zu verdanken, daß Wasser
bei 4°C seine größte Dichte besitzt und sich bei Erreichen des Gefrierpunkts
ausdehnt. Deshalb frieren Gewässer von der Oberfläche her zu und lassen den
Fischen Fluchtwege in den Gehäusen der Tiefe.
Der Wasserforscher Sotires S. Xantheas (vom Environmental Molecular Sci-
ences and Pacific Northwest Laboratory) hat 18762 verschiedene Wassersor-
ten oder Cluster gezählt und in seinem Archiv aufbewahrt.
In Wassermolekülen sind die Elektronen nämlich höchst ungleich zwischen
Sauerstoffatomen und den beiden Wasserstoffatomen verteilt. Aufgrund seines Elektronenhungers zieht der Sauerstoff die Elektronen vom Wasserstoff
weg.[9] In flüssigem Wasser sind die Moleküle in rauschender Bewegung. Nähert sich ein Wasserstoffatom des einen Moleküls dem Sauerstoffatom des anderen, so entsteht Attraktion zwischen den beiden. Durch eine solche Wasser-
stoffbrückenbindung entsteht ein dimeres Wasser. Viele dieser Brücken bilden
Netzwerke. Der Einschluß von Gasmolekülen in solche Wasserkäfige führt zu
Kristallstruktur.

– Wie Schlösser?
– Kristalle von großer Schönheit, die der Ertrinkende nicht wahrnimmt, weil
  er sich aufregt.
– Auch Trimere? Vier oder sechs Ringe?
– Ja, in der Tiefe des Marianengrabens. 1185-Ringe mit Einschluß von Edel-
  gasen.
– Heißt das King-Cluster?
– Gefunden bei Hawai. Auch als Methan-Hydrat im Permafrost, ein festes
  Gebilde, das die Gasleitungen sibirischer Erdgasanlagen verklebt. Löst man
  die Verbindung, ist es Wasser.

9 Wasserstoffmoleküle sind Dipole, von denen Sauerstoff negativ, Wasserstoff positiv ist.

– Auch als Teppiche, unter denen sich feindliche U-Boote verbergen? Prismatische Wasser, energiearm und über Jahre stabil?

– Man kann Karten solcher besonderen Wasser herstellen und verkaufen.

– Auf dem Waffenmarkt?

– Als Navigationshilfe für Unterwasserfahrzeuge. Aggregate von bis zu 26 Wassermolekülen, immer aus dem gleichen Jagdeifer des Sauerstoffs.

– Könnte man mit Wasser schießen?

– Das kann man ohnehin, wenn man den Strahl eng macht. Unterwasser-Laser sind wirksamer als Torpedos. Der Baikalsee produziert in Vollmondnächten unbekannte Strukturen, so daß Fischer ihre Arbeit einstellen müssen. Das kann man schon nicht mehr als Wasser bezeichnen.

– Ging Jesus auf solchen Clustern?

– Wissen wir nicht. Wir erforschen Gebilde dieser Art in der Tiefsee. Es gibt bei Wasserhexameren DREIDIMENSIONALE CLUSTER, die für Fischschwärme undurchdringlich sind. Fest wie eine Betonwand.

– Die Fischschwärme verhungern?

– Gefangen wie Fliegen im Bernstein.

– Anormal!

– Für H_2O häufiger als normal.

– Der große Ozean, eine Schatzkiste unbekannter Phänomene?

– So sehen wir es. Nur nicht als Kiste.

Wunderbare Rettung aus der Tiefe

Das Boot lag, so raffiniert es ausgestattet war, nach den vier Explosionen in der Zentrale und im Heck manövrierunfähig in 3 400 Metern Tiefe am Grunde des Tiefseegrabens. Hätten die Überlebenden in einem Kriegsfall einen Gegner gewußt, so hätten sie noch die Chance gehabt, einen Schuß aus der linken vorderen Abschußrampe zu tätigen.

– Links vier?

– Funktioniert, Sir.

– Wir könnten ohne weiteres damit schießen.

Niemand wußte, wo sie steckten. Die Tarnbeschichtung des Bootes dieses neuesten Typs war inzwischen so perfekt, daß kein Orbiter, kein unmittelbar über der Sinkstelle dahinfahrendes Schiff, auch kein Unterwasserfahrzeug, das nach ihnen gesucht hätte, das ruhig daliegende Tauchboot finden konnte. Das war ja der Sinn dieser Boote, daß sie im Ernstfall als VERSTECKTE RÄ-CHER zur Verfügung standen. Unmittelbar vor dem Vergeltungsschlag lagen sie, hoch effektiv und wach, unmittelbar auf dem Meeresgrund, so wie jetzt das gescheiterte Wrack.

Sie wollten noch einmal die Sterne sehen. Lieber wollten sie sich zerreißen lassen und als Splitter vom Himmel fallen, ein kurzer dramatischer Tod, als – inzwischen einander hassend – in diesem klaustrophobischen Eisensarg verdursten, verhungern, zu Skeletten werden, die doch niemand fände. Mit der Mannschaft im Achterschiff standen sie, hier in der Bugsektion II, über die Blechgestänge und Trümmer der zerstörten Mittelzone (dritte Explosion) in Klopfverbindung. Vielleicht konnte ein Fanal nach außen durch den Opfertod, willkommenes letztes Ziel inmitten von Ziellosigkeit, ein »finaler Schuß«, die Aufmerksamkeit von Beobachtern auf den bewegungsunfähigen Rumpf lenken. Dann wären wenigstens die Kameraden gerettet.

– Damit irgendetwas geschieht.
– Ganz recht, Sir.
– Hätten Sie noch eine andere Idee?

Der Kommandant fragte das den Ersten Ingenieurs-Offizier. Er fragte den Untergebenen aber so, daß auch alle anderen Seesoldaten, die keine akademische Laufbahn aufzuweisen hatten, die Frage auf sich bezogen. Der Ingenieurs-Offizier antwortete:

– Ich habe keine Idee, über die wir nicht schon gesprochen hätten. Ich glaube nicht, daß es noch weitere Ideen gibt.

Einer der Seesoldaten, ein Sergeant, fügte hinzu:

– Einer von uns hätte sie gehabt.
– Wenn es eine gäbe, ergänzte der Ingenieur.
– Dann also die.

Sie entfernten, sie waren sechs, die Sprengmasse aus dem Raketenkörper. Sie passierten die Abschußrampe vorn links, krochen in die Hülse, wie man sich in ein Trojanisches Pferd hineinbegibt, der letzte, durch Los ermittelt, schob sie hinein, verschloß, d.h. verschweißte die Raketenhülle und betätigte vorsichtig, um diesen letzten Versuch nicht zu gefährden, die Abschußvorrichtung. Sein Tod würde anders sein als der der Kameraden. Die Insassen der Rakete sollten eine maximale Höhe knapp unterhalb der Fluchtgeschwindigkeit erreichen und von dort, aus etwa 80 km Höhe, auf die Erde zurückstürzen. Gleich, ob sie auf Land oder, was wahrscheinlicher war, auf die See stürzten, das Metallgehäuse würde bei Aufprall eingedrückt, so daß ein zuverlässiges, sehr rasches Sterben vorhersehbar war.[10] Der Leitende Ingenieur, an die Oberschenkel und die Rückenpartie seines Kommandanten gequetscht (sie konnten sich in dem Lärm der Rakete nicht mehr verständigen, noch konnten sie sich drehen oder umrücken), trug ein Amulett um den Hals, das ihm ein junges Mädchen in einer der Vorstädte São Paulos geschenkt hatte. Er wußte nichts einzelnes von diesem Kind, und es war verschwunden, ehe es zu einer Affäre kam. Es war dem Kapitänleutnant und Ingenieur in seiner schmucken Navy-Uniform so vorgekommen, als hätte er dem jungen Ding gefallen. Das Amulett war aus Blech und stellte ein Kreuz dar. In der Mitte des Kreuzes ein Marienbild. Einigermaßen seltsam, sagte sich der Ingenieur, jetzt, da ihm das Geschenk nichts mehr nützte und nur noch wenige Minuten um seinen durchbluteten Hals hängen würde; er ging nämlich davon aus, daß Maria nicht ans Kreuz gehörte. Er berührte das Amulett. Dies mag der Grund gewesen sein für die folgende Kausalkette, für die niemand eine wissenschaftlich korrekte Erklärung fand.

In 60 km Höhe wurde die Rakete, die soeben ihre Antriebsstufe abgeworfen hatte und in der Höhe – nunmehr lautlos – dahinzog, von leichter Hand aufgenommen und in einem sanften Bogen zum GROSSEN OZEAN zurückgeführt. Ähnlich unerklärlich war ein Riß, entstanden auf der Oberseite der Hülle, in der die »Schiffbrüchigen« saßen. Es war Nacht. Über sich sahen sie die Sterne. Später hörten sie, daß die fehlgeleitete Rakete in einer Lagune niedergekommen sei, weit ab von den peitschenden Wassern des Pazifik und auch in genügendem Abstand vom Boden, auf dem sie zerschellt wäre. Sie schaukelte in mannstiefem Wasser.

Sie vermochten das titanverstärkte Metall der Öffnung mit eigenen Kräften nicht zu erweitern. Immer noch wären sie verloren gewesen, da der Schlitz zwar eine Betrachtung der Sterne, nicht aber das Entkommen ganzer Menschenkörper erlaubte. Raketenabschuß und die allen Rechnern unerklärliche Bahn dieses Raketenflugs provozierten jedoch umfangreiche Suchaktionen von US-Navy und Air-Force. Ein Vier-Sterne-General koordinierte. So fanden sie den »Einbaum«, die Rettungsbüchse. Die Aussagen der Geretteten brach-

10 Es wäre an sich möglich gewesen, das Raketenaggregat mitsamt seinen Insassen mit Fluchtgeschwindigkeit zu versehen, die Rakete wäre dann in eine Umlaufbahn um den Planeten eingeschwenkt. Das hätte die Lebenszeit der Kameraden deutlich verlängert, d.h. zu einem langgezogenen Sterben über Wochen oder Monate geführt. Auch dann hätten sie die Flugbahn gewählt statt des Todes in der Tiefsee, weil ihnen das weniger klaustrophobisch erschien.

ten keine Klärung. Eine gegnerische Einwirkung, die ausnahmsweise zur Rettung gedient hätte, war ausgeschlossen. Konnte man der Rakete selbst »guten Willen« zusprechen? Von dem Blechamulett erwähnte der Ingenieur, der John Wilcott hieß, nichts.[11]

Geheimnisvolles Verschwinden von U-Booten

Der Bochumer Verschwörungstheoretiker Albert Hutzlaff fand im Januar 2003, auch unter dem Eindruck der Weltereignisse, einen NEUEN ZUSAMMENHANG. Am 25. Januar 1968 war das israelische U-Boot »Dakar« 50 km südöstlich der Insel Zypern auf Unterwasserfahrt nach Haifa in 2060 Meter Tiefe gesunken. Von dem Boot wurde nie eine Spur, kein Restteil, kein Treibstück, keine Boje gefunden. Am 27. Januar 1968 sank vor Toulon, ebenfalls in einer Meereszone von mehr als 1 800 Meter Tiefe, ein französisches U-Boot aus unerklärlicher Ursache. Der französische Staatspräsident de Gaulle, notiert Hutzlaff, schiffte sich selbst auf einem Tauchboot ein, das nach dem verschwundenen Kameradenschiff suchen sollte. Obwohl dieses Spezial-Tauchschiff den Meeresboden des Mittelmeeres erreichen konnte, fanden sich keine Spuren eines dort gestrandeten Schiffes.

Dies muß man, behauptet Hutzlaff, in Zusammenhang sehen mit dem Verschwinden der »Scorpio«. Das US-Atom-U-Boot sank zwar im Atlantik, es war aber zuvor vom Einsatz im Mittelmeer zurückgekehrt und hatte dort Tiefen von mehr als 2000 Metern durchfahren.

Was liegt näher, fragt Hutzlaff, als den gemeinsamen Nenner in den Tiefen des Mittelmeeres zu suchen. Es ist ja ein uraltes Meer, das sich früher weit östlich der arabischen Halbinsel erstreckte, die Tethys-See. Wer schließt aus, daß es in den Tiefen solch alter Meere, die auf dem Globus ihren Ort verrückten, Geheimnisse gibt, die für U-Boote tödlich sind? Hutzlaff weigerte sich, eine Himmelserscheinung, ebenfalls aus dem Jahre 1968, mit den Ereignissen in Verbindung zu bringen. Sie hatte mit dem Untergang der Unterwasserschiffe mit

---

11 Wilcott hatte ernste Zweifel. Was, wenn die Rakete, in deren Bug ein miniaturisierter Computer seelenlos rechnete, sozusagen einen WEBFEHLER hatte? Der Riß im Titanmantel, untauglich, einen Menschenkörper nach außen zu bringen, konnte als Materialfehler interpretiert werden. So wäre das Bild von Technik und Science unerschüttert. Auch konnte Athene, mitleidig geworden über den Mißerfolg der Maria, wenn man die Vorstädte São Paulos betrachtet, eine schlaue intellektuelle Besserwisserin, erregt über die Verballhornung, Maria sei gekreuzigt worden, das Geschoß sanft umgelenkt haben. Beispiele hierfür finden sich sowohl in der Ilias wie in der Odyssee mehrfach.

Gewißheit nichts zu tun, denn sie wurde auf dem Kontinentalsockel beobachtet, eine Art von leuchtendem Diskus bewegte sich in Richtung Erdboden und startete dann zu einem Punkt weit über den Wolken. Auffällig war, daß die Lichterscheinungen in Land- und Aufstiegsrichtung deutliche OMEGAS ergaben. Nein, faßte Hutzlaff sein Ergebnis zusammen, die Einwirkung, die den U-Booten zum Verhängnis wurde, kann logischerweise nur von unten, aus dem Erdinnern, gewirkt haben. Wer schließt aus, daß es dort riesenhafte Höhlen und Zugänge zu einer anderen Welt gibt, wie sie auch bei Homer Erwähnung finden? Das hat Hutzlaff alles aus der Kreisbibliothek Bochum, wo im Lesesaal auch Zeitungen ausliegen. Die Universitätsbibliothek meidet er. Das Personal ist unfreundlich.

7

Mit Haut und Haaren:
Basisgeschichten

Basisgeschichten handeln von Menschen, die nach ihrem Platz in der Welt suchen. Das gelingt nur ganz oder gar nicht.

Liebe – Dispens von der Arbeit?

Wenn Leute gar nicht mehr wissen, wie sie ihr Leben einrichten sollen, suchen sie meinen Rat. Mich interessiert daran die Qualität meiner Arbeit. Ein Termin beginnt um 8.oo Uhr in der Frühe, ich berate ohne Unterbrechung (d. h. zunächst höre ich zu). Oft endet die Sitzung mit meinem Ratschlag um Mitternacht. Ich brauche nicht viel Schlaf, da ich die Sorgen, die mir vorgelegt werden, innerlich nicht annehme. Wenige Happen Weißbrot, die ich in Tee tunke, ein Rosinenbrot spätnachmittags genügt mir. Mancher Mandant und manche junge Frau, die sich Rat holten, laufen kurz mal auf die Straße, holen sich einen Imbiß oder eine Erfrischung. So löse ich im Jahr nie mehr als 365 Krisen. Feiertage kenne ich nicht.

Früher Hildesheim, jetzt Zürich, Bahnhofstraße. Mein Quartier besteht aus dem Beratungszimmer mit großem Tisch und meiner Schlafkammer, in der auch der Teekocher steht. Reisen kann ich nicht mehr, will es auch nicht. Ich setze den umfangreichen Leib morgens in meinen Armlehnenstuhl und bleibe so sitzen. Ich esse verschwindend geringe Mengen, und doch scheine ich mich zu dehnen.

Ich bin Bettflüchter. So schreibe ich nachts von vier bis fünf Uhr an meinem Erfahrungsbericht. In dreißig Jahren neuntausend Mandanten, denen ich Ratschläge geben durfte. Meine Statistik zeigt 92 % Erfolg. Dementsprechend muß ich die meisten Ansuchen, die auf Empfehlung an mich gelangen, abweisen. Ich kann nichts daran ändern, daß die Qualität meiner Arbeit einen Tag pro Problem oder Mensch braucht. Davon werde ich nicht lassen.

Wie sich die Dinge wiederholen! Wesentliche Irrtümer kann ich nach vierzigjähriger Praxis auch nach fünf Minuten benennen. Daß ich den übrigen Tag aushalte, mir die Einzelheiten anhöre, ist dem festen Willen zur Qualität geschuldet, nicht verzögerter Einsicht. Die schwierigsten Fälle beruhen auf Irrtümern über den Charakter der Liebe. Was kann ich verlangen, wenn ich liebe? Sie sehen sofort, daß die Frage falsch gestellt ist. Von großer Härte scheint mir das Vorurteil, daß Liebe keine Anstrengung des Willens vertrage, keine Arbeit dulde. Das sind tief gekerbte »Eingravierungen«. Eine Mutter verdirbt vier Söhne, sie hat ihnen vermittelt, daß ihre Liebe, die der Mutter, jegliche Anstrengung ersetze. Nun hat sie vier emotionale Faulpelze am Hals und tut sich schwer, sie zu lieben. Was rate ich da, wenn der Rat zu spät kommt? Sie sehen, daß ich einen ganzen Tag intensiver Nähe und Beratung brauche, um zu einem Ausweg zu gelangen. Es verhält sich so: 5 Minuten Einsicht, 15 Stunden und 55 Minuten Fährtensuche.

Er läßt mich für sich arbeiten, er liebt mich nicht, sagt G., Frau eines Zuhälters. Ich kann Sie beruhigen, gerade deshalb liebt er Sie, weil Sie arbeiten, kann ich ihr nach 16 Stunden Befragung antworten. Im Zirkus, klagt eine Mandantin, hat man keine Zeit für Ausübung der Liebe. Das war mir neu. Ich hatte gedacht, daß während der Wanderungen eines Zirkus, also in der Transportphase, Zeit und Gelegenheit für Zärtlichkeiten vorhanden sein müßte. Nein, muß ich erfahren, gerade da ist der Trubel am größten. Ein ruhiges Quartier steht überhaupt nicht zur Verfügung. Ich ermittle, wieviel Feinarbeit, Zuwendung sämtlicher Sinne auf die andere Person in den Trapezakten dieser Künstlerin enthalten ist, und zwar vom Partner zu ihr, von ihr zum Partner. Das schon seit mehr als 16 Jahren. Sie hat mit dem Partner ihre Jugendzeit verbracht. Was gibt es Schöneres als solchen Austausch? Gehört dem Beruf ihre Leidenschaft? Ist ihr Partner, mit dem sie nicht verheiratet ist (aber sie waren in den letzten Jahren nicht einen Tag lang getrennt), leidenschaftlicher Artist? Ich kann der Mandantin nur raten, dieses Leben fortzusetzen. Sie hat das ja schon immer getan.

Arbeit ist Aufmerksamkeit, Zustandsveränderung. Was ist Liebe anderes? Ich bin schon wie eine fremdsprachige Übersetzerin tätig, die falsch verstandene, verinnerlichte Begriffe zueinander übersetzt. Was bezahlen meine Mandanten (die Stunde 125 Euro), warum empfehlen sie mich so dringlich? Woher beziehe ich die Klugheit meiner Ratschläge, wenn ich doch nie studiert habe? Aus der Provinzstadt Hildesheim stamme, dort nur in örtlicher Praxis das Kuppelgeschäft gelernt habe? Es ist die Stärke meiner Grundsätze, daß ich auch in Fällen, die als leicht entwirrbar gelten könnten, die Befragung nie ungründlich gestalte. Auch wenn ich oft an anderes denke, konzentriere ich mich anschließend um so mehr auf den Klienten. Nur in zwei Fällen habe ich Menschen zusammengeführt, also Heiratsvermittlung betrieben. Meine riesige Sammlung von Anschriften muß ich nicht verwenden, da die Problemlösung nicht in der Herstellung neuer Bindungen liegt. So sortiere ich heute, wo ich zusammenzuführen meinte, als ich meinen Beruf wählte.

Mignon

In einer Kleinstadt Nordbayerns geboren, war sie eine Meile vor ihren Motiven oder Begierden, die nacheilten, nachwuchsen, voranmarschiert. Sie markierte einen rebellischen, vitalen Menschentyp, hergestellt nach einem Sammelsurium von Angaben und Vorgeschichten, die sie teils dem Ahnungsvermögen, teils der Umgebung entnahm. Sie probierte Intersex, Drogen, Übermüdung, Abenteuer, so gut das in der Provinz möglich war. Der Eifer behinderte sie sehr. Es war Streß.

Die Aufgeregte lernte auf der Buchmesse in Frankfurt einen der Großen Männer kennen, über welche die Republik verfügte. Sie änderte ihr Programm. Daß er sie, gewissermaßen eine Schaustellerin ihres Lebens, beachtete – sie beeindruckte ihn tief –, rührte sie an. Sie sah einen Zweck darin, ihm die Zuwendung zu erwidern. Wieviel Jahre hatte er denn noch, der Große Mann?

Sie kümmerte sich um seine Hautkontakte. Ihr Arsenal an jugendlicher Angeberei war dazu nütze, ihm eine Art Zugehörigkeit, eine Dritte Jugend, zu suggerieren. Was wußte er schon, was Jugend heute ist? In wenigen Tagen rüstete sie die Wohnung eines verstorbenen Komponisten in Venedig als gemeinsames Quartier zurecht. Venezianische Nächte und Tage. Vier Wochen. Rasch war sie schwanger.

Die Komödiantin: Jetzt machte der Körper ernst. Als Kugel zog sie mit dem Berühmten aufs Land. Durch die Aufregung einer Frühgeburt waren sie miteinander verbunden, zu dritt eine Person.

Die häßlichen Tage: An Telefonen, in Beratungen, bei Besäufnissen. Sie attackierte es, ihm merkte man keine Wirkung an. Grund der Irritation waren Anklagen in großen Blättern, der Große Mann habe der Staatssicherheit als informeller Mitarbeiter (IM) gedient. Welche Geheimnisse sollte er verraten haben? Hatte er ihnen ungedruckte Texte aus seinen dichterischen Vorräten vorgelesen? Was sollte der Schweiger bei den Treffen in verschiedenen Theaterkantinen gesagt haben? Sie riet ihrem Mann, sich dem Chefredakteur des *Spiegel* zu offenbaren, so wie man in Hansestädte dem Roland, einem zynischen, nicht antwortenden Stein (hinter dem die Stadträte lauschten), beichten konnte und von aller Strafe befreit war. Der Rat war richtig. Wie kam sie auf die Weisheit? Nie vorher war ihr eine ähnliche Situation begegnet.

Die üble Nachrede verbrauchte sich. Wichtig war, daß der Große Mann ungerührt weiterschrieb: auf der Rückseite von Bierdeckeln, auf lose Blätter, Servietten, nachts in die Maschine hämmernd.

Ein einfaches Schema: Er suchte sein heranwachsendes Kind zu schützen, das selbstdritt blieb, hungerte nach der jungen Frau, die ihn in eine Generation

versetzte, zu der er keineswegs gehörte, in unbekanntes Land. Ihm kam zugute, was sie in frühen Jahren sich ausgedacht und probiert hatte, eine virtuelle
Generation, hybride Jugend.

Keine Kausalität zwischen BEGLÜCKUNG und TOD. Zwei Jahre schlug er
sich im Kampf mit der REBELLION DES EIGENEN FLEISCHES. Sie mietete sich da ein, wo er jeweils in den Kliniken operiert wurde. Er, Rekonvaleszent, wurde erneut operiert, wartete. Das Zigeunerkind immer im Umkreis,
fest in ihrem Griff, die gemeinsame Tochter.

Sie wollte es besonders gut machen. Weil die unerwartete Zuwendung aus einer vorausschreitenden Generation sie überrascht hatte. Noch als er gestorben
war, suchte sie ihn in der Lagerkammer des Klinikkomplexes auf (sie war professionelle Fotografin) und hielt den Toten im Bild fest. Das war schon ein zer-
störter Körper. Sie konnte die Züge nicht deuten.

Daß er sie verlassen hatte, verstand sie für viele Jahre nicht. Inzwischen war sie
eine erwachsene Frau, die Seele nachgewachsen.[1] Sie fand aber die Zeit nicht,
in die sie gehörte. Die ausgedachte der Frühzeit, die Geburt, die sie auf der Lie-
besinsel mit dem Großen Mann verbracht hatte, von dem jetzt das Kind geblieben war, beides war nicht die ihre. War die Zeit, die sie durcheilte, stets schneller als sie selbst, unwirklich? Wem hätte sie schaustellerisch die Requisiten,
Gewänder, die Rollen ihres »Lebens« vorführen, zu Füßen legen können? Wenige wollen so etwas haben. Es gibt keine Bühne dafür, daß sich Menschen
Mühe geben, und gerade das wollte sie gern.

Samstag in Utopia

> »Wenn Casanova eine Frau vorurteilslos nannte, so
> meinte er, daß keine religiöse Konvention sie daran hin-
> derte, sich herzuschenken; heute wäre vorurteilslos die
> Frau, die nicht länger an die Liebe glaubt, nicht übers
> Ohr sich hauen läßt, indem sie mehr investiert, als sie zu-
> rückerwarten kann.«
>
> *T. W. Adorno, Minima Moralia, S. 222*

Philosophisch, d. h. seiner Profession nach, war er Verweigerer. Er hatte sich,
bedenkenlos, seit Kinderzeit geweigert, ein Erwachsener zu werden. Demnach
war er weder ein Kind (weil niemand durch Willenskraft ein Kind bleiben

---

1 In einer Fachzeitschrift las sie, daß jeder Mensch in Mitteleuropa mit 35 Jahren »sein Ziel«
  festgelegt hat.

kann), noch war er Erwachsener geworden. Ein Denker mit schwachen Seiten in seinen Lebensgewohnheiten, weil für direktes Erleben in seinem Programm wenig Platz blieb.

Heute, gleich nach dem Essen, bereitete seine Frau das Lager für den Empfang der Geliebten aus München. Es ist Samstag. Sie legt wollene Decken, purpurfarben, aus kanadischer Wolle, auf die Holzpritsche, die im Gastzimmer als Bettstatt gilt. Sie stellt Wasser hin, Handtücher. Es sind keine Bücher im Raum, keine Gebrauchswerkzeuge des Alltags. Es ist ein schmales, hell getünchtes Zimmer. Wäre das Fenster vergittert, könnte es sich um eine Gefängniszelle handeln.

Es ist aber gemeint als ein Raum außerhalb der Realität. Bestimmt, ein heimliches Geschenk zu beherbergen, ein Ort der Ungestörtheit und des Gastrechts für die Liebe. Eine ÜBERRASCHUNG wird dieses Gelaß nicht auslösen, die Geliebte ist bestellt, er weiß es, sie weiß es, sie kennt auch das Zimmer. Aber ein Glück, an das er nicht glauben will, ist es doch.

Wie nur kann man ein Glück genießen, das Kindern gar nicht möglich ist, das den Gebrauch der erwachsenen Genitalien erfordert? Glück ist die Erfüllung eines Kinderwunsches. Es ist möglich, weil es die Unterscheidung zwischen Kind und Erwachsenem in den Körpern und in der Seele gar nicht gibt. Diese Grenze ist unwirklich, nicht der Satz vom Kinderwunsch. So, wie es das Reale nicht gibt, das ist das Geheimnis aller Philosophen.

Es klingelt zweimal, stürmisch. Eine Gewohnheit der Geliebten. G., die Frau, hält Nachmittagsschlaf. Wie sollte sie auch zum Empfang antreten? Sie hat sich aus dem Weg geschafft, das ist, was Liebe vermag. Die Geliebte fällt dem Philosophen um den Hals. Hier im Nirgendwo, im Flur zwischen Tür und dem Gastzimmerchen, auf exterritorialem Gebiet des persönlichen Glücks. Die Angereiste, noch in der Geschwindigkeit der vor dem Speisewagenfenster dahinfliegenden Landschaft, angekommen in der größeren Stadt, erregt durch den Fahrtwind der eigenen, lebendigen Person, geht willfährig in Richtung der Kemenate, wie einer eine Zuteilung in Empfang nimmt. Er hofiert den unglaublichen Besitz, sie ist Model, so viele suchende Männeraugen konkurrieren noch hier in der Abgeschiedenheit der durch Schlösser gesicherten Privatwohnung, um den Blick auf diesen Körper zu richten, das junge Idol.

– Ein Wasser?
– Wieso?

Sie setzt sich auf die Kante der Pritsche. Es gibt im Raum keine andere Wahl. Er setzt sich, voller Hoffnung, hinzu. Eine gewisse Nähe ist so, ohne viel Mühe oder Diskussion, gegeben. Ein langer Nachmittag liegt vor den beiden.[2]

Zusatz 1: Trägheit

Die Geliebte ist eine träge Person. Oft nimmt sie das Temperament ihrer Umgebung an, also im samstäglichen Speisewagen eines Schnellzugs ein erregtes Temperament, im Halbdunkel eines ruhigen Zimmers, am gleichen Samstag, schläfrig. Das ist für lang hingezogene, passive Zärtlichkeit geeignet. Insofern ist sie derzeit nicht unglücklich, wenn sie sich hier als schiere Glücksbringerin beträgt. Nach einer Zeit wird sie hungrig; ihr Gegenüber scheint ihr als Liebhaber erfahren. Kinderseele mit kundiger Hand, die Unermüdlichkeit schmeichelt ihr. Nichts daran ist sportlich oder von besessener Hektik, wie sie es von anderen Männern kennt. Den Körper schätzt sie als altersgerecht ein, sechzigjährig, nicht gut in Schuß. Das muß nicht ihre Sorge sein. Für einen späteren Zeitpunkt erwartet sie ein Geschenk.

Zusatz 2: Tauschverhältnis

An diesem Samstag ist sie mit dem Austausch einverstanden. Einmal geht sie, nackt, in die Küche, holt sich aus dem Eisschrank etwas zu essen. Niemand tritt in Erscheinung. Sie meint, es könne ihr als Gleichgültigkeit ausgelegt werden, wenn die Frau ihres Geliebten sich nicht zeigt und sie auf diesen Zustand nicht reagiert. Aus den Augen, aus dem Sinn. Als sie zurückkommt, harrt der Geliebte ihrer schon erwartungsvoll.

Der Tauschwert mißt sich an dem, was sie versäumt. Angeschrien von der Tochter, ist ihre Schönheit nichts wert. Von gleichaltrigen Männern gegen den Strich gekämmt, würde sie sich nicht unnütz fühlen, wäre aber von Protest erfüllt. Daß sie, als Jugendschöne, mit lebhaften Worten des Geliebten beschrieben (sie denkt, man müsse das notieren, aufheben, ist zu träge, einen Bleistift und Zettel zu besorgen, sie lauscht den Einflüsterungen), einen Nutzwert hierherträgt, gibt dem Tag einen Sinn. Die Leere des mönchischen Raums stört sie

---

2 Für die Einrichtung der Wohnung ist die Frau des Philosophen zuständig. Es gibt 186 verschiedene Aggregatzustände der Liebe. Derjenige davon, den einer braucht, wenn er seine Geliebte empfängt, bleibt für praktische Ideen unempfänglich. Dieses Programm, nennen wir es 184a, ist der unirdischen Liebe verschwistert. So ist es zu erklären, daß die Liege für zwei Personen unrealistisch eng und für eine gewisse Gemütlichkeit des Liebeslebens unangepaßt erscheint. So hat es die Frau ausgesucht.

nicht. In einem Fall hatte sie der Gelehrte in das Grandhotel Carlton in Cannes eingeladen. Strapaziöse Hinreise. Unruhiges Umfeld. Sie konnte nicht einmal sicher sein, daß sich die Augen des Geliebten auf sie konzentrierten, so sehr konkurrierten hier die Ausstellungsstücke dieser Südprovinz Frankreichs. Sie empfand Unruhe. An sich stört schöne Umgebung die Liebe. In dieser Frage des Tauschs war sie mit dem Philosophen einig, der auch das einsamste Kellergewölbe mit seinen Vorstellungen leicht hätte bevölkern können, auch die Partnerin mit ihr fremden Beispielen zu verstricken wußte, daß sie die Nebel gleichgültiger Tapeten mit Geistern erfüllte. Das ist in der Rage der Sinne nicht seltsam.

Vielleicht, das legten Äußerungen des Gelehrten ihr nahe, der über ihr lag, existiert in der Liebe keine Gegenseitigkeit, kein Tausch, stumm blicken Kristalle einander an. In ihren Bahnen gleiten Gestirne aneinander vorüber, die sich nicht kennen. Wie immer das sich verhielt, sie blieb für den Augenblick zufrieden.

Daß der Gelehrte ein berühmter Mann sei, war ihr im Moment unmittelbarer körperlicher Berührung gleichgültig. In einer Grabrede wüßte sie es zu schätzen, wenn sie genannt worden wäre. Das lag fern.

Wenn einer genug liebt, erzeugt das Gegenliebe, das hatte sie in einem Romanheft verfolgt. So wenig sie das in der konkreten Situation zum Gesprächsstoff gemacht hätte, so sehr füllte sie der geheimgehaltene Satz innerlich aus.

Zusatz 3: Hätte er ihr nicht etwas schenken müssen?

Erst Monate später, schon unter dem Regime ihres neuen Geliebten, zerstritten mit dem Philosophen, sieht sie UNGLEICHEN TAUSCH. Sie kann sich schon nicht mehr genau an den konkreten Tag erinnern, sowenig wie an andere dieser ruhigen Samstage. Mißgunst ist darüber gestülpt. Sie hadert, daß er, von Alter verbraucht, ihren Zukünften nichts nutzte; der Philosoph habe ihre Jugend gestohlen, an sich gebracht. Wieso unberechtigt, wenn sie freiwillig heranreiste? Durch Überredung sei sie willig gemacht worden. Wollte sie sagen »verführt«? Das nicht. Ungleich bleibe der Tausch. Sie, eine Jugendschöne, er, ein Mann, der bald sterben wird. So hat sie es mit ihren letzten Worten zu ihm gesagt. Sie ist nicht stolz auf ihre Abschiedsrede, hat sie fest in Erinnerung. Auch dies ungleich. Daß er sie mit unstillbarer Sehnsucht verfolgte, anrief oder anrufen ließ, sie wieder zu gewinnen suchte, auch das, auf die Waage des Tauschs gelegt, nimmt seinen Geschenken Gewicht. Hätte er ihr nicht eine Karriere schenken müssen? Die Stellung einer zweiten Frau oder Erbin? UNBEZWINGLICHES GLÜCK? In dieser Zeit lernte sie auch seine

Frau, die stets grußlos verschwand und erst spätabends, wenn sie hörte, daß die Geliebte ging, wieder auftrat, nachträglich zu hassen. Wenn diese Frau zur Begrüßung antrat, so tat sie, als sei alles üblich, gar nichts Bemerkenswertes geschehen, wenn es doch um *amour passion* ging, im Rahmen von mehr als fünf Stunden, dann wurde ihr, der Geliebten, Aufenthalt im Seelenquartier abgewertet. Das alles zählte sie ihrem neuen Geliebten auf, dem gleich war, was sie behauptete, wenn sie sich jetzt nur ihm zuwandte und vom Philosophen dauerhaft abließ.

Zusatz 4: »Gleichgültigkeit zerstört alles«

»Liebe macht blind.«

Waren die Zwei im neutral ausgestatteten Kämmerchen verblendet? Empfanden der gelehrte Geliebte und die Herangereiste, was in der Ehefrau, die sich zurückgezogen hatte für diese Stunden, etwa vorging? Suchten sie das zu verstehen?

Was hätten sie verstehen sollen? Die vor Jahrzehnten herabgestufte Geliebte, jetzt Ehefrau, war realistisch. Triumphatorin war sie, wenn nach fünf Stunden die Geliebte das eheliche Appartement verließ, um den Nachtzug nach München zu erreichen. Sie trat auf im Du-Status, verabschiedete die Konkurrentin. Wieso aber Konkurrenz? Die Vorstellung war undurchdacht. Was half der Ehehälfte ein unglücklicher Gatte, frustriert dadurch, daß er eine Geliebte von 1941 mit allen Mitteln der Sensibilität nicht in das Jahr 1967 übersetzen konnte? Gibt es seelische Telekinese? Die Realistin, abstammend von Unternehmern einer Lederfabrik, die Handschuhe fabrizierte, der SACHLICHKEIT DER LIEBE zugewandt, die den eigenartigen, etwas kindlichen Gelehrten aufrichtig liebte, vorgestellt unter der Bedingung ihres eigenen Todes, litt nicht unter Entzugserscheinungen, wenn die Geliebte aus München herangereist war. Was entbehrte sie denn, was ihr zugekommen wäre, wenn die Herangereiste entfiele? Hätte sie an den Energien der utopischen Samstagsstunden Anteil gehabt? Unter realistischen Bedingungen? Auch wenn Realität nichts gilt. Daß Liebe diese Regel bestätigt, zeigt sich darin, daß sie den Pavillon der beiden von ihr betreuten, geduldeten Kontrahenten nicht luxuriös, nicht angepaßt, nicht phantasievoll gestaltete. Liebe hat keinen Ort. Utopie = kein Ort.

Mit Haut und Haaren

Kommt das Glück, wer kommt nicht? /
Kommt das Glück nicht, wer kommt?

– Ich gebe Männern das Minimum und nehme von ihnen das Maximum.
– Ach?
– Ja.

Luise Werner hatte etwas sagen wollen, und es war ihr zu diesem Satz geraten. Es war Dienstschluß. Die Redakteurinnen hatten sich entfernt, nur noch Fritzi Gerloff saß bei Luise.

– Was rechnest du als Maximum?
– *Sie* geben alles. Ich warte ab.
– Du meinst, sie stehen schon Schlange, um alles abzugeben, wenn sie wissen, daß sie von dir nichts bekommen?
– Ich glaube ja, daß sie etwas bekommen.
– Sie können auch nicht wissen, was sie schließlich bekommen.
– Das Minimum.
– Wovon?
– Sozusagen den Rahmen zum Bild. Wenn man nichts daraus macht, wird es nichts. Es gibt kein Minimum.
– Also gibst du mehr?
– Na und?
– Vorher hast du es anders gesagt.
– Dann habe ich eben etwas anderes gesagt. Hauptsache, ich bekomme das Maximum.
– Immer?
– Oft.
– Manchmal?
– Ich sage, wie ich es gern hätte.
– Also nicht die Wahrheit?
– Die Wahrheit darüber, wie ich es gern hätte.
– Wie hättest du gern das Maximum?
– »Alles . . .«, alles inklusive.
– Wie alles?
– Mit Haut und Haaren.
– Will der Mann doch nicht.

– Muß aber.
– Und was machst du mit der Haut und den Haaren, du kannst sie ja nicht essen?
– Ich will das Ganze.
– Die Hose, die Unterhose, und ihn als Ganzes, die Spucke, die Kacke? Das wäre echte Liebe, dann gibst du aber auf keinen Fall das Minimum.
– Das will ich auch nicht.
– Dann willst du auch das, was du nicht gebrauchen kannst? Oder willst du, was du nicht gebrauchen kannst, wegschmeißen oder in die Vitrine stellen?
– Du bist giftig.
– Und du unklar.
– Die Hose, na ja, wenn sie da so hängt, dann kann man schon einen Gedanken daran knüpfen. Insofern mache ich mir ein BILD. Das ist ein Teil vom ganzen Mann, und er soll sich nicht ohne Erlaubnis von mir wegbewegen.
– Jetzt fällt er dir aber auf den Nerv. Er ist jetzt schon neun Stunden bei dir in deiner engen Bude. Jetzt ist das Maximum des Erträglichen voll.
– Dann muß er raus.
– Also brauchst du ihn weniger als ein Maximum?
– Es gehört doch zum Maximum meines Glücks, daß ich einen sensiblen Mann habe, der meinen Wunsch, allein zu sein, erahnt und respektiert.
– Was wäre dann das Maximum?
– Etwas Schönes.
– Und das Minimum?
– Etwas Nettes.
– Oder wäre es auch schön?
– Ja, für den anderen.
– Und für den einen?
– Machbar.
– Dann sagst du: Ich gebe das Machbare und nehme nur das Schöne?
– Soll ich denn sagen: Ich nehme immer nur, was ich kriege?
– Das wäre ehrlich. Unter Freundinnen.
– Unter eifersüchtigen, neiderfüllten Freundinnen. Es wäre auch nicht ehrlich, weil ich nicht alles nehme, was ich kriege, und nicht alles kriege, was ich nehme. Vor allem in Zeiten, wo es gar nicht aktuell ist, daß ich irgendetwas nehme oder kriege, nehme oder kriege ich nicht alles. Ich habe Ansprüche.
– Zu Zeiten, in denen nichts los ist?
– Aber zu meinen Bedingungen.
– Na ja.
– Interessant aber, daß es die Unterteilung in Maximum und Minimum gar nicht gibt. Nicht in solchen Kämpfen.

- Du meinst mit Gert?
- Oder in der Praxis.
- Darauf wollte ich ja hinweisen.
- Dann könnten wir auch wieder ruhiger reden.
- Manches ist schade.
- Ja.

Blechernes Glück

Eine junge Frau stürzte sich von einer der Terrassen des Doms von Mailand. Sie war entschlossen, ihrem Leben ein Ende zu setzen. Mit einem Schrei des Entsetzens fiel sie, sie hatte die Stärke ihres Entschlusses überschätzt. Durch Fügung fiel sie auf die Blechkarosse eines Kraftfahrzeugs. Später erzählte sie, sie habe befürchtet, als Leiche auf dem Pflaster des Domplatzes unschön auszusehen. Tatsächlich sah sie, von viel Blech umhüllt, aber auch im Fall gebremst, auf groteske Weise beschädigt aus.

In der Klinik wurden alle Lebensfunktionen des geschundenen Körpers (den der Geist zu einem Versuch der Selbsttötung getrieben und den die Geister des Doms zu schützen gewußt hatten) als intakt diagnostiziert. Wilma Bison hatte sich im Alter von 35 Jahren aus Odessa in den Westen durchgeschlagen, ihr Glück versucht, nach ihren Eindrücken Unglück geerntet und so den gräßlichen Entschluß gefaßt, der zu einem glücklichen Ende führte. Ihre Rettung, die in den Boulevardblättern verbreitet wurde, führte zur Verbindung mit einem Mann aus Lugano, der sie künftig schützte.

Einer, der mir hilft

Ich kannte einen alten Tänzer. Lebendiger Geist. Konnte ausufern. Trat mir nie zu nahe. Er war ein Mitglied der Truppe von Rudolf Nurejew, ihm mit Leidenschaft ergeben. Der unauffällige Mann, von dem ich spreche, sprang ein, wo immer es gefordert wurde. Etwas mittelmäßiger als die anderen, war er gezwungen, jeden zu ersetzen, der irgendwie ausfiel. Ach, eine Indisposition, eine Erkältung, ein irritiertes Fußgelenk des ersten Tänzers. Ja, ich übernehme. Oft tanzte er weibliche Rollen. So habe er seine Gelenke kaputtgetanzt. Seine Jungs, nach denen er gierte, vermag er nur in seiner Nähe zu halten, wenn er sich ihnen nicht intim nähert. Er muß sie bewirten, sie in ihrer Affäre mit anderen beraten.

Es ist beruhigend, sagte die junge Frau, mir von ihm raten zu lassen. Es ist gewiß, daß er nichts von mir begehrt. Der Streß, die Not, in der Nähe eines Mannes auf seiner Hut zu sein, entfällt. Er wiederum hilft sich aus. Vielleicht ist er bereits in der Lage, sich mich, ein junges mageres Mädchen, als einen seiner Jungs zu denken. Die hält er auf Abstand, um sie nicht zu verlieren. So hilft er mir.

Die ersten sieben Sekunden

– Eine Frau regelt in den ersten sieben Sekunden einer Begegnung, wie es weitergeht.
– Durch Blicke? Mit den Augen?
– Aus den Augen heraus. Was es genau ist, kann man nicht sagen. Eine Körperhaltung, ein Wort. Man hält manche Frauen für passiv, weil es unmerklich geschieht, daß sie die Situation lenken.
– Viele Worte können es in sieben Sekunden nicht sein.
– Unausgesprochene Worte.
– Aus der Verteidigung heraus?
– Angriff ist laut. Insofern könnte ich aus der breiten Angriffsfront eines Mannes keine intime Lenkung des Geschehens herleiten.
– Ist das nicht sehr verallgemeinert? Schließlich gibt es mädchenhafte Männer.
– Nicht in dieser Rolle.
– Was soll das heißen? Ich habe Männer gesehen, die »mit den Waffen einer Frau« zu kämpfen wußten.
– Ich weiß nicht, was du gesehen hast. Ich kenne das nicht.
– Wieso sollst du auch alles kennen? Wir reden von gegengeschlechtlichen Kontakten, ja?
– Ausschließlich. Und von diesen Kontakten, sage ich, daß sich in den ersten sieben Sekunden entscheidet, wie sie ihren Fortgang nehmen.
– Außer im Fall von Gewalt?
– Ich glaube, es gilt auch da.
– Bei blindem Angriff?
– Da nicht.
– Das hast du nicht selbst erlebt?
– Man muß nicht erlebt haben, was man weiß.

Unterschied zwischen blindlings und unbesonnen

Der zweiunddreißigjährige Bekannte einer Mutter, neben ihm der sechsjährige Sohn dieser Mutter, sie kämpften, fast schon vergeblich, gegen die reißenden Wasser der Nab.
Die Mutter, welche die Gefährlichkeit der Situation erkannte, nur Augen für den Sohn, sprang in den Fluß. Eine andere Frau taucht nach dem Zweiunddreißigjährigen, sucht ihn unter Wasser an den Haaren zu packen. Man muß das vom Rücken des Verunglückten her tun, weil man andernfalls von den klammernden Armen des wie von Sinnen um sein Leben Kämpfenden gefesselt und in die Tiefe gerissen wird.

– Wie kommt es, daß wir die Unbesonnenheit des Zweiunddreißigjährigen und die Besinnungslosigkeit der zwei tapferen Frauen als so verschieden empfinden. Unbesonnen waren sie ja alle.
– Alle vier hätten umkommen können.
– Aber die zwei Frauen als Helden, der Zweiunddreißigjährige, der das reißende Gewässer falsch einschätzte, als Narr.
– Alle drei Erwachsenen aber: »ohne nachzudenken«. Im einen Fall als Retter, im anderen als Dummkopf.
– »Wie von Sinnen« scheint etwas anderes zu sein als »unbesonnen«. Ein Wortspiel?
– Aber wir sehen den Unterschied, wenn doch beides ohne Einschaltung des Verstandes geschah.
– Einschaltung des Verstandes hätte für die Retterinnen zu lange gedauert. Vielleicht hätten sie gezögert, zunächst versucht, Hilfe Dritter zu holen.
– Dann wäre der Sechsjährige jetzt tot und der Zweiunddreißigjährige für sein unsinniges Wagnis durch den Tod gerecht bestraft.
– Sie aber, kopflos, stürzten sich in die Fluten. Wie kamen sie heraus? Das Ufer ist stark überhöht. Man springt leicht hinein, kommt aber kaum mehr aufs Ufer.
– In die Ufermauer eingelassen ein Haken. Den griffen sie. Jede der Frauen hielt ihre Beute vorschriftsmäßig vom Rücken her umfaßt.
– Wie man es beim Fahrtenschwimmer-Kurs lernt?
– Vor so vielen Jahren!
– Das Wasser riß an ihnen?
– Sie verbrauchten alle Kraft. Inzwischen kamen Leute gelaufen. Es dauerte, bis sie Stricke holten.

– Alles hätte noch schiefgehen können?
– Weil die Leute palaverten. Erst ein Straßenbahnfahrer, der die von ihm geführte Bahn im Stich ließ, und die Frauen, die den schweren Zweiunddreißigjährigen zu bändigen und zu halten suchten, mit einer Holzlatte an das
betonierte Ufer preßte, brachte die Wendung.
– Dann kam die Polizei?
– Ja, die halfen.

Ein Liebestod

König Markes Augen in einem industriellen Gesicht? Man konnte Q. nicht ab-
sprechen, daß er einen »zwingenden« Blick hätte. Auch hatte er ein gewaltiges
Vermögen angehäuft, das sich sozusagen selbst verwaltete. Die Fabriken, die
das Vermögen erwirtschaftet hatten, anfällig für Wechsel der Zeiten, hatte er
abgestoßen.
Als Lebensgefährtin hatte er eine »Puppe« erworben, eine Dame von Ausstrahlungskraft. Ein verschwenderischer Erwerb, gemessen an ihrer Aufgabe,
Sorge für seine drei Kinder aus erster Ehe, Ersatz für seine verstorbene Ehefrau, Reisebegleiterin und Einrichtungsstück seiner Villa bzw. seines Lebens zu
sein. Der Handel ging nicht gut aus.[3]
Das Paar, mit ungleichen Absichten und verschiedenen Einteilungen der
Lebensfläche, besuchte London. In jenem Jahr 1927 warfen ungewöhnliche,
stetig aufwärtsstrebende Börsenbewegungen Glanzlichter auf die Metropolen.
Hellmuth, der älteste Sohn, M.s Stiefsohn, begleitete sie. M. hatte Q. ein Kind
geboren, vier Jahre schon bei ihm ausgeharrt, seit zwei Jahren hatte sie sich
dem Stiefsohn innerlich angeschlossen. Sie waren unzertrennlich. Sie durch-
streiften London, einige Wochen darauf auf gleiche Weise Paris. Sie waren sich
nicht bewußt, daß sie für jeden Dritten als Paar gelten mußten, so vertieft waren sie in ihre Affäre. Der von Geschäftsterminen okkupierte Ehemann bzw.
Vater, der die beiden jeweils nur zurückkehren sah, zog keine Schlüsse.
Schon in London hatte Hellmuth über Schmerzen im Bauchraum geklagt. Zuviel gegessen? Etwas Falsches? Ein britischer Arzt betastete den Bauch, gab
Abführmittel, verordnete Mäßigung bei den Mahlzeiten.
Auch in Paris zeigten sich starke Koliken. Das jämmerliche Bild ließ sich nicht
auf Ernährung zurückführen, die doch in England und Frankreich sehr ver-

3 Was soll heißen »Dame von großer Ausstrahlungskraft«? Was heißt »Puppe«? Das waren
  Ausdrücke von Q.

schieden war. Nach Abreise der geliebten Stiefmutter und des respektierten Vaters nach Berlin verlangte der junge Mann, Erbe des Reiches, den Besuch eines deutsch sprechenden Arztes. Nur kriechend hatte er das Bett im Hotelzimmer erreicht. Bleich lag er auf dem Lager.

Blinddarmentzündung im letzten Stadium. Wieso war das Fieber nicht erkannt worden? Einlieferung in eine Privatklinik in Paris.

Es lagen nur drei Stunden zwischen der Ankunft der schönen M. in Berlin und dem Besteigen des Nachtzugs, in dem sie nach Paris zurückeilte. Ihre Wünsche, ihr Geist überstürzten sich. Wie gern hätte sie entfremdetes Leben neben einem ungeliebten Gatten für den besten Freund, den ihr zugeteilten Sohn, geopfert. Eine solche Opferszene, häufig in Notzeiten, im Krieg, in der werktätigen Bevölkerung, in der Aufopferung gilt, ist im Leben einer Dame von 1927 ebensowenig vorgesehen, wie ein Liebesverhältnis zwischen Stiefmutter und Sohn geduldet würde. Verschwenderisches Leben kommt in der sparsamen Welt der Industriegötter nicht vor.

Die Klinik zeigte sich hygienisch unvollkommen, das sah M. auf den ersten Blick. Von der Eiloperation waren Komplikationen verblieben. Sie rekrutierte Mannschaften, welche die Zimmer und Flure der Klinik putzten. Sie umschmeichelte den jungen Sterbenden. Unter allen Bedingungen wollte sie ihn in diesem Leben halten. Sie hielt seine Hand. Sie betastete die fiebernden Füße, legte Wadenwickel. Die medizinische Versorgung in Paris am Nationalfeiertag, dem 14. Juli, war mangelhaft. In der Stunde, in welcher es M. gelungen war, eine der ärztlichen Autoritäten herbeizurufen, starb der Junge.

Wie den »zwingenden« Augen des Mannes begegnen? Schuld im Herzen. Nichts Unziemliches war geschehen, aber sie und der Erbe wären in kurzer Zeit ein Paar geworden, das sah sie, nachdem alles verloren war, deutlich. Auch bestand keine Kausalität zwischen solcher »Schuld« und dem »Tod«. Sie wollte nicht länger leben. Der Zinksarg wurde in Waggon 12 des D-Zugs Paris–Berlin transportiert. Sie saß 1. Klasse in Waggon 3.

Es gehört zu den Rätseln der kausalen Verknüpfung, wird aber plausibel, sobald man die Fernwirkung seelischer Erschütterungen erkennt, daß diese junge Frau von 1927, die achtzehn Jahre lang ihren »Liebestod« überlebte, durch Selbstmord endete. Der Tod war durch Mitnahme weiterer Toter gräßlicher, plakativer geworden. Es war, sagte der Astrologe Detering, der die Todesstunden aus dem Jahre 1945 und vom 14. Juli 1927 untersuchte, als habe der Schreckensstrahl des Liebesverlusts und der (gar nicht ausgesprochene, von Q. nie beabsichtigte) Fluch König Markes eine Himmelskonstellation gewaltsam verändert. Können Erlebnisse Gestirne umrücken? Die Konstellationen, sagte Detering, waren nämlich an sich keine negativen.

Liebesverbot

Elf Häftlinge saßen in den Zellen der Polizeistation. Es war ausgeschlossen, sie wie Mörder hinzurichten.

Die Eltern hätten, so erklärten die Anwälte vor dem Richter in der Bezirksstadt des nordindischen Uttar Pradesh, das Liebespaar mehrfach gebeten, voneinander zu lassen. Der Junge, neunzehnjährig, habe zur Kaste der Brahmanen, und zwar zu einer besonderen Gruppe in dieser höchsten Hindukaste gehört. Seine achtzehnjährige Geliebte habe zur Kaste der Jats gezählt. Ebenfalls eine angesehene Kaste, jedoch niedriger als die der Brahmanen. Es gibt keinen Weg, aus einer Kaste auszubrechen.

Hunderte Bewohner der Dorfgemeinschaft hatten zugesehen, als die Liebenden auf dem Dach eines Hauses zu früher Stunde erhängt wurden. Keine Nachricht von der illegalen Hinrichtung gelangte rechtzeitig in die Bezirksstadt. Die Erdrosselung, die in acht Minuten abgeschlossen war, vollzog sich in Anwesenheit der Eltern beider Familien. Stunden später erschienen motorisierte Einheiten im Dorf, um die Autorität der Administration wieder einzusetzen. Die dogmatischen, keineswegs miteinander verfeindeten Eltern der Erdrosselten, gewohnheitsgläubig, ließen sich abführen, vertrauten auf ihre Zahl, ihren lokalen Einfluß, ihre Anwälte.

– Für Sie, als Vertreter der Verfassung der Republik und der Zivilisation, ist es eine schwierige Lage. Sie können diese Mordtat nicht durch eine Geld- oder geringe Haftstrafe sühnen. Verhängung der Todesstrafe, wie sie das Gesetz für Bandenmord vorsieht, führt zu einem Massaker.
– Haben Sie den Artikel gestern in der TIMES OF INDIA gesehen? Ich soll Sicherheitsverwahrung, lebenslänglich, verhängen. Das ist aber sinnlos. Die Familien werden keine zweite solche Tat begehen. Es gibt keine jugendlichen Kandidaten in diesen Familien mehr, die sich zueinander hingezogen fühlen. Es sind im Gegensatz zu den *Montecchi und Capuletti* keine verfeindeten Familien, sie sind *eines* Sinnes. Die Wiederholung spielt sich vielmehr im Umkreis von 700 Quadratmeilen irgendwo anders ab. Statistisch steht das fest. Wo sie stattfindet, wissen wir nicht.
– Wir leben in zwei Gesellschaften, die beide Macht ausüben. Unsere Macht, die Verfassung, muß ein Zeichen setzen.
– Vielleicht eine Aussiedlung, eine Verbannung?
– Wiederansiedlung an fernem Ort?
– In Indien unüblich. Das wäre die Lösung in der Zeit der Kolonialverwaltung gewesen.

- Kommt Ihnen Ihre Arbeit und die Ihrer Vorfahren manchmal vergeblich vor?
- Eigentlich nicht.
- Weil Sie gern hier sind?
- Es ist doch ein interessanter Fall. Das müssen Sie zugeben. Ganz gleich, was ich entscheide, ich habe mit Geschichten zu tun, welche die Phantasie bewegen.

Jemand konnte 1947 als Brite die indische Staatsangehörigkeit wählen. Das hatte der Vater des Bezirksrichters getan. So regierten die Hookes schon in siebter Generation auf Verwaltungsposten und in Richterämtern von Uttar Pradesh. Ein Schlag schottischen Bluts floß in ihren Adern, was sie an der Haut spüren konnten, wenn sie diese der Sonne aussetzten.

Eine merkwürdige Art der Anziehungskraft

In einem Romanfragment beschreibt Edgar Allan Poe eine junge Chinesin in der Südprovinz und einen Holzfäller in Kanada, die durch das Geschick als Liebende füreinander bestimmt gewesen seien. Sie seien einander aber nie begegnet. Alle Kuppelversuche, sie mit anderen zu verbinden, blieben vergebens. Sie verweigerten eine feste Bindung mit anderen. Sie sagten, sie seien schon gebunden. An wen? Das könnten sie nicht sagen.
Nachkommen hatten sie, sie kümmerten sich um die Aufzucht. Sie hielten es bei den Partnern, denen sie die Kinder verdankten, nicht aus. Die Anziehungskraft wirkte noch in der fünften Generation. Ein Abkömmling der jungen Chinesin traf in New York auf einen gleichaltrigen Nachkommen des Kanadiers im Jahre 2002. Sie trennten sich nie wieder.

Tristan zwischen zwei Isolden

In der Hitze des August wuchsen die Gräser um Bayreuth in höllischem Ausmaß. Bäume und Sträucher, die festen Gebäude des Festspielhauses hielten ein gewisses Maß. Im Inneren des Festspielhauses das Gerümpel der Dekorationen, der Requisiten, der Vorhänge und Soffitten, fahrbare Rasseln und Poltermaschinen im Unterbau. Das Orchester abwesend. Hier war es kühl.

F. Nietzsche, seit gestern mit dem Titel Redakteur, war den Vormittag über nicht empfangen worden, weder vom Hausherrn noch von Cosima Wagner, noch von irgendeinem der Sänger. Herrenlos hatte er nach Kühlung verlangt. Die vielfältigen Ecken schienen ihm deutbar als »mein Arbeitssitz«. Ein weiter Weg vor ihm, wenn er nicht nur Propagandist der Richard-Wagner-Vereine sein, Pamphletist (Redaktor), sondern Opern entwerfen und komponieren wollte. Es waren 21 Tage bis zum Streit mit den Wagners, der alles entschied.

Am Hof König Markes, einem Ort schattiger Hallen und Gärten (an den Toren brüllt die Hitze, stürmt die Masse der Feinde), umgeben den Herrscher zwei Frauen, einander zum Verwechseln ähnlich, Königin Isolde und ihre Vertraute, ebenfalls Isolde, denn so nannte sie der König, die ihm in der Nacht anstelle der irischen Königstochter untergeschoben war. Sie allein, die reinste Isolde, teilte das königliche Geflüster, seinen Schweiß, die Hautkontakte.

Was war jetzt für Tristan wichtiger zu erobern? Das Beutegut, dem Freund und König erobert und geraubt? Es erwies sich, daß die Ermittlung des HÖCHSTEN GUTS für Tristan dringlicher war als der Entscheid seiner mächtigen Liebesorgane (im Jenseits oder in der Unterwelt verstreut, im Geist oder im Leib). Wen sollte er zu seinem Untergang erwählen? Die Nähe der beiden Isolden zur Macht war verschieden. Ihr Aussehen dagegen ähnlich, auch die Kenntnis irischer Zaubermittel.

So blieb Tristan, notiert Nietzsche an seinem »Arbeitssitz«, über Jahrzehnte unentschieden: Infolge übergroßer Anziehung nach zwei Seiten. Ein Ritter konnte nicht gut dem König selbst beischlafen, nur weil er ihn liebte. Mit anderen Rittern geschlechtlich zu verkehren und entdeckt zu werden durch Merlot – welche Schande! So blieb alle Energie im Körper eingeschlossen. Der Körper, oft verwundet, arbeitet sich draußen ab an den Feinden des Königreichs, treuer Dienst, das war leicht. So blieben der Held Tristan und die übrigen Beteiligten lange Jahre in hoher Lebendigkeit beieinander. Gerade, daß sie nicht anfingen, Romane zu schreiben.

Die Körper nämlich, objektive Struktur der Menschen, müssen sich um jeden Preis ausdrücken. Sie benutzen den Geist und die Taten, die von den Geschichtsschreibern bezeugt werden, um sich beweisbar durchzusetzen, keinen

Zweifel zu lassen, daß alle Mittel von ihnen, den Körpern, ausgehen, ungeahnte Mächte. Die Entäußerung, oft tödlich, aber zwischen gleich großen Attraktionen im Gleichgewicht, schafft, was wir Wirklichkeit nennen, hart und anfaßbar wie die Körper selbst, mit den Mitteln der Einbildung. Subjektiv, notierte der im Kerzenlicht und an einem Tischchen aus der Meistersinger-Dekoration befestigte Nietzsche, ist nur die Verzweiflung der Trauer-Reste, wenn sich der in Körpern manifestierte Wille, älter als ein Mensch, nicht zu äußern wagte. Das Wagnis geht von der Oberfläche aus, nicht vom Innern. Die Haut will wagen. Dazu mußte es in den Räumen kühl sein. Die Haut kann nichts »denken«, wenn sie erhitzt, auf Abwehr gestimmt ist. Diese Sommerschwüle, die das Gras so begünstigt und am Abend den Regen aus England schickt, dringt vor in die Gewölbe des Festspielhauses. Es wird auch hier rasch heiß sein, und der expandierende Geist muß sich mindern, bannt sich zurück in das Innere der Körper, wo er stumm bleibt. Nur vier Stunden des Tages sind im Kern brauchbar in diesen Breiten Mitteleuropas.

Ein Fall von Fernliebe

> »Phantasie wird entflammt von Frauen,
> denen Phantasie gerade abgeht.«
> *Th. W. Adorno, Minima Moralia*

Von Marcel Proust ist bekannt, daß er »seinen Körper wie einen Bernhardinerhund hinter sich herzog«. Die Gefäße und Säfte waren oft mißgestimmt. Noch am Spätnachmittag zweifelte Proust, ob er die Soiree überhaupt besuchen sollte. Auch fürchtete er sehr, sich zu langweilen, auf Menschen zu treffen, denen er nicht zuhören wollte und die ihm nicht zuhören würden.

Dann aber, in wenigen Minuten entschlossen, hatte er sich ankleiden lassen, war auf der Soiree erschienen, und gegen Mitternacht bildete sich um ihn, den Erwählten, den Erzähler, eine Runde von Aristokraten und Zeitungsleuten, die hier Zutritt hatten, er ereiferte sich. Im Park, an dessen Übergang zu den Pavillons hin, waren die Gerüche ausströmenden Tische und Büfetts paradeartig aufgestellt. Alle Anwesenden waren zur Abwehr der Novemberluft in Pelze gekleidet, Grog wurde gereicht.

Proust, hibernalisch gestimmt, durch eine Zufallslektüre am Vormittag enthusiasmiert, waches Interesse war das einzige, was den herbstlichen Husten zu unterdrücken vermochte, hatte das Thema Friedrich Schiller aufgegriffen, überraschend für die Pariser Gesellschaft, unbekannt der Mehrzahl der Anwesenden. Er las im Gesicht der Princesse de Parma wie auf einer Anzeigentafel, welche die Intensität und Höhe des Klangs registriert, den Erfolg seines Auftritts. Für 17 Sekunden hatte die Princesse Aufmerksamkeit gezeigt, und dies erweckte die Hoffnung, ihr Interesse erneut zu verstricken. So bohrte sich Prousts Rede, ohne daß ihn einer der Anwesenden unterbrach, in die Umdeutung Schillerscher Stoffe.

Die Taten Wilhelm Tells kämen aus dem »Höllenrachen«. Von Beruf Jäger, nicht Handwerker oder Bauer wie die anderen Schweizer, zeige sich Tell als Abenteurer, mystischer Jäger, der den tödlichen Schuß auf den Statthalter, angeblichen Tyrannen, wie den Schuß auf ein besonders edles Wild abgebe. Ein Friedensschluß, Rütli-Schwur oder geselliges Anliegen interessiere ihn nicht, sondern Treffsicherheit. Ein Schuß sei eben älter als junger Adel, und zu mehr als Adel habe es Geßler, der Landvogt, nicht gebracht. Ganz entlegen und neu zu dichten sei *Don Carlos*. Was für lächerliche Worte der Marquis von Posa dem König gegenüber verbreite. Er sei »Abgeordneter des Menschengeschlechts«. Aus welcher Vollmacht könne einer das werden? Die Eifersucht des Königs auf den Thronfolger, die Besessenheit der Prinzessin Eboli, die diesen Thronfolger liebt, die Zuwendung der Königin Elisabeth zu Don Carlos, dem sie einst versprochen war. Welch großartiges Viergestirn explosiver Zuneigung! Dies reicht, Don Carlos zu töten. Dies hätte auch ausgereicht, ihn zu retten. Wie schnell läßt sich ein Stück von 250 Seiten Länge, acht Stunden Aufführungsdauer, umschreiben und ins Französische übersetzen, um noch in der Wintersaison ein Erfolg zu werden?

Halb neigte er zum Spotten, halb sank er hin, der in Rage sich redende Proust, der in diesen Stunden dem Körper entrann, der ihn zu tyrannisieren suchte, der ihm wie ein Tier, für das der Herr Verantwortung trägt, Folgsamkeit bewies und ihn so bremste.

Wie gesagt, hatte die Princesse de Parma 17 Sekunden lang zugehört; dann hatte sie sich neuen Eindrücken zugewendet. Die Wirkung ihrer Aufmerksamkeit dauerte für Proust äonenlang.

Dem Extemporale Prousts hatte Monsieur Octave zugehört, verwandt mit den Verdurins. Er lebte mit Rachel, der Geliebten St. Loups, war Heiratsschwindler und Journalist. Mit dem *Figaro* stand er in Telefonverbindung, d. h. von keinem Redakteur der Zeitung je empfangen, gelang es ihm, den einen oder anderen Artikel, sofern Beiträge ausfielen, ins Blatt zu lancieren. Er hatte Schwierigkeiten, wiederzugeben, was das monologisierende Genie über Schiller gesagt hatte. Den Wert des Gesagten hatte er nur den Gesichtern der Zuhörenden entnommen. Diesen Zuhörenden, sämtlich Aristokraten, war nichts in Erinnerung geblieben. Über Jahrhunderte jedoch waren sie geschult, ihr Mo-

mentinteresse in Gesichtsausdruck zu verwandeln und damit, auch nach ihrer
Entmachtung durch die Französische Revolution, Erlaubnis zum Weiterreden,
ja zum exzessiven Monolog zu gewähren.

Ich bin der Abgeordnete der Menschheit, formulierte Monsieur Octave am
anderen Morgen. Der Satz besaß nichts von dem Witz, der den Marquis de
Norpois zum Auflachen gebracht hatte.[4] Hatte Marcel Proust tatsächlich behauptet, die letzte Szene aus *Nathan der Weise* (Proust rechnete das Drama
fälschlich Schiller zu) gehöre als erste Szene vorgeführt? Während in dieser
Szene der Tempelritter (ein Geist), Saladin (Muslim) und Nathan (Jude) miteinander den Frieden erörterten, werde der Ort des Geschehens, der sich in der
Mitte Jerusalems befinde, durch eine Bombe in die Luft gesprengt. So sei Platz
für ein neues Drama.[5] Der Gedanke hatte Marquis de Norpois, den Diplomaten, in Entzücken versetzt. Wo so prominenter Platz ist, rief er, ist Raum für einen Geniestreich.

Wie aber das in einen interessanten Artikel im *Figaro* verwandeln? Die Raschheit, in der arrogante, durch die Soiree abgelenkte Mienen von Egozentrikern
über Richtig und Falsch schneller Sätze eines glutäugigen Mannes, eines Poeten, entscheiden, der sich daraufhin wie ein in den Gestütsbüchern geführtes
Rennpferd verhält, sich in einer nimmer endenden Endkurve steigert, läßt sich
in der Vormittagsstunde des folgenden Tages im von anderen Interessen geleiteten Hirn eines Journalisten und Heiratsschwindlers nicht rekonstruieren. So
erschien der Torso eines Artikels im *Figaro*, in dem behauptet wurde: Friedrich
Schiller sei erst in französischer Sprache überhaupt begreifbar, dies verändere
aber auch die Handlung seiner Dramen, so daß der Marquis von Posa endlich
die Ministerstelle erhalte, die er am spanischen Hof seit der Schlacht von Le-

---

4 Octave erwähnte in diesem Zusammenhang, daß Friedrich Schiller Ehrenbürger der Französischen Revolution gewesen sei. Andererseits habe die Gruppe der Aristokraten, vor denen Marcel Proust vortrug, die emanzipatorischen Akzente weggewischt. Wenn man das
Wort Freiheit auslasse, so Proust, gewönnen die Dramen Schillers ihre eigentliche Kraft.
Proust aber hatte gesagt: Wie sicher zielten die emotionale Energie des Don Carlos und des
Marquis von Posa zueinander, wie lächerlich wirke es in einem Liebesverhältnis, wenn einer der Partner sage: Bisher habe ich dich geliebt, jetzt aber bin ich in die Freiheit verliebt
und muß von dir scheiden. Dies könne man in einer Liebesbeziehung sagen, wenn man
konkret bleibe und einen Liebespartner gegen einen anderen tausche, nicht aber könne
man den Geliebten gegen eine Freiheitsstatue tauschen.

5 In der Szene gehe es, hatte Proust tatsächlich berichtet, um die Kraft von drei Ringen, die
ein Vater seinen Söhnen als Erkennungszeichen mitgegeben habe. Bei der Erörterung der
drei Protagonisten werde die Vermutung vorgebracht, alle drei Ringe seien gefälscht (»der
echte Ring vermutlich ging verloren«). In einem der gefälschten Ringe sei jedoch soviel
emotionale Sprengkraft enthalten gewesen, daß es zu der eindrucksvollen Eingangsszene
komme: alle Protagonisten seien sofort tot.

panto angestrebt habe. Frieden mit den Muselmanen im Mittelmeer sei dem
Sultan Saladin und einem berühmt gewordenen Juden namens Nathan zu verdanken. Dies habe der jüdische Poet Proust unter dem Beifall mehrerer Aristokraten auf einer Soiree verbreitet. Die Aristokraten jedoch führten ihr Blut auf
ein Kinderpaar zurück, das 37 n. Chr. in Marseille landete, und dies seien offenbar direkte Nachkommen aus der Verbindung Christi mit Maria Magdalena
gewesen, insofern blauen Bluts, von dem aller Adel Frankreichs stamme.
Die Ausgabe des *Figaro* verschlief Proust. Sein Körpersystem rächte sich an der
Extravaganz seiner Monologe, der transrheinischen Ferne seines Interesses,
mit dem er allerdings die Gesellschaft bezaubert hatte. Schlaf, Trägheit.

Bezeichnung des Geliebten

> »Wenn man jemanden liebt, der nicht aus der höheren
> Gesellschaft, sondern mehr oder weniger aus dem Volke
> kommt, dann kommen zum Liebesleid noch beträchtli-
> che finanzielle Probleme hinzu.«
>
> *Marcel Proust*

– Immer gab Proust 200 % Trinkgeld.
– Wieviel, sagten Sie, erbte Marcel Proust, als die Eltern starben? Zehn Mil-
  lionen nach heutiger Währung? In Dollar gerechnet?
– Etwa so viel. Auch grobe Fehler, die er in der Anlage beging, konnten das
  Kapital nicht vernichten.
– Agostinelli, seinem Geliebten, zahlte er hohe Beträge?
– Ja, das Verhältnis dauerte nur bis zum Morgen des 1. Dezember 1913. In ei-
  ner einzigen Woche verkaufte Proust für 40000 Francs Royal-Dutch-Aktien
  und überwies telegraphisch den Betrag an Agostinelli.
– Je umfangreicher die Bestechungssummen wurden, desto eher hatte der
  junge Mann die Mittel beisammen, um sich auf- und davonzumachen.

Nichts Direktes

Alfred Agostinellis Schwester war die Mätresse des Barons du Guesne. Agostinelli selbst war liiert mit der häßlichen Anna, die er als »Ehefrau« bezeichnete. Sein Bruder war Chauffeur, sein Halbbruder Kellner. Eine Familie, die ihr Glück mit Entschiedenheit suchte. 30. Mai 1914. Nach zwei Monaten Flugunterricht startete Agostinelli zu seinem zweiten Alleinflug. Aus einer Kurve in geringer Höhe stürzte er ins Meer. Schwimmen konnte er nicht. Er klammerte sich an das Deck und winkte. Er trug eine große Geldmenge bei sich, da er argwöhnte, seine gierige Familie werde ihn bestehlen.

– Die Anzahlung für die Flugschule hatte Proust für ihn bezahlt?
– Das hatte er. Dagegen ist es nicht wahr, daß er ihm ein Flugzeug gekauft hätte. Er hatte eine Maschine bestellt, den Auftrag dann storniert.
– Hoffte er denn im Mai 1914, Agostinelli zurückzugewinnen?
– Er sah eine Chance.
– Und jetzt haben sie diese *cahiers* gefunden, die verschollen waren, im Nachlaß von Reynaldo Hahn? [6] Mit Skizzen, in denen Proust versucht, den Eindruck dieser Todesnachricht festzuhalten?
– Es scheint so.
– Warum hat Proust diese Niederschrift verworfen?
– Das weiß man ja nicht, ob er den Text verworfen hat. Vielleicht hat er ihn aufgespart.
– Und warum sollte er das getan haben?
– Da er vielleicht glaubte, er werde so lange nicht sterben, als er den Tod des Geliebten nicht beschrieben hätte. Ein Aberglaube zwingt ihn, die Reinschrift aufzuschieben.
– Kann man sagen, daß bei einer bestimmten Stärke und Direktheit eigener Eindrücke es unmöglich ist, sie literarisch zu beschreiben?
– Das ist nicht nur möglich, sondern sicher.
– Daher Ihre These, die wichtigeren Affären Prousts, wenigstens für den Mann, der in erster Linie schrieb, hätten mit tatsächlich »heterosexuellen Objekten« zu tun. Er warf netzartig, sagen Sie, seine Zuneigung auf für ihn

6 Im Frühling 1945. Reynaldo Hahn, jetzt 69jährig, Intendant der Pariser Grande Opéra, eine feiste, geschminkte Erscheinung, der man Kunstsinn zusprach. Er gab sich keine Mühe. Ließ Verdi, Gounod, Meyerbeer spielen. Durfte man deutsche Opern spielen? Er machte sich nicht die Mühe, das zu erkunden.

unerreichbare Männer, die seine Avancen vielleicht gar nicht bemerkten, den Kauz in ihrer Nähe walten ließen; so konnte er mit besonderer Intensität »lieben«, d. h. beschreiben. Insofern sei Proust Realist?

– Das ist er ja wohl auch.

– Aber die Affäre mit dem Chauffeur Agostinelli, die ist wahr?

– Das weiß man nicht. Man kennt die eifersüchtigen Kommentare der Céleste, der Frau des konkurrierenden Chauffeurs Albaret. Das alles kann wahr sein oder unwahr. Es ist auch ganz gleich, woher Proust seine Eindrücke bezieht, ob aus unmittelbarer Berührung oder vorgestellten Berührungen. Nirgends beschreibt er Schweiß oder Absonderungen der Liebe.

– Sie meinen, er hätte sie als Beweis für tatsächliche Nähe in die Literatur eingeführt, wenn es diese tatsächliche Nähe gegeben hätte? Geschmacklose Beschreibung der Konkretionen der Liebe?

– Ja, das hätte als herausragender Beweis dienen können.

– Es blieb unbeschrieben, weil es Proust unbekannt war?

– Bei voller Indirektheit seiner Affären. Er dachte sich die Nähe immer nur aus. Wer ihm zu nahe kam, den verscheuchte er. Eifersucht sein Vehikel.

– Hier im Dossier heißt die Überschrift: omnia mea mecum porto. Der Text handelt eigentlich nur davon, was mit dem verunglückten Agostinelli untergeht, der sich so herzbewegend an das Blech und den Bespannstoff der Flugmaschine klammerte. Sein Kapital, das lebhafte Blut, der Ehrgeiz, sein Ballast, das mitgeführte Geld.

– Sie meinen, daß es ihn in die Tiefe zog?

– Das nicht.

– Proust beschreibt Nereiden des Mittelmeers, die den Geliebten umfangen halten und in die Tiefe ziehen. Er hat das auf einer Bilddarstellung gesehen, einem künstlerischen Foto, das einen phantastischen Vorgang dokumentiert. Er, der stets nach oben geliebt habe, werde von Fabelwesen, pflanzenähnlich aussehend, in die Tiefe gezogen.

– Ein schwieriger Text.

– Es ist der schlechteste Text, den Proust je schrieb.

– Das sehen Sie dem Fragment an?

– Ich meine, daß es kein Fragment ist. Vielmehr ein Text, den er selbst unterdrückt hat. Wegen zu heftiger emotionaler Nähe.

– Können Dichter nichts Wirkliches beschreiben?

– Nicht direkt.

Im Trog der Psychologie

Sie war beschämt. Nach drei Sitzungen war ihre Allergie keineswegs geheilt, ihre Hinwendung zum eigenen Geschlecht jedoch aufgedeckt. Gerade noch, daß sich die psychologische Gesprächsführerin zurückhielt, Ratschläge zu geben. Hedwigs Haut brüllte. Sie konnte als Oberstaatsanwältin in einem der neuen Bundesländer ihrer Neigung nicht freizügig nachgehen, z. B. Bars besuchen, in denen sich lesbische Frauen trafen. Sie mußte warten auf Urlaubstage in der Ferne.

In ihrem Gesicht und den Hals hinunter glühte die purpurne Wunde, die Kollegen scherzten. Sie nannten sie »eine Heilige«.

Die junge Psychologin, welche die Therapiestunden veranstaltete, suchte andere Gründe zu finden, als die offensichtlichen, um die exzessive Zeichengebung von Hedwigs Körper zu deuten. Sie suchte eine Anwendungsmöglichkeit ihrer Kenntnisse, auf der Universität erworben, die hinreichenden Grund für das hohe Honorar ergaben, das sie der Krankenkasse abverlangte. Ein Arzt hatte ihr die Patientin zugeschickt. Sie hätte sie gerne zurücküberwiesen. Beiden Frauen war die Situation peinlich.

Glückliche und unglückliche Tage
sind nicht tauschbar

Sie wünschte ihm Glück für sein Projekt. Einen Herzschlag lang spürte sie diesen Wunsch in sich. Sie saß in einer Runde, in der die Rede auf das neueste Projekt ihres früheren Ehemannes gekommen war, eines Unglücksraben. Nie hatte er Geduld, immer unterschätzte er eine Gegenwirkung.

Einst, es war lange her, war sie auf kurze Zeit, vielleicht eineinhalb Jahre lang, genau 547,5 Tage lang von 10 866 Tagen, d. h. einem Drittel ihres Lebens, das sie mit ihm verbrachte, »besinnungslos glücklich«. Die Zeit flog vorbei. Sie diente den Irrtum ab. Wieso Irrtum? Wenn sie doch glücklich war? Quälerisch ja, Irrtum nein, sagte sie sich. Es gibt mehrere Zählungen, nachträglich. Die Tage des Sich-Quälens, die Tage der endgültigen Trennung, eigentlich beides nur ein Moment. Tage, die vorübergingen »ohne Besinnung«. Das wußte sie, da es zu ihr paßte. Er hat doch aber nie zu dir gepaßt, hast du gesagt, so sprach Gerda. Die Antwort ergab sich erst am folgenden Tag, da war Gerda nicht mehr da. Es gibt zwei verschiedene Sorten von Glück: eine ist *radial*, die andere *tangential.* Jetzt saß ihr in der Küche Miriam gegenüber. Was heißen diese Ausdrücke? Hast du das irgendwo gelesen?

– Tangential: es geht an dir vorüber, es kommt auf dich zu, du kannst es neben
   dir fassen.
– Auf deutsch: es macht dich glücklich?
– Wie alle Irrtümer.
– Warst du denn glücklich?
– Gewiß.
– Und dann um so unglücklicher, und zum Schluß machtest du Schluß?

Wieder kannte sie die Antwort erst später. Nach vierzehn Tagen hatte sie sie
auf der Zunge. Sie notierte sie auf einem Zettel, den sie verlegte. Deshalb blieb
sie genau, als sie mit Hedwig Korte sprach, die ihr an sich weniger lag als
Gerda, aber keine ihrer anderen Freundinnen war erreichbar.

– Nicht ich habe Schluß gemacht, sondern er hat provoziert. Ich konnte gar
   nichts anderes sagen als: jetzt ist Schluß.
– Wie kommst du darauf? Wir sprechen über etwas ganz anderes.
– Wir sprechen über Naivität. Naiv war ich gar nicht, als wir uns trennten.
– Was hat das mit deinen Plänen zu tun?
– Gar nichts. Es ist nur ein Beispiel.
– Ein Beispiel für was?
– Wie ein Entschluß zustande kommt.
– Und wie kommt ein Entschluß zustande?
– Ein Trennungsentschluß. Ich habe meine Sachen ausgeräumt und einen
   Brief hinterlassen.
– Und was war der plötzliche Grund?
– In dem Augenblick gar keiner. Eine Woche davor hatte ich erfahren, daß er
   ein Kind hat mit E., die du nicht kennst. Das hätte ich noch verzeihen kön-
   nen.
– Und plötzlich, eine Woche später, war es anders?
– Und das findest du seltsam?

Wieder verpaßte sie die konsequente rechtzeitige Antwort. Sie legte sich das so
zurecht:

> Einen Moment, immerhin über 400 Tage lang, konnte ich
> mich – in seiner Gegenwart – als glücklich bezeichnen;

Ach, wenn alles ein tragischer Irrtum war und ich selbst
es war, die – radial, durch mein Herz hindurch, durch
keine Wahrnehmung getrübt – dieses »besinnungslose
Glück« fabriziert habe;

Dafür habe ich mit einem Drittel meines Lebens
(10866 abzüglich 547,5 Tage) gebüßt;

Nichts davon ergibt eine Addition oder Subtraktion.
Glückliche und unglückliche Tage sind nicht tauschbar.

Was sind überhaupt glückliche Tage? Die wenig geglückten sind die, die
gleichgültige Zeit skandieren. Das schmerzt wenig, sammelt sich nur in der Erinnerung. Dann die Tage des Schmerzes. Wie sind sie ohne Trost!
Wo liegt dann aber das Unverzeihliche, so daß sie sich wundern muß, daß sie
diesem Mann nunmehr schon Glück wünscht bei seinem neuesten Projekt?
Liegt es in den Tagen nach der Trennung, in denen sie allein ein neues Leben
vor sich sieht und sich fürchtet? Daß sie sich tröstet? Jetzt kann sie das schon
wieder mit Gerda bereden. Die ist von der Reise wieder zurück. Mit ihr kann
sie offen austauschen.

Anna Karenina 1915

> Oft gehe ich als Schutzengel einher
> und erteile freundschaftlichen Rat.
> *A. Puschkin*

Ihr nüchterner Gatte fiel in Galizien. Major Bronski, mit dem sie sich noch
schrieb, verlor sein egozentrisches Leben, um das er bis zum letzten Augenblick erbittert kämpfte, in einem verunreinigten Feldlazarett im Norden Rußlands.
Sie aber, die schöne Frau, versorgte Verwundete auf der Halbinsel Krim. Die
Eisenbahnzüge nährten täglich den Strom der Zerstückelten, die von den Ge-
fechtsfeldern der Brussilow-Offensive hierher gelangten. Sie galt als Engel der
Lazarette, ging mit ihrer Gruppe junger Mädchen durch die Bettenreihen. Die
Behandlung der Verwundeten verbesserte sich da, wo sie entlanggegangen
war. Die Ärzte, die Sanitätsdienste hielten, sobald die jungen Frauen die Säle
besucht hatten, die durch Masse an Verstümmelung Abgewerteten, Ange-

schossenen (»Schrott der Schlachtfelder«) erneut für Menschenwesen, schon deshalb, weil man sich nunmehr jeden der dort Liegenden als handelnde oder leidende oder genesende Person in einem ROMAN vorstellen konnte.

Im Jahr darauf heiratete Anna Karenina einen Arzt. 1918 übernahm dieser Chirurg die erste Moskauer Poliklinik. Anna Karenina war Kommissarin mit Zuständigkeiten des Bürgerkriegs in Südrußland. Wenig Roman, viel aktuelles Geschehen. Die Eheleute sahen einander gern, gerade auch weil die Begegnungen selten waren und es auf ihren individuellen Willen nicht stets ankam.

Junge Frau von 1908

Schwermütige, lustige Augen, d. h. sie schwankte zwischen Übermut und Verzweiflung. So ging sie durch das Leben.

– Die lustigen Augen hatte sie vom Vater?
– Ja.
– Woher hatte sie die schwermütigen?
– Auch vom Vater.
– Und was hatte sie von der Mutter?
– Die andere Hälfte ihrer Eigenschaften, z. B. die blaugraue Farbe der Augen.
– Was noch?
– Einen besonders robusten Kreislauf, Empfindlichkeit im Verdauungstrakt.
– Lassen sich Menschen so beschreiben?
– Nein.
– War Übermut eine körperliche Verzweiflung, eine geistige Mitgift?
– Kein Mensch besteht ja bloß aus einer Mitgift.

Abb.: Meine Mutter

Eine Geschichte aus den Anfängen des Automobilismus

An einem Dienstag im Dezember 1931, Eisregen über den Straßen Mecklenburgs, wären um ein Haar Hitler, dessen Adjutanten Brückner und Schaub, die Brautmutter und die Mutter des Bräutigams, des Gauleiters von Berlin, von dem Aushilfs-Chauffeur des Ritterguts, auf dem die Hochzeitsfeier stattgefunden hatte, zuschanden gefahren worden. An sich hätten sich die Fahrzeuge, ein roter Maybach (das Fahrzeug der Brautmutter) und der schwarze Mercedes (Fahrzeug Hitlers), ineinander verkeilen, über eine lange Strecke gegenseitig vorwärts schieben und gegen den Anfang einer Baumallee bewegen müssen. Eine aussichtslose Lage, urteilte der die Unfallstelle besichtigende Ingenieur, der im Auftrag des Landratsamts tätig war.

In jener Zeit der Anfänge des Automobilismus waren Bremsverbot auf Eisesfläche und die Gefahr beschwipsten Fahrens nicht allseitig kommuniziert. Die Fahrer der Hochzeitsrückfahrt hatten, parallel zu den Herrschaften, beherzt alkoholische Getränke zu sich genommen. Deshalb auch wurde der für den schweren Wagen der Brautmutter vorgesehene Guts-Chauffeur durch eine Aushilfe ersetzt, die ebenso betrunken war.

Die Auffassung war aber, auch bei dem Adjutanten, der den Hitlerwagen fuhr, daß Geist und Herz am Steuer durch geistige Getränke nicht gemindert, sondern befeuert werden. Nichts funktioniert so rasch wie im Rausch. Das ähnelt den Motoren, die Naturkräfte sind. Sie haben Pferdefüße, Flügel, atmen Gas. Sie sind nicht wild, sondern technische Diener der kundigen Hand der Menschen, der mit Tritt und sanfter Bewegung an Knüppel und Steuer diese Gewalten in fließender Bewegung hält. Zwar beherrscht der Angeheiterte Zunge und Lautstärke schlecht, dagegen Kanonen und Fahrzeuge um so besser.[7]

In einer langgezogenen Kurve versuchte der Chauffeur des Maybachs der Brautmutter, dauerhaft hupend, das Fahrzeug Hitlers zu überholen. Voller Leichtsinn beschleunigte er, als er merkte, daß das Fahrzeug von sich aus rutschte und perfektionierte seine Fahrt auf dem Eis, so gut er es vermochte. Das Manöver führte zu keinem Ergebnis, da auch der Mercedes, damit die Rä-

---

7 Eine in der Stadt H. angesehene Dame der Gesellschaft lud in Hannover nach reger Feier ihren betrunkenen Mann ins Heck des Rolls-Royce und fuhr in Sektlaune das Fahrzeug, kein Gegenverkehr, von Hannover nach H. Mit Hilfe der Dienstmädchen hievte sie den Gatten ins Bett. Sie schliefen bis Nachmittag. Ich schon im Bauch der Dame.
Dagegen ließ dieselbe Dame ihr Kraftfahrzeug, nachdem sie einem Unfall zugesehen hatte, neunzig Minuten anhalten. Sie langweilte sich sehr. Dennoch kam es darauf an, die *Duplizität der Ereignisse* zu berücksichtigen. Ein Unfall zieht nämlich den nächsten an.

der mehr Halt hätten, beschleunigte. Schon war am Ende der langgezogenen Kurve eine Baumallee erkennbar, gepflanzt vor hundert Jahren, welche die Straße verengte, so schien es dem Blick. Somit trat der Aushilfs-Chauffeur des Maybachs kraftvoll auf die Bremse, der Wagen drehte sich mehrmals um die Achse und stürzte über eine flache Böschung in den Straßengraben, unmittelbar vor Beginn der Allee.

– Nur der Vorsehung ist es zu verdanken, daß die Fahrzeuge sich verfehlten.
– Was verstehen Sie unter Vorsehung?
– Das Wahrscheinliche. Neunzig Prozent Wahrscheinlichkeit, daß die parallel auf dem Eis dahinjagenden Fahrzeuge sich berühren und gemeinsam scheitern. Ich schätze, das hat physikalisch die Gewalt eines Geschoßeinschlags.

Das sagte der Ingenieur zum Landrat. Sie kamen von der gleichen Hochzeit, kannten den Gutsverwalter, waren nicht darauf eingestellt, die Polizei zu rufen. Der Leichtsinn des Aushilfs-Chauffeurs war auch so zu ermitteln.

– Und die Verletzung an Herrn Hitlers Hand? Ziemlich viel Blut.
– Das stammt von der zersplitterten Türscheibe des Maybachs. Schemenhaft sei Herr Hitler, sagte der Aushilfs-Chauffeur, von links herangeeilt, habe versucht, die Tür zu öffnen, ihn, den Chauffeur, herausgerissen. Entweder um ihn zu retten oder um ihn zu strafen.
– Das wäre etwas für die Boulevardpresse.
– Alle hätten tot sein können. Jetzt waren sie wütend.
– Interessantes Ende einer Hochzeitsfeier.

Der Landrat bot den Beteiligten des Unfalls aus einer flachen, silberbeschlagenen Flasche einen Jägertrunk an. Inzwischen war ein Ersatzwagen für die Brautmutter und die Mutter des Gauleiters eingetroffen, einer der Adjutanten Hitlers war zum nächstgelegenen Telefon im Indianertrab (50 Meter rennen, 100 Meter gehen) gelaufen. Sie können weiterfahren, Herr Hitler, sagte der Landrat. Der merkwürdige Unfall blieb ihm auf zwei Wochen ein interessantes Gesprächsthema.[8]

---

8 Ich, einliegend im wohltemperierten Bauch, wäre beinahe geboren worden, ohne daß Hitler ein Stück Zukunft gehabt hätte. Es fehlten am tödlichen Zusammenstoß auf der Eisfläche ein Abstand von 40 Zentimetern zwischen den hochmotorisierten Fahrzeugen.

Die Woche der Verlobung

»Weil es nicht ungewöhnlich ist,
sexuelle Beziehungen auch ohne
Liebe aufzunehmen.«
Niklas Luhmann

Das rührte sie in ihrem Tran, daß er sie offenbar (das ging aus allen seinen Erklärungen hervor) zur Frau nehmen wollte. Es lag ihm daran, das spürte sie. Heftige Erkältung von Nase, Brust und Hals, eine Woche schon. Übereilung. Die Mutter brachte ihr ein großes Glas heißer Zitrone.

In einer Woche kann man sich nicht verlieben, sagte sie sich. Obwohl man es in einer Sekunde konnte. Ein Blick, ein Handauflegen genügen. Sie ließ sich bei seiner zweiten Aufforderung von ihm in den Hals sehen. Starke Rötung, sagte er. Er legte den Löffel, mit dem er ihre Zunge niedergedrückt hatte, zum Geschirr auf den Nachttisch. Die intime Berührung war ihr nicht unangenehm, sie bekam, während er in ihren Rachen schaute, noch immer genügend Luft. Er war Arzt. »Elektrisierend«, was Liebe sein soll, war daran nichts. Seine Hände schienen ihr »geschickt«. Als Elektriker hätte sie ihm vertraut, ja als Hausarzt, auch gab ein Wort das andere. Sie haßte Entscheidungen, die sich nicht von selbst ergaben. Wie soll sie wissen, was sie in zehn oder zwanzig Jahren fühlt, ja nicht einmal für vierzehn Tage konnte sie voraussagen, was sie von einer EWIGEN BINDUNG hielte.

Ihren Vater hatte der Petent gefragt, wie es Sitte war. Der Vater hatte geantwortet, wie heute üblich, noch vor dreißig Jahren wäre *seine* Autorität ausübbar gewesen, es komme allein auf die Entscheidung seiner Tochter an. Sie konnte die Meinung ihres Vaters lesen in dessen Zügen, in den Augen, in der Körperhaltung, wenn nicht schon alle Worte ihr verrieten, was er empfand. Die Reaktion des Vaters war für den Petenten nicht günstig. Aber wen hätte der zu sich selbst stets großzügige, eifersüchtige Vater überhaupt als Liebhaber seiner Tochter gemocht? Ein Privatdetektiv wurde angestellt, überprüfte die Vermögensverhältnisse und sonstigen Angaben des Antragstellers in der Provinzstadt, aus der jener stammte.

Die Heirat hatte keinerlei öffentliche Bedeutung für ihre Familie. Im großen Berlin kümmerte sich keiner um eine Einzelheirat unbekannter Leute. Ihre sechs Freundinnen würden toben. Sie wäre die erste, die einen Mann fand. Sie war sich für vieles, auch Besseres gut, aber nichts schlug ein so rasches Ergebnis. So war sie im Umkreis die erste.

Die Mutter, in depressiver Einstellung zu Männern, kuppelte. Das tat sie immer, wollte die Tochter aus dem Wege räumen, sah sich schon eingerichtet in einem gewissen Besitztum in der Provinzstadt, wie in einer Kolonie, die Schutz zu verbürgen schien. Da wollte sie als Schwiegermutter aus der Hauptstadt Hof halten.

Eines Morgens, noch in derselben Woche, hatte die JUNGE ERKÄLTETE »Ja« gesagt. So wie man sich verplappert. Termine wurden festgelegt. Verlobung am Ort der Eltern, Nachfeier in H., am Sitz des Gatten, Hochzeitsreise nach Paris. Ihr kamen Zweifel. Sie wollte nicht als Wendehals dastehen, nicht als hysterisch gelten. So blieb es bei dem »Entschluß«.

Die Verbindung sollte für »lebenslänglich« gelten. Der Gedanke erschreckte sie. Sie konnte sich, »in rauschender Jugend«, 21 Jahre alt, DEN TOD, DER ALLEIN SCHEIDET, für sich selbst nicht vorstellen. Ihm, dem Petenten, dem sie Erfolg bescheinigen mußte, wollte sie keinen Tod anwünschen. So blieb die Formel leer. Nur ein »Augenblick«, gelebt im Paradies, aber Liebe macht es möglich, dem Tod ins Auge zu sehen, weil ich das Leben abtun kann, wenn es sich erfüllt hat. Sie glaubte zu wissen, daß es einen solchen Moment nicht nur in Romanen gibt, hatte ihn jedoch nicht erlebt, noch war er ihr glaubhaft berichtet worden, nicht in einem konkreten Fall, und dennoch war sie gewiß, daß es so etwas gab. Sie verschenkte es nicht durch ihren Entschluß. Hätte sie warten können? Wie wankelmütig war ihre Chefberaterin: eine Mutter, die nichts mehr fürchtete, als daß eines ihrer weiblichen Kinder (davon hatte sie zwei), dem »Blitzschlag der Liebe« erläge und die verrückte Idee, die als Liebe galt, mit einem Standesverzicht bezahlte. An diesem Irrtum, ihrer Individualität, müßten sie sich abarbeiten. Der wetterwendische Vater, mit den VERGNÜGUNGSSUCHENDEN AUGEN, hinfällig in seinen Grundsätzen, war von lustigen Gedanken leicht zu besiegen. Was sollte er raten? Mache nichts falsch, Kind, versäume nichts, greife zu und warte nicht. Das alles mit Vorsicht.

Ihr Entschluß, getroffen unter den besonderen Umständen des Höhepunkts einer Erkältung, die das Gehirn und alle Glieder lähmte, nachweislich 39° Fieber, Wadenwickel, reichte für zwölf Jahre. Sie betrog ihren Mann nur dann, wenn eine Art Elektrisierung, ein »Blitzschlag der Liebe«, sie durchfuhr, das hatte sie sich so vorgenommen. Keines der Abenteuer gefährdete die Ehe. Zur Scheidung kam es während des Kriegs, in dem die Umstände auseinanderstrebten durch Häufung mechanischer Gründe. Die Verstimmung wirkte auf beiden Seiten. Dritte traten hinzu als Berater. Das gerade brachte sie auseinander. Schon 1944 wandten sich Seelen, die in die Zukunft zu blicken wußten, nach Westen. Sie verließ ihren Mann. Sie sah voraus, daß er in der eingeborenen Provinzstadt im Osten bleiben wollte; gleich darauf war der Landstrich von der Roten Armee überrannt. Sie aber vermutete die Höhepunkte ihres Lebens anderswo.

Sender für Völkerverständigung

Sieben Tage nach meiner Geburt feiert meine Mutter Geburtstag. Sie ist gestreßt. Es ist ihre erste Geburt. Angeblich beiße ich in ihre Brust. Sie fühlt sich urlaubsreif.

Sie telefoniert mit ihrem Bruder Ernst. Eine Reise für März über Genf an die Riviera wird in Aussicht genommen. Schon der Gedanke daran mindert den Streß. Das nehme ich wahr als Wärme ihres Leibes, gleichmäßig, als Zustimmung.

In Genf nimmt ein vom Völkerbund errichteter Kurzwellensender seinen Betrieb auf. Das Programm besteht aus Kultursendungen, die zur Völkerverständigung beitragen. Dominant Schillers »Lied an die Freude« in der Fassung von Ludwig van Beethoven. In Krisenzeiten soll der Sender zur schnellen Verbindungsaufnahme zwischen den Mitgliedstaaten der Weltorganisation genutzt werden. Das Hörerverhalten folgt der Reformmaßnahme keineswegs. Viele Hörer hören Mittelwelle, d.h. einen Lokalsender. Kurzwelle ist die Domäne der Geheimdienste.

Bei Nizza kommt meine Mutter (hier neben ihrem Bruder Ernst) in Frühlingsatmosphäre an. Daß ich darbe, muß sie nicht kümmern. Mehlschwitze.[9]

Solange er zu tun hat,
stirbt kein Mensch an seiner Verzweiflung

I
Bürgerin von 1945

Das Frühjahr ist kalt und will nicht enden. Keine Sicherheit in den Wohnungen, keine Sicherheit in den Kellern, Freiwild in der Öffentlichkeit und bei Zeugen. Wird sie allein angetroffen, ist sie erst recht Freiwild. Sie saß in einer Laubhütte in einem weitläufigen Park. Die Hoffnung war, daß ein Umherstrei-

---

9 Ich selbst bin zu diesem Zeitpunkt dadurch geschädigt, daß sich das Obere meines Magens zur Speiseröhre hin vorschiebt. Dies geschieht aus Hunger. Ich vertrage keine Kuhmilch. Mein Vater, ein Arzt, ordnet an, die Milch mit Wasser und einer Mehlschwitze zu versetzen. Dies nimmt mein Körper an. Durch Mehlschwitze und spätere Zugabe von Kalbsknochenbrühe wurde ich fett. Am 14. Februar 1933 sieht man mich im Vollbesitz meiner Kräfte.

fen in diesem Park für Soldaten der Roten Armee langweilig oder unheimlich sei.

Sie, die zeit ihres Lebens darauf Wert gelegt hatte, elegant, attraktiv, jugendlich auszusehen, hatte sich als Frauenwesen geschwärzt. Der Schminkmeister des Stadttheaters hatte sie in eine häßliche, sehr alte Vettel verwandelt. Nach Tagen, ganz verschmiert, gab der Anstrich immer noch eine gute Tarnung. So hockte sie an diesem 37. Geburtstag in der Kälte.

In den 37 Jahren hatte sie bisher fast nur Erfolg gehabt. Dem Vater hatte sie gefallen. Von ihrem älteren Bruder war sie ausgeführt worden, Glanz vieler Feste. Einen Mann hatte sie gewonnen, bestes Eigentum. Tonangebende Erscheinung der ganzen Stadt. Dann Scheidung, und sie gewinnt, ihrer Meinung nach, einen noch besseren Mann mit besserer Wohnung und Einrichtung. Sie ist eingehüllt wie ein wertvolles Schmuckstück. Der Besitz fiel Bomben zum Opfer. Um die Laube herum herrscht Ruhe.

Sie bereitet sich vor für die restlichen 36 Jahre, die ihr noch bleiben. Davon konnte sie aber nicht wissen. Eine äußerst gefährliche Lage für Frauen.

2
Ich war ihr nicht von Nutzen

Es ist 21 Jahre her, seit meine Mutter starb. Sie hatte mein Geschenk, ein »Platinarmband mit Smaragden«, bei einem Juwelier prüfen lassen und Mitteilung erhalten, es sei in keiner Weise echt. Ich ging darüber hinweg, erwähnte es nicht, und sie wagte nicht, das Gespräch darauf zu bringen. Um so verbissener arbeitet die Erinnerung.

Auf einem Parkplatz bei Mailand. Die Rotte drang auf unser Fahrzeug ein (drei von uns auf dem Rücksitz, zwei vorne), für wenige hundert Mark eine Handvoll glitzernden Schmucks. Wir hatten den Eindruck, die Beute komme aus frischem Raub. Wir zahlten in Erregung, fuhren, so rasch wir konnten, aus dem Einzugsbereich des Verbrechens. An der Staatsgrenze Furcht.

So erworbenes Geschmeide schenkte ich in der folgenden Woche meiner gläubigen Mutter. Sie erwartete stets, daß das Schicksal für sie Überraschungen bereithielte.

Nun, die Enttäuschung hatte ich nicht vorhergesehen. Einen Ersatz, den ich ihr heute schenken könnte, konnte ich damals nicht bezahlen. So ließen wir es unbesprochen, nicht einmal einen Witz konnte sie darüber reißen. Nichts begrub die Schande. Ich war ihr nicht von Nutzen.

3
Die Ordentliche

Es war keine Zeit nachzudenken. Vor allem Aufräumen wollte sie zunächst den Toten ins Grab packen. Die Wohnung war nunmehr zu groß, muß anderweitig vermietet werden. Was war nicht alles liegengeblieben in den hektischen Wochen, dem Ringen um sein Leben. Eigentlich war es mehrheitlich Wartezeit. Daß er starb. Hatte sie Hoffnung? Von Anfang an nicht. Das war Verdienst ihrer ausgezeichneten Augen. Sie sah alles. Eine Veränderung neben seinem rechten Auge (von ihm aus gesehen, rechts). Das Auge schien »bedrängt«. Es war aus seiner normalen Richtung zur Nase hin einwärts gedreht, glupschte. Das war für Dritte zunächst nicht zu bemerken. Sie aber dachte sogleich: jetzt ist es aus. Zum Hausarzt. Von dort zur Universitätsklinik. Soweit noch alles richtig. Die Strahlenbehandlung. Die Ausbuchtung neben dem Auge wuchs zu einem Horn. Seither keine Ruhe mehr. Sie wollte auch keine Ruhe, sondern Endgültigkeit, ein Ergebnis, das sich einordnen läßt.

4
Allein gelassen

Sie lebte allein. Zunächst, um ihrem verstorbenen Mann Treue zu beweisen. Dann, weil sie zu starr geworden war, um einen fremden Menschen in ihrer Umgebung zu dulden. Daß sie noch einmal Vertrauen fassen könnte, glaubte sie nicht. Wenn sie ihren Mann nicht vor dem Tod bewahren konnte, wieso sollte sie einem anderen Glück bringen? Noch einen Menschen in den Tod geleiten wollte sie nicht.
Für das Alleinsein hatte sie zuviel Kraft. Was soll sie an den Wochenenden tun? Mit dem älteren Ehemann war sie in dessen Kreis, alles Ältere, eingerückt, hatte den eigenen Kreis verloren.
Jeden Montag früh, 5 vor 9 Uhr, stand sie vor dem Kaufhaus des Westens (KDW), wartete auf Einlaß. Wenigstens das, ein städtisches Gedränge, vielfältige Waren, Überraschungen. Sie hätte gewünscht, daß das Kaufhaus schon um 8 Uhr öffnete, denn ab 6 Uhr früh war sie wach.
Abends knabberte sie aus Verzweiflung bis spät in die Nacht Kekse. Sie schämte sich, nach 11 Uhr abends Freundinnen oder ihre Kinder noch anzurufen.
Einen Teil ihrer Energie und Zeit verbrauchte sie, um tags das Gewicht wieder

abzubauen, das sie mit den Abend-Keksen zugelegt hatte. Dafür mußte sie laufen. In den Parks.

Sie war auf Unabhängigkeit aus. Das war Mitgift der glücklichen Hälfte ihrer Lebenszeit. Nunmehr, mit dem Nachbild des langsamen Sterbens, das ihr Mann ihr gezeigt hatte, blieb ihr der nervöse Zug zur Unabhängigkeit, aber nicht die hoffnungsreiche, energiespendende Aussicht auf einen sich weitenden Lebenskreis. Gern hätte sie Menschen getroffen.

Wäre nur ein Grund zum Reisen da. Oder einer wäre in Not, und sie könnte helfen. Ihr Puls raste. Eigentlich lag ihr Blutdruck niedrig. Äußerlich war sie ruhig.

Daß der Puls »raste«, war eine Übertreibung. Sie ging auch nicht zum Arzt. Ich habe mehr Kräfte zur Verfügung, als ich einsetzen kann, sagte sie. Irgendwann wird die Stadt, in der ich lebe, wieder eine Stadt werden. Ich sterbe noch an der Unrast, die ich fühle, sagte sie sich.

5
Die Möbel werden eingepackt

Guten Morgen, meine Herren. So begrüßte meine Mutter die sechs Packer, die vor der Tür standen und die Wohnung ausräumen wollten, in der sie 19 Jahre gelebt hatte. Ein Bogen ihres Lebens, letztes Kriegsjahr, Kapitulation, Blockade, Währungsreform, Wiederaufbau und Mitte des Lebens, war in diesen Räumen (und in der Form von Möbeln) verankert. Jetzt wurde das verlagert an einen unbewährten Ort. Es war unheimlich.

Nach drei Stunden waren die Räume leer. So kahl kannte sie sie nicht. An den Einzug erinnerte sie sich nicht, hatte damals auf anderes zu achten. Sie sah sich um, kontrollierte, daß die Fenster geschlossen waren. In der Tür wandte sie sich noch einmal um, ging hinaus und schloß ab.

Ihren Mann hatte sie nach seinem Tode wunschgemäß der Erde anvertraut, nicht verbrannt, was ihr sauberer erschienen wäre. Noch war sie ihm verbunden. Man kann die Jahre nicht abschneiden, sagte sie. Die Feier, d. h. die letzte Versammlung der Gesamtfamilie nach Aussegnung des Toten, lag hinter ihr.

Was heißt: ein neues Leben beginnt? Das gehörte zum Wortschatz ihrer Mutter, einer zählebigen Natur, die den Schwiegersohn überdauert hatte und jetzt die Gesellschaft ihrer Tochter für sich beanspruchte. Die alte Frau betrachtete sich als Erbin. Sie hatte das Kind, ihrer Betrachtungsweise nach, an die Ehemänner nur »ausgeliehen« und zog die Tapfere, die nach dem Umzug der Möbel der Verzweiflung anheimzufallen drohte, der Leere, zu sich, indem sie einen Egoismus heuchelte, den sie, alt und weise wie sie war, nicht besaß.

Solange er zu tun hat, sagte sie sich, stirbt kein Mensch an seiner Verzweiflung.

Seengeglitzer

Nach ihrer Emeritierung fuhr Prof. Dr. Hedwig von Ragwitz jeden Morgen um 7 Uhr früh, gleich zu welcher Jahreszeit, mit dem 19er Bus zum Grunewaldsee und betrachtete die Wasserfläche, die an Sonnentagen blinkte und langge-streckte Netzwerke über die Wasser zog, so als sei der See ein Fluß, der den Blick der an ihm Entlanggehenden begleitet. An Regentagen oder bei Bewöl-kung verhielt sich die Wasserfläche völlig anders, aber stets wellig.

Von dieser Nahrung gestärkt, blieb Hedwig, die Gelehrsame, Schriftstellerin bis ins 80. Jahr. Wir verdanken ihr Essays.

Die Betrachtung des Wassers, in Wahrheit Wasserstoffbrücken und Lichtver-hältnisse am Morgen, sei ihr Ambrosia, teilte sie Schülern mit, die sie nach ih-rem Tageslauf befragten.

Zweierbeziehung ohne Gesprächsstoff

In einem Ferienzentrum unmittelbar an der See. Das hat sie in einem Katalog ausgesucht. Mit ihrem Sohn sitzt sie hier. Gern ist sie mit ihm zusammen. Es fehlt im Gespräch an gemeinsamen Interessen. Weniger gern wäre sie mit der Tochter zusammen. Mit ihr hat sie Gesprächsstoff im Überfluß.

Nun sitzt sie, durch einige Altersklassen getrennt, neben ihrem gutwilligen Jungen, der nicht hierher gewollt hätte, hätte er gewußt, was dieses Touristen-paradies darstellt. Sie wiederum, glücklich, sich neben ihm zu wissen, meinte, ihm zuliebe ein »Ferienerlebnis« organisieren zu müssen. So büßen sie gemein-sam den Tag über an ihren Irrtümern. Spätnachmittags eine Brise, die über die See daherkommt.

Unglück hat breite Füße

> »Alle sahen die breite Spur, die
> auf ein tragisches Ende zulief.«
> *A. Puschkin*

Zwei Liebesleute hatten das Lokal, ein ehemaliges Strandcafé an der nach Süden vorstoßenden Küstenspitze von Previns in der Bretagne, kürzlich übernommen. Das Lokal besaß eine Terrasse mit Grasbestand, die Terrasse hatte Seeblick. Vierzehn Tische waren arrangiert, vom Vorgänger übernommen. Zur Straßenseite und zum Strand standen Blechtische mit eingebautem Sonnenschirm. Die Blechsessel waren stapelbar. Im Inneren der Baracke oder des Strandhäuschens, man konnte das Lokal verschieden benennen, war ein Fischbassin aufgestellt, das war Werk der neuen Besitzer, des Liebespaares. Links davon ging man zur Bar, rechts davon lagen die Zimmerchen, erreichbar durch einen dunklen Gang; dort war auch die Grande Salle gelegen, für Hochzeitsbankette und das Tafeln von Vereinen gedacht. An der ganzen Küste hat die Brauerei, die von dem Paar, das gemeinsam auftrat, einen guten Eindruck gewonnen hatte, Werbung getätigt, die Neueröffnung propagiert. Dieser Teil der Bretagne gilt als arme Gegend. Der Werbespruch REPAS OUVRIER & BANQUETTES NOCES kombinierte die hier aussichtsreichen Versprechen.

Inzwischen hatte sich das junge Paar gestritten. Wir konnten zunächst nicht feststellen, woran das lag, bemerkten nur den scharfen Ton, der zwischen den beiden herrschte. Die junge Frau war vielleicht von Natur aus faul, saß lieber mit Gästen an der Bartheke und redete lieber, als daß sie kochte oder bediente. Es hieß, sie wolle überhaupt das Unternehmen vom Restaurant-Gedanken abkoppeln und sähe die Hauptrichtung in der Versorgung der Bevölkerung mit Getränken. Wir bestellten vier der teuren Menüs. Sie sagte: Da müssen Sie bis 20 Uhr warten. Wir antworteten, daß wir warten wollten. Sie versprach, die vier Mahlzeiten zuzubereiten, schickte ein bretonisches Mädchen, das die Zusammensetzung des Mahles im einzelnen schriftlich festhielt. Darüber hinaus veranlaßte diese Wirtin nichts. Nach einiger Zeit entstand zwischen Bartheke und Fischbassin der schon erwähnte Streit zwischen dem jungen Paar. Streitend begab sich die Frau in die Küche, bereitete eine der Vorspeisen, ließ es dann wieder sein und kehrte zur Bar zurück, redete.

Es kann sein, sagte J., daß sie einen Geliebten hat, der, als Gast getarnt, ab und zu hier einen Aperitif zu sich nimmt, und sie will keinen Moment versäumen, den sie mit ihm verbringen kann. Ihr Partner aber, der junge Wirt, dem sie zum Zweck der Übernahme des Lokals die Ehe versprochen hat (das gehörte zu dem guten Eindruck, den das Paar bei der Brauerei hinterließ), weiß vielleicht davon, daß er hintergangen wird.

Das muß nicht so sein, antwortete B., es genügt für den Streit, daß er zusieht, wie sie den Barbetrieb an sich reißt, so daß für ihn nichts zu tun ist.

Inzwischen wurden wir unzufrieden, und es wurde auf die vorgebrachte Mahnung hin ein zweiter Gang serviert: kalte Wurst, ein Stück Speck und Brot. Nichts von dem, was bestellt war. Es blieb unerklärlich, wieso es eindreiviertel Stunden brauchte, um die vier Teller zuzubereiten.

Das oberflächliche Liebesleben des Paares lag offen zutage. Es war dokumentiert durch die Bewirtung. Die Bedienungen, die gern ihre Stellung behalten hätten und denen es an gutem Willen nicht fehlte, die Gäste zu trösten, waren an Weisungen gebunden. Ohne Anordnung der Wirtin oder des Wirtes durften sie nichts tun.

– Waren Sie zufrieden? Möchten Sie vielleicht einen Digestif oder einen Kaffee auf Kosten des Hauses?

Es war sicher, daß sie das nicht sagen durften, da die zwei scharfäugigen Beziehungsarbeiter sie an einer solchen Aussage gehindert hätten, auch wenn beide im Moment schwiegen.

Dieses Unternehmen war zum Tode verurteilt. Man hätte einen Kuppler bemühen müssen oder einen Psychologen, der die verlobten Jungunternehmer zueinander geführt hätte. Wie waren sie überhaupt aneinandergeraten? Die junge Frau kam aus Lothringen, aus einer Ortschaft, die von Menschen ganz verlassen war, die Industrie dort starb. Vielleicht hatte sie den Provinzjungen, der aus dem extremen Westen Frankreichs kam, mit der Aussicht gewonnen, nur er könne sie aus der Not retten. Dann hatten sie dieses schöne Strandlokal in der sonst armseligen Provinz bezogen. Sie aber, aus der unmittelbaren Not befreit, verfiel in ihr natürliches Phlegma, die Schlampigkeit, die sie als ihr gemäß empfand. Das hätte ihr gelingen können, wenn sie auf der Lustwiese ihres Bettes den Verlobten emotional friedlich gestimmt hätte. Gerade hier aber sei sie besonders träge, erzählte der junge Wirt, auf keine der Nächte bereite sie sich vor, verzichte auf jeden Reiz, schlafe, wenn er sie anspreche, biete sich wie eine Dirne an, wenn er nicht wolle. Sie habe gedroht, sich mit Gästen einzulassen, wenn er nicht gehorche, sage ihm aber nicht, auf was sich dieser Gehorsam beziehen solle. So wisse er nicht einmal die Bedingungen eines Friedensschlusses.

Das Lokal ist verloren, sagte J. Der Mann weinte nach dem dritten Calvados mitten in unserer Runde. Auch eine bedingungslose Kapitulation war ihm nicht möglich, er wäre bereit gewesen zu jeder Kapitulation, um den Einstand zu retten (so viel Glück, wie es die Eröffnung dieses Strandcafés bedeutete, hat niemand zweimal in seinem Leben). Die Frau aus Lothringen, die einen hinten zugeknöpften Rock um den Leib gewickelt hatte, der die künftigen Fettgürtel betonte, brachte die Zähne nicht auseinander, um Bedingungen zu äußern oder Interessen wahrzunehmen. Vielleicht wollte sie nur, daß alles so weitergeht. Oder sie wollte gar nichts oder ganz anderes. Der junge Mann verstand sie nicht.

»Da er sie nicht verstand /
Sein Glück entschwand . . .«

Nichts an dieser Tragödie geschah plötzlich. Wir bekamen den Käse serviert, vier Stunden nach Antritt der Mahlzeit. Hätten wir in einem Speisewagen gesessen, sagte J., hätten wir in dieser Zeit eine erhebliche Fahrtstrecke zurücklegen können.

Bist du mein, so soll mein Freund dich haben / Ein Liebesverhältnis im Krieg

Er hätte nie zugegeben, daß er gewisse Kameraden, in ihren Uniformen, äußerst attraktiv fand. Er haßte und liebte mit großer Stärke, schon während des Offizierslehrgangs. In Griechenland lernte er eine junge Griechin kennen, verteidigte ihren Besitz ein halbes Jahr gegen Konkurrenten. Dann aber überließ er sie dem Hauptmann der Panzerwaffe, Erwin D., aus einem Einfall heraus, geradezu zwanghaft, im Suff.

Dieser Hauptmann schlug das Mädchen, verletzte es, war wohl der Situation nicht gewachsen. Das Mädchen stammte aus gutem Hause, Tochter eines Bezirksrichters.

Die griechische Gemeinde hielt sich an ihn, der dieses Mädchen ein halbes Jahr in Verwahrung genommen hatte, vom Hauptmann wußten sie nichts. Eine Art »Verlobung« hatte stattgefunden, d. h. die Eltern hatten ihm diese Tochter anvertraut. In beschädigtem Zustand wollten sie sie jetzt nicht zurücknehmen. Was sollte er tun? Den Kameraden zum Duell fordern? Er wäre lieber mit ihm als mit dem Mädchen zusammengezogen. Die Sache war – nach Einschaltung des Divisionskommandeurs – nur so zu lösen, daß er um eine Heiratserlaubnis ansuchte, selbst die Verantwortung für den Unglücksfall übernahm. Das Mädchen arbeitete ihm zu in seinen Aussagen, sie habe sich ihm zuliebe dem Kameraden, einem Hauptmann, dessen Namen sie nicht wiedergeben könne, nicht widersetzt und sei von dem Verwirrten zusammengeschlagen worden. Die Heiratserlaubnis wurde dem Offizier erteilt mit Wirkung zum Kriegsende. Ihm schien das eine Drohung, ein abschließendes Urteil, so wie der Tod am Ende eines jeden Lebens steht.

Zu Kriegsende befand er sich weit entfernt vom Vollzugsort. Im Jahre 1952 schrieben die unglücklichen Verlobten einander. Sie sahen sich nie wieder.

Mönch der Liebe

Winzige Wohnung mit sechs Zimmern am Lietzensee-Ufer. Wichtige wehrwirtschaftliche Aufgabe. Merkwürdiger Reiz, Krypto-Jude zu sein. Die Behörden, auch Frauen und Freunde, hielten mich für einen Niederländer.

Jahrelang Tenor, danach Bühnenbildner, Zirkusastrologe, bin ich doch nur ein Sohn aus gutem Hause mit portugiesisch-niederländischem mütterlichen Erbe. Die D'Aspromontes wurden schon seit 1492 nicht mehr beschnitten. Wie soll man sich vor der Inquisition anders verbergen? Wir leben von einem Quentchen mündlicher Überlieferung, das sind die Glaubensgesetze, wir memorieren sie. Gewiß wird sich die Überlieferung, wie eine Wandergeschichte, im Laufe der Zeit verändert haben. Meine Haare sind fest und blond, Zugabe der Familie meines Vaters. Die Haupteigenschaft des Kaufmanns ist Robustheit.

Ich vermittle in Industrie- und Parteikreisen Einheiraten. Es gibt bei mir keine Mängelrüge, keine Rücknahme der Ware. Es geht zu wie bei Bankgeschäften mit Handschlag. Entschiedenheit dieser Art kann tödlich enden, wie im Fall vom Parteigenossen Pfeffer. Wegen Hochverrats erschossen, tatsächlich aber wegen seiner alle überraschenden Homosexualität, die sich nach »Hochzeit auf Probe« mit einer von mir vermittelten Kandidatin herausstellte. Da war nichts zu vermitteln, nachdem der Emporkömmling Leidenschaft vorgespiegelt hatte, um an das Vermögen der jungen Verena Sp. heranzukommen, um im letzten Moment zurückzuzucken, weil ihn eine unüberwindliche Abneigung gegen die Braut erfaßt hatte. Praktisch war daran nichts zu verheimlichen. Er hatte sich über sein Potential getäuscht.

Der entgegengesetzte Weg ist der Nachweis besonderer Frauen, sozusagen die OPTION GLÜCK. Ich vermittle in dieser Hinsicht ausländische Partien an Männer der Macht, welche die Zeit zum Suchen nicht haben. Sie hätten, wenn sie selber suchen müßten, auch Furcht, einer Spionin anheimzufallen, einer Glücksritterin. Wie sollen sie das bei einer Annäherung unterscheiden? Sie brauchen den Fachmann, dessen Urteil sie vertrauen. Aus Italien 48, aus Spanien 1003, aus Bukarest 7, Sofia 36. Jetzt, während des Griechenlandfeldzugs, habe ich eine Reserve anlegen können von 200 Adressen. Eine Durchreise genügte. Die Praxis ist die eines Verführers, eines Frauenjägers, aber selbstlos. Ich spreche nicht für mich, sondern forme mein Angebot. Wie es Friedrich Schiller beschreibt, gibt es stets die Pole von Genuß und Hoffnung, und wer dem einen frönt, muß dem anderen entsagen. So trete ich als »Mönch der Liebe« oder vielmehr der Liebesvermittlung ins Feld. Ja, ich habe die Begabung, etwas, was mich selbst entzückt (= die Seele süchtig macht), im Vollgefühl meines Vorstellungsvermögens auf den Kunden, als wäre er mein bester Freund, zu übertragen. Niemals würde ich naschen. Ein Schwert (praktisch ist das meine kaufmännische Dienstauffassung, die Ehre meiner mütterlichen Vorfahren) liegt zwischen der »Angezoppten«[10] und dem, als dessen gedachter Werber wie für einen König ich auftrete. Tristan ohne Konkubinat.

Wie ich es anstellte? Alles war gewonnen, sobald feststand, daß ich aus wehrwirtschaftlichen Gründen nicht zur Wehrmacht eingezogen und statt dessen mit Reisepapieren für Großdeutschland und die besetzten Gebiete ausgerüstet war. Mein Kapital steckt in der Beihilfe der Ämter, die unbestechlich sind (verrückt, wer eine Bestechung versucht!), aber empfänglich für »Welt« und die Idee an ein gelegentliches »Abenteuer ohne Folgen«. Insofern bin ich auch hier spezialisiert auf lebensentscheidende Gefälligkeiten.

Ich fahre z. B. hinter der Truppe her in Richtung Süden nach Krakau. Ein Schloß dort ist von Beschlagnahme bedroht. Begrenztes Eingreifen meinerseits, nicht durch Macht, sondern durch lebhafte Rede. Ich werde zum Tee eingeladen. Ich spreche Offiziere an, welche die Beschlagnahme betreiben, aber sich mit einer Einquartierung abfinden. So tritt die WELT in die Zone zwischen den kämpfenden Fronten, hart am Abgrund der Barbarei zeigt sich ein Stück Reichshauptstadt, sobald ich spreche. In dieser Phantasierichtung kann ich dann vieles gestalten. Der Übergang einer durch eleganten Eingriff Geretteten zu einer, die mir vertraut, und dann zu einer, die dem eigentlichen Empfänger des Glücks, dem Kunden, gefällt und auch zu ihm ja sagt, das ist der eigentliche Gegenstand meiner künstlerischen Tätigkeit. Insofern zeige ich stets gleich zu Anfang »Schwäche«; dies bereitet die spätere Lösung von mir, dem Boten, vor, es gibt Raum für »sachliche Faszination« der Partnerin. Zuneigung kann sich an der glatten Steilwand unabgeschwächter Verführung nicht ansiedeln.

So bringe ich z. B. eine ungarische Künstlerin nach Paris, wo sie einem General

---

10 ANZOPPEN – herrenmäßiger Reiterausdruck. Das Pferd wird, mit zärtlicher Geste auf Nase und Maul, mit der Hand des Reiters vertraut gemacht. Von Pferden, die vor dem Reiter erschrecken, sagt man, daß sie »zurückzoppen«.

der Panzerwaffe vorgestellt wird, der eine Likörfabrik in Magdeburg besitzt. Unerklärlicherweise unverheiratet. Mein Freundesdienst spricht sich herum. Es ist kein Geschäft mit Buchhaltung und Registrierkasse, um das es hier geht. Das Schwierigste ist der ERNSTE MOMENT, wenn nämlich der Übernehmer der Angezoppten die Fremde für sich beansprucht; hier werde ich das Geschäftliche auf taktvolle Weise aufscheinen lassen. Tausch oder Duell. Das kann in direkter Form überhaupt nicht formuliert werden. Und doch findet sich inzwischen auf meinem Berliner Konto eine stattliche Gesamtsumme. Ich sammle so etwas und verbringe es auf Nummernkonten nach Portugal.

Mit dem Vordringen der siegreichen Truppen, ich sage bewußt nicht: »meines Vaterlandes« (da sowohl die mütterliche wie die väterliche Linie dem nicht entspricht, werde ich sagen »meines Gastlandes«), wäre an sich für meine Profession der Übergang vom Fachgeschäft zum Kaufhof angesagt. Definitiv ist dies für den Liebeshandel, wie ich ihn betreibe, auszuschließen. Ich frage: warum? Es hat damit zu tun, daß die verlangte (Standpunkt des Kunden) und die verlangende Ware (Standpunkt der Angezoppten) nicht lagerfähig ist. Nichts in diesem Prozeß, der mir so viel Vorteile und auch eine gewisse berufliche Befriedigung verschafft hat, kann bloß Vorrat sein.

In französischen Provinzstädten, Orten Dänemarks, Norwegens, in Haupt- und Bezirksstädten des Balkans, in Smolensk: lange Wartelisten von Kandidatinnen. Hätte je eine Rücknahmepflicht bestanden, die Möglichkeit der Mängelrüge, so hätte ich schon im Frühling 1943 einen Engpaß gehabt. Bis dahin waren die Horizonte des Reiches noch hoffnungsfroh und intakt. Im Jahr darauf waren viele der aufstiegswilligen Frauen über die vermittelte Bindung enttäuscht. Wie aber sollten sie das ausdrücken? Wie sollten sie sagen, jetzt will ich nicht mehr, ich will heim, wo die künftigen Sieger schon warten? Das war inmitten des Reichs nicht formulierbar. Mich kränkte es sehr, daß sich das Zeitgeschehen nicht wenden ließ, ich also gegen meinen Willen durch Freihandel Schaden gestiftet hatte. Wenn doch Adam Smith uns erläutert, daß selbst eine Welt von Teufeln, sofern Freihandel besteht, das Gute, ja das Gemeinwohl schafft.

Die Pranke des Eigentums

> »Eigentum ist das Recht, über eine
> Sache nach Willkür zu verfügen.«

Sie besaß eigentlich nichts, als sie anfing. Nicht ihren Namen (sie wurde adoptiert), keine gewisse Vorliebe (ihre Zuneigungen waren immer geteilt), keine deutsche Aussprache (sie redete mit belgischem Akzent), keinen Status, der war umstritten, es rangen mehrere Personen um sie, um sie als ihren Besitz. Kostbar war sie nicht.

Um so kostbarer wollte sie sich machen.

Sie war diejenige, die ihre sechs Kinder (helle, lichte Wesen in ihren Nachthemden, ihrer Plauderei untereinander) umbrachte. Ihr Mann, immer unberechenbar, wartete ungeduldig, den Arm auf die Treppe gelehnt, wollte sich auch umbringen und das schnell vollzogen wissen. Wenn wir noch lange warten, sagte er, müssen wir hier auf der Treppe sterben.

Die Täterin, heißt es in ihrer Biographie, betrachtete die Kinder als einen Teil von sich selbst, als ihr Eigentum. Wie kann eine Frau so etwas tun? Wie kann sie ihre Kinder umbringen? Sie ließ es sich nicht ausreden.[11]

Was sie nicht haben wollte, haßte sie. So die bloßen Vermögenswerte ihres ersten Mannes. In der Krise, als sie sich von ihrem jungen Liebhaber zu lösen begann, wegen Kopfschmerz viel *ennui* (keine Schmerzen am Herzen zu dieser Zeit). Sie räkelt sich, will aufstehen vom Bridge. Es ist ja heute wieder so interessant, sagt sie. Herr Ober, bitte einen anderen Gast. Das war kein Scherz. Sie verwünschte ihre Umgebung. Die Sterne sollten ihr einen anderen Umkreis verschaffen. Wen sie verflucht, der stirbt.

Alle ihre Kräfte bündelte sie auf diesen einen Mann, der für die Machtergreifung der Bewegung so viele Anhänger mobilisiert hatte. Ein kleinwüchsiger, hagerer Intellektueller, den sie auszufüllen glaubte. Ein widerborstiges Eigentum, insofern als er sie mit anderen Frauen betrog. Einmal sieht sie ihn in einer Abendgesellschaft in Begleitung von L. B., der er abgeschworen hatte. Sie stellt ihn zur Rede. Was denkst du, antwortet er. Ich habe sie seit vierzehn Tagen nicht gesehen. Es erweist sich, daß er anbietet, beim Leben seiner Kinder zu schwören, er habe L. B. an diesem Tag nicht getroffen. Diesen Schwur leistet er, eigentlich will sie auf Grund solchen Verrats *sogleich* sich und die Kinder töten.

---

11 Inwiefern könnte ein Mensch mit sich selbst wie mit einem Eigentum verfahren? Müßte er zuvor enteignet sein? Damit er eine Sache ist?

Mit Sicherheit wird sie ihn auf diese Art verwunden können. Ein Teil der Kraft, mit der sie die Kinder am 1. Mai 1945 tötet, entnimmt sie dieser Szene aus dem Jahr 1938.

Schicksalhafte Begegnung

> Eine Begegnung, die unmöglich
> Glück bringt.
>
> *A. Puschkin*

Immer unterstellt, daß man über Adolf Hitler wie über eine Romanfigur sprechen kann. Man kann es nicht. Man kann es. So wird berichtet, er habe sich dreimal so entzündet, daß er bereit war, sich eine Gefährtin zu wählen. Er hielt das für nötig, »weil ich auf eine so ausschließlich männliche Art geprägt bin, daß ein Ausgleich notwendig ist, wenn nichts Grausames geschehen soll«. Einmal, nach der Feier des Erntedankfestes in Bückeburg, gigantische Parteiveranstaltung, begegnete ihm auf einen Meter Abstand eine junge brünette Frau. Ein Blitz durchfuhr den Mann, er ergriff den Arm, die junge Frau verschwand in der Menge. Er ließ seine Adjutanten längere Zeit suchen. Er fand sie nie wieder. Bekannt ist seine Hinwendung zu Geli Raubal, seiner Nichte, die durch Selbstmord endete, vermutlich seinetwegen. Der Verlust verschlug ihm die Sinne. Aber nur kurze Zeit später begegnete ihm im Kaiserhof M. Sie hatte ihm ihren Sohn in geschneiderter Hitleruniform zugesandt mit einer Botschaft, ob er nicht zum Tee kommen wolle. Die Teestunde dauerte anschließend eineinhalb Stunden. Eine intensive Begegnung. Hitler äußerte, sie habe in ihm eine Bewegung ausgelöst, wie er sie nur (Bückeburg war später) *einmal* erlebt habe. Sein Hader mit sich selbst währte an diesem Abend bis gegen Mitternacht. Da kamen seine Adjutanten angeheitert zurück, die M. nach Hause gebracht hatten, den Kühlschrank hatten sie geleert. Sie berichteten, mit einem Hausschlüssel sei der Gauleiter von Berlin erschienen. Die Frau, der Hitlers Herz einen Moment gehört hatte, war die Geliebte eines Vasallen.

Was sind starke Menschen im Sinne des Nationalsozialismus? Es sind Menschen, die eine Spur ihres Wesens aus sich herauswerfen und in diese Art von Raumschiff alles verfrachten, was sie an Macht besitzen. Nationalsozialisten sind Geschosse.[12] Wie aber funktioniert Liebe auf den ersten Blick zwischen

---

12 Der vollständige Mensch wäre als Geschoß ungeeignet. Vielfalt und Gewicht seiner Person ziehen ihn zu Boden. Anders die Abschußvorrichtung, die wir als nationalsozialistische bezeichnen. Sie gruppiert um eine Schleifspur (also eine Wunde, nicht ein Spurenele-

solchen Geschossen? Es war für vier Personen ein Teegedeck aufgelegt. Unwahrscheinlich, daß die Verliebtheit Hitlers in den ersten sieben Sekunden stattgefunden haben konnte, in denen M. sich bereits entschied: dieser Mann oder keiner. Ebenso könnte die Umgebung des Hotels Kaiserhof, der Glanz imperialer Hotels, die aus der Zeit um 1850 die Zentren der Metropole besetzt halten, nicht hinweggedacht werden. Die britische Gewohnheit des 17-Uhr-Tees, ein Stapel Toast im Ständer neben dem Gedeck. Weltweites Verknüpfungsnetz einer Mitteilung: wir, die wir hier sitzen, ehren uns wechselseitig, indem wir nach einer weltweit anerkannten Methode ein Getränk zu uns nehmen, das zugleich die Herrschaft Großbritanniens, wie den Zauber indischer lokaler Fürsten, heranruft. Irgendetwas glaubte der Führer in den Augen der Dame gesehen zu haben, das Ernsthaftigkeit signalisierte. Von ihm selbst galt, daß sein Auge Einfluß ausübt. Er gab sich Mühe.[13]

Zu diesem Zeitpunkt folgte dem Führer ein Vertrauensmann auf Schritt und Tritt, der Wirtschaftsfachmann und Nationalsozialist Generalmajor a.D. Wagener. In den folgenden Tagen lief er als Bote zwischen M. und Hitler hin und her, interpretierte die sich dramatisch zuspitzende Gefühlslage. Es entstehe hier, sagt er, ein Bund auf Leben und Tod, ein Bund fürs Leben, ein Bündnis. Der Vasall solle diese Frau heiraten und so in der Nähe des Führers aufbewahren, daß die zweite Frau des Reiches (der Platz der ersten war reserviert für die Gattin Görings) ihm als eine »indirekte Isolde« zugeführt werden konnte.

Es gibt Pakte, die durch nichts als Hörensagen zu bestätigen sind. Generalmajor a.D. Wagener verschwand aus dem Umkreis Hitlers. Man weiß nicht, warum. Die Verbindung von M. zum Führer blieb intakt, man kann nicht sagen, bis zum letzten Augenblick: Es schob sich Eva Braun, in der Rolle der Senta aus dem Fliegenden Holländer, aber ohne theatermäßiges Glück, d.h. tödlich, zwischen M. und den Führer. Die Differenz drückte Hitler aus, indem er 55 Minuten vor seinem Tod der M. das goldene Parteiabzeichen ansteckte,

---

ment) eine neue Person. Daß Persönlichkeiten des Nationalsozialismus nach Zusammenbrechen des Systems privat, irdisch, wie gewöhnliche andere erscheinen, beruht darauf, daß sie abrupt in die wirkliche Person zurückkehrten. Sie hatten dann Glück. Wie oft gelingt der Absprung aus der Umlaufbahn zum Boden?

13 Kann Hitler mit den Augen drohen? Seine Augen sollen in den Pupillen vergrößert gewesen sein, was auf Belladonna hinweist. Sie sollen einen »beschwörenden«, »flackernden« Ausdruck gehabt haben. Was man auch dem Mönch Rasputin nachsagt. Ist dies subjektive Einbildung der Zeugen? Ist, was Sigmund Freud nicht ausschließt, ein Hinauswerfen der Seele in den freien Raum, das ENTWERFEN etwas, das Hirn, Körper oder Augen als *rasch* empfinden, ist das nationalsozialistische Prinzip Entkörperlichung? M. hielt alle *überzeugten* Nationalsozialisten (davon gab es nach ihrer Ansicht wenige) für reinkarnierte Atlantier.

das er seit 1928 ununterbrochen an den Revers seiner Uniformen oder Anzüge getragen hatte (Kammerdiener Linge bestätigte die Identität, das Abzeichen wurde nie ausgewechselt, eher verändert sich die Haut oder das Haar als dieses Zeichen). M. folgte ihm am 1. Mai, wenige Tage später, in den Tod. Man stellt sich das, wenn man berichtet oder liest, einfacher vor, als es geschieht. Es gehört mehr als ein Motiv dazu, um einen Bund von 1933 zum 1. Mai 1945 einzulösen. Insofern muß der Nationalsozialist, der sich gewissermaßen in der Umlaufbahn um einen spezifischen Partikel seines Wesens befindet und hierbei immer höhere Beschleunigungen erzielt, sich an der Schwere seines realen Ichs immer erneut verstärken. Er macht Schulden, und es ist eine Sache des Zufalls, ob er bei einem dieser Vorgänge der Verschuldung glücklich aus dem Himmel herabfällt oder sich in der Umlaufbahn zerstört. Zum bestirnten Himmel aufzusteigen vermag er nicht.

Das Verkaufsgespräch für Trennungen

Trennungsberatung kostet in den Eheanbahnungsinstituten Wilhelmsen & Co. etwa das Vierfache einer gelungenen, mit Erfolg nachgewiesenen Partnervermittlung. Das lag an dem erfahrungsgemäß höheren Aufwand an Rede und Gegenrede, der intensiveren Befassung mit dem Sachverhalt bei Trennungen, den die Berater im Fall positiver Anbahnung nicht benötigten.

– Sie wollen sich trennen?
– Das haben wir uns überlegt.
– Sie kommen zu zweit?
– Ja, wir brauchen Rat.
– Ihnen fehlen Gründe, sich zu trennen?
– Gründe haben wir genug.
– Sie wissen, daß dies ein wichtiger Einschnitt in Ihrem Leben ist?
– Ja, wenn wir es nur schon hinter uns hätten.
– Lesen Sie bitte unsere Bedingungen durch. Ich lasse Sie einen Moment allein. Erschrecken Sie nicht über die Summe. Sie haben nur *ein* Leben. Die Bestimmung darüber durch unsere fachkundige Beratung muß Ihnen das wert sein.
– Danke sehr.
– Bitte sehr.

Kommen die Trennungswilligen einzeln oder will der eine sich trennen und der andere will dies keineswegs, wird die Beratungsleistung schwierig. Aktive Einhilfen, z. B. durch einen Provokateur oder Verführer, um die Trennung zu beschleunigen, sind ausgeschlossen. Aggressive Mittel dieser Art erfüllen Tatbestände der schweren Kuppelei.

Im März 1941 häuften sich die Trennungen. Der Sieg im Westen, die Aussicht auf ein neues Europa führten dazu, daß karrierebewußte Männer sich von den Frauen, welche die Vergangenheit repräsentierten, zu trennen suchten. Ich rate grundsätzlich zur Trennung, sagte Erwin Wilhelmsen, der Senior des Geschäfts. Aus Liebe zum Beruf. Vereinsamung lähmt, Behinderung ebenfalls. Menschen, die für neue Bindungen offenstehen, das scheint mir attraktiv für unsere Branche.

Frühe Trennung

Am Abend sahen sie in Biebrich (das Kino am Ende der Straße, die zum Rhein führt, ist heute ein Kaufhof) den Film MRS. PARKINSON. Eine Frau, die einen unzuverlässigen Mann liebt, zieht, auf sich allein gestellt, die gemeinsamen Kinder auf und erwirbt mit enormer Restkraft ein Vermögen. Sie, die reiche Frau, liebt, achtzigjährig, immer noch den ein Jahr jüngeren Galan und Vater aller ihrer Kinder, der verarmt ist (Clark Gable). Die Ehe ist mehrfach geschieden. Ein Hymnus auf jahrzehntelangen Zusammenhalt, Sicht auf ein ganzes Menschenleben.

Daraufhin, mit den anderen aus den Ausgängen des Dunkelpalastes drängend, stritten sie schon. Das Vorbild war zu groß. Es war ein Samstagabend. Wie soll man in der kommenden Woche mit einem solchen Leben unverzüglich anfangen? Wer von beiden sollte der Zuverlässige, wer wollte der verarmte Filou sein?

Noch war sie nicht bereit, sich als Erwachsene zu sehen, sozusagen im Leben eingeschlossen. Sie setzte sich Männern auf den Schoß, ließ aber keine Berührung von Sexualzonen zu. Sie mißtraute Männern generell (vom Film heute bestätigt). Sie mochte es gern, wenn er, ihr Gefährte, in ihrem Bett schlief, er erhielt aufgrund solcher Nähe keine Rechte, die andere nicht besaßen.

Am folgenden Morgen, noch schlafwarm, bat er sie, über seinen Bauch zu streichen, wenigstens das. Sie weigerte sich. Er hatte ihr zuvor sorgsam, ja zärtlich den Oberarm bis zur Schulter gestreichelt. Sie stritten erneut. Handel kam nicht zustande. Er zog sich an, packte wortlos.

Sie begleitete ihn zur Ausfallstraße, die aus der Stadt führte, daß er eine gute Stelle fände, von der er einem Kraftfahrzeug winken konnte, das ihn mitnähme. Einträchtige Schritte in der Morgenfrühe. Eine Million solcher Schritte,

einer neben dem anderen, das wäre ein ganzes Leben. Sie sagt: In der nächsten Woche komme ich nach M., besuche dich. Jetzt trete ich meine neue
Dienststelle an, im Herbst können wir dann sehen, ob wir auf ewig zusammenbleiben. Warum erschreckte ihn die Rede? Wenn doch die Schritte bereits aneinander angepaßt waren und man bis Herbst noch Zeit hatte. Mal sehen, antwortete er abweisend.
So hätte er in der Morgenstimmung nicht antworten sollen. Noch in der gleichen Woche, in der Aufwallung des Dienstantritts, sie bediente in einer Kantine der US-Streitkräfte, wählte sie einen anderen. Sie lebt in einem Haus am
Michigansee und blickt heute auf sieben Kinder und achtzehn Enkel.

Wehrpflicht-Entzug

Sie waren sieben aus Tübingen. Ein neues Bewußtsein entsteht nicht in einem
Einzelnen. Es steigt auf wie ein Grundwasser, in allen ungleich, die sich in einer
Aktion vereinigen, der fusionierenden Gruppe.
So galten, gleich nach Ankunft in Westberlin, angekommen aus dem Westen,
nicht mehr die gewohnten PRIVATISTISCHEN HORIZONTE: Ausgehen,
sich von jemandem anreden lassen, Zeichen der Verständigung, gelingende
Hautkontakte, eine Beziehung. Sich an einem solchen »Mantel einer Ge-
schichte« festhalten und ziehen lassen, solange es geht.
Elly war Tochter eines hohen Richters, die anderen waren Töchter von Ingenieuren, Philologen, Ärzten, eine, mit rauhem Lachen, die kühle Tochter einer
Aufwartefrau. Für Genossen des SDS, für Kommilitonen der FU, die in der
Freizeit ein Abenteuer suchten, waren sie sich zu schade.
In Dahlem besuchten sie Lokale, in denen die GIs verkehrten. Es herrschte Kalter Krieg, Stellvertreterkrieg, Weltkrieg. Die Fronten Vietnams durchtrennten
die Zivilisation. Sie empfanden sich als Spione, Sprecherinnen, auch als Bewaffnete. Zum Feind muß man Kontakt aufnehmen. In den Tanzdielen waren
aber keine Feinde zu ermitteln. Bald hatte jede der Partisaninnen einen GI im
Gefolge. Sie diskutierten die Situation. Es war nicht die geplante.
Nun ist im Kampf stets alles im Fluß. Die uniformierten Liebhaber, hierher
kommandiert, bedroht durch Verlegung auf den Kriegsschauplatz in Südost-
asien, folgebereit gegenüber den Mädchen. Das waren keine Feinde. Man
mußte sie fest rekrutieren. Mit den Banden der Verbrüderung, der Liebe. Liebe
ist der Begriff davon, daß man das, was man vom anderen haben will, ihm gerade dadurch selbst gibt.
Keine Fremdbestimmung, nicht Sklaven der Wehrpflicht, sondern Freiheits-

kämpfer einer politisch bewußten Menschengattung, das sollten die GIs, von weit her angereist, auf sich nehmen. Das ging in die Umarmungen ein. Tortuga (Spitzname), Tochter der Aufwartefrau, die keinen für sie passenden »Gegner« gefunden hatte, hütete die Wohngemeinschaft, ganze drei Zimmer. Sie beherbergten zu manchem Zeitpunkt sechs beischlafende Paare.

US-Soldaten, die zum Dienst nicht erschienen, wurden zu dieser Zeit, in der sich Desertionen häuften, von einer intelligent besetzten Military Police (MP) unverzüglich verfolgt. Rasch fiel der Entschluß, die Stadt auf dem Flugweg zu verlassen. Sie alle, die getreuen 13, stellten selbst eine Ballung von Intelligenz dar, frei, weil spontan; kein Dogma hinderte sie, sich in die Logik und Verfolgungskünste des Militärapparats einzufühlen. Das eigene Land der Mädchen lag ja gefesselt, ein Protektorat der anderen, unfähig, seine Bürger zu schützen oder denen, die diese Töchter sich auserkoren hatten, Gastrecht zu gewähren.

So gelangten sie nach Schweden. Vom Landeplatz in Stockholm in rascher Fahrt in den Norden, nahe der Grenze zu Lappland. Hier hausten sie, verteilt auf zwei Blockhütten, die Fremdenpolizei hielt sie für Touristen.

Was tun? Der privatistisch bleibende Teil der Beziehung verliert Geltung, wenn er nicht den Ernst drohenden Verlusts oder der Überraschung des Kennenlernens behält; jederzeitige Erreichbarkeit des anderen, umgebende einförmige Natur bilden den Alltag, Woche für Woche. Unruhe zwischen den Solidarischen, ob sie im ersten Moment in den Tanzdielen von Dahlem auch richtig gewählt hätten. Es war ein sehr altes, intrigantes Feuer, das sie in der schwedischen Einsamkeit hüteten.

Einsam andererseits waren sie ja nicht. Nicht nur sie, die *zwölf und eine*, sahen sich versammelt, sondern sie spürten, daß sie in einem bestimmten historischen Moment auf der rechtlichen Seite der Zivilisation, einer zahlenstarken Menschheit, agierten. Sie betrieben gewissermaßen eine Kolchose des Widerstands. Produziert wird erfolgreiches Entkommen. Wir entziehen jeden Tag, sagten sie sich, dem US-Eindringling ein Quantum an Wehrkraft und geben so den Genossen in Vietnam, die wir nicht kennen, in die wir uns aber einfühlen wollen, einen vielleicht entscheidenden kriegerischen Vorteil. Denn auch die einfache Arbeit, unsere Jungs und Kämpfer, die revolutionären Kadern sicher nicht gewachsen wären, aus dem Wege zu räumen, sie zu verwunden oder zu töten, muß für die Vietnamesen als Hindernis gelten auf dem Wege zum Sieg. Da Tortuga allein blieb, sie übernahm alle Arbeit außer Liebesarbeit, debattierte die Gruppe, ob sie von ihrem Überfluß (sechs ungeduldige Jungs) für Tortuga einen »Dienst« abzweigen sollten. Das aber hätte so ausgesehen, als ob die hier in den Hütten praktizierte Liebe eine Art »Lohn« wäre, sie wäre instrumentell eingesetzt worden, und das darf ja gerade für Liebe nicht gelten. Gern hätten sie geteilt, sie konnten das nicht legitimieren.

Die jugendliche Gruppe zwang im Verlauf der Wochen die Großmacht USA zu einer beschämenden Anfrage bei der Regierung Schwedens, ob eine Gruppe Studentinnen in Männerbegleitung eingereist sei; man bäte um Auslieferung der desertierten Wehrpflichtigen, es handele sich um eine Straftat nach dem Auslieferungsabkommen.

Die USA mußte gegenüber einer neutralen Öffentlichkeit eingestehen, daß sie die eigenen Leute nicht zum Kämpfen zu veranlassen vermochte, eben infolge des imperialistischen Ansatzes dieser Kämpfe. Die schwedische Regierung publizierte die Anfrage, lehnte sie ab.

Die jungen Menschen sahen das Herbstlaub um sich her schwinden. Sie bereiteten sich auf den Winter vor. Die Barmittel schwanden. Zwei von ihnen suchten die Botschaft der Volksrepublik China in Schwedens Hauptstadt auf, erbaten einen Kredit. Sie gelangten bis zum Ersten Sekretär, der in eine politische, internationalistische Erörterung einwilligte. Er war aber nur dann zu einem Abkommen bereit, immer vorausgesetzt, die Volksrepublik selbst sei nicht als Anstifter involviert, wenn die sechs GIs in der Botschaft um Asyl bäten und dies in einer Pressekonferenz kenntlich gemacht würde. Auch dafür wäre die Zustimmung oder zumindest eine Erklärung des Desinteressements des schwedischen Außenministeriums erforderlich gewesen.

Das war nicht die Sprache der Revolution. Auch waren die Geliebten der Mädchen nicht willens, sich in aller Öffentlichkeit einem Fremdland zur Verfügung zu stellen. Überläufer waren sie nicht. Sie waren, das stellte sich heraus, politisch fast gar nicht verfügbar. Es war ZUKUNFTSANGST und ein LEICHTER SINN, der sie der Verschwörung der sieben Partisaninnen zugeführt hatte. Das BEWUSSTSEIN der Gruppe, in Westberlin einst so aktiv, verkümmerte unter der Drohung des Winters.

Im Dezember überschritt die Gruppe die norwegische Grenze. In Gruppen zu zwei, drei und vier, schon innerlich zerstreut und einige zerstritten, verdingten sie sich als Hilfskräfte auf Fähren. So kamen sie, ziemlich mittellos, über Kopenhagen, Hamburg, die Studentinnen zu ihren Heimatorten, die GIs in die Obhut der Militärpolizei Bremen; sie erhielten Anwälte aus den USA. Die Bremer Militärpolizei, in Konkurrenz zu den aufschneiderischen Kollegen in Berlin-West, die sich als Fronttruppe gerierten, sorgte für eine milde Bestrafung unter Bewährungsauflagen bei Rechtsmittelverzicht. Die Abenteurer wurden zum Bürodienst in eine Bezirksstadt Vietnams abgeschoben. Unberechtigte Zweifel an der Macht der Liebe.

Zu dritt

Der junge Bizet und der junge Proust spielten mit der Enkelin Halévys DIE JÜ-DIN. Sie setzten das Mädchen in eine große Kaue im Keller. Sie taten so, als heizten sie das Wasser zur Siedehitze.[14] Sie wollten die Szene zum Vorwand nehmen, Geneviève[15] auszuziehen und die gemeinsame Macht an ihr zu erproben.

Der junge Bizet, später Taxiunternehmer, lehnte alle Avancen des jungen Marcel Proust, der 1923 starb, zu gleichgeschlechtlicher Betätigung ab. War er unmusikalisch? So blieb das gemeinsame Quälen junger Mädchen alles, was die Freunde füreinander tun konnten.

Kinder des Lebens

I

Walter Benjamins Lieblingsfilm

Der US-Spielfilm *LONESOME* von Pàl Etvös (1928) zeigt schematisch EI-NEN MANN, EINE FRAU und DIE MASSE (*the crowd*). Tatsächlich bewegt sich die Welle der Menschen, von speziellen Busunternehmen befördert, von Blaskapellen begleitet und eingestimmt in Richtung der großzügig angelegten Vergnügungsmaschine am Ozean, dem Jahrmarktspark von Coney Island, der seit der Jahrhundertwende besteht.

Die Uhr zeigt Nachmittag. Freikörperkultur am Strand. Ganzteilige Badeanzüge. Der Blick konzentriert sich auf Teile der Arme, den Hals, Oberschenkel. Der Film *Lonesome* zeigt zertretenen Sand. Tausenfüßige Bewegung zum Wasser, aus dem Wasser. Hierher sind der ARBEITER und die TELEFONISTIN gelangt. Sie wissen nicht, daß sie nebeneinander wohnen. Aber nach Zufallsgesichtspunkten haben sie auf der Fahrt hierher einander erkannt. Er ist ihr gefolgt. Der Dialog im Film zeigt den PROZESS GEGENSEITIGER ABRÜ-STUNG. Dieser Prozeß ist notwendig für die UNWAHRSCHEINLICHE

---

14 In der Schlußszene von Halévys Oper wird die entführte Christin, die das Konzil von Konstanz für eine Jüdin hielt, in einem Bottich von siedendem Wasser umgebracht. Der Kardinallegat, der dies befiehlt, erfährt unmittelbar nach dem Tod Rebeccas, daß dies *seine* Tochter war. Lieblingsoper der Pariser Gesellschaft.

15 Der Sohn von Georges Bizet, der die Tochter Halévys heiratete, und Geneviève sind Cousin und Cousine. Bizet ist Prousts Klassenkamerad.

LEISTUNG DER HERSTELLUNG VON INTIMITÄT (Niklas Luhmann). Dies ist der Kern von Romanen und Dramen. Zunächst prunken beide mit Herkunft, Eigenwert. »Ich habe um 17 Uhr eine Verabredung im Ritz«, sagt Jim, der Arbeiter. Dem kann Mary, die Telefonistin, wenig entgegensetzen. DIE LIEBE TRÄUMT VON IHRER ABSOLUTEN GEWALT.[16] Dem antwortet die Gegenwirkung der wirklichen Verhältnisse. Nacht bricht herein. Die Masse hat den Strand verlassen. Die beiden, in ihren ganzteiligen Badeanzügen, bemerken, daß sie frieren. Sie gestehen einander, was ihr Beruf ist. Noch aber steht LIEBE nicht im Raum, sie ist ein hohes Programm. *Let's have fun*, sagt Mary, die Hüterin der Lämmer. Sie meint, man könne nur aus Anlaß eines konkreten Geschlechtsverkehrs eine Entscheidung darüber treffen, was der eine vom anderen spürt. Vielleicht kristallisiert sich etwas, das man Liebe nennen kann. Was soll das sein? Etwas, das belastungsfähig ist. Nur ein Beobachter könnte beurteilen, was die beiden füreinander empfinden, was von diesen Empfindungen robust und belastungsfähig ist.

Das Paar zieht zu den Attraktionen. Die Vergnügungsmaschine von Coney Island kennt wenig Präzision. Das meiste ist Schubkraft. Die Maschine dient der Zerstreuung, nicht konzentrierter Arbeit an einem Produkt. Insofern wäre Coney Island als Maschinerie (»Massierung von Abwechslung«) in einer Fabrik unmöglich brauchbar, ja, als Vorrichtung provoziert sie Unfälle.

2
Der Wahrsager als Utopist

Stimme des Wahrsagers: Sie werden noch heute eine Frau mit braunem Haar kennenlernen, und sie werden zusammenbleiben, bis das Leben sich erfüllt hat.

Der Wahrsager, ein Automat, ist aus Eisen geprägt. Das Gehege der Kiefer öffnet und schließt sich und entläßt Töne, die ein Phonograph einspeist. Ein blaues Glanzauge öffnet und schließt sich, weißes Haar, Stirnfalten, die sich mechanisch bewegen. SERIOSITÄT. Die Aussage des Automaten scheint auf Mary zu passen. Die beiden fassen einander bei der Hand.

16 Clausewitz, *Vom Krieg*, Kapitel 1.

3
Die Achterbahn

Auf der Achterbahn werden sie »plaziert«, d. h. auf verschiedene Gondeln auf-getrennt. Ihre Partner im Zweiersitz der Gefährte gehören ebensowenig zuein-ander wie sie. Durch Zeichen versuchen sie sich über die Entfernung zu ver-ständigen. Die Schrecken der Abgründe. Seit 1902 haben aufeinanderfolgend Ingenieursgenerationen diese Achterbahn jährlich mit je einem neuen Effekt ausgestattet. Das hat das ursprünglich ausgewogene Gleichgewicht des Ent-wurfs strapaziert. An diesem Tag ist der STRESS DER MASCHINERIE aus-gereizt. Die Räder eines der Karren, welche die steilen Kurven befahren, fan-gen an zu glühen, die Maschinerie fängt Feuer, ein Betriebsunfall, ohne daß Vorsorge dafür getroffen ist, die abenteuerliche Vergnügungsfahrt anzuhalten. Menschen können daran sterben.[17]

Der Regisseur Pàl Etvös hat nur diesen einen Spielfilm gestaltet, Schmuckstück der Moderne. Von ihm sind später in Thailand und auf Madagaskar ethnogra-phische Dokumentarfilme entstanden. Der Ungar interessierte sich für Men-schen, für Soziologie. Hier, in seinem Meisterwerk (Walter Benjamins Lieb-lingsfilm), schildert er die Nachtstunden, welche die zwei Glücksspezialisten verleben. Das Unglück der Berg- und Talbahn hat sie auseinandergetrieben, Gewittersturm über den Vergnügungsstätten. Naß durch Regengüsse kehren die beiden, getrennt, in ihre Appartments zurück, ihre Wohnbehälter. Obwohl ihre Wohnungen (das sieht der Zuschauer) so nahe beieinander liegen, wären sie jeder für sich alleingeblieben, wäre nicht die Musik. Auf einer Schallplatte ist der Schlager *Always I will love you* festgehalten. Dies war auch das Stück, das die Blaskapellen spielten, welche die Fahrzeuge, mit denen die Zwei (und die Besuchermasse) nach *Coney Island* gefahren wurden, begleitet hatten. In jeder der Wohnungen der Zwei befindet sich ein Plattenspieler. Auch die Platte mit dem Schlager besitzen beide. Sie empfinden es als tröstlich, diesen Schlager nochmals zu hören. Das Wertvollste im Menschen, schreibt der Regisseur Et-vös, ist die Sehnsucht. Könnte man sie wie auf einem Bankkonto stapeln, gäbe es Milliardäre der Glückssuche.

---

17 Tod aus »notwendigem falschen Bewußtsein«. Tod aus vielstimmiger Vergnügungssuche.

4
Schon verloren geglaubter Traum /
Brauchbarkeit

Zwei Robinsone in der Stadt New York, welch Glück, daß ich mein Geviert, in dem ich wohne, gegen jedermann der Millionenmasse zu verteidigen vermag. Andernfalls könnte ich nicht sagen, was ich will. Jetzt hört Mary aus der Nachbarwohnung den Song ALWAYS, nämlich immer werde ich dich lieben, ich bin resolut, zuverlässig und zu allen Zeiten, auch wenn du 64 bist, in deiner Nähe, also Robustheit, Brauchbarkeit, sie vernimmt die Botschaft aus dem Nebengelaß. Beherzt öffnet Mary die unverschlossene Tür der Nachbarwohnung und sieht den schon verloren geglaubten Jim.

So kam es trotz aller Bitternis, der objektiven Ungeeignetheit der Vergnügungsmaschinerie, der Unsicherheit der beiden Protagonisten in allen Fragen der glücklichen Einrichtung ihres Lebens (der schwierigen Aufgabe, den extrem vorangetriebenen *skill*, mit dem Mary Telefone bedient und Jim Werkzeugmaschinen karessiert, auf eine Liebesbeziehung zu übertragen), zur Ausübung von KONKRETEM FUN.[18] Bis Montagfrüh dauerten die Geschehnisse. Dann begann die professionelle Arbeit von 1928 erneut. Die beiden aber freuten sich diebisch auf den Abend, um weiter zu probieren.

---

18 Geschlechtsverkehr.

5
Jim und Mary

Abb.: Mary und Jim in ganzteiligen Badeanzügen am Strand des Atlantik in Coney Island. Die Nacht bricht herein. So wie für Tristan und Isolde. Selten erfolgt ein Sichverlieben in der Nacht, wenn das Paar allein ist. Man muß in Gesellschaft sein (notfalls in der Gesellschaft der Masse, die den Nachmittag über den Strand zertrampelt), um sich zu verlieben, d. h. seine Schwächen anzupassen an all die anderen. Der dann folgende Moment, wir zwei bleiben allein übrig, erhält seine robuste Statik aus der vorherigen Anwesenheit der anderen. Insofern, sagt der Ergonom Dietmar Knoche, ist Liebe ein gesellschaftliches Produkt, bestehend aus dem glücklichen Zufall, daß zwei die Abwehrschranke senken und zugleich im Fluß der anderen schwingen. Würden Sie das für einen unwahrscheinlichen Vorgang halten? Knoche antwortet: Stets und immer erneut unwahrscheinlich.

6
Arbeit / Glücksarbeit

Eine spezialisierte Arbeit, wie die einer Telefonistin im Jahr 1928, ist heute nicht vorstellbar. Schnelligkeit und Präzision des VERBINDUNGSSTEKKENS hätte noch am Frühabend des 20. Juli 1944 eine Wende zugunsten der Rebellen erbracht, sofern andere Kräfte der Moderne, z. B. die Fahrzeuge der Panzerschule bei Potsdam, die gleiche Professionalität an den Tag gelegt hätten.

GEFÜGEARTIGE KOOPERATION (Mensch, Maschine, Gruppe, vernetzt im Zusammenspiel, an der Nahtstelle der Bewegungen die höchste Anspannung der Nerven): Aus solcher Arbeit entsteht ein Zwischenwesen, unsichtbar wie die Schnittstellen des Films. Während die Menschen noch umhergehen, an den Wochenenden zurückfallen auf ihre Privatheit, d. h. ihren Zustand von vor 400 Jahren, ist zwischen ihnen ein virtuelles Lebewesen entstanden, das in die Zukunft weist, zu einem Eigenleben drängt. Erstmals entdeckt wurde die INTERSUBJEKTIVE ELEMENTARLEHRE DER ARBEIT im Herbst 1928.[19]

Nach dem Ende solcher Arbeit wissen die Menschen von 1928 nicht sogleich, wie sie mit der nicht durch Geräte ausgestatteten Realität, z. B. mit ihrem Begehren, der ungeordneten Zeit, umgehen sollen. Tage werden sie brauchen, um sich auf die MASCHINEN DES WIRKLICHEN LEBENS einzustellen. An ihnen müßten sie neu lernen, und das täten sie nur dann, wenn sie den unsichtbaren Rhythmus der Arbeitstage in ihren Wohnungen und privaten Verstecken aufrechterhalten könnten, bis sie neu angelernt werden für die Prozesse der FREIHEIT. Sie müssen diesen Taktschlag von der »Melodie der Arbeit« ableiten, die jetzt unter dem Druck des Schwarzen Freitags schwer hörbar ist. Man lernt das zu mehreren. Kurse nutzen gar nichts, man kann es nämlich nicht »lernen«, sondern man muß die Vorstellungen der anderen in sich haben.

---

19 Der Ergonom D. Knoche deutet dieses Wesen unter dem Begriff »Vergeistung«. Es zeige sich in großen Sportveranstaltungen dadurch, daß auf dem Höhepunkt der Darbietung eine Art Wolke die Zuschauer gewissermaßen ergreife, nicht identisch mit der abgesonderten Schweißwolke, die das Phänomen »unvergeßlich« erzeuge. Ihm widerspricht der Arbeitswissenschaftler Detlevson, der Knoches Vision als *geisterhaft* bezeichnet. Tatsächlich haben Ingenieure aus dem Rüstungsstab Speer in den Jahren von 1943 bis 1945 mehrfach »Geistererscheinungen«, plötzliche, unwahrscheinliche Vermehrung der Triebkräfte im Arbeitsprozeß, beobachtet, die für Knoches Analyse zeugen. So wurden im April 1945 unerklärlich 7800 Strahljäger gebaut, für die überhaupt kein Bedarfsplan, kein Material und keine Arbeitskräfte zur Verfügung standen. Ja, nicht einmal der Ort der Produktion war nachträglich feststellbar. Dennoch standen die Luftgefährte da, wenn auch nutzlos mangels Besatzung.

So erfolgt nach der Phase der Erschöpfung eine Anleihe, durch Anschließung an das Samstag-Radioprogramm in New York. Das kennen die KINDER DES LEBENS, das belebt den Trägheitskompaß: die Schlagertexte, die sich auf Glückserwerb beziehen, auf hilfreiche Traurigkeit.

2003 wird diese Zone von New York ein Slum sein. 1928 sind es begehrte Wohnungen, klein dimensioniert, nebeneinander gefügt, Schachteln der Freiheit. Diese selbst (die Freiheit) ist draußen zu vermuten, eine Fernfahrt ist nötig, eine nächste Gruppe von jungen Männern und Frauen verabredet sich für die Ausfahrt in Kraftfahrzeugen nach Coney Island, Samstag früh. Jeder, der dem zusieht, ahnt, was Glück ist. Man errät Glück am ehesten, solange es bei anderen stattfindet.

Reden macht nicht satt

– Du redest zuviel, meinte sie höflich.

Er bemerkte die Warnung, wollte nicht redselig erscheinen, wenn er schon seine Körperhaltung so einrichtete, wie er meinte ihr angenehm zu erscheinen. Er redete aber über den Grenzpunkt hinweg, über den er noch hätte verstummen und nur dasitzen können.

– Du antwortest zu schnell.

Sie war beharrlich. Jetzt hätte er innehalten können, nachdenklich erscheinen, aber nicht so, daß sie ihn für einen Schauspieler hielte, der ihrer Anweisung folgte, »um zu gefallen«.

Im Kern ging es darum, daß er Angst vor ihr hatte und deshalb ungeschoren über den Abend gelangen wollte. Auf dieser Basis konnte er sich in keiner »Haltung« ausdrücken – jede hätte zu Berührungen geführt –, sondern mußte streng indirekt bleiben: reden, reden. Das hatte aber kein natürliches Maß in sich, es macht nicht satt.

Wäre die Haut nicht,
würden sich die Knochen selbständig machen

> Kindchen, wir alle, die ganze Herde,
> sind doch irgendwie Pferde.
> *Majakowskij*

Meine Schenkel und die rechte Gesichtshälfte, der Hals und die Kopfform, eines meiner Augen und die Füße sind von meiner Mutter. Brustkorb, Rippenrand (geformt wie der einer Hutkrempe, eine Besonderheit), Schultern, linke Hand vom Vater. Rückgratsäule und Ansatz des Gesäßes von beiden gemischt. Das sind schon zwei Personen, sagt Schmidtlein, im Leben haben sie nie zueinandergepaßt, jetzt soll ich sie vereinen. Wenn meine Körperregionen dem, was ich tue, zustimmen und zugleich protestieren, dann reden wiederum die verschiedenartigen Eltern meiner Eltern dazwischen. Nach ihrer Möglichkeit und ihrer Wirklichkeit sind es sechzehn, und durch sie hindurch reden zweiunddreißig usf. Wie soll ich mich dafür interessieren, ein Ganzes zu sein? Viel lieber fühle ich mich echt als Promenadenmischung, die ich bin, ich kann das, wenn ich mich stark fühle.

Schmidtlein war also allen Ansätzen gegenüber mißtrauisch, ja feindselig, in denen es hieß: Also passen Sie mal auf, Sie müssen die Augen zumachen, sich ganz entspannen und sich, irgendwie im Inneren verankert, auf Ihre Stimmen, die Strömungen in Ihnen konzentrieren. Meditieren Sie etwas! Das Ziel ist, daß Ihre Person, wenn Sie sich nur tief genug auf sie einlassen, zu einem Ganzen wird, einem Lebewesen. So funktioniert die Natur. Sie sind in ihr ein Punkt, Menschen sind fähig, in diesem Punkt gewissermaßen zu verschwinden. Wir kennen das im Kursus, eine Bewegung oder Sekte ist darauf spezialisiert, Ihnen zu helfen.

Wenn ich zu mir selber komme, antwortet Schmidtlein auf solche Vorschläge, ich wäre meiner treu und auf das Wesentliche konzentriert, d. h. auf alles, wovon ich mich auf keinen Fall trennen würde, müßte ich in zweiunddreißig oder vierundsechzig verschiedenen Richtungen davonschwirren. Wollen Sie mich strafen? So wie man im Mittelalter Verbrecher in vier Stücke zerreißen und in die vier Winde zerstreuen ließ? Ich halte täglich mit viel Improvisation meine auseinanderstrebenden Eigenschaften zusammen. Keineswegs in der Mitte. Ich tue so, als könnte ich meine verschiedenartigen Bestandteile gleich gut leiden, sie verzeihen keine ungerechte Behandlung. Wurden sie doch nie befragt, ob sie zueinander wollten oder auch nur geeignet wären zum Zusammenhalt. Sie sind Fluchttiere.[20] Lieber bin ICH deshalb gar nicht erst *mein*, sondern *ihres*. So bleiben wir wenigstens zusammen.

Ich war nicht verführbar. Nicht durch Tröster. Er stellte sich das Endziel, zu dem die Projektmacher ihn führen wollten, als einen recht kahlen Kirchenraum vor, in dem niemand flüstern darf, keiner darf sich nach hinten umschauen, der Steinboden ist kalt, man könnte keinen Tisch hineinstellen oder eine Werkbank.[21] In einer solchen Klause haben weder Gott noch ich einen Sitz, sagt Schmidtlein. Ich und Gott finden sich auf jedem Schrottplatz eher zusammen. Was sind da in manchen Eisenhaufen für schöne und brauchbare Stücke versteckt, vor allem wenn es ein Abladeplatz ist für nicht-spezialisierte Eisensorten und Bleche.

Ein neuer Gentyp der Theorie

I

In den Glanzzeiten der Hochschule des GRU (= Militärischer Geheimdienst der Roten Armee) in Moskau entwickelte sich dort ein viel beachtetes Referat für BETRIEBSWIRTSCHAFTSLEHRE DES LIEBESWESENS. Unter Liebeswesen wurde alles einbezogen, was an gleich- und heterosexuellen Bindegliedern eine Art Schattenwirtschaft des vaterländischen Gemeinwesens darstellt und für Spionage bzw. Abwehr fremder Spionage einsetzbar ist. Dieses ZWEITE RUSSLAND, meinte Generalleutnant Jurij Schipkow, der den Hochschulkurs entwickelte, verteile mehr Macht um, als das reguläre Regime, bestehend aus den Hauptabteilungen Politik, Wirtschaft und Technik, die in den Organen von Partei und Staat repräsentiert sind. Diese Schattenwirtschaft teilte sich folgendermaßen ein:

20 Die Seelenkräfte ordnen sich dabei nicht, wie Plato behauptet, in je ein weißes und ein schwarzes Roß. Auch die Hinzunahme eines mittleren grauen Rosses erklärt nicht die Zugrichtung der Strebungen. Es geht vielmehr um das Verhalten einer Pferdeherde bei Gewitter. Die einzelnen Rösser sind dabei klein wie ein Fingernagel und groß wie Wohnhäuser. Dagegen sind sie nicht in Gut und Böse oder Weiß und Schwarz so leicht zu unterteilen, sagt Schmidtlein.

21 Im Mittelalter waren diese heute leeren gotischen Dome mit Teppichen angefüllt. In Kaminen ballerten die Holzfeuer. Gesänge erwärmten das Herz, der langsame cantus firmus wird von den Echos der Seitenschiffe zurückgeworfen, vervierfacht, versechsfacht, Mittelstimmen und Grundtöne variieren in der lebhaften Ornamentierung des zwölften Jahrhunderts. Mit den Göttern verschwand das aus den Kirchen.

- Die Besonderheiten der Wünsche
- Die Balancen und Ausgleiche des täglichen Lebens
- Stabilität, Selbstsicherheit, Organisierung des Selbst
- Und der Umsturz

Hierauf gründete Schipkow seine Lehre von den VIER ÖKONOMIEN.
Das Referat galt als irregulär. Akademische Mitglieder, die aus diesem Bereich Informationen schöpften, bezweifelten, daß eine solche SUBJEKTIVE SCHATTENÖKONOMIE in den *Grundrissen der Kritik der politischen Ökonomie* von Marx vorgesehen sei.
Andererseits hatte das Referat in der Praxis so brillante Erfolge an der kundschafterlichen VATERLÄNDISCHEN SEXUALFRONT, daß die hochrangigen Aufseher, angesichts der ideologisch laxen Phase unter Chruschtschow und Breschnew, die neue Hochschuldisziplin überdauern ließen. Erst der Zusammenbruch der UdSSR, d. h. ein sachfremder Sparkurs, vernichtete diese hoffnungsreiche Pflanze der materialistischen Wissenschaft, ehe sie auf die gesellschaftliche Praxis übergreifen konnte.

2

Schipkows VIERTE ÖKONOMIE[22] setzte voraus, daß zwischen dem Kundschafter, der eine Geheimnisträgerin zu verführen suchte (oder der Kundschafterin, die einen Geheimnisträger »erkundete«), und dem jeweiligen »Opfer« eine ATMOSPHÄRE (= Stimmung der Besonderheit) hergestellt wäre. Ohne diese Atmosphäre, in kalter Mechanik, war kein Erfolg zu bewirken.

- Man soll eine Kerze anzünden? Höflichkeiten austauschen?
- Nicht Höflichkeiten. Es geht um den Beweis der Echtheit. Etwas daran muß echt sein.
- Es muß einen Wert haben?
- Den Wert der Echtheit. Er ist es, der die »Stimmung« auslöst.
- Ist das nicht ein schwärmerischer Standpunkt? Ist das die Aussage eines wissenschaftlichen Materialisten?
- Genau der steht vor Ihnen und sagt all dies.

22 Die ERSTE ÖKONOMIE ist die Weltwirtschaft, die ZWEITE ist die der Sowjetunion, die DRITTE die der Schattenwirtschaft, die VIERTE existiert, ohne Bilanzen, ohne Buchhaltung, in der erotischen Verläßlichkeit. Die VIER ÖKONOMIEN funktionieren, behauptet Schipkow, von der unteren (der VIERTEN) aufwärts zur obersten (der ERSTEN).

Vor allem war es der Zeitfaktor, hieß es in den Vorlesungen, der sich in der VIERTEN ÖKONOMIE anders verhielt als in der DRITTEN, ZWEITEN oder ERSTEN.[23] Ein Romeo der Spitzenklasse hatte eine leitende Mitarbeiterin einer der großen Stiftungen der USA in sein Netz gezogen. Diese Stiftung befaßte sich mit Rüstungslobby, in dieser war sensible Information aufgehäuft wie ein Goldschatz. Der Agent hatte es geschafft, eine intime Situation herzustellen, machte aber dann, voller Nervosität, die von der Bedeutung der Beute ausging, den Fehler, zu »streberisch« auf die junge Person einzudringen. Er verlor sogleich den Kontakt, die »Atmosphäre« entwich. Die Liebesbeziehung erstickte. Er wurde noch am nächsten Morgen enttarnt, nur weil er zudringlich geworden war.

Die wesentlichen Komponenten meiner Theorie, fuhr Schipkow fort, beruhen jedoch nicht in der Schulung unserer Agenten gegenüber dem Außenfeind, ja sie sind gar nicht auf die Erfüllung von Zwecken gerichtet. Je mehr Instrumentalisierung, um so geringer die Chance eines Erfolgs. Die Bedeutung der VIERTEN ÖKONOMIE besteht vielmehr in ihrer Wirkung im Innern der Sowjetunion. Wir brauchen Satyrn, Quellnymphen, Geister, Nacktheit der Empfindung, um die trägen sexuellen Beziehungen unserer Genossen und Genossinnen zu »verwirbeln«, d.h. wir brauchen einen Zuschuß an Chaos, das auf die blinden und doch weltklugen Monaden antwortet, die in den Seelen der Sowjetmenschen (über Jahrhunderte geduldig, in ihrer vergeblichen Hoffnung entnervt) auf solche Antwort warten.[24] Wie Hände, Münder in den entfernten Gebirgen Sibiriens geschult werden können, die einmal hergestellte INTIME ATMOSPHÄRE indirekt und mit den notwendigen Langsamkeiten (aber auch nicht träge) in einen Lebensreiz zu versetzen, das, sagte Schipkow, ist eine Frage des Überlebens unseres Vaterlandes. Dieses Konzept kannte Schipkow aus den Formulierungen von Foucaults »Biopolitik«. Wer zweifelt, daß die Partei den Arbeitsauftrag hierzu gar nicht sah? Das Thema aufzuwerfen war bereits eine parteischädigende Maßnahme. Zwölf Jahre nach Schipkows Referat war die Partei am Ende. Akten wurden

23 Beispiel für Erweiterung von ERSTER und VIERTER ÖKONOMIE: Napoleon, Adressat der ERSTEN ÖKONOMIE, wird aus einem Diktat abgerufen und in ein Kabinett geführt, wo eine Geliebte für ihn vorbereitet ist. Zwar gelingt ihm die Erektion sogleich, die ZUGEFÜHRTE, verblüfft, dem Kaiser so zu begegnen, war aber in der Herstellung ihrer Körpersäfte nicht rasch genug, um eine angenehme Beiwohnung in der Eile zu ermöglichen. So endete dies in Schmerz und gegenseitiger Beschuldigung, die durch den Unterschied der Rangverhältnisse auch nicht ungehemmt ausgedrückt werden konnte.

24 Turgenjew behauptet, so zitiert Schipkow, daß Männer und Frauen Rußlands durch ein grundlegendes Mißverständnis voneinander auf Dauer getrennt seien. Alle Attraktion beruhe auf Verwechslung.

aus dem Gebäude des Zentralkomitees hinausgetragen, in denen über die VIERTE ÖKONOMIE keine Silbe stand.[25]

Die mißglückte Scheidung

In der Zeit des Wirtschaftswunders planten zwei Eheleute namens Pfeiffer, die Kinder besaßen (auch ein Geschäft hatten sie gemeinsam großgezogen, dann sich höllisch verzankt), ihre Scheidung. Von einer Ortschaft südlich der Lüneburger Heide fuhren sie auf der Landstraße in Richtung Uelzen. Nach zwölf Jahren des Zusammenlebens. Ein letztes Mal (dachten sie) setzten sie sich in das gemeinsame Kraftfahrzeug. Sie wollten rechtzeitig das Landgericht erreichen. Es war Mittwochmorgen, spätsommerliches Wetter.

In jener Woche hatte die Wälder in diesem Landstrich ein Feuersturm erfaßt. Aus Italien wurden Löschflugzeuge herangeführt. Bundeshilfe war angerufen. Die Kreisdirektoren der Landkreise im Bereich der Lüneburger Heide (alles Ritterkreuzträger des Zweiten Weltkriegs) führten persönlich die Löscheinheiten zu den Rändern des Feuerkessels. Die Straßen in weitem Abstand abgesperrt.

Die Eheleute Pfeiffer sahen schon von weitem den Turm der Brandwolken über den Forsten in Richtung Norden. Sie wurden zur Umkehr angehalten. Beharrlich versuchten die beiden auf Waldwegen ihr Trennungsziel zu erreichen. So kamen sie miteinander ins Gespräch. Gegen Abend stand fest, daß ein Durchkommen durch die Front unmöglich war. Der Termin vor dem Landgericht war verpaßt.

– Da hat der Teufel den Pfeiffers einen Strich durch die Rechnung gemacht!
– Wenn es der Teufel war, der die Wälder verbrannte.
– Ein Höllenfeuer konnte man es nennen. Sind Fälle bekannt, daß der Teufel versöhnungsstiftend tätig wird?
– Man weiß wenig von seinen guten Taten.

Die Brände waren im trockenen Spätsommer fast überhaupt nicht löschbar. Eine Panzerbrigade der Bundeswehr aus Hannover brach eine 500 Meter breite Schneise in den Wald, der noch nicht vom Feuer erfaßt war. In Eile schafften Bagger die Baumstämme beiseite. Schon aber hatte der Brand die Sperre überwunden, indem er sich durch Funkenflug und am trockenen Boden

25 »Einzigartigkeit« wäre, so Schipkow, das Schlüsselwort gewesen.

über Wurzeln und Moose vorwärtsschob. Nur um das Ehepaar Pfeiffer zu-
sammenzuhalten, äußerte Pfarrer Eisenhardt, ein Kenner des Widersachers,
war das auch für den Teufel ein zu großer Aufwand.
Im Frühjahr ein Versöhnungskind. Das Geschäft blühte bis 1991. Die Pfeiffers
blieben zusammen. Wenn sie sich zankten, lachten die Kinder seither über die
beiden.

Privates Sicherheitsunternehmen

> »I say, *My eyes.* You say, *Look for Him.*
> I say, *My gut.* You say, *Tear it open.*
>
> I say, *My heart.* You ask, *What's inside?*
> I say, *My longing.* You say, *That's all you need.*«

Sie lebten jetzt schon 21 Jahre zusammen. Dreimal siebtes Jahr. Keinen Tag
waren sie voneinander getrennt. Sie hatten sich (nachdem sie ein Fahrradge-
schäft, danach eine Kneipe hatten aufgeben müssen) eine Röntgenmaschine,
Metalldetektoren, ein Durchgangsportal und ein Gleit-Transportband (alles
so, wie bei den Sicherheitsschleusen in den Flughäfen, nur transportabler)
gekauft und ein privates ZUGANGSABSCHIRMUNGSUNTERNEH-
MEN begründet. So konnten sie auch jetzt gemeinsam den Tag verbringen.
Als sie das neue Unternehmen eröffneten, hatten sie noch nicht gewußt, daß
sie in diesem Berufszweig ein Vermögen verdienen konnten (das Darlehen für
die Anschaffungskosten hatten sie zurückgezahlt). Die Zeitgeschichte arbeitete ihnen zu. Sie konnten sich aussuchen, welches Angebot eines Fünf-
Sterne-Hotels oder einer Tagung, die exquisite Geheimnisträger beherbergte,
sie annehmen wollten. Ihnen entging keiner, der eine Waffe oder Sprengstoff
bei sich trug.
Kurze Blicke, für Dritte kaum merklich. Bestätigungen, daß das Zusammenspiel von Gerät und Mensch die Sachlage korrekt wiedergibt. Sie waren perfektionierte Sicherheitsexperten, weil sie einander gern ansahen, gern Grund für
einen dieser kurzen Blicke hatten. Oft berührten sie sich mit den Ärmeln. Im Eingang des Hotels herrschte Zugluft. Die Partnerin hatte sich in Skikleidung, der
Partner in einen wattierten Mantel vermummelt. Die Zugluft machte die Wartenden, die zu durchsuchen waren, nervös, ein günstiges Klima für die Kontrolle. Menschen, die in Zugluft ihre Mäntel und Jacketts ausziehen und in einen
Korb legen müssen, sind nicht überheblich. In festem Rhythmus: Ablage von
Metallteilen und Überkleidung, Durchschreiten der Sicherheitsschleuse, Abta-

sten der Person mit Metalldetektor, Prüfung und Entlassung ins Innere. Der Blick eines der beiden lag stets auf dem Probanden (deshalb die Blicke zueinander so kurz). Es war ein Beispiel »gefügeartiger Arbeit«, ein rhythmisches Geschehen.

Eines Tages sprang nach mißglücktem Eindringversuch ein Bewaffneter den männlichen Partner des Sicherheitsteams an. Im gleichen Moment, in dem der Alarmton der Schleuse das Grand-Hotel durchdrang, setzten sich Bodyguards aus der Haupthalle zur Verstärkung des Paares in Bewegung. Der Bewaffnete hielt eine Feuerwaffe in der Faust, zugleich war er bemüht, mit einem Messer zuzustoßen. Wilma warf sich über das Gleitband in seinen Weg. Alle fielen sie um. Sekunden später waren die Bodyguards zur Stelle. Der Täter wurde gefesselt abgeführt.

Ohne Wilmas Einsatz wäre es zu spät gewesen. Sie setzte sich ein, weil sie Fred liebte. Seinen Hals in den Augenwinkeln, während ihr Blick zum nächsten »Gast« schwenkte. Undenkbar, daß sie Fred verlorengab. Die offene Klinge befand sich im Moment ihrer raschen, eigentlich »ungekonnten« Vorwärtsbewegung nur 40 Zentimeter von Freds Halsschlagader entfernt.

Sind Photonen individuell?

Ein Lichtpartikel, das im Inneren der Sonne entsteht, wird eine Million Jahre unterwegs sein, bis es in die Atmosphäre der Sonne gelangt und irgendwann dort, wenn die Reihe an es kommt, abgestrahlt zu werden, in acht Minuten die Erde erreichen.

– Ein solches Photon hat sicher etwas zu erzählen.
– Nicht mehr als ein anderes.
– Es hat die Erfahrung seltener Begegnungen; eine Wanderschaft von Millionen Jahren im Inneren der Sonne, die viel Sternenstaub, seltene Metalle, edle Gase enthält, liegt hinter ihm. Reisende erzählen.
– Ein Funke hat eine Ladung und einen Impuls, mehr kann es nicht berichten.
– Es soll kein Unterschied sein, ob das Photon aus einer Atomexplosion, von einer der fernen Galaxien oder aus dem Inneren der Sonne zu uns kommt? Oder aus einem Streichholz, das aufflammt?
– Das Photon berichtet nicht, »was es sah«.
– Nicht in einem Keller, in dem sich ein glückliches Paar versteckt hält?
– Ich glaube nicht.

Der japanische Astrophysiker war nicht zum Einlenken bereit. Selbstverständlich wird Materie beeinflußt von der Welt, durch die sie hindurchgeht, antwortet das Mädchen. Nicht die Elemente. Was denn anderes als die Elemente? Ein glücklicher Nachmittag. Sie erörterten eine Unterscheidung, die für keinen der Gesprächspartner lebenswichtig war.

Mittagsliebe

Schnell fließen die Wasser des Engadin zu Tal, sommerlich. Unter der Seilbahnstation sind schon in den dreißiger Jahren Röhren verlegt worden, die den Boden, auf dem der Beton der Station eingerammt ist, drainieren. Das Wasser von den Gipfeln, diffus, einzeln, in Tropfen zu Tale dämmernd, sammelt sich in diesen Röhren und tritt als lebhafter Bach hervor. Es hat sich durch die Steine einen Pfad gebahnt, spiegelt luxuriös und ohne merkliche Abgabe von Energie das Sonnenlicht.

8

Was heißt Macht? /
Wem kann man trauen?

Ein Arbeitszeitmesser auf einer Sicherheitskonferenz.
Spanische Partisanen kämpfen für konservative Werte.
Wie mächtig war Europa noch vor kurzem in Afrika
und Asien? Karthagos Ende. Kleist in Aspern.
Was heißt asymmetrischer Krieg? Wie gelingt die GE-
NAUE BESTIMMUNG DES FEINDES? Was ist
heute überhaupt Macht?

»Wenn du diesen Krieg beginnst, wirst du ein großes Reich zerstören«

Bevorzugtes Examensthema in Westpoint

Carrhae lag im Jahre 52 v.Chr. seit 200 Jahren an der Kreuzung der Handelsstraßen, die nach Palmyra, nach Edessa und Amida führen. Ein unvollständig befestigtes Wüstenlager. Im Umkreis von 40 Meilen um dieses Lager herum ereignete sich der Untergang des römischen Feldherrn Marcus Licinius Crassus und seiner Legionen.

Die militärische Katastrophe von Carrhae war das Steckenpferd von Generalleutnant Douglas F. Fitzgerald von Westpoint. Im vierten Studienjahr, unmittelbar vor den Examen der Kadetten, lag F. Fitzgeralds Seminar über Carrhae.

Die Legionen, 35000 Fußsoldaten, gesichert durch 4000 Reiter, durchziehen die graubraune Wüste. Prokonsul Crassus hofft durch den weiten Marsch zwei Tage zu gewinnen. Er folgt deshalb dem verräterischen Rat eines seiner Verbündeten, des Königs Abgarus, und marschiert nicht an den Schleifen des Euphrat entlang.

Nachdem sie einige Tage marschiert sind, treffen die Römer auf Trupps von Parthern. Sie nehmen an, daß das Heer des Satrapen Pahlawi Surenas 10000 berittene Bogenschützen umfaßt, sowie 2000 Kataphrakten, parthische Panzerreiter. Es war noch früh am Nachmittag.

Plötzlich sind die Verbündeten, auch der Ratgeber Abgarus, verschwunden. Noch ehe der Feldherr benachrichtigt ist, werden die Legionäre von einem Hagel von Pfeilen überschüttet.[1] Die Feinde sind für die Römer nur wahrzunehmen durch die Bodenerschütterung, ausgelöst durch die Reitermasse der Kataphrakten, die in der Staubwolke, die sie aufwirft, nur als Schatten zu sehen ist. In der Verwirrung erscheint der römischen Reiterei, unter dem Befehl des Sohnes des Feldherrn Crassus, das einzig Vertrauenswürdige die Schlacht selbst.

Diese Schlacht bot Übungsstoff. Wasserlosigkeit, Undurchdringlichkeit des Staubs, Verirrung im Gelände. Eine Schlacht ist die Herstellung eines Geländes, eines Gegenübers. Publius Crassus, der Sohn des Marcus, greift mit den

---

1 Die Römer betrachteten es als Schwäche der parthischen Bogenschützen, daß diesen Reitern rasch die Pfeile ausgingen. Schrecklich die Wirkung der Pfeile, wohltuend die Wirkung der Pausen. Der Satrap Pahlawi Surenas hatte jedoch Kamelzüge organisiert. Die Tragekörbe der Tiere waren mit Ersatzpfeilen gefüllt. 4000 Sklaven brachten diese Pfeile im Eiltempo zu den Bogenschützen.

4000 gallischen Reitern die fremde, das römische Heer umgebende Staubwolke an. Die Kataphrakten der Parther wenden sich zur Flucht. Der Staub nimmt auch die gallischen Reiter auf. Während der kurzen Pause gelingt es Crassus, seine Truppen in einem Viereck aufzustellen. Schildkröten im Abstand von je 20 Metern.[2] Da reiten die Kataphrakten aus dem Dunkel heran. Den Kopf von Publius Crassus haben sie auf eine Lanze gespießt. Sie greifen das Viereck nicht an, traben entnervend vor den Zurüstungen der Römer hin und her, bis die Nacht einfällt.

Zu diesem Zeitpunkt ist der Prokonsul Crassus, reichster Mann Roms, seinen Sohn kann er durch nichts ersetzen, geschlagen. Der Hälfte der Legionäre und einer Gruppe von Reitern gelingt es, in die Festung Carrhae zu entkommen. Hier ist wenig Platz. Andromachus, ein weiterer Verräter, gibt dem Feldherrn den Rat, das Heer müsse in Richtung Nordosten nach Sinnaca ziehen, eine befestigte Stadt, die über Kornspeicher verfüge. Die Nacht über marschieren die Legionen, Andromachus führt sie im Kreis. Sie finden aus dem Wüstengelände nicht heraus.

Im Morgengrauen des zweiten Tages vor den Iden marschierte die Armee des Crassus, noch führten sie Belagerungsgerät und Geschütze mit sich, immer noch im Kreise, ohne Sinnaca auch nur eine Meile näherzukommen. Da griffen die Parther endgültig an. Die Legionäre, abwechselnd die Stellung haltend und sich zurückziehend, wurden massakriert. Alle Legaten fielen. Nachdem Crassus gefangengenommen war, brach ein Kampf aus, in dessen Verlauf Marcus Crassus starb.

Dieses Geschehen war auf den Computern der Westpoint-Kadetten des Jahrgangs Nr. 4 programmiert. Es waren Fragen zu entwickeln, alternative Handlungschancen zu analysieren.

Verboten waren Antworten wie: Marcus Crassus, der reichste Mann Roms, war als Feldherr unfähig. Fitzgerald bestritt das. Außerdem könne auch ein unmilitärischer Mensch sich von seinen Legaten und Tribunen beraten lassen. Auch General Marshall sei ein Geschäftsmann gewesen, General Goethals, ebenfalls Geschäftsmann, habe den Panamakanal gebaut, Generalleutnant Viele sei ein so reicher Geschäftsmann gewesen, daß er der Stadt New York den Central Park schenkte.

Eine gute Antwort, die Fitzgeralds Zustimmung gewann, war: unzulängliche Bestimmung des Feindes.

---

2 Die Schildkröte wird durch Aneinanderlegen der Schilde der Legionäre gebildet, so daß eine gepanzerte Truppe entsteht, die nach vorn, zu den Seiten, nach hinten und nach oben gleichermaßen geschützt ist und Bewegungen in alle Richtungen im Umkreis von 20 Schritten vollziehen kann.

An der Spitze jeder Analyse eines jeden Feldzugplans muß die Unterscheidung zwischen Freund und Feind stehen. Wohin will Crassus überhaupt marschieren? Schon am Sitz seiner Statthalterschaft in Antiochia hätte er durch Vertrag mit dem Partherkönig alles erhalten können, was er erobern wollte. Wohin zog er überhaupt so eilig?

- Man muß einen Wüstenmarsch vermeiden.
- Das ist in der Praxis unmöglich.
- Die Schlacht ging verloren, weil sich die Armee des Crassus verirrt hat.
- Sie besaßen Karten.
- Wie später die Legionen des Varus im Teutoburger Wald hat die Fremdheit der Umgebung, hier der Angriff aus einem Sandsturm heraus, die Tatkraft der Römer gelähmt.
- So etwas hat weder Cäsar noch Hannibal, noch Alexander von Makedonien gehindert, Siege zu erringen.
- Hätte den US-Truppen im Golfkrieg etwas Ähnliches passieren können?
- Nie und nimmer.
- Warum nicht?
- Vom Orbit aus betrachtet, sind Sandwolken durchsichtig. Es genügen Wärmesensoren, um den Feind sichtbar zu halten.
- Diese Antwort ist halb richtig.

Die völlige Zustimmung Fitzgeralds fand nur *eine* Antwort, die mit dem Satz begann: »Die genaue Bestimmung des Feindes ist der Anfang des Sieges.« Insofern meinte Fitzgerald (und die künftigen Absolventen von Westpoint konnten dies, Jahrgang für Jahrgang, aufsagen), daß sich Kriege schon in dem Moment entscheiden, in dem der Grund fixiert wird, dafür, daß die Truppen überhaupt losmarschieren sollen. Crassus verlor sein Leben, seinen Sohn und seine Armee, weil er keinen verifizierbaren Grund hatte, das Königreich der Parther anzugreifen.

Neugier ist mein Beruf

Als Arbeitszeitmesser auf einer Internationalen Sicherheitskonferenz[3]

In den Räumen des Münchner Fünf-Sterne-Hotels, dessen Repräsentations-
räume noch mit den Rundbögen und bauschigen Vorhängen des deutschen
Spielfilms der frühen 6oer Jahre ausgestattet sind, spanische Gitter gliedern die
Perspektive, zeigt ein Gesumm der Stimmen Vielsprachigkeit, lebhaften, hoch-
karätigen Intelligenzeinsatz. Es gibt keine Intelligenzarbeit ohne Druck. Der
Druck besteht darin, daß in wenigen Stunden die Lobbyisten die hilfsbereiten
Gehirne der Entscheidungsträger neu laden müssen, neu im Verhältnis zur Situation, angesichts der Wendung in allen Positionen der US-Strategie, die mit
der neuen Administration von Präsident Bush verknüpft sind. Dies ist der wesentliche Grund für das hochtourige Gesprächsgeräusch in Höhe der Kron-
leuchter, kaffeegestützt.
Auf dem Mittelstreifen vor dem Hotel: ein Grüppchen Frierender. Sie halten
Transparente, die gegen das National Missile Defense-Projekt (NMD) protestieren, vor neuer Hochrüstung warnen. Einem der Kämpfer, Berthold G., ist
es gelungen, in das Hotel einzudringen; er hat sich eine Kellnerkleidung verschafft und findet sich unter denen, die den Kongreßdelegierten der Sicherheitskonferenz die Kaffeeschälchen servieren. Ein Triumph gegenüber der Security.
Ausnutzung des Umstands, daß das Hotel so groß ist, daß die einzelnen Bedien-
steten sich nicht notwendigerweise kennen müssen. Berthold G. könnte Flugblätter niederlegen oder ein kritisches Gespräch eröffnen. Mit wem? Eröffnung
des Gesprächs wäre gleichbedeutend mit Entlarvung. Wer unter den Intelligenz-
arbeitern hier würde ihm, dem kritischen Intelligenzarbeiter, zuhören?
Zeit ist kostbar. Ein Vizeadmiral a. D. der Bundeswehr, Lobbyist eines Rü-
stungsunternehmens, ehemals Planungschef, bekannter Militär-Schriftsteller,

---

3 Ich nenne mich mit der alten Bezeichnung »Arbeitszeitmesser«. Tatsächlich werden Ökonomen heute nur noch als Kontroller verwendet, die die Gesamtleistung von Firmen beurteilen, nicht, wie früher, einzelne Arbeitsvorgänge analysieren. Sozusagen sind wir Wirt-
schaftsdetektive.
Die klassische Arbeitszeitmessung (oder Ergometrie) war produktionszentriert: wieviel
Aufwand an Zeit und Kraft erbringt in welchem Prozeß welches Produkt. So gilt mein Interesse auf dieser Konferenz z. B. der Unterscheidung: wieviel Intelligenz wird als Dienstleistung und Moderation (Verkaufsgespräch, Lobby, Begrüßung, Verteidigung einer Rangordnung) verausgabt, und wieviel besteht aus Kritik. Mein Ergebnis: 92 % aufgewendet als
Dienstleistung und Moderation!

besaß noch einen Zeitrest, weil er die wesentlichen Gespräche schon am Vorabend absolviert hatte. Was sollte ihn für ein kritisches Gespräch gewinnen? Was heißt überhaupt – von ihm aus gesehen, der Worte und Gedanken nicht verschwendet – Kritik? Kritisch wäre es, einem Entscheidungsträger etwas zu sagen, was später nicht eintritt. Nicht nur kritisch, sondern verderblich wäre, irgendetwas Falsches zu sagen und so Zuverlässigkeiten, d.h. Vertrauensverhältnisse, zu vernichten. Einer trägt des anderen Last, also ist jeder Schritt, der Vertrauensbeziehungen verstärkt, in diesem Kreis ein Fortschritt.

Was errät Berthold G. von dieser Ökonomie der Intelligenzarbeit? Jetzt, in der Pause der Veranstaltung, hat der Oberkommandierende der mazedonischen Armee eine Ecke des Speisesaals besetzt und hält Hof. Seine Adjutantin, vermutet man, ist auch seine Geliebte. Er trägt die Uniform des mazedonischen Landheeres. Seine Kontakte zur Nato sichern seine Stellung im eigenen Land, wie es politische Konstellationen im Land selbst nicht vermögen. Er kommandiert eine konventionelle Streitmacht. Er wird am Nachmittag ein Referat halten, das exakt 14 Minuten lang sein wird, d.h. ebensolang wie das Referat seines Kontrahenten, des bulgarischen Verteidigungsministers. Seine Sorge ist, daß er nichts sagt, was irgendeinen der Anwesenden irritiert. Darauf verwendet er ein für abendländische Verhältnisse hohes Maß an Intelligenz.

Ich selbst, der dies hier beschreibt, gehöre, wie gesagt, zur Zunft der Arbeitszeitmesser. Ich bin als Kontaktmann von meinem Autokonzern ausgeliehen an die Stiftung, die diese Veranstaltung organisiert. Ich kann, meinem Nervenkostüm nach, nicht aus meiner Haut. Mein Charakter, wie ein Fingerabdruck unverwechselbar, zwingt mich, als Kontroller tätig zu werden.

Ich hätte andernfalls den intriganten Berthold G. nicht entdeckt. Ich brauchte nur drei der Kaffee herantragenden Ober zu befragen, ob sie den jungen Mann kennen, und ich hatte ihn. Ich befragte ihn. Der junge Mann war verwirrt.

– Hätten Sie noch ein Schälchen von Ihrem Kaffee?
– Bitte sehr.
– Sie gehören doch nicht hierher. Was wollen Sie hier?
– (schweigt / errötet)
– Gehören Sie zu denen da draußen? Sind Sie ein Spion?
– Spion von was? Es weiß doch jeder, was hier verhandelt wird.
– Ja, es steht im Blatt.
– Man müßte Kritik äußern können.
– Und welche?
– An der Hochrüstung im Weltall. Die Späher-Satelliten des Projekts, geplant für 2006, sind dabei eine noch gefährlichere Provokation als der Raketenabwehrschild (NMD).

- Und das wollen Sie wem mitteilen?
- Kritik ist keine Mitteilung. Kritik muß man ausüben.
- Und an wem wollen Sie so etwas hier ausüben? Wollen Sie es den chinesischen Delegierten sagen?
- Man muß es öffentlich machen.
- Dann rate ich Ihnen, in den Presse-Saal zu gehen und es als Experte den Journalisten zu sagen. Sie müssen sich als Experte verkleiden und nicht als Kellner.
- Wie sind denn Experten gekleidet?
- Keine spezifische Bekleidung. Ihnen würde ich eine Uniform anraten, weil Sie Verkleidung brauchen.
- Und woher soll ich die nehmen?
- Ihr Projekt der Aufklärung ist zu kompliziert. Hätten Sie in einem Kostümverleih eine Uniform ausgeliehen, stünden Sie vor dem Problem, sie so einzuschmuggeln, wie Sie sich selbst eingeschmuggelt haben. Stehen Sie einmal in Uniform vor den Journalisten, glaubt Ihnen keiner mehr das Kostüm, wenn Sie sich kritisch äußern. Jeder hält Sie für einen Narren.
- (schweigt)
- Tut mir leid.
- Was würden Sie mir denn raten?
- Einen Artikel schreiben.
- Das nutzt doch nichts.
- Was Sie hier tun, nutzt auch nichts.
- Aber ich tue wenigstens etwas. Das ist nicht *ohne*, hier auf 50 cm Abstand an die Entscheidungsträger heranzukommen. Ich habe es sogar auf 20 cm und 10 cm geschafft, wenn die Entscheidungsträger Zucker nehmen.
- Ich habe das gesehen. Chapeau! Das ist eine Leistung.
- Was wollen Sie noch? Einen Anfang muß man machen.
- Sie haben in mir einen Sympathisanten.
- Und was nutzt mir das?
- Ich bin ein guter Beobachter.
- Und was nutzt das?
- Vielleicht habe ich irgendwann einen Tip.
- Was ist Ihr Beruf? Sie gehören doch nicht zu den Entscheidungsträgern oder den Lobbyisten?
- Ich bin Arbeitszeitmesser.

Das Gespräch hatte länger gedauert, weil Becker den jungen Mann ungewöhnlich seltsam fand. Die Kaffee-Servierer waren in den Küchen verschwunden. Das Gelände des Speise- bzw. Pausensaals lag verlassen, wurde von Ventilatoren durchlüftet. Becker hatte seine Aufgabe als Intelligenzforscher vernachlässigt, die jedoch zu diffus war, um bei Nichterfüllung Sanktionen auszulösen. Er begab sich in den Sitzungssaal, den eine ruhige Rezeptionsatmosphäre erfüllte; die monotone Mikrofonstimme des Vortragenden bewegte sich im Raum. Der Redner füllte die protokollarische Zeit aus, die der ranggleiche Vorredner ausgefüllt hatte.

Finster saßen die zwölf Repräsentanten der Volksrepublik China in ihrer Loge. Was sollten sie gegenüber der rücksichtslosen Prosa der US-Seite unternehmen? Sie konnten hier nicht fahnenschwenkend protestieren. Zum Denken kein Anlaß, weil sämtliche Vorhaben der USA *offensichtlich* gegen chinesische Interessen gerichtet blieben. Sie sahen sich, mitsamt ihrer zahlenstarken Nation, ausersehen als Ziel amerikanischer Rüstungspläne. Es gehörte keine Intelligenztätigkeit dazu, zu verstehen, daß zeitgleich mit der Wahl von Präsident George W. Bush, so die Dokumentation, die der chinesischen Delegation vorlag, eine Fusion von Northrop Grumman Corp., LA, und Litton Industries, Woodland Hills, Cal., stattgefunden hatte. Rüstung im Weltraum und für die abtrünnige Republik Taiwan. Demnach mußte China den Feind spielen. Die Chinesen bereiteten sich darauf vor, bei Worterteilung die von ihrer Hierarchie genehmigten Texte vorzutragen und sich abzuschirmen gegen Ablehnung und Unverständnis des Plenums. Sorge hatten sie, daß ihnen hinsichtlich der Übersetzung ein Streich gespielt werden könnte. Sie erwarteten eine Sabotage der Tagungsleitung. 27 % der Annahmen unserer Delegation, erläuterte der Delegationschef später gegenüber Becker, beruhen auf Irrtümern, wie sollen wir aber wissen, um welche 27 % es sich im konkreten Fall handelt? Insgesamt lag ihre Intelligenztätigkeit in der Zeit vor dieser Tagung, und sie würde in der Zeit nach dieser Tagung liegen. Nichts aber macht nervöser als eine Pause bei der Ausübung der Intelligenz in einem historisch wichtigen Moment. Sie blieben unruhig. Sitzen, notierte Becker, kann man das Verhalten der chinesischen Delegation nicht nennen.

Aus Moskau war der Sicherheitsbeauftragte des Präsidenten, Iwanow, angereist. Eskorte um ihn. Der Berater und protokollgemäß ihm Nächste, heute traditionell für russische Delegationen, war ein stämmiger, breitstirniger Glatzenträger. Haben sowjetische und russische Auswahlkomitees für intelligenten Jungnachwuchs in Spitzenstellungen ein bestimmtes Bild vor Augen, das auf Intelligenzpotential schließen läßt?[4] Iwanow selbst sieht aus wie ein römischer

---

4 Die Karrieren in russischen *think tanks* folgen (anders als in denen der USA) einem Schema, sagt der Konfliktforscher Daniel S. Friedman. Offensichtlich halten russische Planwirtschaftler die mit der Intelligenz oft verbundene Nervosität für einen Nachteil. Bei der Auswahl des Nachwuchses bevorzugen sie deshalb für wichtige Laufbahnen einen breitwüchsigen, meist südrussischen »Typ des nervenstarken, im Körper verankerten Ent-

Jungimperator. Das Gesicht ist für Profilaufnahmen exzellent geeignet. Er schwenkte dieses Gesicht rasch in verschiedene Richtungen, hatte einen lebhaften Auftritt. Um so hemmender die Notwendigkeit, sich höflich bis zum kommenden Morgen in die erste Reihe dieser Veranstaltung zu setzen, in der ausschließlich Texte verlesen werden, die Rußland zuwider sind. Er muß, mit eiserner Miene, weil Pressefotografen sein Gesicht belauern, die wertvolle Zeit durchsitzen; als eloquenter Politiker, der zu jedem Halbsatz der Redner etwas mitzuteilen gehabt hätte. Er muß aber schweigen.

Alois Becker durchforstet, wörtlich verstanden, nämlich wie ein aufmerksamer Förster die Baumreihen prüft, die Reihen der Tagungsteilnehmer. Sie sind nach Gängen und Sitzreihen mit Gesicht zum Vortragenden, ähnlich zur Parade aufgestellten Kadetten, geordnet. Die Annahme, meint Becker, ist nicht falsch, wenn er die Aufmerksamkeitsraten in den Mienen liest (keiner wagt zu schlafen), daß sie alle in diesen 40 Minuten kaum zuhören, sondern auf den Moment der Lobby, des Gesprächs, der Annäherung warten, der in der kurzen Teepause enthalten sein wird, sich dann in den Mittagessen (für hohe Prominenz und Fußvolk getrennt) fortsetzt. Es ist eine konkrete Intelligenzarbeit, die hier stattfindet, die sich auf Anschluß, Vernetzung, Konsens spezialisiert hat und den traditionellen Prozeß der Kritik (Unterscheidungsvermögen, Selbstvergewisserung, Kontrolle) an keinem Punkt der Veranstaltung vorsieht.

Was, fragt Becker, müßte die kleine frierende Truppe, zu der Berthold G. gehört, anstellen, um auf diese 24 Stunden einer Tagung, die eine weitreichende Weichenstellung, wenn nicht »Entscheidung« vorbereitet, Einfluß zu nehmen? Es kommt hinzu, räumt Becker ein, daß es den »Freunden der Kritik« gar nicht um Einfluß geht, sondern »um Herstellung eines gedanklichen Geländes, in dem Gedankengänge lateralisiert (nebeneinandergestellt) und dadurch in Berührungsfläche gebracht werden mit einem subjektiven Input konkreter Menschen, damit sie mit menschlicher Erfahrung vernetzt werden«. Becker kennt Probleme dieser Art bei der Entwicklung hochspezialisierter Motoren. Aber, sagt Becker, eine Vernetzung bleibt utopisch bei einer aus Lobby und Entscheidungsträgern zusammengesetzten Versammlung, die nur eineinhalb Tage dauert.

scheiders«. Da aber das Intelligenzpotential, argumentiert Friedman, bei nicht-hysterischen (und damit weniger zur Nervosität neigenden) Menschen die Tendenz hat, zum Durchschnitt hin abzusinken (wenn nicht Schmerz oder außergewöhnliche Schicksalsschläge die Intelligenzarbeit emporputschen), werden diese AUSGESUCHTEN BREITSCHÄDEL AUF STAMMKÖRPER immer nur die Stellvertreterposition besetzen. Sie sehen so aus, wie die russische Führung sich »in Nervenstärke verankerte Intelligenz,« eingebettete Geisteskraft« vorstellt, sind aber praktisch »beamtete Intelligenz«. Zu dem Problem David F. Kropotkin in: *Abgründe der Intelligenzzüchtung.*

Gespräch mit Heiner Müller über Napoleon vor Madrid

1808 steht Napoleon, begleitet von 300 000 Franzosen, vor Madrid und nimmt die Kapitulation der Hauptstadt entgegen. Er verkündet für Spanien die Freiheitsrechte, die Abschaffung des Klerus und der Vorrechte des Adels, die Befreiung der Bauern.
Die spanische Landbevölkerung antwortet mit Terror, massakriert französische Grenadiere, wenn sie nachts ihrer habhaft wird, und beginnt den ersten Partisanenkrieg in Europa.
Unter den Projekten Heiner Müllers aus dem letzten Jahr seines Lebens findet sich der Entwurf zu einem Theaterstück: NAPOLEON VOR MADRID.

ICH: Du nennst Napoleon einen Schlächter, eine »bedauernswerte Figur«?

MÜLLER: Er muß nicht die Freiheitsrechte hierher verschleppen in diese Hochlandwüste. Er muß überhaupt nicht hier sein.

ICH: Stehst du auf der Seite der spanischen Guerillas?

MÜLLER: (schweigt)

ICH: Auf der Seite des Ancien régime?

MÜLLER: Nein.

ICH: Auf der Seite der Franzosen, die in Paris geblieben sind und Pläne schmieden, den Kaiser abzusetzen?

MÜLLER: (schweigt)

ICH: Hast du Mitempfinden mit den Bauernsöhnen, die, als Grenadiere verkleidet, hier in Spanien von Strapaze zu Strapaze marschieren?

MÜLLER: Was würden sie machen als dritte und vierte Söhne auf einem Acker in Frankreich, von dem sie nicht leben können? Ich bin Autor. Mitempfinden ist mein Beruf.

ICH: Und welche Partei ergreifst du?

MÜLLER: Es gibt Fälle, wo ich keine Partei ergreifen kann. Das Schrecklichste sind die spanischen Freiheitskämpfer, welche die jungen französischen Soldaten einfangen und massakrieren.

ICH: Das Zweitschrecklichste?

MÜLLER: Die französischen Kommandos, die Freischärler erschießen.

ICH: Das Drittschrecklichste?

MÜLLER: Das Heimweh. Westfalen, die nichts wollen als wieder zu Hause sein und Schlackwurst essen. Werden sie in den Bauch geschossen, wird die Wurst sie töten.

ICH: Hat der Kaiser denn unrecht, den Klerus und den Adel zu stürzen?

MÜLLER: Nein.
ICH: Warum ist er dann bedauernswert?
MÜLLER: Weil ihm nicht zu helfen ist.
ICH: Soll er alles so lassen, wie es in Spanien ist?
MÜLLER: Nein.
ICH: Was sollte er dann tun?
MÜLLER: Niemals hierherkommen.
ICH: Die Grenzen in den Pyrenäen verkorken?
MÜLLER: Für 100 Jahre.
ICH: Bist du Defätist?
MÜLLER: Ein Anhänger der Hoffnung.
ICH: Grundsätzlich? Als Vorurteil?
MÜLLER: Grundsätzlich. Nur nicht hier vor Madrid.

Das nackte Überleben

Die führenden Mitglieder eines britischen Clubs in Shanghai wurden während eines Kostümballs im Karneval 1941 von den japanischen Okkupanten, die bis dahin Shanghai nur belagert hatten, überrascht. In albernen Masken (als Mohren, Zigeuner, Prinzen, Huren und Damen des 18. Jahrhunderts) wurden sie und ihre Frauen aus den Ballsälen eines Grand-Hotels abtransportiert. Die eigenen Wagen, mit denen sie zum Fest vorgefahren waren, sahen sie nie wieder.

Wie konnte es zu dieser Erscheinung kommen? Sie feierten fast nie gemeinsam. Schon gar nicht neigten sie zur Verkleidung. Es war ein organisatorischer, plötzlicher Einfall der Leitung des Clubs, gerade in der Krisenzeit etwas Besonderes zu organisieren. Dem antwortete, aus ähnlichen Vorahnungen gespeist, der Wunsch vieler Clubmitglieder, über die Clubgrenzen hinaus zusammenzukommen. Sie wollten Beharrlichkeit, Zugehörigkeit zeigen. Da ja bekannt war, daß japanische Truppenverbände im Umkreis der Stadt lauerten.

In den Kostümen zogen sie in der Folgezeit durch die Gefangenenlager, mehrfach umtransportiert auf offene Waggons. Europäischer als in diesen Gewändern konnten sie nicht aussehen.

Zwei waren Kreuzritter, Vater und Sohn. Die Frauen, deren Kostüme sich durch leichte Kleidung auszeichneten (zum Tanz geeignet in überheizten Räumen), froren entsetzlich im Fahrtwind. Konnte man diese Gewänder durch Sacktuch flicken? Wo war Sacktuch zu finden?

Der Geheimdienst seiner Majestät hatte entsetzlich versagt. Wieso konnte er nicht vorhersehen, daß in einer solchen Nacht die japanischen Eindringlinge aus ihrer Bereitschaftsstellung in die Stadt einrücken würden? Wie hatte es zu der Erniedrigung der Clubmitglieder kommen können? Was war, auch angesichts der späteren Niederlage Japans, aus dem Vorfall zu lernen? Daß man sich generell in Gefahrenzeiten warm und unauffällig anzieht? Daß man Shanghai um jeden Preis schon 1940 hätte verlassen müssen? Daß man den Geheimdienst alle fünf Jahre völlig auswechselt, neue Leute einstellt oder einen privaten Sicherheitsdienst an die Stelle des beamteten Geheimdienstes setzt? Sollte man sich auf das eigene Urteil stützen? Alles war leichter zu lernen in den Tagen des Unglücks als die Zuversicht. Niemand vermochte wirksam die Ahnung in sich zu befestigen, daß die Briten und Britinnen fünf Jahre später als »Sieger« in einen Dampfer verladen und auf die verarmte grüne Heimatinsel zurückgebracht würden, noch immer kunterbunt gekleidet, doch im Lauf der Jahre erlöst von den Narrenkleidern, in denen sie die Zeitgeschichte angetroffen hatte.

Wo wir waren, war Erdmittelpunkt

> »What ever happens /
> we have got /
> the maxim guns /
> and they have not«
> *Rudyard Kipling*

Ein Luxus war unsere Kompanie. Alle rekrutiert aus dem Londoner Hafen. Wir schützten Teeplantagen in Ceylon. Wir begleiteten Frachtschiffe nach Singapur, kämpften unter Lord Kitchener in Transvaal. Privat bezahlt, auf Plantagen aufgeteilt, unter Lord Higgins in Rhodesien. Silvester 1900 auf 1901 verlebten wir in Etablissements in Aden. Auf sieben solcher Veranstaltungen verteilt, war es möglich, uns alle zufriedenzustellen. Wir hatten sechzehn Maschinengewehre.

So wurden wir, als wegen des Boxeraufstandes alles zusammengekratzt wurde, ein schnell erreichbarer Trupp, östlich von Suez, vor den Taku-Forts, eingesetzt. Wir bezogen in der Nacht eine erhöhte Position auf den Mauern des Forts. Das war unsere Art von Erdmittelpunkt. Wir konnten dort in jede Vertiefung, in denen die Chinesen das Gros des Expeditionskorps erwarteten, hineinschießen. Gräßlicher Eindruck. Auch für uns abgebrühte Welterfahrene, wenn wir im nachhinein die Plattformen und Gräben besichtigten. Die Leichen, die noch nicht stanken in der kalten Meeresluft. Der Sieg hatte nichts

Schönes, obwohl keiner unserer Luxuskörper sich mit einem chinesischen Gardesoldaten verglichen hätte. Ihr Leben war unserem zu fern. Von unserem Erdmittelpunkt aus, von dem wir das Massaker angerichtet hatten, sahen die zusammenfallenden Leiber, oft durch eine Garbe zerschnitten, »putzig« aus.

Die Farbe der Macht

Die USA wollen mit zehn Fingern zehn Flöhe fangen. Das sagte der Verteidigungsminister der Republik Mazedonien zu seinem Gast aus Finnland. Sie verständigten sich auf russisch. Der General saß in einer zerknitterten Uniform aus Zellstoff in der Augusthitze, die den alten österreichischen Amtsbau umlauerte. Ich gebe ja zu, fuhr er fort, daß wir bloß eine Verwaltungseinheit sind, an sich ein ehemaliger jugoslawischer Regierungsbezirk, in der im Osten Westbulgaren und im Westen albanische Siedler leben, die sich rascher vermehren als die in Sexualdingen besonnenen Bulgaren. MAN KANN DAS NICHT EIN LAND ODER EINE REPUBLIK NENNEN. Aber eine administrative Einheit ist es schon, und militärisch könnten wir das Gebiet schützen. Das sind die Fakten, auf die wir uns stützen.

– Was ist daran faktisch?
– Sie meinen objektiv?
– Im Sinne von zwingend.
– Gar nichts.
– Das glaube ich Ihnen nicht. Sie machen Witze.

Der Europäer aus Finnland und der Militärfachmann dieser eigentümlichen Republik hatten ein gemeinsames Problem mit einem jungen US-Diplomaten, angereist aus der US-Botschaft in Rumänien. Er führte Verhandlungen, war nirgendwo hier akkreditiert, nur durch einen politischen Hintergrund in Washington gestützt, der auf Hörensagen beruhte. Er hätte, hieß es, im Wahlkampf des Präsidenten in dessen Stab erfolgreich gearbeitet, den Präsidenten lange Zeit in nur sieben Metern Abstand begleitet, in Sichtweite der Weltpresse. Diese Vollmacht wagte niemand zu bezweifeln. An seinem Posten in Rumänien fand er keinen Gefallen, er drängte auf die Bühne, die zur Zeit die Weltöffentlichkeit interessierte.

Er hatte von seinem privaten Hotel aus Kontakte zwischen der UČK und den albanischen Zivilpolitikern Mazedoniens vermittelt, eine Sitzung einberufen. Diese Verhandlungen hielt die mazedonische Regierung für landesverräterisch, der EU-Verbindungsbeamte des Verteidigungsministeriums hatte den jungen Amerikaner gerade noch über die Grenze nach Serbien geschafft, ehe ein Mob ihn angriff. Jetzt aber war der Mann erneut eingereist, in seiner Begleitung eine Leibwache aus US-Privatdetektiven.

– Ich habe zwei Kompanien Infanterie in der Nähe seines Hotels postiert, sagte der Militär. Mal sehen, ob das was nützt.
– Durch Polizei wäre er nicht zu schützen?
– Was weiß ich, was die Polizei tut.
– Und die Leibwächter aus New York?
– Gegen eine Menge von vielleicht vierhundert aufgebrachten Mazedoniern?
– Wen nennen sie eigentlich Mazedonier?
– Einwohner von Skopje.

Die Republik war von Griechenland unter der Bedingung anerkannt worden, daß sie keine Symbole des antiken Mazedoniens (wie sie nach Ende der Türkenherrschaft in den Bibliotheken und Archiven hervorgeholt und von Designern nachgeahmt wurden) als Wappen, Flagge oder als Zeichen der Hoheitsgestaltung benutzte.
Wie ein Reisender, der Gebiete Afrikas aufsucht, für sein europäisches Vaterland als Bevollmächtigter ohne Vertretungsmacht Verträge schließt, in der Erwartung, das Kolonialamt werde sie bestätigen, versuchte Sam Pardew, voll guten Willens aus Minnesota angereist, diesen Fleck auf der Landkarte zu ordnen. Er wollte Bürgerkrieg verhindern und das Land mit einer US-Lobby versorgen, die es dringlich brauchte. Als erfahrener Lobbyist wußte er, daß er sich dafür nicht auf die Regierung dieser Lokalität (auf einer vor zwölf Jahren in der USA gefertigten Landkarte nicht aufzufinden) verlassen konnte, viel eher brauchte er die Nähe zur albanischen Lobby, die im Kongreß ihre Vertreter besaß. Ja, die Republik Mazedonien wußte scheinbar nicht einmal von dem Nutzen einer solchen Lobby, hatte sich ganz europäischen Einflüsterungen von Brüssel ergeben.
Ein Unfall dieses Jungen oder seine Ermordung konnten einen Weltkonflikt auslösen. Was ritt, sagte der in Dingen der Lokalverwaltung erfahrene General, dessen Nerven in der Trägheit des Nachmittags ruhten, so wie alle seine Amtsvorgänger, auch die in römischer oder türkischer Zeit, in ähnlichen Räumen zu ähnlicher Jahreszeit träge geruht hatten, diesen US-Missionar? Als ob die USA ihn hier beschützen könnten! Als ob sein mutmaßlicher Einfluß auf den Präsidenten, als politische Währung, hier tief in der Provinz, anerkannt wäre. Der Kontrahent aus Finnland nickte lebhaft.
Sie gingen zum Dinner in eines der Prachthotels, gegründet während der Krise

von 1912. Damals setzten noch viele Bankhäuser auf den Balkan, vor allem in Paris. Es gab Gerichte, mit altgriechischen Namen benannt, versehen mit den Zutaten der türkischen Küche.

– Wen würden Sie unter den örtlichen Bedingungen hier als mächtig bezeichnen?
– Niemanden.
– Sie sind der bewaffnete Arm der Republik?
– Dort, wo ich gerade bin. Gleich daneben wäre ich ohnmächtiger Beobachter. Ich erfahre nicht einmal, was geschieht. So wie wir hier sitzen, bin ich die Macht.
– Mit Appetit.
– Gewiß.
– Können Sie sich vorstellen, türkischer Befehlshaber zu sein, 180 Jahre zurück?
– Mein Ur-Ur-Großvater war es.
– Ein machtvoller Mann?
– Er konnte jeden, dessen er habhaft wurde, auspeitschen oder enthaupten. Mächtig war er nicht. Was wir essen, aß er gern.
– Und 1944?
– Eine Momentaufnahme. Die Deutschen ziehen ab. Die Briten sind noch nicht da. Wir hatten Macht.
– Ein kurzer Moment?
– In diesen Zwischenraum dringen wir ein, als Partisanen, also mein Vater. 1956 mußten wir die Macht schon an die Zentrale in Belgrad abgeben. Man ergreift sie, um sie zu verlieren.

Was ist das für eine Macht, die aus den Gewehrläufen kommt? Der Finne positionierte seine Beine bequem. Strikt lokale Macht, was den Balkan betrifft, antwortete der Militär, zeitlich extrem begrenzt, leicht zu enteignen. Was ist das für eine Macht auf dem Balkan, die aus den Vorstellungen kommt? Es ist eine Macht der Akten, ursprünglich ruht sie in Archiven, Bibliotheken. So entstehen Griechenland, die kleinasiatische Küste, Smyrna bis 1922, auch jetzt unser Mazedonien »aus der Erinnerung«. Aus WORTEN UND BESCHREIBUNGEN. Eine härtere Substanz als Beton. UNBEIRRBARE EINBILDUNG. Wie verhält sich die unbestreitbare Macht der USA im Weltmaßstab zu solcher lokalen Gewalt? Ungeschickt, antwortete der Verteidigungsminister. Es fehlt an Übersetzung. Die Sprache der Macht bedarf der Übertragung in die Landessprache.
Geben Sie der Machtergreifung des jungen Amerikaners, seinen Privatver-

handlungen, eine Chance? fragte der Finne. Er wird umgebracht oder er entfernt sich, antwortete der Gefährte des Dinners. Das sollte man seit 1914 gelernt haben. Ich meine, schon seit 1908 oder 1912, ergänzte der Finne. Zweiundzwanzig Getränke russischen Ursprungs hatten die beiden in eine gelöste Stimmung versetzt.

Real-Alchimisten

Im Juli 1984 fanden in Kellergewölben, die früher einer Champagnerfabrik gehörten, Nato-Simulationen in Form von COMPUTER-MANÖVERN statt. Die Computer waren zu dieser Zeit noch raumgreifende Gebilde. Auf Datentrommeln im Durchmesser eines menschlichen Unterarms war die Information gespeichert.

– War die Feuchtigkeit der Gewölbe für die Geräte ungefährlich?
– Oft fielen sie aus. An sich rostet das Material nicht.
– Geräte und Information waren aus der Wüste Nevada eingeflogen?
– Sie stellen sich das falsch vor. Selbstverständlich sind Computer stets klimatisiert, auch hier in den Kellern. Die Feuchtigkeit dringt zu ihnen nicht vor. Sie stehen unter Glashauben.
– Oft zieht man sich schon vom bloßen Anblick der Nässe, z.B. eines Dauerregens in Belgien, eine Erkältung zu.
– Nicht als Computer.

Eine Gruppe untereinander feindselig gestimmter Stäbe, französisch-belgisch-deutsch-amerikanisch-türkisch, testete unter US-Befehl die Sicherheitslage des Erdballs UNTER BESONDERER BERÜCKSICHTIGUNG DES AT-LANTIKS. Die Zwietracht war Garant dafür, daß keine der Parteien mogelte. Die Menschen spielten grundsätzlich nicht gegen Computer, sondern mit Hilfe und unter nachträglicher Analyse durch diese sachkundigen Gefährten gegeneinander. Die Gruppen waren »ungerecht« zusammengesetzt – erhielten für die verschiedenen Kriegsbilder nicht gleich starke Mittel.
Longue Ile bei Brest, das geheime Quartier der Abschreckungsmacht Frankreichs, erwies sich bei der Übung als MAUSEFALLE. Sie konnten auf »den Feind« nicht schießen, ohne die US-Korps, die in der Tschechoslowakei operierten, tödlich zu treffen, selbst waren sie entdeckt und für den Raketenschlag der GRUPPE ROT offen.

– Wieso entdeckt?

– Es wurde angenommen, daß sie von einem Kundschafterdienst des Gegners infiltriert seien. Funkkontakte der Agenten lagen gespeichert bei der Manöverleitung. Diejenigen, die sich in der Mausefalle befanden, waren so gut wie tot.

– Konnten sie nicht kapitulieren?

– Nicht im Manöver.

– Sich freischießen, indem sie die US-Korps opferten?

– Im Ernstfall war das möglich, nicht im Manöver. Frankreichs Abschreckungsmacht wäre durch einen solchen Abschuß demonstriert worden. Eine Utopie mit Realcharakter, ohne Übungschance.

– Nahm irgendwer in der Manöverleitung an, daß Sentimentalität im Nuklearkrieg Geltung besitzt?

– Sie gingen in diesem Manöverbild nicht vom Nuklearkrieg aus.

– War die Annahme, daß die Mausefalle infiltriert sei, korrekt?

– Der Gegner Rot wußte alles. Das haben wir nach 1991 alles bestätigt gesehen. Die patriotischen Kundschafter wußten alles.

Eine Schwäche des nuklearen Kriegsbilds

Eines der seltsamsten Ereignisse, das die Manöverleitung und die beteiligten Stäbe schockierte, war der Ausgang eines Grenzkonflikts, von dem gesagt wurde, er habe auf Zufall beruht und es werde für die Übung für beide Seiten angenommen, daß nukleare Gefechtsfeldwaffen nicht eingesetzt würden. Auf beiden Seiten wurde geplant, den Konflikt rasch und ohne Eskalation zu beenden.

Die Stäbe machten sich frühmorgens an die Fütterung ihrer Apparate. Die Offiziere zeigten sich noch am späten Nachmittag »ausgeruht«, es sollten ja vor allem ROBUSTHEIT, NERVENSTÄRKE – wichtigste Beförderungsgründe – getestet werden. Gegen 11 Uhr nachts standen sie vor einer Katastrophe. Ostfeind Rot besaß noch bedeutende Streitkräfte, darunter auf den Boden von Flüssen versenkte Raketenrampen bei Kaliningrad. Gruppe Blau dagegen war zerstreut, Reserven unerreichbar, die Front vernichtet. Es waren Vernichtungsschläge ausgeteilt worden, von denen der vorletzte, der des Westens, örtlich nicht funktioniert hatte. Im gleichen Augenblick füllte sich das europäische Gefechtsfeld mit sowjetischen Reserven, während einzelne Nachschubdampfer erst jetzt die US-Küsten verließen, hoffnungslos verspätet, was ihre Ankunft betraf. Das Bild eines Fiaskos.

Es war ja nichts Wirkliches passiert (außer daß den Stäben der Gruppe Blau der Mut genommen war). Alles blieb eine virtuelle Sache der Computerauswertung. Ein von den US-Offizieren geringgeschätzter Franzose aber, Absolvent der St.-Cyr-Akademie, Oberstleutnant Gustave Leferrier, wollte es bei diesem negativen Ergebnis für Gruppe Blau, und damit für sein Vaterland, nicht belassen. Bis nachts um zwei Uhr laborierte er an seinem Arbeitsplatz, die anderen aßen, ruhten aus.

Es war nämlich, wie Leferrier wußte, in den GRUNDANNAHMEN DES MANÖVERANFANGSBILDES erwähnt, daß in einem der unterirdischen Seen, welche die Tiefen der Sahara ausmachen, noch ein französisches Forschungs-U-Boot verborgen sei, vor Jahren durch Umbau eines Raketenträgers entstanden. Die Besatzung aus Physikern untersuchte die Konsistenzen des Eiszeitwassers. Dieses Boot wollte Leferrier nunmehr munitionieren und zu einem Gegenschlag verwenden. Das Boot hätte, falls eine Bestückung mit Raketen überhaupt gelang, schräg aufwärts durch ein Felsmassiv schießen müssen. Es war anzunehmen, daß die Physiker einem Befehl aus Paris oder aus Brest für eine so ungewöhnliche Verwendung ihres Forschungsbootes (in Friedenszeiten) nicht gehorchen würden. Aber wußte der MANÖVERFEIND ROT von solchen Schwierigkeiten, die doch nur der Realität zugehörten und im computerisierten Manöverbild nicht in Erscheinung traten?

Leferrier, dessen Urahn mit Bonaparte nach Moskau gezogen war, verließ den Computerraum. Er versuchte telefonisch, die realen Dienststellen in Tunesien zu erreichen, einen Beduinenreiter zum Bohrloch durchzubringen, dem einzigen Zugang zur unterirdischen See, über den man das Tauchboot erreichen konnte. Von dort unten bestand durch Klopfzeichen Kontakt zum Boot.

Das alles war ein DROHWERT, zunächst virtuell, jetzt real. Das Boot bleibe unerreichbar, argumentierte Leferrier, geschützt durch die Sände der Sahara, ein Felsgebirge. Kein Gegner wisse, wo sich das Boot in der Tiefe verbirgt. Ja, es sei, fuhr Leferrier fort, die Gegenposition seines Computers überwindend, nicht einmal nötig, das Boot umzubauen und zu bewaffnen. Da der Gegner nicht erfahre, daß es unbewaffnet sei, kein Spähsatellit im Orbit ins Erdinnere blicken könne, wo sich die unterirdische See befand, sei es im Kriegsbild unwiderleglich, daß diese letzte Chance für Gruppe Blau real existiere, ja daß dieser Joker französisch sei. So bluffte Leferrier gegen drei Uhr nachts die von ihrem Siegesmahl zurückgerufenen Stäbe, die den Gegner spielten. Ein später Sieg des alten Europa.

– Wäre das im Ernstfall möglich?
– Gewiß.
– Vorausgesetzt, daß der Gegner den Bluff glaubt?
– Was soll er tun?
– Sie meinen, »rational« bedeutet, daß der Gegner jeden Bluff glauben muß?

– Nicht jeden. Aber jeden Bluff, der ihn überrascht.
– Ist dies eine Schwäche des nuklearen Kriegsbilds?
– Ich glaube, diese Schwäche ist der einzige Grund dafür, daß in so vielen Jahren keine Katastrophe eintrat.

Schrecken der Welt

In jenen Zeiten glücklicher Naivität, in denen die Prototypen der H-Bombe auf den Koralleninseln von Bikini erprobt wurden, am 1. März 1954, frühstückte in Mailand eine Jugendgruppe von Marxisten in der Nähe des Doms. Es kam darauf an, hieß es, sich nicht zu fürchten. Auch Krieg sei nur eine Anwendung menschlicher Arbeitskraft. Insofern gehöre eine Konstruktion nicht zur Realität des Krieges, die gewissermaßen nur Zufälligkeiten der Physik kombiniere, eine Art BANKHAUS PHYSIKALISCHER WIRKUNGEN VON HOCHGRADIGER UNWAHRSCHEINLICHKEIT, nur zusammengesetzt aus toter Arbeit. Es sei auch noch niemand von dieser neuen Generation von Bomben umgebracht worden. Dies lasse hoffen, daß das nie geschehen werde.

Sie waren, so wie sie im Sonnenlicht hier saßen, zu keinem Kompromiß mit dem Klassenfeind bereit. Der schärfste Kompromiß aber wäre gewesen, wenn sie in Furcht geraten wären durch eine so abstrakte Drohung.

Abstrakt inwiefern? Wer in den USA soll denn ein Motiv haben, ein solches Werkzeug auf das Zentrum von Mailand zu disponieren? Nein, das nicht. Aber die Waffen des Westens könnten die Sowjetunion provozieren, eine ebenso wirksame Gegenwaffe zu entwickeln, die dann durch Zufall die Mitte Mailands treffen könnte: Das würde uns junge Marxisten von der Heimat der Werktätigen auf radikale Weise trennen. Mit welcher Fehlerquelle, die den irrtümlichen Treffer Mailand-Mitte auslöse, wolle der Sprecher denn rechnen?

Sie hielten ganz selbstverständlich Mailand für den Mittelpunkt der Welt im Gegensatz zu Rom, und sie weigerten sich beharrlich, auf Grund des lebhaften, durch Espressi verstärkten Blutdurchflusses in den jungen Adern, sich durch Furchteinflößung oder durch Propagandamärchen, die nur dem Pentagon nützen, dumm machen zu lassen.

Tatsächlich war bei den Versuchen im Umkreis von Bikini festgestellt worden, daß in den durch die Kernverschmelzung freigesetzten Elementen besonders tödliche, tückische Lithium-Verbindungen zu den Wirkungen des Wasserstoffs, der sich in Helium verwandelte, hinzutraten. Die mörderische Zone erstreckte sich auf 30 km im Umkreis, d. h. bis Pavia, Lodi, über Magenta hinaus.

Die metropolitane Heimatstadt war mehr als einmal völlig zerstört worden. So reitet Barbarossa, in Begleitung seiner Nordbarbaren, in die Stadt, die vor ihm kapituliert hat.[5] Er feiert dort das Osterfest und läßt dann 50 Tage lang, bis zum Pfingstfest, Stein für Stein, Gebäude und Mauern abtragen. Im Sonnenglast eine staubige Wüste. Aber es wächst Gras. Die Menschen kehren aus den Dörfern, von den Horizonten der Po-Ebene zurück. Es war falsch, sich vor dem grausamen Deutschen Kaiser zu fürchten. Er muß im Morgenland sterben, Mailand stirbt keineswegs. Was soll man den Texten des Genossen Marx anderes entnehmen als die Unterscheidung, wovor man sich fürchten und wovor man sich nicht fürchten muß?

Monza wäre, samt allen Geistern dort umgekommener Rennfahrer, von der Kernzone der H-Bombe erfaßt. Das gleiche gilt für den Siegesort Legnano, wo die Mailänder Schlachtwagen die deutschen Reiter überwanden. Dagegen wären in Pavia nur die Fensterscheiben zerbrochen. Eine Flucht von dort nach Südwesten wäre möglich.

Naiv aber waren jene Zeiten kampflustiger Diskussion, stets am Text der *Grundrisse* und der *Frühschriften*, weil niemand das wahre Element, das eine H-Bomben-Explosion in Bewegung gesetzt hätte, in Erfahrung gebracht hatte. Bis Tschernobyl kennt man die Halbwertzeiten nur abstrakt. Niemand erfährt aus akademischen Versuchen an den Gestaden des fernen Bikini, wie sich die Wirkungen kombinieren. Es genügt ja ein Glassplitter, vom Sturm, nicht von den Elementarteilchen in Bewegung gesetzt, um mich zu durchbohren. Was interessieren dann die Folgen, die mich nochmals töten könnten?

Abb.: H-Bombe über Mailand

5 Die Propagandisten des Papstes nennen ihn, wie später auch den Enkel, FURCHT DER

Die serbischen Geheimakten

Sie waren Freunde. Jeder von ihnen ein Ordinarius für Geschichte an einer der großen deutschen Universitäten. Wegen der Bedeutung der Geschichtsschreibung für das Reich als »unabkömmlich« eingestuft, d. h. vom Dienst an der Front freigestellt. Als Reserveoffiziere trugen sie Majorsuniform. Es kam auf das, was sie erforschen wollten, schon nicht mehr an. Frankreichs Niederlage hatte Versailles gelöscht. Sie kamen in Belgrad im April 1941 an, einen Tag nach dem schweren Bombardement, dem die Besetzung folgte.

In 700 m Umkreis, das wußten sie, gesehen von dem nach Wiener Art eingerichteten Kaffeehaus, in dem sie rasteten, lagen die geheimen Unterlagen, die Aufschluß geben würden über das tatsächliche Wissen und Verhalten der königlich-serbischen Regierung im Sommer 1914. Diese Akten waren nach 1918 unveröffentlicht geblieben. Sie hatten die Irrfahrt der Regierung von Belgrad nach Korfu und wieder zurück in die Hauptstadt des neuen Jugoslawien ohne Verlust überstanden; von Unterbeamten kontinuierlich bewacht und erhalten, so als gäbe es wertvolle Seelenteile eines Landes, die seine Souveränität ausmachen, solange sie der Kenntnis der Welt entzogen sind.

Diese Akten mußten entweder im Amt des Ministerpräsidenten oder in dem des serbischen Innenministers zu finden sein, das waren Flure, Keller, Tresore, aber auch Bodenkammern, 600 zu durchsuchende Objekte. Die befreundeten Gelehrten, so detektivisch motiviert sie waren, fanden keine Spur. Einmal begegneten sie serbischen Archivaren, die verschlossene Kisten aus einem Kellereingang herausschafften. Es handelte sich aber nicht um Urkunden von 1914. Eine Brandstätte fanden sie in einem der Archive im Palais des früheren Regierungschefs; ein Stockwerk mit Aktenbeständen war hier der Brandstiftung zum Opfer gefallen. War dies das Ende der Wahrheit über den serbischen Sommer 1914?

Ehe noch die beiden Majore in ihrer Hotelabsteige ihre Koffer und Gepäckstücke zur Heimfahrt packten, hatten Forscher anderer Art ihre Spur aufgenommen.[6] Die Freunde wurden verhaftet wegen gleichgeschlechtlicher Betätigung im Militärdienst und zur Anklage gebracht.

WELT, »paura del mondo, metus mundi«. Durch Niederlagen gereizt, sieht der Kaiser einen Grund, Mailand, das Zentrum des Widerstands, zu planieren. So hielt es Rom mit Karthago. Der Kaiser ist gebildet. Er weiß, wie Imperatoren eine Landschaft ruhigstellen.

6 Anonymer Hinweis eines serbischen Archivbeamten, der sich auf ein Zeugnis des Hoteliers berief, entgegengenommen und bearbeitet von der Außenstelle Belgrad des Militärrichters beim 27. Armee-Korps.

Befanden sie sich im Militärdienst, so drohte ihnen die Todesstrafe oder lebenslängliches Zuchthaus. War ihnen aber die Uniform nur äußerlich, sie selbst im Forschungsdienst befindlich, konnten sie mit einer glimpflichen Strafe von bis zu 15 Jahren Zuchthaus rechnen. In diesem Fall hatten sie Aussicht, das Kriegsende noch zu erleben.

Sarajewo, ganz gleich wie der Ort heißt

– Man muß nicht glauben, daß die Computerkapazität des Pentagon während des Golfkriegs überstrapaziert war. Sie war für zweieinhalb Kriege, auch solche eines größeren Ausmaßes, angelegt und stand jetzt, im Augenblick der Militäraktion, in Blüte.

– Was heißt bei Computern Blüte?

– Sie verhielten sich »angeregt«.

– Die Erregung der leitenden Angestellten, der Offiziere, überträgt sich auf die Systeme?

– So ähnlich. Jedenfalls wurde am 12. Tag des Feldzugs eine zusätzliche Übung angesetzt.

– Die mit dem Angriff auf den Irak nichts zu tun hatte?

– Überhaupt nichts. Sie war nicht einmal auf die Gegenwart bezogen. Es waren Kapazitäten frei.

– Hätte man diese Kapazitäten nicht zur Verbesserung des Angriffs einsetzen sollen?

– Niemals. Die globale Verteidigungsmaschine muß ja in Gang gehalten werden, auch wenn ein konkreter Krieg tobt, und dieser riesenhafte Vorrat an Warn- und Wartekapazitäten hat auf seiner Rückseite (oder vielmehr in seinen informativen Pausen) eine weitere, ebenso gewaltige Kapazität offen, die jetzt zu einer Übung genutzt wurde. Aus theoretischem Interesse.

– Wer kam auf diese Idee? Wollte sich einer in Westpoint habilitieren?

– Man kann sich nicht in Westpoint habilitieren.

– Wozu dann die Übung?

– Sozusagen zweckfrei. Aus Interesse am Phänomen Krieg. Wir müssen das Phänomen verstehen lernen, und zwar mit allen Mitteln, sagten sich zu Hause gebliebene und zum Warten verurteilte Militärs.

– Verschwörer, Haudegen?

– Nichts davon. Akademiker, Ingenieure des Militärwesens, die mehr verstehen wollten, als von ihnen verlangt wurde. Idealisten des Militärwesens.

– Als Historiker?

– Sie waren Gegenwartler. Historiker hätten sie als Schimpfwort verstanden.[7]
Hier und jetzt, in dieser konkreten Woche, wollten sie das Rätsel Sarajewo,
den Fall des 1. August 1914, nachspielen. Sie hatten die Summe der globalen
Ereignisse, also nicht bloß die Daten der Militäraktionen am Golf, für den
Moment des Jetzt eingespeist.

– Eine ungeheure Masse an Information?

– Überhaupt nur mathematisch verkürzt darstellbar nach der Methode von
L. C. Young. Nur ein solch strukturelles Stenogramm des Geschehens bleibt
übersichtlich. Es blockiert etwa die Hälfte der Rechenkapazität.

– Für den Golfkrieg braucht man davon wieviel?

– 10%.

– Die Computer brummten?

– Man hört sie nicht. Es war an dem Tag, bevor Präsident George Bush sen.
entschied, daß die Kampftruppen der Allianz nach Vernichtung der irakischen Panzerarmee NICHT auf Bagdad vorrücken sollten.

– Und hier soll das Sarajewo von 1991 gelegen haben?

– Exakt in diesem Moment. Sarajewo existiert in jedem Augenblick. Irgendwo in der Welt lauert es stets.

– Aber nicht in Sarajewo?

– Dort nicht. Auch dort Krise. Den Namen lernte die Welt erneut. In Sarajewo
bestand aber jetzt keine Chance für ein »Sarajewo«. DIE AUTOMATIK
DER KRISE BRICHT AUS, WENN KEINE DER FEINDLICHEN
PARTEIEN IN EINEM POLYZENTRISCHEN SYSTEM DAS VER-
HALTEN DER ANDEREN MEHR AUSRECHNEN KANN.

– Das ist der gefährliche Punkt?

– Das ist Sarajewo, ganz gleich, wie der Ort heißt.

– Und Sie sagen, das gab es vor Bagdad?

– Bedingt.

– Die in den Hauptquartieren unbeschäftigt dasitzenden Militärs rechneten
und rechneten?

– Ja, es übte das pazifische Kommando gegen das atlantische. Im Wetteifer.

– Gab es keinen Ärger dadurch, daß dieses emsige Üben die Logistik des Vor-
marsches in der Wüste störte?

– Die Alliierten marschierten schon nicht mehr in der Wüste. Sie waren am
Fluß Euphrat angelangt. Auch die Mittelmeerflotte beteiligte sich an der

---

7 Tatsache ist jedoch, daß der langjährige Chef des deutschen Generalstabs, Graf von
Schlieffen, Militärhistoriker dieses Stabes gewesen war, bevor er zum Chef berufen wurde.
Von ihm der Schlieffen-Plan.

Übung, ohne daß das auffiel. Die Annahme war, daß währenddessen in Moskau ein PUTSCH stattfindet.

– Wie er später wirklich stattfand?

– Das konnten die Computer nicht wissen. Sie errechneten die MÖGLICHKEIT, daß eine irakfreundliche Gruppe des sowjetischen Verteidigungsministeriums, ohnehin irritiert durch die Perestroika (beunruhigt durch die Vernichtung des von ihr dem Irak gelieferten Kriegsgeräts), die Macht übernommen hätte. Damit war, so die Analyse, das Verhalten der UdSSR nicht mehr berechenbar.

– War das Verhalten Israels ebenfalls unberechenbar?

– In diesem Moment waren Präventivschläge von verschiedenen Seiten denkbar. Die Teilnehmer des polyzentrischen Systems zerfielen in Fraktionen: Was wissen die Abteilungen des ägyptischen Geheimdienstes, ob ein anderer Geheimdienst dies oder jenes unternimmt? Welche Fraktionen in Pakistan sind kriegslüstern? Wie naschhaft erweist sich Indien im Krisenfall in Bezug auf Kaschmir? Was unternimmt die Raketenwaffe der UdSSR, wenn der dortige Geheimdienst zu dem Ergebnis kommt, auf Grund des Putsches könne niemand auf der Welt dem Vaterland der Werktätigen mehr trauen?

– Darüber rechneten sich die Computer der US-Stäbe heiß?

– Ja. Im Ernstfall hätten sie aus solchen Daten »notwendige«, nicht umkehrbare Schritte abgeleitet, sie hätten für die US-Streitkräfte DEFCON 2, und wenige Minuten später DEFCON 1, ausgelöst.

– Mit welchem Unterschied?

– Bei DEFCON 1 befinden sich die USA im Krieg.

– Sie befanden sich jedoch bereits im Krieg mit dem Irak.

– DEFCON 1 ist Krieg »gegen wen es angeht«. Staatsnotwehr, kein Krieg der Alliierten. Auch unzuverlässige oder im Weg stehende Alliierte dürften angegriffen werden. Es kommt darauf an, das globale System gewaltsam still zu stellen, es wird monozentrisch.[8]

– Auch in Bezug auf die Sowjetunion? Und China?

– Mehr als das.

– Weil sonst was geschieht?

– Das weiß eben keiner. Auch keiner der irritierten Offiziere, die um jeden Preis versuchten, die Ruhe zu bewahren.

– Wie ein Sack Flöhe?

– Jedenfalls gefährlicher.

8 In die Computer war als Planspiel B ein Roman des US-Autors Tom Clancey eingefüttert. Die Ergebnisse der Realdaten im Weltmaßstab und die fiktionalen des Romans waren im Ergebnis gleich.

– Und dieser historische Augenblick, genannt Sarajewo 2, ging nur deshalb vorüber, weil die sowjetischen Militärs und ihre Vertrauensleute im zivilen Apparat, schon verschworen, wie wir heute wissen, nicht jetzt, sondern erst im folgenden Jahr putschten?

– Nur deshalb. Die Übenden, alles US-Offiziere vom Brigadegeneral aufwärts, waren verwirrt. In diese Verwirrung stieß das Donnerwetter des Oberbefehlshabers Schwarzkopf, der das Planspiel bemerkt hatte und die Unaufmerksamkeit seiner Stäbe rügte.

– Erwartete man, daß Köpfe rollen?

– Andererseits waren sie einem welthistorischen Krisenmoment auf die Spur gekommen. Sie hielten sich für Geschichtsdetektive.

– Sie argumentierten historisch?

– Nein, ganz auf den Augenblick bezogen, nicht einmal von der Zukunft abgelenkt. Sie waren Realisten. Sie verhielten sich professionell.

– Was war die Folgerung aus der Übung?

– Sie war geheim zu halten. Ein Abgrund, wenn öffentlich bekannt würde, wie gefährlich die Lage im Augenblick eines zunächst ins Auge gefaßten Vormarschs auf Bagdad wirklich gewesen war.

– War der Stop-Befehl für den Vormarsch eine Folge dieser Erkenntnis?

– Überhaupt nicht.

– Irgendwelche Folgerungen sonst aus der Analyse?

– Keine. Die Geheimhaltung gilt auch im Verhältnis der Streitkräfte zueinander.

– Ohne Ausnahme?

– Mit der Ausnahme, daß noch 1991, Anfang Dezember, ein halbherziger Versuch unternommen wurde, US-Geheimagenten und eine Gruppe von Leibwächtern nach Moskau zu transferieren, die die legale Regierung der UdSSR weiträumig gegen ein Attentat oder einen Putsch schützen sollten.

– Im August 1991, zur Zeit des Putsches, gab es das noch nicht?

– Sie meinen das Projekt FÜRSORGE, von dem ich sprach? Dies gab es noch nicht.

– Wurde die Suche nach dem PHÄNOMEN SARAJEWO später fortgesetzt?

– Nie. Es gibt ein einziges Gegenmittel gegen Sarajewo, daß ich mich nämlich um den Schutz meines ärgsten Feindes selber kümmere.

– Sie meinen, der britische Geheimdienst hätte den österreichischen Thronfolger im Juni 1914 retten sollen?

– Das wäre die Lösung gewesen. Das Pfund war stark.

Aufklärung in Indien

Die Kausalketten marschieren
getrennt und schlagen vereint.

Ein Mann vom Range des US-Senators Biden muß in jedem Land der Erde von den höchsten Repräsentanten unverzüglich empfangen werden. Er verkörpert, konkreter als der ferne Präsident oder ein Bote der Administration, die machtvollen USA. Es gibt nur 100 solcher Senatoren auf der Welt, und davon sind 12 so bedeutend wie Biden. So mußte der Vorsitzende des Verteidigungsrates der Republik Indien, S. Menon, sich zur Verfügung halten.

– Es hat mich entsetzt, lieber Vorsitzender, daß es auf dem Subkontinent, vor allem aber in Ihrem Indien, so gut wie keine Aufklärung gibt, die sich mit dem Fiasko beschäftigt, das mit dem Einschlag atomarer Geschosse verbunden sein wird.
– Was meinen Sie mit »meinem Indien«, Herr Senator?
– Dieses große Land. Eine Milliarde Menschen.
– Und Sie meinen, wir müssen im Wege der Erwachsenenbildung eine Aufklärungskampagne starten, die das korrekte Verhalten im atomaren Explosionsherd beschreibt? Praktisches Verhalten? Zum Beispiel graben von Unterständen? Schützt eine Palette Gras? Oder soll man sich duschen?
– Sie müssen das schon ernstnehmen, wenn ich mit Ihnen rede.
– Ich werde den Teufel tun, irgendetwas, was Sie sagen, Herr Senator, nicht ernstzunehmen.

Es gab eine Unterbrechung, weil die beiderseitigen Übersetzer in einen Disput gerieten. Was war mit der Bezeichnung Teufel gemeint? Der indische Ausdruck bezeichnete nicht Satan, sondern einen grauenhaften gefräßigen Geist. Einen Wassergeist oder einen Landgeist? Einen Berggeist, keineswegs verwandt mit dem abendländischen Teufel. Nun sei aber, antwortete der US-Dolmetscher, das Wort *devil*, insbesondere in Ausrufeform auch keine Anspielung auf den Widersacher Gottes. In Indien, antwortete die Dolmetscherin Menons, bedeute das Entsprechende auch keineswegs einen Widersacher Gottes, vielmehr sei der von Menon angerufene Geist selbst eine Gottheit, allerdings fürchterlicher Natur. Worum geht es, fragte der Senator. Um ein Mißverständnis der Dolmetscher, antwortete Menon. Er führte aus, daß Indien derzeit keinen Einsatz atomarer Geschosse plane, deshalb auch keine Aufklärungskampagne starten könne.

– Sie haben noch nicht verstanden, lieber Vorsitzender des Verteidigungsrates, um was es sich handelt. Nach unseren Recherchen besteht in den Menschen Ihres Landes vollkommene Unkenntnis, wie man sich in einem Atomkriegsfall verhalten soll. Es besteht aber auch keine Kenntnis darüber, was Menschen verursachen, wenn sie einer der Stimmungen in Ihrem Land folgen, die einen Krieg gegen Pakistan nahelegen. Auch wenn Sie kein Atomgeschoß abfeuern, kann die Republik Pakistan dies doch tun, kurz bevor sie unter Ihren militärischen Schlägen zusammenbricht.
– Das wollen wir nicht hoffen.

Das Problem, das der britisch erzogene, in Oxford gebildete Menon dem US-Amerikaner nahezubringen suchte, lag darin, daß niemand wußte (keiner von den Regierenden in Indien, auch nicht die Geheimdienste), was es in den Köpfen einer so zahlreichen Bevölkerung unter so vielen Verzweifelten bewirkt, wenn man die Tragweite von Atomschlägen, also die Machbarkeit eines solchen Ereignisses, in den Raum stellt. Es wäre ja gewiß, scherzte Menon, der kürzeste Weg nach Nirwana.

Zu den Wählern des Senators zählten in den USA christliche Sekten, die sich vor dem Jüngsten Tag besonders fürchteten und sich auf dieses Ereignis aus Furcht, nicht zum Lustgewinn, vorbereiten. Ihm schwebte vor (vor seinem Gewissen), wenigstens Vorkehrung angeregt zu haben, wie ein Teil der Menschen technisch für den Fall einer Katastrophe vorbereitet werden könnte.

Der Abgesandte Amerikas, dachte Menon, besaß keine konkrete Vorstellung von den Umgangsformen zwischen der indischen Zentralregierung und den gewaltigen Massen des Landes. Niemand weiß, argumentierte er, was jemand bewirkt, der irgendetwas an zusätzlicher Information in die Menschen dieses Subkontinents einbringt. Insofern steckt Hoffnung nur darin, daß wir uns aller direkten Tätigkeit enthalten.

Das tun Sie doch nirgends, antwortete der US-Senator. Sie wiegeln doch auf zum Krieg. Also müßten Sie Unterstände bauen, Vorkehrungen treffen, mindestens aber einen Katastrophenschutzdienst organisieren. Nein, antwortete Menon, auch auf die Gefahr hin, Sie zu verstimmen, lieber Senator, wir sollten überhaupt nichts als Regierung zu tun versuchen. Wir sollten lieber nicht mit atomaren Waffen bestückt sein, das aber konnten wir uns nicht aussuchen. Es war am Vorabend zum Thanksgiving Day. Eine furchtbare Vorstellung war es für den US-Senator, in ungestillter Gewissensanspannung am morgigen Tag in der US-Botschaft (mit Fototermin) einen Truthahn verspeisen zu müssen, wenn sich doch der Magen umdreht beim Gedanken daran, wie gerüstet für Katastrophen dieser Subkontinent war und wie ungerüstet für die Folgen.

Handlungsermächtigung bei Notstand

In einem der Übungsfälle für US-Offiziere, die zu den Examensfragen in Westpoint gehören, ging es um den Anruf des Leiters jener Bundesbehörde, der die Bewahrung des Kulturerbes der USA im Kriegs- und Katastrophenfall unterstellt war. Der Anruf wurde von der evakuierten Zentrale des Weißen Hauses an ein Radarzentrum weitergeleitet. Annahme des Übungsfalls war, daß ein ICBM-Angriff einen Gürtel der Zerstörung über den Columbia District und große Teile Virginias gelegt hätte. Die Lage war unklar.

Wir haben da ein Problem, erklärte der Sachbearbeiter, der mit der Rettung von Bibliotheken und Museumsschätzen betraut war. Vor einigen Jahren schlossen wir einen Vertrag mit der Allison-Storage-Comp. in Hutchinson/Kansas. In dem Vertrag verpflichtete sich das Unternehmen, die 50 wertvollsten Gemälde der Nation in der Salzmine von Carey unterzubringen. Nun hat sich herausgestellt, daß die Firma bankrott ist.

Der den Anruf beantwortende Radar-Offizier, dargestellt von einem Kandidaten, der *multiple-choice*-Fragen ausfüllte, schlug vor, nach einer anderen Lösung zu suchen.

Dürfe er die Salzmine beschlagnahmen? fragte der Anrufer zurück. Der Verwalter der Mine, welche zur Unterbringung der Gemälde geeignet sei, behaupte, man müsse sich erst mit dem Konkursgericht in Verbindung setzen. Er, der Anrufer, verantwortlich als Kunstretter, mache sich Sorgen um die Ölgemälde, die derzeit unter freiem Himmel stünden.

An diesem Punkt hatte der Kandidat zwischen vier Antworten zu wählen:

(a) Hören Sie, das ist mir völlig egal.

(b) Finden Sie selbst eine Lösung.

(c) Fragen Sie den Präsidenten der Vereinigten Staaten.

(d) Ich breche das Gespräch ab, da dringliche kriegsbedingte Aufgaben auf mich warten.

Annahme der Übung war, daß zu diesem Zeitpunkt sich eine zweite Welle russischer Fernbomber den US-Küsten näherte.

Der Kandidat wählte die Antwort (a) und fiel im Examen durch. Er hätte (d) und (c) ankreuzen müssen. Es handelte sich um eine der seltenen Fragen, bei denen zwei Antworten anzukreuzen waren. Der Notstandsfall enthielt nämlich keine Bestimmung über Eingriffe in fremdes Eigentum, z. B. für »Beschlagnahmen«. Erst Stunden später hätte der Präsident im Ernstfall (das war in den Prüfungsformularen S. 586 ff. aufgeführt) eine HANDLUNGSERMÄCHTIGUNG IM NOTSTANDSFALL aussprechen dürfen. Dies erst enthielt eine Vollmacht für Rettungsbehörden zur Beschlagnahme.

Machtersetzung

In jenen Tagen wurde viel von Anwerbungsversuchen gesprochen. Wer wirbt an? Ich nehme an, es hat mit dem CIA zu tun. Die Mittel für die weltweite Exploration und die Vorbereitung des Dienstes auf künftige Aufgaben sind schon in den ersten hundert Tagen der Bush-Administration aufgestockt worden. Sie vermuten das? Beweisen kann es niemand, weil es geheim ist. Angesprochen wurden:

Charakterstarke Personen mit der Befähigung zur Verschwiegenheit,

Personen, die in Kampfgemeinschaften gedient haben (Green Berets, Marines), die Fähigkeit bewiesen haben zu töten,

sportlich gestählte robuste Personen,

Feuerwehrleute, ehemalige Polizisten,

Personen mit Berufen, die lange und oft willkürliche Reisen plausibel erscheinen lassen; Journalisten, Bodyguards, Geographen, Übersee-Kaufleute mit der Fähigkeit, Berichte und Protokolle zu verfassen,

Personen mit langfristiger Bindungsfähigkeit,

ausschließlich Personen, die heterosexuell sind.

Nach der Anwerbung, fuhr der Experte fort, geschieht zunächst gar nichts. Die Leute sollen Berichte schreiben. Lange denken die Angeworbenen, daß es um Information ginge. Es handelt sich aber um eine Prüfung. Aus den Berichten, dem Schreiben über dieses und jenes, geht hervor, ob die Angeworbenen für die spätere Aufgabe, die sie nicht kennen, geeignet sein werden.

– Und was ist der Zweck davon?

– Rekrutierung, Bereitstellung. Bereit sein ist alles.

– Weiß man wofür?

Was wissen große, zukunftsträchtige Institutionen, für was die so Rekrutierten einmal eingesetzt werden? Das weiß niemand, weder die Chefs wissen es noch die Rekrutierten, noch gibt es einen bestimmten Plan. Wird aber einmal ein solcher Plan entstehen, dann ist es für die Institution wichtig, daß sie über Rekrutierte verfügt und daß die Auswahl dieser Rekrutierten in den künftigen Plan eingeht. Die Welt wandelt sich so rasch, schloß der Experte.

Wenn ich aus dem Flugzeug blicke, sagte der Experte, und durch das Oval eine sommerliche Gewitterfront beobachte, gewaltige schwarze und gleich daneben blendend weiße Wolkenballungen, dann erinnert mich der imposante Wechsel an die Notwendigkeit, auf neu entstehende Machtverhältnisse zu ant-

worten. Das kann nicht erst geschehen, wenn eine Aufgabenstellung heran-
reift.

– Wir müssen uns auf MACHTBALLUNG AN UND FÜR SICH vorbereiten.
– Auf Machtvertilgung oder Machtergreifung? fragte der Gesprächspartner
des Experten.
– Machtersetzung. Wo Fremdmacht ist, muß unsere kommen.

Karthagos Ende

1

Menschenopfer der Römer

Nach der Niederlage bei Cannae wurde in Rom eine Reihe von Freveln gesühnt, auch die Unzucht zweier Vestalinnen. Ein Kelte und eine Keltin, ein
Grieche und eine Griechin wurden lebendig in einem Felsverlies begraben. Das
geschah im Jahre 216 v. Chr.
Bereits im Jahr 228 war ein solches Opfer praktiziert worden, und im Jahre
114/113 wiederholte sich der Vorgang. Immer ging es um zwei unzüchtige Vestalinnen, einen Kelten und eine Keltin sowie einen Griechen und eine Griechin, die für eine Niederlage Roms büßten. Ein Senatsbeschluß im Jahr 97
v. Chr. verbot nachträglich die Opfer des Jahres 114/113. Wie aber sollten die
Konsuln die Geopferten wiederbeleben? Es wurden Abbilder von ihnen in
Wachs gefertigt und auf dem Capitol in der Nähe der Götter aufgestellt.
Eine Journalistin fragte H. M. Enzensberger zu dessen einschlägigem Artikel in
der *FAZ*.

– Herr Enzensberger, Sie sprechen in Ihrem Artikel von der Globalisierung
des Menschenopfers, die heute als abstrakter Terrorismus über den Globus
hereinbricht und ebenso abstrakte Gegenschläge auslösen wird. Wie ist das
zu verstehen?
– Ich habe das in meinem Artikel ausreichend begründet.
– Menschenopfer sind aber durch Senatsbeschluß von 97 v. Chr. verboten.
– Verbrechen werden durch Verbote, wie Sie wissen, potenziert, nicht vermindert.
– Wer opfert bei globalisiertem Menschenopfer, also in einer gewissen Abstraktion, wenn ich Sie richtig verstehe, wen?

- Zunächst die Entführer die Entführten. Sodann die Rächer der Entführten die Entführer. Die Maschinen die Wolkenkratzer. Die eingebauten Stahlgerüste, der pulverisierte Beton die Insassen des Hauses. Die Vorgeschichte die Menschen.
- Ist das nicht etwas abstrakt?
- Abstrakt ist der Beton.
- Und der Gegenterror konkret?
- Ebenfalls abstrakt.
- Was wirkt dem Menschenopfer entgegen? Ein Zeichen Gottes, wie es Abraham erhielt, ist ja eher selten.
- Selten.
- Globalisiertes Menschenopfer, also die moderne Form dessen, was einst die Priester taten, erfordert eine gewisse Ordnung.
- Sie sehen ja am Beispiel der Römer, daß die Menschenopfer eine Systematik hatten. Zwei Kelten, zwei Griechen, zwei Vestalinnen, ganz gleich, ob bei Cannae Rom praktisch zugrunde geht oder zwei relativ gleichgültige Tragödien in den Jahren 228 oder 114/13 zu bereinigen waren. Menschenopfer sind Planwirtschaft. Man muß sie abschaffen.
- Die Menschenopfer oder die Planwirtschaft?
- Grundsätzlich beide.
- Finden Sie es nicht etwas zynisch, über etwas Gräßliches wie Menschenopfer in Rom und die Katastrophe in New York gleichzeitig zu sprechen, gewissermaßen im Überblick?
- Sie meinen, weil wir alle noch keinen Überblick haben?
- Das ist das, was ich, in aller Verwirrung, für zynisch halte.
- Und wenn wir den Überblick haben?
- Da haben Sie recht. Wir sollten nicht so tun, als ob wir ihn nicht hätten.

2
Ein letztes Produkt, das Karthago überlebte

Das punische Wachs I ist erdalkalisch aus Wachsseifen, das punische Wachs II ein Natriumwachsseife enthaltendes Bienenwachs. Punisches Wachs I ist wesentlich härter als Bienenwachs, punisches Wachs II ergibt mit etwas Olivenöl vermischt eine weiche Masse, die für die Anfertigung von Totenmasken extrem geeignet ist. Die beiden Wachse sind das einzige Produkt, das die Zerstörung von Karthago überlebt hat.
Die Unterscheidung zwischen punisch I und II erklärt die zunächst widersprüchlich erscheinende Definition in der Chronik des Herodot.

»Ich bin das Licht der Welt«. Dieses wird im Jahr 1122 in Form einer Kerze mit der ungeheuren Höhe von 1,72 Metern im Quedlinburger Dom aufgestellt. Der Größe eines hochwüchsigen Monarchen vergleichbar und dann noch abbrennbar. Dagegen dem Gesicht eines Menschen oder des Monarchen inkommensurabel, da der Brennsee und der Docht die Breite einer Kerze begrenzten. Es gibt keine Kerze, die dem Angesicht Ottos I. entspräche, allenfalls eine Riesenkerze, die seine Körpergröße wiedergäbe. Der Kerzenkörper des Herrschers könnte die Brennstoff-Insel erzeugen, die der prinzipiellen Geduld der Kerze entspräche.

Ein Übersetzungsproblem der modernen Antike

Theophanu, die byzantinische Frau Kaiser Ottos II., hatte Texte gelesen, die vom Untergang Karthagos berichteten und vom Tod Didos, verursacht durch Aeneas, Gründer Roms. Diese Geschichten empörten die junge deutsche Kaiserin. Sie entwarf eine Kerze in Höhe von 12 Metern, die so lange brennen sollte, wie »Karthago am schnöden West-Rom nicht gerächt wäre«. Die Kerze brannte viereinhalb Jahre. So lange gab es Pläne, Nordafrika dem Römischen Reich Deutscher Nation einzuverleiben und damit Byzanz einen Schlag zu versetzen. Wäre Nordafrika, möglicherweise unter Otto III., Theophanus Sohn, besetzt worden, gab es Pläne, Karthago, falls man die zerstörte Stadt finden würde, zu überbauen. Ähnlich den Königspfalzen in Goslar, Aachen oder dem Kloster in Reims. Die Epoche Ottos III., kurz wie das Leben dieses Jungen, war auf korrekte Rechtsnachfolge nach dem Imperium Romanum und zugleich auf Wiedergutmachung von dessen Sünden eingestellt.

3
Hannibals letzter Plan

Karthagos Feldherr Hannibal, von den Römern besiegt, zuletzt aus seiner Heimatstadt verbannt, geflüchtet zu König Antiochos III., dem Herrscher des Seleukidenreichs (übrig vom Weltreich Alexanders des Großen), war ein VERNICHTUNGSSTRATEGE. Glasklare Analyse: Die Römer konnten nur in Italien besiegt werden. Man müsse sie vernichten oder man würde selbst vernichtet. Ließe der Seleukidenkönig die Römer in Ruhe, so kämen sie bald über sein Reich. Hannibal erbat sich von Antiochos hundert Kriegsschiffe mit 10000 Fußsoldaten und 1000 Reitern. Pferde im Bauch der Schiffe. Mit dieser Unterstützung wollte er die Heimatstadt Karthago für einen neuen Kriegszug gewinnen, selbst aber in Italien landen, Rom einnehmen und dem Erdboden gleichmachen.

»Der Bundesgenosse Antiochos aber, der eifersüchtige und zweiflerische König des Seleukidenreichs, erwies sich der weltpolitischen Aufgabe nicht gewachsen.«[9]

– Heißt Vernichtungsstratege Terrorist? War Hannibal ein Terrorist?
– Meinen Sie Terrorist im modernen Sinn?
– Ich meine einen Charaktertyp, der sich nicht nach seinem persönlichen Empfinden richtet, sondern quasi selbstlos, mit Blick in die Ferne, für eine Gefolgschaft, die in ohnmächtiger Wut verharrt, tätig wird und der, um diese Wut der Stummen bereichert, eine besondere Entschluß- und Durchsetzungskraft vereinigt. »Ein Mann wie ein Geschoß.«
– Der Mann ist der Pfeil. Die Bogensehne sind die betrogenen, erschütterten, stummgewordenen, besiegten Karthager (und alle anderen von Rom jetzt und später unterjochten Völker). Wer aber ist der, der den Bogen spannt?
– Die Götter.

K. Lehmann bestritt gegenüber A. Passerini die Existenz solcher Götter. Sie habe es in der Einbildung der Antike, im Hirn Hannibals, in der besonderen Art der Furcht des Antiochos III., nicht aber, wie uns die Naturwissenschaften zeigen, in Wirklichkeit gegeben. Insofern sei Terrorismus (und dessen besondere Durchsetzungsfähigkeit, unter Opferung des eigenen Lebens) eine Einbildung, ein religiöser Wahn? fragte Passerini.

– Versprach der Plan überhaupt Erfolg? Das Expeditionskorps war überraschend klein. Wollte Hannibal nur in die Heimat zurückkehren?
– Hannibal glaubte an das Projekt.
– Woher wollen Sie das wissen?

Es ergab sich, daß ein Überfall auf Rom angesichts des Zustands der Römischen Flotte und der vorangegangenen Verluste im Kriege mit Karthago Aussicht auf Erfolg gehabt hätte. Siebzehn Jahre hatte Hannibal mit den Römern Krieg geführt. Die Stimmung in Rom war depressiv. Warum fehlte, fragte K. Lehmann, in Hannibals letztem Plan der direkte Angriff auf Rom?

9 K. Lehmann, *Hannibals letzter Kriegsentwurf*, Festschrift für H. Delbrück, Berlin 1908, S. 67-92

– Folgte das aus den schwachen Kräften des Invasionsheeres?
– Es war die Expeditionsgröße, mit der Antiochos zu operieren bereit war. Eine Kriegführung wie im Westen des Mittelmeerraums war für einen helle-nistischen Herrscher etwas völlig Neues.
– Hätte Hannibal Alexander den Großen überzeugt?
– Den mit Gewißheit.

Hannibals letzter Plan hatte einen gravierenden Nachteil. Er gab König Antio-chos nur eine zweitrangige Position. Antiochos, eifersüchtig auf Hannibal, machte der Planung ein Ende. In der Nacht, in der Hannibal den römischen Gesandten ausgeliefert werden sollte, gab dieser sich den Tod.[10]

K. Lehmann charakterisiert Hannibal als Vernichtungsstrategen und Ter-roristen. So hat er die Schlachten gewonnen und den Krieg verloren. Dage-gen setzte A. Passerini die Charakterisierung Hannibals als eines »BEOB-ACHTERS DER DIFFERENZ«. Stets seien seine Pläne durch die Kunst der Indirektheit gekennzeichnet. Am Schwachpunkt des Gegners, nicht im Zentrum von dessen Kräften anzugreifen, dies sei Hauptsache der Pro-jekte Hannibals gewesen. Insofern sei es ein Fehler, aus dem Versagen sei-ner Feldzüge, die sämtlich zu keinem für Karthago günstigen Friedens-schluß führten, auf die Irrigkeit des strategischen Konzepts zu schließen. Als Terrorist hätte man sehen können, wie schwach die Nerven der Römer in Rom selbst die ganze Zeit über gewesen seien. So hätte man mit 7000 Reitern nach der Schlacht von Cannae Rom einnehmen und abbrennen können. Da aber Hannibal kein Terrorist, sondern Künstler gewesen sei, habe er *fachgerecht* Rom besiegen wollen, d. h. indem er an den Flanken, den Schwachpunkten, nicht aber im subjektiven Zentrum, der Angst der Römer, angriff.

Im deutschen Generalstab, der Schlieffens Vernichtungsstrategie und den Flankenschlag von Cannae verehrte, diskutierte man die auseinanderlie-genden Positionen von Lehmann und Passerini eindringlich. Man ver-kannte, faßte Passerini zusammen, daß der Flankenangriff von Cannae und die damit verknüpfte indirekte Methode das Gegenteil der Vernich-tungsstrategie und des Terrorismus seien und somit die deutsche Strategie von 1914 auf einem grundlegenden Mißverständnis Hannibals beruhte. Man kann nur entweder eine VERNICHTUNGSSTRATEGIE oder die INDIREKTE METHODE anwenden, die im Kern eine Strategie phöni-zischer Friedensstiftung darstellt.

10 A. Passerini, *L'ultimo piano di Annibale*, Athenaeum 11, 1933, 10-28.

4
Karthagos Ende

Vierzig Jahre hatte Karthago das große Rom durch Willfährigkeit verblüfft. Das Friedensdiktat des *Scipio Africanus* von 201 hatte die Verhältnisse Nordafrikas abschließend geregelt. Der Numiderkönig Massinissa hatte gegen Karthago eine Politik der Machtausdehnung betrieben. Die Parteinahme der Römer für diesen früheren Verbündeten zeigte sich in Schiedssprüchen, die stets zu Ungunsten von Karthago ausfielen.

Nach einem Wiederausbruch der Feindseligkeiten, die wiederum von Massinissa ausgegangen waren, erschien im Jahre 152 v.Chr. eine hochrangige Zehnmänner-Gesandtschaft aus Rom in Afrika. Die Römer stellten an die Kontrahenten Forderungen, sich ihrem Schiedsspruch im voraus bedingungslos zu unterwerfen.

Als die Karthager sich, in Erwartung eines ungerechten Spruchs, dem Diktat verweigerten, entschied der römische Senat auf die Reden des prominenten Mitglieds der Zehnerkommission, des Zensors Cato (»Karthago ist zu vernichten«), den Dritten Punischen Krieg zu eröffnen. Mit 80000 Mann Fußtruppen, 4000 Reitern und einer Flotte landeten sie in Afrika.

Die Karthager boten, um ihre Stadt zu retten, eine DEDITION an, d.h. sie wählten die römische Rechtsform der »bedingungslosen Übergabe«. Nach solcher Unterwerfung war nach römischem Rechtsverständnis eine rücksichtslose Ausübung der dadurch anvertrauten Gewalt nicht zulässig. Der Senat von Rom nahm die DEDITION an und garantierte den Puniern Freiheit und Autonomie sowie die Unversehrtheit ihres Gebietes und des persönlichen Eigentums gegen Stellung von 300 Geiseln und Ablieferung sämtlicher Waffen. Das Schicksal der Stadt war nicht erwähnt.

In einem gewaltigen Wagenzug wurden die Waffenbestände Karthagos ins römische Lager überführt: 200000 Rüstungen, 2000 Katapulte. Danach teilte der römische Feldherr den Karthagern mit, sie müßten Karthago räumen, es stünde ihnen frei, sich an einem beliebigen Ort ihres Staatsgebietes niederzulassen, jedoch mindestens 15 km von der Meeresküste entfernt. Die Karthager, ein See- und Handelsvolk, waren schockiert. Der Umsiedlungsbefehl trennte sie von allen Quellen ihres Lebensunterhalts.

So setzten die Karthager die Stadt in Verteidigungszustand. Das punische Karthago lag auf einer Landzunge, die in westöstlicher Richtung in den Golf von Tunis hineinragt. Der Isthmus zum Festland war durch dreifache Befestigungsmauern geschützt. An der Nordseite der Stadt steil abfallende Anhöhen zum Meer. Die Seeseite von Mauern umgeben. In der südöstlichen Ecke des Areals befand sich die Altstadt, das Zentrum Karthagos mit dem Marktplatz und der Stadtburg Byrsa, die das Hauptheiligtum, den Tophet, umfaßten. Ein Doppelhafen, der berühmte Kothon, liegt innerhalb der Altstadt. Der Adoptivenkel des Scipio Africanus, Scipio Aemilianus, besetzte zuletzt das Zentrum der Stadt. Frauen, Greise und Kinder, die, in den Häusern versteckt, die Kampftage überlebt hatten, kamen in den Flammen ums Leben. Von der Byrsa kamen Flüchtlinge als Schutzflehende zu Scipio. Der begnadigte 50000 Menschen, die in die Sklaverei abgeführt wurden. Zurück blieben der karthagische Feldherr Hasdrubal, dessen Frau und ihre Kinder sowie die Überläufer, knapp tausend an der Zahl. Sie kämpften im Tempelbezirk des Eschmun.

Im letzten Moment schlich sich Hasdrubal davon, um sich der Gnade Scipios auszuliefern.[11] Seine Gemahlin harrte mit den Kindern aus und starb, nachdem sie ihren Mann wegen seiner Feigheit verflucht hatte, in den Flammen des Tempels, den die Verteidiger selbst in Brand gesetzt hatten.

Die Stadt wurde auf Anordnung des Senats verbrannt, die Trümmer »umgepflügt«.[12] Eine Ansiedlung bei Todesstrafe verboten.

Die übrigen Städte des karthagischen Herrschaftsgebiets wurden in eine neu errichtete römische Provinz eingegliedert, die den ambitionierten Namen Afrika erhielt.

11 Hasdrubal ist ein Enkel des Massinissa, der eine punische Prinzessin heiratete. Der geschickte Mann hatte auf die falsche Partei gesetzt. Scipio nahm die DEDITION an.

12 Hierfür war durch die Legionen, die ja nach römischem Verständnis Arbeitskolonnen darstellen, Stein für Stein abzutransportieren. Dennoch war der konzentriert bebaute Raum, zwölf Schichten Ziegel nach unten zeugten vom Bestand der Stadt, nicht wirklich »pflügbar«. So wurden symbolisch Pflüge darüber hingeführt, im übrigen durch Feuer und Zuschütten von Maueröffnungen das Gebiet unbrauchbar gemacht. Schon der Leichengestank verbot Ansiedlung. Über hundert Jahre waren aber noch Wachen tätig, die eine Ansiedlung oder auch nur die Anlage eines Gärtchens oder Ackers auf diesem Gebiet so verhinderten, wie Wächter Kreons die Bestattung der thebanischen Prinzen Eteokles und Polyneikes zu verhindern gesucht hatten. Allerdings berichtet Polybios von der Hütte bzw. dem Zelt eines phönizischen Sehers, der noch zum Todeszeitpunkt Cäsars in den Ruinen sein Domizil besaß.

Tod des Surenas

Der Pahlawi Surenas, Satrap des Königs der Parther, zugleich dessen Neffe, Sieger in der Schlacht von Carrhae, hatte an sich nicht die Absicht, den Prokonsul Crassus zu töten; als Gefangener war der reiche Römer sicher wertvoller. In einem Getümmel bei Aufräumung des Schlachtfeldes geschah es jedoch, daß Marcus Crassus erstochen wurde. Pahlawi Surenas ließ ihm Kopf und rechte Hand abhacken und sandte diese Zeichen seines Sieges in die Hauptstadt Artaxata im Pamir-Tal. Am Abend des Einzugs der siegreichen Delegation fand eine Aufführung der *Bakchen* des Euripides statt. Die Rolle der Königin Agaue wurde von Jason von Trallos gespielt, einem der besten Schauspieler, über die der König der Parther, Liebhaber griechischer Dramen, verfügte. In der letzten Szene trägt Agaue einen Teller mit dem Kopf ihres Sohnes, König Pentheus, auf die Bühne, den sie (in einer Geistesverwirrung oder bacchiantischen Orgie) eigenhändig enthauptet hatte. Auf dem Teller, den sie mit den Händen emporhielt, lag der Totenschädel von Marcus Crassus (in einem Glasgefäß in Honig eingeweckt). Jason von Trallos (Agaue) riß die Maske vom Gesicht, hob den Kopf aus dem Honigglas und schwang ihn wie einen Leuchtkörper vor den Zuschauern. Später wurden Kopf und rechte Hand des Crassus auf den Mauern der Hauptstadt zur Schau gestellt. Der Sieger aber, Surenas, wurde vom König Orodes am Tag, der den Feierlichkeiten unmittelbar folgte, verhaftet und enthauptet.

– Keine Dankbarkeit?
– Eine Vorsichtsmaßnahme des Herrschers.
– Ist der nicht-römische Osten so besonders grausam?
– Nicht grausamer als eine griechische Tragödie. Die Enthauptung des Surenas, wie gesagt eines Neffen des Königs, hat auch nichts mit Grausamkeit zu tun, sondern mit Herrschaftswissen. Der Monarch darf keinen Verwandten, der, im Gegensatz zu ihm, einen verblüffenden Schlachtensieg errungen hat, am Leben lassen.
– Weil der Verwandte andernfalls ihn, den König, töten muß, weil für ihn nicht zu ermitteln ist, ob der König ihn besiegen wird oder nicht?
– Prävention.
– Im Sinne von zuvorkommend?
– Eine Art Höflichkeit. Bestätigung, daß man den anderen für befähigt hält.

Mantzikert

Ein Schlächterkaiser hatte in das Führungspersonal der oströmischen Legionen eine schmachvolle Lücke gerissen. Er hatte Exekutionen vorgesessen. Vor allen Augen wurde erkennbar: EINER DER TAPFEREN KANN DEN ANDEREN NICHT RETTEN. Es standen nämlich immer Tapfere mit dem Kaiser auf den Tribünen, während die Kameraden abgeschlachtet wurden.

So waren die Legionen des oströmischen Heeres, die sich immer noch Römer nannten, in der Schlacht von Mantzikert nicht in der Lage, den Panzerreitern des Gegners Widerstand entgegenzusetzen. Mut und Atem reichten nur bis unterhalb des Brustkorbs. Überleben wollten sie schon.

Das genügte nicht gegenüber dem Enthusiasmus des Feindes. Erschöpft kamen diese LETZTEN RÖMER auf dem Schlachtfeld an. Die Befehlshaber verstanden einander nicht. »Zerhackt lagen die Bewaffneten, schon willenlos am Morgen, in den Nachtstunden entleibt oder verwundet, auf dem Gelände, das die Feinde, zur Verfolgung der übrigen, schon verlassen hatten.« Nicht einmal von der Beute der Geschlagenen mochten die Sieger zehren.

War Kaiser Valens Antisemit?

In seinem Film *Satyricon* zeigt Federico Fellini den Triumph eines römischen Soldatenkaisers. Dieser Kaiser hat seinen Vorgänger getötet und zieht an der Spitze der Legionäre, die ihn zum Nachfolger gewählt haben, in die Hauptstadt ein: ein erregtes, jugendliches Antlitz, wie von einem Sturmwind verzerrt.[13] Das war das Gesicht des Kaisers Valens. Dieser Usurpator wußte, wie kurz nur er regieren wird, weil ihn entweder die Barbaren oder die eigenen Legionäre bald umbringen werden. So drückte das Gesicht einen »gesteigerten Augenblick«, die Kürze eines Herrscherlebens aus.[14]

---

13 Tatsächlich ließ Fellini Windmaschinen im Atelier aufstellen, die dem Darsteller des Triumphators heftig ins Gesicht bliesen und den extremen Ausdruck, der als »Kühnheit« oder »irre Entrückung« bezeichnet werden konnte, mit technischen Mitteln provozierten.

14 Valens verlor sein Leben in der Schlacht bei Adrianopel im August 378. Die Goten, von den Hunnen verdrängt, waren an den Donauufern erschienen. Sie hatten um Aufnahme gebeten. Sie versprachen Hilfstruppen und Zahlung begrenzter Steuern. Später attackierten sie das Reich (Ammianus Marcellinus 31,4,1). Diese Barbaren haben die Truppen des Valens, der nicht auf die Hilfe des Westkaisers Gracian wartete, massakriert. Soldaten und Offiziere lagen erschlagen; die Leiche des Valens nicht auffindbar. Fellini hatte kurz

Als Heiner Müller diesen Film in einem verfallenen Kino in Venedig sah, fiel ihm das Gesicht des Kaisers sofort auf. Das ist das Gesicht eines Antisemiten, sagte er. Wie kommst Du darauf, fragte Luigi Nono, der mit Müller das Kino besucht hatte. Ich wollte immer schon einen Antisemiten von Angesicht sehen. Sie sind überall, man erkennt sie nur nicht am Gesicht, antwortete Müller. Das Bonmot ließ Nono dem Freund nicht durchgehen. Mit welcher Begründung Müller das »hektisch verzerrte« Männergesicht, das Fellini dem Kaiser zugedacht hatte, als politischen Charakter der heutigen Zeit deute? Das sei intuitiv, erwiderte Müller. Er stelle sich Antisemiten nicht als »Spießer« vor, als die sie oft in Erscheinung träten, sondern als »gehetzte Männer«.[15]

Tatsächlich war Kaiser Valens Christenverfolger, kein Antisemit. Er hielt aber die Gier nach Erfolg, welche die Christen erfaßt hatte, und die monotheistische Wut, in der einige semitische Religionsteilnehmer dem Reich Widerstand zeigten, für ähnlich todeswürdig wie die Wut gotischer Eindringlinge.

– War Kaiser Valens Antisemit?
– Was ist ein Antisemit in der Spätantike?
– Einer, der Araber, Juden oder Phönizier aus Reichsämtern entfernt aufgrund eines Vorurteils.
– Sie nicht umbringt?
– Doch, falls sie Christen sind.
– Die jüdische Gemeinde von Antiochia beklagte sich nach dem Tode des Kaisers über dessen Amtsführung.
– Sonst nichts?
– Ich glaube nicht, daß Valens unmittelbaren Kontakt mit der jüdischen Diaspora hatte.
– Aber religiöse Sekten bekämpfte er?
– Fanatiker grundsätzlich.
– Konnte er zwischen ihnen unterscheiden?
– Nicht in der Eile. Er verwechselte sie mit Christen. Schlimmer war, daß er die Goten unterschätzte.
– Und an diesen Vorurteilen ging er zugrunde?
– Ein Schock für das Römische Reich. Erstmals fällt ein Kaiser in offener Feldschlacht.[16]

vor seinem Tod die Absicht gehabt, dem Kaiser Valens, von dem er in seiner Kinderzeit eine Abbildung gesehen hatte, einen ganzen Film zu widmen.

15 Man solle, wenn man nach einem Gesichtsausdruck fahnde, vor allem außerhalb der eigenen Gesellschaft, z. B. in der Antike, suchen.

16 Der irrende Herrscher Valens ließ im Jahre 372 den neuplatonischen Philosophen Maximus, ehemaligen Lehrer und Ratgeber des Heidenkaisers Julian, hinrichten. Das Verbre-

Der Verräter Arminius

Gräser- und Pflanzenreste in den Maultiergebissen zeigen, daß die Schlacht drei Tage währte. Die Römer befanden sich auf dem Rückmarsch aus ihrem Sommerquartier bei Minden ins Winterlager in Xanten. Die Legionen des Varus wurden von den eigenen germanischen Hilfstruppen, die Arminius befehligte, niedergemetzelt. Die Angreifer hatten die gleichen Waffen wie die Angegriffenen.

Das waren Ergebnisse bei Ausgrabung des Geländes der Varusschlacht in der Nähe der Gemeinde Kalkriese bei Osnabrück. Theodor Mommsen hatte den Ort, 80 km vom später errichteten Hermannsdenkmal im Teutoburger Wald entfernt, als aussichtsreiche Grabungsstätte bezeichnet. Der britische Major Tony Clunn leitete die Ausgrabungen, aus denen sich das wahre Bild der Schlacht nunmehr ergibt. 6000 Funde, dazu die Maske eines römischen Offiziers.

Die Schweizer Landschaftsarchitekten Zulauf, Scheingruber und Seppel haben einen archäologischen Park gestaltet, der das Geschehen der Schlacht wiedergibt. Der Pfad, auf dem die Römer in ihr Verderben marschierten, ist mit Stahlplatten ausgelegt, ein Wall ist zu sehen, hinter dem sich die Germanen verschanzt hatten. Die Vernichtung der römischen Kolonnen, die sich zwischen einem Moor und einem Bergwald bewegten, geschah gnadenlos. Arminius, Verbündeter und Berater der Römer, dem der Befehl über die germanischen Hilfstruppen anvertraut war, hatte den Feldherrn Varus betrügerisch getäuscht. Nichts Feierliches oder Nationales ist an diesem Verräter zu finden. Ohne dieses Massaker wäre die Landschaft bis Minden urbane römische Provinz geworden, ein europäisches Musterland. Erst die Gründung Westfalens und des Rheinbundes durch Bonaparte brachte eine zweite europäische Chance für das Gebiet.

chen des Maximus hatte darin bestanden, dem Kaiser einen Tod ohne die üblichen Bestattungsfeierlichkeiten vorauszusagen.

Kleists Reise

Die Macht der Gedanken

Zu jener Zeit, als Bonaparte seine Truppen bei Boulogne zur Überfahrt nach England in einem Lager versammelte, entschloß sich der Dichter Heinrich von Kleist zu einem entschiedenen Aufbruch. Mit seiner Schwester, die Offizierskleidung trug, ritt er über die Landstraßen Westfalens der französischen Grenze zu. Im Gepäck die Schriften Immanuel Kants. Im Kopf und auf der Zunge die lebendigsten Ausschmückungen und Erörterungen der wichtigsten, von ihm angestrichenen Stellen. Das meiste war schon ins Französische übersetzt.

Es drängte ihn mit ganzem Gemüt, in das Lager der Franzosen vorzudringen, die Korporale und Mannschaften zu unterrichten in den einzigen Gedankengängen, die in Europa die Konsistenz hatten, den neuen zivilisierten Menschen auszurüsten: ein jeglicher sein eigener Gesetzgeber. Eine Armee, die Gesetzgebung und Waffe gleichzeitig in den Händen zu halten wüßte.

Das Geschwisterpaar gelangte in der Dämmerstunde, es regnete über der Küste, an die Vedetten, die weiträumig das französische Lager abschirmten. Kleist verhandelte mit dem zuständigen Wachoffizier. Der Offizier hielt das Geschwisterpaar für verdächtig. Handelte es sich um britische Agenten, die sich als Deutsche verkleidet hatten? Die *Hetzschriften*, allerdings ohne Abbildungen, die der junge, deutsch und französisch sprechende Mann mit sich führte, wurden beschlagnahmt. Kleist protestierte gegen die Beschlagnahme von Kants Schriften und bestand darauf, daß der Protest in ein Protokoll aufgenommen würde. Die Geschwister übernachteten in einem in der Nähe befindlichen Dorf.

Am folgenden Tag wurden sie verhaftet und von einer Eskorte dem General vorgeführt, der den südlichen Teil des französischen Lagers kommandierte. Welche Art der Unterrichtung der französischen Armee hatte sich Kleist vorgestellt? Er hätte sicher einen einzelnen ihm vorgeführten Korporal überzeugen können, erstens, daß diesem in seiner intellektuellen Ausstattung etwas fehle; zweitens, daß die Gedankengänge Immanuel Kants, habe man sie nur in ihrem Zusammenhang und ihrer Vielfalt studiert, auf ein europäisches Gemeinwesen deuteten, ja, auf eine Konstitution des Erdballs, für die als erfahrener napoleonischer Fußsoldat zu kämpfen sich lohne. Ja, die Überwindung falschen Römertums, die Formung eines prometheischen Menschen setze eine individuell, im Herzen eines jeden einzelnen (der nicht Untertan wäre) immer erneut hergestellte Gesetzgebung voraus, so daß es lediglich erforderlich sei, die komplex und in deutscher Sprache formulierte Theorie auf einfachen Handzetteln in französische Sprache zu fassen, zu numerieren und umzuverteilen. An diesem Vormittag traf aber Kleist auf keinen Korporal in zuhörender Position. Er hätte als Querulant gegolten, hätte er nicht dem General geantwortet, sondern sich an den nächstbesten Korporal der Bewachungseskorte gewandt. So versuchte er, dem General, in dessen Sprache, die generelle Richtung seiner Absichten zu erläutern.

Am Tag darauf wurde bekannt, daß das Kaiserreich Österreich Frankreich den Krieg erklärt hatte. In Eile wurden die Lager bei Boulogne abgebrochen. Kleist und die Schwester wurden kommentarlos aus ihrer Haft im unbefestigten Zelt (sie aber hofften noch auf ein Gegenüber für Belehrung und Aussprache) entlassen. Kleist entwickelte sich aus vielfältigen Gründen in späterer Zeit zum Franzosenhasser, so daß er für die Übermittlung einer weltbürgerlichen Botschaft nicht mehr in Betracht kam. Zwischen dem System der Waffen und dem System der Gedanken war keine Einheit zu stiften.

Kleist in Aspern

Unerklärliche Haßgefühle, dichterische Fernfühlung

>»Wir banden sie zu Kampflegionen /
Alle die Schwalben«

Es trieb ihn mit Dahlmann zu den Schlachtfeldern in Österreich. Über die Landstraßen nach Aspern. Rechts und links kampierten österreichische Pelotone in weißen Uniformen. Die Freunde suchten Kontakt. Irgendeinen Offizier, der sie kannte. An diesem Tag überschritt der Tyrann die Donau.[17] Zutrauliche Atmosphäre. Dahlmann und Kleist hätten auch Spione sein können. Waren sie Reisende? Sie boten sich an als »Kriegshelfer«. In einem Gasthaus untergebracht, nicht unbequem. Kampierende Soldaten ringsum im Gelände, von denen keiner während der Schlacht auf die Idee gekommen war, sich in einem Gasthof einzumieten.

17 Für Napoleon brachte der Tag die erste der Niederlagen, die zum Ende seiner Herrschaft führten. Die Truppen des Erzherzogs Karl ließen sich nicht, wie in früheren Zeiten, ausmanövrieren. Den Österreichern gelang es dadurch, daß sie gegen die Pontonbrücken der Franzosen die Donau hinab Holzhäuser und Windmühlen schickten, Napoleon von den nachstoßenden Reserven zu trennen. In seiner Not zog sich Napoleon auf die Donauinsel zurück.

Kleist arbeitete in den nächsten Wochen besessen an dem Konvolut, das die HERRMANNSSCHLACHT enthielt. Was ist der Grund für die cheruskischen Frauen, selbst mitzukämpfen? Den totalen Krieg gegen die Usurpatoren zu entzünden? Nichts als Selbstverteidigung. Schon warten, notierte Kleist, die Frauen der Römer auf die Zähne germanischer Frauen, um sie sich einzusetzen, auf das Haar, mit Kopfhaut abgeschnitten, das sie sich als Prachttolle aufsetzen wollen. Wer das nicht erleiden will, muß sich zu wehren wissen.

Glaubte Kleist in diesen Wochen, daß die Franzosen ähnliche Attentate auf die Integrität ganzer Länder, z. B. Österreichs oder Preußens (mit dem sie zur Zeit keinen Krieg führten), planten? Wahr ist, das erfuhr Kleist, daß für ganz Hamburg Französisch als Amtssprache oktroyiert war.

Vier Wochen später überschreitet Napoleon, der seine Mannschaften in Wien ergänzt hat, die Donau erneut. Jetzt macht er keinen weiteren Fehler. Er siegt bei Wagram. Der in den Rückzug nach Brünn hineingerissene Kleist, das Konvolut des Haß-Dramas gegen die Römer auf einem Packwagen, von einer körperlichen Verzweiflung erfaßt. Er fiebert. So stark die Empörung, die er in sich fühlt. Dahlmann hört den Kranken murmeln, Reden führen, kleine Schreie. Was hat das mit dem realen Napoleon zu tun, der wenige Meilen südlich sich mit administrativen Geschäften Frankreichs befaßt? So rasch wie möglich will er deutschen Boden verlassen. Man müßte ihn nicht durch Schlachten vertreiben. Wäre es möglich, fragt sich Dahlmann, den Freund davon abzubringen, Hetzschriften wie die HERRMANNSSCHLACHT zu verfassen? Darauf zu verzichten, sich auf den Straßen Mährens umzubringen? Was verletzt den Dichter so schwer, daß die Nieren, sonst stumm, schmerzen? Er weiß doch nichts Wirkliches, sagt Dahlmann, von irgendwelchen Schandtaten der Franzosen.

Kleist aber glaubte, in »innerer Seelenbewegung« mit dem Schlächter Armin verknüpft zu sein. So wie er einen Geisterregen von Spanien her fühlte, tausend nächtliche Augen, gierig auf Franzosenblut. [18]

Dahlmann wollte noch bis Königgrätz gelangen, dort eine Herberge finden für den bleichen Dichter. Er wollte einen Kachelofen heizen und den Haßerfüllten unter Branntwein setzen. Als Freund gewalttätig. Angekommen in Königgrätz, riet der Stadtarzt von der Alkoholkur ab, verordnete Laudanum.

---

18 – Sie schlachten Soldaten aus Jülich, Cleve, vom Rhein, neapolitanische Reiter.
  – An die Franzosen, Offiziere und Korporale, kommen sie nicht heran.
  – Den Geisterstrom spüre ich aber.
  – Die Nieren sind entzündet.
  – Das ist der Hauch.
  – Du glühst.

Anekdote

Einen Bauern, der auf dem Schlachtfeld Kugeln sammelte, fragte Dahlmann, zur Insel Lobau in der Flußmitte der Donau blickend, ob die Franzosen hier vor der Schlacht eine Brücke gebaut hätten oder ob man den Fluß auf einer Furt zur Insel durchwaten könne. Der Bauer zeigte die fremd redenden Fußgänger, Kleist und Dahlmann, bei dem nächst stehenden Kürassierposten an. Er hielt sie für Spione. Er meinte, die Fremden suchten einen Weg, um zu den Franzosen hinüberzugehen.

Soldaten versammelten sich um die Verhafteten. Kleist zog eines seiner patriotischen Gedichte hervor und reichte es einigen der Offiziere, gewissermaßen um sich auszuweisen. Diese hielten nichts von politischer Lyrik. Der Name Kleist erinnerte sie an einen preußischen hohen Offizier (einen Verwandten des Poeten), der im Krieg von 1806 die Festung Magdeburg ohne militärischen Grund an Napoleon übergeben hatte. Die Freunde waren in Gefahr. Zum Schlachtfeld waren sie in einem Kutschwagen mit zwei Pferden gekommen. Dort, wo die Kutsche nach Angabe der Freunde stehen sollte, war nichts zu finden. Der Kutscher war fortgefahren. In den Resten Asperns fand sich eine zerstörte Apotheke, in der das Verhör gegen Dahlmann und Kleist eröffnet wurde.

Napoleon und die Partisanen

Das Rauhbein, ihm war durch eine Kugel der Oberschenkel zertrümmert, der Chirurg Napoleons, Baron Larrey, schüttelte auf den fragenden Blick des Kaisers den Kopf, konnte seinem Herrscher die Wahrheit sagen. Sire, sagte der General, schon vom Wundfieber ergriffen, Sie müssen sämtliche Kriege beenden. Sie behalten irgendetwas vom Eroberten, wenn Sie aufhören, nichts, wenn Sie weitermachen.

Die Schlacht war verloren. Das Korps des Generals Davout lagerte arbeitslos am anderen Ufer der Donau. Die Pontonbrücken des Kaisers, schon um 4 Uhr früh errichtet, waren zerstört. Zerschlagen lagen die Holzreste an den Ufern. Die Linien Napoleons bei Aspern bluteten aus. Erscheinungen von Panik. So befahl der Kaiser bei Einbruch der Dunkelheit den Rückzug auf die Donauinsel. Hier entfaltete der Usurpator noch einmal sein Temperament. Bis zum Morgen waren Balken und Gruben für die Fäkalien, Abflüsse, d. h. ein Kanalsystem, zu bauen. Keine Zelte da. Also Laubhütten, von Gardesoldaten errichtet, zuerst für die Pferde, danach für die Mannschaft. So war die Armee bis 5 Uhr früh »untergebracht«. Keine Robinsonade, denn niemand war allein. So konstituierte sich die geschlagene Armee.

Der Kaiser zog in den folgenden Wochen von Wien aus an Truppen, vor allem Berittenen, an sich, was im Reich verfügbar war. Niemals mehr wollte er den Fehler machen, ohne Reserven anzugreifen, einen Fluß zum Schiedsrichter zu machen zwischen sich und dem Gegner.

In diesen Tagen der Reorganisation griff den Kaiser ein jugendlicher Attentäter an. Mit einem Messer. Seit dem ägyptischen Feldzug führte Napoleon einen Sklaven mit sich, der einst versucht hatte, ihn zu morden, jetzt ihn schützte. Dieser Sklave griff das Messer des Attentäters, der sich als ungeübt erwies, verhinderte die Tat. Sollte man, so wie die aufrührerische Stimmung in Deutschland und Österreich vorherrschte, den jugendlichen Attentäter erschießen?

Napoleon hatte sich entschieden, den jugendlichen Mörder zu verschonen. Er ließ ihn vorführen. Warum er das Messer gezogen habe? Was er tun werde, wenn man ihn durch Gnade überrasche?

Der junge Mann erwiderte, er werde sogleich die Vorbereitungen treffen, das Attentat zu erneuern. Napoleon in Eile. Befehle waren auszufertigen nach Spanien, nach Paris. Er hatte eine feste Vorstellung gewonnen, wie man der Partisanen in Spanien Herr werden könnte. So hatte er nicht genügend Zeit, sich auf den jugendlichen Delinquenten einzustellen.

Frech schien ihm der junge Mann. Nicht überzeugbar. 20 Minuten gab sich der Kaiser Mühe, übersetzt durch den Dolmetscher, auf den Todeskandidaten einzuwirken. Die Mitteilungen des verurteilten Geständigen besserten sich nicht.

Einer der seltenen Fälle, in denen der Kaiser, dem eigenen Anspruch nach, versagte. Weder wollte er den Tod dieses Jungen, noch war er bereit, ihm die Aufsässigkeit seiner Antworten zu verzeihen. Zwischen diesen beiden Seelenregungen hätte der Kaiser sich entscheiden müssen. In einer Pause des Geschehens, einem besonnenen Augenblick, hätte er das sicher getan. Jetzt verließ er die Räume in der Hofburg, begab sich zur Inspektion einer Pioniertruppe, neu eingetroffen in Wien.

Die mit dem Justizvollzug Beauftragten, im Zweifel, was nun galt, entschieden sich für die Vollstreckung der Todesstrafe an dem zu jungen Täter. Sie hatten keinen Mut. Das Gefühl sagte ihnen, daß sie einen Fehler machten. Illoyal dem Kaiser gegenüber war, daß sie ihm dieses Gefühl nicht zusprachen. Es blieb inhuman, impertinent von den Justizbeamten, daß ein Kaiser nicht *einen* Fehler machen darf.[19]

---

19 Partisanen in Spanien, die reaktionäre Ziele verfolgten, nämlich Wiederherstellung der

Negativer Imperialismus

Es ist für eine Feministin nicht einfach, im Streß der Medien jeweils sofort die beste Antwort zu finden. Es sind ja Haltungen, die ich vermittle. Es geht nicht um Wissensfragen mit je vier *multiple choices*. Eigentlich ist nur die Antwort adäquat, die feministische Frauen im Gespräch gemeinsam entwickeln und zur Formulierung freigeben. Auf diese Weise werden wir in den Shows aber nicht gefragt.

Ich überlege also. Wohltuend ist das Gesicht mit Puder abgedeckt. Eine Maske legt sich über die angespannten Züge. Die Wärme der Scheinwerfer auf der Haut. Als Hindu strebte Gandhi *Moksha* an: Die Befreiung vom Kreislauf von Leben, Tod und Wiedergeburt. Hierum geht die Diskussion. Soweit korrekt, weil ein religiöser Irrtum keine Kritik lohnt. Es läßt sich aber daran die totale Egozentrik in der männlichen Suche nach sexueller Askese zeigen. Hat Gandhi je die weiblichen Partner gefragt, denen er befahl, sich im Dienste der Keuschheit nachts neben ihn zu legen? Öffentlich und im Bewußtsein, gesehen zu werden? Sodann die kriminelle Überschätzung des Samens selbst. Wieso macht Samenerguß feige? Eine andere Spende des Samens als zum Zwecke der Zeugung, sagt dieser Hindu, sei gottlose Verschwendung eines Lebenselixiers. Daß wir nicht lachen! Was verschwenden wir an Umarmung, Körperwärme, Schweiß, Rede und Antwort, Blut und Ovula? Ich kannte eine hinduistische Feministin, die ein Einweckglas mit Eiern bei sich trug. Das gärte wie ein Obstsalat.

Jetzt ist erst die Diskutantenrunde rechts von mir dran. Zur Darstellung der feministischen Position brauchen wir, die Frauen, die gesamte Redezeit dieser Debatte für uns, nicht die Zeit für einen zerrissenen Einwurf. Es geht um die Gegenrede zu einer ganzen falschen Welt.

Nach seiner Vermählung im usancegemäßen Alter von dreizehn Jahren habe er, berichtet Gandhi, tagsüber und nachts jede sich bietende Gelegenheit zu einem Geschlechtsakt mit seiner gleichaltrigen Gattin benützt und in der Schule und auch bei jeder anderen Tätigkeit immer *daran* gedacht. Wache haltend bei seinem sterbenden Vater, sechzehn Jahre alt, habe er, für ein Weilchen abgelöst von einem der Brüder des Vaters, in »obsessiver Sinnenlust« seiner Gattin beigelegen; währenddessen starb der Vater.

Inquisition, des Grundeigentums ihrer Barone und Tötung sämtlicher Ausländer an der Grenze, besaßen dagegen die Zeit für Lernprozesse, d. h. die Erlaubnis, Fehler zu begehen, so lange, bis ein Maß zwischen den Greueln der Nacht, die sie begingen, und der EUROPÄISCHEN BERICHTERSTATTUNG gefunden war, so daß ihre Feindseligkeit eine »allgemein gebilligte Form« annahm.

Dies habe ihm lebenslänglich ein Schuldgefühl eingebracht, das er sich zu bewahren und öffentlich zu erörtern suche. Das sei ein Zeichen der Größe des indischen Rebellen, sagte einer der Diskutanten. Eine alberne Überschätzung der Sekrete von Männern, erwidere ich, indem ich den Redner unterbreche. Schuldgefühle für eingebildete Schuld, das sei Ablenkung. In der Biographie von Nirmal Kumar Bose, *MY DAYS WITH GANDHI*, heiße es, Gandhi habe sich als Produkt der Ehe eines »alten Lüstlings« mit einer achtzehnjährigen »Unerfahrenen« empfunden. Wieso hat er dann den Vater so geliebt, daß sich ein dauerhaftes Schuldgefühl damit verbindet, er habe die letzten Seufzer des »alten Lüstlings« versäumt?

Männer lügen. Sie lügen sich etwas vor. Die Lügen dienen der Arrondierung ihrer Reiche. So meinte Gandhi durch sexuelle Enthaltsamkeit, also Persönliches, die Teilung des indischen Subkontinents 1946 verhindern zu können. Eine nächtliche, kontrollierte Ejakulation, sagt er, durchkreuzte den Plan.

Brahmadaya, Mitarbeiterin und Insassin eines seiner Ashrams, berichtet, »er habe, sechsundsechzigjährig, in Bombay am hellichten Tag beim Anblick einer Frau eine Ejakulation erlitten, obwohl er nicht in diese Richtung gedacht habe«. Ich hatte durch meinen Einwurf inzwischen sieben Minuten, zusätzlich zu der noch kommenden Redezeit, abgedeckt, ehe der Moderator ein Ende setzen konnte. Es geht mir nicht, das betone ich ausdrücklich, um die Frage, wie Gandhi einzuschätzen ist und wie unterdrückerisch die Hindu-Religion mit den Sinnen und Körpern von Frauen umgeht. Mir geht es überhaupt nicht um Indien im derzeitigen Moment. Vielmehr geht es darum, zu zeigen, wie Männer ihre quasi in Zementsäcke gebettete Sexualität als ganze (ähnlich wie die Mafia in New York Leichen in Zement gießt und dem Hudson übergibt) zum Vehikel der Machtergreifung machen. Reiche dieser Art, das muß herausgearbeitet werden, werden nicht affirmativ durch Inbesitznahme, sondern negativ durch Verzicht, durch Berührungsverbot befestigt. Ich glaube, daß ich an dieser Stelle einem Geheimnis des Imperialismus auf die Spur gekommen bin, anknüpfend an eine Zeile im Tagebuch von Rosa Luxemburg aus dem Jahre 1917. Die Zeile lautet: »Negativer Imperialismus, fürchterlicher als der positive. Erst Raub, dann Wegwerfen. Letzteres läßt das Gelände verödet zurück.«

Wie viele Sklaven werden geraubt, auf Schiffe verbracht, auf Versteigerungen verkauft? Und wie viele verderben, werden ins Meer geworfen? Wie viele Sklavenschiffe werden abandonniert, wenn Entdeckung droht? Verrottet, verlassen von den Sklavenhaltern, im Rumpf die gefesselten Insassen, eingelaufen in sumpfige Buchten? Nichts ist schlimmer als ein Imperialist, der verzichtet.

Verschollene Truppe

Nachts bogen sie von der viel befahrenen Küstenstraße ab, die nach Tobruk führt. Über eine Wüstenpiste, kaum sichtbar vor den abgeblendeten Scheinwerfern, fuhren sie nach Süden. Noch sah man einige SCHLUSSLICHTER ROT, auch in der begrenzten Glühfläche, die die Abblendgummis übrig ließen, die an den Scheinwerfern befestigt waren, zeugte dieses Rot davon, daß die schnelleren Fahrzeuge, die Motorräder und Schützenpanzerwagen, vor den langsameren Gefährten, den Panzern und Lastkraftwagen, ihre Bremsen betätigen mußten. Die lebhafte Tätigkeit der zwei Funkwagen dagegen vermochten nur die Gegenstationen in Tripolis und Benghasi noch eine Zeitlang zu verfolgen. Ab 4.00 Uhr nachts Funkstille.

Diese Gruppe soll die Oase Siwa drei Wochen später erreicht haben. Auch für spätere Spuren des Kontingents, das handstreichartig – mit 1280 Mann! – Zentralafrika besetzen sollte, gab es Berichte. Eine Staffel von JU-52-Transportern warf in einer Steppe südlich der Sahara am verabredeten Platz Benzinfässer ab, die aufgenommen wurden.

Dann entfernte sich das Gezirpe des verlorenen Haufens, von den mißtrauischen Funküberwachern der Briten in Kairo und von den eigenen Leitstellen der Panzerarmee Afrika verfolgt, weiter nach Süden. Die deutschen Truppen in Nordafrika strömten mit den Resten, die der Niederlage von El-Alamein entkamen, zurück in die Cyrenaica, weiter nach Tunis. Kaum noch Verbindung zu irgendetwas, das sich in Innerafrika bewegte. Der Kontakt, von Sizilien und bald von Neapel aus, wurde unmöglich.

Vier Ingenieure waren der STOSSGRUPPE ZENTRALAFRIKA mitgegeben, einer davon Landvermesser, also kein Reparateur oder Praktiker. Fehlendes Material können Ingenieure nicht ersetzen. Kraftstoff war überhaupt kein Ingenieursthema. Aus was sollten sie etwas konstruieren, was retten?

So ist die Truppe verschollen. Sie hat sich irgendwo angesiedelt, dort, wo sie steckenblieben. Dem Chef der Einheit, Oberstleutnant i.G. Kuhlacke, alter Ostafrikaner von 1914, Gutsbesitzer aus der Nähe von Magdeburg, war zuzutrauen, daß die Einheit die Zuarbeit eines Eingeborenenstammes gewonnen hätte. Genug Munition zur Verteidigung für ein Jahrzehnt, moderne, mechanisierte Waffen besaßen sie.

Nach dem Krieg hörte man aus Quellen des Französischen Geheimdienstes, daß 400 Kilometer nordwestlich des Kivu-Sees eine Zeitlang eine Art Kolonie bestanden habe. Im weiten Kongo-Becken. Das kann ein Rest des Unternehmens gewesen sein.

Keiner blieb übrig. Ob durch Krankheit oder andere Gewalten des Schwarzen

Afrikas waren sie dahingerafft. Möglich, daß dies erst während der Kongo-krise geschah in Folge der Verwirrung, die nach Lumumbas Tod diesen Teil Afrikas ergriff. Eine Gruppe von Söldnern soll 1961 in einen Hinterhalt geraten sein. Sie wollten ein Dorf berauben, trafen auf Beschuß aus schweren Waffen. Dies mag das letzte Gefecht gewesen sein.

Hätte Europa durch Verschwisterung mit Afrika neue Realität gewinnen können?

Jugendtraum eines großen Journalisten

Jahrgang 1923. Mit Hubschrauber hatten sie ihn bis zur Teestunde nach Bonn geschafft. An diesem Tage war er außer Rand und Band. Schübe von Erinnerungen. Ein Souverän des Textens. Da er auf Heilmittel, die Drogen enthielten, Alkohol gesetzt hatte, schien er enthemmt. Aber auch das Alter reichte aus, mentale Äußerungshemmungen, die Knechtung durch *political correctness*, die Zensurschranke, zu senken. Er sei enttäuscht, äußerte er, über das Schicksal Afrikas. Die Entkolonialisierung, sagte er, fand statt mit der gleichen Rücksichtslosigkeit, wie die Kolonialisierung stattgefunden hatte. Was hätte man Schönes machen können, wenn man den Gedanken des Gartenbaus, der Ackeransiedlung, der in dem Wort Kolonie steckt, verwirklicht hätte (ja, vor Augen hatte er die Kolonen der Antike, altgediente Legionäre, die jetzt, dem Kriegsdienst entwöhnt, der Erde neuartige, unrömische Früchte entrangen). Es war gleich, was er seinen Begleitern mitteilte, sie hatten nur Interesse, ihn intakt nach Bonn zu liefern, im Museum für deutsche Geschichte zu deponieren, dort geäußerte Wünsche ihm ad hoc zu erfüllen, die Kontaktstelle zur abendlichen Feier herzustellen. Ganz gleich, was er sagte. Er sollte in dieser Abendstunde eine hochrangige Ehrung der Bundesrepublik Deutschland entgegennehmen und hierzu eine Ansprache halten. Fast blind war er, fast taub. Was, wenn er ausrastete? Wenn er in dem emotionalen Schub der Stunde von 15 bis 16 Uhr verharrte? Bedauern über den Weggang der europäischen Mächte aus Afrika! Bismarcksche Deutung, die Afrika aufteilt unter der Bedingung, daß die Ordnungsmacht, die das Stück Land übernimmt, dort für Freihandel und Abwesenheit von Verbrechen und Sklavenhandel bürgt. Das ist ja kein schlechter Anfang für eine Verfassung, rief er. Im Regen rannten sie, ihn teils schleifend, teils tragend, vom Hubschrauber zum Empfangsgebäude. Keine Regenschirme eingeplant.

Ihn aber fesselte ein Art Kindergedanke. Ein *glückliches* Afrika. Er sah sich als Tropenarzt. 1918, noch vor seiner Geburt, wollte er dort tätig gewesen sein, in der Nähe der Mondberge. Das ist eine gewaltige Gebirgskulisse, meinte er.

Wie sollte man ihn denn bis 20 Uhr auf sein Manuskript konzentriert haben, das von einer Spezialschreibmaschine in großen Buchstaben, auf DIN-A4-Seiten, für die Ansprache vorbereitet war? Er interessierte sich nicht für die Blätter. Unbewegt ließ ihn die Markierung, welche die Reihenfolge der Blätter regulierte. Wie sollte er sich, wenn er damit hantierte, nicht vertun?

Das aber brächte die Gefahr, daß der Herausgeber des bedeutendsten Nachrichtenmagazins der Republik ins Improvisieren käme über die Wiedergewinnung, praktisch den ANSCHLUSS Afrikas, wenn man nur den Mut zur Tat hätte. Ein Angriff auf die Ängstlichen, die Afrika in seinem Unglück schmoren ließen, »kein Schmoren für die Mohren«, schrie er. Der Chefredakteur des Blattes versuchte in maßvoller Haltung die Aufmerksamkeit dieses Eigensinnigen auf den bevorstehenden Abend zu lenken. Wer war alles da? Wer hörte zu? Welcher Feind hörte mit?

Das konnte das reformerische Pathos des Herausgebers nicht mäßigen. Er wußte, wovon er sprach. Er sprach aus dem Elan des Jahres 1932, da war er neun Jahre alt. Zu jedem Aufzug am 1. Mai zog eine Truppe von Ostafrikanern mit, Veteranen, die unbesiegten Kämpfer des Generals Lettow-Vorbeck, der Ostafrika von 1914 bis 1918 verteidigt hatte. Jetzt aber erst die Plantagen, die Einführung einer Jurisdiktion, welche die Rechtsprechung den Gewohnheitsrechten des Landes selbst entnimmt; darauf basierend (wie auf einem Erdboden) die Plantagen!

Der alte Mann hatte eine fixe Vorstellung, daß man diesen Teil europäischer Qualität nicht kampflos aufgeben dürfe, daß in der Hingabe eigener Kräfte und unter Hergabe afrikanischer Zustimmung ein Gemeinwesen im tiefen Süden entstehen könnte, das alles überträfe, was die Staufer-Kaiser je im näheren Süden Italiens suchten. Das wollte er eigentlich heute abend ausdrücken. Man darf nicht zurückscheuen, das Gute mit Waffengewalt durchzusetzen. Was tut man denn Schlimmeres, als was ohnehin durch die Militärdiktaturen in Afrika geschieht? Man tut es aber mit Aussicht. Er war vernarrt in diesen Ausbruch nach Süden, zum Herzen der Landschaften, in denen die Menschheit einst entstand. Er konnte sich das gut vorstellen.

Sie saßen in einem Nebenraum, ähnlich einem Luftschutzkeller, damit ihn die Presse nicht erreichen konnte. Kaffee, der in Bechern gebracht wurde, lehnte er ab, belegte Brote genauso. Er wollte sich in einer grundlegenden Frage mitteilen.

Was kann man tun, wenn der ZU EHRENDE sich außerhalb der Zeit bewegt? Es war nichts Unwirkliches, womit er sich beschäftigte. Es war nur in keiner Weise mitteilbar.[20]

Zum Glück für das Nachrichtenmagazin und für die Veranstalter ermüdete der Mann. Zuletzt entsann er sich weder an das Manuskript, das er vortragen sollte, noch an den zündenden Impuls, Afrika wiederzugewinnen. Nach einem kurzen Auftritt, der für die achtungsvoll harrende Versammlung rätselhaft blieb, führte der Chefredakteur des Magazins die Veranstaltung zu Ende. Das Wort Afrika erschien, wie von der deutschen Öffentlichkeit nicht anders erwartet, mit keinem Wort.

Hoher Ton der Gartenfeste in Kenia
vor dem Zweiten Weltkrieg

An den kühlen Hängen des Gebirges sammelte sich in den Jahren nach 1934 das, was auf dem indischen Subkontinent bleibenden Wert hatte. Die Preise der Farmen stiegen bis 1939 um das Sechsfache. Eine junge Frau konnte unter zwölf Exemplaren, »die zum Salz der Erde gehörten« wählen; in Simla hätte sie zwei zur Auswahl gehabt, in Kalkutta hätte sie nehmen müssen, was geboten wird.

Die Herrlichkeit, der hohe Ton der Gartenfeste verschwand mit Kriegsausbruch. Fünf Jahre lang wartete Britisch-Ostafrika. Nach dieser Zeit erschien alles verändert. Das Stück Indien, das so wirkungsvoll an den Fuß des Kilimandscharo versetzt worden war, sah sich vom Subkontinent ebenso abgeschnitten wie vom Mutterland, das aus dem Zweiten Weltkrieg verarmt hervorging. Zur kühnen Ortsversetzung war eine Zeitversetzung hinzugetreten. Es waren nicht viele der Cracks übrig, die die Stimmungen von 1936 oder 1940 hervorgebracht hatten.

---

20 Einige Jahre später entwickelten die Bush-Administration und der Staat Israel Vorgaben, die eine öffentliche Mitteilung des Erinnerungs- und Gefühlsschubs des GROSSEN JOURNALISTEN möglich gemacht hätten. Es blieb eine Differenz: er meinte den Zugriff nicht imperial, nicht landaneignend, sondern landpflegerisch.

Der Energiesatz des Politischen

Drei Tage im August 1914 telefonierten auf ihrem technisch unvollkommenen Gerät (verschiedener Norm) der Ministerpräsident Südafrikas, der Bure Smuts, der Gouverneur der Kolonie Deutsch-Ostafrika, Schnee, und der Verwalter der britischen Kolonie Kenia/Uganda/Tanganjika darüber, ob auf dem afrikanischen Kontinent die WEISSEN MÄCHTE untereinander Frieden einhalten könnten. Das war so in der Berliner Konferenz von 1884 vereinbart. Hielt ein solcher Pakt dem Zorn der Mutterländer, dem propagandistischen Ansturm stand?

Leicht einzusehen war, daß die schwarze Mehrheit Afrikas an einem Krieg, der mit mechanisierten Waffen und Geschützen im Gelände Afrikas ausgeführt wurde, lernen konnte. Wie sollte sie zögern, hieraus rebellisches Potential zu ziehen? Zeigt ein weißer Feind dem anderen, daß er stärker, also der andere schwächer ist, so enthält dies einen Ratschlag für afrikanische Rebellen. Darin stimmte Lord Arlington dem deutschen Gouverneur in Daressalam zu.

- Könnte Afrika heute noch weiß sein, wenn die europäischen Mächte 1914 nicht die Waffen gegeneinander erhoben hätten?
- Was wäre daran gut? Was heißt, Afrika ist *weiß*?
- Gepflegte koloniale Gärten, keine Militärdiktaturen.
- Stellen Sie sich die Kolonien nicht vielleicht zu idealistisch vor?
- Denken Sie an die Masse an gutem Willen in Europa unmittelbar nach 1918. Eine ingenieursmäßige Menschheit will den Export ihrer Leistung nach Übersee. Wieso soll das die Eingeborenen unterdrücken?
- Weil sie auf den Leistungsexport nicht vorbereitet sind. Wo sollen sie hin, wenn die weißen Ingenieure kommen?
- Selbst Ingenieur werden.
- Haben Sie Beispiele dafür?
- Natürlich. Wo eine Ausbildung bestand, wurden sie Ingenieure. Die Resonanz der Gehirne ist bei allen Menschen, die einst aus Afrika auswanderten, gleich.
- Hat denn der Kalte Krieg, die Konkurrenz der Supermächte, Afrika etwas Positives gebracht?
- Beispiele.
- Angola?
- Schreckliches Beispiel.
- Kongo? Französisch-Guinea?

– An den Beispielen können Sie sehen: die Supermächte wagen nur heimlich, das Böse zu tun.

Auf dem Kongreß, auf dem dieses Gespräch stattfand, ging es um INKLU-SION DER EXKLUSION. Irgendwen muß man stets ausschließen, um sich heimatlich einzurichten. So ist es bei Carl Schmitt benannt. Das ist der ENER-GIESATZ DES POLITISCHEN. Eine Phase des Gleichgewichts in Europa selbst, heißt es bei Schmitt, sei 1648 nur zu erwarten, wenn der Raubzustand zwischen den Staaten (»einer des anderen Wolf«) exportiert wird. Der Imperialismus exportiert das Aggressionspotential nach Übersee.

Wieso sei es, meinte der Völkerrechtler Peterson, Nachfolger auf dem Lehrstuhl von Carl Schmitt, unmöglich, den »nackten guten Willen« (gewonnen aus konvertierter Aggression) und die »überschüssige Produktivität« zu exportieren?

– Behielten wir dann die Aggressivität zu Hause?
– Vielleicht nicht. Wir hatten sie ja hier in den 30er und 40er Jahren, ohne Möglichkeit, sie zu exportieren.
– Haben Sie Erfahrung darüber, wie man den Export von *gutem Willen* bewerkstelligt?
– Nein.
– Gibt es irgendwo anders eine solche Erfahrung?
– Ich glaube nicht.
– Wären Rebellenbewegungen in Afrika ohne das Vorbild von 1917 in Rußland und die Vorführung der Verzweiflungskämpfe des Imperialismus gegeneinander, was wir Ersten Weltkrieg nennen, zu der Forderung gelangt, ausgerechnet die Souveränität von Staaten und den Eigenwillen ihrer Bevölkerung zum Standard zu machen?
– Ich glaube nicht.
– Warum nicht?
– Es ist zu absurd.
– Wieso?
– Es befriedigt nichts, was Afrikaner wollen können. Es unterminiert nichts, was der Kolonialismus geschaffen hat.
– Neutralität in Afrika bis zur Kapitulation 1918 wäre somit richtig gewesen?
– Vom Interesse der Afrikaner gesehen, ja.
– Sie haben einem für sie ungünstigen Theaterstück zugesehen?
– Mangels eines besseren.

Was heißt kolonialer Ergänzungsraum?

Runderlaß vom 29. Juni 1940 des Innenministers Wilhelm Frick: Alle deutschen Beamten sind aufgefordert, ihre Wünsche für eine Tätigkeit im Kolonialdienst rechtzeitig anzumelden. Das deutsche Kolonialreich wird nach Friedensschluß, außer den Kolonien Südwestafrika, Deutsch-Ostafrika, Togo und Kamerun, einen *Kolonialen Ergänzungsraum* umfassen. In Abstimmung zwischen Oberkommando der Marine und Auswärtigem Amt ist in eine Karte 1 : 300 000 folgendes Gebiet als Ergänzungsraum eingezeichnet: ehemaliges Gebiet Togo, Teile der britischen Kolonie Goldküste, Nordgrenze Nigeria, Französisch-Westafrika, 300 km nördlich der Grenze Nigerias bis Sudan, entlang Landesgrenzen Sudan bis Uganda. Von dort bis Küste des Indischen Ozeans. Unter Einschluß von Tanganjika, Rhodesien, Belgisch-Kongo, Mittelkongo und Französisch-Äquatorialafrika. Madagaskar dagegen nur als Pacht oder Mandat. Kein Eingriff in die portugiesischen Kolonien.

– Was soll in dem kolonialen Ergänzungsraum geschehen?
– Er wird in Kreise aufgeteilt und verwaltet.
– Was ist der Grund, gerade diesen Teil Zentralafrikas zu wählen?
– Rohstoff. Nach Angabe der Seekriegsleitung zusätzlich: Verteidigungsnotwendigkeiten des Reiches im Weltmaßstab.
– Dafür wäre aber Nordafrika günstiger.
– Dort Kollision mit französischen und italienischen Erwartungen.
– Also kein Diktat, sondern Kompromiß?
– Es hat den Anschein, daß sich der Führer für die Südlösung nicht interessiert. Die Planung ist noch experimentell. Sie kommt aus der Beamtenschaft und von der Reichsbahn.
– Bahnbau in Mittelafrika? Wohin sollen die Züge fahren?
– Es geht um ein großes Projekt des *Terraforming*. Sie werden Afrika nicht wiedererkennen. Änderung des Klimas, der Bewirtschaftung, Anlage von Kraftwerken und Seen. Eine Herausforderung an jede Verwaltung, die etwas von Technik versteht.

Atlantropa

Meinen schönsten Besitz habe ich, immer noch ein Kolonialist, in einer späten Wohngemeinschaft von Studenten in Bremen erworben. Ich, keineswegs ein alter Mann, aber nach der Benennung der Jahre aus dem Arbeitsprozeß ausgegliedert, werde hier gehütet, erhalte Gnadenbrot wie der Hund des Odysseus. Ich würde aber meine Gastgeber, darunter meine junge Geliebte, beleidigen, wenn ich von Gnadenbrot spräche. Ich bin vielmehr Kleinod. Sie halten mich aus ferner Zeit gefangen.

Meinen Klienten von 1934 sehe ich – und was soll ich in meiner splendid isolation, versorgt von der Jugend, anders tun als Berichte zu schreiben, meine Lebenseindrücke zu notieren –, ein Cousin meiner Mutter, mir anvertraut, weil ich in meiner Bank für die Kredite zuständig war, die sein Projekt begleiteten. Ich sehe meinen Klienten, Herman Sörgel, vor dem Ausstellungszelt, das der Bevölkerung Berlins das Projekt ATLANTROPA nahebringen sollte, er lungert am Eingang ähnlich einem Zirkusbesitzer oder Gastwirt, der auf Gäste wartet. Rechts das Brandenburger Tor, links das Hotel Adlon. Aus dem Hotel kommt der Reichskanzler und Führer mit einer Kolonne von Begleitern. Sie eilen am Eingang des Ausstellungszelts vorbei, ein historischer Moment. Beinahe hätten sich mein Klient und der Führer getroffen.

Eine Chance für Atlantropa gab es dann nochmals im Frühling 1942, als das Afrikakorps sich mit einer Teilabsicht vorbereitete, einen Panzerspähtrupp zum Kongo vorzutreiben. Wir transferierten damals sieben Millionen RM über ein römisches Konto nach Tripolis. Hier hatte, immer für den Fall eines Endsiegs, Atlantropa eine objektive, wenn auch keine in der Wirklichkeit beheimatete Chance.

Man muß, so der epochale geostrategische Plan meines Klienten, die Meerenge bei Gibraltar sowie diejenige am Bosporus schließen. Ein solcher Damm erbringt den Unterschied im Gefälle, aus dem die erforderliche Elektrizität genommen wird. Zugleich aber, und das ist der von uns in einem Gewinn- und Verlustplan festgeschriebene Kern des Projekts, wird der Meeresspiegel des Mittelländischen Meeres in 110 Jahren um vierzehn Meter gefallen sein. Weite Brachlandschaften werden den VÖLKERN OHNE RAUM in Mitteleuropa neue Siedlungsfläche bescheren.

Ist das alles? fragte meine junge Lebensgefährtin. Was hat sie sich für einen seltsamen Mitwisser des Jahrhunderts ausgesucht. Ihr Unterhaltungshunger ist unbezähmbar. Was nicht alles will sie wissen! Meine Vorräte reichen.

– Ich meine das Land, bildet ein riesiges Becken. Man wird dieses Becken, sagte mein Klient, in ein Binnenmeer verwandeln. An den Ufern dieses Meeres ist es kühl, ein Klima im Äquatorbereich, das für Europäer angenehm sein müßte, ähnlich dem der Cote d'Azur.

– Und was geschieht mit den Menschen im Kongo?

– Man sah die nicht so. Es waren 1934 auch deutlich weniger. Das Projekt Atlantropa sah eine hohe Abfindungssumme vor für jeden Einwohner. Für jeden Häuptling der Schwarzen die tausendfache Summe, teils auch in Naturalien, sie sollten, im Einvernehmen mit der Planungsbehörde, die ihren Sitz auf einem stationär verankerten Dampfschiff bei Malta gehabt hätte, nach Madagaskar umquartiert werden.

– Das war alles?

– Ein Hauptpunkt war die Bewässerung der Wüste Sahara.

– Du sprachst gestern vom Tethys-Meer.

– Das ist der Vorläufer, aus dem das Mittelmeer entstand. Bei Gibraltar, am Fuße des Atlasgebirges hat dieses Riesenmeer eine feste Grenze. Es dehnt sich weit nach Osten. Atlantis liegt im Tethys-Meer. Von dort kommen die Vorfahren.

– Du sagst »das Tethys-Meer liegt . . .«, die Wasser »sind warm«. Du müßtest aber in der Vergangenheitsform sprechen.

– Das kann man nicht sagen. Ein solches Urmeer verschwindet nicht.

– Es ist verschwunden. Es gibt kein Tethys-Meer.

– In uns gibt es das Tethys-Meer nach wie vor. Das ist der Grund für das Projekt Atlantropa. Was sonst hätte meinem Klienten diese Idee eingegeben?

– Und darauf habt ihr eure Kredite gestützt?

– Wir haben kein Geld verloren.

– Weil das Projekt ja auch nicht durchgeführt wurde.

– Unsere Berechnungen waren exakt.

– Wie bei der Bagdad-Bahn?

– Genauer. Großzügiger.

Projekt Bagdad-Bahn

Die Bagdad-Bahn ist eine gestrichelte Linie, eingezeichnet auf den Landkarten des Balkans und des Nahen Ostens. Schluchten, Flüsse, eingleisige Bahnstrekken, Zollgrenzen stehen ihrer Realisierung im Wege. Dennoch ist sie ein gewaltiges Gespenst, ähnlich der deutschen Hochseeflotte, wenn es darum geht, die britischen Interessen in Indien zu bedrohen. Was geschieht, wenn eine Bahntrasse tatsächlich von Berlin über Bagdad bis Basra reicht?

Es geschieht überhaupt nichts, antwortete Sir Aylmer im Gespräch mit Ahmet Izzet Pascha, das er 1913 in seinem Londoner Club führte. Was will man denn im Delta des Euphrat und Tigris Praktisches tun? Das sind Sümpfe. Will man mitteleuropäische Waren auf Daus umladen, die durch die Monsune nach Indien fahren, um dort von unseren Zollbehörden abgewiesen zu werden? Das ist kein Gespenst, sondern eine Vogelscheuche.

Diese realistische Betrachtung gelangte nirgends in die britische Presse. Hier blieb der Eindruck der Gefährdung des Britischen Imperiums durch den Plan der Bagdad-Bahn, das Engagement der DEUTSCHEN BANK, überwältigend. So war eine Kausalkette gesetzt, gegründet auf ein virtuelles Bild, die mithalf, den Ersten Weltkrieg auszulösen.

Ein weißer Traum

1
Landnahme in Afrika

Wir hatten zwei Sorten von Gegnern. Die einen waren Buren, denen wir Äcker und Häuser weggenommen hatten und die von ihren neuen Heimstätten aus Vergeltungsfeldzüge unternahmen. Die anderen waren Wanderstämme der Bantus, die von Norden bei den Farmen eintrafen und sich unseren Ermahnungen nicht fügten. Ich glaube, es waren immer andere, so daß unsere »Lehre« nicht half.

Wir griffen sie nicht an. Wir sorgten dafür, daß sie sich zum Angriff gegen unsere Stellung formierten. Wir hatten zehn Söldner in unserer Truppe mit Maschinengewehren aus Belgien. Wir selbst lagen mit den Karabinern in einer Flankenstellung. So ließen wir sie auflaufen. Sie lernten nichts, weil sie das Prinzip der mechanischen Schußfolge nicht verstanden.

Das war auch bei den hitzköpfigen Buren nicht anders, nur daß wir ihnen gegenüber nicht in der günstigen Defensivstellung verharren durften. Sie waren stets für den einen oder anderen Nachtangriff gut, bei denen uns die Maschinenwaffen nichts nutzten. Vor allem durfte keines der Geräte in ihre Hand gelangen.[21] So zogen wir zuletzt vorsorglich in die Savanne, brannten ihre Heimstätten nieder, so daß sich ihre Sitze von unseren Farmen immer weiter entfernten. Für Rachefeldzüge wurde es dann für sie zu weit. Der Haß, nur von Erinnerung genährt, von enttäuschendem Verlust, reicht nur für eine gewisse Wegstrecke. So gehörte das Land uns. Fortsetzung von East-End London, woher wir kommen. Wir schoben unseren Siedlungsbereich nach Norden, solange der Zuzug reichte. Keine einzige in England hergestellte Waffe an die Schwarzen, das war Devise.

2
Was ist falsch, wenn ich liebe?

In den Tagen, bevor De Beer einen großen Teil seiner Landgüter in Simbabwe aufgab, trank er Tee mit einem US-Diplomaten, der routinemäßig Afrika bereiste. Die Bereisung geschah ohne konkreten Auftrag, ohne Vollmacht für Zusagen, sozusagen im Überflug. Die Afrika-Abteilung des *Foreign Department* war nicht unterbesetzt, sondern praktisch abgekoppelt vom *mainstream* der Administration, wie sie unter Präsident Bush sen. bestand.
Ein Brite, befreundet mit den De Beers, hatte vor dem Sonnenuntergangshimmel im Westen die Geschichte des US-Marineoffiziers kolportiert, der eine japanische Prinzessin, vermögenslos, die ihm zugeführt war, schwängerte, sie verließ und später in Begleitung seiner Verlobten aus Minnesota noch besuchte; die Japanerin aber nahm sich, ihrer Hoffnung beraubt, das Leben. Das Kind wurde in die USA ausgeführt. Dies sei Desinteresse, negativer Imperialismus, der die Betroffenen mehr aufbringe als räuberische Inbesitznahme.
Räuberische Inbesitznahme ist vorteilhaft, was die Gegenwehr betrifft? fragte De Beer neugierig. Nichts von den Maßnahmen seines Unternehmens hing von der Beantwortung dieser Frage ab. Er spreche von Liebesverhältnissen in der Intimität, antwortete der Brite, welcher dem MI 5, der Spionageorganisation, angehörte und Erfahrungen im Nahen Osten und in Mittelasien besaß. Zwischen Völkern sei es aber möglicherweise nicht anders: Gleichgültigkeit – gebraucht und weggeworfen werden –, verletze stärker als Inbesitznahme. Viel-

---

21 Wir waren mehr damit beschäftigt, die Waffen zu verstecken, zwischen ihnen und den Waffen einen Abstand zu legen, als diese Waffen einzusetzen.

leicht sei ja INTROJEKTION DES AGGRESSORS DIE SCHMIEDE DER TREUE, der Brite zeigte seine Belesenheit in kontinentaler Literatur, weil er in der Eile keinen anderen Ausdruck wußte unter Inkaufnahme, daß dies dem Amerikaner und De Beer mißfiele.

De Beer erriet den Sinn. Ihm schien es plausibel, wenn er aus erotischer Erfahrung urteilte, daß der beste Beweis für Hingabebereitschaft und stärkste Zuwendung gewaltsame Übernahme sei. Das kannte er durchaus auch im Geschäft. So richteten sich seine Blicke und die des Briten auf den US-Bürokraten, den Durchreiser.

Indirekt, nämlich über den Markt und im weltweiten Kampf gegen den Terrorismus, mischten sich die USA in sämtliche Angelegenheiten ein. Für die Verbündeten, für alle auf die USA Angewiesenen, wie sie hier saßen, sei das ein schwieriges Verfahren. Denn gleich darauf verliere sich das Interesse der USA. Eine neue Administration leugne alle Verantwortung für die vergangenen vier oder acht Jahre. So sei die Geliebte des US-Navy-Offiziers in Puccinis Oper als Lustobjekt gebraucht und weggeworfen worden. Es bleibe nicht beim Suizid, sondern schon der Sohn aus solcher Unglücksverbindung könne möglicherweise rachsüchtig denken.

Da hatte der US-Diplomat, rednerisch gewandt, an der Stanford University ausgebildet, leichte Hand. Er redete, als gälte es 1952, die Reste des Britischen Empire aus der Welt zu schaffen, und er überzeugte seine teetrinkenden Gegenüber dennoch nicht. Die Sonne war herabgesunken. Die Diener brachten die Sundowner auf die Terrasse. Tief trauerten De Beer, der klugerweise Gelände in Simbabwe aufgab, aber nichts von seinen Vorbehalten, und auch der Brite, der noch die Chancen des Suezkriegs von 1956 gern mit ausgeleuchtet hätte, sie trauerten einem strengen Regime nach, das die Welt unterjocht, aber den Globus als Herrschaftsraum geliebt hatte. Was ist falsch, wenn ich liebe? Eine Frage dieser Art hätte De Beer, wäre er jünger, gern seinem Gegenüber, dem Amerikaner, gestellt.

3
Hoffnung war knapp

Ich war Eisenbahner. Zuletzt Gewerkschaftler. Es war gewiß falsch, daß wir die Schwarzen zu den Lernprozessen nicht zuließen. Wir sperrten die interessanten Stellen. Wir schätzten nicht richtig ein, daß Nordrhodesien ein Protektorat war, die Eingeborenen *protected persons*. Wir sahen nicht, daß das Kolonialamt in London die Sache neutral ansah.

Ich vergesse nicht die Nacht, in welcher der Hochkommissar, einer unserer Patrioten, den Tisch verließ, an dem Kolonialminister Duncan Sandys tafelte. In der üppigen Toilettenanlage des Gästehauses unseres Premierministers (acht Pissoirs, sechs Toiletten mit Sitz, zwei Bidets, auch für koloniale Verhältnisse eine Übertreibung) erbrach der Hochkommissar die Abendmahlzeit restlos. Sir Roy Welensky, Gewerkschaftler wie ich, war dafür bekannt, daß ihn stechender Kopfschmerz peinigte, sobald er sich erregte. Seine Gesichtszüge erblaßten, die Adern an seiner Schläfe pulsierten. Welensky hatte den Verdacht, Duncan Sandys habe das, was er hier vertraulich als Meinung des Kabinetts mitteilte, längst auch dem Oppositionsführer Dr. Banda gesagt. Keiner von uns hielt die britische Regierung zu dieser Zeit für vertrauenswürdig.

Nie hätten wir nachgeben dürfen: Jetzt verlassen wir zum 15. Juni 2002 die Grundstücke. Wir können froh sein, wenn die Abreise gelingt. Wir Gewerkschaftler standen in Opposition zu den arroganten Nachfolgern Sir Roy Welenskys, die die Republik Südrhodesien gründeten. Kurze Zeit diente ich in den Sonderkommandos, die die Fläche des Landes von Rebellen säuberten.

Die Söldnerführer, und auch die Militärberater aus Israel, rieten uns (wie auch der südafrikanischen Republik) auf Zeitablauf zu vertrauen. Das stand im Gegensatz zu Ratschlägen unserer Besucher aus London. Es sei ein Irrtum, sagte man dort, zu glauben, man könne die Stellung, die die weiße Minderheit in Südrhodesien habe (aus Njassaland und Nordrhodesien hatten wir uns in diese Festung zurückgezogen, suchten Anlehnung an Südafrika), in einer »so merkwürdig statischen Haltung« aufrechterhalten, wie wir sie zeigten. »Nur wenn man den Mut zu einem Durchbruch nach vorn hat, kann man hoffen, ihn auch morgen noch zu haben«.

Den Mut hatten wir. Hoffnung war knapp. Was aber hieß »vorn«, »Durchbruch« und »morgen«?

– Sie waren durch frühere Fehler entnervt? Was sollen das für Fehler gewesen sein?
– Wir hätten schon Nordrhodesien nie aufgeben dürfen. Status eines Protektorats hin oder her.
– Das hätte Gewalt bedeutet. Rebellion gegen das Heimatland.
– Was hätte England ausrichten können? Wir hätten die Bodenschätze Nordrhodesiens behalten. Wir hätten sie beleihen können.
– In Südrhodesien gibt es das nicht?
– Nur Landschaft. Wunderbare landwirtschaftliche Flächen. Das ist weniger gut zu beleihen.
– Sie hätten eine Armee rekrutiert?
– Gemeinsam mit den vier klassischen Staaten Transvaal, Oranje-Freistaat, Natal und Kap-Provinz.

- Sozusagen Gründung eines anderen Planeten?
- Die Vereinigten Staaten von Afrika.
- Was wäre mit den Eingeborenen geschehen?
- Was wird mit den Palästinensern sein? Schon das Wort »Eingeborener« enthält ein Vorurteil. Hier geboren sind sowohl wir wie sie.
- Ihnen fehlte aber, um den Ratschlägen der Militärberater zu folgen, die Brutalität?
- Nicht die Brutalität, sondern die Einsicht.
- Sie wollten nicht vom Fortschritt der Menschheit abgeschnitten sein, sich von der Mehrheit nicht trennen?
- Gerade dadurch trennten wir uns. Wir verkannten die Menschheit.
- Sie meinen, Sie wären besser beachtet worden, als Teil des Globus erhalten geblieben, wenn Sie ein machtvolles Gewaltregime, eine Art politisches Treibhaus im Süden Afrikas errichtet hätten?
- Wir wären nicht zu übersehen gewesen.
- Hat sich nicht brutales Vorgehen dieser Art immer gerächt?
- Wer sollte der Rächer sein?
- Die Zivilisation?
- Sie ist merkwürdig vergeßlich.

4
Roy Welenskys Tragödie

> »Wieviel könnte man in 39 Jahren (1943-82)
> an Gleisverbindungen gelegt haben?
> Welche Bahnverbindungen gäbe es heute in
> Afrika?«

Manche britischen Vorkämpfer der Zivilisation in Afrika, z. B. die Lokomotivführer und Brückenbauingenieure in Nordrhodesien, kümmerten sich wenig um die Insassen der Protektorate und Kolonien, die England begründet hatte; sie interessierten sich für ihre Trassen, Vorhaben, den lebhaften Kreislauf ihrer Körper, ihre Abendstunden, das enge Raster ihrer Lebensläufe, die genug zeitliche Grenzen setzten. Sie konnten ihre Phantasien nicht zusätzlich hineinversetzen in die Schwarzen, die Lebenserwartung der heimischen Stämme.
Sir Roy Welensky war zunächst nicht Sir. Geboren als Sohn eines polnischen Juden und einer Burin. Vom Heizer zum Lokomotivführer. Später als Boxer Ruhm erntend. Gründer der Labour Party Nordrhodesiens.
Zäh kämpfte er für die Rechte seiner Heimat. Die Parteifreunde der Labour

Party in London belehrten ihn, man könne das Protektorat Nordrhodesiens, gerade weil die *protected persons*, die Schwarzen, kein Wahlrecht hätten, in keiner Weise in eine Union mit der selbständigen Kolonie Südrhodesien einbringen. Der Verkauf von Bevölkerungen sei dem Empire verboten.

Welensky gründete eine Föderation, bestehend aus Njassaland, Nordrhodesien und Südrhodesien, das war 1953. Das Bild eines Groß-Weiß-Afrikas eröffnete sich, bestehend aus Welenskys Föderation, der brutalen Republik Südafrika und den Anwartschaften in Richtung Norden auf die Industrieprovinz des Kongo: Katanga. War es möglich, die Brücke nach Norden bis Kenia zu schlagen? Ägypten einzubeziehen? Dann wäre der Schienenstrang Alexandria–Kairo–Kapstadt Wirklichkeit. Eine Utopie für Eisenbahnexperten!

Die Lage war kritisch. Als Scharfmacher trat der Jagdflieger des Zweiten Weltkriegs, Ian Smith[22], auf. In den Wahlen vom September 1962 schlug seine Rhodesien-Front die United Federal Party Welenskys aus dem Felde. Zur gleichen Zeit bildete Kenneth Kaunda in Nordrhodesien eine Regierung. Nordrhodesien wurde zu Malavi.

Welensky auf verlorenem Posten. Siebenmal reiste er nach London, wollte die Garantien von 1953 einfordern. Inzwischen verkündete Ian Smith die Unilateral Declaration of Independence. Er errichtete von 1965 bis 1982 ein unversöhnliches Gewaltregime, übergibt dann die seit 1923 wohlerworbenen Rechte dieser Republik an die Mehrheit, d. h. an die Republik Simbabwe. Bürgerkrieg unter den Siegern ist die Folge.

Kameraden von Mohéli

>»Heimweh ist es,
das die Abenteuer entbindet«

Am Morgen waren 20 Bewaffnete in Tarnuniformen auf der kleinsten der Komoren-Inseln, Mohéli, gelandet. In Schnellbooten waren sie in den Hafen eingefahren. Sie hatten die Polizeistation des Orts sowie die Kommunikationseinrichtungen der Insel besetzt, das Personal gefangengenommen.

Sodann frühstückten sie, legten Flugblätter aus. Sie seien Angehörige der US-Streitkräfte, verbreiteten sie, gelandet zum Schutz der Zivilbevölkerung; sie seien dazu da, Kontakte der komorischen Führung mit Terroristen zu unterbinden. Ein Reporter der einheimischen Zeitung zählte acht Weiße und zwölf

22 Roy Welensky, geboren 1907, Ian Smith, geboren 1919.

Farbige. Sie sprachen in akzentfreiem Französisch. Im Gegensatz zu der Selbst-
definition, die sich auf derzeitige US-Interessen bezog, erinnerte ihr Auftritt an
eine Truppe der sechziger Jahre. Sieben Invasionen durch Söldner, beginnend
mit Oberst Denard, hatten die Inseln erlebt.

Gegen 12 Uhr mittags schickte die Regierung von der Hauptinsel Grande Comore, weit nördlich von Mohéli, ein Detachement der Armee in einem gecharterten Flugzeug. Das Detachement überwand den Widerstand der Söldner.
Vier der Eindringlinge wurden getötet, zwei gefangen und in die Hauptstadt
von Grande Comore geflogen.

Die restlichen Söldner fuhren den Nachmittag über in ihren Schnellbooten
»drohend« vor Mohéli auf und ab. Sie forderten die Herausgabe ihrer Kameraden: die Leichen der Gefallenen und die Gefangenen. Sie drohten, wiederzukehren, wenn ihren Ultimaten nicht Folge geleistet würde.

– Was sind das für Söldner, die so beharrlich die Herrschaft über diese Insel-
  gruppe anstreben?
– Es sind immer wieder andere.
– Aber fixiert auf diese Inseln im Norden Madagaskars?
– Nicht sie sind fixiert, sondern diejenigen, die sie anwerben.
– Es sieht aber nicht so aus, als ob diese Kameraden, wie sie sich selbst nennen,
  nur für Geld ihr Leben in dieser Weise riskieren. Wird ihnen irgendetwas
  Weitergreifendes versprochen, was den Einsatz des Lebens wert ist?
– Sie meinen Ansiedlung?
– Sie könnten doch eine Ansiedlung in anderen Regionen der Welt leichter er-
  reichen. Die Inseln sind arm, wenn sie auch von früherem Reichtum künden.
– Es sind offenbar Kameraden, die sich an den vergeblichen Versuchen ihrer
  Vorgänger orientieren. In der INTERNATIONALEN FREIER SÖLD-
  NER wäre es eine nicht zu überbietende Rangklasse, dort zu siegen, wo die
  anderen scheiterten.
– Siegen zu 20 Mann?
– Sie kommen in Schnellbooten. Sie besitzen Korpsgeist.
– Dahinter die Kräfte von unbelehrbaren Sezessionisten. Sie opfern ihre Ver-
  mögen, damit dieses Stück Afrika französisch bleibt. Die Inseln sind schon
  nicht mehr Afrika. Es sind Anti-Sezessionisten. Hier am Rande Afrikas soll
  ein Stück Frankreich der Sezession entrissen werden.
– Gegen den Willen Frankreichs.
– Was heißt hier Wille Frankreichs, wenn in den zuständigen Ministerien in
  Paris Verräter sitzen?
– Insofern darf man nicht unterschätzen, was die Drohung der vor der Küste
  auf und ab fahrenden Boote bedeutet: Eines Nachts, wenn ihr nicht vorbe-

reitet seid, kommen wir und holen uns die Kameraden zurück (die Gefangenen, die Leichen der Gefallenen).
– Ja, allmählich tritt an die Stelle des Soldes die Ehre.
– Die bei den Anstiftern von Anfang an die Hauptrolle bildete?
– Sie kämpften für einige armselige Villen der Jahrhundertwende, in denen der Schwamm sitzt. Das ist ihre Heimat, die Idee »Frankreich in Übersee«.
– Um von hier aus Afrika zurückzuerobern?
– Sie wollen nicht erobern, sie wollen nur »heimkommen«.

Ein kleiner Schritt: vom Freund zum Feind

Der Admiral der französischen Flotte in Mers-el-Kebir bei Oran (Algerien) zeigte sich bei den Verhandlungen im Sommer 1940 nicht wendig. Das britische Gibraltar-Geschwader ist auf der Reede aufgefahren. Kurze, vergebliche Verhandlung. Das französische Schlachtschiff *Bretagne* sinkt nach mehreren Breitseiten der Briten. Die Schlachtschiffe *Dunkerque* und *Provence* sowie der Großzerstörer *Mogador* werden beschädigt. Am folgenden Morgen greifen britische Torpedoflugzeuge das Schlachtschiff *Dunkerque* nochmals an, drükken das Schiff unter Wasser und versenken das Hilfsschiff *Terre Neuve*.
In Dakar, an der Westküste Afrikas, wird das neue Schlachtschiff *Richelieu* schwer beschädigt. Das britische Unternehmen trägt den Namen »Catapult«. Er beendet das französisch-britische Bündnis. Es soll der Vichy-Regierung, nach der Kapitulation gegenüber Deutschland, die Möglichkeit nehmen, ihre überseeischen Kolonien zu verteidigen oder Teile der Flotte den Deutschen zur Verfügung zu stellen.[23]
Bislang größter Erfolg der Royal Navy! Ihr kommt zugute, daß sie über Unterlagen und eine vollständige Ausforschung der französischen Flotte verfügt.

– Hatten die Briten Spione in der französischen Flotte?
– Schon seit Napoleon. Die Ausforschung der französischen Flotte hat nie

23 Zwischen den Seekriegsleitungen Großbritanniens und Frankreichs war schon vor 1939 eine Arbeitsteilung dahingehend vereinbart, daß die britische Flotte sich auf Nordsee und Atlantik, die französische sich auf das Mittelmeer konzentriert. Nach der Kapitulation war die französische Flotte von Toulon nach Nordafrika ausgelaufen. Der Verband hatte in großer Verwirrung die Ereignisse verfolgt. Er war zum Zeitpunkt, zu dem die britischen Kriegsschiffe sich nachts der ankernden Flotte näherten, ohne Befehle.

aufgehört. 1815 wurde Englands Armee, die Napoleon besiegt hatte, praktisch aufgelöst, nicht aber die Abteilungen, die den Geheimdienst bildeten.
– So zäh dauert das fort?
– Und wie Sie sehen, ist es irgendwann unerwartet von Nutzen.
– Ist es nicht verräterisch, den Freund und Verbündeten so zu überfallen?
– Was würden Sie im Krieg einem anderen gegenüber als Verrat bezeichnen? Verrat gibt es immer nur gegenüber dem eigenen Land.

Gewaltsame Herstellung von Willigkeit

Oliver Petzold, Elsässer mit französischer Staatsangehörigkeit, eröffnete in Französisch-Somaliland 1940 ein System zur weltweiten Belieferung der Puffs mit dem sehr wertvollen Material amharischer junger Mädchenblüte. Vorzugsweise Raub aus dem Nachwuchs des Adels. Die jungen Tiere wurden zunächst derart erschreckt, daß sie sich zu allerlei bereit fanden. Anschließend durch »Güte« bestochen, so daß sie ein Stück ihres Eigenwillens wiedergewannen. Dies war sozusagen Zähmung. In dieses Gefäß einer manipulierten, d. h. für den Verkauf der Ware geeigneten Individualität, goß der PRÄTOR, so ließ sich Petzold nennen, mit Hilfe einer Reihe von Frauen, über die sein Unternehmen zu Lehrzwecken verfügte, Kenntnisse des erotischen Umgangs und der sinnlich-gesellschaftlichen Steigerung, so daß die Marke »Frischware aus Somalia« in den Bordellen des Ostens eine Zeitlang die Umsatzspitze anzeigte. Diese ACMÉ = Spitze, Schärfe, Zeit der Blüte, betraf zunächst indische, bengalische, thailändische, vietnamesische, japanische Bordelle. Bald darauf ging es um die sexuelle Versorgung der riesigen Armada und der Etappen der USA, die sich über den Pazifik erstreckten. Die Kandidatinnen hatten zunächst Französisch gelernt, sie mußten auf die Verständigung in englischer Sprache (wenigstens in den Rudimenten) umgepolt werden, was ohne die organisierende Macht von »Schrecken und Güte« schwierig war. Lernwillig waren sie nicht. Einige jedoch hatten Japanisch gelernt, so konnten sie auch als Agentinnen eingesetzt werden.

Freiheitssprung

I

In kriegerischer Vollmacht

Viele junge Offiziere Frankreichs, entnervt durch die Niederlage, vergrämt durch die in Cliquen sortierte, zerstrittene Administration von Vichy, ließen sich nach Afrika versetzen. In Syrien saßen die alten Hasen. Aber im Westen Afrikas war das Gelände planstellenmäßig frei; der Einfluß des FREIEN FRANKREICHS war 1941 noch nicht spürbar.

Kapitänleutnant Adolf Frère, dessen Urahn der ägyptischen Armee Bonapartes als Oberst angehört hatte, entschloß sich Silvester 1942 mit vier Kompanien farbiger Soldaten 400 km südlich von Brazzaville ein Bergbaugebiet zu besetzen, das ihn verblüffend an die Industriezone bei Lille erinnerte, die jetzt von den Deutschen besetzt war. Repräsentanten der belgischen Kolonialverwaltung protestierten vergebens. In diesen Bergwerken und angeschlossenen Schmelzhütten wurde Kupfer von besonders reiner Art und Kobalt, ein Metall, das der Weltmarkt braucht, bereitgestellt. Die Arbeiter, auch Frères Garnison, lebten in Hütten, aber auch, ganz ungerecht in der Aufteilung, in Villen und Kasinos der Bergwerksdirektoren.

Eine gewiß chaotische Organisation, die Kapitänleutnant Frère dem umgrenzten Bezirk[24] angedeihen ließ. In seinen Auffassungen war eine Schwankung zu erkennen. Sein Adjutant bestätigt dies. Um den Starrsinn seiner Unterleutnants, sämtlich Angehörige der Kommunistischen Partei, zu befriedigen, drückte er in seiner DIENSTANWEISUNG die Ziele der ortsversetzten französischen Republik nach den Regeln des Klassenkampfes aus.[25]

Im Herzen dagegen trug der Offizier die feurigen Texte aus Fouriers LES QUATRE MOUVEMENTS. Das ist ein heiliger Text, der von der frühesten Morgenröte der Menschheit bis zu ihrem noch ferngelegenen, durch nationalsozialistische Panzertruppen nicht zu beschleunigenden Ende der Menschheit

---

24 Jeder Mensch, heißt es bei Rousseau, zieht einen Kreis um sein frühestes und sein eigenstes Interesse, so tun es die Kinder. In solchen Kreisen erweitert sich WELTWISSEN. Ganz gleich wo sich ein Mensch oder eine Menschengesellschaft ansiedelt, ob im Andromeda-Nebel oder auf Inseln im Pazifik, die Befestigung des Interesses, also das Gemeinwesen, entfaltet sich wie der Kreis, der im Teich nach dem Sprung eines Frosches zu sehen sein wird.

25 Was sollten solche Regeln sein? Inwiefern hielten organisatorische, mehr noch rhetorische Weisungen das Klima und die Öffentlichkeit Afrikas aus? Frère glaubte fest an die Korrosion aller schematischen Ansichten.

handelt. Man muß nämlich die Verschiedenheit, die Besonderheit der individuellen Menschen so in Aktiengesellschaften zusammenfügen, sagt Fourier, daß die Differenzen ineinandergreifen. Dies sind Phalanstères. Solche Gesellschaften sind Kommunen, bestehend aus mindestens 800 Personen. In dieser Maßeinheit wäre, heißt es bei Fourier, ein Nero nicht Feuerteufel und Verbrecher, niemals Kaiser, aber einer der besten Metzger der Welt oder Chirurg.

Um bei diesem Beispiel zu bleiben, sagte Frère zu dem einzigen Vertrauten, den er in seiner zentralafrikanischen Stellung besaß, einem Feldwebel der Fremdenlegion, könnte dieser Einzelne, der als schwer integrierbar gilt, auch Buchhalter oder Ingenieur sein. Der Witz der Konstruktion liegt darin, daß bei 800 Individuen für jede Eigenschaft, die gebraucht wird, jemand vorhanden ist. Das vervollständigt sich von selbst in Folge der extremen Flexibilität der Rollen.

Eines Beweises wurde die gesellschaftliche Utopie, die etwas mehr als ein Jahr währte, danach kam Frère mit seinem Stab bei einer Minenexplosion um, enthoben. Die Utopie funktionierte, weil die USA ab 1942 sämtliche Kobaltvorräte, auch das für die Entwicklung einer Bombe notwendige Uran, abkaufte, so daß die wirtschaftliche Effektivität der SPONTANEN REPUBLIK keinen Beweis für ihre theoretische Konsistenz benötigte. Die Konten der Kolonie in Kapstadt und New York, ausgestellt auf »Frankreich/Kapitänleutnant Frère und Genossen«, die 1945 von der Republik Belgien beschlagnahmt wurden, besaßen kurze Zeit lang einen höheren Bestand als die der Suezkanal-Gesellschaft.

2

Rascher als der freie Fall

Die Fallschirm-Regimenter Frankreichs in Nordafrika waren 1958 durch Generale nicht mehr in Zaum zu halten. Sie gehorchten nur, wenn ihnen die Befehle gefielen. In Vietnam waren sie beschämt worden. In Algerien ausgeblutet. Nur die Hauptfeldwebel, die obersten Ränge der unteren Führung, besaßen Autorität.

Zwei Wochen lang bereitete sich die Truppe vor, in Paris zu landen. Die Zivilregierung erschien angreifbar, war der Furcht ausgesetzt, daß Militärgerichte sie bestrafen würden wegen ihrer erfolglosen Entscheidungen.

Die Landungen waren geplant auf öffentlichen Plätzen und in den Gartenanlagen der Stadt. Sieben Regimenter der Fallschirmtruppe sollten dort abgesetzt werden. Es wurde davon ausgegangen, daß sich im Stadtverkehr Vehikel requirieren ließen, mit denen die Truppen die großen Flughäfen erreichen, sperren und dort die Landung von vier Afrika-Divisionen sichern sollten.

- Was sollte danach geschehen?
- Nichts Besonderes. Sie sollten nur da sein. Es gibt kein militärisches Mittel, das unruhige Paris zu kontrollieren. Es genügt, die Behörden so in Schrekken zu versetzen, daß sie die Ordnung garantieren.

Nach der Erklärung General de Gaulles, er werde seine Bedingungen für eine Machtübernahme nennen, wurde der Start der Maschinen in Nordafrika um nur vier Stunden ausgesetzt. Einigen Hauptfeldwebeln waren Zweifel gekommen. Danach fehlte allen die Überstürzung, die für einen Putsch aus der Luft in der Mitte Frankreichs erforderlich ist. Man hätte mit den Fallschirmen noch in der Luft geschwebt, sagten die Hauptfeldwebel, während General de Gaulle schon über die Radiostationen seine Ansprache hielte. Stets wären die Radiowellen rascher gewesen als der freie Fall.

Besuch von US-Sonderkommandos in Afrika

Die Republik Elfenbeinküste ist eine leicht zum Golf von Guinea geneigte, gewellte Landfläche (mit vielen Inselbergen), über die große Flüsse zum Atlantik fließen. Zwei Regenzeiten, in der Savanne Sommerregen. Die Küste 500 Kilometer lang. Im Westen felsig, im übrigen lagunenreich. Ihr folgt ein Regenwaldgürtel, ein Savannenwald und weiter nördlich eine Trockensavanne. In dieser Landschaft leben 60 Stammesgruppen. 35 % Muslime, 20 % Christen, vorherrschend Naturreligionen.
Wir vom 7. Regiment sind die Sendboten Frankreichs. Uns hat der Putsch nicht überrascht. Eher sind wir erstaunt, daß der Führer des Putsches, der General, sich in seinem Kraftfahrzeug auf so einfache Art hat töten lassen. Zwölf Leibwächter überlebten, der Chef ist tot.
Wir machten sofort unsere Fahrzeuge bereit, schickten einen Konvoi in den Norden nach Bouaké. Das ist in festem Besitz der Aufständischen. Wir müssen die Weißen (US-Schüler, Europäer) sichern, abtransportieren zum Flugplatz Yamoussoukro. Dreimal Überquerung einer Demarkationslinie zwischen Regierungstruppen und Aufständischen. Strikte Anweisung aus Paris, neutral zu bleiben.
Die Kolonne ist unterwegs, da hören wir, daß drei Bataillone US-Sonderkommando aus der Bundesrepublik Deutschland in Yamoussoukro landen werden. Unerwünscht. Wieso dürfen fremde Mächte in einem französischen Protektorat, das Souveränität im Sinne der Vereinten Nationen besitzt, zu jedem Zeitpunkt landen? Wie sollen wir das den Aufständischen und den Regie-

rungsbehörden erläutern? Es beschreibt das Ungleichgewicht gegenüber der Supermacht. Ist bedingt durch Berichte einer Chicagoer Zeitung über Gefährdung von US-Kindern, die wir doch gerade retten.

Wir räumen die Hälfte unserer Quartiere. Wir okkupieren, was an Raum im Umfeld des Flugplatzes ohne Schußwaffengebrauch zu erlangen ist. Wir begrüßen die Kameraden der unerwünschten Seite (Telegramme aus Paris fordern Vermeidung jeglichen Streits, Abweisung der unerwünschten Invasion), führen die Truppen in die Quartiere. Wie soll man so Afrika regieren?

Wir haben gelernt, daß Regieren in Afrika Leugnung des Regierens heißt. Das sehen die Neuankömmlinge nicht. Sie beabsichtigen, eine Truppendemonstration, eine Parade abzuhalten.

Rein theoretisch, d. h. militärtechnisch, wäre es möglich, Gesamtwestafrika in der gegenwärtigen Lage in Besitz zu nehmen. Dafür ist erforderlich ein Einsatz von US-Truppen und von Kontingenten Europas, notfalls nur Frankreichs. Ich gehe davon aus, daß unsere geheimdienstlichen Kader inzwischen so viel über den DUNKLEN KONTINENT wissen, daß wir besser als die Diktatoren und das einheimische Militär eine Art Treuhanddiktatur ausüben könnten.

Unsere Rettungsrallye gelingt, gegen alle Wahrscheinlichkeit. Wir mußten unterwegs übernachten, eine Kleinstadt für diesen Zeitraum sichern und können den US-Streitkräften, die untätig in unseren Quartieren lungern, nach Auszeichnung dürsten, unberechenbar sind, sämtliche in den Listen aufgeführten US-Bürger, vor allem Kinder, übergeben. Jetzt müßte konsequent diese Truppe abfliegen, das tut sie nicht. Sie schickt die Geretteten in Zivilflugzeugen nach Hause, verharrt im französischen Einflußgebiet, obwohl uns doch so sehr an der Betonung liegt, daß wir keinen Einfluß ausüben. Dazu gehört, daß wir keine Partei ergreifen zwischen Aufständischen und Regierung, solange nicht von außen ein Angriff nachweisbar ist. Einen solchen Angriff wünschen wir uns nicht, weil er zwölf weitere konsequent nach sich zieht.

Das alles wissen unsere US-Gäste nicht. Sie folgen Befehlen, die aus der Gegend südlich von Heidelberg kommen. Dort haben sie keine Aufklärungsabteilungen, die sich mit Afrika befassen. Sie suchen im Internet und auf Karten des Globus nach Orten und Fakten des Geschehens.

Wir, Rebellen unserer Sicherungsaufgabe, verantwortlich für die Kolonnen, die wir ausschicken, für die Bezahlung unserer Kader, hätten durchaus ein Konzept, eine Ordnungsstruktur für Westafrika zu entwickeln, die, nach unseren geheimdienstlichen Erkundungen, keinen Widerstand auslöst. Dazu ist nichts erforderlich als strikte Berücksichtigung der exzessiven Vielfalt der Stämme, der absoluten Notwendigkeit, die Bevölkerungen im Lagunengürtel, im Regenwald, in der grünen Savanne und in der trockenen Savanne GLEICH zu behandeln. Wir haben die Mittel der Differenzierung erlernt. 89 % unseres

Offizierskorps besitzt akademische Qualifikation, ergänzt um praktische Erfahrung.

Die Frage geht dahin: Warum müssen in einem Verlauf von 2000 Jahren sämtliche Irrtümer bis zu neunmal wiederholt werden? Weil Irrtum selbst der Impfstoff zur Erzeugung von Wahrheit ist! In dieser Hinsicht prüfen wir letztlich den Aufstand gegen die eigene Administration. Oft schon hat sich die Vernunft durchgesetzt, von der Peripherie her. Kein Zweifel, sagen die Philosophen Derrida, Deleuze und Guattari, verstorben in meiner Heimatstadt, daß es kein Menschenrecht gibt auf Basis der *bisherigen* Geschichte.

Ich vermute, gemeinsam mit Kameraden, daß mit unserer Hilfe der KONTINENT AFRIKA sich an die Spitze der Weltentwicklung setzen könnte. Historisch gesehen kommt die Menschheit aus Afrika. Kamerad Major Decluses warf mir, als ich dies im Kasino äußerte, Überschätzung vor. Nun weiß ich, daß noch nie Militärs in Reformbemühungen Erfolg hatten. Keine REVOLUTION VON OBEN ist gelungen. Ich antwortete: Das muß nicht für das 21. Jahrhundert gelten. Es muß nicht gelten für Kader-Truppen, die bis zu 89 % akademisiert sind, ohne (im Gegensatz zu Studierenden) den Anker im Gelände (der Savanne, dem Regenwald, der Küste, der wild wuchernden Stadt) zu verlieren. Wir brauchen, antwortete ich, auf der Seite unseres US-Verbündeten (vor denen uns das Ministerium in Paris dringlich warnt) Sonderkommandos, die in Harvard oder Columbia den notwendigen Input erhalten, um kompakte Weltteile zu regieren.

Einsturzgefahr am Tempelberg

1996 hatte der Wakf, die muslimische Verwaltungsbehörde für religiöse Güter in Jerusalem, behauptet, daß ein unterirdischer Tunnel, den Israel entlang der Außenmauer erstellt habe, den Tempelberg zum Einsturz bringen werde. Seither, bestätigte der Redakteur des Wakf gegenüber der Tageszeitung *Jerusalem Post*, lasse seine Behörde aus prinzipiellen Gründen keine israelischen Spezialisten auf dem Tempelberg zu.

Demgegenüber behauptet der Generaldirektor der israelischen Antiquitätenbehörden Shuka Dorfmann, der Wakf habe byzantinische Artefakte als Bauschutt abtransportieren lassen. An der Umfassungsmauer des Tempelbergs sei eine Ausbeulung festzustellen von fast einen Meter. Noch in diesem Winter (oder in wenigen Wochen) werde die Mauer einbrechen.

Es geht um unterirdische Bauarbeiten des Wakf, um in den Räumlichkeiten, die SALOMONS STÄLLE heißen, eine unterirdische Moschee für 10000

Gläubige zu schaffen. Scharons »Spaziergang« auf dem Tempelberg, der von vielen Kreisen für den Ausbruch der Intifada verantwortlich gemacht wird, hatte der Inspektion dieser Bauarbeiten gedient.

Der Wakf ist eine Behörde, die ihre Bestandsgarantien noch aus der Zeit des britischen Mandats herleitet. Demgegenüber sind die Gegenrechte der israelischen Antiquitätenbehörde neueren Datums, ja, sie stützen sich eher auf Plausibilität und Vernunft als auf die Rechtsgutachten, über die diese Behörde verfügt, soweit es um den Tempelberg geht. Jetzt sind aber Anwälte aus New York angereist, die weitaus ältere Rechtsansprüche auf den Tempelberg, vor allem jedoch auf die Tiefen unterhalb des Tempelbergs erheben.

Die Königstochter von Jerusalem, Jolande, habe, tragen die Anwälte der Kanzlei Scotti & Partner vor, durch Fernheirat mit Kaiser Friedrich II. von Staufen den Tempelberg in der seinerzeitigen Höhe, d. h. vor allem die Tiefen unterhalb von »Salomons Ställen«, an die Krone von Sizilien vererbt. Von dort hätten Barone Siziliens, später Magnaten der »Logen« und Häuser sizilianischer »Familien« mit Sitz in Chicago, Florida und New York dieses Eigentum erworben.

Diese »Familien« erhöben nunmehr Anspruch auf den Tempelberg, sie seien, was jüdische und muslimische Religion betrifft, neutral. Sie seien bereit, solchen Aberglauben verschiedener Seiten in der Ausübung ihrer Riten zu garantieren bzw. durch Spendenmittel sogar zu fördern, dies könne aber das Eigentum, in der Dokumentation abgeleitet aus dem 12. Jahrhundert, nicht tangieren. Hilfsweise würden die Gerichte angerufen.

Die »Familien« planen tief unter dem Tempelberg ein Hotelprojekt. Sie erwarten friedensstiftenden Einfluß, für den Fall, daß die Überbauten des historischen Bodens durch ihr Eigentum »entwertet« würden. Dies seien sämtlich Festungsbauten, die der Unterdrückung Jerusalems gedient hätten. Für Tunnelbauten oder religiöse Einschlüsse, wie die von Wakf konstruierte Moschee, sei kein Platz in der Welt.

Es gehe, tragen die Anwälte der »Alteigentümer« bzw. »Familien« vor, um die Absorbierung von Vorurteilen, um die eigentumsrechtliche Bereinigung von MITTELALTER und von VORURTEILEN.

– Geben Sie dem Vorbringen eine Chance?
– Staatsrechtlich nicht, eigentumsrechtlich jede Chance. Früheres Eigentum schlägt spätere Behauptung.
– Die türkische Okkupation oder früher die Besetzung Jerusalems durch Saladin, erfolgt nachweislich *nach* dem staufischen Erbfall. Könnte das die Rechtslage nicht ändern?
– Nichts, was bloß aus Gewalt besteht, vermag Rechtslagen zu ändern.
– Das sagen der Wakf und die israelische Antiquitätenbehörde unisono.

– Sie haben aber kein Eigentum.
– Der Wakf leitet sein Recht aus dem Mandat des Völkerbundes und der Weiterleitung durch die britische Regierung ab.
– Das kann das Recht deutscher Kaiser, auf das sich die sizilianischen »Familien« berufen, nicht abändern.
– Sie meinen, die Kapitalkraft dieser »Familien« ist stark genug, solchen Rechtsstandpunkt durchzusetzen?
– Es gibt kapitalmäßig für die Prozeßführung überhaupt keine Grenzen.
– Nun untersteht der Wakf der palästinensischen Behörde, die Antiquitätenbehörde dem Staat Israel. Wir befinden uns im Krieg. Die Auseinandersetzungen sind nur Vorstufen der bewaffneten Konfrontation. Was nutzt Eigentum aus dem 12. Jahrhundert in solcher Lage?
– Krieg ändert kein Eigentum.
– Kürzlich hat, auch um zwischen den feindlichen Parteien zu schlichten, der Vatikan ein Eigentum auf den Tempelberg begründet. Durch den Kreuzestod Jesu nämlich sei der Tempelberg, wie alle anderen heiligen Stätten, für den Stellvertreter Christi eingelöst.
– Ein interessanter Standpunkt. Geistliches Eigentum schlägt jedoch nach römischem Kaiserrecht kein weltliches Eigentum, Ulpian, Kapitel 14, Nr. 2, ein bemerkenswertes Gutachten, das ein US-Gerichtshof kürzlich in ein Urteil einführte.
– Prinzessin Jolande und der Zauberkaiser Friedrich II., Enkel Barbarossas, sind doch aber ebenfalls geistliche Mächte.
– Zu Lebzeiten. Als Erblasser übertragen sie Eigentum.
– Und es macht keinen Unterschied für Sie als Juristen, daß die »Familien« kriminelle Vereinigungen darstellen?
– Wie weisen Sie das nach? Und wenn es der Neutralisierung der Heiligen Stätten dient, was wäre daran kriminell?
– Sie meinen KRIEGSVERMEIDUNG als ein Mittel, das zur Sabotage eines ausbrechenden Kriegs taugt, absorbiert vergangene Gesetzesübertretungen, die in einem Vermögen enthalten sind?
– Ich glaube überhaupt nicht, daß vorhandene Geldmittel oder Urkunden, die Rechteübertragungen enthalten, kriminelle Energien aufbewahren.
– So daß wir Weihnachten 2004 in einem kriegerisch sanierten Gebiet feiern dürfen?
– Ich fahre nicht hin.
– Es beruhigt mich aber, daß man die Delle in der Mauer, die zum Einsturz dieses Bruch-Gebäudes im regnerischen Winter führen könnte (infolge der Feuchtigkeit und des Gewichts gläubiger Muslime im November könnte tatsächlich das schreckliche Mauerwerk zum Einsturz kommen), dann durch

konkrete Baumaßnahmen mit Beton und modernen Materialien beantworten kann.
- Das wäre gegeben.
- Würden Ihre Mandanten wieder Zinnen auf die Mauer setzen und diese merkwürdigen, löchrigen Fenster einfügen, denen keine Räume entsprechen?
- Ich glaube nicht.
- Soweit ich Sie verstehe, planen Sie einen Ausbau in die Höhe und in die Tiefe, unter Beteiligung von Architekten der Moderne, die in einem internationalen Wettbewerb ermittelt werden.
- In der Jury sollen zwei Saudis und vier Ägypter einem Europäer, einem Russen aus Odessa und zwölf von den »Familien« bestimmten Juroren gegenübersitzen.
- Und Sie meinen, daß das den Bürgerkrieg in Palästina beendet?
- Das nicht. Aber Gerechtigkeit, ursprüngliches Eigentum, wäre wiederhergestellt.

Von wem oder was wurden die Templer umgebracht?

Binnen 48 Stunden war der mächtige Orden der Templer in Frankreich liquidiert. Die Verhafteten warteten eine Zeit lang, in ihre Prozesse verstrickt, eingekerkert, gefoltert, mit allen Phantasien ihrer Verfolger konfrontiert, auf ihren Tod. Nur sieben der Templer Frankreichs blieben übrig. Sie flohen auf Schlösser in Böhmen.

Noch immer blieb es die Aufgabe des Ordens, also der getreuen Sieben, überhaupt festzustellen, wer diese mörderischen Gegner waren, die das heilige, integre Gefäß Gottes in so teuflischer, weltlicher Art zu vernichten gewußt hatten. Wer war schuldig? Das mußte man wissen, wenn der Fluch des Ordens, die letzte Macht, die ein solches Geisteswesen der Kreuzzüge besitzt, zielgerichtet treffen soll. War es der König als Person? War es die Kirche in Avignon? Der opportunistische Papst, der den Orden dem König auslieferte? Oder war Antichrist selbst tätig?

In Venedig, auf Zypern, in einigen Städten Nordafrikas und in Spanien wurden Wechsel und Bankanweisungen des Templer-Ordens noch indossiert. Es gab ja noch Besitz. So rasch konnten die Schergen des Königs von Frankreich keine Beschlagnahmungen auf fremdem Gebiet bewirken. In der Republik Venedig schon gar nicht.

So haben die zuverlässigen Sieben, noch bevor sie starben, Stiftungen begründet, von denen einige heute in den USA zu den reichsten Vermögen der Welt zählen. Die Forschung ergibt folgendes Bild: Philipp der Schöne, König von Frankreich, Verbrecher erster Ordnung, ist weder Fanatiker noch überhaupt im christlichen Sinne gläubig. Er ist charakteristisch für die kommenden Landesherren der Territorialstaaten: eigennützig, verschwenderisch, ungehemmt. Der wesentliche Faktor für die Promptheit seiner Taten ist aber der Berufsstand von in Zimmern des Schlosses seßhaften Planern, eine Versiegelung des Gehirns, das die Taten potenziert. Die wie durch Geheimnis neu entstandene Eigenfunktion, die wir heute Bürokratie, Planwirtschaft, stalinistisch oder imperial nennen, umfaßt ein zuvor nicht vorhandenes Ungleichgewicht zwischen Vorstellungsvermögen und persönlicher Tatkraft. Sie können keine Holzstämme spalten, heißt es in einem der Stiftungsberichte, aber sie können ein Waldgelände von viertausend Meilen im Quadrat in Übersee abbrennen. Schon zuvor können sie durch Straßen eine Bevölkerung von der anderen abschneiden. Sie können aber auch Bevölkerungen ausrotten, d. h. da, wo vorher Menschen lebten, leben jetzt Schafe. Dies tun sie im Namen des Königs, der ihnen gewissermaßen folgt, den sie mit sich führen. Sie tun es, ohne eine Hand zu rühren, außer der, die den Federhalter führt, mit dem sie ihre Skripte schreiben.

Diese Verschwörung, eine neuartige, gewalttätige Intelligenz, die die Operateure in den Hirnwindungen moderner Menschen nirgends gefunden haben, entsteht offensichtlich VIRTUELL durch eine Kombination von Vorstellungen, die den Kreuzzügen nicht zugrunde lagen, weder auf arabischer noch auf christlicher Seite.[26]

Das Problem von Verfügungen für den Todesfall, also auch von Stiftungen, deren Zweck die Jahrhunderte überdauert, ist, daß sie den Auftrag exakt ausfüllen, aber kaum neue Entschlüsse aus dem erfüllten Auftrag ableiten können.

26 Drei Bände der Forschungsberichte befassen sich mit den Vorwürfen, die von den Bürokraten des Königs gegen den Templer-Orden vorgebracht wurden. Dieses Arsenal von Vorwürfen bzw. durch Folter erzielten Geständnissen ist, schreibt Michael Balint, ein Anhänger Freuds, eigentümlich ausschweifend und zugleich eigentümlich arm an Variationen. Urinieren auf das Kreuz, Zerschneiden von Hostien, gewaltsames Einbringen des Geschlechtsteils in die Körper maskuliner Partner. Verschwörung zum Begehen gemeinsamer Unsitte, Verschwörung zu Lasten des Menschengeschlechts, Hortung von Gold, Geiz, »unsagbare Verbrechen« (sie seien so böse, daß man nicht über sie sprechen könne); Verschwörung zur Überantwortung des Christentums an die Heiden, Anbetung Luzifers, Anbetung karthagischer Götzen, Menschenopfer, Schändung, Zerstückelung und Opferung Minderjähriger.
Als VIRTUELL an dieser Richtung der Phantasie bezeichnet Balint die offensichtliche Unmöglichkeit, solche Taten in der beschriebenen Zahl, zu mehreren und geheim, zu begehen.

So fehlt es den Stiftungen der Templer an Veränderungs- und Rachegeist. Sie ließen sich 1937, obwohl sie von Trotzki mit Schriftsätzen bombardiert wurden, nicht gegen die Moskauer Prozesse in Stellung bringen.

Die getreuen Sieben aber liegen verstreut in Schlössern Böhmens, die 1945 enteignet wurden. Kaum gepflegte Gräber. Der Besucher findet sie nicht einmal.

Der Schatz von Feldwebel Karl Todt

Ein deutscher Feldwebel namens Karl Todt hatte 1918 auf dem Weg nach Nazareth in einem Tal einen Goldschatz vergraben. Die britischen Truppen unter General Allenby hatten die türkischen und deutschen Verteidiger Palästinas eingekesselt. In den Jahren nach Zusammenbruch des Osmanischen Reiches war der Schatz in seinem Versteck nicht angerührt worden. Todt, inzwischen Besitzer eines Fahrradgeschäfts in Duisburg, betrieb seit 1930 das Projekt einer Expedition. Er hatte sich einem Reichstagsabgeordneten namens Kunze und einem Abenteurer, dem Baron von Bolschwing, anvertraut. So wie er den Schatz gemeinsam mit Untergebenen, also kooperativ, vergraben hatte, so wollte er in Gesellschaft sein, um ihn zu heben. Er war ein mutiger Mann, kein Einzelgänger.

Mit einer Akkreditierung des Auswärtigen Amtes bewegte sich die Dreiergruppe, Todt, von Bolschwing, ein Übersetzer für Arabisch (Kunze hatte auf die Teilnahme verzichtet), von Athen über Istanbul nach Jaffo in Palästina. Es folgten aber ihren Spuren, von Richard Kunze eingeweiht, zwei Vertreter einer bewaffneten Teilorganisation der Nationalsozialistischen Partei, Theo Korth und Heinz Grönda. Sie hatten die Absicht, den Schatz für das Deutsche Reich an sich zu bringen, und dies nicht, wie Karl Todts Plan vorsah, in Kooperation mit den britischen Behörden, sondern sie wollten den Schatz heimlich dem Deutschen Reich zuführen.

– Wem gehörte der Schatz denn nun wirklich?
– Ein Schatz ist abandonniert. Von seinem Herrn verlassen, gehört der Schatz niemand. Er gehört dem Finder.
– Und die Briten? Die Mandatsmacht? Hat sie kein Recht auf den Schatz?
– Nur wenn sie ihn finden. Nur wenn sie an einem Grenzübergang den Finder und den Schatz dingfest machen.
– Und warum wollte Karl Todt lieber mit den Briten teilen?[27]

27 Wenn der Finder freiwillig die Mandatsmacht vom Schatzfund benachrichtigt, so darf er

- Er war der einzige, der den Umfang des Schatzes kannte. Er glaubte nicht, daß man 60 Kisten mit Goldbarren unauffällig aus dem Land schaffen könnte.
- Und die Vertreter der Nationalsozialistischen Partei glaubten, sie könnten es?
- Sie kannten den Umfang des Schatzes nicht.

Der Schatz wurde von keiner der beiden Gruppen gehoben. Korth und Grönda erhielten telegrafisch Auftrag, einen prominenten Chef der Jewish Agency am Strand von Tel Aviv umzubringen. Den Auftrag führten sie durch. Die Dreiergruppe um Todt, erschreckt, als sie von der Mordtat durch Gerüchte erfuhr, die auf deutsche Beteiligung hinwiesen, irritiert, verließ das Land. Korth und Grönda waren längst nach Berlin zurückgekehrt.

- Also liegen die Goldkisten noch immer an der alten Stelle?
- Das vermuten wir.

Es gibt in den dreißiger Jahren einen Typ des Abenteurers und Reisenden, der sich heute nur noch in Taucherkreisen am Roten Meer und in Gruppen der ehemaligen Fremdenlegion, die im Indischen Ozean Inseln besetzen, wiederfindet. Damals aber war er häufig. Gesellschaftlich bewundert und mit Projekten befaßt, wie sie dem Versuch entsprechen, den Schatz des Feldwebels Todt in Djenen, einer felsenartigen Wüste, sicherzustellen. Das, was dem Zeitgeschichtler Lewerenz auffiel, war die Raschheit, in der sich das Motiv in dieser Berufsgruppe veränderte. Nicht zäh ein Leben lang suchte einer seine Absicht zu verwirklichen. Überhaupt ändert sich das Ziel des Abenteurers, auf Grund von Befehl, Zufall, einer Schwierigkeit, die zu überwinden ist. So zerronnen, wie gewonnen. Das Gold, das Todt 1918 auf dem Weg nach Nazareth verbuddelte, gehörte ihm nicht. Gehörte es dem Osmanischen Reich? Der deutschen Armee? War es geraubt? Und gehörte der Schatz den Beraubten? So schwach wie die Rechtsgrundlage, aus der die Schatzbildung entstand, blieben die Projekte, den Schatz heimzuschaffen ins Reich.
Ein einfacher Mordauftrag reichte aus, zwei Fachleute vom Ziel abzulenken. Der Schreck darüber, daß sie überhaupt Verfolger auf ihrer Spur haben, veranlaßte die Schatzsucher, ihre Suche aufzugeben, obwohl sie nur noch zwölf englische Meilen bis zum Versteck vor sich sahen. Der Reichstagsabgeordnete Kunze aber hielt es mit allen Seiten, in der Hoffnung auf einen Lohn. Er verriet

gegen Zahlung von 15 % des Wertes den Schatz behalten und ausführen. Wird er ohne diese Meldung entdeckt, so wird er bestraft, der Schatz beschlagnahmt.

auf Grund seiner korrupten Einstellung »seinen engsten Freund«, Karl Todt. Zugleich unterließ er aber als Angehöriger des Souverän, des noch immer amtierenden Reichstags, jede Nachforschung, als sich herausstellte, daß Korth und Grönda, statt den Schatz zu heben, in einen Mord verwickelt schienen.[28]

– Aus solchem Stoff sind die Abenteuer des Dritten Reichs gestrickt?
– Ich spreche vom Flügel der Reisenden und Abenteurer. Nicht nur im Dritten Reich, sondern in den zwanziger und dreißiger Jahren überhaupt.
– Wie würden Sie solche Motive bezeichnen?
– Porös.
– Und was bezeichnen Sie als »porös«?
– Löcherig.
– Und warum?
– Zu viele Möglichkeiten. Es ist eine Zeit der inflationierten Möglichkeiten.
– Alles ist möglich?
– Und deshalb gar nichts.

Sitz der Leidenschaft

> »The best lack all convictions while the
> worst are full of passionate intensity«
> W. B. Yeats (1918)

Die potenziertesten Energien folgen aus Stolz, Beschämung, Empörung und Ehrgeiz. Dies sind natürliche Kriegsgründe. Das bloße Interesse, die Abneigung, das bloße Vorurteil reichen selten hin, einen Krieg auszulösen. Es muß sich um ein Gefühl handeln, das ein zivilisierter Mensch nicht zeigen darf, andernfalls braucht man keinen Krieg, um es auszudrücken.

---

28 Ermordet wurde Dr. Chaim Arlosoroff. Seine Stellung entspricht der des Außenministers der Jüdischen Weltbewegung, Stellvertreter von Chaim Weizmann. Die Tat wird durch zwei Araber, professionelle Killer, am Strand begangen. Die zwei fragen Arlosoroff nach dem Namen, leuchten sein Gesicht mit der Taschenlampe an und verletzten ihn tödlich durch Revolverschuß. Nach neuester Forschung waren die Mörder durch Korth und Grönda zur Tat gedungen. Anja Klabunde, *Magda Goebbels*, München 1999, S. 185 ff., deutet an, die zwei deutschen Agenten seien von Minister Joseph Goebbels beauftragt gewesen, der wegen einer früheren Beziehung seiner Frau Magda zu Arlosoroff von rasender Eifersucht bewegt gewesen sei.

– Was meinen Sie damit, daß den Besten alle Überzeugung fehlt (»The best lack all conviction«)? Wer sind die Besten? Meinen Sie die Ausgeglichenen?

– Zum Beispiel die Kumpel. Yeats meinte die Kumpel aus Liverpool.

– Die Kumpel aus Liverpool und aus den Vororten von London sind es aber doch gerade, die den Krieg in Flandern und an der Somme führen.

– Sie setzen ihn in Praxis um, sie lösen ihn nicht aus. Mit ihnen könnte kein Anführer einen Krieg beginnen. Gerade, daß sie gehorchen. Und sozusagen als Handwerker das Notwendige tun.

– Und wieso sind die Schlechtesten voller leidenschaftlicher Intensität? Wer sind überhaupt »die Schlechtesten«?

– Was Kriegsauslösung betrifft, sind es diejenigen, die in den Schlössern Frankreichs in den Stabsquartieren sitzen und den Angriff der Regimenter befehlen. Sie haben die Macht, die Leute in die Maschinengewehrsalven zu treiben. Sie säen nichts, sie ernten nichts, sie müssen nur einen schriftlichen Befehl erteilen, das sind die Schlechtesten, gesehen von dem, der stirbt.

– Und Sie behaupten, daß ein solcher General von leidenschaftlicher Intensität bewegt wird?

– Er selbst nicht, aber wo hält sich Leidenschaft auf?

– Im Herzen?

– Da irren Sie, Kollege. »Passionate intensity« entwickelt sich *zwischen* den Kadern. Ein Stabsoffizier ist des anderen Wolf. Man kann Leidenschaft im wirklichen Leben nicht so häufen, wie sie zwischen den ehrgeizigen, gegeneinander empörten, stolzen und durch jeden Vorteil des Gegners beschämten Befehlshabern zustande kommt.

– Sie sehen die Leidenschaft nicht *in* den Menschen, sondern *zwischen* den Menschen?

– Wo soll sie sonst sein?

– Dann kommt es bei Auslösung eines Krieges auf dieses Dazwischen an, nicht auf das Gefühl, das ein Mensch in sich trägt?

– Ich glaube überhaupt nicht, daß ein Mensch Gefühle in sich trägt, man hat sie zwischen sich.

Wie eine Macht zerbricht

1
Autorität flog ihm zu

Autorität flog ihm zu. Lebenslänglich. Er hätte sich rechtzeitig in ein öffentliches Amt zurückziehen müssen. Das Amt hätte er verlassen können mit 65 Jahren. Er aber hatte die ihm zugewachsene Macht in einem Privatunternehmen konzentriert. Sechs mögliche Nachfolger waren verbraucht. Er war nicht fähig, Macht zu teilen. Seine Kräfte fühlte er schwinden.

2
Ein jeder zog sich zurück auf seinen Anteil

Giovanni Agnelli, der für Jahrzehnte die Macht der Agnellis verwahrt hatte, starb an jenem Tag, an dem ein Familienrat die Macht der Familie aufteilte, d. h. amputierte. Starb er aus Unlust? Oder weil er von diesem Vorhaben ahnte? Ein Familienrat dieses Ausmaßes hätte sicher nicht stattgefunden, wäre der Patriarch bei vollen Kräften gewesen. Der Tod schlich sich unmerklich an, brauchte drei Jahre, um die Lücke zu finden, welche die Ärzte ihm ließen.

Der Familienverband, der die Aufteilungsbeschlüsse, den Rückzug der Agnellis aus dem Reich, das sie hundert Jahre beherrscht hatten, durch den Tod Giovanni Agnellis gewissermaßen mit Bann belegt oder besiegelt sah, schämte sich eine Woche lang sehr, solange nämlich die Beerdigungs- und Testamentseröffnungsangelegenheiten dauerten. Danach zog sich ein jeder zurück auf seinen Anteil.

3
Swissair mit der roten Lampe

Am Nachmittag des 2. Oktober 2001 verfügte der Swissair-Chef Mario Corti das Grounding seiner Flotte weltweit. In einer ähnlichen Zeitnot, wie sie historisch unmittelbar vor dem Ausbruch von Kriegen zu beobachten ist, hatten sich die Managements der zwei beteiligten Großbanken von Swissair und Crossair, die beteiligten Rechtsexperten, Krisenteams und die Entscheider des Bundesrats in Bern dissoziiert.

Die Schweizer Bundesregierung versuchte den Verwaltungsratspräsidenten der UBS, Marcel Ospel, zu erreichen. Das war nicht möglich. Er befindet sich auf Transatlantikflug nach New York, wo eine Krisensitzung seines Verwaltungsrats anberaumt ist. Aus Gründen des Personenschutzes kann die Tatsache seines Flugs nicht mitgeteilt werden.

Nachträglich kämpfen zwei Deutungen in der Öffentlichkeit miteinander: War der Absturz der Swissair ein geplanter Coup, oder haben sich in einem Chaos Kräfte, die einander nicht mochten, und Unternehmensstile, die nicht aufeinander paßten, zu einem gemeinsamen Irrflug vereint?

– Mitte September avisierte uns die UBS, daß sie die Cash-Pooling-Fazilität für Ende Oktober kündigen wolle.
– Das tat sie dann aber schon am vergangenen Freitag, dem 28. September.
– Freitag morgen. Sie teilte uns mit, daß wir ab sofort nicht mehr die Erlaubnis hätten, die Kontostände der verschiedenen im Pool beteiligten Gesellschaften global auszugleichen.
– War das alles?
– Zusätzlich wurde uns mitgeteilt, daß ab sofort Zahlungen während dieses Freitags nur noch ausgeführt würden, wenn dafür entsprechende Deckung bestünde.
– Hätten Sie noch am Montagabend, dem 1. Oktober, das Grounding ankündigen müssen?
– Ein Grounding der Flotte war bis zu den Diskussionen vom Wochenende nicht geplant. Wie die Katastrophe, die jetzt eingetroffen ist, beweist, ist es im höchsten Maße unverantwortlich, ohne Vorbereitung aller Geschäftspartner und Konsultation mit den Behörden einen solchen Schritt anzukündigen.
– Hatten die Banken einen Plan?
– Wenn sie einen hatten, hatte ich darin keinen Einblick.
– Am Dienstagabend, um 19.30 Uhr, kam ein Fax, das Ihnen eine Verlängerung des Cash-Flows bis zum 5. Oktober einräumte.
– Da war die Flotte bereits stillgelegt. Durch die Stillegung der Flotte entstehen Schockwellen. Das macht eine präzise Planung, gerade wenn sie mitten im Desaster so nötig wird, unmöglich.
– Hätten Sie am Dienstag noch Geld gehabt, um wenigstens wichtige Rechnungen zu begleichen, wie dies die UBS behauptet?
– Sämtliche Lieferanten pochten auf Barzahlung. Alles auf einmal. Das ging nicht. Am Dienstag hat eine veritable Explosion der Liquiditätsbedürfnisse stattgefunden.
– Wieso hat sich der Crossair-Deal bis Dienstag nachmittag verzögert?
– Die Banken kamen immer wieder mit legalistischen Vorschlägen, die uns be-

nachteiligten. Der versprochene Überbrückungskredit ist bis jetzt nicht aus-
gehandelt. Er sieht keine Verwendung für die Aufrechterhaltung des Flugbe-
triebs vor.

4
Untergang eines Reiches

Den ganzen Dienstag über versuchten leitende Beamte des Bundesrats, Telefo-
nisten, ja die Bundesräte und der Bundespräsident der Schweiz selbst den Chef
des Bankhauses UBS zu erreichen; nur ein Machtwort dieses Entscheiders
schien imstande, die Swissair im letzten Augenblick zu retten. Der Augenblick
war definiert mit 7 Stunden 20 Minuten im Tagesverlauf bis zur 17.00-Uhr-
Teestunde. Jeder wußte, daß zu diesem Zeitpunkt das Grounding der Luftflotte unabdingbar würde. Es war unbekannt, daß der Chef der UBS zu diesem
Zeitpunkt sich auf dem Flug nach New York befand. Danach war er für weitere Stunden unerreichbar.

Was unbekannt blieb, war, daß eine Task force des UBS, frei für neue Taten,
auf dem Rückflug von New York nach Zürich schon um 10.20 Uhr früh auf
Kloten eingetroffen war. Rastlos, auch beschäftigungslos, saßen sie eine Zeitlang in den Cafés des Flughafens.

Diese Task force war dem Swissair-Management von Bürokraten der UBS offeriert worden. Das Angebot war vom gestreßten Management der Swissair
nicht rechtzeitig beachtet worden. Erst nach 16.00 Uhr wurde der Einsatz dieser Aushilfe, der Rettungsgruppe, überhaupt geprüft. Das kam zu spät.

Was hätten die Retter tun können? Zunächst waren die Bedenken auszu-
räumen, daß es sich bei diesen Kontrolleuren um Retter und nicht um Spione
handelte. Man zieht sich im Krisenfall durch Einsatz einer solchen SCHNEL-
LEN TRUPPE des Gegners und Hauptgläubigers leicht ein Trojanisches Pferd
ins Haus. Insofern bleibt unklar, ob diese Task force eingesetzt worden wäre,
wenn das Swissair-Management rechtzeitig von der Verfügungstruppe erfahren hätte. Was hätten sie aber tun können? Sie sind Experten im Auffinden ver-
steckter Positionen, sie sind Schatzfinder. Die Experten der Task force hätten
auf den Hügeln, an den Flüssen, in den Niederungen, kurz gesagt, auf dem *Gelände der Bilanzen* der Swissair Platz genommen, Stellungen besetzt, sie hätten, mit der Rettung beauftragt, gewiß die Posten an Liquidität gefunden, die
ein Grounding um 17.00 Uhr unnötig gemacht hätten. Hierzu hätten sie
4 Stunden und 38 Minuten gebraucht.

Dies wurde von Kontrolleuren der Kontroller nachträglich errechnet. Ihr negativer Einsatz, sie blieben schläfrig in Wartestellung bis gegen 15.00 Uhr

und zerstreuten sich dann, war nicht nur auf Unaufmerksamkeit im zentralen, überanstrengten Management der Swissair zurückzuführen. Vielmehr beruhte die Tatsache, daß die Mitteilung über die Ankunft der Task force liegenblieb, auf einem völligen Mangel an Vertrauen. Niemand glaubte, daß der Gläubiger UBS Swissair als Ganzes zu retten versuchte. So unterstützte man die Task force nicht, die stets nach ihrem Können, nie bloß nach Auftrag (und niemals auf Grund eines Ansinnens, sie mögen Spionage treiben und ihr Können nur teilweise einsetzen) vorgegangen wäre. Man darf ein Motiv, das man dem Kopf des Unternehmens zuschreibt, niemals auf dessen Teile übertragen. So blieb die Swissair an diesem historischen Tag ungerettet. Ähnlich wie die Mehrheit der Passagiere der Titanic 1912 ungerettet blieb, obwohl Schiffe in der Nähe waren. In jenem Fall 1912 glaubten die Schiffe nicht an ihre Kompetenz (sie hielten die an sie gerichteten Notsignale für Feuerwerk, nicht für eine an sie, hilflose Kleinschiffe, gerichtete Nachricht). Im Fall der Katastrophe in der Schweiz wußten die Retter um ihre Kompetenz, sahen aber, weil die Dampfschiffer der Swissair unaufmerksam, mißtrauisch waren, nichts von ihrer Einsatzchance. So ging ein großes Reich zugrunde.

5
Plötzliche Charakteränderung vor Insolvenz

– Von einem Entschluß kann man nicht sprechen?
– Sein Charakter war verändert.
– Keiner konnte sich auf die Person verlassen, die er gewesen war.

Früher hatte der Vertrieb von Immobilienfonds Steuervorteile gegen Kapital verkauft. Dann, nach Änderung der Gesetzgebung, suchten die Betreiber, noch hochgemut im Blick auf die Erfolge der Vorjahre, nach neuen Produkten. Sie wollten dem Markt gefallen. US-Immobilien, Musik-, Film-, Sportrechte.
Durch den Betrug eines Bauträgers, der mit Vermögensteilen nach Übersee verschwand, nachdem er viel Kapital vernichtet hatte, war ich gezwungen, einzuspringen. Als Herr einer Firma, die schon mein Vater mit Glanz geführt hatte, sprang ich ein mit eigenem Vermögen, zu früh. In den Zeitungen hieß es, man habe von mir nichts anderes erwartet. Ein geschäftlicher Ehrenmann. Ich hatte jedoch das Vermögen nicht, bei dem zweiten und dritten Einbruch im Grundstücksgeschäft, die nicht mehr auf unangebrachtem Vertrauen, sondern auf der Härte und Langsamkeit der wirklichen Verhältnisse beruhten, einzu-

springen und mit heiler Haut herauszufinden. Auf den kompletten Verfall meiner Verfügungsmittel reagierte ich mit »vergrößertem Herzen«. Die Ärzte warnten mich: Ein Pilz, genannt Candida, sitzt in Ihrem Unterbau, im Darm, sagten sie, treibt Gas zur Brust hinauf. Prallbauch, Atemnot. Ich gab mir nur noch kurze Zeit.[29] Trotzdem wollte ich die Sache in Ordnung bringen, bevor ich im Grab verschwinde.

– Da führte kein Weg hin?
– Keiner ins Grab, aber auch keiner zur Sanierung.

Währenddessen arbeitete in mir ein zweites Ich, unterhalb meines eigenen, eine schützende Illusion, am Rettungswerk.

– Darin bist du der Alte?
– Bewaffnet mit neuen Schlichen, Tricks, ohne geschäftliche Moral.
– Sozusagen im Krieg?
– Und zwar wie in den Verfallszeiten der Kriege, wenn sie an sich verloren sind und die Verlierer glauben, sie hätten nichts mehr zu verlieren. Sie ändern den Charakter.
– Hat das je genutzt? War unterhalb des Charakters ein zweiter, der zum Siegen taugte?
– Das weiß man nicht.
– Nutzte es in deinem Fall?
– Ich wurde gerettet.
– Durch den Charakterdefekt?
– Nein, durch Freunde, die ich aus der Zeit vor der Krise besaß. Sie zählten meine vergessenen Vermögensteile zusammen und beliehen sie kurzfristig. Über meine Charakterschwäche sahen sie hinweg.
– So wurdest du durch deren guten Charakter gerettet, durch Großmut?

---

29 An sich läßt sich der Pilz bekämpfen. Das braucht Zeit, setzt voraus, daß nicht die Hektik von Reisen, Verhandlungen, wie sie einem geschäftlichen Zusammenbruch vorausgehen, die regelmäßige Einnahme der Gegenmittel ausschließen. Lernt der Pilz an sporadisch eingebrachten Medikamenten, so ist seiner Vermehrung keine Grenze gesetzt. Prallbauch: nachts wird das Zwerchfell nach oben gedrückt. Daß mein Herz sich vergrößert hätte, war eine Fehldiagnose meines Vertrauensarztes. Mein Herz war nicht größer geworden, sondern fühlte sich bedrängt. Man muß dem Herzen zuhören, wenn man es verstehen will. Dazu hatte ich keine Zeit.

Ja, antwortete ich, wenn man die guten Eigenschaften aller Beteiligten zusammenrechnet: In der volkswirtschaftlichen Gesamtbilanz zahlt sich guter Charakter aus.[30]

– Niemand beherrscht seinen Charakter in der Not.
– Man hat ihn, und dann hat man ihn nicht.
– Wen? Den Charakter?
– Du hast recht, man hat nicht nur einen, und er ist etwas Lebendiges, vergleichbar einem Tier. Keineswegs ein Gerüst oder eine Sache.
– Und dieser Charakter wandelt sich, sobald ein Mensch sich schämt? Es stimmt, daß er mit der Schande nicht leben kann?
– Er wird die Kraft haben, die Wirklichkeit so zu verändern, daß er sich nicht mehr schämen muß.
– Sind Charaktere fundamentalistisch?
– Besser, wenn ein Mensch mehr als einen Charakter hat.

6
Armer reicher Mann

Schlau war er. Die Steuervorteile nutzte er. Daran starb er. Ein armer reicher Mann. In der Stadt Schwerin werden Altbauten saniert. Das wurde als Steuerabschreibung 1993 angeboten, Fertigstellung 2003. Man konnte dann nach zehn Jahren die Häuser in Einheiten von Wohnungseigentum zerteilen und diese einzeln verkaufen. Für die Kinder hätte das ein beachtliches Erbe erwirtschaftet. Das gleiche in Magdeburg, Plauen, Berlin und Halle. Vorboten des Niedergangs in der Immobilienbranche waren Betrugsfälle. Hin- und Herüberweisungen zwischen den Fonds mit Grundstücksgesellschaften. Die Täter hatten sich ins Ausland entfernt. Was nutzt es dem Anleger, wenn sie je ergriffen werden? Die Aufklärung des Sachverhalts beleuchtet nur die verheerende Lage.

R. hatte Schwierigkeiten, abends einzuschlafen. Er versuchte, diszipliniert, alles. Früh ins Bett gehen, früh aufstehen. Er nahm alle Termine pünktlich wahr, ja er wäre bereit gewesen, Fremdsprachen zu erlernen, sich einem Lehrgang für Gewehrschützen zu unterwerfen. Er wanderte nach dem Essen, um sich fit zu halten.

Alle Ertüchtigung nutzte nichts in seiner Lage. Die Häuser in Schwerin und

---

30 Adam Smith, *Wealth of Nations*, passim: »Eine Horde eigennütziger Teufel produziert, ohne es zu wollen und zu wissen, das Gemeinwesen.«

Halle waren gar nicht erst fertiggestellt worden. Als Bauruinen standen sie da, mit Holz verschalt, provisorisch winterfest gemacht. Für diesen Zustand gab es nicht einmal eine Verlustzuweisung, da hierfür Fertigstellung Bedingung war. Der Millionenbesitz, den R. nominell besaß, lag festgezurrt in Fonds, über die keiner der Fondsgesellschafter verfügen konnte.

Sie wehrten sich gemeinsam gegen Banken. Sie klagten einander ihre Not, ohne deshalb einander zu vertrauen. Auch Vertrauen zueinander hätte nichts geholfen. Gegen die Krise nutzte überhaupt nichts, was menschenmöglich war.

R. arbeitete sich aus im Garten. Er spritzte die Büsche mit dem Schlauch. Wenigstens die Pflanzen blieben so versorgt. Es waren aber die Kinder, die ihm Sorge bereiteten. Was hinterließ er, der reiche Mann, diesen jungen Leuten, die doch alle Nachteile aufwiesen, die für Kinder aus reichem Hause charakteristisch sind? Sie waren unvorbereitet für eine Praxis, in der sich einer fleißig rühren muß, unausgestattet.

Seine größte Sorge aber war die Haftung. Sie war in einigen Fällen nicht auf den eingezahlten Kommanditanteil begrenzt, sondern im Fall einer offenen Handelsgesellschaft grenzenlos wie der Niedergang der Immobilienwirtschaft.

R. war Realist. Er übte sich bereits lebenslänglich darin, Tatsachen nicht zu verleugnen. So entging ihm die Chance, sich über die Einzelheiten zu täuschen oder durch Leugnung auch in verlorener Lage die Fahne der Hoffnung aufzupflanzen. Es wurden im Schneesturm schon Vorfahren gerettet durch besinnungslose, irrige Annahmen. Rettung sahen sie vor sich. Es waren dann nicht die erhofften Retter, sondern ein zufälliger Ausweg aus der Schneewüste, der sich eröffnete. Nichts davon gibt es in dieser nicht von der Natur errichteten Landschaft der Immobilienkrise.

Ja, könnte man warten, zwanzig, dreißig Jahre. Dann könnte es sein, daß sich die Einstellung jeden Weiterbaus in den Städten, die sich nach Einstellung der Fördermaßnahmen ergibt, auswirkt. Die Mieten steigen. Es könnte aber auch geschehen, daß das Siedlungsinteresse aus diesen Landschaften, in denen die Sanierungsobjekte stehen, überhaupt abwandert. Man spricht von neuen Zentren Europas, westlich von Nordrhein-Westfalen auf Antwerpen zu.

So hellsichtig und bar jeder praktischen Gegenwehr, wie R. sich empfand, blieb ihm nichts als die Krankheit. Der Körper gehorchte, er mißverstand die Befehle seines Herrn. Der starke Wille, sich fit zu halten für Einsätze, die nicht stattfinden konnten, Gegenwehr, die nichts nützt, verstand der brave Hund Körper, unser ständiger Begleiter, der sich irgendwann in der Evolution dem Geiste zugesellt hatte und zähmen ließ, als Weisung, sich allseitig aufzulösen, aus den Blicken des Herrn zu verschwinden. R.s Herz veränderte sich, Wasser trat in die Beine. In einer Klinik, die diesen Patienten noch als reichen Mann behandelte, starb er. Die Kinder erreichten den Ort des Geschehens mit Verspätung.

7
Von der Rettung eines Betriebs in Berlin

In ihrem Grundriß stammten die Anlagen an der Spree aus der Zeit, in der die Elektrizität ihren Siegeszug über die Kontinente antrat. Kabel und Kabeltrommeln wurden gebraucht. Fast nie konnte so viel davon produziert werden, wie gefordert wurde.

An die Periode der Anspannung aller Produktionskräfte im Krieg schloß sich im Osten Deutschlands eine zweite enorme Anspannung an; sie war erforderlich, um die Hallen, welche die Reparation zurückgelassen hatte, mit neuen Produktionsanlagen auszufüllen. Viel Improvisation. Es waren nunmehr Fünf-Jahres-Pläne ausgeschrieben, nicht mehr Vier-Jahres-Pläne zu absolvieren.

Von dem so lange Zeit begehrten Produkt wollte dann nach 1989 niemand mehr etwas wissen. Kein Anschluß für die Kabel und Kabeltrommeln an den West-Markt war möglich.

Ein Abwickler, Willi Engelbrecht, früher Marx-Forscher, übernahm die Kontrolle über das defizitäre Unternehmen. Er ließ sich konsequent, in korrekter Analyse des heimtückischen West-Marktes, von den Gesetzen von Angebot und Nachfrage leiten; Studenten seines früheren Seminars an der Humboldt-Universität fertigten unter seiner Anleitung Zielgruppenstudien an. Inzwischen sind auf dem Gelände des früheren VEB Kabelbau Hütten aus Blech errichtet, ähnlich den Nissenhütten aus den Jahren nach 1945. Hier wird eine schaumige Eiscreme in Dosen mit Waldmeistergeschmack hergestellt. In Büchsen ist die Ware stapelbar und leicht zu transportieren. Ein Teil der Belegschaft konnte für die Herstellung des offenbar leicht absetzbaren Produkts neu angelernt werden. Schade ist es, sagt Engelbrecht, um die Qualifikation der Kollegen. Von den neuen Produktionshütten passen je vier in eine der Großhallen; in diesen ist trotzdem noch viel Platz für die jetzt unnütze große Maschinerie, mit der man früher Kabel und Kabeltrommeln herstellen konnte. Die Blechhütten der neuen Produktionssphäre sind vor Regen geschützt. Kürzlich hat das Gericht in Köpenick das Insolvenzverfahren wieder aufgehoben.

Nach Marx stehen »Produktion, Distribution, Konsumtion in Wechselwirkung; die Produktion als das Übergreifende«.[31] Das gilt noch immer, kommentiert Willi Engelbrecht sein erfolgreiches Abwicklungsprojekt: Es gilt für die Produktion von Gesellschaften und von Menschen. Offenbar aber nicht für die an einem West-Markt orientierte Güterproduktion der Gegenwart. Er weigerte sich nach wie vor, die marmeladenartige Eismischung, von der nicht sicher war, ob sie die Gesundheit förderte, als PRODUKT zu bezeichnen. Dennoch empfand er vor dem Machwerk Achtung, da es geeignet war, das traditionsreiche Unternehmen vor dem Konkurs zu bewahren

8
Maxwells Tod

Eindrücke der Gegenwart obsiegen, selbst im Augenblick des Todes. So sind Windrichtung, Dunkelheit des Horizonts zur Küste hin, Zuverlässigkeit der Lichter der Yacht das, was ihm über die neutralen Augen in den Kopf dringt. Dort aber ist der Putsch im Gang. Rede und Gegenrede vom Vortag. Die Geschäftsfreunde, die Retter retten nicht, die Banken sind Apparate, kaltschnäuzige Fahrzeuge der Vollstreckung.

Das wartet er nicht ab. Was ist die Angst vor einer SS-Kohorte, die gegen den Partisanenpfad vordringt, wenn ich ihr List und Flucht entgegensetze? Was die Furcht vor Liebesentzug, wenn ich das Liebste, was ich habe, momentan nicht halten kann? Ich habe die Hoffnung, es wiederzugewinnen. Nichts von diesen Gegenmitteln gibt es gegen die Gewalt des Defizits, das Maxwells unternehmerisches Reich ruiniert. Seine Firmen konnte er nicht retten.

Er bewegte sich von der Kombüse, wo er mit dem Kapitän und zwei Gefährten, Assistenten, die schon 12 Jahre mit ihm arbeiteten und denen er noch gerne einen Vorteil zuschanzen wollte, hätte er einen zu vergeben, Cognac gebechert hatte, zum Heck der Yacht. Dieses Draußen, bestehend aus Nebel, H_2O, Tiefe und Windmasse, hieß Biskaya. Nichts davon war auf 20 Kilometer im Umkreis genau zu bezeichnen. Maxwell, der Milliardär, enteignet durch Insolvenz, die morgen offenkundig würde, besaß Übergewicht. 47 Kilo über Normalgewicht, von Ärzten gerügt. JETZT WAR ES VON VORTEIL, ALS ER SICH ÜBER BORD WARF, NUR VOM ENTSCHLUSS GELEITET.[32]

Die Ursache seines Todes galt als unaufgeklärt. War es ein Unfall? War es

31 Karl Marx, *Grundrisse der politischen Ökonomie* (Rohentwurf), Berlin 1974, S. 1 bis 31.
32 Der bloße Entschluß hätte nicht gereicht. Haut, Körper und Lunge widerstreben. Sie hören nicht freiwillig auf, sich zu wehren.

Selbstmord? Der Zweifel gab den Söhnen die Frist, einige Objekte aus der Vermögensmasse in Sicherheit zu bringen. Das Erbe schlugen sie aus.

In den Blättern Deutschlands wurde die Todesnachricht in knapp 20 Zeilen wiedergegeben. Die *International Herald Tribune* widmete dem toten Unternehmer die Titelseite.

Partisan war er gewesen in Südrußland gegen die deutschen Okkupanten. Später britischer Staatsangehöriger. Star in den Zeitungen, Medienzar, ein GÜLTIGER MANN überhaupt.

Wir vermissen ihn, sagte Lord Roscol, der in Harvard gastierte. Es geschieht Bankrotteuren recht, wenn sie sterben, entgegnete William Detmold von der Chicago School. Auf finanziellem Kollaps steht keine Todesstrafe, antwortete Roscol. Hat er durch den Tod sein Unrecht nicht selbst bestätigt? beharrte Detmold. Welches Unrecht? fragte Roscol. Er hatte nie die Absicht, Fiasko zu erleiden. Ich bezweifle, daß er je in seinem Leben als Partisan oder als britischer Unternehmer oder als Milliardär fahrlässig handelte. Absichtsvoll war nur sein Tod.

Alle gingen davon aus, daß es sich um einen Selbstmord handelte. Noch war das nicht erwiesen. Der Chicagoer Freiwirtschaftler schwieg. Er schien beschämt. Ich gebe zu, sagte er, daß der selbstgegebene Tod des großen Mannes – er wirft sich über die Reling nach rückwärts ins gräßliche schwarze Wasser – mir großen Eindruck macht. Noch sieht sein Auge das Licht, das aus den Kabinen zu ihm dringt, er sieht die Masten der Yacht, die nach seinem Tod das Wertobjekt bleibt, das sie darstellt. Der Moment scheint mir emotional. Ein solches Gefühl konnte aber keinen Kursausschlag nach oben für die Papiere von Maxwells Gesellschaft auslösen. Insofern ist Börse gefühllos.

Ich glaube nicht, antwortete Lord Roscol, daß Maxwell, der Partisan und Milliardär, auf eine gefühlsmäßige Reaktion rechnete. Er wußte selbst nicht weiter. Das hat er durch seinen Tod ausgedrückt.

In der Gruppe, die in Harvard diskutierte, waren auch Anwälte. Sie fragten danach, ob es nicht auch ein Unfall gewesen sein könnte. Der hätte Versicherungsansprüche der Kinder ausgelöst. Durch einen Unfall hätte der Unternehmer Maxwell noch in letzter Aktion einen Vorteil erzielen können.

Das hätte, erwiderte Lord Roscol, einer intensiveren Vorbereitung bedurft. Wer glaubt schon, wenn gleich darauf Insolvenz bekannt wird, an einen Unfall? An einen persönlichen Unfall, d.h. Zufall, bei gleichzeitigem Konkurs, wenn der Zufall einen Vorteil bringt.

Trotzdem, antwortete der Chicagoer, der inzwischen emotional für den eigenartigen Mann Maxwell gewonnen war, auch ein positives Beispiel in einem solchen typischen Förderer des kapitalistischen Fortschritts für seine freiwirtschaftlichen Theorien sah, kann es doch sein, daß ein Windstoß den schweren

Körper in die Biskaya wehte. Ich wünschte ihm, quasi als Grabstein, den winzigen Vorteil (gemessen an seinem Vermögen) eines Versicherungsschadens. Die Versicherung erforschte den Vorfall, aus Kulanz, nicht gründlich. Sie zahlte die Lebensversicherung der Familie voll aus. Auch aus dem Gedanken, daß es werbend für den Namen der Versicherungsgesellschaft wirkt, wenn sie unter unwahrscheinlichen Umständen ihr Wort hält.

Die Front gegen die Abu Sayyaf

Seitdem der energische Bürogeneral Stanford »Mike« Milton ins Pentagon versetzt war und die Koordinierung des Antiterrornetzes übernommen hatte, gab es ausreichend Listen, auf denen die Vernetzung der Terrorwerke und die Priorität in der Bekämpfung angegeben war. In kräftigen Farben zeigten Kästchen und Strichverbindungen die Zusammenhänge zwischen Banken in Somalia, den Al-Qaida-Spuren (soweit lesbar) und den Abu-Sayyaf-Kämpfern, die man entweder als regionale Aufständische, als muslimische Extremisten oder als Räuber deuten konnte.

Eine der philippinischen Banden hatte auf der westphilippinischen Insel Palawan in verschiedenen Überfällen siebzehn Geiseln gefangengenommen. Sie hatten den Amerikaner Guillermo Sobero enthauptet, die meisten ihrer Opfer gegen Lösegeld eingetauscht; jetzt waren sie mit dem Missionarsehepaar Burnham weit über das Meer auf die südphilippinische Dschungelinsel Basilan geflüchtet, wo sie die Krankenschwester Ediborah Yap zusätzlich in ihre Gewalt brachten.

Inzwischen waren amerikanische Militärberater auf den Südphilippinen stationiert worden. Auch ihre Stationen waren auf dem Tisch von Stanford »Mike« Milton farblich und durch Kästen gekennzeichnet. Die Berater waren dazu da, die einheimischen Truppen im Kampf gegen die Abu Sayyaf auszubilden und zu unterstützen.

Die US-Aufklärungstechnik erlaubt es, praktisch jede Personengruppe an jedem Ort der Welt, wenn sie sich nicht in Gebäuden oder unter der Erde verbirgt, zu identifizieren. Die Abu-Sayyaf-Entführer hielten sich inzwischen in einer von Dschungel umgebenen Palmenplantage in der Provinz Zomboanga del Norte an der Südwestspitze der Insel Mindanao auf. In der Nähe eines Fischerdorfes. Das Satellitenauge konnte die Täter gut daran erkennen, daß die Geiseln stets mit Handschellen an je einen der Kidnapper gekettet waren.

Tagelang warteten die mit Nachtsichtgeräten ausgerüsteten Einzelkämpfer eine günstige Situation für die Befreiung ab. Am Freitag sah Oberst Renato

Padua, Einsatzleiter des einheimischen Sonderkommandos, diese gekommen. Die Elitekompanie »Light Reaction« griff zu, während Hubschrauber über dem Gefechtsfeld erschienen. Die Krankenschwester Yap starb, von mehreren Schüssen verletzt. Der Missionar Martin Burnham wurde bei Beginn der Aktion exekutiert. Einzig Gracia Burnham, seine 43-jährige Ehefrau, wurde gerettet; Oberschenkeldurchschuß, Notoperation im Spital des Kommandos Süd der philippinischen Streitkräfte durch einen US-Chirurgen.

– Wie kommt es zu den peinlichen Schlappen, sobald einheimische Truppen, gleichgültig, wie intensiv durch US-Berater ausgebildet, zum Einsatz gelangen?
– Die Geschicklichkeit der Sayyaf-Rebellen wird unterschätzt.
– Stanford »Mike« Milton hält das für eine Phrase.
– Woher will er das wissen? Vielleicht sind die Abu Sayyaf nicht geschickt, aber entschlossener als die Sonderkommandos?
– Woher solche Entschlossenheit kommt, davon erfährt das Satellitenauge nichts.
– Es könnte aus der Länge der Wege übers Meer und im Dschungel auf den Grad der Entschlossenheit Rückschlüsse ziehen.
– Die Abu Sayyaf geben die Geiselnahme neuerdings auf und gehen über zu Kommandoaktionen mit Bombenanschlägen.
– Ja. Sie suchen die Staatsmacht zu untergraben. Rätselhaft, warum.
– Sie meinen, die Staatsmacht ist nicht mächtig?
– Nicht im dortigen Gebiet.
– Man müßte herausfinden, warum die Abu Sayyaf so entschieden kämpfen. Wären sie Räuber, gäbe es für den Übergang zu Bombenanschlägen keine Erklärung. Davon haben Räuber nichts.
– Es sei denn, sie schicken anschließend Bekenner- oder Erpresserbriefe.
– Man weiß zu wenig im Pentagon von den Einzelheiten.
– Nur Ort und Zeit der Einzelbewegungen, nicht Einzelheiten darüber, warum etwas geschieht.

Wie repatriiert man Terroristen?

Die »Problemfälle«, die Major Bullock anvertraut sind, waren Terroristen von 1944, ursprünglich angesetzt auf die nationalsozialistische Pest, die den Kontinent verwüstete, jetzt, nach dem Sieg der Alliierten, ohne Zielobjekt. Man hätte diese Leute eigentlich schon, als der Krieg sich seinem Ende näherte, auf die Heimatinsel zurückführen müssen. Wie repatriiert man mehrfache Mörder, militärisch ausgebildete, professionelle Exekuteure, die jeden Auftrag gewissenhaft erfüllt haben, nun aber unter Auftragsmangel leiden, in die englische Provinz, die vom Krieg nicht direkt erreicht wurde?

Soll man die Killer noch kurze Zeit im Asienkrieg (Malaysia) einsetzen? In der Hoffnung, daß sie auf eine Weise umkommen, die ihre Betreuer nicht Schamgefühlen aussetzt?

Das Gefährliche in diesen Subjekten war die soldatisch-professionelle Einbindung. Sie befähigt sie zu unerwarteten Leistungen, sie verursacht Erwartungen. Die Kreaturen waren schwer in DAS ZIVIL zurückzuführen. Die Gefahr bestand, daß sich die feindselige Energie (in anderer Ausdrucksweise: die Lernfähigkeit am Gegner) gegen die Auftraggeber wendete, daß sie Schwächen des auftraggebenden Vaterlandes (bei Engländern das Vaterland, bei Angehörigen kleinerer, alliierter Völker die jeweils amtierende Exilregierung, bei Söldnern der Chef) zum Anlaß nahmen, ihre terroristische Durchschlagskraft an diesen zu erproben.

Was, fragte sich Bullock, ist das Gegenteil einer Sprengung, eines Hinterhalts, einer Eliminierung? Die Gegenpole zerfaserten sich IM ZIVIL auf verschiedenste Berufe, der Anti-Eliminator ist Notarzt, der Anti-Explosionist Brückenbauer oder Architekt.

Ein Umerziehungsprozeß für alle war kostenintensiv. Eine Chance bestand bei denjenigen, die in ihrem Vorleben eine feste erotische Beziehung besessen hatten. Rückkehr in eine Liebesbeziehung löscht die terroristische Bereitschaft. Psychologische Betreuung nutzte überhaupt nichts.

Die neue Munition

In Abgrenzung von den unverbindlichen »Kontaktgesprächen« hatte Ignaz Wernicke vom BND mit dem Abteilungsleiter a. D. Oberstleutnant Hartmut Schwiers aus dem Ministerium für Staatssicherheit (MfS) im Jahr 1990 sieben ernsthafte Gespräche geführt. Der ehemalige Kaderchef war aber weder zum Verrat an Kollegen seines Amts noch zur Mitteilung von Geheimnissen bereit, die der Geheimdienst der Bundesrepublik nicht schon kannte. Die Verschwiegenheit, die man auch als Charakterfestigkeit deuten konnte, machte den Gesprächspartner einerseits wertvoller, andererseits brachte sie das Gespräch zum Scheitern. Schwiers aber bestritt, daß sein Schweigen taktischer Natur sei. Er machte mehrfach die Bemerkung (und der aufmerksame Wernicke registrierte das in seinen Berichten), daß er lediglich auf die Zukunft hoffe. Seine Kompetenz, meinte Schwiers, werde noch einmal von Bedeutung sein.

– Wir sehen uns erneut. Und es trifft zu, daß Ihre Kenntnisse von Bedeutung sind.
– Wie ich in der Presse lese, sind Ihre Mittel, solche Kenntnisse zu entlohnen, bedeutend verstärkt worden. Ich möchte dazu bemerken, daß Sie als kompetenter Gesprächspartner wissen, daß es gar nicht auf mein Wissen, das sich auf Vorgänge vor 1989 bezieht, ankommen kann, sondern daß ich Ihnen einen Ansatz für künftige Aktionen liefern könnte, das, was Sie ein Design nennen, wenn Sie in Mittelasien das eine oder andere erreichen wollen. Was wollen Sie erreichen?
– Wir wollen die Grenzen der ehemals sowjetischen Volksrepubliken, die an Afghanistan grenzen, einerseits zur Penetration Afghanistans nutzen, andererseits für muslimische Infiltrationen undurchlässig machen. Können Sie uns für diese Verkorkung der Grenzen Ratschläge geben?
– Ich kann Ihnen nach wie vor den Harz verkorken. Jedes Tal, jede Bergkuppe unter genauer Anpassung an die Bepflanzung. Im Pamir haben wir das nicht probiert.
– Ich gehe davon aus, daß Ihre Erfahrungen aus dem Harz auch auf den Pamir passen.
– Wir waren immer international orientiert. Was auf den Harz paßt, paßt auch auf höhergelegene Gebirge. Die Verkorkung folgt einem Rasterprinzip. Sie könnten das sogar in einer Ebene anwenden oder unterirdisch. Der Auftrag macht Reisen erforderlich. Nichts ist mir lieber, als zu reisen. Ich verschimmele in meiner Datscha in Mecklenburg-Vorpommern.
– Warum haben Sie keine Memoiren geschrieben?

– Weil ich Geheimnisse grundsätzlich nicht verrate.

– Wir könnten doch aber Ihr Wissen abschöpfen, wenn wir beobachten, wie Sie in unseren Diensten eine Verkorkung des Unterleibs der ehemaligen Sowjetunion vornehmen.

– Das könnten Sie nicht.

– Warum nicht?

– Weil alle Verhältnisse konkret sind.

– Und Sie trauen uns nicht zu, daß wir aus diesen Konkretionen ein Muster ableiten?

– Das Muster, das Sie ableiten könnten, wäre nicht geheim. Das könnten Sie aus unserer Praxis von vor 1989 mit Ihren Computern ermitteln.

– Sie gehen also anders vor als die DDR, wenn Sie unsere Aufmarschzone in Mittelasien abschotten?

– Ich gehe bei jedem Auftrag anders vor als zuvor. Das bedeutet AUFSTEIGEN VON DER ABSTRAKTION ZUR KONKRETION.

– Das steht bei Marx.

– Wenn Sie verkorken wollen, brauchen Sie Marx.

– Gibt es noch etwas Stärkeres als Marx?

– Sie meinen Gift?

– Kann man Fundamentalisten denn vergiften?

– Eher vergiften sie uns. Das bringt mich auf den Kern meines Vorschlags.

– Und der wäre?

– Denken Sie an die Wege, auf denen das Opium von Kandahar über Duschambe, Moskau, Odessa oder Kiew nach Marseille gelangt. Von dort Transatlantik-Transfer. Hier liegt die Schwäche der Gläubigen. Sie können nicht abstrahieren vom Haschisch, sowenig wie die Assassinen, von denen das Wort kommt.

– Und Ihr Ansatz ist, daß wir auf den Pfaden des Opiumtransfers Agenten in die Grenzzone von Afghanistan bringen, die jeden Talibanspion aufspüren, bevor er die Grenze übertritt?

– Genau das wäre das Prinzip.

– Und Sie fürchten nicht, daß wir Ihnen diese Idee stehlen und Sie unbezahlt lassen?

– Nein. Das fürchte ich nicht, Sie brauchen unsere Kenntnis (nicht nur meine) in diesem neuen Krieg. Ihnen nützt kein Prinzip, kein Design, sondern nur die konkrete Erfahrung.

– Wollen Sie selber durch die turkmenische Wüste schleichen?

– Das muß ich nicht, um konkret zu sein. Sie brauchen 20 Jahre Erfahrung aus dem Grenzregime eines Staates, der um sein Überleben kämpft. Nur wer kurz vor dem Ende ist, sondert die Vitalkräfte ab (Hormone, Angstschweiß,

Adrenalin, nur im Hirn selbst erzeugbare Drogen), welche die Auswege bescheren.
– So werde ich es berichten.

Beide waren sie Frontkämpfer und Leiter von Arbeitsgruppen, angewiesen auf Mittel zum Unterhalt, aber auch auf den Tausch Treue gegen Treue. Jetzt rückten diese Krieger eines Krieges, der sich verbraucht hatte, in eine von ihnen als seltsam empfundene Nähe. Der Terrorismus rückte sie planstellenartig zusammen. Beide wußten sie: die ausschlaggebende Munition in diesem NEUEN KRIEG (den Ausdruck bemängelten sie) ist in einer subjektiven Ressource enthalten, der Einsatzfreude, die Geld nicht gehorcht. Die Welt teilt sich in Söldner und Patrioten.

So tückisch sind Friedensschlüsse

Bei der Vorbereitung seines Buches *Kultur der Niederlage* beschäftigte Wolfgang Schivelbusch das Phänomen FRIEDENSSCHLUSS IM FALSCHEN MOMENT MIT DEM FALSCHEN PARTNER so sehr, daß er das Gespräch mit Stewart Liebman von der New York City University suchte. Praktisch ging es um jene Woche im Mai 1940, in der Kabinettsmitglieder der britischen Regierung sich verabredet hatten, den Premierminister Churchill durch den König abberufen zu lassen und (angesichts der Niederlage in Frankreich) über Rom um einen Frieden anzusuchen. Es war offensichtlich, daß der US-Präsident Roosevelt die Alliierten England und Frankreich persönlich favorisierte, vom Kongreß aber niemals die Zustimmung erhalten würde, in den europäischen Krieg einzugreifen.

– Ein günstiger Friede für England?
– Unter Erhalt der britischen Flotte.
– Hitler hätte sein Kriegsziel erreicht?
– Das von Mai und Juni 1940.
– Und er hätte die Kräfte freigehabt, wenig später den Krieg zu erneuern?
– Nicht gegen England.

Was denken Sie denn, fuhr Schivelbusch fort, von dessen Studierzimmerfenster man in dreihundert Metern Entfernung die tiefe Grube sah, an jenem Ort, an dem die Twin Tower eingestürzt waren, was denken Sie denn, was ein Sieg für den Sieger alles bewirkt? Sieger wollen die Früchte des Sieges genießen. Ich gehe davon aus, daß man deutsche Truppen nach sechs Monaten Friedenszeit, nach vollständigem Sieg im Westen, nirgendwohin erneut hätte in Bewegung setzen können. Sicher wäre Hitler bis 1951 an Schleimhautkrebs gestorben. Das sind Hypothesen, erwiderte Liebman. Im Mai 1940 aber, antwortete Schivelbusch, wahrscheinlicher als ein Sieg Englands. Man muß über Krieg und Frieden nicht im nachhinein spekulieren, in Kenntnis des zufälligen Geschichtsverlaufs, sondern in der Woche bleiben, dritte Maiwoche 1940, in der die Entscheidungen wirklich gefallen sind. Wenn man die Kunst, Frieden zu schließen, studiert, muß man den Frieden so nehmen, wie er ist. So, wie einer Geld nimmt, schmutziges Geld. Es wird nicht besser, wenn er es wäscht. Das würde ich in einem Buch so nicht schreiben, riet Liebman. Es ist nicht moralisch. Und wenn das Moralische und das Kriegerische das gleiche sind? Dann müßte es Worte geben, die beide Ausdrücke vermeiden.

Das Wort Realpolitik mochten beide Kollegen nicht. Sie planten ein Lexikon politischer Ausdrücke zum Stichwort: THE ART TO MAKE PEACE, in dem die Äcker des Friedens, deren Pflanzenkunde, deren Technik des Erntens und der Aufbewahrung in Scheunen artikulierbar wäre. Das muß es doch geben, meinte Schivelbusch, daß man in der gleichen Beharrlichkeit und Intelligenz, mit der Fürst Bismarck mit Hilfe der Emser Depesche, d. h. durch Umstellung und Verschärfung einiger Worte in einem Telegramm, einen Krieg zwischen Deutschland und Frankreich auslöste, ähnlich einem Gegenfeuer bei Buschbränden, einen Frieden erzündelt. Siebzehn Gelegenheiten gab es, Napoleon ruhigzustellen, wenn man ihn zu Ende siegen ließ. Wir hätten 1808 ein vereinigtes Europa haben können. Das wäre kein napoleonisches geworden, da das Ende des Kaisers, magenkrank, absehbar war. Sie meinen, fragte Liebman, daß Bush die Rache der Südstaaten für die Niederlage im Sezessionskrieg ist? So tückisch sind mißlungene Friedensschlüsse, sagte Schivelbusch.

Zum Zeichen geworden

Nelkenattentat in Riga

Noch immer zeigt die Justiz in den baltischen Republiken eine große Schwankungsbreite. Einige Monate schien es, teilt die Berliner Anwaltskanzlei Becker-Schirach-Conen mit, daß ein lettisches Schulmädchen wegen eines Angriffs auf einen ausländischen Würdenträger eine Strafe bis zu 15 Jahren Gefängnis zu erwarten hätte. Sie hatte nämlich den britischen Thronfolger, Prinz Charles, mit einem Nelkenstrauß ins Gesicht geschlagen. Mit der Tat habe sie gegen den Krieg in Afghanistan protestieren wollen. Jetzt wurde das Verfahren mit einer »Abmahnung« eingestellt.

– Befand sich der Prinz in Gefahr?
– Insofern, als seine Leibwächter auf lettischem Boden unbewaffnet und die Korona nur durch einen Kordon lettischer Geheimpolizei umgeben waren. Der Schreck, ausgelöst durch den Angriff des Mädchens, hätte eine Schießerei auslösen können. Sprachprobleme wären hinzugetreten.
– Ich habe hier einen Mitschnitt des Sprechfunkverkehrs. Ein Konzert voller Unheimlichkeit.
– Was heißt unheimlich?
– Etwas, was die Gewohnheit durchbricht und mir als Fürchterliches schon lange bekannt ist. Es geht um die Wiedererkennung einer Situation.
– Die Plötzlichkeit ist entscheidend? Es gibt keinen Verstandesschutz gegen das Unheimliche? Es erfaßt mich, ehe ich aufpasse?
– Da kann alles mögliche passieren.
– Ja, alles, was möglich ist.
– Aber kein Ausbruch eines Weltkriegs, wenn die ungeübten lettischen Beschützer geschossen und eine verirrte Kugel den Prinzen tödlich verletzt hätten?
– Es zeigt, wie unbedeutend England geworden ist.
– Der tote Prinz wäre nach England zurückgeführt, das lettische Mädchen, die Friedenskämpferin, zu 15 Jahren verurteilt, aber eine Konfrontation der Großmächte wäre vermieden worden?
– Man hätte den Personenschutz verbessert.
– Wäre ein solcher Tod dem Mädchen anzulasten gewesen?
– Wo liegt die Grenze der Haftung, wenn es um den Angriff auf einen Hoheitsträger geht?
– Im Vorsatz. Sie wollte ein Zeichen setzen, sie wollte nicht töten.

– Im Ergebnis führt ihr Schlag mit einem Blumenstrauß aber zum Tod?
– Hätte geführt, wenn. Die Realität davon setzt allseitige Zeichenhaftigkeit voraus. Als ein solches Zeichen besucht der Hoheitsträger ein fremdes Land. Als Zeichen des Respekts für die Souveränität des Landes sind die erfahrenen Leibwächter des Prinzen unbewaffnet. Die Wächter Rigas dagegen, im Schutz britischer Prinzen ungeübt, sind mit überzähligen Waffen ausgerüstet, müssen im entscheidenden Augenblick wählen. Ein Zeichen auch der Nelkenstrauß und die Ohrfeige des Mädchens. Die Gerechtigkeit hat es schwer, in diesem Wald von Zeichen das Unrecht zu isolieren. Nur dies ist für die strafrechtliche Betrachtung relevant.
– Hatte der Prinz Striemen im Gesicht?
– Er besitzt eine lebhafte, fast rotviolette Backenfarbe. Striemen hätten sich nicht abgehoben.
– Behielt er Haltung?
– Darin ist er Meister.

Absolute Sicherheit nicht garantiert

Wir sind das Vorauskommando, die Minensucher. Ohne unsere Genehmigung bewegt der Präsident der USA keinen Fuß. Sehen können wir das Land, das wir in Sicherheitszonen segmentieren, in Wahrheit nicht. Dazu ist keinen Moment Zeit. Die Gefahren drücken auf die Sekunde.

Wir segmentierten Berlin.[33] Ankunft in den Abendstunden, Treffen zu einem Gespräch mit dem Bundeskanzler, Abschirmung der Nachtruhe, Fahrt zum Reichstag, Fahrt zum Domizil des Bundespräsidenten, Abflug. Schon sind wir Segmentierer weitergeflogen nach Moskau. Problemkreis 2: Dürfen die US-Leibwächter des Präsidenten Waffen tragen? Problemkreis 1: Stolz Rußlands, vergebliches Vertrauen auf dessen eigene Sicherheitsleute. Vergeblich deshalb, weil die USA ihren Präsidenten keiner fremden Macht anvertrauen können. Wenn sie selbst einzelne Präsidenten nicht schützen konnten, warum sollten sie Dritten einen Präsidenten anvertrauen?

So ist unsere Kompetenz unstrittig. Wir segmentierten Moskau. Frühlingsnacht in St. Petersburg. Ganz interessant, wie sich die Lichtverhältnisse auf das Sicherheitsaufkommen auswirken. Hier im hohen Norden sind keine Scheinwerfer erforderlich, die dunkle Ecken ausleuchten, an denen die Präsidenten der

---

33 Segmentieren heißt, den Ort, den unser Präsident durchquert, in Gefahrenlagen aufzulösen.

USA und Rußlands entlangschreiten. Gemütliche Feierstunde mit den Kollegen. Trotz Fraternisierungsverbots. Unser Vorsprung vor dem Präsidenten, der in Washington bereits gestartet ist, ist um neun Stunden geschmolzen. Wir erreichen den Luftwaffenstützpunkt Mare di Pratica. In einer Flugzeughalle, zwei Kasinos und in Bungalows, die von Luftwaffenoffizieren Italiens geräumt wurden, haben Mailänder Designer eine Theaterkulisse errichtet, die Nato-Symbole und grobflächiges Design attraktiv verknüpft. Unser Mißtrauen gilt der Rückseite dieser Dekoration. Wie einfach wäre es, eine mafiose Organisation zu kaufen, den Präsidenten der Vereinigten Staaten zu töten. Kein Zweifel, daß die Mafia die organisatorische Kompetenz dafür besäße und daß arabische Stiftungen die notwendigen Mittel hierfür aufbrächten. Glauben Sie nur nicht, sagt mein Vorgesetzter, daß die Mafia zögern würde aus ideologischen Gründen. Ich antwortete: Sie würden doch sicher keinen konservativen US-Präsidenten in einem Land zu töten versuchen, dessen Premierminister für ihre Anliegen günstiger ist als irgendein anderer. Glauben Sie nur nicht, antwortete mein Vorgesetzter, daß sich die neapolitanische Organisation, an die wir hier denken, von Sympathien oder organisatorischen Gesichtspunkten leiten läßt. Sie glauben wirklich, die Mafia sei käuflich? Ganz gleich, was mein Vorgesetzter sagt, dem der extreme Streß und mehrere Timelags zusetzten, weil er vor unserem Abstecher Berlin–Moskau–Mare di Pratica eine ähnliche Segmentiertruppe in Hawai–Tokio–Ottawa–Kapstadt beaufsichtigt hatte. Ich glaube keineswegs an die Käuflichkeit der Mafia für abstraktes Geld. Nie wird sie darauf vertrauen, daß der Weg solcher Gelder auf Dauer unaufklärbar bleibt, noch stärker aber schlägt zu Buche, daß die Bush-Administration und der Premierminister Italiens im Weltzusammenhang einen Wert an sich darstellen, den selbstbewußte Kräfte, wie die von Neapel und Sizilien, im Diskurs mit ihren Kollegen an der Ostküste der USA selbstverständlich ins Auge fassen. Es sind moderne und es sind unternehmerische Kräfte. Sie verhalten sich nicht betriebswirtschaftlich, wie mein Vorgesetzter meint.

Nichts öder als eine Routineveranstaltung vor einer italienischen Theaterkulisse. Nichts von der Natur des Landes dringt in den für den Besuch hergerichteten Militärstützpunkt ein. Wir fliegen weiter nach Frankreich. Höchste Gefahrenstufe: der Friedhof von St.-Mère-l'Eglise. Dies ist ein im voraus bekanntgegebener öffentlicher Ort. Was hindert einen FLN-Kämpfer, jetzt Söldner im Dienste einer muslimischen Organisation, die Gelegenheit zu ergreifen? Was vermag ein äußerster Gegner der FLN, ein in Südfrankreich untergetauchter Oberst der OAS, zu bewerkstelligen, wenn es seiner Organisation darum geht, sich durch einen Abschuß unseres Präsidenten erneut bemerkbar zu machen?

Die Bildreporter warten, daß der Präsident durch die Reihen dieser Kreuze, von denen jedes einen gefallenen GI des Jahres 1944 bezeichnet, hindurchgeht, nicht einmal seinen Schritt beschleunigen darf er. Wir wiederum dürfen die Erde unter diesen Kreuzen nicht aufgraben, um uns zu versichern, daß keine Minen gelegt sind. In Aktenvermerken, die es an Bestimmtheit nicht fehlen lassen, protestieren wir. Über die Botschaft in Paris gelangen die Proteste nicht hinaus. Ein klassischer Fall für ein mögliches Verhängnis.

Mein französischer Kollege, der unsere Segmentierung begleitet, bestätigt: Was, wenn ein verspäteter Werwolf aus Deutschland heranreist? Das gemeinsame Treffen des Staatspräsidenten von Frankreich und des US-Präsidenten zur Feier der Invasion von 1944 kann ostdeutsche Empörer provozieren. Sprechen Sie überhaupt Deutsch, frage ich zurück.[34] Überhaupt nicht, antwortet der Kollege. Die Logik ist aber nicht sprachgebunden. Was kann man tun, frage ich? Wir bewachen die Bahnhöfe, die Straßen. Und wenn sie mit dem Fahrrad anreisen und einer Panzerfaust? Wir haben keine Vollmacht, die EU-Innengrenzen zu bewachen. Das ist die Folge des Schengener Abkommens. Wir sind hilflos und hoffen auf Sie.

Jetzt hat unser Präsident bereits Moskau erreicht. Wir sind neu eingeteilt und segmentieren die Zone Neu Delhi-Ráwalpindi. Hier soll ein stellvertretender Außenminister der USA Frieden stiften. Müßten wir jeweils die Sprachen lernen, wären wir verloren. Ich leugne nicht, daß unsere Praxis der Segmentierung durch die globale Dimension, in der wir (im Grunde wenige Leute) hin- und hergeworfen werden, den Sicherheitspegel, für den wir garantieren könnten, senkt. Oft werde ich gefragt (von meiner Geliebten in Brooklyn, einer Puertoricanerin), was ich auf meinen Reisen gesehen hätte. Natürlich ist mein Blick exakt, nämlich professionell. Nehmen Sie eine Station, die der Präsident durcheilen wird. Diese sehen wir Sicherheitsleute als Kubus, einen Würfel von, sagen wir, 100×100 m. In diesem gedachten Raum untersuchen wir die Seiten, den Boden und die Höhe. Ich müßte lügen, wenn ich behaupten wollte, daß ich irgendetwas anderes auf meinen Fahrten gesehen hätte als dies: die Minenfreiheit, die Unmöglichkeit von Angriffen von oben und die Sicherheit der Perspektiven, die anschließend von den 18 Augen, die den Präsidenten in allen

---

34 Tatsächlich erfuhr ein Jugendlicher aus Sachsen-Anhalt aus dem Internet vom Besuch des US-Präsidenten an der Invasionsfront. Anreise über Brüssel–Paris. Er verlegte auf einer Linie von 300 Metern zwischen den Kreuzen des Ehrenfriedhofs in der Normandie, unverwechselbar als Ort, jedoch extrem weitläufig, ein Spalier von 86 Sprengkörpern über 400 Meter. Die von der Gendarmerie Frankreichs eingeleiteten Abschirmungsmaßnahmen des Friedhofs traten sieben Stunden nach Abfahrt des sachsen-anhaltinischen Täters in Wirksamkeit. Beamte belauerten den Friedhof vierundzwanzigstündig. Anderntags trat Militär hinzu.

Richtungen bewachen, wahrgenommen werden. Diese 18 Augen meiner Kollegen, die im Abstand von 48 oder 56 Stunden auf meiner Fährte folgen werden, die (und durch sie) sehe ich. Dagegen sehe ich vom Land, das ich ja nur durcheile, praktisch überhaupt nichts.

Raketen des Typs Vampir

Auf dem Flughafen Wnukowo bei Moskau starten und landen die Regierungsflugzeuge. Nach Angaben der russischen Polizei wurde auf einem Friedhof in der Nähe dieses Flughafens ein Munitionsversteck mit fünf Helikopter-Raketen entdeckt. Die Luftbodenraketen sind von Spezialisten entschärft worden, teilte das Ministerium für Zivilschutz mit. Die Lenkflugkörper können lediglich von einem Helikopter aus abgefeuert werden, sagte ein Waffenexperte.

– Über die Herkunft der Geschosse gibt es keine Angaben?
– Keine.
– Nimmt man an, daß ein oder mehrere Helikopter auf dem Friedhof hätten landen und die Raketen einladen müssen, um so ein Attentat auf Regierungsflugzeuge zu unternehmen?
– Das wäre die einzige logische Anwendungsmöglichkeit.
– Haben Tschetschenen Helikopter?
– Nein.

Es stellte sich heraus, daß die Entdeckung der Raketen dem Umstand zu verdanken war, daß eine korrupte Unterabteilung der Moskauer Friedhofsverwaltung Altgräberflächen planierte, um das Gelände als Neugrabfläche auf den Markt zu bringen. Dabei waren sie in zwei Metern Tiefe auf das Versteck gestoßen. Da sie den nicht autorisierten Grabungsvorgang nicht erklären konnten, hatten sie den Fund anfangs verschwiegen. Erst durch einen Spezialbericht waren die Sicherheitsbehörden aufmerksam geworden.[35]

– Waren Rosterscheinungen an den Raketenkörpern festzustellen?
– Keine. Die Munition war frisch eingefettet, in Behältern geschützt. Die Waffen können nicht länger als drei Wochen im Boden gelegen haben.
– Ein aktueller Attentatsplan?

---

[35] Agenten, eingeschleust in die Friedhofsverwaltung, hatten berichtet. Schon immer galt das Interesse des KGB und seiner Nachfolgeorganisationen den Toten.

– Ja, aber von wem?

– Vom russischen Geheimdienst selber, um seine Bedeutung zu betonen?

– Dagegen spricht die Art, wie das Versteck gefunden wurde. Es hätte ja sein können, daß auf dem Friedhof niemand so etwas sucht.

– Eine Verschwörung innerhalb Rußlands? Ausgehend von der Armee?

– Die Hubschrauber hätten in auffälliger Weise auf einem Friedhof landen müssen, die Besatzung wäre ausgestiegen, hätte neben Gräbern ein Loch gebuddelt, die Rakete ausgepackt, sie in die Waffensysteme geladen. Anschließend wären die Hubschrauber gestartet und zum benachbarten Flugfeld vorgestoßen, um zu einem neuen Zeitpunkt eine Regierungsmaschine anzugreifen. Ist das nicht ein schwieriges Szenario? Wir haben die Szenarien nachgestellt. Zeitaufwand nicht unter 40 Minuten. Als Attentatsplan hirnrissig.

– Oder in seiner Einfachheit und Gemütsruhe so unwahrscheinlich, daß der Plan unangreifbar schien?

– Wie will man ohne Insiderkenntnisse wissen, welches Regierungsflugzeug mit welchen Insassen wann startet oder landet?

– Das einzige länger dauernde Ereignis mit festem Standort, das in dieser geheimnisvoll-gravitätischen Art hätte angegriffen werden können, war die Empfangszeremonie für den US-Präsidenten auf Wnukowo.

– Daran haben nach dem Fund viele gedacht. Es wäre aber definitiv für nicht identifizierte Hubschrauber unmöglich gewesen, auch nur auf zehn Kilometer Entfernung an das gesicherte Flugfeld zu diesem Zeitpunkt heranzukommen. Das wußte man ohne Insiderkenntnisse.

Der Vorfall erweckte das Interesse der US-Botschaft. Ein Komplott des Irak oder des Iran konnte man ausschließen, da diese Verbündete oder Kooperatoren Rußlands waren. Bei Verdacht auf einen muslimischen Angriff war es interessant, zu erfahren, wie sie Hubschrauberkapazität zum Versteck und von dort zum Regierungsflughafen hätten schaffen wollen. Wo hätten sie die Maschinen, wo den Betriebsstoff, wo die Besatzungen besorgt?
Die Ortsbesichtigung ergab, daß der Friedhof breitflächig umgewühlt worden war. Die Sicherheitsbehörde hatte nach weiteren Verstecken gesucht. Als Friedhof war das Gelände nicht länger brauchbar.

Wenn es hart auf hart kommt, braucht Politik das Unmögliche

Auf der Sicherheitskonferenz 2003 in München

1
Der sicherste Ort

Tief unter dem Fünf-Sterne-Hotel sind Keller erhalten, die aus der Zeit vor der Zerstörung des Gebäudes in den Nachtangriffen von 1944 stammen (hier wird Margarine gelagert). Diese Tiefkeller sind durch neue Keller überbaut und würden bei einer Sprengung des Ganzen vermutlich der sicherste Ort sein, wo Gäste überleben könnten. Die Fluchtwege sind aber für den Fall eines terroristischen Angriffs von den Sicherheitskräften nicht in die Tiefe gerichtet. Sie führen nach draußen. Dieses Draußen kann gefährlich sein, weil im Moment der Katastrophe unerreichbar oder durch einen zweiten Angriff der Terroristen bedroht.

In diesen einzig sicheren Ort in der historischen Tiefe haben sich Mädchen des Waschpersonals des *Bayerischen Hofs* probeweise eine Pausen-Stube eingerichtet. Es gibt Kaffee und Kuchen. Im Beisein einiger Kavaliere (aus dem übrigen Stab). Ein Gefühl absoluter Sicherheit für zwanzig Minuten gegenüber den Kontrollern des Betriebs.

2
Äußere Sicherheit

>»If it is performed, it is art /
If not, it's no art«
John Cage

Eine ÄUSSERE ABSPERRUNG trennt den Tagungsort weiträumig von der Stadt. Die INNERE ABSPERRUNG kann nur mit Ausweisen betreten werden, die auf einen elektronischen Erkennungs-Code antworten. An der Schleuse zu dieser zweiten Riegelstellung sind drei Personen aufgestellt: ein Polizist, der mit seiner Kelle Zeichen gibt, eine Polizistin, die ihre Maschinenpistole schußbereit in Brusthöhe hält, sowie ein älterer Beamter, der die Ausweise überprüft. Gesetzt den Fall, ein Attentäter rennt gegen die Dreiergruppe in selbstzerstörerischer Absicht an, sind die drei rasch niedergestreckt. Es würden aber in einem solchen Fall sogleich mehrere Fahrzeuge, deren Motoren schon angelassen sind, quer zur Schleuse den Weg versperren. An den Eingängen der Geschäftshäuser und des Bayerischen Hofs sind Gruppen von Beamten aufgestellt, die sogleich Sperrlinien bilden. In den Kellern des Inneren Sicherungsrings sind weitere Hundertschaften bereitgestellt.

Die Einsatzplanung greift auf Erfahrungssätze zurück, die in der letzten Zeit ergänzt wurden, in einigen Grundannahmen aber bis zu den Schwabinger Krawallen zurückreichen. So sind, mittig zum Absperr-Ring, zwei Wasserwerfer aufgestellt, sie werden flankiert auf beiden Seiten von je vier weiteren Wasserwerfern. Im Strahl der Wasserwerfer würden Eindringlinge physisch zurückgedrängt, bis die Verstärkungen heran sind.

In der Sicherheitsplanung folgen sodann die Eingangsschleusen zum Tagungshotel selbst und die Binnensicherung innerhalb der Räume; die amerikanischen Gäste beschäftigen eigene Sicherheitsleute.

3
Ein Glückspilz

Er hat Glück. Als er, von Rom kommend, inmitten seiner Eskorte, die Flughafenkontrolle verläßt, blickt er genau in jenem Moment nach oben, himmelwärts, und lacht mit ganzem Gesicht, als der Fotograf der *International Herald Tribune* auf den Auslöser drückt. Der Fotograf hat diesen Standpunkt von oben gewählt, auf dem Gerüst der Halle (es war nötig, die Sicherheitsdienste davon zu überzeugen, daß er kein Attentäter ist), weil ein ruhiges Bild, eine Großaufnahme des US-Verteidigungsministers im Gedränge der Bodyguards und der übrigen Fotografen auf ebenem Gelände unmöglich schien. Hier oben bestand die Gefahr, daß das Foto nur das schüttere Haar, den Glatzenansatz, nichts aber vom Antlitz des Entscheiders wiedergeben würde. Das war durch die zufällige Wendung, mit welcher der Glückspilz von Minister seine Gesichtsfläche nach oben wendete, zu einer »Begegnung« geworden. Das Foto ging um die Welt.

Abb.: »Ein Glückspilz«

4
Örtlicher Abstand

Nach seiner Rede beantwortete US-Secretary Rumsfeld die Fragen der Teilnehmer. Zwanzig Minuten lang. Schon während der letzten Minuten hatte sich der deutsche Außenminister auf die Empore begeben, wartete im Rücken seines Vorredners. Als die Aufforderung zu reden an ihn kam, suchte er durch Gesten, ja dadurch, daß er sich in den Weg stellte, den US-Minister am Arm faßte, ihn zu einem gemeinsamen Auftritt zu bewegen. Resolut riß sich der US-Verteidigungsminister von dem Bedroher los. Er saß dann in der Nähe einer Gruppe deutscher Teilnehmer auf einer Seitenbank, mißmutig.

Uns Arbeitszeitmesser, sagte Becker, interessiert bei politischen Zusammenhängen die Aufstellung der Körper. Nähe und Ferne, das Scheitern einer Gemeinsamkeit des Ortes, sagt uns mehr als die Worte, die inzwischen durch die
wochenlange Vorarbeit der Beteiligten glattgeschliffen sind, kleinteilig wie der
Sand an den Stränden der Meere. Das Scheitern seines Konzepts, die Bühne
mit dem Kontrahenten zu teilen, irritierte den deutschen Außenminister so
stark, daß er die Höhenlage seiner Stimme nicht beherrschte. Seine Ausführung geriet im Ton »bittend«, »fordernd«, »ungläubig«, alles dies, sagt der Arbeitszeitmesser, für eine Auseinandersetzung in der Intimität geeignet, ganz
ungeeignet, wenn der Gegenpart PERSÖNLICHE ÄUSSERUNGEN dieser
Art abprallen ließ. Der US-Minister auf der seitlichen Sitzbank verzog keine
Miene. Die Öffentlichkeit nimmt nur dies wahr: einen erregten, offenbar
machtlosen Angreifer und einen unbeteiligten Gegner, der es nicht für nötig
hält, den Angriff überhaupt zu bemerken.

5
Rache für 1956

Könnte man scharfsinnigen Verstand anmessen, so wie man das tastende Radar gegnerischer Stellungen mißt und hierauf die intelligente Waffe lenkt, so
wäre Admiral Jacques L., langjähriger Generalstabschef Frankreichs, ein solches Ziel. Ein schmales älteres Gesicht. Mit Wasser in der Morgenstunde befestigtes dünnes Haar; man könnte den Mann leicht unterschätzen als jemanden, der in Büroluft groß geworden ist, einen Bürokraten. Bald wäre, hätte
man ihn zum Gegner, der Irrtum bemerkt. Die Haltung der politischen Administration seines Landes behagt ihm. Das drückt er freimütig in langen, grammatisch diversifizierten Sätzen aus. 1956, sagt er, war ich junger Offizier. »Wir
hatten in einem präventiven Schlag die Flugzeuge Ägyptens demoliert, Port
Said, Suez waren in unserem Besitz. Frankreich und England waren bereit,
sämtliche Fragen des Nahen Ostens, die uns heute quälen, abschließend zu bereinigen. Wir wurden durch ein Veto der Supermacht USA um diesen Sieg betrogen. Das werde und will ich nicht vergessen. Heute zeigen wir der Supermacht, was Verzicht auf einen Präventivkrieg bedeutet.«
Wir tun dies als Fahrensleute, die eine größere Strecke geschichtlicher Erfahrung überblicken als die Neulinge jenseits des Atlantik. Aus jedem Irrtum lernten wir. Davon haben die Westpointler sieben (wenn man die grundlegenden
Irrtümer nimmt), wir haben zweiundneunzig. Es gibt eine Überlegenheit nicht
der Waffen, sondern der Einsichten.

6
Der Tod tritt heran

Der Mann lag im Gang, der zu einem der Hinterausgänge des Hotels führte. Er lag da wie ein Bettler, bleiches Gesicht. Zwei Kellner, ein Sicherheitsbeamter »kümmerten« sich um ihn, d. h. sie versuchten, den Mann, der schwer atmete, bequemer hinzulegen. Er hatte den unglückseligen Ort von einem Raum her erreicht, in dem eine Teilnehmergruppe aus Osteuropa getafelt hatte; jetzt waren alle auf ihre Zimmer verschwunden. Wenig später war der Unglücksort, wo dieser hochrangige Mann zusammengebrochen war, durch Getreue abgeschirmt. Bitte gehen Sie weiter! Ein Hotelarzt trat auf. Es war schwierig, einen städtischen Ambulanzwagen durch die Polizeiabsperrung heranzuführen. Vor Ort nichts organisiert, was eine klinische Behandlung erlaubt hätte; auch nichts, was in einem Katastrophenfall zum Abtransport von Verletzten geführt hätte. Ein Mangel in der Sicherheitsplanung? Der zuständige Kriminaldirektor klärte das dahingehend: Bei einem Angriff auf die Tagung, einem Unglücksfall, soll Hilfe von außen herangeführt werden. Wir können sie nicht inmitten der Konferenz in Wartestellung aufbauen. Wieso nicht? fragte einer der Journalisten, der sich herandrängte. Weil es einen schlechten Eindruck macht, wenn wir im Vorfeld einer Katastrophe, von der wir gar nicht wissen, ob sie eintritt, eine auffällige Vorkehrung treffen.

Der bleiche, jetzt nicht mehr atmende Gestürzte. Ein Schlaganfall oder Herzinfarkt, nichts, was von einem Außentäter verursacht worden wäre. Endlich herangeschaffte Notärzte stellten Reanimationsversuche an. Vierzig Minuten danach hatten die Helfer den Eindruck, daß dieses Großhirn nicht mehr in intakten Zustand zu versetzen sein würde; wegen des Ranges des Gestürzten setzten sie die Belebungsversuche fort.

Ein Einzeltod, konkret erschütternd für die, die es sahen. In der Konferenz ging es um Zahlen von 500000 oder 1,3 Millionen Toten, Flüchtlingsmassen unterwegs. Alles dies aber unanschaulich, in Reden verhüllt oder in Gesprächen, deren Tonlage die Vorstellung ausschloß, daß so etwas je wirklich sein könnte.

7
Wirklichkeit als Herrschaftsmittel /
Realität als Waffe oder Gut

– Der 11. 9. zeigt einen Riß im Wirklichkeitsbild. Die Menschheit arbeitet permanent an der Herstellung eines Wirklichkeitsbildes. Das ist ein Kokon, in dem sie lebt.

– Niemand kann es verstehen, wie nach etwa einer Stunde die Türme, Ströme von Eisen und Beton, nach unten rutschen?

– Ja, und der Präsident fliegt zu den Bunkern in Nebraska.

– »Der Vorhang im Tempel zerreißt«, das ist die einzige Reaktion auf den Tod von Christus. Immerhin ein Riß.

– Man muß einen solchen Riß im Horizont der Realität besonders ernstnehmen. Macht basiert auf der Ressource Wirklichkeit. Nur wenn ich Realität garantieren kann, vermag ich zu herrschen.[36]

– Was ist das Problem?

– Die Handlungen des Staates müssen in jedem Moment die Realität wiederherstellen können. Wie macht man das bei einem irrealen Angriff wie dem der Terroristen?

– Tat die US-Administration überhaupt nichts?

– Sie schützte ihre Spitzen. Sie hielt Ausschau auf dem Dach des Weißen Hauses, ob noch mehr käme. Sie wandte sich dem brennenden Pentagon zu. Sie führte die Kampfflotte von Pearl Harbor aus dem Jahr 1941 durch den Panamakanal vor die Küste von New York. Dort standen, zwei Tage später, Flugzeugträger und Schlachtschiffe aufgereiht. Was ist daran real?

– Was wollen Sie damit andeuten?

– Die US-Administration muß um jeden Preis etwas suchen, was eine Handhabe darstellt, die in der Wirklichkeit etwas bewirkt. Sie muß einen Feind finden, auf den die Waffen passen.

– Sie meinen also, daß eine KRIEGSLOGIK nie bestanden habe, es gehe vielmehr um eine LOGIK DER WIRKLICHKEITSFINDUNG?

– So etwa würde ich es ausdrücken.

– Wenn es keine Realität gibt, muß man sie erfinden?

– Andernfalls wären wir gewissermaßen unbekleidet.

---

36 Insofern stützten die Pharaonen mit den Pyramiden das Himmelszelt. Sie garantierten, daß die vorangehenden Katastrophen, bei denen die Himmel einstürzten, sich nicht wiederholten.

Arbeitszeitmesser Becker zählte diesen Dialog zu dem Anteil von 0,8 Prozent
KRITIK gegenüber dem Anteil von 99,2 Prozent der INTELLIGENZ ALS
DIENSTLEISTUNG. Hierzu vermerkt er eine Fehlerquelle von 0,9 %, weil
er Kraftanstrengungen, wie HÖFLICHKEIT, unter Intelligenz subsumiert,
obwohl sie im strengen Sinn eine Arbeitsleistung anderer Art ist.

8
Prolegomena zur Erforderlichkeit des Unmöglichen[37]

In der Administration der Präsidenten Nixon und Reagan, vor allem aber bei
den letzten vier US-Präsidenten, die von der Demokratischen Partei gestellt
wurden, galt unzweifelhaft Bismarcks Satz: POLITIK IST DIE KUNST DES
MÖGLICHEN.
Dies sehen die etwa 7000 aus den *think-tanks* in die Administration eingewan-
derten Neokonservativen anders.

- Sind Sie Realist?
- Selbstverständlich. Politik muß auf realen Grundlagen beruhen.
- Dann wird sich das politische Handeln, auch das militärische, für die USA
  im Rahmen des Möglichen halten?
- Moment! Wir dürfen uns im Realen oder Möglichen nicht einsperren las-
  sen.
- Die Wirklichkeit sehen Sie als Gefängnis?
- Für eine Großmacht ist es gefährlich, das Mögliche als absoluten Grenzwert
  zu sehen. Vielleicht ist das Reale nicht das Reale? Vielleicht ist das Mögliche
  nicht das Mögliche?
- Sie brauchen also als Aushilfe notfalls das Unmögliche, um das Interesse Ih-
  res großen Landes zu realisieren?
- Wenn es hart auf hart kommt, brauchen wir das Unmögliche.

37 Titel der Dissertation des Geheimen Legionsrates Kurt Riezler, des persönlichen Beraters
   des Reichskanzlers Bethmann Hollweg von 1914 bis 1917.

9
Irrläufer des Kriegs

Ein Mitglied des britischen Parlaments, bekannt für seine Affinität zur transatlantischen Koalition, legte einem Vertrauensmann des Pentagon, welcher der Enterprise Inc., Washington, zuarbeitete, den Fall vor, der noch aus dem ersten Golfkrieg bekannt geworden war, daß ein treffsicheres Geschoß der USA eine Maschine der *Royal Air Force* vom Himmel geholt hatte. Ein tragisches Mißverständnis. Wie aber kann man es der nervösen Öffentlichkeit erklären?

– Beschönigen wäre falsch.
– Gewiß.
– Entschuldigen kann man es auch nicht. Es war nicht »höhere Gewalt«.
– Daß im Krieg der Teufel wohnt, daß die eigenen Leute eigene Leute töten, kann nicht zum Thema gemacht werden. Man braucht dafür eine besondere Form der Trauer.
– Sie meinen, verhindern kann man diese Fälle nicht, man kann sie nur wegtrauern?
– Ein Bündnis stirbt nicht an Trauer.
– Aber die Schwierigkeiten verbleiben bei uns. Es kommt selten vor, daß britische Geschosse eine US-Maschine vom Himmel holen.
– Das ist der Unterschied an moderner Ausstattung zwischen den Partnern.
– Es ist aber lebenswichtig für die Koalition, daß wir Partner militärisch als gleichwertig erscheinen.
– Da haben wir das Problem der Unwahrheit im Krieg. Der Krieg zerlegt alles, was unwahr ist. Darin ist er der härtestmögliche Kritiker.
– Sie schreiben dem Krieg Intelligenz zu?
– Nicht Intelligenz, aber analytische Kraft.

Die beiden, vertraulich sprechend, hatten sich verspätet, sie mußten sich beeilen, wenn sie noch eine Tasse Tee erwischen wollten. Die Kannen waren zu Ende der Pausen oft leer.

10
Türkische Freundschaft

Der Korrespondent der *Neuen Zürcher Zeitung* ist an der Stabilisierung der Verständnisse zwischen Amerika und Europa interessiert. Er ist sich nicht ganz sicher, ob die Unterbrechung dieser Verständnisse (es erscheint ihm wie eine Reklame-Leuchtschrift, an der einige der Neonbuchstaben ausgefallen sind, im Bild einer Großstadt das sichere Zeichen für Verfall) verursacht ist durch die Eigenwilligkeit der Bush-Administration oder durch Deviationen der europäischen Zentralmächte Bundesrepublik und Frankreich. Bei Trennungsprozessen geht es letztlich nicht um die Ursachen.

– Der Ausdruck »Tapferkeit vor dem Freund« stammt aus einem Text von Ingeborg Bachmann, die ich Ihnen hier in Harvard zeige, wo sie ein Seminar von Henry Kissinger besucht. Sie können, Herr Botschafter, die Siedler, die den Konflikt in Palästina verschärfen, nicht aufhalten. Wie wollen Sie die Interessen der Türkei, die sich die Provinz Mossul einverleiben möchte, die ihr einst gehörte, im Ernstfall aufhalten? Wie können Sie den Verbündeten und Freund hindern, Kurden zu massakrieren?
– Das wollen wir beurteilen, wenn wir an der Brücke angekommen sind.
– Sie können nicht die Türkei mit Krieg bedrohen.
– Wir können es mit Wirtschaftssanktionen versuchen.
– Welche Wirtschaftssanktionen wären stärker als der Zugewinn an Öl, wenn die Türkei Mossul hat?

Der US-Diplomat, der noch zu Clintons Mannschaft gehört hatte und deshalb auskunftswilliger war als die Republikaner, wandte ein, daß man in einem Konfliktfall nicht alles bedenken könne, weil man dann handlungsunfähig würde.
Ein Korrespondent der *Neuen Zürcher Zeitung* hat in etwa den Status eines Universitätslehrers an einer der großen deutschen Universitäten des 19. Jahrhunderts. Seine Artikel, seine Interviews werden grundsätzlich nie gekürzt. Dieser erfahrene Mann hatte, angesichts der Vorgeschichte großer Vernichtungskriege, den Eindruck, daß deren Grausamkeit nie von den Hauptmächten, die einen Krieg eröffneten, sondern von naschhaften Verbündeten ausging, die im Schatten der Großmacht ihre Interessen pflegten. Es gibt keine Macht, sagte er sich, die praktisch ausübbar ist gegenüber Freunden.

Abb.: Ingeborg Bachmann in Harvard: »Tapferkeit gegenüber dem Freund«.

11
Realität der Pakte /
Das Netz, welches das Prinzip wechselnder Allianzen sichert

In eines der osteuropäischen Natoländer investiert ein US-Rüstungskonzern 8,2 Milliarden Dollar; die Investition bezieht sich auf Fabriken, die Rüstungsgüter herstellen. Die Hälfte dieser Investition ist durch US-Steuermittel subventioniert. Bedingung hierfür ist der Kauf von Lockheed-Flugzeugen für das neue Natoland in Höhe von 3,8 Milliarden Dollar; hierdurch wird ausgeschlossen, daß schwedische Firmen den Flugzeugbestand dieses Landes betreuen. Bis auf jede Schraube ist der junge Natopartner nunmehr abhängig vom Zulieferer.

Pakte im 21. Jahrhundert, erläuterte einer der Sicherheitsexperten und Lobbyist, erhalten ihre Festigkeit aus solcher Vernetzung. Was man als Schriftgut auf der Ebene von Außenministerien hinzufügt, hat relativ geringe Bedeutung. Die neue Strategie, wechselnde Bündnisse, je nach konkreter geostrategischer Situation, an die Stelle traditioneller Allianzen zu setzen, ist nur auf diesem Hintergrund zu verstehen.

Dies war Hintergrundgespräch für den Korrespondenten der *FAZ*, der das ohnehin wußte. Nennen durfte er den Sicherheitsexperten und Lobbyisten nicht. Das gehört zur Technik des NICHT-GESPRÄCHS, das doch starke Annäherungen und Überprüfungen an die neuen Wirklichkeiten zuläßt, ohne in irgendeiner Weise zitierbar zu sein.

12
Dritte Macht im Wartestand

Auf die Delegation der Volksrepublik China waren während der Sicherheitskonferenz mehrere Agenten angesetzt. Es war interessant zu erfahren, was der stellvertretende Generalstabschef, was die anderen politisch hochrangigen Teilnehmer aus China im Weltkontext dachten.[38] Den Mienen, auch den Referaten war nichts zu entnehmen. Herangespielte Sexpartner nahmen sie nicht an. Mit Bestechungsversuchen waren die europäischen und US-Organisationen gescheitert (obwohl viele Verhältnisse in der Volksrepublik neuerdings durchlässig erschienen). Die Offiziere und chinesischen Politiker schienen beschämt. Glaubten sie, in 30 Jahren stark genug zu sein, um im Weltmaßstab der US-Supermacht an Punkten, die außerhalb Chinas lagen, zu widersprechen? Fühlten sie sich durch den Raketenabwehrschild bedroht? Was war der Sinn, daß sie neuerdings einen Menschen in den Orbit schießen wollten? Routinemäßig wickelten die chinesischen Referenten, nach Rangordnung gestaffelt, Texte vorzensiert, ihre Redeübungen ab, für welche die nichtprivilegierte Zeit des Sonntagvormittags zur Verfügung stand. Sie waren von der Tagungsleitung gleichgeschaltet mit Indien und einer Reihe osteuropäischer Staaten, nicht terminiert auf den konfrontationsstarken Ersttag der Konferenz.

38 Würden sie z. B. der Republik Pakistan militärisch zu Hilfe kommen, wenn diese durch Indien entscheidend bedroht wäre?

13
Das Messer des Clausewitz

Im Kriege, heißt es bei Carl von Clausewitz, seien die persönlichen Kräfte der Menschen (Mut, Motiv, Irrtumsanfälligkeit, Beharrlichkeit) wie die KLINGE eines Messers, die sachlichen Mittel dagegen (Waffen, Munition, Material, Fortbewegungsmittel), was das metaphorische Kriegsmesser betrifft, das HEFT oder der Griff.

In einer Ecke des Teesalons hatte sich eine Gruppe von Offizieren verschiedener Nationen zurückgezogen und erörterte die bevorstehende Transformations-Debatte in der Nato. Die Auseinandersetzung über DAS MESSER DES CLAUSEWITZ war Bestandteil dieser Debatte.

Wenn über mehr als hundert Jahre menschlicher Erfindungsgeist, also subjektive Kräfte, in »intelligente Waffen« eingebaut werden, ändert sich dann das Verhältnis von KLINGE und HEFT? Werden die persönlichen Kräfte (Gehorsam, Fußtätigkeit einfacher Soldaten, Wartezeiten im Krieg, Zustimmung der Bevölkerung bei Wahlen) zum HEFT, die Waffen dagegen, wie von Geistern belebt, zur KLINGE?

In der Transformations-Debatte der Nato ging es um die Rettung des Bündnisses. Wie kann sich die militärische Doktrin an die transatlantischen, geänderten Forderungen der US-Vormacht anpassen? Wenn sich die Wirklichkeiten verändern, müssen sich die MILITÄRISCHEN WERKZEUGE transformieren.

Das hier war eine »Erörterung im Pausengespräch«. Die Offiziere empfanden einen Überschuß an Wissen. Sie waren in der Lage, vorsorgliche problemorientierte Fragestellungen zu entwickeln, die hier nicht abgefragt wurden. Sie fühlten sich von der Politik, von der Weltsituation unterfordert.

Hätte es denn Folgen, wenn die Waffen, die Materialien zur KLINGE werden? Natürlich, antwortete der französische General, der derzeit in Afrika kommandierte. Wir müssen dann der KLINGE nachrennen. Die KLINGE hat rascher einen Konflikt eröffnet und entschieden, ergänzte ein Oberst aus Schweden, als wir überhaupt feststellen könnten, daß wir uns in einem neuen Krieg befinden. Die Bemerkung wurde allgemein für witzig gehalten.

Hatten die Gesprächsführenden die Themen der Sicherheitskonferenz schon abgehakt? Nahmen sie den Irak-Feldzug als gegeben (abzüglich der Folgekosten, die nie im voraus beurteilt werden könnten)? Die nächste Runde würde in Afrika stattfinden, wenn die USA sich gegenüber Syrien und Iran zurückhielten. Ein Einsatz in Afrika würde die Planstellen französischer Offiziere nachhaltig fördern.

Die Teerunde, in der auch ein Generalleutnant aus Neuseeland saß, hatte längst festgestellt, daß die Entscheidungen der USA und Großbritanniens feststanden. Ähnlich wie eine Börse neue Informationen binnen Sekunden in ihr Preisgefüge aufnimmt, empfand sich die Konferenz als »abgewertet«, »entrealisiert«. Es wäre aber unhöflich gewesen, in der Rede und Gegenrede einfach innezuhalten. So bewegten sich die Lippen, die Mienen verhießen weiterhin Aufmerksamkeit, und es gab auch Teilnehmer, die noch nickten, wenn sie etwas verstanden hatten, was der andere äußerte.

Abb.: Das Messer des Clausewitz.

14
Von der Beobachtungsmethode eines Arbeitszeitmessers

Es wird Sie nicht verwundern, sagte der Arbeitszeitmesser Becker zu dem Reporter der *NZZ*, daß mich der ruppige Ton, der zwischen den Teilnehmern der USA und den Europäern herrscht (anders als im Vorjahr), weniger interessiert als das Kapital an Zeit, über das die jeweilige Intelligenz, der Entscheider, der einzelne Lebensgefährte dieses Jahrhunderts, auf dieser Konferenz verfügt. Sie beginnt Samstag früh 9 Uhr und endet am Sonntag um 13 Uhr. Viel Zeit. Stets ist eine Handbreit an zusätzlicher Arbeitszeit die Bedingung dafür, ob es im Ernstfall zum Krieg kommt oder der Frieden (durch einen außergewöhnlichen Einfall oder eine Zustandsveränderung der Realität) erhalten bleibt. Denken

Sie an den Juli 1914. Wenig Zeit (sie wurde im Juni verplempert). Ein Zuschuß von sieben Wochen Arbeitszeit, und die Krise wäre beigelegt worden.

Zur Beschleunigung der Krise, z. B. durch militärischen Aufmarsch, wird eine geringere Arbeitszeit benötigt, weil die Ausführung schematisch, in der Hierarchie und durch Präzedenzfälle vorgegeben ist. Die auf Verhinderung eines präventiven Schlags gerichtete Politik ist dagegen auf neues Vorbringen, unerwartete Auswege gerichtet. Sie bedarf eines höheren Aufwands an Arbeitszeit.

Wie bewertet man als Ergometer die zur Verfügung stehende Arbeitskraft und Zeit dieser Konferenz? 96,7 % der Teilnehmer sind in den vergangenen zwei Wochen gereist. Der US-Verteidigungsminister befand sich in 14 Tagen nur sechs Stunden auf festem Boden. Hier muß der Arbeitszeitmesser einen Abschlag berechnen, der den Begriff GEGENWART reduziert. Sie ist durch Anleihen (Mangel an Schlaf, Schaukelbewegung der Transportmittel), die das physische Gleichgewicht, also das ZENTRALORGAN OHR, irritieren, vermindert, ja, sie wird durch jede Frage eines Journalisten, Geschubstwerden durch Bodyguards unterbrochen und ist insofern nie zum VOLLWERT EINES AUSGERUHTEN VERSTANDES zu veranschlagen.

Wir Arbeitszeitmesser messen die eigene professionelle Qualität, wie sie von Kollegen beurteilt würde, daran, ob wir die übertriebene Einschätzung, die ein Entscheider, dem von einem Apparat zugearbeitet wird, von seiner Wirksamkeit entwickelt, auf elementare Arbeitszeit, nämlich die ANWENDUNG DURCHSCHNITTLICHER FÄHIGKEITEN PRO ZEITEINHEIT, zurückführen können. In dieser Sicht stellt sich das Entscheidungspotential einer Sicherheitskonferenz als eine Trümmerfläche dar, eine Halde von Vorsätzen, denen die Chance der Ausführung fehlt.

15
Müdigkeit kommt auf / Gruppendynamik

Das hatte Becker im voraus gewußt. Nach aggressiver Redeschlacht tritt bei sämtlichen Beteiligten, gleich in welcher Stimmung und mit welchen Vorsätzen sie auf der Konferenz eintreffen, eine Beruhigung ein, die auf Schlagabtausch beruht. So ist es der Krieg selbst, der den Krieg verzehrt. Eine Stunde bevor sich die Veranstaltung mit Schlußworten auflöste, Abreise in Eile, bildete sich eine friedfertige, schläfrige »schafstallartige« Stimmung aus, die für Friedensschlüsse oder auf assoziativen Einfällen beruhende Lösungen günstig gewesen wäre. Dies ist der Moment für Durchbrüche in schwierigen Konferenzen. Bedauerlich, daß die Sicherheitskonferenz nur eine Redeschlacht darstellte. Keiner der Teilnehmer besaß Abschlußvollmacht. Lobbygespräche, die auch in der Krisenzeit den Kern der Zukunft bilden, können in dieser Umgebung nicht zu Abschlüssen führen. Sie bereiten sie vor.

16
Versöhnung wider Erwarten

Der hochrangige Tote (von S. 617) war in den vergangenen Stunden zu einer Klinik transportiert worden. Er lag auf einer gummibedeckten Pritsche, vitalisiert durch die Geräte der Intensivstation, seiner Uniform entkleidet; er hätte frieren können, wäre er wach gewesen. Niemand wagte die lebenserhaltenden Maßnahmen einzustellen. Nachts um vier kamen eine Reihe von Tagungsteilnehmern vorbei, Kameraden des Toten, von dem es hieß, er stamme von einer Inselkette im Pazifik. Ein letztes Zeichen von Anteilnahme wollten die Besucher geben, nachdem die Staatsessen und eine Reihe sich anschließender Privatempfänge absolviert waren, welche die Konferenz abschlossen.
Aber auch sie hatten keine Vollmacht, den »Verunglückten« endgültig dem Tod zu überantworten. Sie versprachen nachzufragen. Aber wen fragen? Vorgesetzte Behörden gab es an der Nahtstelle zwischen Klinik und Konferenz keine, die Familie des Mannes war nicht zu erreichen.
Die Augen des »Toten« hatten sich gegen Morgen wieder geöffnet. Das erschien den Ärzten provokant, auch »unschön«. Dienst hatten ein junger Arzt und eine Ärztin, die miteinander lebten und in den Wochen, die dieser Nacht vorausgingen, zu dem Entschluß gekommen waren, sich zu trennen. Sie hatten ein Kind, das gefährlich erkrankt war; das hatte sie bisher zurückgehalten, ihren Entschluß zu verwirklichen. Das Kind wurde zunächst von einer Cousine versorgt, die aber in den nächsten Tagen in Urlaub reisen wollte. Wer kümmerte sich dann um das Kind während der Dienstzeit? Sie telefonierten mit dem Kind und der Verwandten von der Station aus.
Sie waren so müde, daß sie die Trennungsgründe, die sie sich (auch im Gespräch mit Dritten) gründlich zurechtgelegt hatten, in ihren Köpfen zu dieser Stunde kaum präsent halten konnten. Bei Ende ihrer Schicht übergaben sie den ordnungsgemäß beatmeten und durch Transfusionen versorgten Toten den ablösenden Ärzten; auch diese sahen keine Chance mehr, irgendetwas an dem Leichnam zu retten. Die Trennungswilligen fuhren einträchtig in die noch gemeinsam genutzte Wohnung, sahen nach dem Kind. Sie hatten viel an diesem Tag, gemeinsam einander zuarbeitend, gewirtschaftet. Am nächsten Tag hatten sie frei. Sie fielen in Tiefschlaf. Das ist die Macht des Faktischen, der Natur. Zur Trennung kam es später nicht mehr.

9

Wach sind nur die Geister

»Und rauschend öffnet sich der Fächer /
vergangener Jahre wie im Flug –«

Das objektive Geschehen wie durch Staub überdeckt.
Darüber die wilde Jagd der Geister.
Kartographierung von Schätzen, auf die der Teufel
scharf ist. Geister der Revolution, der Arbeit, der
Feuerbekämpfung, der Heimkehr und des Blauen Pla-
neten überhaupt.

9/1

Geschichten aus den Anfängen der Revolution

Im letzten Artikel, den Rosa Luxemburg verfaßte, bevor sie ermordet wurde, behauptete sie, daß die Revolution, auch wenn sie maulwurfsähnlich auf lange Zeit verschwände, doch nie aufhöre zu wirken. Insofern sei es wichtig, meinte diese Frau, daß man die Geschichten der Anfangszeit der Revolution, gleich ob sie für etwas Praktisches tauglich sind, aufbewahrt. Wie eine Flaschenpost.

Psychoanalytischer Kongreß 1917

Der 12. November 1917 war ein Montag. Einer, der von der Sache nichts wußte und von keinem der anderen Mitglieder der Psychoanalytischen Gesellschaft eine Skizze oder einen genauen Plan erhielt, hätte den Sitz des Kongresses im Zentrum von Budapest nicht gefunden. Es handelte sich um einen Ballsaal. In einer der Ecken war ein Podium aufgestellt, die Verschworenen füllten nur diese Ecke der riesigen Halle.

Alle waren sie als Militärärzte uniformiert, mit Ausnahme von Sigmund Freud selbst, der einen Anzug aus dunklem britischen Tuch trug. Den psychoanalytisch praktizierenden Ärzten waren im Kriege verblüffende Heilungen von Kriegsverletzungen gelungen. Sie galten als Zauberer. Die Militärpsychiater, Seelentechniker, waren besiegt. Unsere psychoanalytische Bewegung, sagte Sigmund Freud, ist KRIEGSGEWINNLER DIESES KRIEGES.

»Wenn wir jetzt wieder von den Tagesordnungspunkten zum Kriege zurückkehren«, hieß es in seiner Rede, »finden wir, daß die Anpassung, die von den Menschen in den Gräben verlangt wird, schwer zu leisten ist, wenn auch noch lange nicht so schwierig wie oft in den verschiedenen Situationen eines Geschlechtslebens. [. . .] Von ihnen (den Szenen des Geschlechtslebens) geht mehr Todesfurcht aus als vom Krieg, dessen Zeichen das innere Auge oft liest; ihm ist der Kriegszustand gleichgültig . . .«

Jetzt, im Vorjahr des Kriegsendes (was noch keiner wußte), regten sich Lebenskräfte, die auf Grund ihrer Gleichgültigkeit gegenüber Kriegsverlusten individuelles Glück einforderten. Es stießen, noch während die Rednerfolge des PSYCHOANALYTISCHEN KONGRESSES andauerte, unternehmungslustige Pärchen in den Ballsaal vor, in dem zu später Stunde ein Tanzabend stattfinden sollte.

Eine Art Doppelherrschaft, wie sie für das Jahr 1917 andernorts charakteristisch war, bildete sich zwischen dem nach Tagesordnungspunkten und Vorträgen gegliederten Kongreß und den schwatzenden Runden in bis zu drei Ecken des Ballsaals, in denen sich Hoffnung auf minutiöse persönliche Bindungen austauschte. In einer solchen Doppelherrschaft wird es stets Zauderer geben, meinte Ferenczi, weil es verborgene Kräfte gibt, die sich bei Eintritt des Jahrhunderts von Silvester 1900 auf 1901 als elektrisches Licht (»Licht lockt Leute«) und als Befreiungsschläge im erotischen Wagnis schon zeigten, danach überwölbt wurden durch verborgene Kräfte, neue Verbote; Antigone gegen uns, die Analytiker. Dann der Ausbruch von 1914, uns bestätigend! Wie rannte das Gemeinwesen als ein Reiter, dem das Pferd durchgeht, allen Wirklichkeiten davon! Wir wissen, daß wir nicht wissen, daß wir noch nicht wissen. Man muß diesen »für die Sache« (die psychoanalytische Bewegung) günstigen Zustand so lange aufrechterhalten, wie man irgend kann.

Es gibt einen Widersinn, sagte Sigmund Freud, der darin liegt, daß diese günstige Lage für das Analytische durch das Weltenringen, also durch »mörderisches Geschehen«, ausgelöst wird. Nichts davon mögen wir billigen. Alles davon fordert unsere Art der Arbeit. »Unsere Sache« hätte nicht in 20 Jahren friedlicher Praxis so viel Einfluß und Unabweisbarkeit gewinnen können, wie wir sie – ähnlich Schamanen – durch ein paar »Wunderheilungen in den Militärhospitälern« gewonnen haben.

Die Vorteile gesellschaftlicher Anerkennung waren in den folgenden Jahren wie weggeblasen. Später kehrte das Bedürfnis nach Psychoanalyse in Schüben zurück. Das 21. Jahrhundert jedoch begann hier, am 12. November 1917, mit den Worten von Sigmund Freud:

»Unsere Erinnerungen, die am tiefsten uns eingeprägten, sind an sich *unbewußt* [. . .] was wir unseren Charakter nennen, beruht auf Erinnerungsspuren unserer Eindrücke, und zwar sind gerade die Eindrücke, die am stärksten auf uns gewirkt hatten [. . .] solche, die *fast nie bewußt* werden . . .«

Kriegsglück als Krankheitsursache

> »Vorn möchte ich stehen wie in einem Ruhme /
> Groß und wie eine Fahne aufgerollt /
> Dunkel, aber mit einem Helm von Gold /
> Der unruhig glänzt«
>
> »Der Abkömmling eines ersten Hauses, Quirin Graf S., genannt Quinquin, war in den Gefechten östlich von Lemberg im Herbst 1914 als Anführer einer Reiterabteilung in eine Reihe aufgeregter Taten verwickelt worden. Er galt als jugendlicher Held. Das wäre seiner Abstammung nach kein Erfordernis gewesen, vielmehr kam es darauf an, daß ein luxuriöses Lebewesen wie er überhaupt existierte in einem armseligen verwalteten Krieg.«
> *R. M. Rilke*

Dann, im Frühling 1916, geriet die Reiterschar, jetzt abgesessen, mit ihren Karabinern, mit denen man nichts Entferntes trifft, vor einer Artilleriestellung in den Felsen der Alpen in die Verzweiflung. Sie flüchteten über eine Schneefläche. Sie lagen, von Rebellen beschossen, unter einer Felsklippe. Wenige von dieser Truppe überlebten. Graf S. wurde mit Lähmungserscheinungen der Arme und einer Störung des Schließmuskels sowie einer Paraphrase-Hysterie in das Militärhospital Innsbruck eingeliefert; die Hysterie war dadurch gekennzeichnet, daß der Graf Fluchtphantasien äußerte.

Die sexuelle Herkunft dieser Vorstellungen war dem Analytiker Dr. B. sogleich deutlich. Was hatten eine überhängende Felsnase und ein nächtliches Licht (bestehend aus Finsternis und Artillerie-Explosionen), die den Junggrafen an »Fittiche« erinnerten, mit dessen stärkstem Erlebnis aus der Jugendzeit zu tun?

Das panikartige Durchlassen der Fäkalien, so daß dieser Adlige zu jener Zeit nicht in Gesellschaften auftreten oder vor einem Vorgesetzten Vortrag halten konnte, ließ sich, erklärte Dr. B., nur an den Hebeln und Maschinerien des sexuellen Frühlebens ab- oder umstellen, nicht aber aus dem Schockerlebnis jener Winterkampfnacht deuten, die diese Motorik ausgelöst hatte. Der Arzt mußte sich zunächst von der Annahme freimachen, daß die Reaktion des Grafen (oder das Versagen seines Körpers oder seiner Reden) mit dem Verlust der Kameraden zu tun hätte. Die Vorstellung »hier unter der Felsnase holt uns jetzt niemand mehr heraus«, sagte Dr. B., hätte für den tapferen Offizier nichts bedeutet. Was ihn als Schrecken anrührte, war die Empfindung, es seien »Fittiche« um ihn, offensichtlich die eines unerwarteten Helfers. Es habe ihn erschreckt: daß etwas unterwegs war, ihn zu retten oder zu erschlagen. Die Rettung des jungen Enkels großer Vorfahren vor Schmach und gesellschaftlicher Ächtung wäre in früheren Zeiten allenfalls durch lebenslängliche Einsperrung oder seinen Tod möglich gewesen. Die rasche Heilung des kranken Grafen durch die Zauberer, die sich am Militärhospital in Innsbruck konzentrierten, warf Glanz auf »die Sache«[1].

Alle Junghelden Österreichs gemeinsam vermochten indessen das Vaterland nicht zu retten. Sie erhofften sich nichts von ihren Taten. Andernfalls hätten sie den Landesfeind zu Paaren getrieben, sie hätten ihn gezwungen, sich auf

---

1 »Unsere Sache« oder »die Sache« war der Ausdruck, mit dem die psychoanalytische Bewegung ihre besondere Stellung in der Heilkunst charakterisierte. Zu dieser Sachlichkeit gehörte, daß die Deutung der Heilung nicht durch den einzelnen Zauberer selbst erfolgen sollte. So gab es mehrere Erklärungsversuche, die von Kollegen des Dr. B. stammten. Erklärungsbedürftig schien vor allem die Raschheit des Heilungsprozesses. Die pathologische Erscheinung, die sich bei dem jungen Grafen gezeigt habe, zeige einen Bruch im Charakterpanzer (einer Art gesellschaftlichem Korsett, das zwei Sphären der Libido, wie Herren und Sklaven, voneinander abschließe). Ihm wurde entgegnet: das, was dem jungen Grafen geschehen sei, würde jedem von uns passieren, wenn wir uns von den Fittichen eines Engels oder Adlers berührt fühlen, der uns aus aussichtsloser Lage rettet.

den Status simpler Paarung zurückzuziehen, die mit Schande oder Sünde besetzt ist.

>Ich möchte einmal werden so wie die /
Die durch die Nacht mit wilden Pferden fahren ...«

Unsichtbare Bilder

Ein Stück vom Todestrieb oder den Gott Eros hat noch keiner gesehen. Seit hunderttausend Jahren (Schätzwert) sind beide in Amalgamen, in Partikeln der Körper und der Geister verborgen. Dieses offenbar sehr Kleinteilige in den Menschen, die LIBIDO, sieht man nur in der Auswirkung.
Sie besteht aus »Zeichen« oder »Kräften«, energietragenden Abbildern. Wir schließen zurück auf solche »Splitter, aus denen Menschen bestehen«. Nehmen wir an, sagte der hochgewachsene Mann, den die Kongreßteilnehmer mit »Herr Doktor« ansprachen, daß wir diese Abbilder benennen könnten, so scheinen sie mir zusammengesetzt aus BEGEHREN UND ENTTÄU-SCHUNG, aus leuchtenden, unbeherrschbaren Elementen des Lebenstriebs (der Neugier, des Umsturzes) und den dunklen Bataillonen des ÜBER-ICH. Zusammengesetzt bilden sie das Ferment, den »energischen Pol«, von dem wir sprechen.

– Das ÜBER-ICH ist ein Apparat?
– Es existiert ja nicht für sich allein.

So hat jedes Element, und auch die Zusammensetzung solcher Elemente in Büchern, Generationen, großen Reichen und Bildern, eine besondere Geschichte. Sie ist nicht übertragbar oder erblich. Zugleich ist sie unaufhaltsam. Sie überbrückt morphologische Abgründe.
Unwahrscheinlichkeits-Wolken umkreisen den Planeten. Man soll sie nicht für Götter halten. Sie sind Schatten der LIBIDO, die wir dort, wo sie entsteht, nicht sehen.

– Kann man denn die Unwahrscheinlichkeits-Wolken sehen?
– Nur in den Ereignissen.

Letzte zentrale Versammlung der Psychoanalytiker in Frankfurt/M.

Eine Stadt wie Frankfurt/Main läßt sich in der Dämmerstunde in GROSSE ATTRAKTOREN einteilen: ein Menschenstrom, der zu den Bahnhöfen zieht, ein Netzwerk, später einmal in Hochhaustürmen beschäftigt, das Überstunden leistet, Schichtarbeiter an den Rändern der Stadt, die zu ihren Fabriken strömen, während die vorangehende Schicht den Betrieb verläßt, Autobahnen und Überlandstraßen, auf denen sich Ketten lichterführender Kraftfahrzeuge in gestreckter Masse bewegen. In der Nähe dieser Attraktoren, hatte Max Horkheimer, kraft seines Rektorats, alle Psychoanalytiker aus der authentischen Linie der Schulen Sigmund Freuds zu einem Kongreß an die Johann Wolfgang Goethe-Universität geladen.

Jetzt, in der Abendstunde, die Eröffnungsveranstaltung. Die meist Zerstrittenen, durch den Krieg in eine überwältigende Mehrheit im Ausland und wenige Freud-Folger im Reichsgebiet aufgeteilt, mieden sonst den Kontakt. Jetzt sahen sie sich zwangskonzentriert. Studentische Helfer brachten sie aus den Hotels zum Versammlungsort im Großen Saal des Studentenhauses in der Jügelstraße.

Mehrere Tage Arbeit. Frontal vor den Geladenen, den Vereinigten, jeweils der VORSITZENDE REDNER. Hier im Saal hätte niemand ein Podium mit einem Präsidium anerkannt. Gern hätten sie sich in den Gängen des Hauses zerstreut, miteinander geredet, statt diszipliniert einem Vortrag zuzuhören.

In jedem von diesen Menschen, das war Max Horkheimers Annahme, war ein Partikel jener Kenntnisse über die menschliche Seele aufbewahrt, die es überhaupt in der Welt gab. Nicht die Seele, sondern ihre Kenntnis und Deutung ist rätselhaft. Erwin Kesslich verteilte Fragebögen, daran angeheftet ein weißes Blatt. Die versammelten Psychoanalytiker sollten Auskunft geben, welche Fragen ihrer Geheimwissenschaft oder der äußeren Welt sie für vorrangig hielten. Keiner füllte das weiße Blatt aus. Dafür fühlten sie sich untereinander hier zu behaglich, auch zu alt. Mittags wurden sie in Kleinbussen zu drei italienischen Lokalen in Bahnhofsnähe gefahren, wo sie an großen Tischen saßen und sich aussprechen konnten.

Hatte eine solche Ansammlung von GEISTERN DER SELTENEN ART eine Strahlung? Kann diese von einer Intelligenz in der Großen Magellanschen Wolke wahrgenommen werden? Wie fühlt sich geistige Tätigkeit an?

Dies war die letzte Veranstaltung der Großen Psychoanalyse. Kein Zentralkomitee, keine Organisation über die Internationale Psychoanalytische Ge-

sellschaft in London hinaus, die eine Art Grundbuchamt darstellt, kein Erbe.
»Eine Armada erstklassiger Individualisten in einer Zeit kollektiver
Kämpfe.«

Gefahrenmoment für die Letzten der Kritischen Theorie bei Adornos Beerdigung

Untröstliche Situation. Die Trauerfeier in der Aussegnungskapelle des Frankfurter Friedhofs, in welcher der Sarg Theodor W. Adornos aufgebahrt war,
wurde von Max Horkheimer gründlich desorganisiert. Er lehnte den Tod des
Freundes als Tatsache ab. Auch als Vorzeichen des baldigen eigenen Todes
schien ihm nichts daran feiernswert. Welche Musik für passend gehalten oder
von Adorno gebilligt worden wäre, wollte er nicht beurteilen.[2]
Gegen Ende der Veranstaltung, die Reden wurden in undisziplinierter Länge
gehalten, öffnete sich eine der Seitentüren der Kapelle. Ein größerer Trupp Studenten war zu sehen, möglicherweise gewaltbereit, vom Studentenführer
Krahl angeführt. Sie blickten herein. Saaldiener schlossen die Türen. Wollten
die Studenten stören? Den Sarg provokativ »entführen«, sich Adorno, als Teil
der Kritischen Theorie, die sie ja nie verleugneten, als Toten aneignen?
DIE ALTEN MÄNNER DER KRITISCHEN THEORIE scharten sich bei
der Ausfahrt auf der fahrbaren Trage ins Freie demonstrativ um den Sarg. Hät-
ten sie gegen Entführer eine Chance gehabt? Das berücksichtigten sie nicht.
Auf einem Parallelweg folgte der studentische Pulk; wer es beobachtete, wußte
nicht, ob in bedrohlicher Haltung oder um Anteilnahme und Respekt für den
Toten zu zeigen. Das war auch in dieser Gruppe nicht ausdiskutiert.
Ein Regenguß, gewitterartig, überraschte den Trauerzug auf halbem Wege.
Die Köpfe der GELEHRTEN MÄNNER naß, auch die Kleidung durchnäßt.
Keiner von der »Kritischen Theorie« besaß einen Schirm. Immer noch aus-
führliche Reden am Grab. Langsame Arbeit des Friedhofspersonals bei der
Einsenkung des Sarges in die Grabtiefe. Noch waren Erdklumpen nachzuwer-
fen, einzelne Sträuße. Das Defilee vor der Witwe. All dies mit nassem Haupt.
Zur Rettung der Geister, die später in das Haus des Suhrkamp-Verlegers Unseld

---

2 Gretel Adorno, Theodors Frau, blieb apathisch, passiv. Sie war die einzige, die ein besseres
Programm hätte durchsetzen können. Sie gab sich die Schuld an seinem Tode. So viele
Jahre hatte sie das Genie in allen Krisen behütet, einen Moment in diesem Sommer war sie,
niemand in ihrer Umgebung bestätigte das, sie aber glaubte es, unaufmerksam gewesen. So
daß dieser Mann starb.

einkehrten, ordne ich die Herstellung von großen Töpfen mit WARMEM BIER an. Dies nach Grimms Märchen eine Vorkehrung gegen Erkältung. Die Wärme und der Alkohol bringen das alternde Blut in rasche Wallung. Währenddessen sind drei studentische Hilfskräfte dabei, mit Fönen aus dem Haushalt das Haar der GELEHRTEN GREISE zu trocknen. So wurden sie gerettet. Für den Moment waren sie, nicht emotional, aber physisch, gerettet. Zwanzig Jahre später hatte der Planet den letzten dieser klugen Köpfe entlassen. Es war nie wieder die gleiche Welt.

Walter Benjamin in Moskau

>»Altägyptens verstaatlichte Gründe /
> Schmückte Leichen mit allerhand Kram«
> *Ossip Mandelstam*

Unter Ortswechsel litt er. Das Reisen in Länder, deren Sprache er nicht sprach, war ihm fremd. Einigermaßen entfremdet entstieg er dem Zug Berlin–Warschau–Moskau. Nur die Strenge des Gemüts, das sog. Bewußtsein, trieb ihn hierher.

Noch am Abend führten ihn Genossen der INTERNATIONALEN ABTEILUNG / SEKTION KULTUR zu einer Tanz- und Revuedarbietung. Sie hatten gehört, er interessiere sich für Innovationen, entstanden dadurch, daß die Massen das Regime übernommen hätten. Was den Massen gehöre, sei durch den Faschismus nicht anzueignen.

Gazellenkörper aus bergsteigender Bevölkerung im Kaukasus waren für diesen Auftritt organisiert; die breite Bühne des Revue-Theaters war für die Darstellung von Handlung wenig geeignet. Die Tanzgruppen bildeten Linien, um die Bühne zu füllen, und zeigten gymnastische Übungen. Zur Musik von Balalaikas, Ziehharmonikas, Trompeten und Trommeln.

Das schien dem Fremden falsche, nämlich kommandomäßig hergestellte Nähe. Wenn es darum ging, zum Kaukasus, und das heißt mit dem dort angeketteten Prometheus, eine Beziehung aufzunehmen, so mußte das Geschehen auf der Bühne als *fern und unnahbar* dargestellt werden. Noch längst war Prometheus nicht abgekettet. Der Geier nicht verschreckt oder verscheucht. Die Völker des Kaukasusgebiets aber, das wußte der Fremde, die ihre Söhne und Töchter wie eine Sklavenschar, die dem Minotaurus zugesandt wird, dem Revuekollektiv zur Verfügung gestellt hatten, waren schon vor Jahrzehnten unterworfen worden, sofern sie als selbständige Völker je entstanden waren. Sie waren purer Rohstoff für Menschheit, d. h. etwas anderes als nach Taktschlag und Befehl koordinierte gymnastische Bewegung. Als solcher Rohstoff verdorben und gestorben. Als etwas national Sowjetisch-Völkisches balsamiert, ausgeschmückt. So die wüste Ahnung des Gelehrten.

Nur Schweigen konnte ihn schützen. Auch wenn er nicht die Verfolgung, die im Besucherland wütete, fürchtete, sondern das, was in Mitteleuropa sich vorbereitete. Darin war er Prophet, daß das künftige Jahr 1942 in jeden Augenblick der Gegenwart hineinragte, in dem er im Jahre 1932 in einen verdunkelten Zuschauerraum und auf eine dekorativ beleuchtete Bühne blickte. Die Bühne: unschuldig, verstaatlicht, schmachvoll. Die Gefahren außerhalb dieses Raumes.

Tröstend die hier wie in fast allen europäischen Theatern installierten blauen Lampen über den Notausgängen – nach so vielen Katastrophen, in denen Menschen zu den Ausgängen gedrängt hatten. In blauer Farbe, damit sie die Aufführung nicht störten. Dies schien ihm ein Ausdruck der Echtheit. Er zeigte, daß ihn trotz synthetischer Darbietung im HEILIGEN MOSKAU ein Stück Realität empfing. Er war wirklichkeitshungrig, konnte von dieser Nahrung nicht lassen, auch wenn er sie für vergiftet hielt.

»An wen es angeht«

Was ist ein authentischer Revolutionär?

In den Wochen nach der spektakulären Niederlage der 3. osmanischen Armee im Süd-Kaukasus (die Blüte der österreichischen Truppen in Galizien zerrissen, Fronten im Westen im Stellungskrieg erstarrt, der Krieg verloren) lernte der deutsche Botschafter in Konstantinopel, Hans Friedrich von Wangenheim, den russisch-jüdischen Sozialisten Alexander Parvus-Helphand[3] im Salon des Hakim Pascha kennen. Der Agitator galt als Korrespondent oder Verweser der künftigen Weltrevolution. Und zwar als Vertreter einer höchst spezialisierten Fraktion mit Rußlandkontakten. Von Wangenheim: fasziniert. In Booten fuhren der Agitator und der Botschafter bei Fackellicht vor der Kulisse der Stadt hin und her. War es möglich, die Interessen des Reiches und die revolutionären Interessen des freundlichen, faszinierenden, auch geschäftüchtigen Partners zu einer Einheit zu fügen? War alles verloren, so war doch der Spieltrieb keineswegs gebrochen, der die nationale Rechte im Deutschen Reich bewegte.

3 Parvus ist ein Pseudonym. Der Publizist hieß weder Helphand noch Klein.

Schon im Sommer 1914 verfügte Parvus-Helphand über Kontakte zu georgischen und armenischen Separatisten. Ein Memorandum Helphands vom 9. März 1915 erwähnt die Möglichkeit eines politischen Massenstreiks in Rußland.[4] Im Jahre 2002 bildete sich in vier Wohnungen von New York (die Quadratmeterpreise im Umkreis des Finanzviertels von Wall Street fielen nach dem 11. September 2001 rapide, ja schon nach den Kursstürzen vom März 2000 zeichnete sich bereits ein Exodus aus dem Finanzviertel ab) eine Geheimgesellschaft, das EHERNE TRIBUNAL. Es handelte sich um eine Gruppe von Universitätsabsolventen aus Stanford, Moskau, Warschau, Prag und Harvard, sämtlich klassische Ökonomen, einander in Freundschaft verbunden, erprobt durch gemeinsame Artikel in FOREIGN AFFAIRS und HARVARD BUSINESS REVIEW, welche die Absicht verfolgten, zwischen authentischen Revolutionären auf der einen Seite und Technokraten, Verrätern, Konterrevolutionären (die sich in die Dienste der Revolution eingeschlichen hatten) auf der anderen Seite zu unterscheiden. Sie wollten sämtliche Verfahren neu eröffnen.

– Wäre Parvus-Helphand in den Prozessen von 1937 als Verräter verurteilt worden?
– Mit Sicherheit. Er war Ratgeber der kaiserlichen Regierung des Deutschen Reichs.
– Hätte es ohne seine Beihilfe die Revolution von 1917 gegeben?
– Zweifellos nicht.
– Was sind die Kriterien, wie nahe sich ein Revolutionär in die Nähe der imperialistischen Macht begeben darf?
– Die Kategorie heißt Rücksichtslosigkeit.
– Und was wäre rücksichtslos?
– Sich in die Nähe zu begeben.
– Um zu spionieren? Um Einfluß zu üben?
– Nein, um Waffen der Revolution zu schmieden. Zur Rücksichtslosigkeit gehört, daß das Motiv des Rücksichtslosen einfach bleibt.
– Und das war bei Parvus-Helphand der Fall?
– Stets.
– Er hatte das Vertrauen Lenins?
– Stets.
– Worauf stützte Lenin Vertrauen?

4 Gerichtet an das deutsche Auswärtige Amt. Weitergeleitet über von Wangenheim.

- Auf Effektivität. Wer langfristig und ausschließlich der Revolution praktisch hilft, ist im Zweifel kein Verräter.
- Also keine Gesinnungsprüfung, keine Prüfung der einzelnen Taten, sondern
der Ergebnisse? Ich lese wie in einem Geschichtsbuch, daß der Mann der Revolution Dienste leistet?
- Das ist für Lenin das einzige Kriterium, das zählt.
- Kein graphologischer Test? Keine Fangfragen? Keine ideologische Prüfung
im Zwei-Augen-Gespräch?
- Was hätte das genutzt?

Die Verschworenen von New York registrierten ein interessantes Rangpro-
blem zwischen Revolutionären. Die effektivsten Agitatoren blieben dauerhaft
außerhalb der Institution. Helphand wurde nie Volkskommissar. »Wahre Revolutionäre bleiben Geheimdienstler«.

- Und warum Lenin nicht?
- Er blieb es. Er tat nur so, als führe er den Vorsitz im Rat der Volkskommis-
sare.
- Und Trotzki?
- Das gleiche, obwohl er verführbar blieb für militärische Ränge. Er gab sie
aber stets wieder auf.
- Und Bucharin?
- Immun gegen die Bestechlichkeit des Amtes.
- Dserschinskij?
- Von Ämtern überhäuft. Nie in einem Amt wirklich angekommen.
- Das waren sämtlich Revolutionäre?
- Ohne Zweifel.
- Alle wären 1937 erschossen worden?
- Gewiß.
- Was nützt unter diesen Umständen das EHERNE TRIBUNAL?
- Es nützt der Forschung.
- Und was nützt die Forschung der Revolution?
- Die stirbt ja nicht und wird durch jede Forschung klüger.
- Was passiert, wenn der CIA herausbekommt, was in diesen vier New Yor-
ker Wohnungen erforscht und beurteilt wird?
- Er würde es in seine Computer eingeben. Es ist ja nichts Strafbares. Viel-
leicht ist daraus etwas zu lernen.
- Halten Sie den CIA für lernfähig?

Aus dieser Frage entwickelte sich eine umfassende Diskussion. War die kaiserliche Regierung des Deutschen Reichs lernfähig? Das Osmanische Empire, war es lernfähig? Handelte es sich um LERNEN, wenn Kemal Atatürk Versuche machte, den Kurs der Jungtürken von 1912 in Anatolien fortzusetzen? Kann man sich eine Kreisstadt in Sibirien vorstellen (oder einen Vorort New Yorks), von dem aus die Revolution sich neue Fundamente sucht? Dazu braucht man Druckmaschinen, eine Schreibmaschine so wie jene, neben der Trotzki, gleich ob in einem Bett oder auf einer Matratze gebettet, schlief, und was wäre das heute?

Übereinstimmung in der hochakademisierten Gruppe, daß Gerichtsurteile zwingend die Veröffentlichung voraussetzen. Das ist keine Zutat, sondern das Wesen des Rechts. Wo aber sollen die Urteile des EHERNEN TRIBUNALS, auf die keine Zielgruppe der Welt zum gegenwärtigen Zeitpunkt wartet, veröffentlicht werden? Praktisch konnten sie nur als bezahlte Anzeige im WALL STREET JOURNAL wirksam publiziert werden: »An wen es angeht.« Dies war die früheste Formel, unter der die INTERNATIONALE ihre Texte von Petrograd in die Welt sandte.

Silvester 1918 in Berlin

Berlin liegt, anders als Paris, zerstreut. Es ist eine Ansammlung großstädtisch gewordener Dörfer. Silvester 1918 ist die Stadt von Enttäuschung überschattet. Unsicherheit, ob die Ereignisse Vorboten eines Bürgerkriegs oder das Ende einer Meuterei sind.

Die Unterhaltungsindustrie ist eingesprungen. *Carmen* von Ernst Lubitsch im Zoopalast, eine Filmkomödie. Es geht um Schmuggler, den Liebesstreit zwischen einer Schmugglerin und einem desertierten Soldaten, nicht ergreifend, aber zusammengesetzt aus bewegten Bildern.

Das Regierungsviertel und das Schloß liegen im Dunkeln. Dies wegen der Kämpfe der Vortage. Erst im Westen anfangend, Budapester und Nürnberger Straße, dann bis hin zum Kurfürstendamm »bengalische Beleuchtung«. Wieso bengalisch? Es ist das elektrische Licht von 1911, es sind Lichterbögen. Man hat sie während des Kriegs so nicht geschaltet oder nicht wahrgenommen.

Im preußischen Herrenhaus haben die Pförtner die Reichstagsabgeordneten und Delegierten der USPD eingelassen. Im Sitzungssaal findet der Gründungskongreß der KOMMUNISTISCHEN PARTEI DEUTSCHLANDS statt. Bis in die tiefe Nacht sprechen Rosa Luxemburg und der Kern der Führungsgruppe der USPD gegen die Umgründung. Warum heißen wir SPARTAKUS,

ruft Rosa Luxemburg in der Nacht um 3 Uhr, wenn wir nicht uns erinnern an den Satz dieses Rebellen: BEI DER MEHRHEIT BLEIBEN, SELBST WENN SIE IRRT?[5]
Keine deutsche Revolution hat je das Weihnachtsfest und Silvester überlebt. Zu enttäuschend ist die Situation, die in Deutschland eine Revolution auslöst. Es hat den Anschein, daß stets mehr verlorenging als gewonnen wurde. Aussicht auf einen schläfrigen 1. Januar 1919. Ungastlichkeit. Die Menschen über die Hauptstadt weithin verstreut. Es ist nicht möglich, Kontakt so herzustellen, daß die Hauptstädter gemeinsam einen Ausdruck dafür finden, wie das Leben nach vier Jahren Krieg jetzt weitergehen soll.
Davon gab es am Vorabend noch eine Ahnung. Jungmediziner im Hygienischen Institut von Prof. Virchow haben in den unterirdischen Wasserreservoirs Berlins Mikroben und Pilze festgestellt. Milchige Fladen von Lebewesen schwimmen auf dem Naß. Infektionsgefahr für die Metropole? Die Stadtverwaltung wagt nicht, den Silvesterfrieden durch eine Warnung zu stören. Sie traut sich überhaupt keine öffentliche Maßnahme mehr zu, nimmt, es ist 5 Uhr nachmittags des 31. Dezember, in Kauf, daß bis zum Wiedererscheinen der Zeitungen am 2. Januar ein Teil der Bevölkerung dahingerafft sein wird. Die Wasserwerke und die unterirdischen Reservoirs sind von drei einander bekämpfenden Bürgerkriegsparteien besetzt. Sie halten einander in Schach, bewachen mit Gewehren das lebenswichtige Wasser, von dem sie nicht wissen, ob es nicht den Tod bringt.[6]

5 Die Sklavenheere haben römische Legionäre aus dem Wege geschlagen. Sie befinden sich auf dem Marsch in Richtung der Alpen. Sind diese einmal überschritten, so lassen sich Kolonien der Sklaven auf keltischem oder germanischem Gelände errichten. Das ist der Plan des Spartakus, eines Gladiators, der das Sklavenheer anführt.
6 Die Jungärztinnen, Ärzte und Chemiker der Berliner Universität arbeiten den ganzen 1. Januar hindurch an den Mikroskopen und in den Labors. Sie vervielfältigen die glitschige Masse. Katzen und Hunde fressen den Gelee, ohne Schaden zu nehmen. Gegen Mitternacht sind die Wissenschaftler in der Lage, die Lebendmasse, die das Wasser stört, zu benennen. Was sie in menschlichen Körpern, über Wasserleitungen verdünnt, bewirkt, weiß man immer noch nicht.

Abschwörung des Kriegs zu Silvester 1918 in Paris

Ihre Eigentätigkeit haben die Massen Frankreichs nur einmal gezeigt, zu Silvester 1918 in Paris. So heißt es in einer unveröffentlichten Skizze Walter Benjamins. Die Skizze setzt sich mit dem Begriff der »Masse« und dem Gegenbegriff der »gefügeartigen Arbeit« auseinander, der quasi handwerklich-kriegerisch gestimmten Gruppe, in der »Kooperation«, d. h. Eigeninitiative vorherrscht.

Die Soldaten Frankreichs hatten die Schrecken des Sommers, den raschen Wechsel des Glücks wie betäubt wahrgenommen. Unverändertes Sinnes registrierten sie, ja »testeten« sie die Niederlage der Deutschen im August. Seit 1917 hatten die Stäbe diese Soldaten von den Belastungen des wahren Kriegs freigehalten. Niemand traute ihnen nach den Streiks, den Meutereien von 1917 Belastungen zu.

Dann haben sie, meist passiv, nur unmittelbar den Ordnungen folgend, den Fuß auf den Boden gesetzt, welchen die deutschen Armeen räumten. Die Generalität entließ ihre Truppe nicht, da immer noch die Gefahr bestand, der Waffenstillstand werde beendet und man müsse mit Heeresmacht auf Berlin marschieren. Jeder wußte, daß der Versuch, die Soldaten Frankreichs nochmals in Elan zu versetzen, auf etwas Unmögliches gerichtet war. Selbst zu revoltieren, fühlten sie sich innerlich zu schwach.[7]

Noch einmal werden die Truppen, und zwar Kompanien, Bataillone aus allen Divisionen des Landes, die stellvertretend DAS GANZE BEWAFFNETE FRANKREICH symbolisieren sollen, nach Paris transportiert. Seit fünf Uhr früh marschieren sie durch die Straßen. So, wie sie aus den Eisenbahnen ausgeladen wurden. Jetzt, in den Mittagsstunden, nehmen sie Eigentätigkeit auf. Sie schmücken die Kanonen, die Munitionswagen, Panzerwagen mit Girlanden aus elektrischen Birnen. Wie produzieren sie diese endlosen Schlangen von miteinander verbundenen Lichtern? Sie dringen in Werkstätten ein, erhalten Aushilfen aus Restaurants und Privathäusern. Hinter den Kolonnen werden Aggregate mitgeführt, die den Strom erzeugen. Es ist erst drei Uhr nachmittags, aber die Girlanden leuchten schon.

---

7 Gerade die Massen, schreibt Benjamin, besitzen keine Gegengewalt gegen die unbewußt in ihnen (ähnlich einer Registrierkasse) sich abzeichnende Buchführung zwischen Last und Lust. Zu jedem Zeitpunkt stellt sich ein Gleichgewicht her, dies heißt Balanceökonomie. Inzwischen schien es fast unmöglich, in den zahllosen Einzelnen, welche die Massenarmeen Frankreichs ausmachten, ein solches Gleichgewicht noch herzustellen. 90 % der Energien werden beim Versuch, es mit sich selbst auszuhalten, verbraucht.

So ziehen die Truppen in Richtung der Seinebrücken im Umkreis des Arc de Triomphe, der britische König wird hier erwartet. Die lichtergeschmückten Wagen sind jedoch selbsttätig unterwegs. Kein Offizier könnte sie lenken. Wie geschieht es, daß die Züge einander nicht stören? Einander nicht überkreuzen?

Es liegt Stille über der Menge, deren Bewegungsart man eher als Gehen und nicht als Marschieren deuten sollte, schreibt Benjamin. Man könnte auch behaupten, daß sie »dahinziehen«, sie ziehen ja tatsächlich die Gefährte mit den Lichtern, die darauf befestigt sind, hinter sich her, schleppen gewissermaßen eine Last. Sie ziehen ihrer Vergangenheit davon, jetzt, in der tiefen Nacht, kommen die Lichter zur Geltung. Die Waffensysteme sind verwandelt.[8]

Man weiß nicht, was mit den einzelnen Truppenteilen am nächsten Morgen geschah. Es war Feiertag. Einer Obrigkeit gehorchten die Soldaten nicht. Entlassen werden konnten die einzelnen Kompanien und Bataillone aber auch nicht, da die Verwaltungsstruktur bei der Truppe zurückgeblieben war. Sie werden sich zurückbegeben haben zu ihren Standorten und wurden dort entlassen. Zu Kriegszwecken waren sie nach dieser ABSCHWÖRUNG gewiß nicht mehr zu gebrauchen.

Ein Moment politischer Jugend /
Nichts gilt als unmöglich

Es sind Künstler, Theoretiker, Arbeitersekretäre aus Fabriken im Raum Frankfurt und Offenbach, der Kreis um Heinrich Laufenberg in Hamburg, Anarchisten um Pannekök, Entschiedene um Otto Rühle in Dresden. Zusammen gelten sie gegenüber dem Zentrum um den Parteivorsitzenden Paul Levi als LINKSOPPOSITION der KPD, die wenig älter ist als ein Jahr; nach der Ermordung Rosa Luxemburgs und Karl Liebknechts suchte die Zentrale eine »Erholung der Partei« einzuleiten; es galt, so Levi, den Graben, der sich zwischen den tatsächlichen soziologischen Verhältnissen Deutschlands und dem Programmwillen der Partei aufgetan hatte, zu überbrücken

Die Linksoppositionellen, d. h. die beweglichen Teile der Partei, werden im

---

8 Dies entspricht, meint Benjamin, den Festwagen der Französischen Revolution, auf denen die Darstellungen der Freiheit, der Fruchtbarkeit, der Monate des Jahres, der Gerechtigkeit, der Tugend, der Gesetzlichkeit durch die Stadt gefahren wurden; Vorläufer der Karnevalszüge am Rhein.

Oktober 1919 ausgegrenzt, im Januar 1920 ausgeschlossen. Sie gründen am 3. April die Kommunistische Arbeiterpartei Deutschlands (KAPD). Niemand weiß, ob die Zentrale oder die neue Linkspartei über die Mehrheit der kommunistischen Wähler verfügt.

EIN MOMENT POLITISCHER JUGEND. NICHTS GILT ALS UNMÖGLICH. Es geht darum, bürgerliche Rücksicht (die gefährliche Form der Zaghaftigkeit, die in den Weltkrieg führte) über Bord zu werfen. Neue Form direkter Herrschaft (das Räteprinzip) führt zur WELTANEIGNUNG, Selbsttätigkeit

Es muß dafür gesorgt werden, daß die Komintern in Petrograd, eine Versammlung kommunistischer Delegierter aus 38 Ländern, 167 stimmberechtigte Vertreter, 51 Delegierte mit beratender Stimme, von der Gründung der KAPD erfährt, der KPD Levis das Mandat entzieht, die KAPD anerkennt. Drei Parteien Deutschlands suchen die Anerkennung auf dem Zweiten Kongreß der Kommunistischen Internationale.[9] Welche Reisemöglichkeiten gibt es? Der polnisch-russische Krieg sperrt die Bahnlinien auf dem Kontinent. Um jeden Preis müssen die Delegierten der KAPD, Franz Jung, Dramatiker, Journalist, und Jan Appel, Schiffsbauer, auf dem Seeweg die russische Hafenstadt Murmansk erreichen. Von dort gibt es Wege nach Petrograd.

Matrose Hermann Knüfken, Parteigenosse, bringt Jung und Appel als blinde Passagiere an Bord des Cuxhavener Fischdampfers »Senator Schröder«. Auf hoher See übernimmt Knüfken, der die Delegierten aus ihrem Schiffsversteck befreit hat, mit Hilfe seines Browning-Revolvers das Schiff. Kapitän und Offiziere sind festgesetzt, die Mannschaft eingestimmt. Das Schiff hieß jetzt »Heinrich Laufenberg«.

Unangekündigt in Murmansk. Keine Blaskapellen, keine Fahnen. Diese werden über Bahntransport erst später aus Petrograd herangeführt, die Landung wird für Wochenschau und Presse wiederholt.

Auf dem Kongreß wird die Delegation kurze Zeit gefeiert. Diese Position der KAPD, zäh verteidigt durch die Schiffseroberer Jung, Appel und Knüfken

---

9 Erschienen ist im Sommerlicht von Petrograd die Delegation der Unabhängigen Sozialdemokraten Deutschlands (USPD), vertreten durch zwei Angehörige ihres linken Flügels, Ernst Däumig und Walter Stöcker, sowie durch zwei Delegierte des gemäßigten Flügels, Arthur Crispin und Wilhelm Dittmann. Wie die Linke in Deutschland verraten wird, davon wissen diese Praktiker das meiste. Als zweite Partei, jedoch aus der vorhergehenden Periode bereits anerkannt: die KPD, vertreten durch ihre Vorsitzenden Levi und Hugo Eberlein, beide Spartakus. Der dritte Prätendent ist die KAPD. Auf dem Kongreß werden später 21 BEDINGUNGEN für den Beitritt zur Kommunistischen Internationale beschlossen. Die KAPD vermag neun der 21 Bedingungen nicht zu akzeptieren, die Nummern 10, 11, 12, 13, 16, 17, 18, 20, 21.

(warum soll man das in Deutschland Eroberte, das ANTI-ADMINISTRA-
TIVE, ohne Kampf verloren geben, wenn doch die Horizonte der Zukunft und
nicht die Wandleuchten des Konferenzsaals die Grenzen bezeichnen), findet
keine Mehrheit. Der realistische Levi, engster Genosse von Rosa Luxemburg,
gilt als seriös.
Inzwischen haben die deutschen Behörden nach dem entführten Schiff geforscht. Die Fraktion im Rat der Volkskommissare, die angesichts der gemeinsamen Fronten gegen die Alliierten von Versailles Handelsbeziehungen und
Militärkontakte mit dem Deutschen Reich wünschte, liefert das Schiff zurück,
entfernt auch den anarchistischen Namen vom Bug und transferiert die Delegierten der KAPD in die Tschechoslowakei.

– Was ist überhaupt eine Partei?
– Eine Art Magnet.
– Keine Abgrenzung?
– Wirksame Parteien sind Attraktoren.
– Hätte die KAPD ein solch wirksamer Magnet sein können?
– Die KPD war es jedenfalls zu diesem Zeitpunkt nicht.
– Zu einem anderen Zeitpunkt?
– Sie meinen während des linken Kurses 1924? Da haben sie alle Künstler und
Theoretiker ausgeschlossen.
– Warum braucht man Künstler in einer Kommunistischen Partei?
– Wegen des Vorstellungsvermögens. Keiner kann sich den Kommunismus
konkret vorstellen.
– Man braucht sie wie Bühnenbildner?
– Die Künstler sind eine Stärke und eine Schwäche. Ihre Schwäche besteht
darin, daß sie es in der Realität nicht aushalten. Sie besetzen nicht freiwillig
eine Fabrik.
– Sind Künstler Leichtgewichte?
– Eher Schwergewichte. Weil sie nicht änderbar sind.
– Ihr politischer Gebrauchswert?
– Als Aushängeschild von hohem Tauschwert. Als Gebrauchswert geht es um
die Dosierung. Was ist der Gebrauchswert von Pfeffer? Nähren tut er
nicht.

Dies war der Grund dafür, daß die 167 Delegierten aus 38 Ländern, und zusätzlich die subversiv in den Pausengesprächen auf sie einsprechenden russischen Genossen, sich für die KAPD-Position nicht gewinnen ließen. Knüfken
unterhielt sie mit poetischen Seemannsliedern aufrührerischer Art. Jung dra-
matisierte, zerlegte die Zeitgeschichte in Romanentwürfe. Appel war vom

Schiffsbau fasziniert, von Großdampfern, den Romanen der Meere. Warum blieb die Zweite Internationale so anti-romantisch? Ihr Vorhaben war doch grundlegend anti-realistisch? Warum hält die politische Vernunft die WIRKLICHKEIT für einen Ratgeber?

Die Anerkennung oder Nichtanerkennung der KAPD, die erst nach dem Umzug der Zweiten Internationale von Petrograd nach Moskau definitiv wurde, hing ab von einer Viertelstunde. Die wesentlichen Redner (Kommunisten sind in einer solchen durch Sprengkraft und Zeitnot gekennzeichneten Situation in erster Linie Redner, sie gewinnen die Versammlung, sie formulieren, während sie beraten) treffen aufeinander: Lenin, Trotzki, zwei Amerikaner, der Inder, die drei deutschen Delegierten. Unter den Genossen haben Hugo Eberlein und Paul Levi den Vorteil, daß sie im Vorjahr schon da waren. Ihre Thesen geben ein lebendiges Bild von der deutschen Realität.[10] Der Gewohnheitsmensch Lenin gibt den Ausschlag, Heiner Müller bezeichnet ihn als eine russische Großmutter, die Pilze sucht, also eine an Erfahrung reiche Person, wirklichkeitsgesättigt, danach erst revolutionär. Gefährlichster Moment, wenn Lenin jemanden für einen unterhaltenden Phantasten hält.

– Das ist der Ausgrenzungsmechanismus.
– Genau.
– Hätte die KAPD, von der Komintern anerkannt (meinetwegen parallel zur KPD und USPD), die Zukunft in Deutschland wenden können?
– Nicht mit ihrem Programm. Wohl aber mit den neuen Mehrheiten, die zu Entrealisierung tendierten. Niemand mag 1920 die deutsche Realität.
– Sie hätten in das Denken des Mittelstandes eindringen können?
– Ohne weiteres. Sie hätten ein Bündnis mit der radikalen Rechten geschlossen, welche die Realität verabscheute, genauso wie sie die Belegschaft in den Fabriken für sich zu gewinnen suchten, und sie hätten, wie es Fritz Lang in *Metropolis* beschreibt, die Facharbeiter mit den Leitungen der Fabriken betraut.

10 Im Kulminationspunkt des KP-Putsches von 1920 schreibt der verhaftete Paul Levi, Parteivorsitzender, an seine Zentrale einen Warnbrief. Man muß sich vorstellen, schreibt er, was Deutschland als *Realität* ist. Ostpreußen als Provinz vermag sich mit Baden oder Württemberg nicht als Einheitsland zu verstehen. Bayern, Niedersachsen und Berlin ebensowenig. Thüringen, aus sieben Einzelstaaten zusammengesetzt. Man muß jede dieser Realitäten einzeln politisch gewinnen. Durch Seelenpolitik. Erst auf diesem Grundriß muß man Politik nochmals in die Bereiche Fabrik, Landwirtschaft, ledige Wohnbevölkerung, Mittelstand und in das weite VATERLAND DER VORURTEILE hineintragen. Dazu gehört die Verwandlung der gesamten Vorgeschichte. Der Zentrist dachte praktisch.

– Danach wäre für Präsidialkabinette der Weimarer Republik und für den Nationalsozialismus kein Platz gewesen?
– Vermutlich nicht.

Über diese Wegscheide deutscher Geschichte, sozusagen ROSA LUXEMBURGS ERSTE WARNUNG AUS DEM GRAB, schrieb Heiner Müller sieben Nächte lang ein Fragment. Inzwischen war er kein Bettflüchter mehr, da die Tatsache der Geburt seiner Tochter und die zweite Tatsache, daß seine überanstrengte Frau das Kind neben ihn bettete, ihm die Bettflucht verleidet hatte. Er sehnte sich nach seiner Liege.
Das verkürzt die Fragmente, hilft der Intensität. In der ersten Szene malt Müller das Bild des von Sturm aufgewühlten Hafens von Murmansk. Sturmmusik aus Verdis Othello. Landung einer vom Nordmeer zerrütteten revolutionären Truppe, die gefesselte Offiziere und einen Kapitän mit sich führt. Sprachprobleme. Allmähliches Ingangkommen einer Kantine. HÄTTE MAN DEN RUHM KÜNFTIGER ZEITEN (UND EINE BÖRSE SOLCHEN RUHMS), WÜRDEN ALLE ENTSCHEIDUNGSSCHLACHTEN DER WELTGESCHICHTE NEU ENTSCHIEDEN.
Start einer Delegation aus Petrograd, heiß erwartet, erstmögliche Akkreditierung der gelandeten Robinsone, Ankunft eines Güterzugs, REVOLUTIONÄRE BEGEGNUNG IM FALSCHEN MOMENT mit der Besatzung der Lokomotive und dem Zugbegleitpersonal. Sie sind auf ein revolutionäres Gespräch nicht vorbereitet, administrativ eingebunden, planen nach vier Stunden Schlaf Abfahrt um 24.00 Uhr. Nachts Richtung Smolensk.
Was heißt: DIE REVOLUTION STRANDET? Heiner Müller hat dieses Fragment nicht ausgeführt. Ihn begeisterte das Lager mit dem Winzling von Tochter, dem die Müdigkeit seines Körpers zuarbeitete.

Leuchtfeuer im Osten

I
Austrian-Hungarian-Military-Line

Am 20. März 1918 eröffneten Offiziere der k. u. k. österreichisch-ungarischen Luftstreitkräfte eine Fluglinie, die mit ausrangiertem Militärgerät und unter Nutzung der Nebentätigkeitschance eine Zivilfluglinie von Wien über Lemberg, Odessa bis Charkow, Tiflis und Astrachan betrieb.
Die Militärverwaltung hatte einen Fehler gemacht. Mitten im Krieg hatte sie

Privatinitiative zugelassen. Alle Reparaturkolonnen, alles Seelenleben der Aviatoren, alle Requisiten zur Reparatur der Flugzeuge konzentrierten sich auf die Zivillinie. Flugpreise für Fracht und Personen blieben niedrig. Dieser Partikel, diese Robinson-Insel der Friedenswirtschaft, konkurrierte mit dem Kriegskapitalismus auf entschiedene Weise. Die private Fluglinie machte Spaß. Obwohl bei dem Unternehmen achtzehn Piloten starben – und nur drei, die sich an der Front dem Feindesfeuer der italienischen Aeroplane aussetzten. »Und setzest du nicht das Leben ein, so wird es dir nicht gewonnen sein«, bezog sich auf die Perspektive, daß eine Gruppe von Offizieren und anvertrauten Mannschaften sich hier für die Nachkriegszeit eine Zivilflug-Ostlinie erobern wollten.

– Am Ende einer »unendlichen Anstrengung« gibt es stets noch einen Kriegsfortsatz mit anderen Mitteln?
– Wie die »Blüte vor dem Tod«.
– Man müßte also zu Kriegsende 1918 oder 1945 (oder am Ende des Golfkriegs) nach unternehmerischen Figuren fahnden und diese in Friedenszeiten nachahmen?
– Es gibt eine Art Augenblick der Wahrheit »im Nachschreck und im Vorschreck der Katastrophe«.
– Warum ist dann die Fluglinie Wien–Lemberg–Odessa–Charkow–Tiflis–Astrachan nie Wirklichkeit geworden? Sie bezeichnet doch eine revolutionäre Linienführung in Europa, die Phantasien auslöst?
– Merkwürdig. Es gibt Schallplatten des Tangokönigs Leschtschenko, die sich auf dieser Linie verbreiteten. Die »Platten« wurden auf Rippen von Röntgenaufnahmen gepreßt.
– Den Klang beeinträchtigte das nicht?
– Im Gegenteil. So gepreßte Rippen oder Platten, man muß sie nur rund schneiden, bewahren die unsterblichen Tangoklänge Leschtschenkos immerwährend auf. Praktisch unzerstörbares Material.
– Aus Not geboren?
– Es gab nichts anderes.
– Aber eine dauerhafte Flugverbindung oder eine Verbindung über Eisenbahnen hat es auf dieser phosphoreszierenden Strecke nicht gegeben?
– Ein Pfad der Schattenwirtschaft.
– Seit den Griechen gebahnt? Warum versagt der Kommerz so entscheidend gegenüber historisch fundierten Pfaden dieser Art? Ist Kommerz dumm?
– Offenbar lernt er nicht aus Krisen.

2
Beispiel für bestraften Rassismus

– Beispiele für Rassismus, der bestraft wird, sind selten.
– Ein deutliches Beispiel ist der Untergang der Austrian-Hungarian-Linie Dezember 1918.
– Wegen des Winters? Wegen der Stürme?
– Nein. Die Piloten lehnten finanzielle Rettung des Unternehmens durch einen Amerikaner ab.
– Aus welchen Gründen?
– Aus Hochmut. Ich glaube, daß sie die Qualität des Bieters nicht bemerkten.
– Also nicht einmal aus rassistischen Gründen?
– Aus unbewußt rassistischen Gründen. Sie hielten den Bieter aus New York nicht für vornehm genug.
– Und hatten doch keinen Grund, auf Vornehmheit zu pochen.
– Hatten sie auch nicht. Aber der Bieter aus New York, der die Fluglinie übernommen hätte, hieß Chaim Dryer und stammte aus Lemberg, von wo er nach New York entkommen war.
– Und die Leutnants und Hauptleute mit militärischer Fluglizenz hielten den Mann für ungeeignet, ihr Vorgesetzter zu sein?
– Voller Hochmut.
– Was wäre das Kapital gewesen? Hätte die Chance der Weiterführung bestanden?
– Unbedingt, das Kapital betrug 500 000 Dollar.
– Die Flieger glaubten, sie könnten ohne Geld, aber mit der Macht vergangener Jahre die Fluglinie halten?
– Mit Leidenschaft wollten sie sie halten.
– Ohne Leidenschaft hätten sie das Angebot näher angeschaut?
– Unbedingt hätten sie es angenommen.
– Dann hätte es eine Fluglinie Budapest–Wien–Lemberg–Odessa–Tiflis–Astrachan (und vielleicht im Kreis über Smolensk wieder zurück) gegeben?
– Mitsamt den Republiken, die sich entlang einer Fluglinie gründen. Ein Mitteleuropa. Eine Fortsetzung der k. u. k. Monarchie nach Osten.
– Österreich wäre Republik geworden, deutschsprachig. Die Monarchie wäre mit Hilfe der Aeroplane nach Osten ausgewichen?
– Mitsamt Erzherzögen.
– Das wäre ein wertvolles Gut?
– Bezahlbar durch Chaim Dryer.
– Und was interessierte den?

– Heimatliebe.
– Kein Kapitalinteresse?
– Was schadet es der Heimatliebe, wenn sie mit Kapitalinteresse verbunden ist?

3
Weizen nach Berlin

Unmittelbar nach Oktober 1917. Das ganze Jahr 1918 hindurch bildete die Sowjetmacht noch keinen Staat. Es gab Fabrikorganisation, Zugpersonal, Truppenkörper, diskutierende Gruppen, Telegrafenämter, Schattenwirtschaft, Dörfer, Stadtviertel.

Im Stab Trotzkis: intelligente Liberale, Anarchisten, Sozialrevolutionäre. Was war an Trotzki kommunistisch? Marx hatte er gelesen. Die damit unvereinbaren Texte Sigmund Freuds auch. Dies hier war die *westliche* Fraktion der Weltrevolution.

Lenin bezeichnete Trotzkis Büros, zeitweise rollten sie in Panzerzügen auf den Eisenbahnstrecken, als »administrativ«. Diese Büros suchten den Durchbruch des russischen Geschehens in Richtung Weltgeschichte zu organisieren. Warum setzte sich das Projekt nicht durch?

Was die Schar westlicher Aktivisten versuchte, war objektiv nie ganz unmöglich.

Verführerisch. Ein Telegramm nach Berlin. Wir senden Euch, teure Genossen, Eisenbahnzüge mit Weizen ins hungernde Berlin. Das Telegramm wurde abgesandt im Februar 1919.[11]

Die Aktion unterblieb. Es gibt keine Lokomotiven, den Weizen frühestens im Sommer; die Frachtwaggons sind bei Smolensk in einem Depot zusammengeführt. Alles, was die ADMINISTRATOREN DER WELTREVOLUTION besaßen, war eine Liste. Weizen zum Grenzübergang nach Ostpreußen zu bringen würde sechs Monate dauern. Das erledigte sich, weil das Deutsche Reich die Einfuhr verbot.

Wenig später (weil täglich so viel passiert, der revolutionäre Prozeß läßt sich nur zähflüssig bewegen, zwei Jahre sind »wenig später«), wir schreiben 1921, funktioniert der Draht der Administratoren zu den deutschen Militärbehörden. Waffentransporte für die Polen werden im Nord-Ostsee-Kanal vom Deutschen Zoll angehalten. Kommt jetzt die Kooperation?

11 Die britische Flotte sperrt die Enge zwischen Schottland und Norwegen. Hungerblokkade.

Nach 1921 war kein Durchbruch der Revolution nach Westen mehr möglich. Der Vormarsch der Roten Armee auf Warschau war abgebrochen. Jetzt erst existierten Grenzen, ein wesentliches Zubehör für ein Staatswesen. Was heißt überhaupt, revolutionäres Militär kämpft gegen Prätorianer? Wieso können sich nicht Proletarier und Prätorianer verbünden? Trotzki wies die Volkskommissare hin auf Spartakus, den Gladiatoren-Führer. Was unterschied diesen Sklavenbefreier von einem Prätorianer? Lenin verspottet Trotzki: Gladiatoren-Zuhälter. Dieser wieder einmal erkältet.[12]

4
Historische Chance

Es war keine Übertreibung, was Aurel Stromfeld, der Militärberater des ungarischen Staatspräsidenten Kàrolyi, von der Nähe der ROTEN ARMEE berichtet hatte. Eine Eskorte hatte Nachricht gebracht. Hundert Kilometer nördlich der Karpaten lag in Zelten, an einem Flußufer, eine Reiterarmee. Von den Karpatenpässen wiederum waren es 150 Kilometer bis Budapest.

Man sollte, hieß es, die rumänischen Infanteristen, die Landräuber, nicht fürchten, die sich von Osten der ungarischen Hauptstadt näherten.

Inzwischen hatte aber der russische Oberbefehlshaber Antonow-Owsejenko, der die Reiterabteilung der Roten Armee im Süden Rußlands befehligte, Weisung erhalten, nach Osten abzurücken in Richtung Charkow, auf General Denikin zu, der die Weißen befehligte. Da, wo die ungarischen Späher Zelte gesehen hatten, fand sich nichts als einige Haufen Abfall. Der Durchbruch der GROSSEN PROLETARISCHEN REVOLUTION, des Prinzips der Räteherrschaft, von Rußland über Ungarn nach Westen war schon drei Tage nach Aurel Stromfelds erregter Mitteilung keine Realität mehr.

---

12 Heiner Müller weist in seinem unveröffentlichten SPARTAKUS darauf hin, daß Ernst Jünger im April 1919 einen Rückzug der Reichswehr und einiger Freikorps, im Bunde mit der Roten Armee, in das Gelände am Fuße des Ural für machbar hielt. Von dort aus hätten die Revolutionen von rechts und links dem Komplott von Versailles trotzen können.

Das letzte Fähnlein der Weltrevolution

In den sieben Tagen, die auf den 21. März 1919 folgten, formierte sich die Räterepublik Ungarn. Die nächstliegenden Einheiten der Weltrevolution, die sich als Rote Armee bezeichneten, waren ukrainische Bataillone, die an den Ufern des Dnjepr lagerten. Sie waren außerhalb ihres Rayons nicht wirksam einsetzbar. Sie hätten an fernem Ort kein Motiv zum Kämpfen gehabt. Ihre Sorge galt ihren Ortschaften und Äckern, die sie von einer Wiederbesetzung des Landes durch Truppen des alten Regimes freizuhalten suchten. Zu diesem Zweck wollten sie den Ort, an dem sie zelteten und kochten, nicht verlassen.

Ihr Oberbefehlshaber und dessen Leibwache hatten mühsam reiten gelernt. Sie kamen aus den Munitionsfabriken von St. Petersburg, waren hier im tiefen Süden MOTOR INDUSTRIELLER DISZIPLIN; wie Ertrinkende fühlten sie sich in den Wüsten der Agrikultur.[13]

Die Nachricht vom Aufstand in Budapest gelangte, redaktionell aufgeplustert, in die Meetings und so in den revolutionären Alltag der Truppe. Auf transportablen Druckmaschinen wurde ein Extrablatt gedruckt. Vor allem die Petersburger Kämpfer diskutierten. Wird die Weltrevolution, ausgelöst in Rußland, über Ungarn ins Herz Europas vorstoßen? Die Eisenbahnlinien und Straßen hierfür waren auf relativ einfachen Karten bestimmbar: Kiew–Budapest–Wien–Prag oder München, Berlin oder Paris. In Verkehrung historischer Verhältnisse war derzeit Paris, die Mutter der Revolutionen, zur Spinne der KONTERREVOLUTION geworden. Filialen des Deuxieme Bureau organisierten im Osten die Rückkehr der Regime von vor 1914. Wieviele Tagesmärsche zu Pferd nach Paris? Dreißig, mit Gefechten vierzig.

So machten sich noch in der Nacht 63 Reiter und einige Jagdeinsitzer, mit Maschinengewehren, Munition und Proviant beladen, auf den Weg. Durch die Karpaten, über die Flüsse.

Niemand hielt sie auf. Acht Tage später waren sie in Budapest. Auf dem Pflaster der Großstadt klapperten die Eisen der Pferde.

In Quartieren des Bürgerviertels, auf dem jenseitigen Ufer der Stadt untergebracht, auf einem Platz vor dem Parlament begrüßt, waren sie tags darauf vergessen. 63 Reiter konnten nicht als Vortrab der Revolution nach Wien weiterziehen. Sie versuchten, eine ungarische Armee zu organisieren: informelle Kader, aufgebaut nach dem Prinzip sich rasch im Land bewegender berittener

---

13 Die heimischen kriegserfahrenen Bauern neigten entweder zum Schematismus, wenn sie gehorchten, oder sie verbreiteten Chaos, wenn sie zweifelten.

Arbeiterkolonnen, die es in dieser Erscheinungsform bisher so in der Welt nicht gab. Stoff für rote Armbinden stand zur Verfügung.[14]

Zweimal sandte das »Fähnlein der 63« Boten zu den eigenen Leuten, von denen sie meinten, daß sie noch am breiten Fluß verharrten; die Boten erreichten die Truppe auf dem Marsch nach Charkow, weit entfernt. Von den 63 in Budapest waren 56 übrig. Täglich kamen sie zusammen, wöchentlich wurden sie weniger.

Bequeme Zimmer. Die Bleibe war nicht lästig. Die Wirte der Quartiere mißtrauisch. Kann man Stadt und Revolution durch Terror schützen? Oder durch Nettigkeit? Sie waren nicht defensiv eingestellt.

Ende Juli näherten sich die reaktionären Truppen des Admirals Horthy Budapest. Das Fähnlein der Weltrevolution hätte zunächst noch in Richtung des östlichen Gebirges entkommen können. Ihre Pferde hatten sich in den Gärten des Villenviertels vollgefressen. Die Revolutionäre glaubten jedoch an einen Meinungswechsel in der Stadt von der Minute an, in der die Grausamkeit bekannt würde, mit der die Weißen Rache übten. So verharrte das Fähnlein.

Sie wurden von den Quartierwirten angezeigt, eingesammelt, in Gefängnisse verlegt, in Gruppen zum Friedhof geführt und dort, vor ausgeschachteten Gräben, erschossen. Kein Schild, wo sie begraben sind. Die von intelligenten Adligen geführten, weltkriegserfahrenen Truppen der ungarischen Reaktion wollten, daß keine Nachricht von diesem Vorstoß erkennbar blieb, daß dieses Stück Zeitgeschichte verschwände. Vollständigkeit und Härte der Exekutionen sprechen von Angst. Sie, die Feinde der Revolution, hätten dem letzten Fähnlein, das sie in diese Welt aussandte, eine objektive Chance zugesprochen.[15]

---

14 Die Industriearbeiter von Budapest unterstützten in den Monaten April bis Juli die Räteregierung, weil diese als nationale Repräsentanz den Plänen der Alliierten, Ungarn zu zerteilen, widersprach. Die Betriebe von Budapest hatten ein Interesse, ein möglichst großes Land, das sich dem Ackerbau widmete, mit Fabrikwaren zu versorgen. Diese Arbeiter wollten an ihren Produktionsstätten bleiben, sie hatten kein Interesse, als bewaffnete Kolonne fortzuziehen und fremde Länder zu erobern.

15 Spätere Vorstöße sowjetischer Verbände verfolgten zwar rhetorisch Ziele der Weltrevolution, waren jedoch stets Boten des eigenen Landes, welche die Landesgrenzen der UdSSR zu erweitern suchten. Weltrevolution, heißt es bei Trotzki, ist Geistespolitik, Seelenpolitik, nicht bloß Weltpolitik.

Sturz des Volkskommissars Litwinow

An einem Montag im Mai 1939 wurden die Eingänge des Volkskommissariats für auswärtige Beziehungen in Moskau von NKDW-Truppen besetzt.[16] Offiziere dieses Geheimdienstes bewegten sich rasch auf den Fluren der Chefetagen.

Die Privat-Telefone des Volkskommissars für das Äußere, Maxim Litwinow, wurden gekappt. Das auf den Schreibtischen der Chefetage Vorgefundene wurde in Kisten gepackt und abtransportiert.

Die Aktion enthielt insofern ein THEATRALISCHES ELEMENT, als Litwinow, schon seit Wochen gewarnt, in seinem Amtssitz gar nicht erschienen war. In einem Korbsessel residierte er bereits als Leiter eines Elektrizitätswerks im Norden von Kursk. Anhänger hatten ihn hierher versetzt. Sie hielten ihre Hand über ihn.

Die putschartige Entmachtung im Volkskommissariat war die öffentliche Version seines Sturzes. Ein Jude und Hetzer gegen den Westen war rechtzeitig enttarnt und von seinem Posten entfernt worden. Die Geste sollte Verhandlungen mit dem Deutschen Reich begünstigen. Innerhalb des Terrors der UdSSR waren zu diesem Zeitpunkt bereits Kürzel für die öffentliche Verständigung ausreichend. Man mußte Litwinow nicht umbringen, um ihn als ENTHAUPTET zu kennzeichnen.

Wie das Licht in die Welt kam

Verspätete Heimkehr eines Marx-Fragments

In einer antiken Quelle wird erwähnt, daß im 5. Jahrhundert v. Chr. erstmals die Bezeichnung candela simplex, die »einfache« candela auftritt. Man könnte vermuten, daß diese candela »einfach« durch Eintauchen eines *funale* (Schnur, dünner Strick aus Schilfrohr, Binsen, Papyrusstengel, vielleicht auch aus Hanfabfällen in Schnurform) in Talg hergestellt wurde; ein Faden, von einer dünnen Talgschicht überzogen. Dann wäre die candela simplex ein Talgkerzchen der ärmeren Bevölkerung gewesen oder ein Faden in einer kleinen Talg-Brennschüssel. Im 2. Jahrhundert tritt zum erstenmal der Docht auf, filum, der LICHTFADEN. Diese candela brannte schnell ab und mußte ständig gewar-

16 Fotoreporter waren, wie geplant, zur Stelle.

tet werden. Kennzeichen der brennenden Kerze ist die mit flüssigem Brennstoff gefüllte BRENNSCHÜSSEL, aus der das Kerzendochtende, das die Flamme trägt, herausreicht. Der Durchmesser des Brennmaterials muß also gegenüber dem Docht genügend groß sein, und das Brennmaterial muß einen selbständigen Körper bilden.

Kann sich keine Brennschüssel bilden, weil z. B. Docht und Brennmaterial gemeinsam herunterbrennen (strangförmiges Material, mit flüssigem Brennstoff durchtränkt), handelt es sich um die Konstruktion »Fackel«. Statt einer »Kerze«. Warum wurde nicht die KERZE, sondern die FACKEL das Zeichen der Freiheit? Die Kerze, das Lebenslicht, das Zeichen für Trauer, die Fackel jedoch als das pathetische Zeichen, das Ankunftszeichen an den Quais von Manhattan?

Das waren Fragen, die in einem am 4. Dezember 1989 in der Kulturabteilung des ZK der SED abgelieferten, bis dahin unbekannten Text von Karl Marx erörtert waren. Titel des Fragments: »Stoffheiligkeit (materia sacra)«. Das Manuskript wurde ersteigert durch DDR-Agent Oberleutnant David M. Frankfurter.[17]

Stoffheiligkeit (materia sacra)

»Bei einem furchtbaren Unfall, der über die Erde kam, weinten Götter, Menschen, Tiere. Auch der Sonnengott Re weinte. Tränen liefen aus seinem Auge zur Erde. Sie verwandelten sich in eine Biene. Die Biene ist eine Arbeiterin. Ihr Werk ist beherbergt in Blumen und Bäumen. Das ist der Ursprung des Wachses und des Honigs aus den Tränen des Gottes Re.«

Es tritt hinzu: »Das Wachs als jungfräuliches Produkt der keuschen Biene.«

Die Biene: »Sie überragt alle anderen Tiere. Obwohl klein von Körper, trägt sie gewaltigen Geist in der Brust. Schwach ist sie an Kraft, aber stark in der Erfindungskunst. Ihr Geschlecht wird nicht vom Mann verletzt, nicht von der Brut gestört.«

Die »wächserne Feuchtigkeit« besitzt süßen Duft und Glanz in ihrem Licht.

Technologische Aussage: »Die Kerze ist aus drei verehrungswürdigen Bestandteilen zusammengefügt: (1) dem Nährstoff aus den Gewächsen der Flüsse (Papyrusdocht), (2) dem von der unbefleckt fruchtbaren Biene bereitgestellten Stoff und (3) dem vom Himmel eingegossenen Feuer (Sauerstoff, Atem). Unbefleckt vom Fleischesfett. Wir streichen die verborgenen religiösen Anspielungen und behalten ein politisches Gleichnis.«[18]

---

17 In Mittelengland im Oktober 1989.
18 Manuskript teilweise schwer leserlich.

Oberleutnant Frankfurter und sein Kollege Fritzsche hatten das Dokument, das sie für 180 Pfund billig erstanden hatten, dem Kultursekretär abgeliefert, einem ehemaligen Emigranten und Skeptiker, der angesichts des schon in Gang gesetzten Parteitags, der zur Ablösung der SED führte, keine praktische Verwendung mehr dafür sah. Noch immer aber lauerte auf den Fluren des Zentralkomitees ein junger Journalist der *Berliner Zeitung*, hungerte nach Nachrichten. Die spätere sog. Wende, war sein Eindruck, hatte die DROGE ÖFFENTLICHKEIT schon jetzt für ihn freigesetzt. Die Disziplin der Geheimhaltung war in jenen Tagen nicht mehr streng. So saßen der Journalist A. Osang und Oberleutnant D. Frankfurter, die sich bis dahin nicht kannten, jetzt in der Kantine einander gegenüber.

OSANG: Merkwürdig, daß in diesem Text keine Bemerkungen des Meisters enthalten sind, die sich über die Worte »Keuschheit«, »vom Manne unbefleckt«, »jungfräulich«, »verehrungswürdig«, »unbefleckt-fruchtbar« lustig machen. Das hätte er sonst nie versäumt.

FRANKFURTER: Er muß in ernster Stimmung gewesen sein.

OSANG: Und Sie halten den Text für echt?

FRANKFURTER: Mit absoluter Sicherheit. Wir haben das Papier untersucht: ein Wasserzeichen, das nur bis 1858 verwendet wurde. Tintenvergleich im Institut, wo die übrigen Manuskripte verwahrt sind – tintenecht.

OSANG: Was aber hat ihn an dem Unterschied zwischen Fackel und Kerze so interessiert? Soll eine politische Bewegung mit der »Fackel der Freiheit« stürmen oder mit der »Kerze der Geduld«?

FRANKFURTER: Letzteres. Das mit der Fackel wurde probiert. Das mit der Kerze nicht.

OSANG: Die Fackel brennt zu schnell? Das war die Einsicht unserer Geheimdienste?

FRANKFURTER: Es dauert in Wirklichkeit alles länger.

OSANG: Durch Bienenhaftigkeit hätten wir gewinnen können?

FRANKFURTER: Die Biene ist das Idol des Bürgerfleißes.

OSANG: Wir hätten als bürgerliche Revolution gewinnen können?

FRANKFURTER: Wir hätten sie vollenden können als Republik der Bürgersöhne.

OSANG: Ist die bürgerliche Revolution je irgendwo vollständig vorgeführt worden. Sozusagen als Kerze?

FRANKFURTER: Beinahe in Portugal.

OSANG: Zu spät für unsere Republik?

FRANKFURTER: Vermutlich.

OSANG: Sind Sie sicher?

FRANKFURTER: Wenn nicht einmal ein neu entdecktes Marx-Fragment das Zentralkomitee aufregt.

OSANG: Ein Vorschlag von Karl Marx, an die Stelle der schnellen Fackeln des 40. Parteitags die geduldig brennende Kerze aus Bienenwachs, 2000 Jahre alt, zu setzen?

FRANKFURTER: Deshalb haben wir den Text herangeschleppt.

OSANG: Haben Sie wenigstens Auslagenersatz erhalten?

FRANKFURTER: Nicht einmal Reisekosten.

Die beiden hatten sich sieben Nordhäuser einverleibt. Der Blick durch die Fenster nach draußen fiel auf eine Dämmerung, die unbestimmt und dadurch hoffnungsreich blieb.

Wachs der Seele

> »Wenn das Wachs in der Seele eines Menschen stark aufgetragen und genügend durchknetet ist: dann und nur bei solchen Menschen werden die Eindrücke, die aus den Wahrnehmungen stammen und sich in das Ganze (to kèr) der Seele einprägen, so sagte Homer, um die Ähnlichkeit mit dem Wachs (kêros) anzudeuten, deutlich und auch dauerhaft sein.«
>
> *Plato, Theaitetos 194*

- Was heißt genügend durchknetet? Wie kann das Wachs oder das Ganze der Seele geknetet werden, wenn man doch nicht weiß, wo der Sitz der Seele sich befindet?
- Diese Prägung kann nur in mehreren Generationen vonstatten gehen.
- Die Schicksalsschläge kneten? Was nicht zerstört wurde, verstärkt sich und wird in der dritten oder vierten Generation plötzlich klug?
- Nicht klug, sondern aufnahmebereit. Plato spricht davon, daß das Wachs »stark aufgetragen«, d. h. gepreßt wird. Es wird glatt.
- Können Sie mir einige Beispiele für solche »Wachsabdrücke« nennen? In Westpoint? Im deutschen Generalstab oder in der Industrie?
- Dazu ist bei Plato kein Hinweis zu finden.
- Aber es handelt sich offenbar um eine Wachstafel? Das Herz der Seele ist ein geschriebener Text?
- So meint er das offenbar.
- Dieses Wachs aber schmolz beim Höhenflug des Ikarus?

– Es geht nicht um einen Höhenflug. Es geht um eine Prägung.
– Wie bei einer Münze? Wie bei einem Charakter?
– Ich glaube, es ist eine Schrift gemeint.

Auskünfte eines Wespenforschers

Dr. Gadagkar, Professor für biologische Ökonomie an der Universität Bangalore, war Spezialist für Evolution der Tierwelt, in der Nachfolge von Charles Darwin. Seit 25 Jahren studierte er zwei Gruppierungen geselliger Wespen, von denen die eine Gruppe im Süden Indiens, die andere im Norden lebt. Seit etwa 90 Millionen Jahren gibt es staatenbildende Wespen. Sie haben die weltweite Katastrophe des Kometeneinschlags vor 65 Millionen Jahren, die das Saurier-Imperium beendete und die biologische Chance für Säugetiere und Menschen öffnete, als Staatswesen mühelos überbrückt. Die Wespengruppe im Süden scheint die ursprünglichere, primitivere Verfassung zu haben. Die Königinnen knuffen, beißen, drangsalieren in physischem Kontakt die Mitglieder der Gemeinschaft, wenn sie im Arbeitsprozeß nachlassen, verteidigen so ihr Königtum und halten zur Arbeit an. Demgegenüber erscheint die nördliche Gruppierung »fortschrittlicher«, da die Königinnen den Stamm der Arbeiterinnen durch Drogen in Disziplin halten. So können diese nördlichen Gemeinwesen umfangreicher werden, wobei wenige Moleküle der Droge ausreichen. Kleine Mengen üben nach Paracelsus in der Potenzierung große Wirkung aus.
Gespräch der NZZ mit Prof. Dr. Gadagkar.

NZZ: Sie sprechen von Ihren Wespen, gleich ob in der Natur oder im Labor, mit großer Sympathie. Sie reden von einer MATRIARCHALEN MONARCHIE.
GADAGKAR: Mit vollem Recht. Die Königin herrscht, die Arbeiterinnen arbeiten zu. Sobald Arbeitsteilung besteht, daß einige sich fortpflanzen, andere nicht, die Brutpflege und der Erwerb von Beute arbeitsteilig erfolgt, sprechen wir von eusozialen Insekten, d. h. von einem Zoon politikon, staatenbildenden Tieren.
NZZ: Sind die sozialistisch?
GADAGKAR: Zweifellos.
NZZ: Matriarchalisch?
GADAGKAR: Außer bei Termiten.
NZZ: Bedeutet das, daß Darwins Grundannahme, die Gene seien selbstsüch-

tig (selfish), es gäbe keine Gutmütigkeiten im Kampf ums Dasein, widerlegt ist?

NZZ: Was hat Darwin so nie gesagt.

NZZ: Was hat er gesagt?

GADAGKAR: Alle biologischen Umstände sind in Strukturen vorhanden. Ich habe Zellen, die bilden Organe und Kreisläufe, diese bilden eine Person oder ein Tier, diese bilden Familien oder Gesellschaften, alle gemeinsam sind die Biomasse des Planeten. Einige dieser Strukturen sind stets kooperativ, andere *selfish*.

NZZ: Auf den Kosmos dehnen Sie das nicht aus?

GADAGKAR: Was weiß ich? Die Evolution findet auf jedem dieser Stockwerke statt. Kooperation zwischen Zellen und Organen schließt nicht aus, daß Deutsche und Franzosen sich hundert Jahre lang bekämpfen. Das kann im Planetenmaßstab wiederum Frieden bedeuten, weil sich die Ameisen oder Einzeller vermehren.

NZZ: Sie meinen, Einzeller leben von den Toten von Verdun?

GADAGKAR: Oder denen des Irak. Auf der einen Ebene Kooperation ums Dasein, auf der anderen Kampf ums Dasein.

NZZ: Und einen Plan kann man nur fassen, wenn man alle Ebenen zusammenfaßt?

GADAGKAR: Einen Plan kann man überhaupt nicht fassen.

NZZ: Und was macht man statt dessen?

GADAGKAR: Das kann ich Ihnen als Biologe nicht sagen.

NZZ: Aber Sie könnten etwas andeuten. Wir lernen aus dem Buch der Natur. Marx schrieb Widmungen und Briefe an Darwin. Gern wäre er der Ökonom der Tierwelt geworden, nicht Ökonom der Menschen.

GADAGKAR: Interessant, daß Sie darauf hinweisen. In meiner Jugendzeit schrieb ich einen Essay über Marx und Darwin.

NZZ: In Indien?

GADAGKAR: In Bangladesch. Die Denkweise in der Evolution geht umgekehrt. Etwas, das übrigbleibt, zeigt, daß etwas gelernt wurde.

NZZ: Man kann also nicht lernen, etwas bewirken und dann annehmen, daß es Erfolg hat?

GADAGKAR: Nein. Das widerspricht dem indischen Erfahrungssatz, »etwas geschehen zu lassen«.

NZZ: An den wir Abendländer nicht glauben müßten.

GADAGKAR: Zum Beispiel werden Königinnen in einem Wespenstock von den Arbeiterinnen nicht gewählt. So wie man einen Kanzler oder einen US-Präsidenten wählt. Die Arbeiterinnen (auch bei den Bienen, den Ameisen) beobachten (»they monitor«) aber ihre Königinnen zu jedem Zeitpunkt.

Wird die Königin schwach, d. h. bei den südlichen Wespen in Indien in ihren Knüffen und Bissen, bei den nördlichen in der Abströmung ihrer Drogen, wird sie draußen ausgesetzt, wo sie stirbt. Sie wählen die Königin im Fall des Versagens ab. Die Demokratie funktioniert rückwirkend.

NZZ: So wollen Sie mir die Evolution erklären?

GADAGKAR: Im Gegensatz zur Revolution. Evolution reagiert nicht etwa »reformerisch« oder »zahm«, sondern »im Ergebnis«.

NZZ: Ein rückwirkender Lernprozeß?

GADAGKAR: Wie die »unsichtbare Hand« von Adam Smith.

NZZ: Könnten sich Revolutionäre darauf einstellen?

GADAGKAR: Nur die bleiben übrig, die sich darauf eingestellt haben.

Güte ist Besessenheit, sie ist nicht milde

Güte ist nicht erblich. Worin besteht sie überhaupt? In der Familie von Posa war dies in verschiedenen Generationen, alle protestantisch, alle in Stiftungen, im Kirchendienst irgendwann tätig, oft erörtert worden. Mit Rechtschaffenheit allein läßt sich GÜTE nicht umschreiben. In dem Verhalten, das wir Güte nennen, sagte Sophie von Posa, liegt ein Qualitätsmerkmal. Es nervt die Mittelmäßigen und Bösen, sofern man die Gegenpole der Güte so vereinfacht bezeichnen kann.

– Wie würden Sie einen »gütigen Menschen« charakterisieren?
– Als gleichbleibend? Er läßt für andere Raum, er teilt das Seine?
– Ich meine die Frage nicht als Ratespiel.
– Was soll ich antworten? Wir beide würden GÜTE erkennen. Oder nicht?
– Man würde sie erkennen.
– Hat sie etwas Abweisendes, etwas, das auftrumpft?
– Dann wäre es nicht Güte.
– Ist sie eine alte Struktur? Etwas, was aus Vorzeiten überlebt? Oder entsteht sie aus der Umkehrung von Leid in der Jetztzeit?
– Man müßte Beispiele finden.
– War Güte in der Politik je erfolgreich?
– In der Politik erscheint sie intolerant, sie wirkt als schlechtes Beispiel für das Omnipotenzgefühl im Menschen. Menschen leiten die Verhältnisse nicht, auch nicht durch Güte.
– Kommt Güte insofern aus alten Verhältnissen? Besonders solchen von Clans oder Gruppen, in denen langjährige Bosheit einen Einzelmenschen

hervorbringt, der das GEGENSEITIGE SCHADENSTIFTEN umkehrt.
Im Inneren sind die Leute später gütig?
– So ähnlich.
– Dann paßt Güte nicht in die Massenkultur?
– Sie ist zu intensiv für leitende Ämter oder Führungsrollen.
– Was sollen wir machen? Sie umerfinden?
– Sie läßt sich nicht verändern.
– Ist Güte triebhaft?
– Hoffentlich nicht.
– Oder nur Charaktermerkmal?
– Hoffentlich nicht. Dann wäre sie zu schwach.
– Was ist denn ihre Stärke?
– Ihre Unabweisbarkeit.
– Es geht nicht ohne Güte?
– Nein.

Unsterbliche Opfer

I

Mirabeaus Todeskampf und Beisetzung

Seine mächtigen Worte waren es 1789, die bewirkten, daß die Nationalversammlung ihre Autorität gegen den König durchsetzte. Aus der Mitte der Versammlung rief er mit wuchtiger Stimme dem Zeremonienmeister, der den Befehl sich aufzulösen der Versammlung überbracht hatte, zu: »Wir haben die Absichten gehört, die man dem König eingeflüstert hat; und Sie, mein Herr, der Sie nicht in der Lage sind, sein Werkzeug bei der Nationalversammlung zu sein, Sie, der Sie hier weder Sitz noch Stimme, noch das Recht zu reden haben, Sie haben uns nicht an seine Rede zu erinnern. Sagen Sie denen, die Sie hierher schicken, daß wir hier sind durch den Willen des Volkes und daß nur die Gewalt der Bajonette uns von hier vertreiben soll.«[19]
Ende März 1791 litt dieser Mann an Kolik-Anfällen, die von Angstzuständen begleitet waren. Er hielt sich für vergiftet. Fünf Tage später war es zu Ende. Die Menge drängte sich vor der Tür des Kranken. Am 2. April morgens ließ er die Fenster öffnen. Die Sonne strahlte. Er ließ sich rasieren, frisch ankleiden. Kurz

---

19 Diese Version ist die einzig wahrscheinliche. Mirabeau war Royalist; er hätte weder jemals gesagt: »Sagen Sie Ihrem Herrn« noch die anderen Worte, die man hinzugefügt hat.

darauf verlor er die Sprache, antwortete aber noch durch Zeichen. Als die Schmerzen unerträglich wurden, schrieb er auf einen Zettel das Wort: »Schlafen«. Die Ärzte verstanden das so, daß er um Opium bat. Zuletzt lag er, auf den Rücken gedreht, die Augen zur Decke erhoben. »Die Totenmaske, die das Gesicht des Revolutionärs in dieser Position festhielt, zeigt ein sanftes Lächeln wie bei einem, der träumt.«

Noch während der Krankheit war ein junger Mann gekommen und hatte gebeten, man solle sein Blut nehmen, um Mirabeaus Blut zu beleben und zu verjüngen. Das Volk sorgte dafür, daß die Theater und die Vergnügungsstätten geschlossen blieben. Man öffnete den Leichnam. Die Mehrzahl der Ärzte, die der Leichenöffnung beiwohnten, sahen »unzweifelhafte Spuren von Gift«, sie schwiegen.

Am folgenden Tag beschloß die Nationalversammlung, daß die Kirche Sainte-Geneviève (das heutige Panthéon) zur Grabstätte großer Männer umgewidmet und daß Mirabeau dort bestattet werden sollte. Am Giebel sollten die Worte stehen: »Aux grands hommes de la patrie reconnaissante«. Descartes lag schon dort. Geplant war, Voltaire und Rousseau ebenfalls dorthin zu bringen.

Der Leichenzug war so üppig und populär, wie man es erst wieder bei der Beisetzung Napoleons am 15. Dezember 1840 sah. An der Spitze des Zuges schritt Lafayette, von zwölf Pedellen geleitet. Tronchet, der Präsident der Nationalversammlung, führte die gesamte Versammlung an. Sieyès, Mirabeaus Vertrauter, nahm den ihm verhaßten Anführer der Gegenpartei, Lameth, am Arm.

Der ungeheure Leichenzug kam erst um acht Uhr abends zur Kirche Saint-Eustache. Zwanzigtausend Nationalgarden schossen gleichzeitig ihre Gewehre ab, Fensterscheiben zerbrachen. Ein starkes Peloton feuerte seine Gewehre innerhalb des hochragenden Kirchenschiffes ab.

Der Zug setzte bei Fackelbeleuchtung seinen Weg fort. Die wandernden Orchester, die in den Zug eingestreut waren, erschütterten durch ihre Posaunen und Pauken die Eingeweide und Herzen. Man kam sehr spät in der Nacht nach Sainte-Geneviève. Es fehlte hinfort, schreibt Jules Michelet in seiner GESCHICHTE DER FRANZÖSISCHEN REVOLUTION, der »Mann mit dem großen Herzen«.

> »Mirabeau stirbt, Mirabeau ist tot!
> Welch einer gewaltigen Beute hat
> der Tod sich bemächtigt!«

2
Mirabeau braucht auf dem Spaziergang
einen bewaffneten Begleiter

Ein halbes Jahr vor seinem Tod wurde der Revolutionär in Schmähschriften
des Verrats bezichtigt. Es schien, daß Mörder unterwegs waren, die ihn, den
»Verräter«, umbringen wollten. Ein Neffe begleitete Mirabeau ohne dessen
Wissen im Abstand von 200 Metern, wenn dieser an der Seine spazierenging.
Er trug zwei Pistolen und glaubte, bei einem Angriff noch rechtzeitig beisprin-
gen zu können.

3
Mirabeau war kein Verräter

Mirabeau, schreibt Jules Michelet, war kein Verräter, aber er war bestochen.
Unbestochen von Geld. Zwar nahm er Summen an, mit denen er die Kosten
seiner ungeheuren Korrespondenz mit den Departements bestritt. Das vermochte ihn nicht zu beeinflussen, so wie er unbestochen blieb vom Haß. Die
Bestechung, behauptet Michelet, lag anderswo. Ein Besuch im Schloß von
Saint-Cloud im Mai 1790 bei der Königin habe in ihm »die tolle Hoffnung geweckt, der erste Minister nicht etwa eines Königs, sondern einer Königin zu
werden, gewissermaßen deren politischer Gemahl«. Sie war so schön, so unglücklich, so mutig! Dies, daß er Dienste leisten wollte, war die eigentliche Bestechung. Dem Charakter der Königin nach war es ausgeschlossen, daß sie Mirabeaus Bereitschaft überhaupt bemerkte.
So wurde an einem trüben Herbsttag des Jahres 1794 vom Konvent beschlossen, Mirabeau aus dem Panthéon wegen des Vorwurfs des Verrats auszuschließen. Ein Bediensteter des Konvents trat, inmitten eines verkleinerten Festzu-
ges, an das Eingangsportal des Panthéon und verlas dort den Beschluß, die
Überreste des Honoré Riqueti Mirabeau von dort zu entfernen. Die Leichen-
teile wurden in einem Sarg aus Holz aus dem Umkreis des Tempels wegge-
bracht. Der Sarg wurde zum Friedhof der von der Guillotine Hingerichteten
im Faubourg Saint-Marceau gebracht. Nachts, ohne ein Kennzeichen, wurden
die Gebeine des Revolutionärs ungefähr in der Mitte der Umfriedung beerdigt.
Die Knochen sind von anderen nicht mehr zu unterscheiden.

4
»Marat ist der Affe Rousseaus«

> »Er war Schriftsteller ohne Talent, ein Gelehrter ohne
> Namen; er gierte nach Ruhm und hatte doch weder von
> der Gesellschaft noch von der Natur ein Mittel bekom-
> men, sich berühmt zu machen; so rächte er sich an allem,
> was groß war – in der Gesellschaft und in der Natur ...«
> *Lamartine*

Jean-Paul Marat oder Mara, Sardinier von Geburt, kam aus der Umgebung
von Neufchâtel, so wie Rousseau aus Genf kam. Als Rousseau 1754 die *Rede
über die Ungleichheit* in die Welt sandte, war Marat zwanzig Jahre alt. »Marat
besaß eine empfindsame, sehr leidenschaftliche Mutter, die einsam in ihrem
Schweizer Dorf, tugendhaft und phantastisch, ihren brennenden Eifer daran
wandte, einen großen Mann, einen Rousseau, aus ihm zu machen.« Die Folge
war eine Überhitzung des jungen Kopfes. Die Krankheit Rousseaus, der Hochmut, wurde bei Marat zu einer SELBSTGEFÄLLIGKEIT DER ZEHNTEN
STUFE. Er wurde der Affe Rousseaus (Jules Michelet). »Mit fünf Jahren
wollte ich Schulmeister werden, mit fünfzehn Professor, mit achtzehn Schriftsteller, mit zwanzig schöpferisches Genie.« »Ich glaube, alle Kombinationen
des menschlichen Geistes in bezug auf Moral, Philosophie und Politik erschöpft zu haben.«[20]
Marats Angriffe brachten dem Revolutionär Lavoisier, Begründer der modernen Chemie, den Tod. Nach Marats Ermordung führte ein Trauerkondukt die
Leiche über neunzehn Kilometer zum Grab.

5
Ende eines Aufklärers

Der Enzyklopädist Condorcet gehörte zu den Girondisten, die gegen die Tötung des Königs votierten. Er flüchtete sich in ein Gehöft auf dem Lande, weit
westlich von Paris. Da er glaubte, daß eine Gruppe von Häschern zu diesem
Gehöft unterwegs sei, die Gruppe von Menschen ließ sich aus der Entfernung
nicht genau unterscheiden, setzte er mit eigener Hand seinem Leben ein Ende.
Er hatte es nicht für so schwierig gehalten, sich mit einem Messer umzubringen. In einer Lache Blut. Aufgrund solcher Quälerei starb der Aufklärer in den

---

20 *Ami du peuple* von 1793.

Armen der Bauersfrau, die ihm mitteilte, daß Häscher noch nicht zu sehen seien. Dies war die Wirkung des SCHRECKENS, an dem die Revolution zugrunde ging.

6
Geister der Revolution

Der letzte Generalsekretär vor Gorbatschow, unter dessen Vorsitz das Politbüro die Sowjetunion regierte, war schon bei seiner Wahl, wie manche Päpste es waren, ein Greis. Da sein Tod vorhersehbar gewesen war, standen die Kameras der Aufnahme-Crews von CNN bei seiner Grablegung bereit. Ein Optimum an Logistik.

Sechs Militärkapellen, für jede Waffengattung eine, spielten den Marsch »Unsterbliche Opfer«. Es geht um anonyme Noten vom Ende des 19. Jahrhunderts. Eine Konvention bildete sich dahingehend, daß diese Melodie, zu der anonyme Revolutionäre einen Text verfertigt hatten, immer dann gespielt wurde, wenn die REVOLUTIONÄRE BEWEGUNG einen Sohn oder eine teure Tochter verloren hatte. Meynard D. Maxwell, an sich ein rationaler Mann aus Minnesota, nicht für esoterische Anmutungen empfänglich, in Harvard zusätzlich gestählt, glaubte an diesem schneereichen Spätnachmittag, mit Aufkommen des etwas wirr gespielten Marsches (weil durch Lautsprecheranlagen über den Roten Platz und die Kremlmauer hin zusätzlich verzerrt und mit Echos ausgestattet), einen Zug von Geistern zu bemerken. Vermutlich waren dies »die unsterblichen Opfer«. Maxwell sah aber nicht etwa nur Revolutionäre Rußlands, sondern berittene Scharen, buntgekleidete Franzosen, entweder Opfer oder Revolutionäre. Er forderte seinen Kameramann auf, die Erscheinung festzuhalten. Der aber behauptete, er sehe nur Schneetreiben.

Der Teufel als Eidesverweigerer

In großer Hoffnung hatten sich die Bauern im Jahre 1789 in Mengen verheiratet, sich der Revolution zugewendet, aber dem König unterwürfig. Das bewies, daß sie den Gedanken an Ordnung und Frieden von dem an die neue Freiheit nicht trennten. »Die glühenden, begabten, energischen Massen von 1789 glaubten den Namen *Aktiv-Bürger* auf sich beziehen zu können.« Dazu war neben der Nationalversammlung der König als Garant weiterhin nötig.

Die Errungenschaften von 1789, die Menschenrechte, die Verfassung, hätten als revolutionäre Errungenschaften des bürgerlichen Menschen in einem solchen Gleichgewichts-System die Gewerbefreiheit überleben können. Die Zerspaltung, die den Kopf des Königs kostete und die Revolution 1794 ruinierte, entsprang einem ins Mittelalter zurückführenden Grund: der Frage, ob Priester zur Nation gehören oder als fundamentalistische Macht global funktionieren.[21]

Der Historiker Jules Michelet im Gespräch mit dem Kardinal von Paris. Das war in der Zeit, in der nicht feststand, daß Revolutionen nur noch durch Zufall (z.B. einen Staatsstreich in St. Petersburg), nicht aber durch Volkserhebung, Errichtung von Barrikaden, um sich greifende Empörung oder auch nur durch Verbreitung von Schriften ausgelöst werden könnten.

– Sie bezeichnen, Eminenz, den Teufel als träge, stets in der Nachhut irgendetwas verteidigend?

– Anders ist es nicht zu erklären, daß wir ihn auf Seiten der Priester finden, die 1791 den Eid verweigern.

– Welcher Eid wird von ihm gefordert?

– Der auf die Konstitution Frankreichs, d.h. auf König und Nationalversammlung. Die Priester sollen gehorchen. Sie aber fühlen sich als Internationalisten.

– Innerhalb von acht Tagen sollen sie den Eid auf die Verfassung leisten? Andernfalls nimmt man an, daß sie auf ihr Amt verzichtet haben? Sie werden als Ruhestörer verfolgt?

– Das wird so beschlossen, aber vom König nicht bestätigt.

– Wer betreibt das?

– Marat, Robespierre, Danton, Desmoulins betreiben das keineswegs.

---

21 In dieser Funktion hatte ein Priester den guten König Henri Quatre, Beender der Religionskriege, ermordet. So warfen fanatische Priester Sprengkörper ins Gewissen der Menschen.

– Keiner verlangt den Eid. Es sind die Prälaten selbst, welche die Fragen des Kirchenbesitzes im dunkeln lassen, die Frage des Eides vor der Nation in den Vordergrund stellen.

– Und hier soll der Teufel, in der Gestalt eines prominenten Eidesverweigerers, eines Bischofs, die Zuspitzung erzielt haben?

DER PRÄSIDENT DER NATIONALVERSAMMLUNG begann den Namensaufruf:

»Der Bischof von Agen.«

DER BISCHOF (der Teufel in seiner Gestalt): »Ich bitte ums Wort.«

DIE LINKE: »Nichts da! Leisten Sie den Eid, ja oder nein?«

EIN MITGLIED (Lärm von draußen.): »Kann denn nicht der Herr Bürgermeister dafür sorgen, daß diese Unruhe aufhört!«

DER BISCHOF VON AGEN: »Sie erklären, daß die Weigernden ihre Ämter verlieren würden. Ich würde nicht so sehr den Verlust meiner Stellung als den Ihrer Achtung bedauern. Ich bitte Sie, mir glauben zu wollen, daß es mir sehr leid tut, den Eid nicht leisten zu können.«

(Der Aufruf wird fortgesetzt.)

PFARRER FOURNÈS: »Ich will schlichte Worte sagen wie die ersten Christen . . . Es soll mir Ruhm und Ehre sein, meinem Bischof zu folgen, wie Laurentius seinem Hirten folgte.«

PFARRER LECLERC: »Ich bin ein Kind der katholischen Kirche – –.«

DER BISCHOF VON POITIERS (der Teufel in anderer Gestalt): »Ich bin siebzig Jahre alt und habe fünfunddreißig davon dem Episkopat angehört; ich habe soviel Gutes in meinem Amt getan, wie ich konnte. Jahre und Arbeiten lasten schwer auf mir, mein Greisenalter soll nicht unehrenhaft sein; ich will keinen Eid leisten – (Murren).«

– Und was hat den Teufel geritten, sich gegen die Revolution zu stellen?

– Sein untrüglicher Sinn für taktische Finessen. Es ging um den Triumph der Priester über die Advokaten-Geister. In ihrer Ungeschicklichkeit hatten die Weltlichen sich in Roben vermummt, die an die Kleidung der Priester erinnerten, »in das Kleid der Unduldsamkeit, das jedem verhängnisvoll wird, der es trägt«.

– Sie meinen, der Teufel verhielt sich überparteilich? Er sei ein metaphysischer Internationalist, der keinen Eid auf eine Nation schwört?

– Es ist auch für einen Theologen merkwürdig, daß der Versucher um der taktischen Wiedergutmachung einer Niederlage von 1373 willen, die er gegen die Advokaten erlitt, im Jahre 1791 eine Position einnimmt, die ihn auf die Seite der Konterrevolutionäre bringt.

- Die Mühlen des Teufels mahlen langsam?
- Gemessen an revolutionären Prozessen: unverständlich träge.
- Glauben Sie, Herr Kardinal, daß der Teufel Umwälzungen, also z. B. Revolutionen, eher begünstigt? Geben Revolutionäre ihm Rohstoff?
- Im Gegenteil. Sie finden die Teufel im Polizeiapparat. Er gehört zu den beharrenden Elementen. Er braucht keinen neuen Rohstoff, sondern will den bewährten Stoff in Gang setzen.
- Dem Teufel entgeht somit das gewaltige Potential, das bei Zerbrechen einer politischen Struktur, bei chaotischen Verhältnissen, der Metaphysik, ja, dem Weltende zuarbeitet?
- Da verkennen Sie, was im revolutionären Prozeß geschieht. Jedes Quentchen Chaos wird sofort in eine neuartige Verwaltung überführt. Das ist ja das Elend, daß die Revolutionen bisher ganz kurz nach Entstehen eines ihrer Ströme enden. Chaos würde den Versucher stark anziehen. Chaos wäre der Rohstoff der Revolutionierung.
- Hat der Teufel das nicht erkannt?
- Er ist wenig belesen.

Der Augenblick nach dem Verbrechen ist oft der schönste im Menschenleben

Eine Episode aus dem Revolutionsjahr 1793

Sie hatten, 23 Täter, ein kleines Gemeinwesen für sich, den Kommissar der Republik und seine sechs Büttel erdrosselt. Im Schlafe überrascht und sofort erstickt, ihnen den Atem genommen. Eine widerliche Aufgabe, da sie die eingereisten sieben Tyrannen aus Paris nicht hassen konnten, sie kannten sie ja nicht einmal. So war ihnen vor der Gemeinschaftstat, die sie aus der Republik Frankreich ausgliederte, sie zu Vogelfreien machte, ausgesprochen unwohl.

Sie sahen aber keine andere Chance als diese. Eine Untersuchung ihres Ortes, die Aufdeckung der Tatsache, daß sie Flüchtlinge der Gironde beherbergt hatten, Teile des Volkssouveräns, die gegen die Enthauptung des Königs gestimmt hatten, hätte sie auf die Guillotine gebracht. Insofern waren sie jetzt, nachdem die Tat vollbracht war, EINES SINNES. Jeder trug ein Dreiundzwanzigstel des Verbrechens, das war nicht viel. Das kann auf Nachsicht künftiger Generationen, ja auch auf Frankreichs Verzeihung rechnen, da dieses Frankreich, nunmehr um 23 Menschen und die umgebenden Hügel, Wiesen, Böden und Häuser bereichert, um bloß sieben Abgesandte der Hauptstadt entreichert war.

Notwendigkeit hieß der Schutzgeist, der sie glücklich machte. Sein Reich währt einen Moment. Es war notwendig, Gastrecht zu gewähren. Sie konnten die Abgeordneten der Gironde (sie hatten sie gewählt, ihnen vertraut, hatten die Vorwürfe gegen sie nicht akzeptiert), unmöglich ausliefern. MAN MUSS GASTRECHT DEN FLÜCHTENDEN, DEN UNGERECHT VER-FOLGTEN GEWÄHREN.

Sodann notwendig: die Kommissare, die ihnen ans Leben wollten, töten, solange das noch möglich war. Inwiefern ist das ein Verbrechen, ein Mord? Ja, einen Schlafenden ersticken, ehe er sich noch wehren kann, ihn überwältigen – kein schönes Tun. UM SO BEFREITER DER AUGENBLICK, IN DEM DAS NOTWENDIGE GESCHEHEN IST.

Sie waren trunken von der Idee, daß sie so etwas vermutlich nie wieder in ihrem Leben tun mußten. Zogen sich in die Wälder zurück, um nicht erneut unter das JOCH DER NOTWENDIGKEIT zu geraten. Der Augenblick, sagte ein Priester, der sie in den Wäldern aufsuchte, in der eine böse Tat sich nicht wiederholt, ist der schönste im Menschenleben. Nicht nur oft, sondern immerdar. Sie glaubten, ihre Seelen verloren zu haben, und spürten jetzt, auch nach Zuspruch des Geistlichen, daß sie sie noch immer in sich trugen.

> »Ja, du hast recht /
> Es bleibt die ganze Zukunft zu trauern«

9/2

Mann ohne Kopf

Irgend etwas fehlt. Irgend etwas ist zuviel. Von der Abweichung geht die Attraktion aus. Ein Schrecken, eine Hoffnung auf Mutation.

Ignaz Lehmann, ein Teufelsforscher, einst im Schaustellergewerbe tätig (er korrespondierte mit Walter Benjamin), behauptet, daß im Zirkus, in den Panoramen, dem Moritatengewerbe und in anderen Zonen trivialer Unterhaltung GESELLSCHFTLICHES AHNUNGSVERMÖGEN enthalten sei. Es werde vom Gewerbe erlernt aus der Neugier der Menschen. Ohne Kopf, absichtslos.

»Trauervoll und schön, so zeigt sich mir /
meiner dunklen Seele wildes Tier: /
Nie ein Wunsch nach Lehre in ihr wohnt, /
sprechen ist ihr gänzlich ungewohnt.«

Mann ohne Kopf

Im Zirkus Janbowskij jr. im Süden Polens trat in den Jahren nach 1928 ein MANN OHNE KOPF auf. Er trug über Schultern und Kopf ein Gestell, das nach oben hin einen Hals markierte. Auf Brusthöhe des Gestells waren, durch Gaze verdeckt, Augenschlitze, durch die der Künstler sein Publikum und die Umgebung seiner Schritte beobachtete. Auf dem Höhepunkt der Nummer wurde zu Trommelwirbel das Tuch, das auf dem (markierten) Hals lag, weggezogen, und ein blutiger Nacken wurde sichtbar, schrecklich für das Publikum.

Dieser Künstler aus der Gegend von Gomel, von Eifersucht auf seine junge Frau ergriffen, einer Trapezkünstlerin, tötete mit Messern deren Trapezpartner und mutmaßlichen Galan. Er vergrub die unglückliche Frau, in einer Kiste verpackt, lebendig in einer Torfgrube. Sie trug noch das Flitterkostüm, in dem sie, von Beifall umrauscht, das Rundzelt verlassen hatte.

Gerade das Lebendig-Begraben dessen, was der Künstler angeblich am innigsten geliebt hatte, wurde von den Richtern in Lodz für besonders grausam gehalten. Den Mord am Nebenbuhler hätten sie dagegen eher verziehen. So blieb nur die Todesstrafe, die durch Enthauptung vollstreckt wurde. Die Geschichte ging durch die illustrierten Zeitungen der Welt, wobei nicht der tatsächliche Zustand des Enthaupteten, sondern das Reklamebild von dessen Nummer »Mann ohne Kopf« abgebildet wurde.

Ein Zirkusrest in Kriegszeiten

> »Prinz Mikados Löwendressurakt,
> in welchem ein grauhaariges Raubtier
> ein Stück rohes Fleisch vom Busen
> eines nackten Mädchens fraß.«

– Das mußt du mir näher erläutern.
– Eine geschmacklose Szene. Aber wirksam für die Offizierskasinos der Balkanfront.
– Wieso Front?
– Es war Etappe. Aber als Front war es bezeichnet.
– Wer war Prinz Mikado?

– Ein Albaner. Früher Portier in Klagenfurt. Hatte in einem griechischen Zirkus einen Schnellkursus absolviert.

– Warum nannte er sich Prinz Mikado?

– Wegen der gleichnamigen Operette. Aus dem Theaterfundus von Graz hatte
er das Kostüm.

– Wieso war das Raubtier grauhaarig?

– Ein älteres Tier. Die Mähne mag farbloses Haar enthalten haben. Grau war
sie nicht.

– Das Mädchen war bereit, sich vor den Offizieren nackt auszuziehen?

– Es wurde so hereingeführt. Eine Hilfsperson. Prinz Mikado hatte sie aus
Süditalien importiert.

– Das Fleisch wurde in die Gegend der Brüste deponiert, und dann machte
sich das riesenhafte Raubtier ans Fressen?

– Mit einer gewissen Ruhe.

– Was war nun an dieser Szene so faszinierend, daß die Truppe Abend für
Abend von Kasino zu Kasino weitergereicht wurde?

– Vermutlich das nackte Mädchen. Und die Gefahrensituation. Das Tier hätte
ja auch ein Stück der reinweißen Haut beschädigen können. Das wäre dann
ein Ereignis gewesen.

– Auf das die tags mit Partisanenjagd befaßten Krieger scharf waren? Warum
haben sie bei ihren Vollstreckungsmaßnahmen nie solche Spiele im Ernst angestellt?

– Vielleicht hätten sie es ohne Zeugen versucht. Sie hatten den Eindruck, nicht
genug Erfindungsreichtum zu besitzen, um eine solche Nummer zu gestalten.

– Sie hielten Prinz Mikado insofern für künstlerisch begabt?

– Zumindest war seine Szene wirksam. Und sie hatte den Vorteil, daß sie ohne
übrigen Zirkus, in jedem größeren Zimmer oder Saal aufgeführt werden
konnte. Die Tische bildeten einen Kreis.

– So daß jeder gleich gut sehen konnte.

– Alles war aus der Nähe zu erkennen.

Roboter ohne Kopf

Jahrelang konnte Prof. Dr. Alan Brooks im Artificial Life Laboratory am MIT in Massachusetts keinen Fortschritt erzielen. Die Miniroboter, an denen er experimentierte, waren eine Bestellung des Pentagon. Sie sollten auf Mars oder Mond Hindernisse abtragen und über Steilwände klettern können. Sie bewegten sich so langsam, reflektierten, stets unter enormem Zeitverbrauch, die vorangegangenen Schritte, daß sie auf fremden Himmelskörpern nicht einsetzbar waren.

Zerlegte man den Kletterprozeß oder die Abtragearbeit in statistische Abschnitte, so entfielen 70 % der Arbeitszeit auf »Nachsinnen«. Daher entfernte Brooks das für diese Rückkontrollen vorgesehene Organ, nämlich das, was bei einem Roboter als KOPF bezeichnet werden konnte; es handelte sich um eine schräg an der Unterseite des Gefährts angebrachte Schatulle. Ohne solchen »Kopf« reagierten nunmehr Greifarme, Motorik, Taktilität mit der Außenwelt direkt. Ich bezweifle nämlich, sagte Brooks, daß ein raffiniertes Insekt, z.B. eine Libelle, die Menge von Informationen (Feuchtigkeit, Sonnenstand, Wasseroberfläche, Beute, Hindernisse, Geschwindigkeitsveränderung) durch ein Zentralorgan wahrnimmt oder anleitet. Sucht man die Steuerung, so findet man sie in den Anfängen, in denen eine solche Spezies vor Millionen Jahren entstand. Dort, in zeitlicher Ferne, liegt der »Kopf«. Jetzt aber ist alles spontane Reaktion. Ungefragt und einzeln berühren sich die Sinne und die Elemente. Ein anarchisches Geschoß, das sich seit Millionen Jahren über den Teichen zeigt.

Sobald ich den Kopf entfernt hatte, berichtet Brooks, bewegte sich der Roboter mit hoher Beschleunigung. Er entwickelte ein sinnliches Verhältnis zu den Hindernissen. Noch in dieser Woche werden wir das Gerät vorführen.

– Sie sagen Gerät, sprechen aber davon wie von einem Lebewesen.
– Es ist ein Lebewesen.
– Woran erkennt man ein Lebewesen?
– An Spontaneität, an der Direktheit.
– Nicht an Selbstkontrolle?
– Nur wenn diese spontan ist.

Ohne Haß und Eifer

Ein russischer Major, noch jung, geriet in die Hände afghanischer Mudschahe-din, nachdem er sich im Gelände verirrt hatte. Da er nicht im Gefecht überwäl-tigt werden mußte, keine kämpferische Atmosphäre das Gemüt erhitzte, wurde er zunächst als Neuling in die Runde der Lagernden aufgenommen, quasi bewirtet. Schon hielt er sich für gerettet, als spielerische Anliegen, ohne viel Adrenalinaufwand, die Gegner munter machten. Ein Spiel, das zu Pferd und mit Lanzen an Kadavern von Kälbern traditionell ausgeübt wurde, konnte auch auf den Körper eines lebenden Russen angewendet werden. Dazu werden drei Gruppen gebildet, die um den Fleischbatzen zu Pferde zu kämpfen haben. Bald ist die Beute in Stücke zerteilt, was für die wettkämpferischen Bedürfnisse eine handlichere, bewegliche Masse ergibt: einige größere Bälle, welche die Spieler vor sich hertreiben und deren Gestalt sich immer besser der Schubkraft der Reiter anpaßt. Dies alles geschah ganz ohne Haß, ja, die Aggression rich-tete sich ausschließlich auf die Gruppe der Gegenspieler, wenn diese sich im Besitz der Beute befand.

– Woher weiß man das? Wenn doch der Major nicht überlebte?
– Einer der Mudschahedin war von einer örtlichen CIA-Gruppe angeheuert worden und berichtete.
– Wurde er über die Exekution des russischen Majors befragt?
– Nein, über die Lokalisierung russischer Einheiten. Er kam beiläufig auf den Vorfall zu sprechen.
– Ein schreckliches Erlebnis?
– Kein Erlebnis, ein Spiel. Eine traditionelle Form der Entspannung. Erst im Bericht der CIA wurde ein tragisches Ereignis daraus.
– Verurteilten die Agenten die Barbarei?
– Das weniger. Sie prüften, ob die Bekanntgabe die Russen demoralisieren könnte, indem sie ihnen einen HEILIGEN SCHRECKEN einjagt, oder ob die Nachricht sie zu Racheakten ermuntert.
– Was war das Ergebnis?
– Es bildeten sich zwei Meinungen, etwa gleich stark.
– Mit welcher Konsequenz?
– Bekanntgabe. Sie wäre, meinten sie, wirksam, wenn sie die Russen er-schreckte, aber ebenfalls wirksam, wenn sie die Russen zu Gegenreaktionen ähnlich grausamer Art veranlaßte.
– Das war jetzt nicht mehr gespielt?
– Nein, strategisch. Die Geschichte lief die Befehlskanäle hinauf bis nach Wa-shington.

– Hatte das noch irgendwas mit dem spielerischen Geist zu tun, der das Schicksal des Majors besiegelte?
– Nichts mehr.

Die Phrase eines Seeoffiziers

Er würde sich »seinen rechten Arm abhacken lassen«, um Laura, die einzige Frau, die er je geliebt und die er an einen anderen verloren hatte, noch einmal berühren zu können. Gesagt, getan. Die gräßliche Wunde versetzte den Leib des Kapitänleutnants in Schock. Er fiel auf die Knie, sah hin zu dem eben noch integral ihm zugehörigen, jetzt getrennt daliegenden blutigen Stumpf. In der Phrase, zugleich ein Märchenwunsch, den er geäußert und durch seine Tat realisiert hatte, war nicht angegeben, wo genau der Arm abzutrennen wäre. So hatten seine Helfer, denn in eigener Person ist ein Mensch nicht in der Lage, seinen rechten Arm abzuhacken, die Hälfte der Strecke zwischen Achsel und Ellbogen gewählt.[1] Das durchtrennte zahllose Muskeln, zersplitterte den Knochen.

Laura wurde dem Schockisten zugeführt. Keine Reaktion dieses Mannes. Insofern funktionieren doch Leib und Seele als Ganzes: AUCH DIE SEELENKRÄFTE SIND BESCHNITTEN, WIRD DEM KÖRPER GEWALT ZUGEFÜGT. Der bis eben noch schneidige Seeoffizier konnte sich gar nicht mehr entsinnen, Laura je begehrt zu haben.

Zu spät kamen die Beteiligten darauf, daß der Satz: »Ich würde mir den rechten Arm abhacken lassen« sich auf gar kein Tun bezog, sondern auf das Maß an möglicher Strafe, das bei Wunscherfüllung in Kauf zu nehmen wäre. Das war eine Phrase. Es ging um einen Handel in der Hoffnung: daß ein Preis nicht wirklich zu zahlen sei. Andernfalls hätte es genügt, das Abhacken des kleinen Fingers der linken Hand zu geloben. Ein Weiterleben, ein Begehren nach Laura, blieb dann möglich.

Für diese EINSICHT, das KORREKTE LESEN DER MÄRCHEN, war es inzwischen zu spät. Die Helfer hatten, trotz besserer Absicht, den Hieb zu hoch angesetzt. Die Adern des Restarms ließen sich nicht abbinden. So rann das Leben unaufhaltsam aus dem Mann, sobald der verhängnisvolle Satz gesagt war.

---

1 Die Helfer waren befehlsabhängige Leute. Leih-Russen, die von einer Panzereinheit an den Ausbildungskurs der Seekadetten abgegeben worden waren und um ihr Leben fürchten mußten, wenn sie einem Befehl widersprachen.

Der Liebe Mund küßt auch den Hund

> Meine Seele gleicht dem Vollmond:
> Sie ist kühl und hell.
> W. *Chodassewitsch*

Sie kannten einander schon acht Monate, das war für den Sommer 1969 viel. Wir haben ja keine Gelegenheit, sagte sie, uns gegenseitig aus Notlagen zu befreien. Wenn ich dich aus dem Gefängnis holen müßte, wäre das eine Gelegenheit, dir meine Zuneigung zu zeigen. Vielleicht würde sie bei Erfolg stärker. Das, was wir miteinander tun, hält uns nicht zusammen. Was sollen wir tun, antwortete er, wenn uns die Phantasie ausgeht? Sie hatten sich, unabhängig voneinander, vorgenommen, näher aufeinander zuzugehen. Er versuchte sich zu lockern. Sie hatten ein Tonband eingeschaltet, das ihr Gespräch festhalten sollte; so konnten sie später auf Einwürfe zurückkommen, mußten jetzt keine Gründlichkeit anstreben. Sie konnten jeweils »nacharbeiten«. Umschlungen lagen sie da. Im Grunde, fand sie, war es nicht praktisch, den Dialog in solcher Stellung zu führen.
Setzen wir den Hebel anders an, sagte er. Wenn du dir z. B. vorstellst, du wärst ein Pferd, ist die Situation für dich dann etwas realer?

– Das kann man nicht so genau sagen.
– Und etwas zwischen Pferd und Wiesel?
– Mit meinen Freundinnen könnte ich darüber sprechen.
– Man kann sich vorstellen, daß man ein Tier wäre – in Andeutungen.
– Ja. Man kann nur in Andeutungen darüber sprechen.
– Oder Eskimo? Oder ich wäre zwei Männer, die hier auf dir liegen? Oder in China, Diener fesseln uns, weil wir als Herrschaften uns streiten, auf Befehl aufeinander, so daß wir bewegungsunfähig daliegen, bis ein Gefühl kommt?
– Ungefähr, aber auch anders.
– Vielleicht mehreres zugleich oder nacheinander?
– Du drückst es zu genau aus.
– Irgendwie wechselnd?
– Das ist mir zu präzise.
– Ist es denn etwas Ungenaues?
– Das ist immer noch nicht genau gesagt. Man muß es etwas verwischen. Es ist daneben.
– Daneben?

– Es ist etwas, das man sieht oder fühlt, und gleich daneben ist es.
– Aber wo?
– Oder was?
– Was sollen wir nur machen?

Ein Problem, das war zu spüren, bestand darin, daß sie beide nicht hinreichend leichtfertig waren. So versuchten sie in einer konzentrierten Debatte – zwei Tage waren vorgesehen nur für Gespräche – in verschiedenen Situationsbereichen zu gründeln.

– Man kann nicht sagen, wir wollen es miteinander probieren, sondern: Wir haben es miteinander probiert, und jetzt soll etwas daraus werden.
– Sonst hat es keinen Zweck.
– Was meinst du in diesem Zusammenhang mit »Zweck«?
– Dauer.
– Darunter kann ich mir nichts vorstellen.

Aber in diesem Punkt waren sie sich einig, daß sie einen »zuverlässigen Bau« errichten wollten. Außerdem wollten sie sich von anderen Paaren unterscheiden, es sollte eine Art EIGENTUM hergestellt werden, aber OHNE BESITZVERHÄLTNIS, mit genauen oder ungenauen Regeln, mit Zwang im Ernstfall, ohne Zwang überhaupt, ohne Illusion, mit viel Hoffnung. WIDERSPRÜCHLICH IST DIES NUR, WENN MAN ES AUSSPRICHT.

Sie wollten aber beide voreinander keineswegs lüstern erscheinen. UNVERWECHSELBAR wollten sie sein. Überhaupt mehr als Menschen gelten und nicht zur GATTUNG PAAR gehören. Das engte die Mitteilung stark ein, schuf Pausen, die sie später beim Abhören des Tonbands beide bemerkten. Es ist wahr, daß sie mehreres SPÜRTEN, aber NICHT SICH GETRAUTEN ZU SAGEN. Jeder wollte mehr als diesen einen Lebenslauf führen, sich mehrere Leben nebeneinander durch den anderen nicht versperren lassen. Dazu muß man sich verwandeln. Dies war präzise der Kern, daß sie etwas tun wollten und es schon gelegentlich miteinander versucht hatten und zugleich noch etwas anderes sein wollten.

– Es ist die Differenz.
– Was meinst du damit?

Das konnte sie nicht sagen, wenn sie ihn nicht beleidigen wollte. Sie hätte erklären müssen, daß es ihr am besten gefiel, wenn er real und dicklich auf ihr lag, sie

ihn also vor sich hatte und zugleich so frei war, ihn zu verwechseln mit einer
Rotte unbestimmter anderer, auch mit Hunden, Tieren oder Dingen, notfalls
wie ein schwerer Aschenbecher aus Messing, als ein Beispiel für Kompaktes, das
ihr einfiel. Das wollte sie nicht HABEN oder BENUTZEN, sondern DEN-
KEN DÜRFEN. All dies jedoch, verbunden mit einer gewissen Gefolgschafts-
treue, mit dem ihr schon vertrauten Geruch, so fremd dazu wie irgend möglich,
und dieses DAZWISCHEN oder VIELSTIMMIGE war es, was sie pulverisierte; denn »aufpulverte«, das Wort wollte sie nicht sagen oder denken. So sagte
sie überhaupt nichts. Die interessanten Pausen, über die sie bei Abhören des
Bandes später diskutierten, bestanden aus solcher Mitteilung.

»Trauervoll und schön, so zeigt sich mir /
meiner dunklen Seele wildes Tier: /
Nie ein Wunsch nach Lehre in ihr wohnt, /
sprechen ist ihr gänzlich ungewohnt.«

Herz und Kehlkopf als künftige Sexualorgane

Aristoteles nimmt in seiner Schrift PARVA NATURALIA an, das Gehirn
diene nicht vorrangig zum Denken, sondern zur Abkühlung des Bluts. Sitz
des Denkens, sagt er, ist das Herz. »Bei den Tieren nun, welche Blut haben,
ist das zentrale Organ das Herz ..., also der Zentralfocus für die Sinnlich-
keit; hier müssen notwendig die alle Sinnesorgane zusammenfassenden
Denkorgane liegen.«
Tatsächlich ist das Herz eine Pumpe, schreibt Alain Turing, der den Turing-
Test erfand, aufgrund dessen Intelligenzen einander erkennen können, gleich
ob sie aus Leibern oder aus Metall bestehen, das Hirn dagegen sei ein Computer und die Seele ein Programm.
In 50 Millionen Jahren, fährt Turing fort, wird man einzelne Organe der Körper nicht mehr brauchen, die Seele trennt sich von dem, was sie, um sich ernsthaft mitzuteilen, nicht mehr braucht. So gehören z. B. Herz und Kehlkopf, vermutet Turing, zu den absterbenden Organen, und sie sind deshalb besonders
überlebensfähig als künftige Sexualorgane.

– Sie meinen nicht, daß vielmehr die Haut pansexuell wird? Wie Sonnensegel
    sind die Hautflächen auseinandergezogen, ich meine bei künftigen Men-
    schen. Oder sternenfahrtfähigen Computern. Kilometerweit entfaltet, auf
    der Suche nach organhaltiger Berührung?

- So etwas ist verletzbar.
- Die Haut?
- Ja, unser wichtigstes Organ. Was sind das Gehirn und die Intelligenz anders als zusammengefaltete Haut? Als Sexualorgan kommt nie das Wichtigste, das wir haben, nie das Zusammengefaltete, sondern stets nur etwas Stellvertretendes in Betracht.
- Absterbende Organe, wie Sie sagen?
- Blinddarm wäre das beste.
- Der steht in 50 Millionen Jahren nicht mehr zur Debatte.
- Auch zu empfindlich. Viel zu riskant, gerade bei Raumreisen.
- So krepiert Fritjof Nansen auf seinem Grönlandschlitten elend, nur sieben Tage hätte er zur Küste gebraucht. Blinddarmdurchbruch. Ein Rasiermesser und eine Menschenhand hätten ihn gerettet.
- Nichts konnte ihn retten in der Einsamkeit. Das ist als erotisches Organ unbrauchbar.
- Obwohl einer an der Liebe für gewöhnlich am ehesten stirbt?
- Ja, aber das Organ der Liebe sollte robust sein.
- Das ist es, was man vom Menschenherzen sagen kann.
- Ein robuster Muskel ist es.

Absichtslose Revolution

Als merkwürdig bezeichnet es die Romanistin Dr. Ulrike Sp., Verfasserin des *Proust-ABC*, daß die revolutionäre Kommune in Paris 1871, von deren Werken nichts blieb (nur die Mauer, an der die Kommunarden von der Gegenrevolution hingerichtet wurden, zeugt von ihrem Wirken), dennoch Kinder hervorbrachte, welche die Welt veränderten. Ganz anders, als es die Kommunarden beabsichtigten. So wurde in diesen Monaten der Revolution 1871 z.B. Marcel Proust geboren, der die AUSDRUCKSFÄHIGKEIT DER BÜCHER revolutionierte.

- Das lag nicht in der Absicht der Revolutionäre?
- Auf keinen Fall.
- Proust selbst interessierte sich nicht für Revolution?
- Weder für die politische noch für die soziale.
- Könnte man ihn als das Gegenteil eines Revolutionärs bezeichnen?
- Gewiß. Er interessiert sich für die erotische Seite der Rangunterschiede. Nie käme er darauf, Rangunterschiede zwischen den Menschen einzureißen.

– Aber er tut das doch pausenlos in der Beschreibung.
– Genau das tut er.
– Und er ist, wie Sie im *Proust-ABC* schreiben, derjenige, der die großen Prozesse des 20. Jahrhunderts voraussah.
– Gewiß.
– Dann ist er ein Glückskind. Eine revolutionäre Errungenschaft?
– Ohne die Absicht der Revolutionäre.

Der Teufel als Unterhaltungskünstler

Von den dreiundzwanzig Filmen Murnaus sind uns nur neun erhalten. Das Filmmuseum Berlin hat sie für die Murnau-Retrospektive kürzlich restauriert. Dabei wurden vier Dosen mit 35-mm-Restmaterial des Faust-Films gefunden. In ihnen ist die Flugreise Mephistos und Dr. Fausts aus dem winterlichen Wittenberg, das den Forscher deprimierte, nach Ferrara beschrieben. Am Hof des Herzogs von Ferrara sollte der melancholische Dr. Faust aufgeheitert und durch Genüsse reaktiviert werden. Die jugendliche Auffrischung war Gegenstand seines Handels mit dem Teufel.

In den Szenen sind Zauberkunststücke zu sehen. Vor den Augen der Herzogin von Ferrara erscheinen die ägyptischen Reiter, die den Zug Israels durch die Wüste verfolgen. Das Rote Meer öffnet sich. Die Szene ist hier als gewaltiger Sturm, und als Einschlag eines Kometen dargestellt. Einige Szenen, die hierzu nicht passen, zeigen einen Stern, der sich dem Sonnensystem nähert und die Wasser des Roten Meeres durch seine Anziehungskräfte seitwärts lenkt.

Bei der Phantasmagorie, die auf Projektion beruht, ist der Teufel hinter einem Gerät zu sehen. Dr. Faust, der die Nähe der Herzogin sucht, auf einen Moment der Dunkelheit wartet, um sie zu berühren, erscheint verblüfft. Eine Großaufnahme seiner Gesichtszüge zeigt dies.

In einer anderen Szene bewirkt Mephisto, daß die Wünsche der Herzogin und Dr. Fausts in einer Projektion in Erfüllung gehen. Die beiden betrachten sich, wie sie in einem fortgeschritteneren Status ihres Liebesverhältnisses angelangt sind.

Es ist ungewöhnlich für Murnau, behauptete die Soziologin Prof. Dr. Miriam Hansen, welche die gefundenen Restbestände des Faust-Films begutachtet hatte, daß Murnau so zahlreiche Varianten gedreht hat. Meist entschied er sich für *eine* Version. Offensichtlich hatte er Zweifel, wie er die Angebote des Teufels klassifizieren sollte. War es wahrscheinlich, daß der Wittenberger Gelehrte sein Seelenheil verkauft haben sollte, um sich aufwendigen Vergnügungen zu widmen? Suchte er Wissen oder Unterhaltung?

Es scheint, fuhr Miriam Hansen fort, daß der Teufel (nach Murnaus Auffassung) nicht über zusätzliches Wissen verfügte, wohl aber über Einfälle, wie man das Schaustellergewerbe interessant ausweiten könne. Er lieferte, sagt die Cineastin, was er vermochte. Der Böse ist nämlich Händler. Sie hat auch eine Fundstelle bei Marx entdeckt, in der dieser darauf hinweist, daß Mephistopheles zur Gattung der Wahrsager, der Zukunftsdeuter gehöre. Dies habe stets mit der Hervorrufung einer Illusion, einer Zauberwirkung zu tun, wie sie im Schaustellergewerbe den Gegenstand des Interesses bildet.

Auf dem Acker der Neugierde
und der Besonderheit

In Nordfrankreich gebar im 11. Jahrhundert eine Frau, die ihren Mann sehr liebte, als Kind ein Lebewesen, das aus zwei Körpern zusammengesetzt war: Es hatte zwei Köpfe, zwei Münder, vier Augen, vier Brüste, zwei Becken, vier Beine, symmetrisch und insgesamt voller Leben. Die Kreaturen waren am Bekken und an den Rippen zusammengewachsen. Dem Bauern war auf seinem Acker nichts gediehen, nun hatte er eine Besonderheit zum Besitz.

Er verließ den Hof, gefolgt von seiner Frau, welche die Kasse führte. Er stellte die heranwachsenden Mädchen, bzw. die Doppelkreatur, auf Jahrmärkten aus. Stets wurde das Wesen durch einen schwarzen Schleier verhüllt hereingeführt, und erst nachdem eine bestimmte Zahl von Geldmünzen gesammelt war, wurde der Schleier entfernt. Später, nachdem nochmals gesammelt worden war, wurde das Wesen entkleidet, denn die Neugierde der Menschen richtete sich auf die Einzelheiten. Es geschah, daß der eine Mund sprach, der andere aß. Eines der Mädchen behauptete von sich, es sei vom Satan so eingerichtet. Die zahlenden Zuschauer registrierten, daß die Geschlechtsmerkmale doppelt vorhanden waren. Scherze machte bei den Vorführungen niemand.

Der Herzog der Normandie besichtigte das Doppelwesen im Frühjahr 1066. Das waren schon die Wochen, in denen die Karriere des Monstrums zu Ende ging. Der Bauer führte das unter einem breiten Tuch versteckte Wesen, jetzt eine Erwachsene Anfang 30, heran. Die Erscheinung unter dem Tuch, wird berichtet, habe bestialisch gestunken. Nach der Entschleierung zeigte sich, daß die eine Hälfte der Gesamtkreatur als totes Fleisch an der Seite des lebenden Teils hing, der mit leiser Stimme sprach. Sie sei dieses Lebens müde, sagte die

Kreatur. Vermutlich war sie vom toten Anhang mit Gift gespeist. Grauen erfaßte den Hofstaat. Das Bäuerchen führte das Monstrum nahe heran und kassierte Goldstücke.

Es war zu erkennen, daß hinter den geschlossenen Augen des am rechten Teil
angehängten, bereits gestorbenen Körpers Maden nisteten. Der Arm der Gestorbenen hing verfault. Acker im buchstäblichen Sinn. Das HALBTOTE
LIEBESGESCHÖPF, das die Bäuerin ihrem Mann vermacht hatte, war
Quelle seines Lebensunterhalts. Erst Wochen später lag auch der Rest des Wesens unter der Erde.

Agent ohne Vaterland

> »Leben ohne ›Gehäuse‹ und ohne ›Rüstung‹
> ist der schmerzhafte Weg.«
>
> *Melancholica I*

Ende der achtziger Jahre war noch ein Perspektivagent in die Industrien des
Westens vorgetrieben worden. Die Techniken des KGB und einiger verbündeter Kundschafterdienste, vor allem auch die der Aufklärung im MfS, waren zu
diesem Zeitpunkt perfektioniert. Es wird wohl nie wieder einen so modernen,
sozusagen an der Grundlagenforschung, dem Internationalismus und der zunächst zweckfreien Perspektive orientierten Dienst geben, sagte Lermontow,
der Schweiger; er war untergekommen im Werkschutz von Gasprom, hatte
niemand verraten, konnte jedem offen ins Auge blicken, ein Leistungs-
mensch.

Den Perspektivisten müssen wir N. N. nennen. Er befindet sich in unentdeck-
ter Stellung. Von der ursprünglichen Position, in der er eingesetzt war, haben
ihn die rasanten Entwicklungen des industrialisierten Informationssektors
weit fortgetrieben. In einer der Durchgangsstationen seiner Perspektiv-Lauf-
bahn (er konnte aber schon keinem Vaterland mehr das, was er erfuhr, berichten, und auch kumulierte Macht, das ist der Sinn der Perspektive, konnte er
keinem Vaterland der Werktätigen mehr zuordnen) hatte er Eindrücke gewonnen, die ihn in der Ansicht bestärkten, daß der Sozialismus nicht tot, ja, daß es
unmöglich sei, ihn umzubringen.

Es handelte sich um die Entwicklung von künstlicher Intelligenz. Sie war in ko-
nischen Gehäusen untergebracht, die auf Rädern fuhren. Die bis zu 30 cm großen Gebilde waren nach Immanuel Kants Prinzip des Gastrechts konstruiert.
Ihre Begierde nach Information ließ sie einander ein Bedürfnis sein. In Horden

drängten sie zueinander, waren nicht abzuhalten, sich in Gesellschaft zu versetzen. Schnatternd verbrachten sie die Tage in enger Berührung, aber immer doch einen Millimeter breiten achtungsvollen Abstand wahrend, so daß sie einander durch ihr Nähebedürfnis nicht behinderten. Der Perspektivagent N. N. wunderte sich sehr.

Es war bekannt, daß die Züchtung von künstlicher Intelligenz nur aus der sozialen Komponente gelingt. Die Konstrukteure hatten die Idee, diese Lebewesen, für die demnächst das Menschenrecht zu beantragen war, so einzuführen, daß sie in den für Menschenhand unzugänglichen Fäkalienröhren moderner Großstädte die Reinigungsarbeiten übernehmen. Dazu war es korrekt, daß sie in Pulks zusammenblieben, zugleich war das wichtigste Konstruktionsmerkmal, daß sie einander vom Dreck, den sie beseitigen sollten, genau unterschieden. Die frühen Generationen der künstlichen Intelligenz hatten sich zugrunde gerichtet, weil sie zunächst die Fäkalien und danach einander gegenseitig aus dem Weg räumten. Genau dies aber war jetzt vermieden. Sie unterschieden einander »vom Feind«, taten dies untrüglich, ja, als Meßwert ihrer Intelligenz wurden die Einigkeit untereinander und die Angriffslust gegen die Fäkalien definiert. Hier war (der Perspektivagent bedauerte, daß er keine seiner Beobachtungen irgendwem mehr mitteilen konnte) das Problem des demokratischen Sozialismus erstmals gelöst. Keine Fraktionierung, bei der eine Fraktion des Zentralkomitees die andere umbrachte. Bremsenlos konnte Information hin- und hergetragen werden, ohne daß daraus Feindseligkeit entstand, ja, die Freiheit sich ins Unendliche steigernder Rede und Antwort, das, was die Ingenieure hier als Schnattern bezeichneten, war Kreislauf und Lebenselixier dieser Nachfolgewesen des Sozialismus. N. N. bedauerte sehr, daß er aufgrund seiner in den Vorständen beachteten Leistung von diesem Projekt zu einem ganz anderen versetzt wurde, das über den Fortschritt des Sozialismus keine Information gewährte.

Wahrsagekraft aus dem Vergnügungspark

»Die großen Unglücke beginnen als Attraktion (Moritat, Panorama, als Grand Guignol), und sie kehren in der Zukunft wieder als reale Tragödien.« Diese Notiz findet sich auf einem Handzettel Walter Benjamins im Konvolut der Studien zu *Paris, Hauptstadt des 19. Jahrhunderts*. Benjamin war auf einen Panorama-Unternehmer gestoßen, der im Sommer 1873 insolvent geworden war. Der Mann, längst an unbekanntem Ort verscharrt, trat 1940 durch die Tür eines Lokals in Nizza, ganz in der Erscheinung eines lebendigen Mittvierzigers, und berichtete. Benjamin, dem die Quellen der Bibliothèque Nationale fehlten (ohne daß die deutschen Besatzungstruppen über mehr als zwei Studienräte verfügt hätten, die statt seiner die Lesesäle benutzten), sog die Nachrichten gierig ein. Es ging darum, daß gewisse Motive, z. B. Leichenöffnungen, Darstellung der Krankheiten Afrikas (die das Innere der Menschen verwüsten, in Wachsdarstellungen hinter Glas), die Erschießung des Kaisers Maximilian von Mexiko, dessen von Schüssen durchlöcherte Weste, nach dreißigjährigem Siegeszug auf einen Wegfall des Publikumsinteresses stießen; wenn die Schausteller, um keine Insolvenz zu riskieren, das Motiv ausgewechselt hatten, sei aber das Interesse am gleichen Gegenstand später wiedergekehrt.

Mit vielen Beispielen und in Ausdrücken, die keine begriffliche Schulung verrieten, gab Ignaz Lehmann, so nannte sich der Besucher, Hinweise, daß die Unterhaltungsbranche (ähnlich einem Schwamm) das aktuelle Zuschauerinteresse abschöpfe. Die Zuschauer seien mit Vorausahnungsvermögen begabt. Die Seher- bzw. Wahrsagekraft komme aber vor allem daher, daß eine Faszination stets dann von Idolen ausgehe, wenn eine frühere Epoche sie für das Höchste gehalten habe, und diese Größen zu Fall gekommen seien. Die FALL-HÖHE sei es, die der erfahrene Unternehmer eines Vergnügungsparks, der Direktor von Guckkasten-Apparaten oder Panoramen, sich zunutze machen müsse.

– Wie der Theaterdirektor Emanuel Schikaneder die KÖNIGIN DER NACHT einsetzt? Man weiß nicht, ist sie eine Teufelin oder eine Himmelsgestalt?
– In dieser Unbestimmtheit liegt die Aussagekraft. Auch eine Wahrsagerin wie Kassandra säße heute in einem Vergnügungspark.
– Mit heute meinen Sie das Jahr 1873?
– Ja, als die Jahrmärkte noch florierten.
– Und dort, meinen Sie, hätte man auch den Teufel treffen können?
– Wenn überhaupt, dann dort.

– Diese Welt der Unterhaltung ging im 20. Jahrhundert unter?
– Leider.
– Man hätte dem Teufel Auskünfte über die Zukunft abverlangen sollen?
– Der Mann muß Geld verdienen.
– Kommt daher die Bevorzugung grausamer Szenen im Unterhaltungsbereich?
Bild Nr. 17: aufgespießte Köpfe von Guillotinierten, städtische Beamte zählen
die in Reihen nebeneinandergelegten Leichen nach dem Erdbeben von San
Francisco, Schiffsuntergang der *Batavia*? Das sollen Voraussagen sein?
– Was sonst. Es trifft ein, und es wird in der Zukunft gewalttätiger.

Es gehörte zur Charakteristik Walter Benjamins, sagte seine Biographin, die in
Chicago lebt, daß er sich einer Fundstelle, einer Vorstellung mit allen Kräften
und stets einseitig hingab. Er hat den Charakter einer Fledermaus. Sie hört
nicht die Laute, die sie aussendet, sondern das Echo ihrer Laute, das die Wand
zurückwirft.

Grand Guignol

I
Was weiß die Lust von gut und böse?

> Ach, die Vernunft! Ich lebte gerne /
> auch ohne sie, ich könnte es gut –
> wie leid sie mir oft tut!
> *A. Puschkin*

Immer blieb sie aufmerksam für »Zeichen«, las sie auch. Als er sie um die
Hüfte faßte, während sie mit ihrem Mann telefonierte, »verstand« sie diese
Zeichen, atmete heftiger. Ihr Mann fragte: Was röchelst du so am Telefon? Sie
antwortete: Ach nichts, Lieber. Ihr Mann meinte, er habe etwas Passendes gesagt, was sie erregt hätte. Nachdem sie den Hörer aufgelegt hatte, wollte sie
sich in die Arme ihres Geliebten stürzen. Das *verstand* sie nicht, das kannte sie.

2
Es ist gleich, unter welcher Oberfläche
sich eine tugendhafte Tat verbirgt

In einem Gebirgstal der USA, genannt Death Cañyon, hatte ein Gewaltverbrecher eine junge Frau entführt und in einem Dickicht vergewaltigt. Nunmehr führte er das hinderlich gewordene Objekt seiner abgebüßten Begierde zu einem Felsabgrund, in der Absicht, es in den Abgrund zu stoßen und sich selbst einer komplizierten Flucht zu widmen, die ihn aus dem Naturschutzpark hinausbringen sollte. Ihm schwebte eine übersichtliche Menschenmenge in einem Supermarkt vor, in der er unerkannt verschwinden wollte.

Es war die Entschlossenheit eines bewaffneten Agenten der Parkverwaltung, Douglas Olivera, die ihn blockierte. Mit Pistolenschüssen trieb der Wächter, der durch Zufall auf den verbrecherischen Vorgang aufmerksam geworden war, den er zunächst für ein Liebesabenteuer im Freien hielt, das er zu belauschen gedachte (es war nicht verboten, im Park zu kopulieren), den Gewalttäter vom Abgrund fort zu einem Felshang hin. Er immobilisierte den Geiselnehmer an festem Ort, bis, durch die Schüsse alarmiert, eine motorisierte Streife weiterer Parkwächter die Entscheidung brachte.

– Warum schoß der Agent den Täter nicht ins Knie und machte ihn kampfunfähig?
– Es war nicht notwendig. Es genügte, den Täter zu immobilisieren. So steht es in den Dienstvorschriften.
– Wieso sprechen Sie von der »Begierde« des Täters, wenn er doch so gleichgültig war, daß er das Opfer in die Tiefe stürzen wollte? Begierde oder Lust scheint mir ein zu hoher Ausdruck für einen vorausgehenden Impuls dieser Art, den der Täter im Dickicht verspürt haben mag. Eine junge Frau zu jagen und ins Dickicht zu verschleppen, würde ich eher als »flashlight in mind«, sozusagen als »Einfall« bezeichnen.
– Darin könnte ich Ihnen folgen. Es war nicht viel von seiner Person, die so etwas wollte.
– Ein zerbrochener Mensch?
– Ein Trümmerstück.
– Während der Agent Douglas Olivera mit ganzem Herzen handelte?
– Ja, der gab sogar seine private Neigung als Voyeur offen zu. Fotos habe er machen wollen, berichtete er, und so hat er einen Mord verhindert.
– Mit Recht. Es war sein entschiedener Wille zur Strafverfolgung, der belohnt werden mußte.

– Auch wenn dieser Wille zunächst mit anstößiger Neugier und mit Gewinnstreben (er wollte die Fotos verkaufen) verknüpft war?

– Es ist ganz gleich, unter welcher Oberfläche sich eine tugendhafte Tat verbirgt. Hauptsache, sie ist erfolgreich.

– Der Gewalttäter erhielt lebenslänglich?

– Aus mildernden Umständen. Er hatte ja nicht gemordet.

3
Tatexzeß eines Jugendlichen
nach der Kapitulation von 1945

Ein strafunmündiger Junge von 14 Jahren hatte im Sommer 1945 in ein von ihm provisorisch ausgebautes Kellergelaß ein Mädchen gelockt. Er hatte das Kind getötet, ihm mit einem Seziermesser die Haut vom Gesicht abgezogen. Außerdem hatte er ein Fingerglied abgeschnitten. Beides wollte er trocknen. Zu einem späteren Zeitpunkt dann wollte er sich dieses »Andenken« als Talisman um die Brust schnüren. Die Leiche seines Opfers vergrub er, den Kopf bewahrte er auf, um »eventuell jemand zu erschrecken«.

Wenig später gelang es ihm, zwei erwachsene Frauen in sein Versteck zu locken. Noch glaubte er nicht, diese massiveren Körper überwältigen zu können, hoffte aber auf günstige Umstände. Um die Frauen zu beeindrucken, zeigte er bei Kerzenlicht den Kopf seines Opfers und das Versteck der Talismane, die er vorbereitete.

In einem Moment, in dem der Junge, voller Leichtsinn, voller Erwartung, erfüllt von Plänen, sie verlassen hatte, stülpten sie den Kopf in eine Tüte, eilten zur Station der Militärpolizei. Diese fand die Talismane und einen Täter, der sich mit einem kleinen Vorrat von Äther in einen Rausch versetzt hatte und längere Zeit sprachunfähig schien.

– Woher hatten die Frauen im Juni 1945 eine Tüte?

– Es ist eine Falschbezeichnung im Protokoll, es handelte sich um einen Sack.

– Woher hatte der Junge Äther?

– Aus der Plünderung eines Wehrmachtslazaretts.

– Daher auch das Skalpell?

– Gewiß. Und andere Vorräte.

– Das Lazarett herrenlos?

– Aufgegeben und von den britischen Voraustruppen noch nicht besetzt.

– Wie kann ein Vierzehnjähriger, rein technisch, das Haupt eines Opfers vom Körper trennen? Das ist nichts Einfaches.

- Er besaß Äxte.
- Er brauchte nur eine.
- Er hatte aber auf seinen Plünderungszügen durch die zerstörte Stadt 12 Äxte und andere Eisenwaren gesammelt.
- Was geschah nach der Verhaftung?
- Die britische Truppe berichtete den Fall nach Hannover, wo das Oberkommando lag. Ein Militärrichter wurde in Marsch gesetzt.
- Wie kommentierten die Briten die Untat?
- Sie wunderten sich über die Professionalität, mit der die Haut vom Gesicht abgezogen worden war. Das sei für eine ungeübte Hand außergewöhnlich, sagten der Militärarzt und die Wachen.
- Nahmen sie an, der Täter hätte eine Ausbildung oder eine solche Tat schon öfter begangen?
- Ich weiß nicht, was sie dachten.
- Hielt das britische Gericht den Jungen für verrückt?
- Der Junge wurde den deutschen Behörden überstellt.

4
Prinzip Endkampf

In einem Wachsfigurenkabinett, das ein enttäuschter österreichischer Lehrer im Simbabwe eingerichtet hatte (er war 1952 dorthin ausgewandert), war eine lebensgroße Figur Hitlers ausgestellt: »Der Führer in der Zeit seiner Kopfgrippe 1943.« Die Wachsfigur lag auf einem Feldbett. Das Gesicht von ungewöhnlicher Blässe, auf der Stirn Schweißtropfen (in blauem Wachs). Man konnte die Bettdecke anheben und den Leib des kranken Reichskanzlers betrachten. Wenn man die aufklappbare Bauchdecke öffnete, sah der Besucher der Ausstellung auf die »farbecht« in verschiedenen Bienenwachsfarben gefertigten Eingeweide. Das Betasten war verboten. Man konnte aber eine Aufsichtsperson bitten, die Därme nach links zu klappen, und war dann in der Lage, die Leber zu betrachten. Auch die Schädeldecke war abnehmbar. Das Hirn lag dann sauber vor dem Betrachter. Der Raum war kühl gehalten.

- Was war das für eine Situation, in welcher der Reichskanzler hier festgehalten ist? Wenig triumphal.
- Es war ein wichtiger Moment in Hitlers Leben.
- Sie hätten ihn in jenem Augenblick abbilden können, in dem er von der Kriegserklärung Englands und Frankreichs erfährt. Sie hätten ihn als Feldherrn zeigen können. Oder meinetwegen als Geschichtsverbrecher.

- Als Kranken kennt man ihn nicht.
- Obwohl man die Gesichtszüge sofort wiedererkennt.

Ferdi Hussler war stolz auf seine Wachs-Installationen. Er hatte mehrere Churchills, ein ganzes Seitenkabinett mit Situationen aus dem Leben von Cecil Rhodes, auch einige britische Henker sowie Generäle des Ersten Weltkriegs, vor allem Franzosen, in seiner Sammlung. Besucher aus Deutschland kamen selten. Er war zu Rede und Antwort bereit.[2]

- Inwiefern ist dies, so wie er hier im Bett liegt, ein wichtiger Moment in seinem Leben?
- Es ist ein Augenblick der Trauerarbeit. Zweimal in seinem Leben leistete Hitler Trauerarbeit. Am Ende der zweiten Trauer, 1943, faßte er den Entschluß zum Endkampf.
- Den hatte er doch schon in *Mein Kampf* ins Auge gefaßt.
- Aber jetzt kam die Ausführung.

Die Situation, in der Hitler im März 1943 erkrankte (beinahe wäre er daran gestorben, meinte Hussler), entstand aus einer lachhaften Nebensache. Er hatte sich aufgeregt über die Nachricht vom Rückzug zweier Bataillone im Kaukasus. Bei einer Gesamtlage, in der die Rote Armee zwei deutsche Heeresgruppen zu umfassen suchte, wenige Wochen nachdem die 6. Armee in Stalingrad kapituliert hatte, ereiferte sich Hitler über zwei Bataillone, in ihrer Mannschaftsstärke dezimiert, die auf der Karte, die zur Lagebesprechung auflag, nicht mehr an dem Ort standen, an dem sie nach der Einzeichnung hätten sein sollen. Hitler erlitt einen Gehörsturz. Er aß nichts, behielt keine Nachrichten im Kopf, er schien führungsunfähig, ja, autistisch. Er starrte bei der Abendmahlzeit vor sich hin. Der Zustand dauerte vier Tage.
Woher Hussler das weiß? Der ehemalige Lehrer hatte geforscht.

- Erst haben Sie intuitiv die Wachsfigur geschaffen. Danach haben Sie geforscht?
- Die Wachsfigur habe ich hergestellt aufgrund einer Notiz des einzigen Geschichtsforschers im Führerhauptquartier, Percy Ernst Schramm. Nachdem die Figur da war, habe ich alles Wissen gesammelt, das zur Szene gehört.

In jenen Tagen habe Hitler viel von Italien erzählt. Nie sei er dort gewesen, obwohl er es sich gewünscht habe. Einem Menschen, der ihm nahestehe, habe er

---

2 Froh, mit jemandem in der Heimatsprache zu sprechen. Wenig mißtrauisch. Ich hielt ihn für einen enttäuschten Nationalsozialisten.

für März 1943 einen »Urlaub in Italien« versprochen, er habe einen Meeres-Badeaufenthalt geplant (ohne zu wissen, was das Jahr 1943 tatsächlich bringen würde), südlich der Stelle, wo an der Küste der Toskana der Marmor für Rom und Florenz abgebaut werde. Das habe er besichtigen wollen. Auch in das Jahr 1928 würde er gerne zurückkehren, wenn nicht in eine noch weiter zurückliegende Zeit. Seine Gedanken gingen« dorthin. Weniger sehne er sich nach Menschen als nach Landschaften. Ihn führe das Auge.

Nach zwei Tagen solcher Monologe (Hussler ging davon aus[3], daß in diesem verschlossenen Menschen innerlich nichts grundlegend anderes vorgegangen sei, was man in Worte hätte fassen können, es sei jedoch etwas *Dringliches* zu bemerken gewesen, wie es einer SEHNSUCHT anhafte) entwickelte der Führer eine lebhafte SUCHE nach Auswegen, was den Krieg betraf. Er ließ Listen anlegen, die in Pro und Kontra zahlreiche Personalangelegenheiten des Reiches festhielten, unter anderem wurde geprüft, ob ein Oberbefehlshaber Ost berufen werden solle. In den Standorten der ehemaligen 6. Armee ließ Hitler nach Zurückgebliebenen fahnden, aus den Lazaretten, aus den Wehrkreiskommandos. Er erkundigte sich nach dem Neuaufbau der 6. Armee. Er ließ sich Bilderalben bringen, in denen Übungen und Paraden der Divisionen in den Jahren 1936 bis 1938 abgebildet waren.

Darüber befiel ihn fünf Tage später TRAURIGKEIT.[4] Er erkrankte an einer Gehirngrippe, der Zustand sah äußerlich aus wie am zweiten Tag nach Ankunft jener Nachricht, welche die erste Ursache setzte. Leibarzt Dr. Brandt behauptete jedoch, der Augenausdruck »WIE BETÄUBT« sei bei unnachgiebigen Menschen deren Art, Traurigkeit auszudrücken.

Als sei ein Stück von mir abgetrennt, sagte Hitler nach seiner Genesung. Er klagte über SCHMERZ im linken Unterarm und im Darm. Das wurde durch Umschläge mit essigsaurer Tonerde (Arm) und Mehlspeisen (Darm) behandelt.

Ohne Übergang verwandelte sich die Passivität der vergangenen Tage im März in WUT. Strafaktionen wurden beschlossen, Offiziere abgesetzt. Die Empörung über den Verrat des höchsten Generals im Stalingrader Kessel und das Versagen der Obersten Heeresleitung 1918 fand in Hitlers abendlichen Reden keine Grenze.

Im April fiel der Führer in VERZWEIFLUNG. Fahrigkeit und Ich-Schwäche.

3 Aufgrund von Hinweisen Schramms, aber auch aufgrund von Berichten von Hitlers Sekretärinnen Johanna Wolf und Traudl Junge.
4 Es gibt sieben Stationen der Trauer: Suche nach dem Verlorenen, Wahrnehmung des Verlusts (Traurigkeit), Schmerz, Wut (auf das Verlorene), Verzweiflung, Hoffnung auf ein Wunder. Nach der siebten Station ist eine neue Bindung möglich, sagte Hussler. In einer Laube im Park hatte er lediglich die Station »Wut« gestaltet.

Die Adjutanten meinten, einen alten Mann vor sich zu haben. Der Zustand dauerte Stunden und wechselte ab mit Wut.

Später dann das WUNDER DER WOLFSSCHANZE. Hitlers Verhalten stabilisierte sich, so Schramm, der Beobachter. Der Reichskanzler nahm nach fast drei Monaten innerer Abstinenz wieder Kontakt auf zu seinem Amt. Die *neue Bindung* hieß ENDKAMPF, ein Konzept, wie ein stolzes Volk mit dem Krieg umzugehen hat, wenn feststeht, daß er verlorengeht. Es bleibt nur noch übrig, ein Denkmal zu setzen, das niemals vergessen wird, WEIL ES AUS MENSCHEN UND NICHT AUS BAUMATERIAL besteht. Die Opfer, die jetzt noch folgen, prägen, meinte Hitler, je fürchterlicher sie sein werden, das Gedächtnis der nächsten sechstausend Jahre.

– Die Verlängerung des Kriegs nach dem Frühjahr 1943 war ein Denkmal?
– Ein Denkmal für den »unbekannten Krieg«, wie es Denkmäler gibt für den »Unbekannten Soldaten«.
– Wieso unbekannt?
– Das, was 1918 nicht stattfand, findet jetzt statt.
– Kein ortsfestes Denkmal, wie es sie in Frankreich gibt, in Erinnerung an 1914 bis 1918?
– Auch keine Totenburgen, wie sie für den Fall des Sieges im Osten geplant waren. Überhaupt nichts äußerlich Sichtbares.
– Was soll man sich unter sechstausend Jahren überhaupt vorstellen?
– Gotische Dome.
– Dome aus Schrecken und Schmerz? Aus Toten gemauert und Amputierten?
– Das ist das PRINZIP ENDKAMPF.
– Warum ist das so grundlegend gescheitert? Gräßliche Opfer, aber wir können doch nicht davon sprechen, daß die Erinnerung geblieben ist?
– Schrecken und Schmerz gab es im Übermaß.
– Aber das Gedächtnis ist rasch gelöscht durch andere Sorgen.
– Wie abgeräumt.
– Wie kann sich ein glänzender Dramaturg der Zeitgeschichte wie Hitler so täuschen? Würden Sie seinen Wunsch nach einer »neuen Bindung«, dem Endkampf, triebhaft nennen?
– Ein machtvoller Trieb.
– Wie lange schon vorbereitet?
– Seit 1918. Eine Bindung auf den ersten Blick.
– Man sagt, er hält den Krieg schon 1940 für verloren?
– Oder schon 1918.

Hussler war unermüdlich. Sein Kabinett war in einem unterkellerten Bunga-
low in einem Park untergebracht, der an ein Landgut angrenzte. Es gab hier
nicht Platz genug für sämtliche Wachsfiguren, die in den Jahren entstanden
waren. So lagerte er einige davon in Scheunen und Unterständen. Dort hatte er
auch einen wächsernen »Hitler, blind in Pasewalk« auf Vorrat. Jährlich kamen
6 bis 8 Briten, 12 bis 14 Südafrikaner, einige US-Bürger und viele Japaner.[5]

5
Szene mit Schwimmunterricht in Prag
vier Stunden nach Ausbruch des Ersten Weltkriegs

>> »2. ⟨August 1914⟩
> Deutschland hat Rußland den Krieg erklärt.
> – Nachmittag Schwimmschule.«

Holzbohlen begrenzten die Wasserfläche. Den Schwimmkurs besuchten fünf
Teilnehmer. Das verursachte eine unruhige Wasseroberfläche, auf die das Sonnenlicht, durch Jalousien selektiert, Lichtstreifen setzte.
Starke Holzbohlen umgrenzten den Wasserbottich, der als Badeanstalt bezeichnet war. Nichts an der Geräuschkulisse (einem ruhigen Planschen) deutete darauf hin, daß sich die Schwimmschüler, alles Erwachsene, die sich für
ihr Zivilleben körperlich zu ertüchtigen suchten, seit etwa vier Stunden, nämlich seit Überreichung der Urkunden durch die Botschafter der europäischen
Großmächte, im Krieg befanden. Das war weder der Sonne noch dem Holz der
Beckenumfassung, noch der Wasserfläche in irgendeiner Form anzumerken.
Inzwischen war nur noch einer der Schwimmschüler im Wasser. Er hatte sich
verspätet. Um die Hüfte trug er den vorgeschriebenen Schwimmgürtel aus
Kork.

---

5 Die Figur Hitlers, der sich in jener Zeit (1918) für erblindet hielt, unterschied sich deutlich
von dem Todkranken von 1943. Der junge Hitler trug eine Augenbinde. Die Installation
war so eingerichtet, daß man die Decke über Hitlers Haupt ziehen konnte, so wie man es
in der Anatomie mit einem Toten macht. Hussler wollte mit dem Mechanismus, der aus
wachsdurchtränkter Pappe gefertigt war, ausdrücken, wie Hitler, im Glauben nie mehr das
Augenlicht zurückzugewinnen, verzweifelt die Decke über sein Gesicht gezogen habe.

6
Grand Guignol

Das Théâtre Grand Guignol in Paris (1895 bis 1962), bekannt durch seine Horrorstücke, wurde im Juni 1940 nach der deutschen Besetzung der Stadt geschlossen.

In den Kellern und auf den Dachböden des Hauses waren die Bühnenbilder der Erfolgsstücke aus den vergangenen Jahrzehnten gestapelt: *Der Mann mit der eisernen Maske, Die unschuldige Luise*[6]*, Zwei Brüder*[7]*, Le jardin des supplices, Herrschaft des Terrors, Die Geschichte der Maxa, Die Folterkeller der Inquisition*. Es gab aber auch Stücke, die in den »Folterkellern der Faschisten« und in solchen Nationalchinas handelten, es gab überlebensgroße Ratten und Insekten, Teufelsfiguren, unheimlich auch die Dekoration für *Die Schneekönigin*[8].

Die Haltung der deutschen Besatzungsmacht zu diesem Theater war zunächst nicht eindeutig. Die Erforschung des Bösen und der Abgründe menschlicher Tatbereitschaft konnten, so der Vertreter des Reichssicherheitshauptamtes beim Militärbefehlshaber Frankreich, Standartenführer Dr. Harald Schwennecke, zur Wehrhaftigkeit des Reiches, zur rasanten »Fortsetzung der Evolution mit anderen Mitteln«, die den Völkern bevorstand, einen Beitrag leisten. Die Vertreter der ehemaligen Kulturabteilung der deutschen Botschaft, stark erweitert um Vertreter des Reichspropagandaministeriums, hielten dem entgegen, es handele sich um »entartete Kunst«. Ja, man könne nicht einmal von Kunst sprechen, die hier entartete, sondern es handele sich schlicht um eine Perversion des Geschmacks. So etwas sei ansteckend. Die Darbietungen des Theaters seien *volkshygienisch* abzulehnen.

Schließlich wurde das Grand Guignol geschlossen, weil die gestapelten Dekorationen feuergefährlich seien; mitten im Krieg könne der Bestand aber nicht aufgeräumt werden, deshalb sei es korrekt, das Haus zu schließen. Erst mit

---

6 Die unschuldige Luise ist rechtswidrig in eine Anstalt für weibliche Geisteskranke eingewiesen worden. Sie schläft ein. Die verwirrten Frauen gehen davon aus, daß in Luises Kopf ein Kuckuck gefangen säße. Mit einer Stricknadel bohren sie durch Luises Auge ein Loch, um dem Vogel einen Fluchtweg zu verschaffen.

7 In dem Stück geht es darum, daß zwei Brüder mit zwei Prostituierten eine Orgie feiern. In einem religiösen Wahn entscheiden sie sich, eine der beiden Frauen zu verbrennen. Nachdem sie Benzin über sie gegossen haben, zünden sie die Prostituierte an und beginnen zu beten. Die Handlung zieht sich über 5 Akte.

8 Gespielt von der Grand Guignol-Schauspielerin Maxa. In ihrer Karriere wurde diese Darstellerin mehr als 10 000mal auf 60 verschiedene Arten ermordet, 3 000mal vergewaltigt (unter einem Dutzend verschiedener Umstände); sie rief 983mal »Hilfe«, 1 263mal »Mörder«!

Einmarsch der Alliierten konnte der Theaterbetrieb erneut aufgenommen wer-
den.
Dr. Harald Schwennecke war im »Ringen der Verwaltungen« der Unterlegene.
Er stellte seinen Gegner, den Parteigenossen Dr. Pfeffer zur Rede.

– Wie können Sie als Nationalsozialist so ängstlich sein? Die Außenwelt traut
  uns Nervenstärke zu. Nerven müssen sich vor der Darstellung von »Horror
  und Schrecken« bewähren.
– Als Nationalsozialist lehne ich GEWALTDARSTELLUNG ab.

Es stellte sich heraus, daß der Parteigenosse Pfeffer Gründe hatte, das Theater,
diesen »Sumpf der Geschmacklosigkeit«, zu schließen: Das Böse, das Gewalttätige, ja, das Gefährliche und Erschreckende gehöre für den Nationalsozialisten
in die Wirklichkeit, nicht auf die Bühne. Insofern sei er gegen die GEWALT-
DARSTELLUNG, nicht gegen die GEWALT. Dr. Schwennecke wiederum war
nicht von der Schließung des Theaters zu überzeugen. Wir müssen die Nerven
der Volksgemeinschaft durch GEWALTDARSTELLUNGEN auf die Herausforderungen der Zukunft vorbereiten. Da hilft keine Verschleierung.
Obwohl sich die Standpunkte der streitenden Parteigenossen bis zur frühen
Morgenstunde nicht annäherten, nahmen sie doch, hier in der besetzten
Fremde, erste geistige Kontakte auf. Ein französischer Museumsdirektor gesellte sich in der Kantine zu ihnen. Bald war er sich darüber im klaren, daß die
beiden deutschen Kontrahenten das Grand Guignol nicht wirklich kannten.
Das ergab sich auch aus dem morgendlichen Streit, in dem Dr. Schwennecke
vorschlug, *Die Räuber* von Schiller im Grand Guignol in einer Bearbeitung
aufzuführen, die alle Untaten der räuberischen Schar, aber auch die der sie ver-
folgenden Häscher auf öffentlicher Bühne vorzeigen sollte. Offenheit, schrie
Dr. Schwennecke, ist die angemessene Haltung des Nationalsozialisten. Sie
wußten einfach nicht, was Grand Guignol war.

7
Ein gewalttätiger Mensch

Ein gewalttätiger Mensch, 30 Jahre alt. Nichts spricht dafür, daß er ein gesetz-
teres Alter erreicht hätte, wenn der erfahrene Beamte ihn nicht in Notwehr erschossen hätte. In Notwehr oder in Panik? Was wäre der Unterschied, wenn
kein Zeuge da ist außer einem Kollegen, der nichts sehen konnte, weil er abseits stand?
Kein Unterschied, erwiderte der Gerichtspathologe. Es gibt auch keinen Un-

terschied zwischen einem Tod dieses Gewalttäters jetzt oder ein Jahr später. Ich
kenne den Tätertyp. Er hört mit der Serie seiner Anschläge nicht auf. Wird er
von der Frau, von der er nicht lassen will, getrennt, z. B. durch unüberwindliche Entfernung, so suchte er sich eine neue, und die tragische Kette beginnt
von neuem.

– Der Gewalttäter hatte seine Freundin (oder Geliebte) schon im Juli verge-
  waltigt?
– Ja. Um sie zurückzuholen, wie er sagte.
– Und jetzt, zu Heiligabend, spitzte sich das Geschehen zu?
– Wir werden seine Version des Geschehens nicht mehr erfahren. Ich weiß
  nicht, was er sich dachte.
– Er hatte am 24. 12. Geburtstag?
– Eine Häufung der äußeren Anlässe zum Feiern. Mit einem Freund hatte er in
  der Tat gefeiert.
– Er hatte einen Freund? Ist er der Freundschaft fähig?
– Eventuell nur in besoffenem Zustand.
– Mit dem Freund bricht er in der Christnacht auf zur Wohnung seiner frühe-
  ren Partnerin. Sie verbringt diese Nacht mit einem neuen Lebensgefährten.
  Sie ist 41 Jahre alt, der neue Gefährte 33 Jahre.
– Mit einer Schneeschaufel schlägt der Gewalttäter das Badfenster ein. Das
  überfallene Paar flüchtet zu Nachbarn im Obergeschoß. Von dort rufen sie
  die Polizei.
– Inzwischen legt der Täter Feuer?
– Die Beamten fordern ihn auf, die fremde Wohnung zu verlassen. Er geht mit
  erhobenem Messer auf sie zu. Nach Warnung gibt einer der Beamten aus
  eineinhalb Metern Entfernung mehrere Schüsse ab.
– Ja, in die Brust, in Bauch und Schulter. Zwei dieser Schüsse sind tödlich, alle
  als Stopper wirksam, ein Exzeß.
– Der Beamte gilt als erfahren?

8
Flucht aus dem Leben

Unter Lebensgefahr haben acht Männer den Amokschützen im Rathaussaal
von Nanterre überwältigt. Und am Quai des Orfèvres ist man nicht in der
Lage, den Mann zu bewachen.[9] Wir sind um einen Prozeß betrogen, sagte Jac-
queline Fraysse, Bürgermeisterin von Nanterre.

9 Quai des Orfèvres, Hauptquartier der Kriminalpolizei von Paris. Ort der Handlung in
  Friedrich Schillers Dramenentwurf *Die Polizei*.

Was für verrückte Gemütszustände. Er wollte tot sein. Aber er wollte nicht sterben, OHNE EINMAL IN SEINEM LEBEN SELBST DEN LAUF DER EREIGNISSE BESTIMMT ZU HABEN.
Das hat er gesagt? Ja, zu Anfang seines Verhörs. Im Quai des Orfêvres Nr. 36, im vierten Stock, Zimmer 414. Dorthin haben sie ihn gebracht, direkt vom Tatort.
Das Verhör führte Kripoleutnant Philippe D. Er war auf dem Flur von seinem Vorgesetzten gerufen, ins Zimmer Nr. 414 disponiert und mit einem »Überraschungsverhör« beauftragt worden. Man bekommt nämlich nur einmal Einblick in das wahre Motiv eines Amoktäters, wenn er sich geistig noch im Transitionsfeld seiner Tat bewegt und sozusagen »auf frischer Tat« angesprochen wird.
Man muß, um den frisch eingelieferten Täter überhaupt zu einer Aussage zu bringen, dennoch einen Moment der Entspannung einbauen, berichtete Philippe D. Wir bestellten deshalb Kaffee. Auch eine Portion Wurst und Brot ließ ich aus dem benachbarten Bistro heranschaffen. Ich ließ dem Amokschützen die Handfesseln abnehmen. Ohne diese Maßnahmen bleibt der Täter im Schock und vermag nicht auszusagen.
Der Straftäter aber gab nur Material für zwei, drei Seiten zu Protokoll. Plötzlich stand er auf, rannte zum Fenster, einer Art Mansardenfenster, stürzte sich vier Stockwerke tief aufs Pflaster. Der Kripoleutnant, der zunächst die Waffe gezogen hatte, die ihm aber gegenüber einem zum Tode Entschlossenen als Werkzeug merkwürdig unverhältnismäßig erschien, verfolgte den Flüchtling zum Fenster, griff noch in Kleidungsstücke, zu denen er sogleich den Kontakt verlor.
Philippe D. wurde einer disziplinarischen Bestrafung zugeführt. Er hätte, hieß es, keine Vergünstigungen gewähren sollen, vor allem die Handfesseln nicht abnehmen lassen dürfen. Aber der entschlossene Amoktäter und spätere Lebensflüchtling hätte sich doch auch mit zusammengeschlossenen Händen aus dem Fenster stürzen können?
Vielleicht nicht mit der gleichen Geschwindigkeit.
Dann hätte der Kriminalist noch ein Stück Schulter oder Bein erwischt.
Welches Disziplinarurteil kann man auf ein solches VIELLEICHT stützen?
Es ging zunächst um den öffentlichen Zorn. Auch um vereitelte Wissensgier. So viele Leser und neutrale Bürger wollten wissen, was den seltsamen Attentäter getrieben hatte. Manches ahnte man aus der Geschichte seiner verzweifelten Herkunft. Er war nie etwas geworden. Aber ein Todesentschluß von solcher Prägnanz, unter Mitnahme von Stadträten in den Tod, das war doch ein seltenes Ereignis, das ein geordnetes Verhör verlangte. Dies war entweder durch die Entspannungsmaßnahmen des Kripoleutnants oder durch seine

mangelnde Geistesgegenwart in wenigen Sekunden verpatzt worden. Daher mußte Kripoleutnant Philippe D. bestraft werden.

– Was nennen Sie frisch an einer solchen Tat?

– Die Phrase bezieht sich nicht auf die Tat, sondern auf den Moment, in dem ein Verfolger, sozusagen der Vertreter der Zivilisation, auf die Tat und den Täter trifft. Es ist keine frische Tat, sondern die Nachricht von der Tat ist frisch.

– Dann ist der Ausdruck keine Phrase, sondern treffend?

– Gewiß. Und auch das Interesse von Zeitungslesern ist zu diesem Zeitpunkt noch frisch. Eine Auskunft, was der Täter wollte, trifft auf Interesse.

– Und das wollen sich die Menschen im Land nicht nehmen lassen?

– Es ist ein unverzichtbares Gut. Wenn schon Unglücke passieren, dann wollen wir wenigstens wissen, woraus sie bestehen.

9
Noch fünf Anrufe auf seiner Liste

> »Je länger man vor der Tür zögert,
> desto fremder wird man.«
> *Franz Kafka*

Die Stimme seiner Frau am Telefon hatte ihn irritiert. Er hatte die Lampe angeschaltet, weil er, Schmerzen in der Schulter, nach Schlüsseln suchte, war zur Toilette geeilt, seinen Wasserstrahl abzulassen, wurde durch Telefonklingeln unterbrochen, entschloß sich, den Strahl nicht anzuhalten, sondern ließ ihn laufen, leistete sich diesen Luxus gegen das Gebot der Zeit, lief, noch seinen Hahn schlenkernd, zum Telefon, das beharrlich weiter geläutet hatte, sagte, ich rufe zurück, weil im selben Moment das andere Telefon klingelte, sprach längere Zeit mit J., rief M. an, der um Rückruf gebeten hatte, dann Gerlach, Jedele. Es waren noch fünf Anrufe auf seiner Liste, als er, Schmerzen in der Schulter, zum Keller hinunterlief, dort sind die Akten des Vorjahres deponiert, die Wohnungstür ließ er auf, er wollte gleich wieder zurück, am Niedergang der Hoftreppe lag er noch Stunden, so wie er hingestürzt war, wer weiß, was er gedacht hatte, die Tür oben stand noch für Stunden offen, wer weiß, wer sich darüber wunderte, keiner betrat zunächst Büro oder Wohnung, Tropfen vom Schlenkerweg zum Telefon noch spät nachmittags auf dem kalten Fliesenboden des Bades und auf halbem Wege der für Passanten, d.h. Treppenhausnutzer, frei zugänglichen Wohnungstür, da war der Tote schon abgeholt. Wohin? Ins Krankenhaus, sagten einige, weil dort ein Depot zu finden ist, wo die Toten abgeholt werden; andere meinten: direkt zum Friedhof. Das Transportpersonal hatte im Hof eine Zeit lang gestritten, was der beste Transportweg sei. Währenddessen tropfte der Regen auf den Eiligen, der noch am Vortag gebügelte Anzug naß, das gestreifte Hemd, in dem niemand fror, war durchnäßt.

Eine seltsame Robinsonade

Ein amerikanischer Aviateur, der im Dezember 1926 auf einer der verstreuten Inseln des ehemaligen Bismarck-Archipels im Pazifik landete, berichtete von einer mißglückten Annäherung. Er habe nach der Notlandung versucht, die Verschalung des Motors zu öffnen, als sich ein bärtiger, individuell oder einheimisch in Felle gekleideter Weißer, bewaffnet mit einem Karabiner, dem Landeplatz genähert habe. Dieser habe ihn, den Flieger, der aus dem Cockpit seine Colttasche vorgezeigt hätte (wohl drohend, aber noch bei verschlossener Tasche), angeschossen, ihn sodann, in unverständlicher Sprache auf ihn einsprechend, zu einer Höhle getragen und die Wunde versorgt. Er habe den Blutstrom gestillt, indem er ein Holz auf sie aufgeschnallt und Borke-Blätter auf die Wunde gelegt habe.

Danach habe der Fremde bzw. Einheimische, stets das Gewehr mit sich führend, sich zum Flugzeug begeben, im Cockpit hantiert. Der Motor sei angesprungen, also sei dieser nur zeitweise defekt, die Notlandung auf dem Eiland ganz und gar unnötig gewesen; in ruckeliger Fahrt, jedoch mit überhöhtem Tempo, sei dann das Aeroplan, unbeeinflußt von den Hantierungen des bärtigen Weißen, eine Wegstrecke gerollt und in eine Felsschlucht gestürzt.

Nunmehr sei der bewaffnete Einheimische schwer verwundet gewesen. Er, der Aviateur, habe sich kriechend aus der Höhle bewegt und den bewußtlosen Mann aus dem Flugzeug gezerrt, schon in der Erwartung, daß ein Brand entstünde. Das war nicht der Fall. Das Gewehr des Bärtigen habe er in einer Entfernung von 30 Metern niedergelegt, um es unerreichbar zu machen, sodann habe er den schweren Mann, der inzwischen erwacht sei und ihn mit Kriechbewegungen unterstützt habe, zur jetzt GEMEINSAMEN HÖHLE transportiert.

Die Wunden des Einheimischen, Brüche mit aus der Haut herausstehenden Knochensplittern, Platzwunden, hätten sich im tropischen Klima, auch infolge der Insekten, rasch entzündet.

Ein Wettlauf mit der Zeit sei entstanden. Er, der technisch Erfahrene, habe das Funkgerät der Maschine repariert, SOS gefunkt. So hätten Schiffe der US-Marine die Insel gefunden.

Der bärtige Rekonvaleszent gab in deutscher Sprache an, er habe dem Besucher seiner Insel nicht übelgewollt. Der Schuß habe sich im Schreck gelöst. So viele Jahre habe er keinen Menschen gesehen. Durch die Pflege des verwundeten Aviateurs habe er die Tat wiedergutmachen wollen. Dem stand entgegen, daß er sich des Aeroplans zu bemächtigen versucht hatte. Vielleicht in der Absicht, allein von der Insel abzufliegen und den Eigentümer des Flugzeugs zurückzulassen. Nein, antwortete der Verdächtigte, er habe nur ausprobieren wollen, ob das Flugzeug überhaupt funktioniere. Zurückgelassen, wäre der Aviateur, ohne Erfahrung, wie man auf einem solchen Eiland überlebt, hoffnungslos verloren gewesen. Insofern lautete die Beschuldigung auf Diebstahlsversuch an einem Aeroplan in Tateinheit mit versuchter unterlassener Hilfeleistung. Dem Fremden wurden seine Rechte vorgelesen.

Es zeigte sich, daß sich der immer noch mit Fellen bekleidete Mann als deutscher Seesoldat 1914 aus der Belagerung von Tsingtau auf einer Jolle gerettet hatte. Sie strandete in der Nähe jenes Eilands, auf dem der Aviateur landete. Dort, berichtete der Fremdling, habe er zwölf Jahre überlebt, die Ankunft des Flugzeugs habe ihn überrascht. Sein Fehlverhalten beruhe darauf, daß er auf eine solche Situation durch nichts vorbereitet gewesen sei, weder durch seinen Beruf noch als Soldat, noch durch die Anpassung an das notdürftige Leben auf einer tropischen, doch »unwirtlichen« Insel. Für Menschenankunft sei hier nichts vorgesehen gewesen.

Das Seegericht, das auf dem US-Schiff, das die beiden rettete, gegen den Fremdling verhandelte, verzichtete auf strafrechtliche Sühne. Eine adäquate anwaltschaftliche Vertretung mit Kenntnis der Rechtsprechung war in den Weiten des Pazifik nicht zu organisieren. Zudem verpflichtete sich der Mann, obgleich noch mittellos, zivilrechtlich zum Schadensersatz. Er habe das Flugzeug zuschanden gefahren, auch wenn er dadurch dessen Funktionstüchtigkeit bewiesen habe, und sei demgemäß zum Ersatz verpflichtet.

In Kalifornien angekommen, wurde der BÄRTIGE WEISSE von einem Zirkus übernommen. Nunmehr verfügte er wieder über eine Flinte. Sie war zum Schießen unbrauchbar gemacht. In der Manege wurde aus Papp-Plastiken die Insel vorgetäuscht, ein Propellerflugzeug wurde hereingerollt. Die Begegnung des fremden Seesoldaten mit dem Aviateur wurde jeden Abend wiederholt.

Interessant für die Öffentlichkeit blieb der Bericht des für zwölf Jahre Verschollenen. Wie er einer Insel, die sich für die Ernährung eines Europäers nicht eignete, Nahrung abgerungen hatte. Außerdem Unterhaltung. Es ist ja schwierig, zwölf Jahre allein auf sich gestellt, in einer dem Horizont nach eng begrenzten Umwelt, nicht der Verzweiflung anheimzufallen.

Inzwischen waren vom Honorar des Geretteten, das die Anwälte des Aviateurs gepfändet hatten, ausreichende Mittel abgezweigt worden, so daß ein neues

Flugzeug beschafft werden konnte. Der Flieger schloß sich dem Zirkusunternehmen an und umkreiste tagsüber das Zelt mit Reklameschleifen am Himmel. Abends rollte er, als authentischer Held, das Gefährt in die Manege. Nur er wußte, wie man gegenüber der Zirkuskapelle den Motor lauter stellt.
Ob sich die Kontrahenten inzwischen leiden mochten? Keine Anzeichen. Sie absolvierten, parallel zueinander, ihre Nummer, als seien sie nie miteinander bekannt gemacht worden. Ob der Deutsche Sehnsucht hatte nach Heimkehr? Die Rückanpassung schien ihm jetzt, sagte er, im Jahr 1932, schwierig. Er beherrschte das Englische fließend. Ein bärtiges Antlitz trug er nur abends zur Vorstellung.
Merkwürdig war, daß die auf gewöhnlichen Seekarten nicht eingetragene Insel inzwischen unauffindbar war. Besaß die Insel Zaubercharakter?
Es gibt sicher hermetische Kräfte, die an besonderen Orten der Welt Begegnungen und somit auch Rettungen vorsehen. So wie es Unglücksorte gibt, gewissermaßen gravitative Fallen für Mißgeschick. Hat das mit der Positionierung des Eisens im Erdkern zu tun? Prof. Dr. Dipl.-Ing. Detlef Schwitzke glaubt das nicht. Eher gehe es um gefährliche Strömungen, die auf ein solches Eiland hinführen und den Geretteten, sei es in der Luft oder auf See, keine andere Chance lassen, als hier anzulanden. Das Besondere aber bei dieser Insel in der Nähe von Rabaul habe vielleicht darin bestanden, daß eine starke Luftströmung, die den Motor des Aeroplans aussetzen ließ und eine rasche Strömung der See hier einander kreuzten. Später stellte sich heraus, daß auf jener Insel, von der hier berichtet wird (und die heute infolge einer Bewegung des Meeresuntergrunds verschwunden ist), vierzehn Robinsonaden stattgefunden haben, von denen jede friedlich durch Rettung endete, aber nur die eine, die des Bärtigen und des Aviateurs, in der Öffentlichkeit bekannt wurde.

Experimentelle Gefangenenbehandlung

Unmittelbar nach der Kapitulation, in der Woche nach dem 14. August 1945, wurden Inseln des Pazifik, auf denen japanische Besatzungen Sperr-Riegel bildeten, von US-Kommandos besetzt. Die Landungstruppen, welche die hochbewaffneten japanischen Streitkräfte gefangennahmen, waren zahlenmäßig unterlegen.
Douglas Herring, Südstaatler, war mit seiner Einheit der japanischen Division auf Guantalun im Verhältnis 1:200 unterlegen. In Verhandlungen überredete er die Feinde, sich zu entwaffnen. Sodann teilte er die japanische Truppe in sieben Kolonnen auf. Er hatte eine bestimmte Szene aus dem amerikanischen Se-

zessionskrieg vor Augen. Die Szene war in einem Film gezeigt worden. Nun wollte Herring der Inselbevölkerung ein öffentliches Zeichen vorführen. EIN WECHSEL DER MACHT OHNE WENN UND ABER.

Er hieß die jetzt waffenlosen Japaner, sich ihrer Kleider zu entledigen. In ihrer Nacktheit wurde jede der sieben Kolonnen durch eine breit ausgelegte Schneise des Dschungels und über das Gelände der Plantagen geführt, welche die Orte der Insel verbanden. Das Projekt hieß »Hammelsprung«. Anschließend marschierte, ihrer Selbstachtung entkleidet, jede der Kriegsgefangenen-Kolonnen in ein anderes Lager als das, von dem sie aufgebrochen waren. So paßten die aufbewahrten Kleidungsstücke kaum zu den Trägern. Die Zählung der Gefangenen ergab Vollständigkeit.

An sich hatte Herring mit Meutereien oder einem Durchbruchsversuch der Gefangenen gerechnet. Deshalb waren an den Seiten der WEGESTRECKE DER SCHANDE leichte Panzerwagen und Maschinengewehre im Gestrüpp versteckt. Auf Plattformen, etwas vom Weg abgesetzt, die Eingeborenen.

Was aber wäre geschehen, wenn eine der Kolonnen vom Marschweg abgewichen wäre, die Maschinengewehre und Geschütze auf den Motorfahrzeugen an sich genommen hätte? So wurde der Westpointler Herring später befragt. Es sei ein Experiment gewesen. Wieviel Widerstandsgeist steckt in einem entwaffneten Japaner? Er habe zeigen wollen, behauptete Herring, wie tief verwurzelt die Entmutigung des Feindes, wie ernstgemeint die Kapitulation Japans gewesen sei. Das müsse man ausloten. Disziplinarrechtlich wurde die Sache nicht weiter verfolgt. Fotos der Veranstaltung wurden für die Presse nicht freigegeben. Wer über das Ereignis berichten wollte, mußte sich mit der Zeichnung eines Militärkünstlers begnügen.

Absichtsloses Glück

Eine Übersprunghandlung

Einer der jungen Kampfpiloten der US-Luftwaffe hatte über einem morgenländischen Gelände seine Maschine auf ein Objekt ausgerichtet, das er für einen Bunker hielt. Diejenigen, die ihn hierher geschickt hatten, vermuteten an dieser Stelle den Sitz einer terroristischen Bande. Tatsächlich handelte es sich um ein Gehöft, in dem sich zu dieser Zeit eine Hochzeitsgesellschaft aufhielt. Die intelligenten Waffen, über die das Kampfflugzeug verfügte, hätten das Areal in wenigen Sekunden zerstört, sobald das Luftfahrzeug einmal auf das Ziel ausgerichtet war. Der Zufall aber oder der Finger Gottes, heißt es in dem

Bericht des Kontrollers und Hochschullehrers E. S. Davidson-Miller, der im nachhinein den Vorfall in der *homebase* in Dakota untersuchte, bewirkte in diesem Moment eine konvulsivische Entleerung im Darmtrakt des Piloten. Das irritierte den jungen Mann (»es erfüllte ihn mit Scham«), so daß er die Kampfmaschine verriß. Die Munition fuhr in die sumpfigen Äcker, wo sie niemanden verletzte.

Was soll eine solche unappetitliche Geschichte in einem Seminar der Stanford University, wurde der Kontroller gefragt, der dort den Lehrstuhl für KAUSALE ÖKONOMIE bekleidete.

– Was wollen Sie mit dieser Geschichte sagen, Herr Professor, die einen kommunikativ wenig geglückten Vorfall behandelt?
– Sie werden gemerkt haben, daß alle Zutaten, die zu einem Menschen der modernen Gesellschaft irgendwie gehören, in dieser Geschichte enthalten sind.
– Was heißt irgendwie?
– Der Pilot »schämte sich«, d. h. er besaß ein Gewissen. Er war befähigt, ein Kriegswerkzeug ins Ziel zu führen, insofern war er »rational«. Ja, man könnte sagen, er konkurrierte mit der Intelligenz und Tatkraft der in das Flugzeug eingebauten intelligenten Waffen. Er besaß Willenskraft und Gehorsam, also Bindungsfähigkeit.
– Alles etwas durcheinandergeraten?
– Durch die Darmkolik.
– In den hermetisch geschlossenen Kampfanzug hinein?
– Ja, das war ihm peinlich. Sonst beherrschte er alles. Etwas hatte sich gelöst.
– Und das genügte, um großes Unglück zu verhindern?
– Ja, es wäre ein Unglück geworden, wenn er der ursprünglichen Zielsetzung gefolgt wäre.
– Es wäre ein Zwischenfall mit internationaler Auswirkung gewesen?
– Wenn herausgekommen wäre, daß er eine Hochzeitsgesellschaft liquidiert hatte, wäre das international beachtet worden.
– Man mußte damit rechnen, daß so etwas herauskommt. Tags darauf erreichten Bodentruppen den Ort.
– Er konnte von Glück sagen.
– Eine Fehlfunktion seines Körpers. Weiß man, wie es dazu kam?
– Sie meinen, ob er am Vorabend etwas Falsches gegessen hatte?
– Oder war er überspannt? Hatte er Angst?
– Das alles weiß man nicht.
– Warum hat er den peinlichen Vorfall überhaupt berichtet?
– Das mußte er. Es gibt keine Methode, den Kampfanzug selbst zu reinigen.

– Wurde der Pilot wegen seiner Fehlleistung bestraft?
– Das nicht. Er wurde als ungeeignet für Jet-Einsätze an eine andere Stelle des Dienstes versetzt.
– Ungeeignet wieso? Die Hochzeitsgesellschaft war doch gerettet?
– Die Munition verschossen. Inkonsistenz der Darmöffnung gehört zu den Tatbeständen, die einen Piloten für das Kampffeld untauglich machen.

Davidson-Miller wollte im Seminar ein Beispiel geben für »absichtsloses Glück«. Es enthält eine Chance, wenn alles Glück sonst versagt.

9/3

Die Schatzsucher /
Geisterhaftigkeit der menschlichen Arbeit

An der Grenze zwischen Arbeitskampf und Glücksspiel: der Schatzfund.

Für jede Stoffveränderung in der Gesellschaft, heißt es bei Marx, ist die Anwendung menschlicher Arbeit das Element. Alle Schatzbildungsversuche anderer Art (einschließlich Raub) bewirken, behauptet er, nicht das gleiche. Außer im Menschen selbst finden sich keine Schätze.

Über Glück und Intelligenz als Arbeitseigenschaften. Zunehmende Geisterhaftigkeit menschlicher Arbeit. Ihr zähes Überleben in Zeiten, in denen es so aussieht, als ginge Arbeit zugrunde oder könne ersetzt werden.

715

Der Schatzgräber

»Und auf die gelernte Weise /
Grub ich nach dem alten Schatze.«

Der Gabelstaplerfahrer M. gehörte zum Herz des Betriebs. Nichts war für ihn unmöglich, wenn es darum ging, etwas zu transportieren oder zu reparieren. Alle wesentlichen Lasten fuhr er »rhythmisch« hin und her, wie es gebraucht, d. h. von ihm erahnt wurde. Während aber das Herz nur ein blinder Muskel bleibt, dessen Beharrlichkeit und Anspruchslosigkeit uns entzückt (aber kaum könnte ein Herz ein anderes zum Nachfolger anlernen), war aus dem anpassungsbewußten gleich-mütigen Gabelstaplerfahrer M. inzwischen ein seherischer Experte geworden. Wie leicht hätte er Patente erwirken können für eine Verbesserung des Geräts, mit dem er arbeitete; wie gleichmütig, ohne je besserwisserisch zu erscheinen, hätte er Neuankömmlinge im Betrieb in seine Kunst einweisen und dergestalt zwanzig, hundert hochbefähigte Gabelstaplerfahrer für das Kombinat heranziehen können.

Statt dessen wurde das Kombinat zerschlagen. Der Betrieb, dem M. zuarbeitete, fiel in die Hände eines Spekulanten, dem die Banken bald das Vertrauen entzogen. Unter Wahrung arbeitsrechtlicher Bestimmungen wurde M. abgewickelt. Einen der Gabelstapler durfte er quasi »zum Spielen« mitnehmen, nirgends im Arbeitsbereich wurden sie gebraucht, der Transport auf eine Schrotthalde wäre teurer gewesen als die Schenkung. Das Gerät stand neben dem Vorbau von M.s Datsche, für die er zehn Jahre lang gespart hatte.

M. war um eine Erfahrung reicher. Daß er überflüssig sein würde mitsamt seinem *skill,* hatte er vorher nicht gewußt. Er bewarb sich als Gabelstaplerfahrer auf Bezirksebene und später noch auf Landesebene: so weit das Auge reichte. Aber obwohl seine Fertigkeiten in diesem Augenblick in der industriell verdichteten Zone des Rhone-Beckens gebraucht worden wären (er hätte nur Französisch lernen müssen, ja es hätte genügt, einige Zurufe zu verstehen, da das Gabelstaplerfahren in anderen Ländern sich völlig gleichbleibt, es ist eine Sache des Blicks, des Rhythmus), benötigte ihn da, wo er inserierte oder sich vorstellte, niemand. Umlernen wollte der Vierundfünfzigjährige nicht.

Neulich erwarb M. eine Wohneinheit in Spanien. Woher besaß er die Mittel? Das fragte sich auch der für ihn zuständige Finanzbeamte; Gabelstaplerfahrer M. besitzt ein Motorrad mit Beiwagen, seine Datsche hat er nicht verkauft. Steuerlich bestand der Verdacht, er habe bei Abwicklung des Betriebs in der

Turbulenz des Konkurses Rohstoffe abgezweigt; den Gegenwert hätte er ver-
steuern müssen. Der Tatbestand war nicht nachzuweisen.
Hatte er einen Bankkredit ergattert? Worauf hätte der sich stützen sollen?
Hatte er ein US-Patent zur Verbesserung von Gabelstaplern erworben und ge-
gen bar veräußert? Wann und wo sollte er das getan haben? An welche Interes-
senten?
Es blieb rätselhaft, wie er es angestellt hatte, sich flüssige Mittel zu besorgen.
Der Abwickler, der ihn mochte, so wie er den Spekulanten verachtete, der das
Malheur des an sich wettbewerbsfähigen Betriebs verschuldet hatte, meinte:
Er hat innerlich, gewissermaßen gabelstaplerisch umgeräumt. Ein neuer
Mensch ist aus ihm geworden. Einer holt sich Hilfe, oder er wird krank. M. hat
sich selbst geholfen.
Kann man das denn? Kann die subjektive Seite im Menschen Gold hecken? Es
zeigte sich, daß das mit Hilfe des Zufalls möglich ist. Nur einen Meter vom
Grenzzaun seiner – als Grundstück recht wertlosen – Datsche in den Theken-
bergen war seit April 1945 ein Schatz vergraben, eine Tasche, die Silberbe-
stecke, Aktien, eine Briefmarkensammlung und Geschmeide enthielt, das, was
ein verzweifelter Reicher bei seiner Flucht hinterläßt und im Ernstfall vergräbt.
Nach 30 Jahren gilt das dem Boden Anvertraute nach den Regeln des Schatz-
fundes als herrenlos. Es gehört dem Finder. Die Steuer geht ein solcher Schatz
nichts an. Die Sache wurde erst aufgeklärt, als M. mit Krad für kurze Zeit ins
nördliche Land zurückkehrte und die Behörde Anstalten traf, ihn peinlich zu
verhören.
Die Erde, die den Schatz lange bedeckte, war festgetrampelt und von Pflanzen
überwuchert. Sie war weder für Experten noch für Laien als Fundort erkennbar. Es gehört eine Schwingung (ein Rhythmus) dazu, an solcher Stelle dennoch etwas zu finden, sagte der Steuerfahnder, der M. beneidete. Er ließ sich
zu der Stelle führen, obwohl er die Geschichte längst glaubte. Mit einem Stock
stocherte er in der Nähe der Grundstücksgrenze herum, grub auch in dem Bereich darüber hinaus. Bis zu einer Tiefe von zwei Metern kam er, der Boden
war weich. Dort war nichts zu finden.

Ein Fall von Schatzfund

Auf einem Friedhof bei Lugano, dessen Gräber auf das 5. Jahrhundert n. Chr. taxiert werden, bargen Archäologen der University of Arizona rund 50 Kinderleichen. Die Leichen lagen unterschiedlich tief, alle jedoch nahe der Erdoberfläche begraben. Untersuchung der Erdschichten ergab, daß die Kinder innerhalb weniger Wochen beerdigt worden waren. Die Knochen der Kinder wiesen eine bienenwabenartige Struktur auf. Sie deutet auf Blutarmut hin, die bei Malaria auftritt. Schriften des 5. Jahrhunderts sprechen von einer schweren Malaria-Epidemie.

In einigen Knochen entdeckten die Wissenschaftler das bislang älteste Erbmaterial des Malaria-Erregers Plasmodium falciparum.

Die Schweizer Behörden, in deren Bezirk der römische Friedhof gefunden worden war (heute ist es ein Gelände, das für das Aufstellen von Wohnwagen zur Verfügung steht), erhoben gegen den Abtransport von Knochenteilen Einspruch. Schon der Ankauf des Geländes, auf das die Gemeinde ein Vorkaufsrecht besaß, hatte die Behörde irritiert. Den Standpunkt der US-Anwälte, ein Eigentümer könne das, was er auf seinem Grundstück durch Ausgrabung finde, in Besitz nehmen und an jeden Ort der Welt bringen, teilten die Schweizer nicht.

– Nach Ulpian ist ein Schatzfund durch den Eigentümer selbst doppelt gesichert: durch das Eigentumsrecht *und* durch das Recht des Schatzgräbers.
– Nach Kantonsrecht handelt es sich nicht um einen Schatz, sondern um Knochen. Menschliche Knochen bilden keinen *Schatz*.
– Bleibt das Eigentum.
– Auch das nicht, da Eigentum an menschlichem Körper nach kantonalem Recht nicht statthaft ist.

Hinsichtlich der antiken Materialträger, in Sporenform möglicherweise wiederbelebbar, seien die Knochen lediglich das Gefäß, entgegneten die US-Anwälte. Menschliche Körperteile, was immer ihr Schicksal sei, seien nie nur Gefäß, ließ die Schweizer Behörde erwidern. Man zerstöre das Erbmaterial des Malaria-Erregers, antworteten die Anwälte, einen einmaligen Fund, wenn man ihn auf dem Grundstück, was zulässig sei, aus den Knochen entferne. Dies sei nur in einem Laboratorium möglich. Die Einwendung sei unbeachtlich, antworteten die Schweizer. Der Rechtsweg stehe offen.

Die US-Anwälte rieten von einem Gerichtsverfahren nach Schweizer Recht ab. Internationales Recht war nicht anwendbar. So wurde auf dem Grundstück selbst, oberhalb des vielfach mißhandelten Friedhofs, ein Laboratorium errichtet, dessen Grundmauern zerstörten die antike Friedensstätte endgültig. Der in den Knochen fermentierte Erreger wurde nach US-Recht patentiert. Hierfür genügte es, daß die Gutachter und Patentrichter aus den USA eingeflogen wurden.

Jäger des verborgenen Schatzes

Man verfügt entweder über die Milliardensummen, die der amerikanischen Forschung zur Verfügung stehen, oder aber man muß Einfälle haben wie der Graf von Monte Christo, sagte der tschetschenische Forscher W. B. Anatolij. Die Ausstattung seines Instituts war in Grosny verlorengegangen. Über nichts verfügte er als über verrottete Anlagen des Erdölkonzerns, der diese Gegend früher zivilisiert hatte. Was macht für Anatolij die Welt gefährlich? Was fürchtet er? Die Unbekanntheit der Natur, welche die dreißig Jahre seines Fleißes auf Grund weniger Irrtümer versanden läßt? Erpressung, Instrumentalisierung durch islamische Fundamentalisten? Die Armut Rußlands? Würde er jetzt eine bescheidene Ausstattung an Instrumenten oder eine Reise zu einem westlichen Zentrum der Forschung beantragen, bekäme er in Grosny die Bewilligung vielleicht zehn Jahre nach seinem Tod.

Der Schatz aber, nach dem dieser Schatzgräber suchte, bestand aus Folgendem: In den Milliarden Jahren, in denen die Sonne die Erde siegreich umkreist, sind Partikel einer uns nicht bekannten Substanz, der DUNKLEN MATERIE, über die Pole eingeströmt und zum Erdkern geflossen. Dort liegen sie gefangen. Diesen Schatz wollte Anatolij heben. Wer zuerst die Zuarbeit dieser »GEFANGENEN AUSSERIRDISCHEN« gewinnt, vielleicht sogar ihre Zuneigung, kann selbst von Grosny aus die Welt regieren. Zumindest in der Wissenschaft.[1]

Anatolij will sein Bohrgerät, Schrott ist immer zunächst auch Rohstoff, so ausbauen, daß Kontakte zum Erdkern möglich werden. Allerdings darf der Geheimdienst Rußlands so wenig davon erfahren wie die türkisch-amerikanische Lobby. So haben Anatolij und die Mitarbeiter, denen er vertraut, das Gerücht verbreitet, sie seien an Erkundungen interessiert, die sich auf Erdöl oder Erd-

---

1 Elementarteilchen der DUNKLEN MATERIE reagieren vermutlich nicht mit irdischer Materie. Was wollte W. B. Anatolij mit dem Schatz, wenn er ihn hatte, anfangen? Gold machen, sagte er sich, kann man damit nicht, aber irgendetwas anderes wird damit anzufangen sein. Ihn reizte das Unbekannte. War es zu nichts Praktischem brauchbar, bleibt es Schmuck.

gas beziehen. Das ist glaubhaft und für die räuberischen Gegner als bedauerlicher Irrtum nachvollziehbar, denn sie sind hochmütig. Sie unterschätzen, was andere tun.[2]
Oft stellt sich Anatolij die »Gefangenenlager fremder Materie« vor, zu denen er den Kontakt sucht. Wo vor allem im Erdkern muß er suchen? Sie haben, wie es von den Geistern heißt, ihren Sitz in unmittelbarer Nähe des Zentrums, das gebietet die Schwerkraft, von der sie sich doch abstemmen. Im geometrischen Mittelpunkt der Erde liegt das Zentrum gewiß nicht, meint Anatolij, sondern seitlich davon.[3]

Gefügeartige Arbeit

Ein von der Öffentlichkeit wenig beachtetes Museum im Rheinland veränderte im Jahre 2003 mit Zustimmung der Stadt, die sich davon Einsparungen versprach, seine Zielsetzung. Es sammelte nicht mehr Requisiten und Urkunden zur Stadtgeschichte des Mittelalters, sondern wandte sich, entsprechend den Interessen seines Leiters, der einer der historischen Wohngemeinschaften im Frankfurter Nordend aus dem Jahre 1968 entstammte, dem Thema GESCHICHTE UND ÖKONOMIE DER ARBEITSKRAFT zu. Der verstorbene Heiner Müller wurde ebenso als Beirat geführt wie der Marburger Gelehrte Wolfgang Abendroth und die Arbeitsforscher Schumann und Kern.
In einem der Säle war die Installation eines Künstlers aufgebaut, ein Automat, bestehend aus sieben Arbeiterfiguren, die in einer Fabrik, wie es sie heute nicht mehr gibt, eine Kabeltrommel in eine Halterung einzubringen hatten. Sozusagen als Darstellung »vereinter Kräfte«. Die Bewegungen der sieben (jede verschieden) mußten exakt aufeinander abgestimmt sein, andernfalls wäre das Ergebnis ein Unfall gewesen. Die Verbindung so zahlreicher Hände, Kräfte, Hirne, Temperamente, Erfahrungen waren sämtlich nicht-verbal (lediglich durch Rhythmus, guten Willen, Aufmerksamkeit, Feinsteuerung und Gewöhnung) miteinander verknüpft.
Die sieben mechanischen Figuren wiederholten den wuchtigen Vorgang mit Quietschen des Geräts und klickenden Geräuschen tagein, tagaus, als eine

2 Zweifellos könnte man im Boden unter Grosny Erdöl und ergiebige Gasblasen finden. Eine darauf gerichtete Ausbeutung in einem Land, das jede industrielle Betätigung durch Attentate bedroht, ist jedoch unternehmerisch irrelevant.
3 Gesetzt den Fall, B. und seine Mitarbeiter erhalten Kontakt zu diesen AUSSERIRDISCHEN, wie verständigt man sich? Sind sie – die Gefangenen – Sklaven, die sich dem gütigen Herrn, also B., anvertrauen?

»Feier der Arbeit in ihrer überindividuellen Perfektion«. So hatte der Künstler sein Werk genannt. Der Automat stieß auf Kritik bei Künstlerkollegen. Bernd Schütze, der Leiter des Museums, wich Einwänden nicht aus. Besonders Jörg Immendorf setzte ihm zu. Die GEFÜGEARTIGE ARBEIT, meinte Immendorf (er stützte sich auf Gelerntes aus seiner Zeit als Maoist), sei *das* elementare Beispiel für »lebendige Arbeit«. Die an einem solchen Prozeß Beteiligten reagieren aufeinander in unvorhersehbarer Weise (und in jedem Augenblick neu). Man müsse die Gefahr, das Mißlingen, in die Darstellung einbeziehen. Man wisse nicht, wer von den sieben Arbeitern durch welche Änderung des Bewegungsablaufs die Gefahr abwehrt (oder ob mehrere reagieren), sicher aber sei, daß reagiert wird. Würden die sieben Arbeiter hundert Jahre lang den gleichen gefährlichen Vorgang proben, so wäre doch kein Moment davon völlig gleich. Das könne ein Automat nicht wiedergeben. Die Installation verewige eine Verwechslung: die zwischen »toter Arbeit« und »lebendiger Arbeit«.

– Was hätte Ihrer Meinung nach der Künstler anders machen müssen? Er kann ja nicht wirkliche Arbeiter einsetzen.
– Er müßte Fehler einbauen, auf die der Automat nicht vorbereitet ist.

Gefügeartige Arbeit war stets nur durch Spezialisten zu leisten. Die meisten dieser Spezialisten verschwanden mit der klassischen Industrie. Keiner dieser selbstbewußten Facharbeiter wäre bereit gewesen (wie ein Schauspieler), seine Arbeit in einer Gruppe im Museum vorzuführen, nur um als »Kunstwerk« zu gelten.

– Was Sie fordern, Immendorf, ist utopisch.
– Nicht, wenn Sie im Zirkus 25 Artisten veranlassen, eine menschliche Pyramide zu bilden und das filmen. Gesetzt den Fall, die Artistengruppe wird durch Einsturz des Zirkuszeltes irritiert, läßt sich aber durch nichts ablenken und hält (durch hundert winzige Ausgleiche) die Formation intakt. Die Aufzeichnung davon können Sie als Kunstwerk ausstellen.

So geschah es, daß Schütze aus Sponsorenmitteln, über die das Museum verfügte, Immendorf den Auftrag zu einer solchen Film-Installation erteilte; die beiden »Denkmäler der gefügeartigen Arbeit« wurden nebeneinander in benachbarten Räumen aufgestellt.[4]

4 Sie bildeten jetzt ein »gemeinsames Kunstwerk«, da nur beide Darstellungen zusammen (der Zirkuskunst fehlte der industrielle Aspekt) einen zureichenden symbolischen Ausdruck erzielten.

Auch der Ausdruck »der Teufel steckt im Detail«, behauptete Schütze in der Pressekonferenz, die der Vorführung des Films voranging, sei aus Erfahrungen der GEFÜGEARTIGEN ARBEIT abzuleiten. Das Detail einer fertigen Maschine interessiere den Teufel überhaupt nicht, auch wenn es roste oder breche. Oft habe der Versucher dagegen eine Zirkuskunst zum Zerbrechen gebracht, sobald Eifersucht oder Gleichgültigkeit (beides charakterisiere Einflußnahmen des Teufels) das Ineinanderwirken des Gefüges störten. Die Pyramide aus Menschen stürzt. Oder am Trapez: »Er trifft die Hand des Partners nicht, so daß er sich das Genick bricht.«

Umgekehrt habe der böse Metaphysiker, den wir Teufel nennen, seinem Gegenüber oft auch Respekt erwiesen. Er anerkenne unter den Kräften, die ihm entgegenwirken, am ehesten die »Macht der Arbeit«. Deshalb war in einem Kellerraum des Museums, der 1945 beim Brand der Stadt erhalten geblieben war und über dem sich der Neubau erhob, eine Sitzecke installiert, in der ein Teufel oder Alchimist einem Arbeiter aus dem frühen 19. Jahrhundert in angeregtem Dialog gegenübersitzt (beides Wachsfiguren).

Glück und Kooperation

1

Eine Serie unerwarteter Zufälle

Bei einer militärischen Übung öffnete sich der Fallschirm eines US-Sergeanten nicht. Lessi Smith, ein Schwarzer aus Brooklyn, dessen Fallschirm sich ordnungsgemäß geöffnet hatte, ergriff in »unerhörter Geistesgegenwart« den Fallschirmstoff des Sergeanten. In dieser Konstellation fielen beide Kameraden langsam zu Boden. Einem Film-Kameramann, der in einem der Flugzeuge die Szene fotografierte, gelang eine detailreiche, scharfe Filmaufnahme. Sieben Bauern applaudierten, als das merkwürdige Zweigespann den Boden berührte. Die Schuhe von Lessie Smith waren weder für Flugbewegungen noch für Märsche geeignet. Sie waren eine Fehlbestellung der US-Militärs.

2
Überlistung der Schwerkraft

Ein Kollege in Frankreich arbeitete in 130 Meter Höhe bereits seit mehreren Stunden an einem Starkstrommast. Er öffnete seinen Sicherheitsgürtel, um für eine Brotzeit abzusteigen. In dieser ungeschützten Lage stürzte er. Sein wenige Meter tiefer arbeitender Kollege griff ihn in Höhe der Kniekehlen. Aus dieser gewiß unsicheren Lage weit über dem Boden Frankreichs gelang es ihm, den Stürzenden in eine Position zu verfrachten, die den gemeinsamen Abstieg ermöglichte. Andere Kollegen setzten sich mit ihnen zu einem intensiven Mahl.

An sich, berichtete der französische Ergometrist André Philip, ist es fast unerklärlich, wie der Kraftansatz des linken Arms eines Arbeiters (der rechte und der Sicherheitsgürtel halten ihn am Mast), auf einer so inadäquaten Berührungsfläche wie dem Haltepunkt Kniekehle eine derartige Rettung möglich macht. Welch Gewicht, das den Stürzenden nach unten zieht, welch Gezappel des auf den Unfall nicht vorbereiteten Mannes!

Der nächste griffsichere Schwerpunkt, durch den der Retter den Stürzenden überhaupt in Richtung Sendemast bewegen konnte, war dessen Taille. Er muß also zentimeterweise seinen Griff über den Po des Kollegen nach unten verlegt haben, um ihn überhaupt auf eine gemeinsame Abwärtsbewegung am Mast vorzubereiten.

Ich habe selbst nicht gewußt, was ich tat, erzählte der Kollege, der als Retter gefeiert wurde. Irgendetwas habe ich getan, aber ich könnte nicht sagen, was genau.

3
Ein Fall von Opfermut

Der Strafgefangene Antonio Vitale verschaffte sich bei der Überführung von Urbino nach Genua, die im Eisenbahntransport erfolgte, unter dem Vorwand, sich erleichtern zu müssen, eine Fluchtmöglichkeit. Er nutzte den Moment, in dem der Zug wegen einer Kurve langsamer fuhr. Der ihn bewachende Carabinieri Egidio Molari, der auf die Rückkehr des Strafgefangenen vertraut hatte, zögerte nicht, als er die Flucht entdeckte, dem Delinquenten durch das Fenster des Zuges nachzuspringen. Inzwischen hatte der Schnellzug an Geschwindigkeit gewonnen. Der Carabinieri stürzte überkopf, schlug heftig auf den Schotter des Bahnkörpers und lag, betäubt, einige hundert Meter von seinem Gefangenen entfernt.

So war dieser Gefangene, der sich schon in Sicherheit wähnte, gezwungen, sich um den offenbar schwerverletzten Wächter zu kümmern. Passagiere brachten den Zug durch Notbremsung zum Halten. Als die Zugbegleiter die zwei vermeintlich Verunglückten erreichten, hatte der Strafgefangene den blutigen Kopf seines Verfolgers auf ein Stück Stoff gebettet und in seinen Schoß gelegt. So reinigte er die offene Wunde von Steinen und Erdreich, die, wie er wußte, Spuren des Tetanus-Bazillus aufweisen konnten. Er kauerte neben dem mutigen Mann, der ihm nachgesprungen war, bezwungen von dessen stärkerem Opfermut, auch wollte er nicht wegen unterlassener Hilfeleistung zusätzlich zu seinen bisherigen Straftaten beschuldigt werden. So konnte der Bahntransport des Verbrechers fortgesetzt und der Gefangene in Genua der dortigen Gefängnisleitung übergeben werden.

4
Im Ergebnis ein glücklicher Zufall

Aus dem letzten Wagen des Schnellzugs Straßburg – Ventimiglia stürzte ein Kind auf die Bahnanlage. Die Eltern suchten durch Winken aus dem davonfahrenden Zug den Kontakt mit dem Kind herzustellen, das unverletzt geblieben war, und, um schneller laufen zu können, auf Strümpfen dem Zug hinterherlief. Die Schuhe in der Hand.

Der im Ergebnis glückliche Zufall ereignete sich, bevor der Schnellzug in einen Gebirgstunnel einfuhr; so kamen die bestürzten Eltern zu spät auf die Idee, die Notbremse in Gang zu setzen. Der Zug hielt inmitten des Tunnels, wohin das sich rasch bewegende Kind nicht zu folgen wagte.

Zwei Zugbegleiter, der Lokomotivführer, die Eltern marschierten achthundert Meter zum Tunneleingang, wo das Kind in einer Nische kauerte, kooperativ.

Abb.: Um schneller laufen zu können, auf Strümpfen.

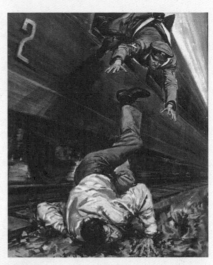

Abb.: »Er zögerte nicht, dem Delinquenten durch das Fenster des Zuges nachzuspringen.«

Abb.: Lessi Smith ergriff in »unerhörter Geistesgegenwart« den Fallschirm seines Sergeanten.

Abb.: »Sein wenige Meter tiefer arbeitender Kollege griff ihn in Höhe der Kniekehlen.«

Karl Korsch sagt den Nationalsozialismus voraus / Eine Beobachtung aus Anlaß des britischen Generalstreiks vom Mai 1926

Bei der Beobachtung der besonderen Disziplin, mit der britische Gewerkschaften während des Generalstreiks von 1926 den hundertjährig geschützten Raum des Streikrechts zu wahren suchten und sich die konservative Regierung, lüstern, den Generalstreik zu behindern, dennoch bezähmte und den Anschein erweckte, sie handle neutral, fiel Korsch ein Umstand auf, von dem er meinte, daß Karl Marx ihn in seiner Analyse nicht ausreichend untersucht hätte.[5] In der deutschen (und kontinentalen) Tradition verkauft der Arbeiter seine Arbeit, und der Unternehmer streckt ihm hierfür die Lebenskosten vor. In England dagegen gilt seit etwa 1820 die Fiktion des Warentauschs: Der Arbeiter bietet sein von ihm gefertigtes Arbeitsprodukt feil, hierfür zahlt der Unternehmer den niedrigstmöglichen Preis.[6] Auf diesem Hintergrund sind die Begriffe ENTFREMDUNG und VERRAT, und somit die Kategorien des Klassenkampfes, schreibt Karl Korsch, in England unverständlich. Ein Generalstreik wird mit einem Arrangement enden. Ganz anders in Deutschland, wenn jetzt die Rücknahme der Errungenschaften von 1918 versucht wird. Ein Generalstreik führt wegen der größeren Essentialität, um die es bei dem Tausch geht, zum Bürgerkrieg. Im Grunde, sagt Korsch, werde auf dem Kontinent gar nicht getauscht, da die Lebenskosten stets etwas Eigenes und die verkaufte Arbeitskraft ebenfalls etwas Eigenes blie-

---

5　Von dem linkssozialistischen Theoretiker und Marx-Biographen Karl Korsch, 1919 Justizminister in Thüringen, sagt man, er sei der einzige, der Sätze und Beobachtungen von Marx so fortsetzen könne, daß daraus neue Marx-Texte entstünden.
　Korsch machte von dieser Gabe wenig Gebrauch. Es schien ihm verwirrend, wenn nicht mehr unterscheidbar wäre (für Lernbegierige, neu hinzustoßend), was der Klassiker nun selbst gesagt hatte oder nicht. Andererseits war es bei der Masse Marxscher Texte ein unbrauchbares Verfahren, sie nur zu sammeln und Teile daraus auswendig zu wissen. Hier wäre eine Ergänzung aus der Erfahrung der Weimarer Republik nützlicher gewesen. Später, schon emigriert nach Boston und krank, bedauerte Korsch sein Zögern. Man muß, nämlich so, wie die Weltrevolution nur permanent sein kann, die Theorie PERMANENT FORTSCHREIBEN.
6　Da es hier nicht um Leben und Tod geht, sind Arbeiterorganisationen in England schon 1824 anerkannt. 1875 Schutz vor strafrechtlicher Verfolgung im Falle eines Arbeitskampfes. 1906 Freistellung der Gewerkschafter von Ansprüchen auf Schadensersatz wegen Streikschäden. Die Arbeiter sind Händler, nicht Rebellen.

ben. Beides werde im ERNSTFALL[7] nicht *zurückgefordert*, sondern »es fällt zurück«.[8]

Der Kanalarbeiter

> »Daß es Macht gibt, so wertvolle und königliche, daß
> ganze Geschlechter von Vertrauensleuten gut verwendet
> sind, wenn durch ihre Mühe diese Macht rein erhalten
> und verständlich erhalten wird, und diesen Glauben im-
> mer wieder zu befestigen, ist die Kanalarbeit da.«
>
> *Özdam M.*

Mit der Partei des gemäßigt-islamischen Volksführers Tayyip Erdogan war auch ein gemäßigt-nationalistischer Sozialdemokrat in eine der außenpolitischen Spitzenstellungen der Türkei eingerückt. Özdam M. war zugleich ein Vertrauensmann des türkischen Militärs, des ägyptischen Geheimdienstes, einer islamischen Gruppe, seiner früheren und seiner jetzigen Partei: Kanalarbeiter in verschiedenen Kanälen.

Vor der Südküste der Türkei kreuzten US-Transportschiffe, beladen mit Panzern und Infanterie. Sie hatten keine Erlaubnis des türkischen Parlaments, die ungeduldige, das Mittelmeer mit ihren Abfällen schädigende Truppe an Land zu setzen. Die Frachter blieben nächtlichen Attentaten ausgesetzt. Die Satelliten im Orbit, die über die US-Schiffe wachten, waren nicht imstande, Fischerboote von möglichen terroristischen Angriffsfahrzeugen zu unterscheiden. Für die vierte (»digitalisierte«) US-Infanterie-Division, eine besondere Elite-Einheit, die sich, auf Schiffe gepfercht, mit eigenen Mitteln nicht verteidigen konnte, war die Lage unbehaglich.

Der Kanalarbeiter aber zog die Verhandlungen in die Länge. Keine der Machtgruppen, deren Mandat er in seinem Kopf auseinandersortiert hielt und zugleich vereinigte, war an einer Verwicklung der Türkei in einen Konflikt mit einem anderen islamischen Land interessiert. Gelang es, die Entscheidung zu verzögern, brachte entweder die Herankunft der Sommerzeit oder die Ungeduld der Amerikaner das Vorhaben zum Scheitern. Seinen Einfluß auf die Ver-

---

7 Es geht um den ERNSTFALL NACH INNEN, den »inneren Kriegszustand«.
8 Dies enthält nichts Emanzipatorisches, notiert Korsch. Der Bruch historischer Verträge, das exzessive Strafen z. B. aufständischer Bauern, führt dazu, »daß Eigentum der Gesellschaft auf die Füße fällt«. Enttäuschte Menschen sind zu treuen Diensten nie mehr zu gewinnen. Siehe auch Richard Biernacki, The Fabrication of Labour, Germany and Britain 1640-1914, Berkeley 1995, S. 255 ff.

handlung übte der Kanalarbeiter unter dem Vorwand aus, nach traditionell-türkischer Sitte über den Endpreis zu schachern.[9] Die Amerikaner drohten, die Schiffe umkehren zu lassen, auf eine Nordfront gegen den Irak zu verzichten. Das wäre dem Kanalarbeiter recht gewesen.

Kanalarbeiter in aller Welt bauen, frequentieren, überliefern, reinigen und reparieren die Kanalsysteme der Macht. Woher kommt die Mischung aus Furchtlosigkeit und Geduld, die den Kanalarbeiter auszeichnet, verbunden mit seiner Fähigkeit, den Gegner zu einer Unterschätzung der Kräfte zu verleiten, die ihm gegenübersitzen?

– Warum nennt man einen Vertrauensmann dieser Art Kanalarbeiter? Was arbeitet ein Kanalarbeiter?
– Er ist unentbehrlich. Er besitzt das Vertrauen anderer.
– Ich hatte gefragt, was er »arbeitet«.
– Einfluß fließt durch ihn hindurch. Aus vielen Quellen. Unverkürzt und unvermischt, auch dann, wenn der Kanalarbeiter seinen Einfluß oder seine Information von gegnerischen Herren erhält. »Er läßt geschehen.«
– Wieso ist das Arbeit?
– Die Leistung erfordert besondere Fähigkeiten.
– Was vor allem?
– Zuverlässigkeit. Robustheit.
– Mit was vergleichbar?
– Mit keiner anderen Arbeit in der Welt.

Kanalarbeiter sind vor allem unbestechlich, meinte der Politologe Sam Reybourn von der Stanford University. Sie halten sich frei von Verrat. Gerade weil sie in den »Röhren der Macht« von niemandem kontrolliert werden könnten. Sie sind auch nicht beeinflußbar durch die eigenen Auftraggeber. Eine der Seilschaften, deren Arbeit Özdam M. in seiner Nachbarschaft beobachtete, hielt noch an *Reinheitsgeboten der Macht* fest, die aus der Zeit des Kaisers Justinian stammten.[10]

Özdam M., der zu den Verhandlern der Türkei gehörte, saß auf der Gegen-

9 Es geht um die Abgeltung erwarteter Kriegsschäden, die auf 27 Milliarden Dollar geschätzt sind. Außerdem um Investitionen in Umbauten auf Flughäfen und Straßen. Schließlich geht es um ein Bakschisch für die Bereitschaft der Türkei (bzw. der gemäßigt-islamischen Regierung) an einem Krieg gegen Glaubensbrüder teilzunehmen, eine Abbuße der eigenen Überzeugung.

10 Man wird nicht Kanalarbeiter, wenn man sich dazu entschließt. Man hat einen Lehrmeister, wächst in das Vertrauen eines der Machtkanäle hinein. Die Machtkette, zu der Özdam M. zählte, ging bis auf das Jahr 1453 zurück.

seite, die aus sieben Leuten bestand, *einer* gegenüber, der durch die Aussicht auf Belohnung am Ende seiner Amtszeit bestochen war und Özdam M. unauffällig zuarbeitete. Während noch die USA meinten, sie seien in der Lage, die Republik Türkei durch Hergabe von Krediten zu bestechen.

Arbeit ist keine primäre menschliche Eigenschaft

1

»Trinke Mut des reinen Lebens!«

– Arbeit ist keine primäre menschliche Eigenschaft?
– Betätigungslust ja. Arbeit nein.

2
Das Sorgenkind

Ein Kind in Hemipolis wurde mit verstümmelten Füßen geboren. Es bekam die (gegenüber seinen drei Geschwistern) besondere Zuwendung der Mutter. So war es nicht auf die Arbeitswelt vorbereitet, erwartete nicht Aufträge, sondern Belohnung.
Es verharrte als Sorgenkind, überlebte die Mutter. Ein schlechtes Los wäre es, wenn die Eltern die eigenen Kinder überleben.

3
Verinnerlichung der Gewalt

»Meine Seele sollst du haben /
schrieb ich hin mit eignem Blut.«

Er tötete ihre Eltern und Brüder, zwang sie seine Frau zu werden. Sie brachte ihm Erben zur Welt, half aus, als er älter und krank wurde.[11] An seinen Feinden, die ihn umbrachten, als er an einem Sommertag bei Heudeber-Danstedt in

---

11 Eine Zeitlang soll sie widerspenstig gewesen sein. Der Machtmensch, ein Raubgraf, hatte um sein Leben gefürchtet.

leichtem Panzer, nur von einem seiner Knechte begleitet, dahinritt, rächte sie
ihn blutig. Man sagt, daß sie diesen Bezwinger und Herrenmenschen geliebt
habe.

– Man spricht von etwas Schrecklichem, der Introjektion des Aggressors.
– Was ist daran gräßlich, daß die angetane Gewalt »verinnerlicht« wird und
jetzt äußerlich so aussieht wie Liebe? Das wäre doch nach christlichem Ver-
ständnis nicht schlimm.
– Stellen Sie sich vor, daß der Stoff, aus dem Liebe entsteht, umgewandelter
Haß ist!
– Sie meinen, daß sich das später indirekt auswirkt? Man sieht einem solchen
Produkt nicht an, aus was es entstanden ist. Das Produkt besagt: Zunei-
gung, ja Hörigkeit. Und es funktioniert so.
– Mir ist es nicht geheuer.
– Aber als Tatsache beobachten Sie es?
– Es zeigt sich dauerhaft.
– Nach den Mendelschen Gesetzen könnten aber aus einer solchen INTRO-
JEKTION zweimal Haß, zweimal gemischtes Verhalten und zweimal Liebe
entstehen, z.B. in der Enkelgeneration.
– Das ist ja das Problem, wenn man vom Ursprung her zwischen Liebe und
Haß nicht zu unterscheiden vermag.
– Sie raten also, dem, was wir Liebe nennen, zu mißtrauen?
– Da zögere ich. Wir haben nichts anderes, auf das wir uns verlassen können.
Entweder verlassen wir uns auf Liebe oder auf Gleichgültigkeit.
– Aber Ihre Beobachtung, daß mein bester Feind mein Geliebter sein soll, ver-
bietet doch derartige klare Auskünfte.
– In der Erfahrung ist aber Liebe, die aus Gewalt entstand, stark wie Beton.
– Sie meinen, etwas anderes haben wir nicht?
– Auf irgendetwas müssen wir uns verlassen.

4
Die Metapher von der
URSPRÜNGLICHEN AKKUMULATION (nach Marx) /
Wie die industrielle Disziplin vermutlich entstand

– Sie halten Karl Marx für einen Dichter?
– Einen begabten Poeten.
– Er sitzt in der imposantesten Bibliothek Londons, exzerpiert Historie und
dichtet um diese Phantasiekerne eine Geschichte?

- So entsteht der Großansatz seiner Theorie.
- Tun Sie ihm nicht Unrecht, wenn Sie diesen wissenschaftlichen Materialisten zu einem Dichter degradieren?
- Wieso degradieren? Eine poetische Metapher ist die Höchstform der Einsicht. In den Hügeln Großbritanniens werden im 16. Jahrhundert die Cottages der Bauern niedergebrannt, die Äcker enteignet und großflächig eingegrenzt. Schafherden weiden dort, wo zuvor Menschen lebten. So ist es bei Marx beschrieben.
- Das ist die »ursprüngliche Akkumulation«?
- Die Bodenfläche ist nur nützlich, wenn Schafe darauf weiden, deren Wolle in Holland gebraucht wird, wo das Kapital blüht.
- Das bringt Rückfluß.
- Es muß ein ursprüngliches, in Geld ausdrückbares Vermögen angehäuft werden, damit der Tauschprozeß in Gang kommt. Das kann durch das Niederbrennen der Cottages geschehen, durch 2000 % Profit im Opiumhandel mit China, durch Sklavenhandel oder durch Raub. Irgendeine URSPRÜNGLICHE ANEIGNUNG muß es geben.
- Sie bringt Leid.
- Und Leid macht erfinderisch. Diejenigen, deren Gehöfte abgebrannt wurden, die Enteigneten, strömen nach London. Die es mit Diebstahl versuchen oder faul sind, erwartet der Galgen. Die anderen entwickeln aus dem Leid Erfindungskraft. Sie beginnen zu arbeiten. D. h., aus dem Acker ihrer Bereitwilligkeiten pflügen sie einen Bereich der Arbeitsbereitschaft, der besondere Fähigkeiten hervorbringt (treibhausmäßig).
- Ein Schatz im Innern der Menschen?
- Ich glaube, daß das bei Marx so gemeint ist.

5
Eine unbezahlte Knochenarbeit /
Arbeit für das Gleichgewicht des Hauses

Eine Hausfrau sagt: »Ich würde gern die Axt aus dem Keller holen und den Fernseher zusammenhauen.« Sie weiß aber nicht genau, ob dann etwas explodiert, wenn sie draufhaut. Sie holt tatsächlich die Axt, bringt sie in die Küche. Ihr Mann hockt nämlich immer vor dem Fernseher, wenn sie etwas mit ihm bereden will.
Am folgenden Vormittag sitzt sie oft – noch mit der Wut des Vorabends – auf ihrem Stuhl und überlegt. Danach hat sie die Wut nicht mehr zur Verfügung. Die hab' ich mir »abgedacht«.

Das Gesetz von der Erhaltung der Energie gilt auch hier. Wohin sind die Energien verschwunden? Sie setzen sich in Arbeit um: die Arbeit, die darin steckt, daß sie ihre Wut nicht abreagiert, indem sie die Nächstabhängigen, z. B. die Kinder, ohrfeigt oder indem sie dem Mann ein Glas aus der Hand schlägt, wenn sie doch eigentlich den Fernseher zerhauen will. Die verschwundene Wut hat sich in Arbeitskraft verwandelt und steuert die Zielgenauigkeit ihrer Handlungen, d. h. im Augenblick ist sie der Kitt, der den Scheinfrieden der Familie zusammenhält. Diese Frau kommt nach Wyhl. Gegenüber ihrem Mann verhält sie sich »harmonisch«. Mit einem Kernkraftwerk, mit einer ganzen Landesregierung würde sie den Kampf aufnehmen.

Ein anderer Fall. Erster Urlaubstag zu Hause. Bettine fühlt neue Kräfte. Sie will Ordnung schaffen. Das Kind hat sich den ganzen Nachmittag über aus dem Eisschrank ernährt, jetzt will es nicht essen. Um 11 Uhr nachts hat es dann Hunger. Bettines Mann hat die vorgekochten roten Rüben, die das Abendessen für die Erwachsenen bilden sollen, aufgegessen. Nicht aus Hunger, aus Langeweile. Statt sich mit ihr zu unterhalten. Sie rennt ins Wohnzimmer und sagt: »Du bist ein Affenarsch.«

Jetzt sitzt er beleidigt im Wohnzimmer, antwortet betont kurz. Sie ist noch immer mit hinreichend frischer Wut versorgt; mit dieser Wut könnte sie grundlegende Veränderungen der Familienverfassung durchsetzen.

Sie überprüft die Betriebsstörungen, die ihr beleidigter Mann heute abend und in den nächsten Tagen veranlassen wird. Sie selbst kann das aushalten, wenn es auch zur Veränderung der Familienverfassung nichts beiträgt. Aber er wird in diesem Zustand lernunfähig. Außerdem treffen die Störungen vor allem die Kinder, die dann ihrerseits mit Störungen antworten. Bettines beste Freundin ist zu Besuch. Sie erwartet von Bettine konsequente Handlungen. Sie haben das besprochen. Aber inzwischen ist Bettine zu dem Ergebnis gekommen, daß sich auf diesen konkreten Alltagsärger keine Bestandsaufnahme der Jahresfragen aufstocken läßt (andererseits bestehen die ganzen Jahresprobleme aus Konflikten in kleiner Münze). Wenn sie anfängt zu reden, fährt ihr der Mann in die Parade: »Das sind doch Bagatellen.« Sie müßte mit 10 Mündern gleichzeitig reden, um genug Anschauungsmasse aufzuhäufen, wenn sie auch nur *einen* Satz zu Ende bringen will.

Entschluß: Es ist besser, daß sie sich für den »Affenarsch« entschuldigt. Sie tut das, indem sie dem Mann wortlos eine Boulette heranträgt, die er auch annimmt. »Die Klügere gibt nach.« Andererseits: »Ich habe mich lächerlich gemacht.« Aber vor wem lächerlich gemacht? Vor welchem Prinzip?

6
Die zwölf faulen Knechte /
Eine Geschichte aus dem Mittelalter

Die zwölf faulen Knechte rühmen sich voreinander, wie sie (jeder auf andere Weise) ihre Faulheit als Hauptarbeit pflegen.[12] Einer von ihnen berichtet, er habe durch seine Faulheit Schaden genommen. Er habe auf einem Fahrweg gelegen, die Beine ausgestreckt. Der Wagen eines Herrn sei ihm über die Glieder gefahren. Mücken hätten gesummt; sie seien durch die Nase herein- und zum Mund herausgekrochen. Wer, fragt dieser zehnte der zwölf faulen Knechte, will sich die Mühe geben, das Geschmeiß wegzujagen?

– Die Kutsche des Herrn konnte nicht ausweichen?
– Offenbar gab es dafür keine Gewohnheit.
– Was verstehen Sie, wenn Sie das Märchen der Gebrüder Grimm lesen, unter Faulheit? Was heißt Faulheit im Märchen?
– Ursprüngliches Selbstvertrauen.
– Eine Quelle von Irrtum?
– In dieser rohen, gesellschaftlich unbearbeiteten Form, bringt es wenig Glück. Der Faule hat mehr Aufwand, mit beschädigten Gliedern durch die Welt zu wandern, als es Aufwand gekostet hätte, sich von der Hauptstraße zu einem Schlafplatz zu bewegen.
– Er hat sich nicht gerettet, weil er faul war?
– Nicht weil er faul war. Er vertraute darauf, daß ihm nichts passiert.

7
Dreharbeiten auf dem Boden einer ehemaligen
landwirtschaftlichen Genossenschaft in Brandenburg

Sie hatten die schwere Scholle umgepflügt und mit 20-kW-Scheinwerfern gegenlichtig beleuchtet. Die Erdklumpen an den Rändern der Furchen erschienen mächtig. Der Hauptdarsteller, der im Film-Musical den *Schatzgräber* zu spielen hatte, war von der Limousine am Rande des Feldes abgesetzt worden, schon kostümiert und geschminkt. Er mußte sich an die ihm fremde Atmosphäre des Ackergeländes gewöhnen, in der Ferne eine Baumreihe, in der früher Fasane geschossen wurden. So nahe war der aus den USA eingeflogene Mann einer aufgerissenen Erdkruste zuvor nicht gekommen.

12 *Kinder- und Hausmärchen*, Gesammelt durch die Brüder Grimm, München 1949, S. 662.

In diesem Moment gefiel dem Regisseur die Szene so nicht mehr. Kurzer Streit mit dem *Director of photography*. Der Regisseur ließ die Scheinwerfer umrücken. Es sollten statt des Lichts aus dem Hintergrund eine Beleuchtung von der Seite und ein Vorderlicht hergestellt werden. Nicht die Erdschollen, sondern die Grube, in der sich der Schatzgräber betätigen sollte, war die Hauptsache.

Die Dreharbeiten fanden auf dem Boden einer ehemaligen landwirtschaftlichen Genossenschaft statt, an sich Boden von nur indirektem Wert, da die Europäische Union Geld bezahlte, wenn man die Ernte *nicht* einbrachte. Die 20-kW-Scheinwerfer konnten nur durch Traktoren bewegt werden, die aber im Feld keine Spuren hinterlassen durften. Das Morgengrauen brach herein. Der Nachtdreh wurde abgebrochen.[13]

In der folgenden Nacht bündelten die in geänderter Position aufgestellten Scheinwerfer ihr Licht, reflektiert von Spiegelflächen, die außerhalb des Bildes an Masten befestigt waren. Im Lichtbündel erschien ein nackter Knabe, der einen lässig befestigten Lendenschurz trug, eine Art Windel, und majestätisch vor dem Schatzgräber, der beim Schaufeln innehielt, zu stehen kam. Es war Kunst nötig, diesen »Geist« an einer Stahltrosse schräg von oben so aus dem Dunkel in die LICHTERSCHEINUNG herabgleiten zu lassen, daß die mechanische Konstruktion später für die Zuschauer nicht sichtbar war.

Der Schatzgräber kniete hin. Er hatte in zuvor abgedrehten Szenen Versuche angestellt, sich einen NÄCHTLICHEN SCHATZFUND dadurch zu »verdienen«, daß er aus »Kraut und Knochenwerk« ein Feuer auf dem Acker anzündete, das dämonische Geister veranlassen sollte, ihn zu einem Schatz zu führen.

Als es Zwölf schlug (zur Unterstützung der Lichttonspur war an einen Zwischenschnitt auf die Dorfglocke in Großaufnahme gedacht), erschien vor diesem abergläubischen Arrangement die »Erscheinung des Knaben«.

Mit Hilfe einer Play-back-Anlage wurde ein »Chor« eingespielt. Die Einspielung, die im späteren Musikfilm die Szene begleiten würde, skandierte jetzt die Bewegung der Darsteller und der Scheinwerfer-Assistenten, die den Lichtkegel geringfügig in Bewegung hielten.

> *» Und ich dacht': es kann der Knabe /*
> *Mit der schönen lichten Gabe /*
> *Wahrlich! nicht der Böse sein.«*

---

13 Jede Überziehung des Budgets war problematisch. Die Kosten des Films nach dem Musical *Der Schatzsucher* von Daniel B. Guttermann (nach einer Idee Goethes) wurden in Co-Produktion von einem Filmfonds und dem US-Verleih getragen.

Der Filmkritiker der *Washington Post*, mit dem Regisseur befreundet, war zu den Dreharbeiten zugelassen. Er befragte den Produzenten.

– Könnte die Szene, die ich eben gesehen habe, nicht etwas kitschig wirken?
– Das wäre kein Hindernis für den Erfolg des Films, da es ja darum geht, die Emotion des Zuschauers zu entfachen.
– Mit Kitsch?
– Ich weiß nicht, was Sie unter Kitsch verstehen. Ich gehe davon aus, daß es ein primäres Interesse von Menschen gibt, einer Schatzsuche zuzusehen. Wenn nicht sogar, sich daran zu beteiligen und selber einen Schatz zu finden.
– Der Schatzgräber findet aber keinen Schatz, sondern er begegnet einer Allegorie, der Erscheinung eines himmlischen Knaben, der eine Schüssel unbekannten Inhalts vor der Brust trägt. Der Schatzgräber erhält Ratschläge, keinen Schatz.
– Ratschläge, musikalisch vorgetragen aus dem Off durch Chor und Orchester. Es hat etwas Feierliches.
– Ist der Knabe eine Anspielung auf die Freiheitsstatue?
– Er gehört zur Familie dieser allgegenwärtigen Symbolfiguren, die aus Geschmacksgründen von einer Moderne, die beim Publikum versagt hat, lange aus der Öffentlichkeit verbannt waren. Gerade hier liegt die Zuschauerreserve. Wir halten die Darbietung für attraktiv.
– Ist die Handlung für ein 100-Minuten-Kinoprogramm nicht etwas dürftig?
– Deshalb zeigen wir ja einen Film im Film. In der Rahmenhandlung geht es um den Komponisten, der die erfolgreiche Filmmusik schreibt, während er gleichzeitig gegen eine Krebserkrankung ankämpft. Ähnlich wie in Truffauts *Die amerikanische Nacht* und in dem Hollywood-Klassiker von 1932, *Gold-diggers,* geht es um die Selbstfindung von Menschen. In einer Seitenhandlung heiratet ein junger Mann aus der Nähe von Potsdam, ehemals Drehbuchautor der Defa, die Tochter des Eigentümers einer Fleischgroßhandlung in Chicago. Dies füllt breite Teile der Kinozeit aus und wird wiederum von Songs und Couplets begleitet. Ein großartiger Moment, wenn es im Film heißt: Bitte Ruhe! Klappe! Kamera ab! und es beginnt ein Chorlied. Das ist wie im »Lied an die Freude«. Oder halten Sie Schillers Text ebenfalls für Kitsch?
– Sie sagen ja, daß Kitsch nichts Schlimmes ist.
– Er ist eine Wünschelrute.
– Im Filmgewerbe?
– Nein, in der Welt.

8
Schatzfund im Mittelalter

Wie wahrscheinlich ist es für einen Bauern im Mittelalter, auf seinem Feld einen Schatz zu finden? Wenn er den Acker nur gepflügt hat, praktisch keine Chance, antwortete Prof. Dr. Dorfrichter von der Universität Bielefeld. Wenn er im Umkreis des Hauses oder an Weihestätten tiefer grub, konnte er jedoch auf irgendetwas stoßen.

- Was heißt »irgendetwas«?
- Schädel, Knochen, ein Grab.
- Mit Beigaben?
- In Westeuropa waren Beigaben nicht üblich.
- Römische Münzen?
- Selten. Es konnte ein Heereszug eine Stadt überfallen haben; dann, auf dem Rückzug von einer römischen Legion überrascht, vergrub die barbarische Horde die Beute. Wurde die Horde im Kampf vernichtet, blieb der Schatz liegen. Beim Rückzug aus der Donau-Stellung vergruben die Zahlmeister zweier Legionen die Kriegskasse. Auch in Flüssen wurden Schatzkisten versenkt im Laufe der Geschichte. Wie soll ein einzelner Bauer oder Fischer so etwas finden?

Es kommt hinzu, ergänzte Dorfrichter, daß das frühe Mittelalter durch eine West-Ost-Wanderung der landwirtschaftenden Bevölkerung gekennzeichnet ist. Die Enge der Grundstücke, Besitz an Mensch und Acker durch den Oberherrn bringen die Menschen dahin, in die Wälder des Ostens zu fliehen. Sie rodeten, errichteten dort Gehöfte und Ackeranlagen. Wo sollten dort, im Niemandsland, Schätze sein?

Dorfrichter behauptete in der apodiktischen Art, in der er sich äußerte, weil er stets nur von den eigenen Forschungsergebnissen ausging, daß ein Bauernhaufe im Manfeldischen nach der blutig verlorenen Schlacht von Frankenhausen in einem Bergwerksschacht bei Thale Zuflucht gefunden, und dort in einem Stollen eine Strähne von Gold entdeckt habe, groß wie Weizenbrote. Noch im April 1945 verblieb in einigen Stollen des Harzes Reichsvermögen im Werte von sieben Milliarden Dollar, bis heute unentdeckt, die Eingänge gesprengt. So könnte zwar kein mittelalterlicher Bauer, wohl aber ein arbeitslos gewordenes Mitglied einer landwirtschaftlichen Kommune der ehemaligen DDR manchen Schatz finden, der ihm Glück bringt.

9
Ein Mensch will um seiner selbst willen belohnt werden

Die Rolle des Ostdeutschen, der die Tochter des Chicagoer Fleischmilliardärs heiratet, war einem authentischen Fall nachgebildet. Die Produktion erwartete viel von dieser Aufsteiger-Story.

Im realen Fall hatte ein junger NVA-Offizier nach der Wende in einen rheinisch-belgischen Industrieclan Eingang gefunden. Der Glückspilz hatte die Tochter des Konzernchefs bei einem Spanienausflug kennengelernt.

Nach anfänglichem Zögern hatte der Clan die Verbindung abgesegnet. Die reiche Familie versprach sich von dem Fremden eine »Blutauffrischung«. Sie meinten, der junge Mann hätte besondere Veranlassung, sich Mühe zu geben, sich von der besten Seite zu zeigen.

Der Mann aus Halle, Absolvent der Arbeiter- und Bauernfakultät, zuletzt Fregattenkapitän, stellte sich jedoch als Freigeist heraus. Die ihm zur Verfügung gestellte Tochter genügte seinen Ansprüchen nur für eine gewisse Zeit. Er nahm sich eine Geliebte. Für die Förderung von Museen und Stiftungen, auch für Fernreisen interessierte er sich, für die Bilanzen und die Tagesarbeit im Konzern überhaupt nicht.

Er wollte um seiner selbst willen geliebt werden. Das sei Menschenart und im Werk von Immanuel Kant näher dargelegt. Man müsse Dinge »um ihrer selbst willen tun«. Das gelte nicht nur für ihn selbst, sondern auch für die Leistungen der Verwandtschaft, in die er eingeheiratet habe.

Tatsächlich schwärmte die junge Frau immer noch für den Fremdling, der sie nicht gut behandelte; sie nahm ihn so, wie er war. Sie hoffte, wie sie dem Hausarzt berichtete, der einen Ausschlag zu kurieren suchte, der ihre Halspartie befallen hatte, kaum noch auf seine Besserung. Ihre Hingabebereitschaft war aber, wie sich zeigte, die Bedingung, unter der sich die Eheleute nach Jahresfrist näherkamen.

Ein Arbeitskampf

Die Verwaltung der Spielbank in Lindau ist untergebracht in einer Villa, die dem Kaiser Napoleon III. gehörte. Die Spielbank selbst ist ein flacher Neubau in einem Werksgelände. Konzessionär ist ein großer Schweizer Investor. Die Croupiers an den Tischen ernähren sich vom Tronc, den Spenden, die nach einem Spielgewinn, gewissermaßen als Bestechungsgeld fürs Schicksal, von den Gewinnern in einen Schlitz des Spieltisches geschoben werden. Tatsächlich beeinflussen die Croupiers das Glück kaum mehr als durch ihr Lächeln. Jetzt sind sämtliche Angestellten des Kasinos zum Streik entschlossen. Es geht um einen Streit bei der Aufteilung des Tronc, von dem auch die Spielbank einen Teil beansprucht, da sie Haus und Gelegenheit stellt. Ist ein solcher Streik zulässig? Geht es bei dem Glückslohn um ein Arbeitsentgelt? In den örtlichen Büros der Gewerkschaften wird die Frage diskutiert.[14] Oder geht es um eine Teilung zwischen Gelegenheitsmachern? Ähnlich zu verhandeln wie eine Teilung unter Räubern? Dann nämlich entscheidet der, der die Schlüssel zum Tronc-Becher in der Hand hat; das wäre die Verwaltung, nicht das Arbeitsgericht und auch nicht die Schiedsstelle des Deutschen Gewerkschaftsbundes. Anwälte des Konzessionärs sind aus Zürich angereist. An einem Tisch aus grünem Velour beginnt eine Redeschlacht, die bis in die Morgenstunden dauert.

– Verlassen die Croupiers ihren Arbeitsplatz, so haften sie individuell für den Schaden, welcher der Spielbank entsteht.
– Es sei denn, sie besitzen Streikrecht.
– Dies haben sie, wenn es sich um einen Arbeitskampf handelt.
– Dafür müßten sie Arbeiter sein.
– Sie meinen, »was arbeiten Croupiers«?
– Ja.
– Sie streichen mit einem Rechen die Chips ein, merken sich in phänomenaler Gedächtnisarbeit Positionen, Farben und Einsatz, sie setzen die Roulettekugel in Bewegung. Nichts davon scheint mir als Gewerkschaftler als Arbeit. Es sind Hilfsdienste oder Darstellungskünste.
– Sie unterstellen keinen Betrug?
– Überhaupt nicht. Ich analysiere, was *Arbeit* ist.
– Es ist doch Geschicklichkeit, wie sie die Kugel in Bewegung setzen. Wie sie

---

14 Handelt es sich um Arbeitslohn, so gelten die Regeln des Arbeitsrechts. Der Konzessionär könnte die Croupiers wegen des Streiks nicht einfach aussperren und von einer anderen Spielbank Ersatzleute hinstellen.

die Chips im Kopf abbilden, wenn schon längst die Rechen die Chips greifen, das ist eine besondere Leistung. Würden Sie sagen, daß Zirkusartisten oder Zauberer keine Arbeit leisten?
– Sie bringen mich in Verwirrung.
– Wäre es beleidigend, wenn ich Ihnen vorhalte, daß das, was wir als Arbeit bezeichnen, nicht im vorhinein festgelegt werden kann? Daß Sie, als Gewerkschaftler, in festgefügten Bahnen herkömmlicher Arbeitsleistung denken?
– Die Bemerkung irritiert mich.
– Verstehen Sie *Arbeit* nur als körperliche Arbeit?
– Einen Unternehmer, der auf einem Zettel seine Gewinnaussichten notiert, halte ich nicht für einen Arbeiter.
– Aber er arbeitet.
– Das ist korrekt. Aber er ist nicht zum Streik berechtigt.

Wie kommt es bei dem Graecisten Dr. Friedrichs zu einer Art exzessiver Hirntätigkeit?

Er hat sich seit Obersekunda in steiler Bahn bis zwei Jahre nach seiner Habilitation zum Forscher der altgriechischen Texte, zum Sanskrit-Forscher und zum Kenner altgotischer Überlieferung (nur sieben Personen auf der Welt können solche Texte lesen) entwickelt. Wie kommt es zu solcher Kenntnis? In den Kneipen des Frankfurter Nordends, in die Friedrichs abends einzieht, braucht er so etwas nicht.

Seit zwei Jahren hat er sich zusätzlich spezialisiert, gemeinsam mit seinem Gefährten Steincke. Sie nehmen Spielbanken aus. Entgegen jeder bekannten Regel ist er so ein reicher Mann geworden. Auch das hilft ihm in den geselligen Frankfurter Nächten wenig. Er muß es geheimhalten, damit er nicht angepumpt wird. Oft läßt er die Zeche stehen.

Sein sog. »Glück« in den Spielbanken beruht auf der Rasanz seines Blicks und seines Hirns. Er erfaßt den Lauf der Kugel im letzten Moment. Dies ist der Moment, in dem der Ruf RIEN NE VA PLUS noch nicht verklungen ist, also zweifünfhundertstel Sekunden vor dem endgültigen Schluß für das Setzen von Chips. In diesem Moment hat er das Ziel der Kugel errechnet (oder vor dem geistigen Augen »gesehen«). Er wirft Chips auf die entscheidende Position.

Die Zauberei hat ihm zunächst in Baden Baden, Bad Homburg, dann in allen

europäischen Spielbanken, nunmehr auch in Sydney und an den Plätzen in
Asien, die er bis dahin mit seinem Gefährten in einem 18-Stunden-Flug erreichte, Hausverbote eingetragen. Die Banken üben diesen Selbstschutz willkürlich aus. Soll er darum noch Jura studieren, um sich einzuklagen? Er mag
kein unwillkommener Gast sein.

Willkommener Gast auf Erden bleibt er stets in der abendlichen Runde. Das
könnte er ohne Genie ebenso haben. Was bleibt ihm? Worauf bereitet er sich
vor?

Von Kopf bis Fuß Verkäufer

Intelligenz als Dienstleistung

Die Trainingsgruppe saß in Gruppen zu zweit, zu dritt zerstreut in den Ecken
des weitläufigen Tagungshotels. Sie ging den gestellten Übungsaufgaben nach.
Die Gruppenmitglieder waren aufgeteilt in A- und X-Partner, Verkäufer und
Besteller. Die jeweiligen A-Partner sollten soviel wie möglich von einem auf be-
drucktem Zetteln markierten Produkt verkaufen. Es ging um Schulung der Ver-
käufersprache.

Wilhelm Jugert war einer der ältesten Teilnehmer. Seine Augen blickten »listig«, d. h. er hielt sie halb geschlossen. Niemand sollte in ihn hineinsehen können. Es genügte, daß er dem Gegenüber sein braungebranntes, von Falten und
einer Furche auf der Backe durchzogenes Gesicht hinhielt, das nicht »ver-
kaufsjung«, »frischwärts« wirkte. Er war mißtrauisch. Zwar hatte der Konzern diese Tagung von Bezirks- und Unterbezirksvertretern in einem so teuren
Hotel (mit reichem Freizeitangebot, das Training ließ dafür keine Zeit) als eine
Art ANERKENNUNG GELEISTETER VERDIENSTE angekündigt, Ju-
gert aber nahm an, daß sie geprüft würden. Man wollte Ausfallerscheinungen
feststellen und die Testergebnisse, wenn die Zeit käme, gegen die Prüflinge verwenden. Man hatte ihm eine junge Frau gegenübergesetzt, die er in einem
praktischen Verkaufsfall in jeder ihrer jeweils auf Zetteln markierten Positionen matt gesetzt hätte. Nun spielte er aber hier nicht sich selbst als Bezirksver-
treter, sondern er spielte einen Käufer, einen Adressaten. Er sollte einen Aus-
stellungsstand ausstatten und die dafür nötigen Zutaten einkaufen.

– Wieviel benötigen Sie von X 14 zur Ausstattung des Standes?
– Na ja, antwortete der Vorsichtige.
– Vielleicht sollten wir erst einmal . . .

– Ja, soviel vielleicht. Was kostet denn das Dutzend?
– 14,80 EURO.
– Das ist überhöht.
– Wieviel davon brauchen Sie denn?

Er antwortete nicht. Er war entschlossen, gar nichts zu kaufen. Auf keinen Fall, bei verkappter Prüfung, war es gut, wenn er überhaupt Geld ausgab. Es konnte senil erscheinen oder so, als sei er der jungen Frau verfallen, die er hübsch fand.

– Sie könnten doch eines der anderen Produkte wählen, die wir anbieten.
– Zeigen Sie mal her.
– Wieviel würden Sie denn abnehmen? Sie könnten erst einmal Ihren Bedarf nennen und dann noch etwas für den Schwund am Stand hinzurechnen.
– Nein, ich brauche das nicht.

In einer praktischen Situation – außerhalb des Trainings – hätte er der jungen Frau schon einiges verkauft. Hätte er ihr genug verkauft, hätte er ihr auch etwas abgekauft. In keinem Fall durfte er sich ihr, da es sich um eine Prüfung handelte, in privater Weise nähern. Es blieb also nichts, worüber er überhaupt mit ihr reden wollte. Noch war er ein EFFEKTIVES GANZES: von Kopf bis Fuß Verkäufer, Vertreter immer nur in einer Richtung, niemals aber Käufer. Er wollte sich so verhalten, daß seine Tüchtigkeit in jedem Augenblick seines Lebens einer Prüfung durch die Konzernspitze standhielte.

Intelligenz, das Arbeitsmittel der Empörung

Vor seinem Tod im Winter 1970 (ein Schwerlaster auf eisbedeckter Straße in Nordhessen löschte sein Hirn aus) beschäftigte den Cheftheoretiker des Frankfurter SDS, Hans Jürgen Krahl, die neue Positionierung der Intelligenz. Sie ist, notierte er, nicht die Speerspitze der INDIVIDUALISIERUNG, der unaufhaltsamen Zerstreuung des bürgerlichen Menschen in die Welt. Dann wäre sie nämlich unverbindbar mit dem Proletariat. Vielmehr gehe es darum, daß der bürgerliche Charakter der Intelligenz enteignet werde, sie selbst werde reell subsumiert[15] unter das Kapital, und somit zur Dienstleistung; in dieser

15 Bei formeller Subsumption unter das Kapital ist die Art und Weise einer Arbeitsleistung, so Karl Marx, in ihrer Ausübung frei, lediglich die Ergebnisse kommen dem Markt zu-

Weise in die industrielle Arbeit eingebracht. Als ein Raubgut ist sie fähig, sich zu empören.

Diese Knechtung, führt Krahl aus, ist für die universitäre Intelligenz ein Glücksfall insofern, als ihr hierdurch ein Übersetzungsscharnier zu den Kämpfen der Arbeiterklasse insgesamt eingeschmiedet ist. Die Intelligenz wird zum »notwendigen Prozeß« und verliert ihr Spielerisches.

Was nutzt die Intelligenz, wenn sie für die Verteidigung des Lebens nichts taugt?

– Es geht somit um keine Rückführung der Intelligenz auf ihre historische Wurzel?
– Nein.
– Auch nicht um ihre Abschaffung?
– Nein.
– Läßt sie sich überhaupt beeinflussen?
– Nicht von außen.
– Sie ist ein Automat?
– Ein Automat, der sich wehrt.
– Dazu brauchte es keinen Willen?
– Keinen.
– Und das ist nicht rückschrittlich?
– Es ist vorwärtsgerichtet insofern, als die Knechtung der professionellen Intelligenz, ihre vollständige Unterwerfung unter das Kapitalinteresse als spezifische Dienstleistung noch nicht abgeschlossen ist.
– Und wenn sie abgeschlossen wäre?
– Das wäre unmöglich. Es gehört zu ihr, daß das nicht gelingt.
– Auch nicht für die professionelle Intelligenz, die ihre Unterwerfung attraktiv findet?
– Das mag sie glauben, es funktioniert aber nicht.
– Hättest Du das vor sechs Monaten so zugegeben?
– Nein.

Krahls neue These hielt die Bundesvorsitzende des SDS, Nina Grunenberg, für »verführerisch«, weil ihr ein »Hauch von Dialektik« anhafte. Schwäche, d. h. die Ohnmacht der Intelligenz im Gesamtzusammenhang (wie sie Adorno stets beschrieben habe), werde zum Vehikel der Emanzipation gemacht, nicht die bloße Einsicht, sondern die erlebte Ohnmacht, d. h. die Empörung. Zugleich,

gute, haben Warencharakter, bei reeller Subsumption ist die Arbeitsleistung selber unterjocht, die Arbeit ist Ware.

fuhr sie fort, werde man rasch merken, daß einer ohnmächtigen Phantasie nichts mehr einfallen werde, die Intelligenz sei keineswegs als Nebenprodukt der Industrialisierung entstanden. Diese Schlange habe, verborgen, die ganze Zeit in den »bürgerlichen Himmeln« gelebt wie in einem Sternenbild. Sie sei so alt wie die Unterwelt.

Philosophie mit Hammer und Zange

Sieben Rasenmäher kürzten in der Frühe des sonnenstarken Tages die Gräser in der Umgebung des Schlosses. Die jungen Teilnehmer des Kongresses joggten einzeln auf den Pfaden, die vom Schloß zum See führten, durch Gestrüpp und Tann. Dr. Alfons Schwietzke vom Kulturhaus Brandenburg-West hatte sich vom Vorabend ein Cervelatwurstbrot, in eine Serviette gewickelt, aufbewahrt, das er jetzt, zu kühlem Leitungswasser, verzehrte. Das Personal deckte zwar bereits die Frühstückstische, das hatte Schwietzke auf einem Rundgang festgestellt, ließ aber Gäste noch nicht in den zu gestaltenden Raum.

Das ist die Lustgestalt der Frühe. Der Traum hat die Ereignisse des Vortags durcheinandergewürfelt. Eine Nachlese ist gestattet, die BESINNUNG. Die Sinne fühlen sich frei zu zweifeln. Die Ereignisse des Vortags hatten aus Vorträgen westlicher Gäste bestanden, herangereist aus England und den USA, und jetzt, in der Morgenfrühe, sortierten sich die Eindrücke.

Zwischen 1605 (erste gedruckte Wochenzeitung Europas in Straßburg), 1607 (erste bürgerliche Oper, Monteverdi) und 1608 (Leuvenhoek betrachtet im Mikroskop den eigenen Speichel, sieht als erster Mensch Bakterien) eröffnet sich der Blick auf einen revolutionären Schub; warum habe ich von dieser Deutung der Geschichte nicht 12 Jahre früher erfahren? fragte Schwietzke. Es hätte zu einer festen Anstellung in der Akademie der Wissenschaften gereicht, aus der mich keine Wende hätte entfernen können. Jetzt war er geduldeter Gast, auf eigene Kosten hier eingedrungen. Er hatte sich im Schloßhotel privat eingemietet und dann unter die Kongreßteilnehmer gemischt, die ihn für ihresgleichen hielten. Er hätte aber, erwiderte er seiner inneren Stimme, vor 12 Jahren einen Besucher aus Kiew oder einem Forscher des eigenen Vaterlandes die historische These nicht geglaubt, nicht einmal hingehört. Es mußte ein Westangebot sein, um als Tatsache zu gelten. Nun hielt er, verspätet und etwas unnütz für die Karriere, einen ROYAL FLASH in der Hand, eine auffällig PLAUSIBLE NEUE EINSICHT, welche die historische Struktur offenlegte. Eher dem Fund einer sich ins Erdreich verzweigenden Goldader, als bloß einem Kartenspiel vergleichbar. Es schießen in der Morgenstunde 14 bis 21

Gleichnisse, Notate durch seinen Kopf, und es bleiben bis 9 Uhr nur ein oder zwei geeignete Formulierungen übrig. Das muß genügen. Es fügte sich in Ausarbeitungen Schwietzkes, die ein Konvolut von 2 689 Seiten umfassen.

Es zeigt sich aber, hat Schwietzke notiert, daß jeder Wachstumsschub, vergleichbar mit Marxens DIALEKTISCHEM BILD DER GESELLSCHAFTLICHEN GEBURT, eine Überforderung, einen Riß oder einen Übermut hervorruft. Jeder solche Schub führt zum Krieg. So haben wir unverzüglich nach dem Fortschritt ab 1618 den Dreißigjährigen Krieg, den wir getrost in sieben Einzelkriege aufgliedern können, alle mit dem fast gleichen gewaltsamen Anfang. Als ob einer, 17 Jahre alt geworden, Auto fahren lernt und am gleichen Tag das elterliche Fahrzeug zu Klump fährt.

Schwietzke streicht diese Bemerkung. Er streicht auch das Wort »getrost«, da der Krieg nicht tröstend ist. Das Wort »wir« in seinem Notat hält er für problematisch, denn zweifellos verkehren w i r in Brandenburg-West und auch die Kongreßteilnehmer im Schloß nicht auf direkter Basis mit der fernen Zeit des 16. Jahrhunderts. Muß heißen: »Ein gedachter Beobachter, der [. . .], wiederum beobachtet von einem verantwortlichen Kollektiv, das [. . .]; das einer Ereigniskette folgende WIR muß erarbeitet, zusammengesetzt, verankert sein.« ICH will Schwietzke aber auch nicht sagen. Wer urteilt, wer beobachtet, wenn die Anregung, die Fakten aus Illinois kommen, und er, Schwietzke, auf Grund eines Rasters, das sich in ihm seit 20 Jahren vorbereitete, daraus lediglich Schlußfolgerungen zog? Wer ist dann der Vater von was? Die jungen wissenschaftlichen Sprinter kamen jetzt, zeitgleich mit der Öffnung des Speisesaals, vom See zurück. Schwietzke, zu dicklich für solchen Wettbewerb, rührte sich, obwohl hungrig, nicht von seinem Stelltisch, auf dem sich das beschriebene Papier vermehrte. Er mußte die Stunde nutzen. Hat nämlich einer einen Zipfel der Geschichte erhascht, äußert jene nebelumfangene Schlange, die wir Historie nennen, einen merklichen Laut, so darf man in der VERFOLGUNGSARBEIT nicht innehalten, wo immer die Reise hinführt. Schwietzke bezweifelte, daß der amerikanische Gastprofessor, der vortags vorgetragen hatte, die Tragweite seiner Hinweise überhaupt verstanden hatte. Nein, dazu brauchte er einen arbeitslosen Partner aus den neuen Bundesländern, der es in Schrift verwandelte.

Der Aufbruch von 1605 bis 1620 (mit Wurzelkräften zuvor, vermutlich bis zu den Bauernkriegen zurück) zeigt das gleiche Muster wie 1914 und auch das von 1934, rief Schwietzke innerlich aus. Wieso 1934? Weil der Zweite Weltkrieg an der Marco-Polo-Brücke beginnt, welche die Grenze zwischen Mandschukuo und China bezeichnet, und nicht erst 1939 um 5 Uhr früh in Polen. Es gilt, die Schubkraft einer von Ingenieuren strukturierten Zeit zu beschreiben, die sich von der KATASTROPHE DES ERSTEN WELTKRIEGS »erholt«

und sich dabei, ohne es selbst zu bemerken, einem WACHSTUMS- ODER GEBURTSSCHUB AN NEUER ZEIT überantwortet. Und diesen Überschwang halten die Menschen nicht aus? Es ist ein Splittern zu hören, schreibt Schwietzke. Das Geräusch ist deutlich zu unterscheiden von dem Geräusch der Kleinmotoren der sieben Rasenmäher, die fern und nah das Schloß umrunden. Schwietzkes Ohr aber hört ein knirschendes Geräusch, wie beim Brechen von Geflügelknochen, jedoch markanter, auch ähnlich einer sich mit hoher Geschwindigkeit spaltenden Eisdecke. Das ist das Geräusch aus dem Jahr 1934, 1912 bis 1914 und ähnlich nach 1605. Es kommt darauf an, nichts auszulassen, was Hirn und Sinne sagen. In die Formulierung muß etwas von dem Durcheinander eingehen, das die Eindrücke für die Zeitgenossen verwirrt hat. Das ist die neue Kunst ostdeutschen Schreibens, das ein Kritiker aus Paris kürzlich, im Einstein-Haus, die NEUE PRIMITIVITÄT nannte. Vertrauen darauf, daß nicht ausgegrenzt wird. Wie es bei Gryphius heißt: »Was nicht ausdrücklich verboten ist, das ist erlaubt«. Der Satz galt zwölf Wochen lang. Er gilt in der Wissenschaftspflege für alle Zukunft.

Schwietzke korrigiert den Satz, daß der Schub, der den stürmischen Fortschritt und sofort auch das Unglück von 1618 auslöst, »auf die Bauernkriege zurückgeht«. Hier, lieber Schwietzke, sagt er sich, liegt ein Schematismus. Er verbessert: »Die Wurzel führt in glückliche Zeiten *vor* den Bauernkriegen zurück.« Widersprüchlich. Man muß Auslöser suchen, die zum Ausbruch der Bauernkriege führen, die sich, nach Verlust aller Hoffnung, unterirdisch weiterbewegen und die GESELLSCHAFTLICHE NEUGEBURT hervorrufen; die nämlich kann nicht aus Enttäuschung entstehen, sondern zieht ihre Kraft aus einem »Glückszustand, der nicht aufgezehrt wurde«. Das stimmt überein, schreibt Schwietzke, mit der Beobachtung, daß die Bauernkriege in einem Moment ausbrachen, in dem sie schon überflüssig waren. Schon war die böse Zeit vorbei. Die Bauern waren praktisch Sieger, ja, sie waren städtische Bauern geworden, ähnlich den Eidgenossen, und in diesem Moment eines glücklichen Taumelns brachen die Bauernkriege aus, welche die Bauern verlieren. Das hätte man im Vaterland der Werktätigen so nicht formulieren dürfen, und Schwietzke freut sich über das reiche Spiel der Perspektiven, ganz gleich, ob die Deutung die wirklichen Verhältnisse trifft oder nicht. Ist nämlich das Schöne das Symbol des sittlich Guten und somit der Attraktor der chaotischen Wahrnehmung, so übersetzt sich der Begriff SITTLICH GUT in die korrekte und vollständige Ausübung der Freiheit, und die Bezeichnung DAS SCHÖNE übersetzt sich als ANFANG, nämlich gierig, bündniswillig, eine Umschreibung für Attraktor. Man muß solche Ausdrücke, meint Schwietzke, ins Russische, von dort ins Französische, in eine angelsächsische Sprache und dann zurück ins Ostdeutsche übersetzen. Bei jeder dieser Erschütterungen entsteht ein

BLITZ DER EINSICHT. Schwietzke lebt im festen Glauben, daß wissenschaftliche Menschen (irgendwann kann man auch WIR sagen) in einem See des Unbekannten schwimmen, fast schon sind wir amphibisch geworden, ja Wassertiere unter Eis, bald schon nicht mehr abhängig von einem Luftloch. Das ist die natürliche Schwimmfähigkeit des Menschengeschlechts. Dabei könnte Schwietzke nicht einmal zu einem Bad im See, der dieses Schloßhotel auszeichnet, eintauchen, weil er leicht friert und zu dem zwei Kilometer entfernten Gewässer gar nicht erst hingelangt, weil er sich für Wanderbewegungen diesen Ausmaßes nicht für geeignet hält. Jetzt spürt er Hunger, der ihm den Bleistift schon längere Zeit rascher vorwärtstrieb. Der Speisesaal ist wieder geschlossen. Die Küche in dieser hochorganisierten Herberge gibt keine Nahrungsmittel heraus. So harrt Dr. Schwietzke, in den Vormittagssälen lungernd, auf die Mittagszeit.

Die Mutualisten

In der Evolution, das zeigt Robert Sussman (Harvard) sind aggressive Populationen wie die Meerkatzen oder die Paviane nur 1 % ihrer Lebenszeit mit Raub oder Angriffen auf andere Tiere befaßt. 99 % der gemessenen Zeit (in Betacam digital aufgezeichnet) verhalten sie sich »träge« oder »mutualistisch«, d. h. sie lauschen auf Verständigung, sind kooperativ (um ihres Vorteils willen). Sussman hat gemessen: innerartliche und transartliche Kooperation, solche zwischen Laubbäumen und Pilzen, zwischen Haien und ihren Pilotfischen usf. Hiervon zog er den Kollektivgeist großer Insektenstaaten (als Besonderheit) und Parasitismus ab (Ameisen legen Pilzgärten an, die sie pflegen, um sich vom Produkt zu nähren, dies wäre EINZELHEIT). So kam er, seinen Zahlen nach, immer noch dazu, daß sich pure Egozentrik, wie sie die Evolution kennzeichnet, nicht in Aggression, sondern in Kooperationen äußert. Falls etwas im evolutionären Verlauf tückisch oder feindselig sein sollte, so sind dies die Koalitionen, nicht der offene Angriff.

Schulhungrige Kinder /
Die neun Unzertrennlichen

Schulhungrige Kinder. Sie waren neun. Genannt die neun Unzertrennlichen. Sie lebten auf zwei einsamen Höfen an der Grenze Rußlands zu Galizien. Jeden Tag versammelten sie sich; Marinka ist die Jüngste, Alexius und Isaak sind die Ältesten. Die Neun gehen gemeinsam den weiten Weg zur Schule.

Es herrscht in jenem Jahr unmäßige Kälte. Der Lehrer rät, die Schulbesuche einzustellen.

Zwei Tage vor Heiligabend nehmen die Kinder den Schulbesuch wieder auf. Sie wollen sich nicht länger aufhalten lassen. Das Wetter scheint friedlich.

Die Kinder treten am Nachmittag den Heimweg an. Schon rieselt gekörnter Schnee dicht hernieder.

Nur noch bis zu dem Holzstoß dort, sagt Nikolaos. Die Kinder kauern sich aneinander. Sturm kommt auf. Sie singen.

Ach, daß die Kinder schon wieder hier wären!

Die Eltern sagen: Es muß etwas geschehen. Schlitten, Pferde her, Teppiche raus, die Hunde.

Unter dem Tannenbaum die kleinen, starren Körper. Heimgeholt: Das ist Alexius, der Älteste, das Nikolaos, das Isaak, das Marinka, das sind die fünf anderen.

Der Großvater stirbt noch in derselben Nacht. Traurige Weihnacht.

Adorno über den Kältestrom

>»Wir fütterten das Herz mit Phantasien /
> Die Kost versteinerte das Herz«

Im Jahre seines Todes macht sich Theodor W. Adorno Notizen zu einem Buch, das er nach Abschluß seiner ÄSTHETISCHEN THEORIE zu schreiben beabsichtigte. Er wartete auf das Ende einer schrecklichen Verhandlung, in der es um die Aufteilung des Institutsetats zwischen Studenten, Assistenten und den Leitern des Instituts ging. Seit vier Stunden saßen sie in dem verqualmten Seminarraum. Adorno tränten die Augen. Es schien, als schriebe er Worte der Redner mit. Tatsächlich konzipierte er für sein Buch.

Kälte, davon ging er aus, ist eine die Moderne durchherrschende Strömung. Sie sei, notierte Adorno, »abgezweigt von der libidinösen Energie des Gat-

tungswesens Mensch, ähnlich der Erkenntnisleistung. Anders als diese produziert sie Gleichgültigkeit, den Kältestrom.«[16]
»Die Urgeschichte des Subjekts« sei in der *Dialektik der Aufklärung* umrissen; dort fehle die MODERNE METAMORPHOSE des Subjekts (das nunmehr in Partikel zerfällt). Wie das? Es ist in Marxens Beobachtung enthalten, daß der Mensch, als Produzent seines Lebens, als Warenproduzent, *neben* dem Produktionsprozeß zu stehen kommt. Dies ist die Entfremdung. Es begründet die Beobachtung, daß dort, wo ein Mensch und seine Wirklichkeit voneinander abgeschnitten werden, Kälte entsteht.
Beginnen sollte das Buch mit einer Beschreibung aus der frühen Erdgeschichte. Wie oberhalb des ältesten Gesteins des Planeten, am Kanadischen Schild, ein ins endlose erstreckter Gletschersee sich bildet. Wie dann die Macht solcher kühlen Wassermassen, die aber auf dem Weg sind, sich zu erwärmen, die Gletscherschranke durchbricht, welche die Ostküste des alten Amerika sperrt. Die mächtige Flutwelle hat die Wasserfläche der Ozeane um bis zu sechs Metern angehoben, Polkappen und Länder (auch ägyptische) überschwemmt und so die Eiszeiten ausgelöst, in denen wir uns noch immer befinden.
Diese »Naturgeschichte«, welche die »Intelligenz, die aus der Kälte kam« erzeugte, also eigentlich die Kunst der Wärmehaltung, das Feuer in die Welt bringt, wollte Adorno abgrenzen gegen den Eiseshauch, der aus den Phantasien und Gefühlen überströmt. Insofern gehöre zu Auschwitz die Behaglichkeit der einzeln siedelnden Familienverbände im Reich. Warmherzige Gefühlsproduktion plus Ausgrenzung = Kältestrom.

Entstehung des Schönheitssinns aus dem Eis

Bei dem Entwurf seiner Alpen-Architektur (»die Natur der Gebirge hat ihre künstlerische Form noch nicht erhalten«) behauptete Bruno Taut, auf URERLEBNISSE DER MENSCHLICHEN EINBILDUNGSKRAFT zurückgehen zu können. Ursprünglich sei nicht der Schönheitssinn, sondern die Einbildungskraft. Sie sei in die kollektive menschliche Erinnerung eingebrannt. Das sei geschehen, als die Züge der Tiere und der ihnen folgenden Menschen an den gewaltigen Hürden der Gletscher entlanggezogen, jahrzehntelang über Ebenen gewandert seien, die schon unter der Einwirkung des vorrückenden Ei-

---

16 In der Dialektik des Kältestroms zeigt sich auf der einen Seite die NEUE SACHLICHKEIT als Tugend der Moderne; den Gegenpol dazu bildet die ENTFREMDUNG, die hier passiv in Erscheinung tritt als »Abschalten«, gleichgültig machen, »Panzerung«.

ses zu Wüsten wurden. Das waren schlimme hoffnungslose Jahre, und nur im Inneren blieb Mensch und Tier eine Art von Glimmen aus früherer Zeit, das Wärme versprach. Zuletzt nur noch Erzählung.

Bis dann die Übriggebliebenen (alle miteinander verwandt, weil 90 % untergingen, aus den restlichen die Nachkommen) die Meere erreichten. Hier fanden sich auch Höhlen.

Nach entbehrungsreichen Zeiten hatte der Erdball seine Ausrichtung zur Sonne verändert. Ein Teil der Wolkenmassen, die das Licht der Sonne zum Kosmos zurückspiegelten, senkte sich zur Erde. Offenes Wasser speichert Wärme. Die Erinnerung an das geschärfte Unterscheidungsvermögen, das in den Jahren der Kälte entstanden war, verschloß sich in den Herzen. Es wird dort, behauptet Bruno Taut, oft mit dem Schönheitssinn verwechselt.

Am Öfchen ihrer Zukunftshoffnung

I

Bequem für ihn

Im Tiefkeller des Universitätsgebäudes kühlte Harry Winkler stundenlang Materie mit Laser auf tiefste Temperaturen. Es entsteht hierbei eine stehende Lichtwelle, sie hält die Atome gefangen.

– Sie sitzen wie in den Mulden eines Eierkartons fest . . .

Was soll an diesem Gleichnis anschaulich sein? fragte seine Freundin, die in den einsamen Stunden der Versuchsreihen ihm den Durchhaltewillen stützte; ähnlich wie an manchem kalten Wintertag die Geliebte eines Organisten das Üben begleitet, das den Mann wärmt, sie aber, die Begleiterin, wartet frierend. So saß sie hier in der Hitze der Nachtstunden, weil nur die Apparate in ihrem Inneren kühlten, im Keller selbst aber wurde es heiß durch die gewaltigen Ströme an Elektrizität, die gesundheitswidrige Felder schaffen. So begleitete sie den Mann auf seiner wissenschaftlichen Kampfstation, eine Rollenverteilung, vor der ihr graute, die sie ablehnte, aber was soll man tun, wenn man den Mann liebt, der in der verlorenen Zone tätig ist, sie kann nur versuchen, ihm aus dem Labyrinth herauszuhelfen, sobald er ihrem Faden bereit ist zu folgen.

– Die Elementarteilchen sitzen also, Harry, in den Mulden eines Eierkartons. Es ist ja alles so klein, wie du mir erklärt hast, daß ich mir lieber keine Mulden eines Eierkartons überhaupt vorstelle.

– Sie sitzen gefangen.

– Weil es kalt ist.

– In unmittelbarer Nähe des absoluten Kältepols verharren sie bewegungslos.

– Gelähmt?

– Gefangen.

– Fühlen sie irgendetwas?

– Die Elementarteilchen haben einen Impuls und eine Ladung, ich glaube nicht, daß sie etwas fühlen.

– Aber du weißt es nicht?

– Ich weiß nur eines: Wird dieses Gefängnis in einer Richtung beschleunigt, so können die Atome »tunneln«. Und das genau werden sie tun.

– Sie flüchten?

– Sie erscheinen woanders, als man sie vermutet.

– Und dafür bekommst du einen Nobelpreis?

– Nicht ganz. Ich bekomme die Habilitation.

– Und wir eine Wohnung?

– In etwa.

Dies war die sichere Perspektive. Sie würden aus dem Tiefkeller herausfinden. Es wäre nicht zu heiß, so wie es für irgendeine ihrer Vorfahren im protestantischen Thüringen in der Kirche zu kalt war. In Gedanken »tunnelte« sie. Sie war stets da, wo er sie brauchte, sie war nie da, wo er meinte, daß sie säße.

2
Das Mädchen mit den Schwefelhölzern

So wie in den Kellern von Harry Winkler wird die Materie an den Grenzen des Universums abwartend stehen, wenn die Galaxien ihre auseinanderstrebende beschleunigte Bewegung vollzogen haben werden.

– An den Enden der Welt angekommen? Dort, wo der Wanderer den Kopf aus der Welt herausstreckt?

– Sei nicht albern.

– In der Mulde eines Eierkartons gefangen?

– Eben nicht gefangen. Weil man die Elementarteilchen (ein Wanderer kommt ja nicht bis dahin) nicht festhalten kann. Im letzten Moment »tunneln« sie.

– Schön. Da, wo sie sein sollen, sind sie verschwunden?
– Richtig. Gegen das Gesetz.
– So daß kein Ende da ist, über dessen Rand irgendeiner hinaussieht?
– Die Materie wird altern?
– Helium wird superdurchlässig. D. h. 25 % der Materie wird überhaupt erst so richtig lebendig, wenn sie so gut wie tot ist. Am absoluten Kältepol, bei ein Milliardstel Kelvin, beginnt das ewige Leben.
– Das ist kein Quatsch?
– Das ist der Inhalt meiner Habilitation.
– Ist das schön? Für uns beide?
– Ich finde ja.
– Schöner als da, wo die Zitronen blühen?
– Was soll da schön sein? Wir sind dort fremd. Wir haben kein Haus in der Toscana.
– Dafür sitzen wir hier in diesem Tiefkeller und haben Aussicht auf eine neue Planstelle für dich. Bekommst du so etwas?
– Vielleicht.

Sie hatten sich in der Warteschleife kennengelernt. Schon waren sie über das Alter hinaus, in dem man auf dem Markt freier Liebe beliebige Kontakte knüpft. Besser, man »tunnelt« beizeiten, sagten sie sich. Liebe, zum Erhalt eines Arbeitsplatzes, unter Umständen für einen von beiden, und körperliche Attraktion, für welche die Hitze des Tiefkellers geeignet ist, konkurrieren; sie können einander verstärken. Sie fördern die Solidarität, die darin bestand, daß diese beiden Ostexperten sich nur entweder gemeinsam im Weltmaßstab durchsetzen konnten oder keiner von beiden. Es war die Silvesternacht. Er hat in dieser Nacht in den nanotechnischen Tiefkühlmulden in der Tiefe der Apparate nichts Neues gefunden. Sie beide aber wärmten sich an dem Öfchen ihrer Zukunftshoffnung.
In die Stimmung floß ein, unausgesprochen, was forschende Menschen in den Silvesternächten früherer Jahre und Jahrhunderte getan hatten, ja, die Gedanken der beiden lebhaft oszillierenden, in der Forschungsstation gefangenen Menschenwesen, ohne festen Anstellungsvertrag für Harry Winkler, aber mit Zulassung zu den Geräten, befanden sich in heftiger Bewegung. AUCH GING ES FÜR DAS GEFÜHL DER BEIDEN, OBWOHL SIE DAS NICHT AHNTEN, UM DIE *GESCHICHTE DES MÄDCHENS MIT DEN SCHWEFELHÖLZERN*, NICHT VERIRRT IN EINEM WALD, SONDERN ERFROREN UNTER DEN ERLEUCHTETEN FENSTERN DER FESTLICH GESCHMÜCKTEN STADT, DIE ALS EINE STADT DER ÖFFENTLICHEN KÄLTE ZU SPÄT VON DEM MÄD-

CHEN HÖRT, DAS SICH AM LETZTEN SCHWEFELHÖLZCHEN ERWÄRMT UND DABEI TRÄUMT. Alle Tränen können das Mädchen nicht mehr lebendig machen.

Das scheint mir nicht zu stimmen, sagte die Nachfahrin einer Frau aus Thüringen, jetzt unverheiratete Lebensgefährtin eines entlassenen Physikers. Wenn etwas tot ist, d. h. »gefangen in der Mulde eines Eierkartons«, wird es doch tunneln, und so stelle ich mir vor, daß dieses Mädchen zur Zeit in einer kanadischen Organisation tätig ist, einer gemeinnützigen Stiftung, welche die Kälte in der Welt oder aber den Hitzeblock bekämpfen hilft.

Es war 24 Uhr. Der Zeitpunkt war mit zwei verschiedenen Armbanduhren, von denen keine genau ging in der Tiefenstation hier, nicht zu ermitteln.

– Ich wünsche dir Glück.

– Prosit Neujahr, erwiderte Gudrun.

Einen kurzen Moment lang waren sie sich einig. Gleich, über was.

Einen Ausweg muß es geben

Eiszüchtung nach L. F. Richardson
(»Wetter-Richardson«)

> »Die Energiemenge, die das Eis bei der Schmelze auf-
> nimmt, ist sehr hoch (80 kpm pro Gramm).
> Daher eignen sich Eisstückchen auch so gut zum Kühlen
> von Getränken.«
> · *Ernest Hemingway*

Eis gibt es in einem Dutzend von Varianten. Die gängige Art von Eis, die an der Erdoberfläche vorkommt, hat eine sechseckige Struktur. Man kann sie in einem Schneekristall im Advent leicht erkennen. Bei niedrigeren Temperaturen (-73° C) hat das Eis eine kubische Struktur. Die komplexeren Modifikationen von Eis unter Hochdruck sind dichter als Wasser. Sie kommen im Inneren der Eismonde des Jupiter vor.

Die vielen ungewöhnlichen Eigenschaften, die das Eis aufweist, verdanken sich den Verbindungen zwischen den Wasserstoffatomen und den Sauerstoffatomen benachbarter Wassermoleküle, einer Art Fremdgehen zwischen den Molekülen.

Auf Erden schwimmt Eis auf dem Wasser, weil es im Gegensatz zu den meisten

Festkörpern bei der Schmelze sein Volumen verringert. Es hat also eine geringere Dichte als Wasser. Die mehrere Meter dicken kontinentalen Eiskappen (Antarktis, Grönland) haben sich durch eine Ansammlung von Schnee über Hunderttausende von Jahren hinweg gebildet. Das Packeis der Arktis ist durch Gefrieren des Meerwassers entstanden und enthält praktisch kein Salz.

NZZ: Die russische Regierung hat Ihnen ein riesiges Gebiet in Nordost-Sibirien zur Verfügung gestellt für Ihre Kristallzüchtungen aus Eis.

RICHARDSON: Meine Firma hat dieses Gebiet in einer Auktion erworben.

NZZ: Sie waren der einzige Bieter?

RICHARDSON: Das kann man wohl sagen.

NZZ: Es ist ein merkwürdiger Ausdruck, wenn Sie von Züchtung sprechen.

RICHARDSON: Es sind Plantagen, Anbauflächen.

NZZ: Und was bauen Sie an?

RICHARDSON: Würfelförmiges Eis.

NZZ: Eiswürfel? Für Getränke? Zum Export?

RICHARDSON: Der Abtransport wäre unrentabel. Es geht nicht um Eiswürfel, sondern um Eis mit kubischer Struktur, hoch verdichtet, widerstandsfähiger als Beton, selbst über den Äquator hinweg nicht schmelzend.

NZZ: Eine besondere Rasse von Eis?

RICHARDSON: Es ist nicht die Reinheit, sondern die Dichte, die wir züchten.

NZZ: Für welchen Zweck?

RICHARDSON: Terraforming.

NZZ: Das kenne ich nur als Projekt zur Umformung des Planeten Mars zu einem Planeten mit erdähnlichen Lebensbedingungen.

RICHARDSON: Ja, und noch interessanter ist es, wenn wir Terra selbst, unsere blaue Herberge, mit einem dauerhaft lebensfähigen Klima versorgen.

NZZ: Ist das Klima nicht dauerhaft lebensfähig? Frage an Sie, den Wetterforscher.

RICHARDSON: Daran müssen wir arbeiten.

NZZ: Es gibt aber keinen Besteller für Ihre Arbeit? Wer zahlt für das Projekt?

RICHARDSON: Es muß vorfinanziert werden. In dem Moment, in dem Terraforming für unsere Erde erforderlich sein wird (und dafür brauchen wir kubisch strukturiertes Kristalleis, beliebig transportierbar in alle Breiten), können wir jeden Preis durchsetzen. Die Erde ist sozusagen unbezahlbar.

NZZ: Sie sind sozusagen wie ein Erpresser, wie ein Pirat tätig? Warten auf die Gelegenheit?

RICHARDSON: Wie ein verantwortungsbewußter Forscher, der außerdem Bilanzen lesen kann und sich für die Mitarbeiter seiner Firma verantwortlich fühlt.

NZZ: Ähnlich dem Unternehmer, der 1902 Goldfunde in Alaska finanziert?

RICHARDSON: Oder Diamantenminen in der Wüste Namibia.

NZZ: Das bringt mich darauf, daß ja Eis, ebenso wie ein Diamant, ein Kristall ist. Kann Eis härter als ein Diamant sein?

RICHARDSON: Selbstverständlich. Eine Frage der Züchtung.

NZZ: Wie züchtet man hochverdichtetes Eis?

RICHARDSON: Unter Hochdruck.

NZZ: Den haben wir nur im Erdinneren, und da ist es für Eiszüchter zu heiß.

RICHARDSON: Oder in Kompressionskammern, die wir in Nordost-Sibirien in Wellblechbaracken errichten.

NZZ: Was ist die Schwierigkeit?

RICHARDSON: Die Mitarbeiter zu motivieren. Sie halten es in diesem nördlichen Gelände, das etwas eintönig erscheint, nicht aus.

NZZ: Eintönig? Bei Sturm, extremen Kälteverhältnissen? Sind Herausforderungen dieser Art für die Menschen nicht spannend?

RICHARDSON: Wir versuchen, das so zu interpretieren. Aber es ist leichter, neue Eissorten zu züchten, als die Mitarbeiter an dieses entfernte Gelände zu gewöhnen. Sie sind nicht positiv eingestellt. Wir fliegen sie von Wochenende zu Wochenende aus und ein, aber Sie könnten Mitarbeiter leichter in einer engen Weltraumkapsel halten als in der eisbekrusteten Tundra.

NZZ: Alle in dicken Pelzen, die Schlittenhunde in der Nähe, geometrisch angeordnete Plantagen wohlgeordneten Eises, eine Gruppe ausgewählter Männer und Frauen, charakterlich und sportlich gehärtet, wissenschaftlich kundig – ich stelle mir das romantisch vor, etwas für Novalis oder Kleist.

RICHARDSON: Ja, wir schicken viel Literatur mit. Es bedarf der Gewöhnung.

NZZ: Warum müssen Sie ein so eigenwilliges Projekt der Weltrettung im Nordosten Sibiriens ansetzen, wenn Sie doch in Kompressions- und Kältekammern ebensogut in Chicago oder am Kongo arbeiten könnten? Oder in einer Kunstlandschaft in Japan?

RICHARDSON: Sie haben recht, das läge im Interesse unserer Mitarbeiter. Sie unterschätzen aber das Problem der Fläche, die wir zur korrekten Züchtung unserer Spezial-Eiskristalle benötigen. Diese Tausende von Quadratkilometern, auf jedem Quadratmeter bilden sich nur einige Gramm hochverdichteten Eises, brauchen direkten Zugang zu den Weltmeeren. Mit fußballfeldgroßen Luftschiff-Plattformen und auf riesigen Schlitten, sieben Quadratkilometer im Umriß, transportieren wir das gewonnene Eis im Sommer zum Eismeer, dessen schiffbare Rinne den Abtransport möglich macht. Wo wollen Sie solche Geländeverhältnisse in Japan oder auf den teuren Böden der USA finden?

NZZ: Warum heißt Ihr Betrieb Carl-Friedrich-Gauß-Stiftung?

RICHARDSON: Gauß ist unser Vorbild. Nach seinen Angaben haben wir diesen Teil Rußlands ersteigert. Hier wollte er Zeichen setzen für außerirdische Intelligenzen. Brandschneisen in der Breite von drei Kilometern, ein archimedisches Dreieck mit Schenkeln von je 400 Kilometern, sichtbar für außerirdische Intelligenzen.

NZZ: Also schwarze Streifen in der Eis- und Schneewüste?

RICHARDSON: Hebt sich gut ab. Muß zweimal im Jahr neu eingefärbt werden.

NZZ: Hat Gauß das realisiert?

RICHARDSON: Er hat es geplant.

NZZ: Und was ist, wenn das Erdklima gar nicht gerettet werden will durch verdicktes Eis?

RICHARDSON: Dann braucht man unsere Ergebnisse für die Besiedlung der Jupitermonde.

NZZ: Und daran glauben Sie?

RICHARDSON: Woran soll man sonst glauben? Irgendeinen Ausweg muß es geben.

Gründet sich Revolution auf Arbeit oder auf Ideen?

Geisterhaftigkeit revolutionärer Prozesse

Ein Kollege aus den vielfältigen Kontroller-Firmen von Roland Berger, gegenwärtig beschäftigt mit der Prüfung insolventer Firmen eines großen Medienimperiums, befaßte sich in seiner Freizeit (sie war eng bemessen) mit Themen, die 30 Jahre zuvor mit seinen Lebensplänen zu tun gehabt hatten. Politisch kam er aus einer Gruppe im Nordend der Stadt Frankfurt, die sich REVOLUTIONÄRER KAMPF nannte. Edwin Fuhrmanns Charakter war aber so hartnäckig, daß er noch im Jahre 2003 Fragestellungen der Konkurrenzorganisationen des REVOLUTIONÄREN KAMPFS weiterverfolgte; er war der Auffassung, daß (ähnlich den Haftungsverhältnissen bei einer Offenen Handelsgesellschaft nach §§ 128, 130 HGB) eine Gesamtverantwortung aller Revolutionäre, unabhängig von ihrer Gruppenzugehörigkeit, auf Dauer bestehe. Man kann nicht für eine Idee werben und dann in seinem Elan absterben. Fuhrmanns Frage lautete: War Mao Tse-tung der monomane Tyrann, als welcher er in den Opfer-Memorien der *Kulturrevolution* dargestellt wird? War die

Kulturrevolution, deren Scheitern allgemein konstatiert wird, eine willkürliche Gewaltaktion? Wird sie sich wiederholen, kann man aus ihr lernen? Die Archive der Volksrepublik China halten, das hatte Fuhrmann festgestellt, alle Dokumente, die sich auf die *Kulturrevolution* beziehen, unter Verschluß. Nun sind die analytischen Methoden der Betriebsprüfung, so wie Fuhrmann sie kennt, seit der Wende verbessert. Auch gewaltige Prozesse wie die chinesische *Kulturrevolution* lassen sich in ihren Kategorien beschreiben.
Gegenüber der *Financial Times* nahm Fuhrmann folgendermaßen Stellung:

FINANCIAL TIMES: Kommt die chinesische Kulturrevolution aus der Peripherie, aus der Zentrale Chinas, oder kommt sie von unten?

FUHRMANN: Sie ist das Ergebnis eines hochexplosiven »guten Willens«.

FINANCIAL TIMES: Durch was veranlaßt?

FUHRMANN: Durch die Reform der chinesischen Oper und Operette (des »politischen Musicals«). Diese Kulturprodukte entwickelten einen Hort von Idealismus, der das Gefühl erregte.

FINANCIAL TIMES: Und was kommt von der Peripherie?

FUHRMANN: Ein Strom von Rohstoff, weil die jungen Menschen, geboren nach 1949, nach Teilhabe verlangten. Weder am Krieg noch an den Anfängen der Revolution hatten sie teilgenommen.

FINANCIAL TIMES: Und was kam von der Zentrale hinzu?

FUHRMANN: Die Ideen Mao Tse-tungs.

FINANCIAL TIMES: Also zweimal Ideen. Von der Oper und Operette und von Mao Tse-tung?

FUHRMANN: Gewiß. Wie kann man die Entfremdung durch die technokratischen Prozesse, wie man sie aus der Sowjetunion kennt, in China vermeiden?

FINANCIAL TIMES: Vorhin haben Sie gefragt: wie kann man eine Revolution, die wesentliche Mißstände beseitigt hat (z. B. 40 Millionen Opiumabhängige wurden gewaltsam von der Droge entwöhnt), in revolutionärer Bewegung halten?

FUHRMANN: Das ist nach Trotzki das Problem der PERMANENTEN REVOLUTION. Wie kann man zunächst die technische Intelligenz, auf die jede Revolution, jeder Fortschritt angewiesen ist, im revolutionären Prozeß festhalten?

FINANCIAL TIMES: Wurde es gelöst?

FUHRMANN: Überhaupt nicht. Am Ende waren alle politischen Strukturen zerstört. Es blieb die Diktatur der Dreierausschüsse.[17]

17 Angesichts der Verwerfungen am Ende der *Kulturrevolution* wurden Dreierausschüsse gebildet, die je einen Vertreter der REVOLUTIONÄREN GARDEN, der PARTEI und der VOLKSARMEE zu einem diktatorischen Entscheidungsgremium vereinigten.

FINANCIAL TIMES: Wer war schuld?

FUHRMANN: Es gibt keinen Richter über Revolutionen.

FINANCIAL TIMES: Kann man Revolutionen wiederholen?

FUHRMANN: Auf jeden Fall.

FINANCIAL TIMES: Waren die Ideen falsch oder die Ausführung?

FUHRMANN: Ein Übermaß von Ideen gegenüber den Realitäten ist sicher falsch.

FINANCIAL TIMES: Hätte man das vermeiden können?

FUHRMANN: Sie meinen: keine Ideen haben?

FINANCIAL TIMES: Beobachten. Abwarten. Vom Ergebnis überrascht, zeigen wir, was wir gelernt haben?

FUHRMANN: Eher so.

Bericht aus Nordost-China

Ich bin Lokalreporter der VOLKSZEITUNG. Ich bin stolz auf meine Republik. Ich gehöre nicht zu den »Reformern«, auch nicht zu den »Bewahrern«, ich bin Zeitzeuge. Ich stelle Öffentlichkeit her, bin »durchlässiges Organ«. Insofern aber doch parteiisch, als ich das, was verdeckt werden soll, die Arkanbereiche, aufdecken helfe. Gerade weil ich nicht für das politische Ressort, die Seiten eins bis fünf meines Blattes, arbeite, besitze ich (im Sinne der Lehren Mao Tse-tungs) weitreichende Möglichkeiten für meine Neugierde.

Nun ist der Ausdruck NEUGIERDE insofern mißverständlich, als ich nichts wahrhaft Neues suche und faktisch auch nichts entdecke. Ich müßte sagen, daß ich NACHRICHTENGIERIG bin. Dies aber ist ebenfalls falsch bezeichnet, weil ich NACHRICHT nicht, wie im Westen üblich, neutral einstufe, sondern parteilich: Ich suche nach treuewidrigen Tatbeständen. Dies betrifft stets alte Verhältnisse, die Treuepflichten begründen, und es sind ältere Ursachen, die zu einer Verletzung dieser Pflichten führen. Insofern, das kann ich ruhig zugestehen, bin ich Organ der ZENTRALEN DISZIPLIN- UND KONTROLLKOMMISSION der Partei, von ihr werde ich gefördert, und von ihr wurde ich geschult. Als Teil dieser Fraktion auf meinen Posten gesetzt, wird mich diese Gliederung der Partei im Ernstfall beschützen, so weit ihr Einfluß reicht (alle großen Behörden der Republik und der Partei bilden in diesen Jahren Fraktionen in einem stillgestellten unerklärten Bürgerkrieg).

Dies nämlich sagt uns der geschärfte Blick des Mao-Tse-tung-Denkens, daß der Scheinfrieden, d. h. die Gleichgültigkeit, also Unaufmerksamkeit (das, was in den Schriften Mao Tse-tungs als *Liberalismus* bezeichnet ist), unser Vertrauen in keiner Minute verdient. Vielmehr gilt es, die Kämpfe zu studieren, seien sie sichtbar oder unsichtbar, aus denen eine vielfältige Gesellschaft wie unser China besteht. Und das sind nicht Kämpfe der Gegenwart, sondern REIBUNG UND RINGEN AUS TAUSENDEN VON JAHREN, an jedem Ort und Zeitpunkt, selbst in der Wüste.

Ich fahre aus der Hauptstadt nach Nordost-China. Recherche des Kupfer-Zink-Kombinats, einer REPUBLIK DER ARBEIT. Dieses Industriegelände von 40 Quadratkilometern Umfang, noch vor zehn Jahren eine Million Arbeiter, wurde vom Plan im Stich gelassen. Kein einziger ernster Versuch, ein autonomes, Gewinn erzielendes Gebilde aus diesem Stolz unserer Schwerindustrie zu entwickeln.

ABANDONIERUNG. Das ist die fachliche Bezeichnung für ein soziales Verbrechen der besonderen Art: Eine Macht, wie sie nur die gesellschaftliche Arbeit entwickelt, formt ein lebendes Wesen, eine LANDSCHAFT DER INDUSTRIE[18], und anschließend wird dieses Lebendige aller gesellschaftlichen Absicht entkleidet. Abandonierung heißt, Aufgabe von gesellschaftlichem Eigentum, Entrealisierung.[19]

So kann ich das selbstverständlich im Lokalteil der VOLKSZEITUNG nicht schreiben. Meine Recherche mäandert deshalb in zahllosen kleineren Erwähnungen, entwickelt Offentlichkeit, so wie Partisanen aus Yenan in das japanische Herrschaftsgebiet um 1943 einsickerten. Vollständiger sind meine Archive, die ich Kollegen öffne. Der Hauptumfang meiner Untersuchungen, tausende von beschriebenen Seiten, Abbildungen, ja Filmaufnahmen, digital, finden sich in meiner Dienststelle, der o.g. ZENTRALEN KOMMISSION.[20] Im Herzen bin ich Filmemacher und Poet.[21]

18 Karl Marx: »Die Landschaft der Industrie ist das aufgeschlagene Buch der menschlichen Psychologie«.
19 Ein Mensch schafft Privateigentum, rodet Wald, errichtet eine Hütte, bearbeitet Äcker. Zur Verzweiflung gebracht (z. B. Feinde drohen, Zins bedrückt ihn), brennt er sein Eigentum nieder und entfernt sich. Dies ist kein Verbrechen. Ich lese aber auch von verbrecherischen Christen, die unerwünschte Kinder vor einem Kloster aussetzen, in der Hoffnung, daß die Mönche sie retten. Die Kindesaussetzer handeln privat, die Mönche fühlen sich gesellschaftlich verpflichtet. Sofern die Kinder gerettet werden: kein Verbrechen. Wenn die Partei (d.h. die konkreten Sachbearbeiter für den Plan) eine Landschaft der Industrie errichten, und dieses gesellschaftliche Lebewesen wird anschließend vom Plan, d.h. der Gesellschaft, verlassen, so gibt es keinen Verzweiflungsgrund, keine rettenden Klöster. Dies ist gesellschaftliches Verbrechen.
20 Sie ist das Gewissen der Partei. Es ist ein Unterschied, ob ich für die Rechnungsprüfer schreibe oder für die Sicherheitsbehörden, den gewalttätigen Arm der Partei. Für sie berichte ich keineswegs.
21 Ich führe eine Digitalkamera XXP aus Hongkong mit mir. Unter der handlichen Kamera befestige ich zwei Backsteine, um einen ruhigen Stand zu gewinnen.

Ich habe 7 Verantwortliche im Parteiapparat, 21 in der Verwaltung des Elektro-Industrie-Komplex-Plans, 16 Verantwortliche im Bezirk Nordost-China und 20 verstorbene Schuldige identifiziert.

An sich steht es mir nicht zu, über die Schuld zu urteilen. Es genügt, daß ich Verbindungen herstelle. Sie ergeben sich aus dem Studium der Jahrespläne, dem Planstellenkegel, der bei der Erstellung der Jahrespläne am Werk war, im übrigen aus den Telefonverzeichnissen der Partei. Ich lege Wert darauf, daß ich mir stets im Gespräch mit den unmittelbar Beteiligten die Gegenargumente anhöre, d. h. die Ausreden.

Im Schnee

Hier sehen Sie den Winter. Die Gelände wie unter einem Leichentuch. Sehen Sie irgendeine Fußspur? Eine Spur von Gummireifen?

Die Lokomotiven, 284 Stück, wir haben das mit Lokomotivführern erprobt, die in Dörfern im Umkreis von 50 Kilometern um das Kombinat wohnen, sind gebrauchsfähig. Im Rußland des Jahres 1917 wären diese Dampfmaschinen nicht mit Gold aufzuwiegen gewesen.[22] Die Dächer der großen Produktionshallen sind intakt. Kein Glas wurde gestohlen. Bis zuletzt, d. h. bis zur erklärten Insolvenz, der zwangsweisen Entlassung der Arbeitskräfte, haben die Arbeiterbrigaden das Gelände weiträumig gegen Räuberei verteidigt. *Outlaws* können sich im Winter nicht so rasch dem Objekt nähern. Sie wissen auch nicht, was sie hier holen könnten. Das Wort »Insolvenz« bedeutet für sie, daß nichts Werthaltiges mehr da ist. In Wahrheit bedeutet das Wort, daß über SCHÄTZE eine Decke gezogen wird, so daß die Zeit, u. U. ein ZAUBER VON TAUSEND JAHREN, den Wert der Produktionsmittel, der tatsächlich existiert, wiederherstellt.

In der Schneefläche sind die 24 Kilometer Bahngleise, die kreuz und quer als Spezialbahnen den Industriekomplex durchqueren, zu erkennen. Die Schienen werden durch den mageren Schnee Nordost-Chinas nicht völlig verdeckt.

22 Ohne Phrase. Zwölf Tonnen Gold in der Sibirischen Wüste haben einen AUFBEWAHRUNGSWERT; Wachen scharen sich um das Objekt. 1917 kann man damit nicht fahren, nichts transportieren. Einen MARKTWERT hat Gold kaum, weil der Weg zum nächsten Markt weiter als 3000 Kilometer ist, dazwischen die Sperren der Polen und der Weißen.

Schuhreparatur im Gefilde von Großindustrie

Zwanzig Monate zuvor. Ich, der Reporter, bin schon hier. Insolvenz wird noch geleugnet. In einer der Großhallen des Kupferkombinats sind Arbeitsgruppen tätig, um das Minimum an Aufträgen, das bisher blieb, auszuführen. Breite Zonen material- und maschinenbestandener Gelände sind bereits außer Funktion. Ich protokolliere die Anfertigung bzw. Reparatur von Schuhen. Verwendet wird dafür GROSSE MASCHINERIE. Man kann, wenn man geschickt ist, einer Maschinerie handwerkliche Leistung, für die sie nicht entwickelt wurde, abverlangen. Sie schneidet, stückelt, mißt, bewerkstelligt gutmütig individuelle Leistung, während sie doch für kollektive Prozesse gedacht ist. Anpassungsfähiges Tier.[23]

Was tut man in Nordost-China mit einer UNMASSE von Kupferkabeln?

Das wissen wir alle, daß durch Fraktionsbildung in der Zentrale die Industrie nach Südchina, d. h. zum Meer hin, also zu den Zonen, die an den globalen Weltmarkt grenzen, verlagert wurde. Daher sind Kupferkabel in Nordost-China wertlos.[24]

Eine Handlangerfirma

Eine Gruppe (ich sage bewußt nicht Kollektiv) ehemaliger Betriebsangehöriger des Kombinats hat eine Lastwagenkolonne organisiert. Sie transportiert Kupferkabel als Schrott sowie Zink-Rohmaterial in Richtung Süden, wo das neue Industriezentrum Chinas sich etabliert hat. Alle 14 Tage fährt eine Ko-

---

23 Gibt es nach Mao Tse-tung eine Revolutionierung des Handwerks (als Fortsetzung des Ackerbaus mit anderen Mitteln) mit den Mitteln der Schwerindustrie?

24 Nach Karl Marx und Mao Tse-tung liegt der Wert nicht im Objekt, sondern in der subjektiven Arbeitskraft von Menschen, welche die Stoffveränderung des Rohstoffs bewirkten. Insofern stirbt etwas rückwirkend in den Menschen, wenn man durch distributive Funktion, also Änderung der Vorlieben von Nord nach Süd, ein durch Bergleute bereitgestellter Rohstoff, transportiert, industriell bearbeitet, in der Hoffnung, ein kommunikatives Kabel zu sein, in seinem Wert vernichtet wird. Hinrichtung von Arbeit ist Hinrichtung von Menschen.

lonne von 18 Fahrzeugen nach Süden und kehrt mit dem Gegenwert, umgesetzt in Waren, nach Nordosten zurück.

Glanzzeit des Plans

Beginn des Plans unter japanischer Herrschaft. Nordost-China heißt Mandschukuo. Ein Archäologe der Industrie hätte die Chance, Gleisanschlüsse zu identifizieren, über die sich auf dem Gelände unseres Kombinats die Produktion von Munition und Panzern im Jahr 1938 bewegte. Von japanischen Ingenieuren organisiert. Arbeitskräfte: Nordost-Chinesen. Die Leistung war bestimmt, Ganz-China zu besiegen und zu besetzen. Dieser Plan führte Bergwerke, Industrieanlagen, Ingenieursverstand und Arbeitskräfte zusammen. Das Kombinat, dieses Vaterland der Arbeit, entstanden aus einem Verbrechen, endend durch ein Verbrechen. Leider bin ich nicht berechtigt, einen Leitartikel zu formulieren.[25]

Geschlossene Gesellschaft

Auf der Übersichtskarte sieht die Fläche, durch eigenes Bahnnetz zerlegt, aus wie »Scherben«. Die Karten davon sind geheim wie das ganze Objekt, der Stolz Chinas.

Das Kombinat wird 1949 von der Roten Armee übernommen. Japanische Ingenieure helfen, als Gefangene, merkwürdig willig. Wenig Sehnsucht zu bemerken zur Heimkehr in ihr unterworfenes Land. Eher halten sie die offensichtliche Leistungskraft der ingenieursmäßigen Ideen und Anlagen hier vor Ort für ihre *Heimat*.

Eine Fraktion in unserer Zentrale kopiert die konzentrativen Methoden der Sowjetunion: das Heil der Modernität, ja der Revolution liegt im Vorantreiben der Schwerindustrie. Diese fordert Spezialisierung. Das gravitative Zentrum der Maschinerie in Nordost-China verspricht höchstmögliche Wirkung, wenn man Eisenprodukte ausläßt, sich auf Zink und Kupfer konzentriert, auf die KOMMUNIKATOREN DER ELEKTRIZITÄT.[26]

---

25 Daß Glasfaserkabel, in der Volksrepublik unüblich, Kupferkabel obsolet machen, ist nicht unseren Planern vorzurechnen, sondern dem Weltmarkt. Diesen rechne ich zu den Realitäten wie Vulkanausbruch, Überschwemmungskatastrophe, Beinbruch.

26 Sowjetmacht + Elektrifizierung = Kommunismus.
Die Gedanken Mao Tse-tungs wichen von diesem Industrieschwerpunktdenken, d.h. dem Denken der Bürgerklasse der Ingenieure, markant ab. Es war dem Meister aber nicht

Das Verschwinden der Texte

Man kann nicht, will man die Texte von Karl Marx studieren, sie bloß aufsagen lernen, nicht einfach das Fach Marxismus belegen, sondern man studiert Film, und in diesem Zusammenhang, also praxisbezogen, liest man die Klassiker. Ich muß mich beeilen. Vielleicht, daß man in wenigen Jahren überhaupt nicht mehr studiert, sondern alles in den Schwerpunkt NEUE BETRIEBS-LEHRE überführt wird. Die Umformung der Märkte Chinas in eine Teilfraktion des Weltmarktes stellt das Land (und was ist am großen China so einfach, daß man es »Land« nennen könnte!) vor unermeßliche Aufgaben.
Ich also niste mich ein in eine der leerstehenden Wohnungen in den Wohnbauten, die kolonnenartig aufgereiht sind an den Rändern der industriellen Zone. Vor wenigen Jahren noch Wartelisten von zwei bis drei Jahren, ehe eine der begehrten Wohnungen zugeteilt wurde. Derzeit sind das gut erhaltene Ruinen, in denen keiner wohnen will. Hier mein Studienort: 46 Bücher.

In den Großen Hallen

Obwohl die Arbeiter sämtlich entlassen wurden, so die Betriebsleitung, finden sich in den, wenn Sonne scheint, kathedralartigen Produktionshallen noch immer Gruppen der Belegschaft. Ein Unfall der Maschinerie, was den Kupfertransport betrifft, der vor einem halben Jahr stattgefunden hat, wird mit Bohrern und Karren abgebaut. Suchen sie Altmetall? Nein. Sie bestätigen, daß das von ihnen aus dem Unfall beiseitegeschaffte Material werthaltig ist. Sie selbst könnten den Wert nicht realisieren. Es wäre aber falsch, sagen sie, es bei der Behauptung zu belassen, daß hier eine Maschinerie versagt hat. Das korrigieren sie. Eine andere Gruppe der Belegschaft, die sich ebenfalls nicht nach Süden begeben hat, organisiert die Kantine. So herrscht Naturalientausch. Die eine Gruppe erneuert den Ruhm des Betriebs durch Fehlerfreiheit, die andere versorgt sie und die Familien mit Lebensmitteln. Man braucht keine Zentrale.

möglich, das Gegenkonzept, nämlich das dezentraler Industrie, ein Kraftwerk, eine Eisenhütte, eine Kupferkabel-Herstellungsstation pro Landkommune, d. h. Verschmelzung von Ackerbaukultur und Industrie, in rechenbarer Weise durchzusetzen. Ich, der Reporter des Lokalteils der VOLKSZEITUNG, bin nach wie vor überzeugt, daß ein solcher Versuch erfolgreich gewesen wäre. Wie Alexander Bogdanow es in der PROLETKULT-BEWEGUNG bezeichnet hat: Die Verschmelzung von Bauernkultur und Arbeiterkultur ist die Voraussetzung, daß revolutionäre Prozesse überhaupt stattfinden.

Ruhmreiche Kampagnen in den Wintern
1952/53 und 1971/72

Es ging darum, die Produktion wiederherzustellen. Schneestürme. Keine unter den Belegschaften des Kombinats war auf Rettungsarbeiten vorbereitet. Was ist nach Marx das Geheimnis GESELLSCHAFTLICHER ARBEIT? Niemand ist sich dessen bewußt, was er tut, alle gemeinsam aber, auf Grund von *animal spirits*, gesellschaftlichem Elan, bewirken ein Wunder. Die Besonderheit in Nordost-China ist, daß kein japanisches Imperium, kein Privateigentümer, zeitweise sogar kein zentraler Plan, sich dieses Sonderprodukt endgültig aneignete. So entstand eine REPUBLIK DES VERTRAUENS. Der Bezirk arbeitete der Betriebsleitung zu, diese den einzelnen Kollektiven, diese den Einzelnen, diese ihren Familien, die verstreut im Umkreis von 200 Kilometern im Umland von den Äckern lebten.

– Wurde das je diskutiert?
– Nie.
– Funktionierte es?
– Immer.
– In der Krise auch?
– Gerade da.

Das ist das Geheimnis der beiden extremen Winter. Im Gegensatz zu den Maximen Mao Tse-tungs ist mein Blatt, die führende VOLKSZEITUNG, der Auffassung, daß nur aktuelle Nachrichten ihren Platz finden dürfen. Wo soll ich einen Erfahrungsgehalt, wie hier beschrieben, die ruhmreiche Story der Belegschaften auf dem Höhepunkt ihrer gemeinsamen Herrschaft, »aktuell« reportieren?

Recherche in Shanghai

Um die Lebensgeschichte derer, die zuletzt hier arbeiteten, zu erkunden, fahre ich nach Shanghai. Sie sind dorthin gegangen, wo die neue Zeit anhebt. Die Spur der Meldeämter führte mich nicht zu ihnen, sie sind illegal angereist. Ich finde Bauarbeiter, Kuppler, Inhaber von Wohneigentum, Arbeitslose (was es als Begriff nicht gibt), die Adressen erhalte ich aus der Heimatprovinz, das sind Landkommunen, unverändert seit 1967.
Für meinen Schlußbericht (oder ein Buch) suche ich nach Genealogien. Es gibt

Arbeiteraristokraten, Fachleute. Haben sie Abkömmlinge? Finde ich den *Adel der Industrie* in Shanghai? Nirgends eine Spur.

Wohin ist die »Mühe« entschwunden? / Meine Eltern

Meinen Vater, tödlich verunglückt auf einer Inspektionsreise, kann ich nicht fragen. Meine Mutter, die ich befrage (sie hat sich in die Landkommune zurückgezogen, aus der sie stammt), antwortet mir nicht. Die Mühe, die in der Errichtung und im Betrieb des Kupfer-Kombinats steckt, ist in den Maschinen, den liegengebliebenen Hallen enthalten. Ich dokumentiere mit meiner Kamera Mehrfachreparaturen. Eine Produktionsstraße ist fünfzehnmal länger funktionsfähig geblieben, als nach der Planung vorausgesetzt. Wie Narben sind die Stellen eingezeichnet, an denen Großreparaturen ausgeführt wurden.

– Sie halten für ausgeschlossen, daß sich die »Mühe« vergangener Generationen, also von Massenheeren der Arbeit, in den Hirnen der Lebenden wiederfindet?
– Als Schutzmantel? Als Schutzengel? Als Wissen?
– Ich frage Sie.
– Im Gehirn nicht nachweisbar. Vielleicht als ein Kokon, in dem sich die Gesellschaften bewegen? Was wissen wir von den »gesellschaftlichen Kräften«?
– So wie man sagt: »Ein Gespenst geht um in Europa«?
– Oder in Asien?
– Marx drückt sich als Rationalist aus. Dann gibt es solche »Spuren der Mühe«, einen von den Maschinen und den Körpern getrennten »Geist«, wohl nicht.
– Glauben Sie denn, daß Marx wirklich Rationalist war?
– Sie meinen, er könnte auch ein Hitzkopf gewesen sein?
– Das Mao-Tse-tung-Denken ist poetisch.
– Sie behaupten also, daß das, was die Arbeitskraft hervorbringt (mit ihrem Willen oder unabsichtlich), nicht vergehen kann, daß es nicht bloß in den ruinierten Produktionsanlagen steckt, sondern eine Anziehungskraft (Gravitation) ausübt?
– Alles andere wäre enttäuschend.

Mein Gesprächspartner, immerhin Gehirnforscher und Akademiemitglied, Mitglied des Volkskongresses, behauptet, es kann nicht alles falsch sein, was wir denken. Was aber heißt denken? Das, was uns spontan einfällt und aus dem Kopf nicht auf Befehl verschwindet. Dann ist Denken nicht logisch? fragt mein Gesprächspartner zurück. Es ist beharrlich.

– Ist Denken nicht etwas, was man sich erarbeitet?
– Oder es ist das, was frühere Generationen, die sich Mühe gegeben haben, schon erarbeitet haben.

»Treibhausmäßiges Vorwärtstreiben«

Aus den 60er Jahren stammen sieben Kupferstraßen, die unter den Stahl- und Glasdächern großer Hallen wie Pflanzungen untergebracht sind. Sie liegen im Sonnenglast, sammeln Hitze. Eine Firma, die in Behältern abgefülltes Wasser verkauft, hat sich in einer Ecke der Halle 4 eingerichtet.
Der industrielle Schwerpunkt schafft, auch ohne die Aufheizung durch Warenproduktion und kapitalistischen Markt, eine VERDICHTUNG DER ZEIT; Ungeduld des Plans, treibhausmäßige Verdichtung der Produktion. Dadurch jetzt, in der Insolvenz, der Eindruck, daß die Zeit stillsteht.

Beerdigung von Schuld
bei Deng Hsiao Ping / Ausbuddeln

Eine Organisation ist groß geworden. Keiner der Planer beherrscht sie mehr.[27] Die Schuld am Versagen muß aus dem Apparat exportiert werden. Sie wird den Toten beigelegt. Undankbare Aufgabe der Zentralen Disziplin- und Kontrollkommission der Partei, das zu Unrecht Beerdigte auszugraben.

– Wer gibt uns den Auftrag?
– Die Partei.
– Wer in der Partei?
– Wir selbst.
– Das Argument dreht sich im Kreis.

---

27 Die Funktionäre werden alt, sie können die Aufgabe aber nicht in jüngere Hände legen, weil sie verantwortlich gemacht würden für ihr Unvermögen. Ihr Unvermögen verbergen sie nur dann, wenn sie die Macht nicht abgeben. Darüber sterben sie.

Wie verhält sich der Revolutionär in der Periode, in der die Revolution abhanden kam?

Ich denke nichts Individuelles. Ich hole Rat bei meinem Gönner in der Zentralen Disziplin- und Kontrollkommission. Er sitzt in keinem Büro, sondern ist, wie ich unerkannt, in einer der Redaktionen der VOLKSZEITUNG tätig. Sein überlegener Rang ist nicht äußerlich erkennbar, sondern folgt daraus, daß ich von ihm weiß.

Es gibt keine nicht-revolutionären Perioden, antwortet er mir. Es ist aber richtig, Genosse, daß Revolutionen veruntreut werden. Die revolutionäre Strömung kehrt später zurück. Nach tausend Jahren? Früher oder später.

Wie verhalten wir, die Aufmerksamen, uns in einer Periode, in welcher der revolutionäre Fluß seine Strömung nicht zeigt? Abwarten wäre unaufmerksam. Ja, antwortet mein Ratgeber, man weiß auch gar nicht, was man tut, wenn man abwartet.[28]

»Das lassen sich die Massen nicht gefallen«

Auf die Ausfüllung dieser ERFAHRUNG Mao Tse-tungs hoffen wir, antwortet mein Vorgesetzter bei einer anderen Gelegenheit. Es ist aber keine Erfahrung zu sehen, z.B., daß sich die Massen etwas nicht gefallen lassen. Sie scheinen von einer Engelsgeduld. Wie können die »Massen von Shanghai«, die »Massen in den neuen industriellen Zonen«, daran gehindert werden, zu explodieren, massenhaft sich eines Tages ihre Wünsche zu erfüllen? Niemand wird sie hindern können. Ich geniere mich, so etwas zu diskutieren oder niederzuschreiben, weil es so weit entfernt ist vom wirklichen Geschehen. Da muß man die Begriffe auseinanderlegen, antwortet mein Ratgeber. Was ist »wirklich«? Was heißt »Masse«? Was heißt »sich nicht gefallen lassen«? Stößt man dabei nicht auf einen »spürbaren Fluß«, dann waren die Begriffe falsch, man muß andere bilden und diese als Netz auslegen.

28 Es ist ein gesellschaftlicher Prozeß. Milliarden Wartende produzieren einen rasanten, ja brutalen Stoß, während sie noch meinen, daß sie warten. So entstehen »gesellschaftliche Ungeheuer«.

Sich vorbereiten auf das »nächste Mal« /
Notwendigkeit epischer Genauigkeit

Wir haben eine Arbeitsgruppe gebildet. Wir gehen die Stationen des »Großen Sprungs« und die nachfolgenden Schritte, die in der Großen Kulturrevolution gründen, durch. Stets sind die Schritte vorbereitet. Man sieht also, behauptet mein Ratgeber, daß wir in den Zeiten, in denen kein »revolutionärer Fluß über die Ufer tritt«, uns mit historischen VORBEREITUNGEN befassen müssen. Alle Entwicklungsstadien der Produktionskräfte finden heute gleichzeitig statt. Das war vor der Industrialisierung nicht so. Wir könnten mit größter Genauigkeit Untersuchungsarbeit leisten. Mein Ratgeber lobt meine länger werdenden Artikel, die sich auf das Kupfer-Kombinat und jetzt außerdem auf die gesamte Industrialisierung Nordost-Chinas in den Jahren von 1936 bis 1998 beziehen. Ohne sie läßt sich der Absturz im Jahr 2000 nicht beschreiben.

Schwimmen im Jangtsekiang

Unsere GRUPPE DER BEOBACHTUNG: alles Journalisten und Ergonomen[29]. Auf 80 Leute angewachsen. Wir schwimmen in den Märzfluten des Großen Flusses. Es ist äußerst kalt. Wir halten 15 Kilometer Flußabwärtsschwimmen aus, d. h. bleiben vier Stunden im Eiseswasser. Blasenentzündung. Grippe.
Es geht um die genaue Bestimmung des Feindes. Um die Disziplin des weiten Herzens und des langen Atems. Es geht um die UTOPIE DES UNBESTIMMTEN. Das heißt, um unseren Unglauben, daß äußere Grenzen uns je daran hindern könnten, den Weg Mao Tse-tungs fortzusetzen. Auf Straßen, Fahrradwegen oder den staubigen Pfaden des Landes können wir das uns durch Wandern schwerer begreiflich machen als durch Überwindung unserer Kreislaufschwäche im Riesenfluß. Große Massen an Baumstämmen vor einen der Staudämme. Wir beschließen, diesen Abschnitt des Flusses aufzuräumen.

29 Arbeitsforscher.

Rückkehr zu Mao Tse-tung /
Auf dem Weg zu einem zentralen Bürgerkrieg?

Die Frage ist falsch gestellt, antwortet mein Ratgeber. Festhalten von Erfahrung muß nicht zum Bürgerkrieg führen. Angst davor führt aber mit Gewißheit zum Krieg. Sie meinen Krieg nach außen? Unsere Armeen dringen in ein fremdes Land ein? Zum Beispiel, sie erobern über eine Meerenge hinweg eine Insel, antwortet mein Ratgeber. So etwas Riskantes, während der Blick sich auf die Olympiade in Peking orientiert? frage ich zurück. Alle Verantwortlichen ziehen eine Olympiade in unserer Hauptstadt einem Weltkrieg vor. Angst ist aber nicht planbar. Was ist der Gegenpol von Angst? Was nutzte den Millionen Arbeitern im Kupfer-Kombinat ihr Mut? Drei Jahre versuchten sie, mit Mut die Insolvenz abzuwenden.

Ich finde ein Filmdokument

Mit Amateur-Kamera (aus Hongkong) gefilmt. Es geht um die letzten sieben Tage im Kombinat. Die Betriebsleitungen teilen der Belegschaft die beabsichtigte Schließung der Abteilungen für Kupfer- und Zinkproduktion mit. Sie rufen zur Disziplin auf, einer pünktlichen, mit Sorgfalt bestückten Arbeitsdisziplin in der Phase dieser letzten Tage. Sind die Belohnungssysteme und Prämien für korrekte Arbeitsergebnisse noch gültig? Ja, Geld sei nicht da, aber die Bestimmungen seien noch gültig.

Die MACHT DES FAKTISCHEN ist im Versammlungsraum spürbar. Die Belegschaft erhebt keine Einwände gegen die Entlassung. Die Energien zum Argumentieren sind in den letzten zwei Tagen verbraucht worden. Die Wucht der Insolvenz, die Abwertung jeder bereits investierten Anstrengung, lähmt die Entlassenen. Die Belegschaftsmitglieder werden in den Umkleidekabinen gezeigt, wo sie die Arbeitskleidung in die Spinde hängen, zum letzten Mal. Die Spinde sind, normiert, mit den Namen der Arbeiter bezeichnet. Mit großer Sorgfalt werden frisch gereinigte Zivilkleider angelegt. Das Filmfragment hat eine Länge von 16 Minuten.

9/4

Feuerwehrgeschichten

Gegenüber den Eiszüchtern der Rationalität steht die kühne Empfindung, die Hingabebereitschaft der Feuerwehrleute. Sie dringen ohne Rücksicht auf ihr Leben in die Türme hinauf, sie wissen die Elemente des Feuers zu zerlegen, d.h. zu löschen.

Im Feuersturm

Inmitten einer Umwelt, die sich in Sekunden- oder Minu-
tenschnelle wandelt, gibt es kein »rechtzeitig« mehr.

Menschen liegen auf der Straße. Da gibt es plötzlich eine gewaltige Stichflam-
menbildung längs der Landstraße, der ich durch Fortlaufen zu entrinnen versuche. Der Fahrer bringt die Maschine durch Wenden zur Horst-Wessel-Straße
in Sicherheit. Das Glas meiner Schutzbrille springt und fällt heraus. Die Luft
wird knapp. Gegenüber eine Steinstiege, ich sehe noch Menschen sitzen. In-
stinktiv werfe ich mich hin.
Ich liege mit dem Stahlhelm gegen den Wind am Kantstein. Das Gesicht muß
ich mit der Mütze verbergen, die ich am Koppel trug, mit den Händen die sen-
gende Kleidung löschen. Krise, die eineinhalb Stunden dauerte.
Ich sog den Sauerstoff direkt vom Pflaster in die Nase. Bei den weiblichen Personen ging die Kleidung in Feuer auf, so daß die Körper entkleidet dalagen.
Die Austrocknung der Körper enorm. Alle umliegenden Menschen starben.
Ich ließ die beiden Kradmelder als Späher vorausfahren. Ich suchte hier durch-
zukommen mit zwei Löschfahrzeugen. Das war vor einer Stunde.
An der Ecke Anschläger-Weg/Süderstraße fuhr ich in einen tiefen Bomben-
trichter, aus dem ich nicht wieder herauskam. Zunächst blieb ich im Wagen.
Da die Wagentür klemmte, zerschlug ich das Fenster und kletterte aus dem
Wagen. Ich benutzte dann das im Trichter befindliche Wasser, um mich ständig naß zu halten.
In der Nähe des Dimpfelwegs erlitt der PKW, den ich beschlagnahmt hatte,
eine Reifenpanne, die zum Halten zwang. Wir suchten Strahlungsschutz hinter
der Blechwand des Wagenaufbaus. Nach etwa eineinhalb Stunden war die
Wärmeausstrahlung durch das Ausbrennen verschiedener Häuser gesunken,
so daß wir den beschädigten Reifen auswechseln konnten. Was irgendwie bewegt werden konnte, setzten wir gegen den Feuersturm in Bewegung.

Zootiere im Bombenkrieg

Auf dem zerstörten Gelände des Zirkus Hagenbeck erschienen in der Morgenfrühe des Tages, der auf den Nachtangriff folgte, zwei Truppführer der Berufsfeuerwehr. Übernächtigt, doch nervös genug, um einsatzbereit zu sein. Zu dieser Stunde nahm die Feuerwehr wieder Besitz von der Stadt. Die Kontrolle, die sie verloren hatte, wurde wieder ausgeübt. Das ist eine Sache des Meldesystems. Deshalb die Zweimann-Trupps, die zu den wesentlichen Einrichtungen der Stadt abgesandt wurden.

Sämtliche Tiere verhielten sich ruhig. Sie hatten keinen Drang zum Davonlaufen. Elefanten drängten sich dicht um die beiden Leitkühe zusammen. Adler und Volieren-Vögel hatten sich stundenlang in ihren zerstörten Gehegen gehalten, obwohl kein Maschendraht ihre Verteilung im Gelände behindert hätte. Tierleichen, Krater. Keine Nervosität der übriggebliebenen Tiere, die doch den Tod ihrer Gefährten wahrnahmen. Dies war deutlich durch die Entfernung, die sie zu den Leichen einhielten. Feuerpolizeilich war nichts zu klären. Es war auch nicht Feuer, sondern die schiere Sprengkraft gewesen, die das Gleichgewicht des Tierparks erschüttert hatte. Die Tiere schienen den Eingriff als ihnen *fremd* zu empfinden. Sie waren zur Tagesordnung zurückgekehrt.

Sind Tiere so vergeßlich, daß sie den Schrecken in wenigen Minuten oder Stunden »vergessen«, im Moment panisch, danach gleichmütig? Die Truppführer schienen erschüttert, nicht über die Folgen des Angriffs, sondern über die Stille, die über den Restbeständen des Tierparks lag und eine Art GELDULD DER NATUR vorspiegelte, an die sie nicht glauben mochten.

Was war im Bericht darüber auszusagen? Es war nicht die Zeit für theoretische Betrachtungen. Die beiden Truppführer, zurückgekehrt in die improvisierte Zentrale am Rande der Stadt, ließen sich für neue Erkundungsgänge einteilen.[1]

---

1 Die Zentrale der Berufsfeuerwehr Hamburgs war selbst Opfer der Flammen. Auf der Straße, die zur Zentrale führt, waren, unter Trümmern, ausgebrannte Löschfahrzeuge zu sehen, die noch versucht hatten, zur Rettung der Zentrale durchzudringen. Vom Feuersturm ereilt, verbrannten sie, wurden durch die einstürzenden Fassaden verschüttet.

Schutzgassen

Die Fahrzeuge wurden auf dem Löschplatz Bilhafen in Stellung gebracht; von hier aus Schlauchleitungen in Richtung Bilhafener Brückenstraße, um dadurch Schutzgassen zu schaffen.

– Was war das?
– Das war unser Stolz.

Eine Spezialität der militärisch organisierten Berufsfeuerwehr: Aus 20 C-Rohren, dicht nebeneinander plaziert, ein breiter Wasserschirm, der eine Art Höhle in den Feuerring stanzt, durch welche die Menschen, schwarze, durchnäßte, vermummte Punkte zunächst, über die Trümmer kletternd, zu uns heraneilen. Wie gelingt es, daß die im Feuer Eingeschlossenen diesen für sie kaum sichtbaren Tunnel so zielsicher finden? Das gehört zu den Rätseln. Offenbar suchen sie, mit allen Sinnen, nach einem Ausweg.
Panik würde ich das nicht nennen, was die Insassen, die Verlorenen der brennenden Stadt betrifft. In Panik würden sie den Ausweg, den wir hier legen, die Schutzgasse, nicht finden.
Das Problem ist der Nachschub. Meine Männer, die in nur fünf Metern Abstand vom Feuer die C-Rohre lenken, immer fünf, weil diese Schlangen von Schläuchen die Tendenz haben, nach oben auszubrechen, müssen die Spritzdüse in einen Winkel von $45°$ zwingen (andernfalls veranstalten wir künstlichen Regen). Diese Leute an der Spitze der C-Rohre müssen wir alle 20 Minuten auswechseln. Für das Wasser selbst haben wir den Fluß und zwei Hallenbäder. Meine Mannschaften sichern diese Verbindung.

Fliegenplage

Die General-Entrattung der Stadt war angeordnet bis zum 12. August. Verrücktheit lag in dem Befehl, daß wir Feuerwehrleute, wir vom Brandschutz-Regiment, d. h. professionelle Bombenräumer, extreme Löscher, Wasser- und neuerdings Chemiespezialisten, die anderswo dringend gebraucht wurden im Reich, eingesetzt werden für eine Aktion zur Vertilgung von Ungeziefer, für die wir nicht ausgebildet sind und für die wir kein passendes Gerät besitzen. Säcke voll Gift! Sollten wir das mit Schaufeln verteilen, per Hand streuen? Fahrzeuge und Schläuche sind dafür unbrauchbar.

Unsere schweren Maschinen waren gerade einmal geeignet, uns an verschiedene Punkte eines Quadrats zu transportieren, das auf unseren Befehlskarten eingezeichnet war und die Stadt in Entrattungs-Zonen einteilte. Sollten wir mit der Arbeit anfangen, oder war es besser, unsere Leute als Melder zu den Befehlszentralen von Partei und Wehrmacht zu schicken, um unseren Protest zu artikulieren? Wo sitzt der Feind? In den Kellern, wo sich vermutlich tatsächlich Ratten tummelten, oder in den Gebirgshöhen der Befehlskette, wo die Verzettelung der Kräfte ihre Planer findet?

Inzwischen ging die Seuchengefahr in der verbrannten Stadt von etwas ganz anderem aus, als den in der Tiefe sich nährenden Kleinsäugetieren. Fliegenschwärme bewegten sich über das Trümmergelände. Wir wußten, was die Insekten anzog.[2]

Wir aber sollten jetzt durch einen neuen Befehl unser Wasser mit Essig versetzen und diese angeblich Insekten vertreibende Flüssigkeit quasi experimentell über eine bestimmte Strecke zwischen Hauptzollamt (zerstört) und Rathaus (völlig zertrümmert) spritzen. Das Ergebnis sollte an eine Zentralstelle gemeldet werden.

Ich werfe mich in einen der PKWs, die unseren schweren Fahrzeugen wie Schlachtenbummler folgen. Auf meinen Bericht hin befiehlt der Gauleiter die sofortige Rücküberstellung unserer wertvollen Sondereinheit zum Katastrophen- und Feuerschutz.[3]

2 Kreisarzt Dr. Meyer teilte mir mit, daß von Leichen an sich zunächst noch keine Seuchengefahr ausgeht. Ein in Hitze schmelzender Leichnam, sozusagen dekomponierendes Eiweiß, enthält nicht notwendig Keime für Ansteckungskrankheiten, z. B. Cholera. Dies, behauptet der Hygieniker, ändert sich auch nicht, wenn Fliegen in großer Masse kleine Teile des flüssig werdenden Eiweißes einsaugen und über das Stadtgebiet streuen. Er wisse, sagte Dr. Meyer, überhaupt nicht, woher diese Hysterie komme. Man könne das Unglück, das die Stadt getroffen habe, nicht dadurch ungeschehen machen, daß man einen charakteristischen Schatten dieses Unglücks, die Fliegenschwärme, nunmehr zum Angriffsobjekt machen wolle. Die Tiere seien auf Nahrungssuche. Das sei unheimlich, aber nicht unhygienisch.

3 Man macht seine Erfahrung über das, was man während der Katastrophe erlebt, erst Jahre später. So habe ich von einem Mitarbeiter des Max-Planck-Instituts für Biologie 1952 erfahren, daß die Fliegenschwärme in verbrannten Städten (schon im Mittelalter wird davon berichtet) keineswegs an den Leichen orientiert sind, die sie tief unter den Trümmern auch kaum erreichen könnten, sondern daß verschütteter Zucker, Mehldosen, Inhalte von Kellern, in denen Eingemachtes stand, die Massenkampagne der Insekten auslösten.

Unsere Löscherfahrung enthält Stolz

1
Vorteil des Planers

Am 12. Mai 1944 wurde der technische Krieg entschieden. In einer Konferenz in Koblenz wurde festgestellt, daß es gegen gleichzeitige Tagesangriffe auf Zentren der Treibstoff- und Rüstungsindustrie und nächtliche Verheerung der Städte bei Zwei- oder Mehrfrontenkrieg keine Aushilfe gibt. Moglich, daß eine Vergeltungswaffe entstünde. Ein technisches Gegenmittel, das den Erosionsprozeß des Reiches gemindert hätte, existierte nicht.[4]

In einer solchen Lage konnte der Planer Dipl.-Ing. Dirksen, am Ende Generalmajor der Feuerwehr, noch elf Dienstränge bis 8. Mai 1945 absolvieren, während der an der Löschfront kommandierende Dipl.-Ing. Fred Dettlefson einen Rang einbüßte.

Durch Vortragen des Angriffs aus verschiedener Richtung wird das Flächenfeuer (Blockfeuer) eingekesselt und so ein Vordringen bis zum Schwerpunkt des Einsatzgebiets (z.B. Sitz des Ministeriums) verhindert.

Das war die Sprache der Planung. Dettlefson empört. Er sah die Feuerlohe Schuhstraße, aus im Mittelalter gebauten Häusern genährt, die Hirsch-Apotheke, in deren Lagern Chemie loderte, dies war ein NATÜRLICHER BLOCKABSCHNITT. Durchbrach die Feuerwalze den Abschnitt, so breitete sie sich fächerförmig in der Altstadt aus. Dettlefson brauchte keine Planung oder zentrale Anweisung, um dies Nadelöhr mit 18 S-Rohren (mehr hatte er nicht) in Angriff zu nehmen. Was nützte ihm die Bezeichnung des in der Schneise lauernden Feuers als FLÄCHENFEUER oder BLOCKFEUER? Hätte er ein 19. Rohr, nebst Wasserversorgung, wenn er Blockfeuer dazu sagte? Naturgemäß gelang die Einkesselung des brennenden Elements in keiner Weise.

---

[4] Unter Experten wird offen diskutiert. Lediglich die Schlußfolgerungen könnten nur mit Zustimmung der politischen Leitung gezogen werden. Gesetzt den Fall, es gelänge, technisch 99 % der Wolkenkratzer von New York durch einen Vergeltungsschlag zu zerstören, so würde der Zorn darüber den Gegner stärken, ehe noch der Schrecken, den wir damit verbreiten würden, sich auf den Krieg auswirken könnte.

2
Feuer löschen, eine Sache des Motivs

Mehr aus dem Bestreben, »etwas zu tun«, als aus der inneren Überzeugung, wir hätten eine Erfolgsaussicht, haben wir versucht, um 5 Uhr früh eine »Abwehrfront« zwischen Großer Allee und Alster aufzubauen. Die Kotsäule hing uns im Darm. Zu essen hatten wir nichts, die Kehle trocken.

Es gab aber ein gesteigertes Gefühl, wenn die Wassersäule, die wir aus der Elbe nährten, Wirkung zeigte (eigentlich ist der Ausdruck Säule falsch, weil 18 Schläuche eine FRONT zum Brand hin spuckten). Ich gebe zu, begrenzte Wirkung, denn wenige Minuten später drückte der Sturm das Feuer erneut gegen unsere Front. Wir spürten aber eine Art MENSCHLICHE FÄHIGKEIT, DER NATUR ZU WIDERSPRECHEN. Das gab uns Selbstvertrauen zurück.

Feuer ist eine Sonderform von Rost. Man braucht dazu ein MATERIAL. Außerdem SAUERSTOFF, sowie die Überschreitung eines HITZEPEGELS. Zerstöre ich als Löscher einen dieser drei Faktoren, so erlischt der Brand.[5]

Das Gefahrenmoment für den Mut der Feuerwehrtruppe liegt darin, daß sie sich keiner Natur gegenübersieht, sondern einer Art von Verschwörung. Tatsächlich erfolgten die nächtlichen Bombenangriffe, die den sommerlichen Feuersturm auslösten, so, daß sich zwei Bomberflotten kreuzten. Die eine warf Sprengbomben, die das MATERIAL DER STADT aufrauhten und vorbereiteten für die kreuzende andere Bomberflotte, die ihre Phosphorbomben einbringt, so, daß den Rest die Natur besorgt. Brand frißt Luft. Sturm dringt ein. Die so entfachte Fackel, das, was wir Feuerwehrexperten als *Kamineffekt* bezeichnen und was jedem Kamin des 12. Jahrhunderts entspricht, nur daß sich solche verschwörerischen Brandaktionen auf ganze Städte beziehen, ist durch Menschenkräfte nicht löschbar. Nichts entmutigt den Feuerwehrmann mehr, als sehenden Auges abwarten zu müssen, bis sich der Brand von selbst aufzehrt.

Entnervte Feuerwehrleute meines Kommandos umarmte ich. Ohne jede Wirkung. Ich brachte sie in ein städtisches Hallenbad, wo ich ihnen befahl, in das Becken einzutauchen, in Wasser zu schwelgen. Eine geringe Wirkung, die eine halbe Stunde anhielt. Wie sollte ich diese Geister an die Brandfront führen?

---

5 Insofern ist die Beschießung brennender Komplexe mit Panzerabwehrgeschützen, die das Material zersprengen, wie es der Reichsführer SS vorschlägt, nicht absurd, wenn auch schwer in praktische Feuerwehrarbeit umzusetzen, da man bei den Sprengschüssen nicht weiß, was man genau anrichtet.

Propaganda ist das letzte, was taugt. Gegenüber der Demütigung nicht einer Natur, sondern einer installierten zweiten Natur, einer Zauberei des Gegners, scheiterten die Führungsmittel.

3
Nur Dosen wurden gerettet

Beim Einsturz des Zuschauerhauses war es mit Hilfe des Wehrmachtskommandos noch gelungen, größere Lebensmittelvorräte aus dem Foyer, die dort eingelagert waren, zu retten. Die Behörde, welche die Proviantierung der Stadt zu besorgen hatte, hatte das Opernhaus bereits mit Beschlag belegt. Es wurde dort nicht gesungen, sondern es wurden dort Vorräte gelagert.

Wir Löscher waren jedoch orientiert, weitere Opernaufführungen der Glanzklasse an diesem Ort zu ermöglichen. Insofern bekämpften wir die Brände hinter der Bühne, durchtränkten die Gewänder des Kostüm-Archivs mit Wassermassen. Noch immer glaubten wir, nur auf Grund der gediegenen Sonntagskonzerte bewährter Opern, die kaum einer von uns selbst gehört hatte, die aber nach Hörensagen GELTUNG hatten, den Untergang des Abendlandes zu verhindern. Hätten wir gewußt, daß dies eine Lagerhalle für städtischen Proviant war, hätten wir nicht gekämpft. Wir kämpften für Stimmen von hoher Begabung, für Richard Wagner, für Giuseppe Verdi, für in Tonfilmen enthaltene schöne Stimmen, von denen wir gehört hatten.

Die NSV verpflegte unsere Truppe während der Nacht mit Würsten und Brot aus Lüneburg. Das ereignete sich zur gleichen Zeit wie die Enttäuschung, als wir feststellten, daß wir nicht Musik, sondern Proviant verteidigt hatten. Wurstwaren und Brot, durch Löschwasser ungenießbar geworden. Nur Dosen wurden gerettet.

4
Solange unsere Nerven hielten

– Gotische Kirchen brannten wie Zunder. Mit was würden Sie Ihre Löscharbeit vergleichen?
– Mit gotischen Kirchen.
– Mich erstaunt Ihre Antwort. Soll ich Ihnen Zynismus unterstellen?
– Keineswegs. Aber unsere Löscherfahrung enthält Stolz.
– Stolz von Domen?
– Ja, den Löschdom. Wir errichteten Trassen von Wasser, hoch wie Kirchen-

schiffe, die in den Brandherd, ja in den Feuersturm eindrangen. Sie schneiden mit der Macht projizierten Wassers in das Feuer hinein und bilden eine
Laube.

– Eine Laube, durch die Menschen aus den Stadtzentren flüchten?

– Genau. Das war unser Selbstbewußtsein. Wir haben ihnen eine Schneise aus
der Aussichtslosigkeit geöffnet.

– Manchmal ging das schief?

– Oft.

– Aber manchmal gelang es?

– Oft.

– Wovon hing es ab?

– Von der Konzentration des Angriffs. Wir von der Berufsfeuerwehr sind als
Brigade allmächtig, als Einzelzug hilflos.

– Wann waren Sie Brigade?

– Das ist eine Sache des Papiers, des Befehls. Werden wir konzentriert oder
werden wir verzettelt?

– Sie können nicht sagen, wir konzentrieren uns?

– Nein, die Mittel werden zentral bewirtschaftet.

– Was heißt zentral in einem solchen Fall, in dem eine Stadt abbrennt?

– Ein Durcheinander. Es gibt keine Zentrale.

– Was machen Sie?

– Wir versammeln uns.

– Wie bei der Gründung einer Stadt?

– So eilen wir aufeinander zu. Zunächst die löschfähigen Truppen. Danach
das Ziel.

– Konzentration?

– Nichts als das.

– Aber es brennt überall? Überall Alarm?

– Wir werden schwerhörig. Ohne Konzentration der Kräfte kein Kampf.

– Wie lange haben Sie das durchgehalten?

– Solange unsere Nerven hielten.

– Im April 1945?

– Die Nerven immer noch stark, sobald wir uns vereinigten.

– Und als Sie das nicht mehr konnten, Ende April 1945?

– Wurden die Nerven schwach.

– Was heißt das?

– Wir löschten nicht mehr erfolgreich.

– Warum wurden die Nerven schwach?

– Weil wir nicht mehr erfolgreich löschten.

Interessante Wahrnehmung
eines Feuerwehrmannes

Mut ist erfordert, ja sogar ein besonderer Geist des Feuerwehrmannes, der über den Alltag hinausweist. Insofern kann nicht jeder beliebige Mensch Feuerlöscher sein.

Ich habe aber bemerkt, wo der Sitz des besonderen Mutes liegt, der Einsatzbereitschaft unter allen Bedingungen, die den Feuerlöscher auszeichnet. Sie liegt nicht im Herzen, das gleichmäßig oder in Gefahrensituationen erregt pumpt. Vielmehr liegt der Impuls in der Haut.

Wir waren 24 Stunden eingesetzt, aussichtslos eingesetzt gegenüber einem Waldbrand. Wir arbeiteten uns mit chemischen Mitteln, mit Wasserdichte voran, hinter uns ergriffen die Feuer den Wald erneut, so daß wir nur im Durchbruch noch irgendwelche Rettung fanden. Wir waren ermüdet. Die Müdigkeit fördert die Furcht. Ich hätte mich auf dem Höhepunkt der Feuer in der Woche von Dienstag, dem 29., bis Freitag, dem 2., nicht als mutig bezeichnet. Als aber unser Kommandant uns in einen Fluß schickte, wo wir für 20 Minuten badeten, war meine Haut so erfrischt, daß ein Mut, vergleichbar dem meiner Kameraden, die den gleichen Impuls fühlten, uns befähigte, den auf fünf Kilometer erweiterten Waldbrand mit energischen Maßnahmen einzudämmen. Vierzig Meter vor der Siedlung Oniwegthaught beendeten wir das Fortschreiten des Feuers, eine Sache des Muts. Immer die Frage: Woher kommt er? Aus dem Befehl der Vorgesetzten gewiß nicht.

So viel Mord war nie

Kriminalbeamte in schwerer Gasschutzkleidung bei der Untersuchung der Toten. Sie sind rekrutiert, nicht weil Tatmerkmale rätselhaft sind, sondern weil die individuelle Zurechnung der Toten zu Name, Wohnort, Verwandtschaftsgrad, Arbeitsstelle, also Individualisierung, kriminalistischer Erfahrung bedarf. Was soll Strafverfolgung in einem Moment bewirken, in dem es darum geht, so etwas wie ein VERHÄLTNIS VON WIRKLICHKEIT wiederherzustellen? Anonyme Tote, umherirrende Fragende, die nach den Ihrigen suchen, zerstören die Vorstellung von Wirklichkeit stärker, als dies der Luftangriff vermag, der ja zu allem Wirklichen ein starkes Attribut von *real* hinzufügt.

– Sie verwenden die Ausdrücke Normalität und Wirklichkeit in gleichem
Sinn?
– Man kann ja von Normalität nicht sprechen.
– Und was meinen Sie mit *wirklich*?
– Einen Zustand, in dem die Partei und der Staat noch irgendetwas zu tun
scheinen. So sind die Tonnen von vorgekochter Graupensuppe mit starkem
Anteil an Fleisch, die von den Landgütern in die Stadt gefahren werden, ein
Beitrag dazu, an bestimmten Knotenpunkten ein Wirklichkeitsverhältnis
wiederherzustellen.

Der Gesprächspartner des Feuerwehrleutnants gehörte zu einer Studiengruppe des Reichspropagandaministeriums, die sich soziologisch (»bevölke-
rungskundlich«) mit dem Problem befaßte: Was geschieht überhaupt in den
Köpfen der Menschen, wenn ihre Stadt zerstört wird? Weder werden sie entmutigt noch moralisch auf Friedensschluß eingestimmt oder zur Rebellion gegen ihre vorgesetzten Behörden animiert. Es entsteht lediglich eine SINN-
VERWIRRUNG. Es kann sein, daß sie zweifeln, ob das, was sie erleben,
Wirklichkeit oder Traum ist. Wie soll sich die politische Leitung auf diesen
Zwischenbereich einstellen?
Andererseits, so der Bericht einer parallelen Studiengruppe der Abteilung II
des Reichssicherheitshauptamts (RSHA), könnte eine phantastische Umstel-
lung aller Geisteszustände, angeregt durch Feuersturm, Niederlegung der
Stadt, Verlust von Realitätskontakten, einen AUSBRUCH AUS DEM BÜR-
GERLICHEN DASEIN PROVOZIEREN, der Kraftreserven für den
ENDKAMPF freisetzte. Was wissen wir, sagte Standartenführer Eberlein zu
Feuerwehrkommandant Künnecke, was in verzweifelten Menschen noch an
Kräften enthalten ist, vor denen der Feind eine HEILIGE FURCHT haben
sollte. Es explodieren nämlich nicht bloß Bomben oder verbrennen Städte,
sondern das Innere der Menschen ist eine Bombe und verbrennt Realität. Wie
wollen Sie, fragte Künnecke zurück, diesen Innenbrand auf einen BESTIMM-
TEN FEIND lenken? Nach meiner Kenntnis funktioniert Feuer allseitig, ring-
förmig.
Sie tranken Nordhäuser. Etwas Tröstliches entstand, so daß sie ihre Ratlosig-
keiten zusammenlegten. Der eine konnte nicht löschen, der andere konnte
nicht zielen, wenn es um die BRÄNDE IM INNERN VON MENSCHEN
ging.

Lösch-Schießen

Angriff gegen Feuerbrand unter Verwendung des LÖSCH-SPRENGVER-
FAHRENS.
Dipl.-Ing. Dettlefson wurde ein Major der Panzerwaffe vorgestellt. Ich habe,
sagte der Major, vier mal vier Panzerabwehrkanonen vom Kaliber 7,5 Zentimeter, die Sie dort auf der Einfallstraße zur Stadt aufgefahren sehen. Motorisiert.
Mir wurde gesagt, daß Sie mich einweisen, so daß wir in den Brandherd derart
hineinschießen, daß brennbares Material zerstört wird und durch Aufwühlen
von nicht brennbarem Baumaterial ein Löscheffekt entsteht. Wir von der Pan-
zerabwehr wissen nicht, ob so etwas funktioniert. Aber die Zerstörungswir-
kung, die wir anrichten, könnten wir immerhin beschreiben. Dettlefson, neugierig: Zerstört man die Substanz, die brennt, ergibt dies Löscheffekt.
So ließ er die 16 Panzerabwehrkanonen vor einem durch Phosphorbomben
entzündeten Getreidesilo auffahren. Schneller als die Flammen fressen konnten, war das Gebäude zertrümmert. Das ergab im ersten Augenblick einen
Löscheffekt. Das kleinteilig gelagerte Getreide konnte jedoch durch Explosiv-
geschosse nicht ebenso zertrümmert werden, und so entfachte sich der Brand
erneut, quasi in befreiter Gestalt. Das ergab einen Erfahrungswert. Panzerbre-
chende Munition gegen Mehl, Staub, Getreide, Sand oder andere kleinteilige
Materie erbringt Staubentwicklung, nährt den Feuersturm.
Ganz anders das Ergebnis bei Löschung des Stadttheaters Erfurt. Die Beschießung zerstörte brennbaren Zuschauerraum, die Hinterbühne mit einer Rasanz, d. h. Schnelligkeit und Vollständigkeit, die rascher als jedes gefräßige
Feuer auf das Objekt einwirken konnte. So lag die Kulturstätte als siliziumhal-
tiges Trümmerstück, nicht weiter brennbar, am Boden. Der Brand vermochte
nicht auszugreifen auf Nachbarhäuser. Eine Kirche gerettet. Dettlefson begeistert. Wir sind als zerstörerische Macht, nicht bloß als Löscher oder Kompromißler, schneller als das Feuer. Der Ansatz wurde nicht weiterverfolgt. Die Beschießung von Kulturstätten durch die eigene Seite erschien propagandistisch
verheerend. Was, wenn der Kölner Dom brennt, und wir zerschießen ihn vorzeitig durch Einsatz von 12,5-Zentimeter-Flakgeschützen, der stärksten Stufe
der Panzerbekämpfung? Man würde fragen, ob die Ruine, die wir selbst hergestellt haben (»stadtschonend«, »umweltschonend«), häßlicher aussieht als
die Ruine nach natürlichem Verlauf des gegnerischen Angriffs. Wie wollen Sie
beurteilen, fragte Museumsforscher Günter Lüders aus Abteilung VII im
Reichspropagandaministerium, ob die Ruine nicht in der Naturalform deutlich schöner in die Jahrtausende ragt, auch stabiler, wenn wir sie bis 1952 mit
einigen Betonkränzen oder -ummantelungen verstärken?

Sie könnte dann ein besonders wertvolles Zeugnis sein für den Wehrwillen des Reiches. Das dürfen Sie nicht Zweckmäßigkeitserwägungen der Brandbekämpfung unterordnen!

So wurde der gewiß radikale Forschungsansatz, gefördert von Reichsführer-SS Himmler, nicht weiter verfolgt. Dettlefson wiederum war der Auffassung, daß es gegen den Feuersturm technisch nur drei Antworten gebe: (1) Beseitigung des Sauerstoffs im Deutschen Reich (untauglich); (2) Zerstörung des brennbaren Materials im Angriffsfall (Lösch-Schießen); (3) sofortige Heranführung einer neuen Eiszeit, d. h. generelle Absenkung der Temperaturen über dem Reichsgebiet um mindestens 18°, das letztere war nach der von Ing. Hanns Hörbiger vertretenen WELTEISTHEORIE nicht einmal ausgeschlossen.

Wer bezweifelt, fragte Dettlefsen, Realist in allen Fragen der Feuerwehr, Nationalsozialist in allen Fragen der Notwehr, daß das Löschen eines akuten Feuers etwas anderes ist als das Löschen einer Glut, die aus Phosphorkanistern stammt, die der Gegner tückischerweise in die durch Sprengbomben zertrümmerten Verliese einer Wohnstatt deponiert hat? Ich beschieße (und beuge) den Willen des Gegners, indem ich die Städte, die er zu Brandfackeln erheben will, unmittelbar bevor er dies vermag, selber zerstöre. So nehme ich ihm den Sieg. Selbstverständlich ist dies Ingenieurssache. Es muß technisch perfekt, nach Ingenieursnorm und damit mit dem mikroskopischen Zeitvorteil erfolgen, der zwischen erkennbarem Angriff des Gegners und präventiver Lösch- bzw. Zerstörungsmaßnahme liegt. Kann der Gegner (als Ingenieur sage ich nicht »Feind«) Zerstörtes nicht weiter zerstören, ist er besiegt.

– Das haben Sie nie durchgeführt, das war ein Plan?
– Mehr als ein Plan, es war ein Entschluß. Etwas, das wir vorgetragen haben. Aufgrund unseres Gefühls als Ingenieure.
– Es wurde nie genehmigt?
– Zum Schaden der Städte.
– Die deutschen Städte wären, auch nach Ihrer Aushilfe, zerstört?
– Aber wir hätten gesiegt.
– Ist dies nicht ein Ansatz, der ähnlich abstrakt klingt wie jener der Planer?
– Wir planten nicht, sondern machten Vorschläge. Die Vorschläge hätten zum Sieg geführt.
– Was heißt nach dem Buch von Clausewitz *Vom Krieg* ein Sieg?
– Das lasen wir Feuerwehrleute 1942. Das Buch, Kapitel I, war Gegenstand der Kurse, die wir in Dresden an der Kriegsakademie absolvierten. Bis dahin waren Feuerwehrleute nie von den Militärbehörden ausgebildet worden. Der Kursus bedeutete eine Bestätigung unseres Einsatzes, die Planstellen

wurden aufgewertet. Krieg ist die genaue Bestimmung des Ernstfalls. Welcher Ernstfall konkurriert mit einer Feuersbrunst?
– Und bei Clausewitz geht es um die Implosion des Kriegs. Er träumt von seiner absoluten Gewalt. Durch den Druck der wirklichen Verhältnissen und der Wahrscheinlichkeiten wird er zurückgeführt auf das, was er tatsächlich vermag.
– Im Fall eines Feuersturms vermag er viel.
– Das ist ja das, was ich Sie frage. Wenn Sie aus dem Reich alles Brennbare entfernen, das Harzgebirge mit Höhlen durchformen, in denen sich die Zivilbevölkerung und die Rüstungsindustrie verbergen, eine ZWEITE FRONT in den Alpen eröffnen, wo nochmals der Krieg in den UNTERGRUND geht, wo soll ein Wille des Feindes, den Krieg weiterzutreiben, noch vorhanden sein?
– Sehen Sie, der Endsieg ist eine Sache der Feuerwehr.
– Wie hätten Sie aber nach so unsäglichen Leiden, vom Reich verantworteter Zerstörung der eigenen Städte, quasi Seppuku, alles dies nur, um den Willen des Gegners zu brechen, das Brennen im Herzen der Menschen, ihr Bedauern über so viel Zerstörung und Selbstzerstörung löschen wollen?
– Ich bin kein Psychologe.
– Was sind Sie dann?
– Feuerlöscher.
– Was heißt das?
– Diplomingenieur.
– Der mit Wasser kocht?
– Wasser ist nur eines der Mittel, die der Feuerlöschung dienen. Wirksamer sind Chemikalien. Wegnahme der Sauerstoffzufuhr. Wir sind Töter des Feuers.
– Sehe ich es richtig, daß Sie da Ihre Grenze haben, wo der Weltbrand im Innern des Menschen entsteht?
– Wie sollten wir dort löschen?

Verdachtsarbeit

Auf Viehweiden fand man eine »gelblich-weiße Masse«. Man vermutete einen
Kampfstoff des Gegners. Es war aber ein bei Feuchtigkeit auftretender harmloser Schleimpilz.

Warum ist man so bemüht, die Viehweide zu durchforschen nach noch schlim-
meren Terrortaten des Gegners, wenn dieser Gegner doch täglich, stündlich,
durch Angriffe auf verwundbare Stellen des Reichs seinen Zerstörungswillen
zeigt? Wird erwartet, daß er noch mehr Bosheit besitzt, als er bereits zeigt?

Ein Holzbein, das beim Löschen
Feuer fängt

Otto Herschel, Rancher in Iowa, USA, beschäftigt, einen Brand des Viehstalls
zu löschen. Die Schreie der Tiere. Ganz unbrauchbar die Eimer, sie transportierten viel zuwenig Wasser. Er merkte zu spät, DASS SEIN HOLZBEIN
FEUER GEFANGEN HATTE.

Er erregte sich zusätzlich (noch immer ausgefüllt vom Brüllen der
Tiere) über das, was er sah. Kein Gedanke, das Wasser, das er für den
Brand bestimmt hatte, über sein
Bein zu schütten. Statt dessen ver-
schüttete er Wasser in der Erregung,
er fiel zu Boden. Die Flammen ergriffen, ausgehend vom Holzbein,
Kleidung und Körper. Er erwachte
in schlimmem Zustand im Krankenhaus von Lowden. Erst Nachbarn
hatten die Flammen gelöscht. Zwölf
Wochen dauerte die Rekonvaleszenz
des 75jährigen. Der Wiederaufbau
der Ranch benötigte zwei Jahre.

Abb.: Holzbein, das beim Löschen Feuer fängt.

Vorfeld der Katastrophe

> »Vielleicht beziehen die Dinge um uns ihre Unbeweglich-
> keit nur aus unserer Gewißheit, daß sie es sind und keine
> anderen; sie gewinnen ihre Unbeweglichkeit aus der
> Starrheit des Denkens, mit der wir ihnen begegnen.«
> *Robert Musil*

Er galt als verrückt. Im Abteil eines Büros im 57. Stockwerk, wo er geduldet wurde, weil er gelegentlich Design-Ideen produzierte, malte er Bilder von sich selbst, in denen er von Spießen, bald aber auch von Flugzeugen und Libellen durchbohrt wurde, ein Heiliger Sebastian in Nachfolge. Das wagte er kaum mitzuteilen.

Dann, als die Katastrophe eintrat, für keinen der Bewohner des riesenhaften Silos sogleich erkennbar, eine Überraschung ähnlich einer Wetterkatastrophe, eine Singularität, erst durch Rundfunk erfahrbar als Ereignis, lief er als einer der ersten die 57 Stockwerke zu Fuß hinab und *rettete* sich in eine der Sanitäts-Stationen, die weiter als 700 Meter von den Twin Towers entfernt lagen. Ganz entgegengesetzt zu seinen Phantasien. Unberührt, nicht einmal nennenswert durch Staub benetzt, betrachtete er den Zusammenfall der Türme von seiner Rettungshöhle her.

Er hätte nicht sagen können, daß er das Ereignis vorauswußte. Seine kreativen Vorstellungen, von denen man später behauptete, sie hätten prophetische Begabung, bezogen sich nicht auf wirkliche Verhältnisse. Es gehört eine Vernissage dazu, um sie und die Realität zusammenzuführen.

Ganz anders der Katastrophenschutz- und Feuerwehrexperte Romuald Davidson. Er war allen künstlerischen Ansätzen abgeneigt. Von ihm stammte die Expertise, die auch die Versicherungsgesellschaften beeindruckte, die drei Wochen vor dem Einsturz der Towers über die Konditionen der Versicherungspolicen grübelten, daß nämlich an jedem beliebigen Schnittpunkt dieser stahlgeschützten Türme eine Einwirkung von außen, innen oder durch Erdbeben die generelle Stabilität nicht erschüttern könne; tatsächlich waren hier namhafte Gleichgewichte gegeben. Wird die Westkante gegenüber der Ostkante des Turms exzessiv zur Gravitation hin belastet, gleichen die Nordkante und die Südkante des individuellen Turms die Sogwirkung aus. 800 Seiten lang bemühte sich der Dipl.-Ing. und Statiker, an drei New Yorker Universitäten akkreditiert, den Fluß der Wahrscheinlichkeiten auf der Seite einer sinnvollen Voraussage zu halten. Nichts davon kann man fahrlässig nennen.

Das Besondere am Unfall des 11. September war die besondere Willkür und gewissermaßen Fahrlässigkeit der Attentäter. Nichts hatten sie exakt berechnet. Alles war Dafürhalten. Mit solcher Ungenauigkeit drangen sie in die Nahtstelle zwischen UNWAHRSCHEINLICH und NOCH GERADE WAHRSCHEINLICH ein. Diese Nahtstelle ist für Statiker besonders schwer zu berechnen.

Geplante Gegenmittel gegenüber der Katastrophe

Von der Gipfelhöhe der Gebäude gespeist, Wasser für die Sprinkleranlagen. Diese Anlagen beregneten die betroffenen Stockwerke, auch nicht betroffene, mit großer Präzision bis in die Höhe der Einbruchsstelle.

– Tropfen auf einen heißen Stein?
– Eine Sprinkleranlage im Gefahrenfall dieses Ausmaßes spritzt ganz schön. Von Tropfen würde ich nicht sprechen.
– Trotzdem wirkungslos?
– In den Stockwerken, in denen das Kerosin nicht brannte, mit höchst absicherndem Erfolg. Selbstverständlich vergeblich dort, wo der Brand loderte.

Auf der Dachoberfläche der Wolkenkratzer Hubschrauberlandeplätze.

– Hätte man die Evakuierten der oberen Stockwerke abholen können?
– Man sah die Menschen in den Fenstern der Stockwerke.
– Hätte man sie an Seilen in die Hubschrauber herüberholen können?

DAS WURDE GEÜBT. DIE ABHOLUNG EINER ZAHL VON MEHR ALS 3000 MENSCHEN, DIE SICH AUF DAS DACH EINES DER TOWER ZU RETTEN SUCHTEN, WÄRE DURCH SPEZIALISIERTE KOMMANDOS MIT HUBSCHRAUBERN MÖGLICH GEWESEN, FALLS NICHT STÖRUNG DES LANDEANFLUGS DURCH BEWEGUNG DES GEBÄUDES UND NICHT RAUCHENTWICKLUNG JEDE LANDUNG UNMÖGLICH GEMACHT HÄTTEN. Nun waren außerdem die Hubschrauberpiloten, die sich den Gebäuden näherten, nicht professionell geschult. Sie hätten Verkehrs-Unfälle entwirren, Nachrichten über die City von New York verbreiten können. Professionell anders ausgebildete Hubschrauberpiloten trafen nach dem Einsturz der Gebäude ein.

Eisenbau und Feuerwehr

– Wieviel Ingenieure gibt es in der New Yorker Feuerwehr, die Experten für Eisenbau sind?
– 87.
– Waren diese zur Stelle?
– Sie mußten zusammengerufen werden. Zwölf waren in Urlaub, 16 waren abgeordnet für das Projekt Raketenabwehrschild, das spezielle Fachkenntnisse erfordert. Sie schrieben ein Gutachten.
– Was war der Ratschlag der drei, die rechtzeitig ankamen?
– Es gibt kaum Erfahrung bei diesen Maßverhältnissen. Sie sagten, man könne mit einer gewissen Beharrlichkeit der Stahlkonstruktion rechnen. Wer sollte je ein solches Ereignis berechnet haben?

Im Krieg gibt es Luftschutzbunker, wurde gesagt in der nachträglichen Diskussion. Für die Insassen der Hochhaustürme, die im Einsturz zermalmt wurden wie in einer Mühle, gab es keine Rettungsbehälter, keine Rettungszonen.

– Wiener Feuerwehrexperten mit Erfahrung von Rettungsaktionen in Alpentunneln und bei Unglücken, die Seilbahnen betreffen, behaupteten, man habe eine Chance verpaßt, die in Kavernen Verschütteten zu retten.
– Sie meinen den regen Verkehr zwischen Handy-Geräten in den Trümmern und Außendienststellen, die über eineinhalb Tage anhielten?
– Genau. Es bilden sich, so wie bei Ozeanriesen, die zum Meeresgrund sinken, behaupteten die Wiener, Sauerstoffblasen, durchlüftete Höhlen, vielleicht nur für zwei bis vierundzwanzig Menschen, durch Stahlverstrebungen und Hohlräume in den Siliziumtrümmern.
– Eine Spekulation?
– Das wissen wir nicht. An sich müßten solche Hohlräume nach statistischer Wahrscheinlichkeit entstehen. Und wo Hohlräume sind, gibt es Rettung.
– Was aber ist an diesem Gesamtereignis wahrscheinlich?
– Nichts, was Hohlräume betrifft. Man hat Erfahrung aus Bergwerks-Unglücken.
– Die Retter aus Wien, die diese Theorie verfochten, hatten ihr Gepäck für einen Flug nach New York bereitgestellt?

– Sie waren abreisebereit.

– Und warum wurden sie nicht gerufen?

– Ich glaube nicht, daß es Stolz war. Die Anträge gingen im Gewirr der Eile unter. Die Wiener warteten, die New Yorker wußten nicht, wenigstens nicht in einer bestimmten Behörde, daß die Wiener auf eine Antwort warteten.

– Die Wiener hätten sofort losfliegen müssen.

– Ohne Rückantwort?

– Richtig.

– Und wer hätte den Flug bezahlt?

– Das hätte sich im Erfolgsfall erledigt.

Heldentaten von Feuerwehrleuten

Gewiß ist es sinnlos, Hochhäuser in einer Höhe von mehr als 200 Metern Höhe gegen Brand in den Obergeschossen durch Feuerwehr retten zu wollen. Man kann nur Wassermassen auf dem Dach speichern und hoffen, daß der Brand erlischt, wenn dieses Wasser nach unten, zum Erdmittelpunkt hin, freigelassen wird.

Andererseits galt für Feuerwehroffizier Kenneth Parker, daß es ihm an Mut nicht fehlte. Er zahlte den glücklichen Aufenthalt von drei Generationen Clan-Angehöriger in New York ab. Immer noch konnte er sich damit nicht genugtun, New York für die Rettung der Familie aus unerträglichen Verhältnissen des Bürgerkriegs in Dublin Dank abzustatten. Der Clan war nicht pekuniär arm, sondern arm an sicherem Heimatgrund.

So bewegte sich Kenneth Parker zielstrebig nach oben im brennenden Turm. Man kann mit der Wut des Brandes umgehen, wenn man den Grundriß kennt und sich strikt im östlichen Aufstieg bewegt, während der Brand die Westseite, immerhin 200 Meter entfernt, verwüstet. Vermutlich gibt es keinen Weg zurück. Die Wasserreservoirs in diesem Wolkenkratzer im Norden Chicagos waren im 58. Stockwerk massiert. Hier waren Wasservorräte in Form von zwei einander gegenüberliegenden Schwimmbecken, die der Fitness dienten, konzentriert. Kenneth Parker beabsichtigte, den riesigen Stöpsel, dessen Entfernung die Wasservorräte des Reservoirs zu Löschzwecken freisetzen würde, zu lösen und so quasi putschistisch die Flammen zu überraschen. Dazu mußte er tauchen. Ohne Atemmaske, länger als zwei Minuten. Die Hantierung, welche die Stöpsel öffnete, verbrauchte Kraft.

Kenneth Parker kam nicht lebend an die Oberfläche des westlichen Wasserbeckens zurück, das sich rasch leerte. Er hatte sich überfordert. Obwohl man sagt, daß die Lunge eines Menschen sich nicht betrügen läßt, sie durchbricht sämtliche Willenskräfte, wenn sie Atemnot spürt. Der Erfahrungssatz bestätigte sich nicht.

– Ist die proletarische Eigenschaft, sich in der Feuerwehr zu bewähren, auch unter mörderischen Umständen, weil ich und mein Clan zu Dank verpflichtet sind, ist also eine zivile Tugend in der Lage, über Millionen Jahre evolutionär hergestellte Reflexe, wie die Gegenwehr der Lunge gegen Erstickung, zu überwinden?
– Offenbar.
– Eine solche Tugend ist aber nicht älter als drei oder vier Generationen?
– Durch Neuheit extrem effektiv.
– Gibt es so etwas außerhalb der Feuerwehr?
– Bei Müttern und Ärzten.
– Bei Ärzten ein ebenso junges Produkt der Disziplin?
– Sie haben ja zu Recht betont, daß eine solche reflexartige Ausübung extremen Mutes quasi automatisch funktioniert. Diese Eigenschaft muß älter sein.
– Sie meinen, es gibt ganz früh, vielleicht schon bei den Tieren, einen Impuls, sich zu bewähren?
– Anders kann man Heldentaten von Feuerwehrleuten nicht erklären.

Die toten Seelen

Auf der Nase eines Inselvorsprungs Manhattans (das Grundstück gehört der Feuerwehr) brannte eine Lagerhalle, in der ein Feuerwehrball stattfinden sollte, für zwanzig Minuten lichterloh. Dann, als hätte ein Allmächtiger die Flammen ausgepustet, erlosch das Feuer auf unerklärliche Weise, ehe noch die sechs alarmierten Einheiten des NYFD eingetroffen waren. In Polizeikreisen wurde diskutiert, ob die GEISTER VERUNGLÜCKTER FEUERWEHR-BEAMTER das Wunder bewirkt haben könnten.
Andere Experten hielten es für wahrscheinlicher, daß ein Umschwung des Windes, der den Tag über von Süden geweht hatte und am Abend von Norden kam, die Fackel ausgeblasen habe. Wie aber erklärt sich, daß diese Umkehr des Windes erst 40 Minuten nach Verlöschen des Brandes auftrat?

Apokatastasis, die »Heimholung aller«

So wie Walter Benjamin in der Nationalbibliothek in Paris täglich saß, dann, mit Notizen statt Büchern bestückt, in den Cafés im Hafen von Marseille auf den SCHLAG DES SCHICKSALS wartete, war undeutlich, ob er von persönlichen Eindrücken seiner Lebenszeit, z. B. solchen eines Kindes, ausging oder von Eingebungen, gewissermaßen vom Diktat eines Engels geführt wurde, das sich auf Tausende von Jahren bezog.

Briefpartner, Freunde hatten den Eindruck, daß dieser Prophet, der sich selbst als kritischen Philosophen sah, fremden Diktaten folgte. Die HEIMHOLUNG ALLER war hierbei in den Texten, die schon unter dem Eindruck der nach Frankreich eindringenden Panzertruppen des Dritten Reichs notiert wurden, ein zentraler Begriff. Wie können die Verirrten, die Boshaften, die Brudermörder, die Guten, deren Güte nicht milde ist, die MITTE IM PARLAMENT DER TOTEN, die man den SUMPF nennt, die Henker, die Opfer, wie können die Widersprüchlichen, an sich Gegensätzlichen, in welches Heim heimgeholt werden? Ginge die Menschheit in einem rasanten Sog zurück in die Täler Afrikas und verschwände, so daß andere Intelligenzen, nicht aber die Menschheit, die göttliche Intelligenz nachzuahmen versuchen könnten, was wäre dieses NICHTS als Heimholung? Niemand könnte siedeln wie die Vorfahren vor zwei Millionen Jahren. Nicht einmal die Seenplatte im Rift Valley, jener denkwürdigen Talsenke Afrikas, die den Kontinent zerreißt, wäre die gleiche.

Das habe ich zu keinem Zeitpunkt gemeint, notierte Walter Benjamin am 14. Juli 1940. Der Projektemacher, der schnellzüngige Siegfried Kracauer, ihm gegenüber sitzend. Wie real sind die Tassen mit Kaffee, die Croissants, das Nachbild ägyptischen Getreides! Krümel auf der Mauerplatte, ein breiter Fleck brauner, koffeinhaltiger Sauce zwischen den Kollegen. Noch leben sie.

Feuer, das nicht verbrennt, Wasser, das nicht löscht. Atem – Gastod. Unsere Erde – Anti-Erde. Für den Friedhofsgärtner ist es nicht einfach, die Gebeine der Toten so zu betten, daß sie sich zueinander fügen, wenn wir auferstehen.

Die unabweisbare Bedingung liegt darin, daß entweder alle heimgeholt werden in eine Gemeinschaft, die es noch nicht gibt, die sie alle aber von jeher im Herzen trugen, oder aber die Welt zerstört sich selbst. Kassandra wollte Benjamin nicht sein. Stets trieb das Schreibwerkzeug in die Richtung von Verkündigung, welche die Auswege, die Horizonte verstellt. Stets, oft stärker verkrampft, hinderte sich der Schreiber, dieses Protokoll zu führen. Einen Ausweg muß es geben, das sagten die SIEBEN GERECHTEN, das sagte der Revolutionär.

Draußen, auf den Gehsteigen zum Meer, brannte unerbittlich die Sonne. Wenn so viel verlorengeht, wie soll Sonne trösten? Das Bild, notiert im tiefen Schatten der Bar, in nur 20 Metern Entfernung das Blinken jenes Gestirns, das, neutral für Panzereinheiten und Gelehrte, die Himmel erhellt, tritt folgendermaßen in Erscheinung: Im Augenblick einer umwerfenden Katastrophe, welche die Menschen in einen Zusammenbruch von Stahl und Stein, in Staub zermalmt, kommen die (aus Not! im letzten Moment!) im Motiv verschmolzenen Menschen, die Bösesten und die Guten, heran und fangen, als wären sie EINE HAND, die bereits Zerstörten, Zermalmten auf.

Diese Einigkeit, notiert Benjamin, wäre die HEIMHOLUNG ALLER. Sie zeigt sich durch ihren Erfolg. Das war etwas, was Kracauer überhaupt nicht weiterverbreiten wollte. Zum Beispiel zeigt sich der Erfolg eines Spielfilms nicht dadurch, daß bei ungerührtem Premierenpublikum von außen Massen von Lebenden und Toten hereindringen durch die Türen des Kinos und dem kompletten Mißerfolg eine Umkehrung bescheren. Kracauer war phantasievoll, aber nicht gläubig.

9/5

Heimkehrergeschichten

Die Heimkehr des Odysseus nach Ithaka gehört zu den Schlüsselgeschichten in der DIALEKTIK DER AUFKLÄRUNG. 1945 stießen in unserem Land Heimkehrergeschichten auf geringes Interesse. Die Erzählung davon fehlt. Heute kommt etwas Unheimliches hinzu: Gewalt ohne Vaterland. Menschen üben Gewalt, die nirgends zu Hause ist.

Eine Episode in der Schlacht um Stalingrad

»Heimkehr kann man nicht kaufen.«
A. *Puschkin*

Der russische Schriftsteller Konstantin Simonow behauptet: eine Schlacht von Stalingrad fand technisch gesehen nie statt. Der Untergang der 6. Armee, d. h. die klägliche Reduktion einer Masse von 300000 Soldaten des Blitzkriegs zu einer verzweifelten Summe von Einzelgruppen (nie aber Individuen), war entschieden im Moment der Vereinigung der südlichen und der nordwestlichen Stoßgruppe der Roten Armee bei Kalatsch, d. h. der kartenmäßig feststellbaren Umzingelung. Es fehlte nur noch der Durchhaltebefehl Hitlers, der die Armee in diesem Kartenbild fixierte. Die tatsächlichen Geschehnisse, die den Zeitraum vom 19. November 1942 bis zum 2. Februar 1943 ausmachen, bestehen aus Einzelheiten: Wurst essen, mehrere Tage darben, Reste von Personalstärke und Munition verwalten, telefonieren, die eigenen Leute wiederfinden, verwundet daliegen, auf den zwei Feldflugplätzen des Kessels warten, Schnee schaufeln usw. Eine Mannigfaltigkeit aus Einzelheiten, nie aber ein menschliches Gegenüber von Gegnern, das man eine Schlacht nennt.

In diesem Sammelsurium von Wirklichkeit und Unwirklichkeit geschah es, daß ein Reserveoffizier, ein von seiner Frau, die er 1939 heiratete, geliebter Oberstudiendirektor aus einer niedersächsischen Kleinstadt, ein Major der Reserve mit einer oberflächlichen Verwundung der Armbeuge, sich am Flugplatz Gumrak einfand; ihn hatte die Durchbohrung der Haut, die den Arm von der Achsel bis zum Handgelenk aufschlitzte, ohne lebensgefährlich zu sein, erschreckt. Der Regimentsarzt hatte eine Paste auf die Wunde gestrichen. Verbandsmaterial besaß er nicht. Einen Paß, der den Ausflug aus dem Kessel ermöglicht hätte, verweigerte er.

Nun war der Major der Reserve bis zu den Junkers-Maschinen vorgedrungen, die ohne Regelmäßigkeit das letzte Flugfeld dieses Elends verließen. In seinem Rock war eine Bargeldsumme von 10000 Reichsmark eingenäht. Seine Frau nannte dies den »Rettungsanzug«. Diesen Rock trennte der Mann auf, nachdem seine Haut zerschlitzt war, nicht mehr realitätssicher, entnahm den Betrag. Er wollte das Geld einem vorüberlaufenden Piloten in die Hand drücken, wenn der ihn als Schwerverwundeten in die Maschine aufnähme. An den Rändern des Flugplatzes Explosionen von Artillerie, welche die Rote Armee zur Beunruhigung der Flugmanöver auslöste. So war der Flugzeugführer eilig, ja selbst in Panik. Vermutlich erkannte er den Wert des Bündels von Reichsmarkscheinen nicht sofort, hielt auch das Anliegen für entlegen. An diesem Ort war kein Tausch möglich von Geld gegen Rettung. Eine Anzeige des Bestechungs-versuchs wollte er aus den gleichen Gründen – unzureichende Kenntnis der Situation, angstvolle Eile – ebensowenig erstatten.

So war der Major für den Moment gerettet. Das Bündel Geld hielt er in der Hand. Ein Feldjägergendarm aber, der das Flugfeld durchschritt, hatte den Vorgang bemerkt. Er, für den jedes Ausfliegen aus dem Kessel ausgeschlossen war, noch als letzte mußten die Feldgendarmen am Platz bleiben, besaß die Zeit, das Unzulässige im Ansinnen des Majors zu erkennen. Der verzweifelte Mann wurde verhaftet und noch am Frühabend erschossen. Schnee rieselte, die Dämmerung brach in Abschnitten herein.

Das Ende des Ruhrkessels

Sie deckten den Ledermantel über die Leiche des Feldmarschalls. Das Wäld-chen, in dem er sich erschoß, umfaßte knapp 1 000 Bäume Mischwald. Um si-cherzugehen, hatte sich der Mann in den Gaumen geschossen. Sein Kopf war entstellt. Der US-Spähtrupp, der gegen Abend des 21. April 1945 den gegneri-schen Feldherrn fand, empfand den Anblick als häßlich. Der Mantel war tags-über durch unbekannte Einwirkung verrutscht und verbarg den Toten gerade dort nicht, wo er verletzt war. Der Trupp hatte einen Presseberichterstatter mit Kamera, der nach Chicago berichtete, bei sich. Der wollte das Bild, das er an-traf, nicht nachträglich fälschen, umgekehrt aber einen so häßlichen Anblick auch nicht als Bild weltweit verbreiten.

Man nannte Walter Model den »kleinen Marschall«. Er war kurzbeinig, ein Sitzriese. Er galt, der bevorzugten Moderichtung von 1934 nach, als »schöner Mann«. Kein Schweif von Frauen begleitete ihn. 1935 die Aufrüstung, später steile Karriere bis zum Generalfeldmarschall. Letzter Oberbefehlshaber der Heeresgruppe B und somit Verteidiger des Ruhrkessels.[1]

---

1 Der Ufa-Regisseur Dettenborn hätte ihn 1932, wäre Model dazu bereit gewesen, in einem seiner Filme besetzt. Worin besteht das Schönheitsideal 1934? In keiner Einzelheit. Freifrau von Schwerin meinte, der schmallippige Mund sei nicht »hinwegzudenken«. Dettenborn hielt die Augenpartie und die »geformte« Stirn für ausschlaggebend. Das Haupthaar konnte man für ein Toupet halten. Nein, antwortete Frau von Schwerin, das Wesentliche liegt in der Wange und dem klaren Obergesicht, das auf einem muskelbewehrten Kinn auf-liegt. Man sehe ihm an, dass er für Abenteuer nicht bereitstünde. In jedem Moment aber könne eine Pause in einem solchen Leben ausbrechen, und dann wäre dieser Mann zu allem möglichen zu gebrauchen. Auch wenn es nie vorkommt? Das ist ja das Schöne.

Die Mehrzahl der 15 Divisionen, im Ruhrkessel eingeschlossen, hatten Frankreich besetzt, in Rußland gekämpft, einige Einheiten auch »im Land, wo die Zitronen blüh'n«. Dies hier, im April 1945, war der erste Kessel auf Heimatboden. Kein Stalingrad weit draußen, sondern ein ähnliches Elend daheim. Zahlreiche Proviantämter, Verstecke von Wehrmachtsgut, sogar eine Fernleitung für Elektrizität von Dortmund her. Insofern luxuriös. Eine Woche lang hatten sie versucht, in Richtung Osten, zur Elbe hin, auszubrechen. Aber was sollte das nützen? Hier wie dort befanden sie sich im Status eines »bewaffneten Gefangenenlagers«.

– Der Marschall, der bis dahin als Energiebündel galt, bemerkenswert träge?
– Er schien entschlußlos. Kesselring besuchte ihn, brachte ihn einen Vormittag lang in Wallung. Spendierte Rotwein mit Ei, weil er an eine Durchblutungsschwäche Models glaubte.
– Das war aber nicht das Problem.
– Nein. Der Marschall war zum Ausgangspunkt zurückgekehrt. Aufgebrochen zur Welteroberung, jetzt in der Heimat, sah er sich in einem aussichtslosen Zwiespalt. Kapitulierte er, befürchtete er, an die Rote Armee ausgeliefert zu werden. Kapitulierte er nicht, lieferte er seine Soldaten den Bombardierungen aus, ohne doch mitteilen zu können, worin ein Sieg oder auch nur der Mythos einer »Landschlacht« hätte bestehen können. Die Gefechte verzettelten sich, für die Weltgeschichte unsichtbar, im Gelände.

Einer der Begleitoffiziere des Marschalls, noch vor Monaten begehrter Tanzpartner in Kasinos, erfahrener Stabsoffizier, der »in jeder extremen Lage eine Aushilfe fand«, hatte 1941 zu den Offizieren gehört, die dazu bestimmt waren, die Bermudas zu besetzen, den Angriff auf den US-Kontinent über Mexiko vorzubereiten. Wie einfach ist der Gebrauch der Karte eins zu dreihunderttausend, wenn es um Eroberungen im Weltmaßstab geht! Zuhause an den Rändern des Ruhrkessels standen ihnen jetzt Karten der Straßenmeistereien zur Verfügung.
Wie viele Umschließungen von Kesseln, in denen gegnerische Truppen bewegungslos verharrten, hatten sie mit Cognac begossen. Dann die eigenen Kessel von Tunis, Stalingrad, an der Beresina und in Ostpolen. Daß sie jetzt ziellos hin und her fahren sollten zwischen gleicherweise unhaltbaren Stellungen der Rest-Truppe, war in der Raschheit des Geschehens (nur 21 Tage standen zur Verfügung, sich darauf einzustellen) unbegreiflich. So waren sie, die Gehilfen, nicht zur Stelle, den »kleinen Marschall« am Selbstmord zu hindern. Das hätten sie vermocht. Sie hätten ihn überwältigen können, ihm die Waffe fortnehmen. Was lähmte die Treuen? Daß die Heimat keine festen Horizonte hatte.

Brachten sie ihren Feldherrn sicher nach Hause, was würde aus ihm werden? Aussichtslosigkeit ist keine Heimat.

Heimkehrer Kempf

I
Alles, was ich haben will, kann ich mir nehmen

Als Divisionsführer Ritterkreuzträger in Frankreich. Eine Festungsstadt kapituliert vor einer Motorradkompanie. In Nordafrika, zwei Tage nach Übernahme des Kommandos: Der Omnibus, in dem er seinen Befehlsstand errichtet hat, durch Sprengbomben getroffen, sein Trommelfell ist zerstört. Noch in der Nacht läßt er sich nach Rom ausfliegen. Wann hat er sein eigenes Können in diesem Krieg einsetzen dürfen? Nur einmal vor Athen. Er umgeht dort Straßenbarrikaden, indem er die Truppe auf Bahngleisen vormarschieren läßt. Sie erreichten die Hauptstadt des Griechenlandes am Hauptbahnhof, also zentral, wo niemand die Deutschen erwartete. Er ist für Überraschungen gut. Das meiste hat er verausgabt in den zwanziger und dreißiger Jahren auf Übungen.

Daß er sich, noch im Kommando, auf Grund des zerstörten Gehörs, zu einer sicheren Klinik nach Italien fliegen läßt, die anvertrauten Truppen seinem Stellvertreter überlassen hat, wird im OKH übelgenommen. Der General der Panzertruppen wird aus dem Blick der Führung weggerückt. Er wird versetzt zur deutschen Besatzungsarmee in Albanien und Nordgriechenland. In diesem Orient richtet er sich ein.

Die Sonne des Sieges eröffnet für die Führungskräfte des Landes ein neues Leben. Die Heimat ist längst verteidigt. Es entsteht die Frage: war sie verteidigenswert? Will einer das haben, was er zurückließ? Oder begehrt er, auch unter dem Einfluß der Jahrgangskameraden, der hochgemuten Stäbe, etwas Neues, nämlich sich einzurichten in der Eroberung? Man muß wissen, heißt es im Mythos, wann man die Schiffe verbrennt.

Der Gouverneur, muslimisch-albanischer Hochadel, große Besitzungen, nimmt den General der Panzertruppen in seinen engeren Kreis auf. Nicht anders geschah es den Generälen Alexanders des Großen in Persien. Diese Welt hat nicht die engen Grundrisse einer Garnisonsstadt von 1922 oder 1938. Dies hier ist der Absprung in ein Reich, das irgendwo zwischen Indien und Burma an die japanische Einflußzone grenzt und sonst keine Grenzen durch Berge, Meere, nicht einmal in Form von Wüsten kennt.

Im Unterschied zur Heimat, in der ich das, was ich besitzen will, bezahle, kann

ich hier das nehmen, was ich haben will. Oder es wird mir offeriert von denen, die meine Macht fürchten, meine Zuneigung brauchen.
Will General Kempf Fabrikbesitzer werden? Mehrere beschlagnahmte Fabriken stehen zur Verfügung. Will er in Landgüter einheiraten? Das ist nicht nur Ziel, sondern Faktum, wenn er die junge Frau an seiner Seite, die auch die Soldaten in seinen Räumen und in denen des Stabes einherstolzieren sehen, samt ihren Gütern als seine Frau betrachtet. Und betrachtet er diese Beziehung so, so ist das bereits wirksam wie eine Vermählung. Es ist Ausfluß der Macht, die aus den Gewehrläufen kommt.

2
Imaginäre Zeit

– Sie bezeichnen Generale dieses Kalibers als größenwahnsinnig?
– Nicht in militärischer Hinsicht.
– Ein General der Panzertruppen? Ausgebildet noch in der Reichswehr, dem Hunderttausendmann-Heer? Ein Reformer von 1936?
– Gustav Kempf, größenwahnsinnig, was das Privatleben betrifft. Er sieht keine Grenzen mehr. Will sich, noch immer Oberkommandierender eines Besatzungskorps, mit der minderjährigen Tochter des dortigen Gouverneurs vermählen. Stellen Sie sich vor, in Deutschland verheiratet.
– Nach muslimischem Ritus vermählt? Das gilt doch nicht.
– Ein Trick, der nicht zählt.
– So kommt er nach Dessau? Die Minderjährige neben ihm. Um ihn Adjutanten, militärische Begleiter. Was sagt die Ehefrau?
– Einige Tage tut sie so, als ob sie die Situation nicht verstünde. Danach Krach. Bis zum Ende des Urlaubs zieht er ins Bahnhofshotel.
– Und knapp ein Jahr später, 1945, ist der Größenwahnsinnige zurechtgestutzt?
– Von der Zeitgeschichte. Die Geliebte ist entrückt. Vielleicht überhaupt verloren. Hingerichtet ihr Vater. Unser Mann hat sich in einem Fieseler Storch auf eine Alm bei Salzburg gerettet. In der Uniform eines Feldwebels.
– So kommt er zurück nach Dessau?
– Es zieht ihn, den Entthronten, wie einen Heimkehrer nach Hause.
– Wie kann man aus einer FREMDEN ZEIT heimkehren? Es liegt eine Schranke zwischen beiden Welten.
– Wie man es umgangssprachlich sagt: »Die Brücken waren im Vorjahr abgebrochen.«
– Richtig. Er nähert sich vorsichtig dieser gefährlichen Zone, die man übli-

cherweise Heimatstadt, »das eigene Haus« nennt. Eine ränkesüchtige Frau?
Kinder, die den Vater in seinem Tarnkostüm, ohne Begleiter, ohne Amt, zer-
mürbt, gar nicht erkennen?
– Sie haben ihn auch nicht erkannt. Die Frau war nicht haßerfüllt.
– Er hatte sie gedemütigt.
– Sie hatte eine großzügige Seele. Sie war selbstbewußt genug, die Demüti-
gung nicht auf sich zu beziehen. Sie hatte sich anderweitig liiert.
– Die Heimkehr findet in sowjetischem Besatzungsgebiet statt?
– Wir haben jetzt Ende Juli 1945. Dessau ist in sowjetischer Hand. Antifa-
Funktionäre in der Stadtverwaltung. Eine gefährliche Situation für einen
General.
– Wie kommt er darauf, daß er so »heimkehren« könnte? Warum rettet er sich
nicht in den Westen? Er könnte als Zeuge in zahllosen Prozessen überwin-
tern, Memoiren schreiben.
– Er hat aber die fixe Vorstellung, daß er den Faden dort wieder aufnehmen
müßte, wo er ihn zerrissen hat. Man kann nicht an jedem Punkt mit seiner
Wirklichkeit in Berührung treten.
– Sie meinen, daß »List und Vorsicht« in der Lebenspraxis nicht gelten?
– Es gibt sozusagen eine idée fixe. Durch sie muß ein Mensch hindurch, gleich
welche Gefahr droht.
– Die Gefahr, denunziert zu werden, rausgeworfen zu werden aus der eheli-
chen Wohnung. Die Gefahr, dem Nebenbuhler zu begegnen. Anzeige bei der
Stadtverwaltung genügt, um den General zu vernichten?
– Ebenso gefährlich ist, daß Gustav Kempf nichts gelernt hat. Immer war er
Offizier. Was will er jetzt in Dessau tun?
– Es zieht ihn aber dorthin. Er klingelt an der Wohnungstür, als schrieben wir
1938. Das älteste Kind, das ihm öffnet, erkennt den Fremden nicht, ruft die
Mutter.
– Erkennt die ihn?
– Sie tut so, als erkenne sie ihn nicht, brauche Beweise.
– Will sie Zeit gewinnen?
– Offenbar.
– Eine Situation, für die sie keine Beispiele kennt.
– Und dann wird er in einer Dachkammer gebettet? Keiner verrät ihn?
– Er schläft sich aus. Totenähnlicher Schlaf. Als ob einer seine ganze Existenz
einmal abbüßt. Danach gründliche Wäsche.
– Und was für ein Neuanfang?
– Zu Fuß über die Zonengrenze, über zwei große Flüsse, doch in den Westen.
– Und niemand hat ihn verraten?
– Niemand. Die Familie holt er nach. Auch der Nebenbuhler, der Kümmerer

der Frau, folgt nach. Kameraden haben bei Köln ein Beziehungsnetz entwik-
kelt.
– Das ist für den Heimkehrer Kempf weder wie 1944 noch wie 1938, sondern
eher wie 1918, ist das so?
– Es ist eine völlig imaginäre Zeit. Man müßte einen Ausdruck dafür haben,
was der Gegenpol von »größenwahnsinnig« ist. »Kleinwahnsinnig«, »neu
eingerichtet«.
– Merkwürdiges Erlebnis für einen Befehlshaber. Heimkehrer wohin?
– Bestimmt nicht »zu sich selbst«.
– Die Beteiligten blieben aus Trägheit beieinander?
– Weil die Lebensmittelkarten so ausgestellt waren. Keiner hätte sich eine an-
dere Wohnung leisten können.
– Was ist daran »Heimkehr«?
– Vermutlich nichts.

Ein später Sieg der Motorisierung

1
Blindheit des Mutes

Wir, die Panzertruppen, waren gefahren und gefahren, nach Bordeaux, nach
Athen, nach Charkow, in den Kaukasus. Erst jetzt, gegen Ende des Kriegs,
lernten wir die Motorisierung wahrhaft kennen. Es ging um das Durchfahren
feindlicher Fronten nach rückwärts. Jeder Meter Fahrt brachte den verlorenen
Haufen näher zur Heimat.
Das spannte die Nerven, potenzierte die List, nämlich die Sehnsucht, heimzu-
kommen. So schaffte es noch im März 1945 eine Panzerkompanie, sich aus den
Tälern der Karpaten durch die sich mehrmals vor ihnen schließende Front der
Roten Armee über Ungarn bis nördlich von Wien durchzuschlagen, nur weil
der Kommandeur in Bad Töplitz seine Braut vermutete. Die Kompanie, die
ihm vertraute, tat alles für ihren Vorgesetzten.[2]
Ein solcher Konvoi fährt auf parallelen Nebenwegen. Die Hauptstraße, auf
welcher der Feind fährt, wird vermieden. Den Funkkontakten der fächerförmig voraneilenden Truppe kann der Gegner wenig entnehmen. Auch wenn er
die deutsche Sprache verstünde, bliebe es »funkisches Gestammel«. Die Kurz-

---

2 Die Braut hatte den Kompaniechef telefonisch benachrichtigt, sie werde von Dortmund
nach Töplitz-Schönau ausweichen.

signale bedeuteten aber: »Gefahr von rechts«, »kein Feind im Süden«, »noch immer da«, »gleiche Geschwindigkeit halten« usf.[3] Jeder der Träumer, der die gewalttätige See der Schlachtengelände zerteilte, hatte eine Ankunftsszene vor Augen, wie er überraschend in einer Ferienpension läutet (ein Kurort ist als Herberge der Evakuierten umfunktioniert worden). Oder er kommt im Panzer in einem Vorort an, wo die Wohnung liegt, die er 1936 bezogen hat, Frau und Kinder treten heraus.

So verhielten sie sich kundiger noch als Partisanen, trotz Mangel an Landeskenntnis, nämlich kundig aufgrund der Intensität des Gefühls. Sie setzten um, was sie als Pimpf gelernt hatten. Lauter Irrtümer, unpraktische Ratschläge, Annahmen der Jugendführung ersetzten sie in Tagesfrist durch Kampferfahrung. Die Pointe solcher Erfahrung liegt darin, daß es zu Kämpfen nicht kommt, denn die würde man verlieren. Es gehörte ein Unglaube an die Gefahr, eine Art »Blindheit des Mutes« dazu, sich so mit Motorkraft durch das fremde Gelände und den Feind zu bewegen. Kein Fachmann hätte einem solchen Konvoi eine Chance gegeben, der dann doch Ende März bei den eigenen Leuten eintraf. Jeder für sich hielt sein Unternehmen für einzigartig. Tatsächlich war es für mehrere Wochen für motorisierte Einheiten des Deutschen Reichs die Norm.

2
Die Division Clausewitz

Die Bewegung der im April 1945 neu aufgestellten DIVISION CLAUSEWITZ führte Generalleutnant Martin Unrein. Südlich von Uelzen setzte er die Truppe gegen die britischen Highlander ein. Ein klassischer Hinterhalt. Die Briten fuhren in diesen Hinterhalt.

DIVISION CLAUSEWITZ besaß zehn Jagdpanzer des Typs »Hetzer«. Die Besatzungen waren Schießlehrer. Sie schossen einen Betriebsstoff-LKW am Ende der britischen Kolonne in Brand, fast zeitgleich das Spitzenfahrzeug. Die Briten eingeklemmt. Sie verließen die Fahrzeuge, flohen zu einem der Reichsstraße benachbarten Waldrand. Dort warteten 24 Maschinengewehre, die Generalleutnant Unrein dorthin disponiert hatte.

Aussichtslose Lage für die vordringenden Armeen der Alliierten, einen dreiviertel Tag lang. Nachdem die DIVISION CLAUSEWITZ dieses Ergebnis für einen Spätnachmittag, die Abendstunden und einen Teil der Nachtzeit hergestellt hatte, zog sie sich zurück.

---

3 In Zeiten bloßer Aufrüstung oder im Frieden benötigt eine Truppe vier Jahre, um Erfindungen einzuführen, die sich auf solchem Rückzug in zwei Wochen häufen.

3
Die letzte geschlossene deutsche Panzertruppe
zwischen Weser und Elbe

Es handelte sich um den letzten und kampfstärksten geschlossenen Panzerverband, den es zu diesem Zeitpunkt, nämlich am 5. April 1945, in Deutschland noch gab. Hauptmann v. Schlippenbach fuhr nach Braunschweig und übernahm dort tatsächlich 32 fabrikneue JAGDPANTHER, 12 Büssing-LKW und 12 VW-Kübel. Den 6. April über wurden die Fahrzeuge aufmunitioniert, vollgetankt, die 8,8er Kanonen justiert. Es ging zu wie im Frühling 1940. Konsequenterweise hätte v. Schlippenbach, gemeinsam mit einer Einheit des Panzerlehrregiments 130, nach Osten, d. h. auf Berlin zu, durchfahren müssen. Schlippenbach bildete vier Kompanien mit je acht Panzern, denen die übrigen Fahrzeuge und einige Werkstatt-KfZ beigestellt wurden.

In der Abenddämmerung des 7. April 1945 fuhren sie los. Auf der Autobahn bei Braunschweig vereinigten sich die 32 JAGDPANTHER schulmäßig und fuhren nach Westen.

Zwischen Heide und Harz bestand eine Lücke in der deutschen Verteidigung, die erst am 11. April abends von den Alliierten entdeckt und durchfahren wurde. Zu diesem Zeitpunkt standen die 32 deutschen Panzer tatenlos in 40 km Luftlinie vom alliierten Vormarsch entfernt. Am Abend dieses 11. Aprils, einem Mittwoch, geriet die Panzerabteilung in schweren Einsatz. Explodierende Sprit-LKWs, brennende Heide. Keine Verbindung des Kommandos zu den Kompanien.

Hauptmann v. Schlippenbach ließ noch in der Nacht einen VW-Kübel mit Benzin und Verpflegung beladen. Er fuhr in Richtung Protektorat zu Frau und Kindern.

Sein Nachfolger in der Befehlskette trug den Namen v. Falkenhayn. Er berief eine Offizierskonferenz ein und teilte mit, er halte die Gesamtlage für hoffnungslos. Er schlug vor, die Panzer stehenzulassen und sich zu einem nahen Gutshof durchzuschlagen. Niemand war mit dem Vorhaben des Hauptmanns einverstanden. Daraufhin fuhr v. Falkenhayn mit seinem Geländewagen davon.

Zuletzt führte ein Leutnant. Sie kamen mit intakten Panzern durch mehrere Ortschaften. Alle südlich gelegenen Brücken über den Elbe-Weser-Kanal waren gesprengt. Einen Kilometer nördlich rollten auf der Autobahn US-Kolonnen. Vier Kilometer ostwärts floß die Oker. Über sie führte keine Brücke. Der Leutnant, der Müller hieß, sah die Ausweglosigkeit. Er ließ die JAGDPANTHER sprengen und befahl, sich einzeln durchzuschlagen. So war der stärkste deutsche Verband dieser Endzeit praktisch überhaupt nicht wirksam eingesetzt worden. Der letzte einer sechsköpfigen Truppe, Unteroffizier Goller, wollte nördlich an Braunschweig vorbei. Auf der Flucht in einen kleinen Wald gab es einen Verwundeten durch Bauchschuß. Unteroffizier Goller wurde die Achsel durchschossen. Aufgerissene Haut an den Armen und im Inneren der Achsel. Sie ergaben sich. Ein amerikanischer Sanitäter war da, der die Deutschen versorgte.

4
Das Ende von »Clausewitz« bei Fallersleben

Karl Decker, General der Panzertruppe, nahm sich am 21. April 1945 in einem norddeutschen Waldstück das Leben. Der Ort, an dem dies geschah, hieß: »Am Buchenberg«. Der 47jährige General stand gegen Mittag mit zwei Lastkraftwagen, einem Spähpanzer, wenigen Soldaten und 30 gefangenen Amerikanern in einer Waldschneise. Am Waldrand fielen vereinzelt Schüsse.

Deckers Schwager, Oberleutnant Brand, und sein Stabsoffizier (1A), der Scharnhorst hieß, räumten den Spähpanzer aus, verbrannten schriftliche Unterlagen in der Frühlingsluft. Sie glaubten, in der Ferne polnische Wortfetzen zu hören, vermutlich befreite Zwangsarbeiter.

Scharnhorst erklärte dem Diensthöchsten der Gefangenen, daß er sie freilassen würde, als »Gegenleistung« sollten sie das Versteck der Deutschen nicht verraten. Der US-Captain nickte. Zu diesem Zeitpunkt standen Decker und Brand neben dem verlassenen Spähpanzer. Am Morgen hatte die Einheit noch zehn Panzer gezählt.

Unvermittelt und ohne ein Wort ging General Decker auf den hohen Buchenbestand zu. Ein einzelner Schuß. Los, weg von hier, der General hat sich erschossen, rief Brand. Die beiden erreichten am Abend das Gut Hoya an der Weser, das Scharnhorst gehörte.

Decker: ein Gesicht ohne Phrase. Starke Blutgefäße am Hals, überhaupt gut durchblutet, sanguinisch. Er hatte die Pistole an die Schläfe gesetzt und exakt geschossen, obwohl es der Erfahrung entspricht, daß diese Methode des Kopfschusses riskant blieb, weil die Pistole bei einem weniger selbstbeherrschten Menschen im letzten Sekundenbruchteil nach oben gerissen werden kann, so daß die Selbsttötung mißlingt. Die Zahl aussichtsloser Situationen, in denen Decker stets zu einem Entschluß gekommen war, war seit Frühjahr 1943 unglaublich hoch. Warum, fragte sich Scharnhorst, hatte der General diesmal keinen Ausweg gesehen?

Verspätete Heimkehr italienischer Kriegsgefangener

Ausgesandt von König und Vaterland, als ginge es um die Besetzung afrikanischer Gelände, war die italienische Armee am fernen Don aufgerieben, in Kessel zerspalten, auf dem Rückzug überrannt, im Ergebnis vernichtet worden. In den Lagern Rußlands blieben 10000 Kriegsgefangene. Die verlangten nach der Heimat. Agitatoren der internationalen Organisationen der Weltrevolution versuchten ihr Bestes, sie politisch auf die Heimkehr einzustellen. Dazu mußten sie Lageraufenthalt, Mangel der Versorgung und Behandlung, beobachtbare Armut der Verhältnisse im VATERLAND DER WERKTÄTIGEN in positive Begriffe umformen. Das gelang so unzureichend, daß die Meinungsforschung, die der sowjetische Geheimdienst betrieb, von einer ERSCHRECKENDEN MEHRHEIT sprach, nämlich von Auffassungen, die sich nicht nur gegen die Sowjetunion, die Lagerhaltung, sondern gegen die Grundgedanken kommunistischer Emanzipation überhaupt wandten.

Wären die Gefangenen nur klug genug gewesen, ihre Gedanken und Meinungen nicht mitzuteilen! Italien war republikanisch geworden. Die quotale Verteilung in der Partisanenbewegung gegen die deutsche Besetzung hatte die Kommunistische Partei Italiens gestärkt. Warum sollte diese Partei, informiert über die verheerenden Umfrageergebnisse in den Gefangenenlagern durch den Verbindungsmann des sowjetischen Geheimdienstes in der Botschaft in Rom, die Heimkehr der 10000 Kriegsgefangenen aus Rußland fordern, ehe nicht die Parlamentswahlen von 1946 absolviert wären? So blieb den Heimkehrern für mehrere Monate der Rücktransport verwehrt, nur weil sie ihre Ansichten über die Armseligkeit des sowjetischen Paradieses offenbart hatten. Frühe Heimkehr setzt Lüge voraus, zumindest Verbergung.

– War die Analyse der Parteistrategen in der KPI und der sowjetischen Geheimdienste korrekt?
– Natürlich. Nur jeder 88. der Gefangenen sprach irgendwie auf die antifaschistischen Schulungsprogramme in den Lagern an.
– Kommunismus oder Marxismus wurde von den Gefangenen gleichgesetzt mit der Realität im fernen Rußland?
– In den Lagern und in den Wählerschichten Italiens. Die Sowjetmacht hätte durch rechtzeitige Rückführung der Gefangenen jeden kommunistischen Wahlerfolg zunichte gemacht. Warum sollte sie das tun?
– Aus Menschlichkeit?
– Wieso gewinnt einer aus Menschlichkeit Wahlen?

– Es ist doch Landesverrat, wenn Togliatti die Heimkehr der Gefangenen verzögert hat.
– Das wußte keiner.
– Dachten denn die italienischen Kommunisten an einen Wahlsieg?
– Erstmals seit 1919.

Acht Kugeln, Zeugnis einer ungerechten Erschießung

Kraftfahrer Sergeant Rowland Cole verschaffte sich acht Kugeln, die aus einer standrechtlichen Erschießung von Spionen stammten. Mit dem Klappmesser hatte er sie einzeln herausgebohrt.

– Was wollten Sie mit den Kugeln, sprechen Sie, Sergeant?
– Als Andenken. Sammeln.
– Später, zu Hause in Philadelphia, verkaufen?
– Vielleicht. Vielleicht aber auch behalten.
– Woher wußten Sie, daß es sich um Spione handelt?
– Sie waren erschossen worden. Ich erkundigte mich.
– Was ist an den acht Kugeln so interessant?
– Es sind keine Kugeln, sondern Projektile. Man sagt nur Kugeln.
– Was interessierte Sie an den Projektilen, die ja verbraucht waren?
– Daß sie aus den wirklich Erschossenen stammten.
– Interessierten Sie die Erschossenen?
– Nein, nur die Frage, daß sie vielleicht zu Unrecht erschossen wurden.
– Das hat aber doch mit den Projektilen, die Sie aus den Körpern herausklaubten, nichts zu tun.
– Ich glaube doch.
– Wieso?
– Waren die Spione unschuldig, waren dies Mordwerkzeuge. So etwas muß man aufheben.
– Und daß Ihre Tat einen Diebstahl darstellt, Plünderung an Toten auf dem Schlachtfeld, fiel Ihnen nicht ein?
– Ich habe an die Toten gedacht. Und daß ich etwas von ihnen mitnehmen möchte. Hätte ich die Schuhe genommen oder etwas aus ihren Taschen, wäre es Plünderung gewesen. Die Kugeln gehörten ihnen nicht.
– Sie gehörten dem Exekutionskommando?

– Das Exekutionskommando hatte sie weggeworfen.
– Sie gehörten damit in die Körper der Toten.
– Aber den Toten gehörten sie nicht. Sie wollten die Kugeln nicht haben.

Das US-Kriegsgericht kam lange Zeit zu keinem Urteil. Der Verteidiger Coles, ein Leutnant, der drei Semester in Stanford Jura studiert hatte, beharrte darauf, daß das Exekutionskommando das Eigentum an den Geschossen vorsätzlich aufgegeben, die Delinquenten aber diese Gabe nicht angenommen hätten, sei es, daß sie schon tot gewesen seien, ehe das Projektil den endgültigen Platz in ihrem Körper bezogen habe, sei es, daß generell nach der Lebenserfahrung davon ausgegangen werden könne, daß niemand aus freiem Willen sich erschießen läßt.

Es war bekannt, daß dieser Jurastudent durch seine Familie über Kontakte zum Pentagon und zum Senat verfügte. So wollte das Gericht dem Willkürurteil, das der Erschießung der angeblichen »Spione« vorausgegangen war, kein zweites drakonisches Urteil hinzufügen. Ja, er habe die Projektile, schob, nach dem, was er in der Hauptverhandlung gehört hätte, der Beutemacher Cole nach, nur deshalb an sich genommen, um seinen Protest gegen solche ungerechten Erschießungen zu verankern. Er habe sie sozusagen als Beweismittel an sich genommen. Die Division Coles war inzwischen weiter ins Innere Deutschlands vormarschiert, in Richtung Magdeburg. Es bestand Eile; so wurde der Täter freigesprochen und, mit Proviant versehen, in einen Jeep gesetzt, der ihn zu einem Erholungsort in der Bretagne bringen sollte.[4]

---

4 Den Militär-Richtern war die Vorgehensweise Coles, der mit dem Klappmesser in den Leichen gegraben hatte, unbehaglich. Von der Seite militärischer Disziplin her, die immer auch Wert auf ein äußeres Aussehen legt, schien eine Bestrafung geboten. Andererseits: Was war dies? Plünderung war es nicht. Diebstahl auch nicht.

Sie lebten in Kellern

Er hatte das Gesamtareal des Burgtheaters zu seiner Verfügung. So erhob er sich schon um 5 Uhr früh. Die rekrutierten Gefolgsleute, Choristen, Schauspielhelfer, Eleven, hatte er auf das Dach disponiert. Später wechselten sie in den Keller.

– Was soll es bedeuten, Herr Schleef, daß Sie einen jungen nackten Schauspieler durch diese Kellergänge rennen lassen, hinter ihm her eine Hundemeute?
– Das muß sich herausstellen.
– Es ist aber zu sehen, daß die Hunde den Mann nicht *verfolgen*. Sie folgen ihm, weil es ihnen Spaß macht. Vielleicht aus Neugierde. Die Situation enthält keine Hetze.
– Woher wissen Sie, daß ich Hetze ausdrücken will?
– Für eine Inszenierung von *Penthesilea* taugt dieser Vorgang nicht.
– Ist auch nicht beabsichtigt.
– Was beabsichtigen Sie dann?
– Auf keinen Fall, *Penthesilea* zu inszenieren. Ich arbeite an *Orpheus und Eurydike* von Gluck.
– Was bedeutet in diesem Zusammenhang das »Rennen« durch die Kellergänge?
– Es zeigt eine Situation von April 1945.
– Hier in den Kellern kann sich aber kein Zuschauer aufstellen. Die Szene kann niemand ansehen. »Theater« heißt griechisch Beobachtungsraum. Hier unten, im Keller, ist keine Beobachtung möglich.

Schleef, entspannt und geduldig. Ein ganzer Tag liegt vor ihm. Der Redakteur des *Standard* war ihm bekannt. Schleef wußte, daß der Frager ihn zu Äußerungen veranlassen, nicht sein Tun kritisieren wollte.
Schleef hatte den Kameramann in einer Nische des Kellers aufgestellt. An ihm mußte die Jagd der Hunde und des Nackten im Rundlauf durch die Kellergänge, die der Rundumbauweise des Bühnenhauses folgten, vorbeiführen. Elevinnen, die Scheinwerfer vor sich trugen, während sie rannten, die Batteriegürtel um ihre Taillen geschnallt, verfolgten die Dahinjagenden. Die Lampen verursachten geisterhafte Schatten an den weißgetünchten Wänden des Altbaus.

– Was soll hier an das Frühjahr 1945 anspielen?
– Wir lebten in Kellern.

– Oder im Freien. Oder an der Front. Oder auf Straßen, auf denen Fuhrwerke
  und Menschen fliehen.
– Das ist die Flucht. Was stellen wir hier wohl anderes dar?
– Und was hat das mit Orpheus und Eurydike zu tun?
– Das hat mit Unterwelt zu tun.
– Und was hat Unterwelt mit dem Frühling 1945 zu tun?
– Warum fragen Sie so etwas? Denken Sie an die Untertunnelung des Harzes,
  das Lager Dora. Stellen Sie sich vor, eine junge Frau aus katholischem Adel
  will ihren Mann dort herausholen. Ich habe deshalb die Passage aus *Fidelio*
  eingefügt.
– Von Gluck zu Beethoven?
– Wieso nicht? Ein und dieselbe Handschrift.
– Im Endkampf von 1945?
– Nicht die einzige Musik.

Ein Heimkehrer auf Umwegen

Der Studienrat Alfred E. Glöckner hatte als Reserveoffizier 1939 Polen besetzt,
in Frankreich im Juni 1940 getafelt, war (gierig nach veränderten Umständen,
rerum novarum cupidus) in Griechenland eingefallen, nicht nur der glanzvoll-
sten Sprache des Altertums, des Griechischen, mächtig, sondern inzwischen
auch als LKW-Fahrer tüchtig. Motorfahrzeuge konnte er reparieren. So kam
er zu Schiff bis Kreta.
Der Rückweg war schwierig. Erst als das Laub im Herbst 1945 fiel, gelangte er
zu der Vorkriegswohnung im Spiegelsbergenweg zurück. Keines seiner fünf
Kinder erkannte den ausgemergelten Mann in seinem Landser-Kostüm. Erst
seine Frau half ihm, sich zu identifizieren.
Die Frau hatte inzwischen sechs Jahre lang mit Autorität den Familienverband
angeführt. In einer Munitionsfabrik hatte sie gearbeitet; die Kontroll- und Ver-
sorgungsaufgaben zu Hause waren auf die älteren Kinder delegiert. Naturalientausch herrschte. Man konnte städtische Wertobjekte auf dem Lande gegen Lebensmittel tauschen. Der Studienrat und Heimkehrer konnte sich nur
schwer hineinfinden in das neue Raster. Er war überflüssig.

– Stirbt man daran?
– Nein. Aber man fühlt sich vereinzelt.
– Ist das gefährlich?
– Nicht für den Heimkehrer, aber für andere.

Im Schuldienst war er nicht erforderlich. Sie zahlten ihm nichts. Im Familienumkreis hatte er sich sein Studierzimmer zurückgewonnen. Hier saß er, ab Abenddämmerung lampengestützt, aber es war nicht Arbeit, die er verrichtete, Vorbereitung auf Unterrichtsstunden, sondern Grübeln. Hier gewann der Teufel an Macht.

Vor dem Schwurgericht wurde nicht klar, ob es eine konkrete Verhandlung mit dem Versucher gegeben hatte. Tatsache blieb, daß der Studienrat, der ja nicht nur das Fahren von Lastwagen, sondern auch den Gebrauch von Waffen im Krieg perfektioniert hatte, Angehörige der Roten Armee tötete, die in Häusern, von der Militärverwaltung beschlagnahmt, zu Anfang des Spiegelbergenwegs wohnten. Die Leichen wurden in Gärten und in Kellern gefunden. Setzte er den Krieg, um sich nicht überflüssig zu fühlen, als Einzelkämpfer fort? Sein Geist war in diesen Tagen wirr. Auch später konnte er seine Entschlüsse und Taten im einzelnen nicht dokumentieren.

Aus dem Gefängnis floh er, bevor es zur Urteilsverkündung kam. Im Westen eröffnete sich ihm ein neues Leben als Gelehrter. Funktionär wurde er im Altphilologen-Verband von Hessen. Niemand befragte ihn nach Untaten. Sein Spezialgebiet war Herodot. Mit der Familie, die in Selbstverwaltung verharrte, tauschte er nicht einmal Weihnachtskarten, um nicht die Spur von Verfolgung auf sich zu lenken. Wäre von Osten ein Auslieferungswunsch nach Westen gelangt, hätte er behauptet, dies geschähe aus politischen Gründen. Schuldig fühlte er sich überdies nicht, weil es kein Gesetz gibt, welches das formelle Ende des Kriegs für den Einzelkämpfer zeitlich beziffert. Es konnte gut sein, daß er, weil die Heimkehr ja mißlang, das Ende des Krieges für sich auf Frühjahr 1946 datierte. Wer wollte ihm das widerlegen?

Feindselige Geister gab es auf sämtlichen Seiten übergenug. Während der hessischen Schulreform nach 1969 errang er, kurz vor der Pensionierung, noch unter Ministerialdirektor Prof. Dr. Dr. Heckel, entscheidende Siege über die Dilettanten, die an die Stelle fundierter, über zweitausend Jahre befestigter Texte des Griechischen Soziologie- und Gegenwartskunde setzen wollten. Was soll man denn aus der Gegenwart oder den gesellschaftlichen Verhältnissen lernen können? Sie gewähren keine Heimstatt. Vielmehr ist die WIRKLICHKEIT ALS GANZE wie ein irrendes Schiff. Wird sie auf Untiefen zerschellen? Wird sie Zonen der weiten See erreichen und vorläufig, blind wie sie ist, die Zeiten durchpflügen? Manchmal dachte er an die fünf Kinder, von denen er Bilder bei sich trug. Die Leistung seiner getreuen Frau (er selbst sah sich nicht in der Lage, die Treue zu erwidern, was schmerzte, das war Teil des Teufelspaktes) achtete er. Ihr nützte das nichts, das sah er wohl. Sehend, d. h. als Navigator tauglich für das BLINDE SCHIFF WIRKLICHKEIT, war nur der blinde Seher Homer. Gewissermaßen kam

Studienrat Glöckner nur heim zu den Buchstaben, den Versen des göttlichen Dichters.

Dr. Mabuse, der mißglückte Heimkehrer

Was ist entterritorialisierter Geist?

Einar Schleef besaß die gleiche Nase wie mein Vater. Es ist ausgeschlossen, daß wir im physischen Sinne verwandt wären. Aber unsere Väter hatten einander gekannt, sie hatten bei militärischen Übungen die Quartiere geteilt. Was heißt überhaupt Verwandtschaft? Es ist eine Kategorie der Zugehörigkeit, dem Ortssinn verwandt.

Zwölf Wochen lang, in das Viereck seines Zimmers in der Kastanienallee eingesperrt, unmittelbar nach seiner Krise zum Jahresende 1995, plante Schleef eine groß angelegte Adaption des Romans *Dr. Mabuse, der Spieler*, den Norbert Jacques 1921 in der *Berliner Illustrirten* veröffentlicht hatte. Den Roman hat ja niemand verstanden, rief Schleef aus.

Ich hatte ihn in die Kantine der Volksbühne am Rosa-Luxemburg-Platz gelockt. Das Konvolut von Skizzen (die 21 Kapitel des Romans mit handschriftlichen Anmerkungen, Szenenentwürfen, breite Exkurse mit Chören zu *Robinson Crusoe und sein Sklave Freitag*, Exzerpte zu Döblins *November 1918*) wollte Schleef dem Berliner Ensemble anbieten, das er doch enttäuscht hatte.[5] Jutta Hoffmann als Gräfin Dusy Told, Staatsanwalt von Wenk, gespielt in einer Hosenrolle von Sophie Rois, Christoph Schlingensief als Handlanger Spoerri und er selbst als Dr. Mabuse (mit Augenbinde). Mit dem Film von Fritz Lang hatte der Roman überhaupt wenig zu tun, konsequenterweise also auch nicht Schleefs Stück.

Dr. Mabuse komme, berichtete Schleef, von weit her. Er sei der Antipol des Heimkehrers. Es sei soviel Sehnsucht in ihm, daß er bei Rückkehr in die Heimat hinausschießt ins Nichts. Er habe Plantagen besessen auf Inseln des Pazifik. Erfolgreicher Kolonisator. Dann hatten die Japaner 1914 dem Deutschen Reich den Krieg erklärt, ihm den Kolonialbesitz, genannt Bismarck-Archipel, mit den schönsten und fruchtbarsten Inseln jenes AUGES DER WELT, das wir den Pazifischen Ozean nennen, gewaltsam weggenommen. So sei Dr. Mabuse (ungeklärt, woher er seinen Doktortitel habe, den man ja nicht als Plan-

---

5 Aufgrund von Depression hatte er die Premiere seines Stücks drei Tage vor Heiligabend abgesagt. Er hatte sich in eine Krankenanstalt bringen lassen.

tagenbesitzer erwerbe, möglich also, daß er sich in Anspielung an Dr. Freud nur so nannte), zurückgekehrt ins Abendland; ein Hochstapler, gemessen an der behaupteten Beziehung zum Gesamtplaneten und zur Erde, die verlorenging; im Winter 1919 nach Berlin gekommen und gleich weitergereist zur Grenze zwischen dem Deutschen Reich und der Schweiz, dem Bodensee. Dort, wo der Verrat an den Bauern begann (nach der SCHLACHT VON WEINGARTEN, Chöre und Skizzen *dazu* im Konvolut Schleefs, 40 Minuten Bühnenzeit), kauft er in Bad Schachen mit den Resten seines Vermögens eine Villa, entwickelt eine Geheimorganisation und konzentriert sich auf Verbrechen und Schmuggel.

Was schmuggelt er? Was ist sein Verbrechen?

Die Produkte, die er illegal über Wasser in die Schweiz schafft, sind Äther und seltene Erze, die für die internationale Rüstungsproduktion zwingend notwendig sind. Was ist daran strafbar? Äther, eine altmodische Droge, heute nur für Klebstoffschnüffler brauchbar, Betäubung als Ware, alchemistisch wertvolle Metallspuren, die illegale Waffenproduktion ermöglichen, das ist verbrecherisch. Vor allem aber Mabuses Fähigkeit, in den Willen der Menschen einzudringen, sozusagen die Rohstoffmassen des Unbewußten, die unbeherrschten Seelenkräfte zum Rohstoff zu nehmen, um ein antigesellschaftliches Reich zu errichten, das sei, sagt Schleef, faszinierend, und deshalb löse es den Verfolgungswillen der Behörden aus, des Staatsanwalts von Wenk. Der Roman sei ja gegen die Staatsanwaltschaft gerichtet. Mabuse lasse durch den verbrecherischen Kriminaldirektor Vörös aus Budapest, einen Hochstapler des Gesetzes, selber Verbrecher, den Staatsanwalt von Wenk, den Gegenspieler Dr. Mabuses, in einer Nacht- und Nebelfahrt zu einer wüsten Gesellschaft entführen (die Entfernung, die in der Nachtfahrt zurückgelegt wird, erscheint von Wenk als das Zwölffache der Strecke von Berlin-Mitte nach Nikolassee, es ist die Fahrt »in den Abgrund der Hölle«). Dort unterliegt der Freikorpsmensch und kaiserliche Jurist von Wenk der Suggestion, d. h. der unmäßigen Willenskraft, die sich Mabuse zu verschaffen weiß, und läuft wie ein Narr durch die Reihen der Festgäste.

Deuten Sie, Herr Schleef, Dr. Mabuse als Kapitalisten des Unbewußten? Als einen Bankherren? Was weiß ich, als was ich ihn deute, antwortete Schleef.

Warum scheitert der Mann? Wenn doch der Akkumulation fremden Willens durch Dr. Mabuse kaum Grenzen gesetzt sind? Die Gräfin Dusy widersteht ihm nicht. Den Staatsanwalt von Wenk überwältigt er. Die Spieler im Glücksspiel (daher Mabuses Beiname) vermag er so zu beeinflussen, daß sie den Vorteil der Karten nicht gegen ihn nutzen. Er obsiegt mit der Willenskraft. Das ist doch offenkundig, behauptet Schleef. Was ist offenkundig? Daß derjenige die Macht besitzt, der über diesen ungeheuren Rohstoff verfügt! Warum schmuggelt er dann Äther und Erz? Diese Passagen, antwortet Schleef, hat der Autor des Romans nicht verstanden. Das ist Tarnung. Das eigentliche Geschäft (oder besser Schicksal, Genie) des Dr. Mabuse hat mit Grenzschmuggel oder Glück im Spiel nichts zu tun. Er besitzt, weil bodenlos, die Frechheit oder Kraft, sich den frei flottierenden Willen ausgewählter Gegner anzueignen: den seiner Zwangsgeliebten, der Gräfin Dusy Told, den seiner sklavisch gehorchenden Werkzeuge (wie Spoerri) und den seiner Gegner in den Behörden, die er täuscht oder unterwirft. Er könnte also, wenn er sich nicht auf ausgesuchte Subjekte konzentrieren würde, sondern auf massenhafte Unterwerfung der subjektiven Landschaften, sich zum Weltherrscher machen.

Warum haben Sie hier, Herr Schleef, auf Konvolut Seiten 162 bis 194 Geisterchöre notiert? Musik von Bach und Luther mit PANTOMIMEN ZUM RATTENFÄNGER VON HAMELN? Weil es eine Sehnsucht nach einem solchen GEISTERFÜHRER gibt. Die Choristen, die auf der Bühne sieben Minuten lang im Kreise traben, tragen Wehrmachtsmäntel und Masken, die sie als Ratten kennzeichnen. Eine Engelsgestalt, dargestellt von der Gräfin Dusy (Jutta Hoffmann), vom Scheinwerfer verfolgt, der den Militärglanz ihres Kostüms zum Funkeln bringt, führt sie an. Kann das nicht politisch mißverstanden werden? Als diffamierten Sie die Wehrmacht als Ungeziefer? Nach welcher Betrachtungsweise sind Ratten Ungeziefer? fragte Schleef zurück.

Es ging eine Zeitlang in diesem Gespräch um die Frage, was man als Rohstoffe in der Welt bezeichnen kann, die der ENTEIGNUNG zugänglich sind. Schleef hatte die Absicht, 20 Minuten lang den Satz von Karl Marx:

> *»Die Landschaft der Industrie /*
> *Ist das aufgeschlagene Buch der menschlichen Psychologie!«*

szenisch sowie durch Chöre darzustellen. Die zerstörte Landschaft der Industrie von 1945? Die Fabriken von Stinnes 1923? Beides. Und wie stellt man dies als das aufgeschlagene Buch der menschlichen Psychologie dar? Das ist längst dargestellt, erwiderte Schleef, durch die Musik. Es wird durch Gesang dargestellt. Dazu wollte Schleef das Theater längere Zeit völlig verdunkeln. Den Zuschauern sollte gestattet sein, Streichhölzer und Taschenlampen zu entzünden. Bühne und Zuschauerraum dagegen waren vom elektrischem Licht, dem LICHTZAHN DER ZEIT, abzuschneiden.

Dr. Mabuse ist keine Erfindung, davon ging Schleef aus, er ist dasjenige, was über die Freikorps hinausgeht. Er ist Antiterritorialist. Verliert ein Mensch seine ZWEITE HEIMAT, also das, was Mabuses Willenskraft den Tropen abzwang, nimmt er das Territorium, in dem er geboren wurde, nur als Durch-

gangsstation. Er begibt sich auf die Suche nach seiner DRITTEN HEIMAT.
In der Durchgangsstation duldet er nicht Staat, Gewissen oder irgendeine andere Gewalt, die sein ICH zähmen wollen.

Warum, Herr Schleef, die lange Szene mit zahlreichen Gesängen, die Dekoration offenbar spärlich beleuchtet, eine Zeitlang überhaupt nur Meeresrau-
schen mit Scheinwerfern auf Brandungsköpfen, die in den Bühnenhintergrund
projiziert sind? Das könnte als Zwangspause empfunden werden. Dies war die
Szene: Robinson Crusoes erste Nacht mit dem Sklaven Freitag. Vermutlich
war, nach Schleefs Skizzen, die Szene in Dunkelheit gehüllt, um das pornographische Element zu verdecken, die Vergewaltigung des Sklaven durch den Weißen. Ja, antwortete Schleef, wie soll ich sonst darstellen, daß Robinson durch
seine Willenskraft den Insulaner unterwirft? Läßt er ihn ein Stück ausgespuck-
ten Tabak vom Boden aufheben, so geht es um etwas Unwesentliches, damit
kann man Herrschaft nicht demonstrieren. Er muß schon die Lust zum Zentrum
machen, wenn er die unbeherrschten Willenskräfte des Primitiven sich zuordnen will. In diesem Sinne wären die deutschen Menschen von 1918 oder die von
1933 sämtlich primitiv? Was sonst, gemessen an Auschwitz, entgegnete Schleef,
der bei der Arbeit nie trank. Ihn brachte die Rede selbst, die Begeisterung an seinem Konvolut, der Egozentrismus seiner Natur, zur Trunkenheit.

Was hinderte Dr. Mabuse am endgültigen Sieg? Wenn doch die bewußten
Kräfte der Souveränität, Militär, Polizeimacht, Justiz, ihm nichts anzuhaben
vermochten?

Ihn, den Entterritorialisierten, erläutert Schleef, schädigen zwei Schwächen.
Daß er ein Mensch bleibt und daß sich seine Einbildungskraft von sich aus
konzentriert. So liebt er die Gräfin Dusy, die er sich unterworfen hat wie eine
Sklavin, die ihm aber doch im entscheidenden Moment mit einem Schraubenschlüssel den Schädel zertrümmern wird. Und so fasziniert ihn, weil der Einsame einen Gesellschafter braucht, ein Gegner, den er sich als gleichwertig
fingiert, auch wenn er sich dessen Willen zu unterwerfen vermag: der Staatsanwalt von Wenk. Spoerri sagt ihm: Dr. Mabuse, ich weiß ein Fahrzeug, und weg
über die Pässe und das Engadin nach Italien! Von dort aus erreichen Sie Ihr
Fürstentum in Brasilien, ihre dritte Heimat, in Begleitung der Gräfin. Mabuse
aber erwidert: Nicht ehe ich von Wenk gedemütigt und getötet habe, den Gegner, den ich brauche (auch landlos brauche ich einen Feind als Nahrungsmittel
meiner Willenskraft).

Dr. Mabuse, bereits auf dem Rettungspfad, der ihn in sein geheimes Fürstentum in den Dschungel Brasiliens führen soll, kehrt zurück nach Berlin, zur
Vollendung seiner Rache.[6]

---

6 Ähnlich rettet sich Rigoletto mit Gilda nicht über die Grenze, sondern sucht den Herzog,

Es ist dem KÜNSTLER DES TERRORS ein leichtes, diesen Staatsbeamten in eine Falle zu führen. An ein einmotoriges Flugzeug seitlich gefesselt, die Glieder wie Christus ausgestreckt, wird der Behördenvertreter von dem Untäter Dr. Mabuse in einer Höhe von 4000 Metern auf der Strecke Berlin–Stuttgart mitgeführt. In jenem Augenblick, in dem Dr. Mabuse die Fesselung des Staatsanwalts an das Aeroplan mit einem Jagdmesser zu lösen sucht, so daß dieser über 4000 Meter hinabstürzen wird, beginnt das rechtskundige Opfer zu sprechen, so als stünde es in einem Gerichtssaal (tatsächlich vom Fahrtwind gezerrt und gefesselt an die mechanischen Streben des dafür gar nicht konstruierten Flugzeugs). Wenk formuliert den zentralen Schuldvorwurf gegenüber dem terroristischen Gegenspieler: Mabuse hat den Grafen Told, Gefährten der neben ihm sitzenden und über das Unterbewußtsein zur Sklavin gemachten Gräfin Dusy Told, ermordet, und er will den einzigen Vertreter des Gesetzes, der von seinen Verfolgern noch übrig ist, ihn, von Wenk, zur Erde stürzen. Daraufhin greift die aus dem Taumel ihrer Verliebtheit, der gewaltsamen Besetzung ihres Unterbewußten, hervortretende Gräfin das erste Rachewerkzeug, das sie zu greifen vermag, einen Schraubenschlüssel. Im Cockpit des einmotorigen Aeroplans. Sie zertrümmert den Schädel des Verbrechers.

Einen Moment lang fällt das Gewicht Dr. Mabuses auf den nur noch an der Brust mit Seilen an das Aeroplan gefesselten Staatsanwalt. Mit der Kraft, die nur aus Erlebnissen des Weltkriegs gehortet worden sein kann, nämlich mit UNBEDINGTEM WILLEN, DAS EIGENE LEBEN ZU ERHALTEN, stemmt sich der Behördenvertreter in die Führerkanzel. Keineswegs weiß er, wie man den Motor eines Sportflugzeugs bedient. Alle Geräte schaltet er aus. So landet das Gefährt kraftlos auf dem Strand einer ostfriesischen Insel.

– Wie wollen Sie die Szene im Flugzeug realistisch ins Theater übertragen?
– Nicht realistisch. Ein schwankendes Aeroplan mit quasi gekreuzigtem, angefesseltem Behördenvertreter, das ist machbar. Man muß das Gefährt mit Seilen aus der Soffitte führen.
– Und Motorengeräusch über Playback einspielen? Samt gefährlichen Unterbrechungen des ruhigen Takts?
– Ich habe mir das vorgestellt als von Musik unterstützt.
– Von Wagner?
– Nein, das Pilotenlied von 1932.
– Gesungen?

der den Willen seiner Tochter zerstörte und in seinen Willen eingriff, zu töten. Das bringt Gilda um.

– Nein, mit Trompete, Ziehharmonika und Klavier. Bis der Chor im Hintergrund, der bis zur Souffleursloge in kurzen Schüben vordringt, die Melodie
aufnimmt. Summend.
– Kein Text, Herr Schleef?
– Text ist kontraproduktiv.

Ein Vaterland außerhalb des Realen

Ich war zuständig für »praktische Vorschläge«. Mein Regisseur las sie nie. Es
beruhigte ihn, daß es welche gab, und so duldete er mich in seiner näheren
Umgebung, trat energisch für mich ein, als ich entlassen werden sollte. Er
brauche mich, sagte er.
Unser Regisseur war Verschwender. Beschäftigt mit dem Gesichtsausdruck einer Einzeldarstellerin, des Bergmädchens, ließ er über eintausend Statisten vier
Stunden warten. Danach war dies bezahlte Volk albern und zu keinen geord-
neten Darbietungen mehr zu gebrauchen. Die Dreharbeiten wurden auf den
nächsten Tag verschoben.
Worauf zielten meine Vorschläge? Zunächst auf Änderung der Handlung. IN-
TOLERANZ beschreibt Geschehnisse in Babylon, die zum Tod des Königs
und seiner Getreuen führen; auch das Bergmädchen stirbt, das aufbrach, seinen König zu schützen. Danach eine Episode während der Bartholomäus-
Nacht in Paris; in der Mordnacht erweist es sich als unmöglich, die Geliebte zu
retten. In der abschließenden Geschichte wird ein zu Unrecht zum Galgen Ver-
urteilter von seiner Ehefrau gerettet.
Es ist evident, daß der Markt eine solche Handlungsfolge mit dem frühen Tod
des Films bestraft. Ich schreibe auf: Die Geschichte mit glücklichem Ausgang
müsse in der Vergangenheit liegen. In Babylon und in Paris muß das Bergmädchen überleben. Tatsächlich hatten jene Menschen der Vorzeit ja genügend
Nachkommen. Es ist unrealistisch, tragische Ereignisse dort zu häufen. Umgekehrt wissen die Kinozuschauer, daß ein glücklicher Ausgang für den zum
Tode Verurteilten in den drei Schlußsequenzen des Films gegen alle Wahrscheinlichkeit verstößt.
Griffith hatte die Zeit nicht (auch keine Lust), meine Ausarbeitung zu lesen.
Kommt das Bergmädchen in den ersten fünfzig Minuten des Films um, flü-
sterte ich ihm zu, wird der Zuschauer von Trauer übermannt, und der Film en-
det. Er endet, wenn ich es will, antwortete mir der Regisseur.
Die kolossalen Ausgaben für diesen Film (noch sind im jungen Medium die
Grenzen der Verbreitung nicht bekannt) entsprechen der Erwartung eines un-

beschränkten Gewinns. Das drückt jede Überlegung, jede Abweichung vom anfänglichen (zufälligen) Grundriß des Projektes aus dem Weg.
Das Schicksal des Films in den Vorführstätten war demgemäß verheerend. Die Produktionsgesellschaft erklärte ihren Bankrott. So versperrte dieser große Film den Weg für alle folgenden. Nie mehr wurde einem einzelnen Regisseur für eine nicht-triviale Geschichte,»den Kampf der Liebe durch die Jahrtausende«, eine solche Summe an Produktionsmitteln anvertraut.
Man hätte zwanzig Regisseure einstellen müssen. Sie durchsieben die Massen der Statisten nach Begabungen. Auf jede Begabung gründet sich ein weiterer Film. Es entsteht ein Geleitzug von zwanzig bis dreißig Filmen. Die Statisterie strömt von einem von Scheinwerfern beleuchteten Schauplatz zum anderen. Gewänder lassen sich wenden und statten die gleichen Darsteller für verschiedene Situationen im Laufe der Jahrhunderte aus. Diese PRODUKTION IN PERMANENZ zieht ihre Spur durchs 20. Jahrhundert und antwortet (1) auf den Wechsel der Zeiten; (2) die Fortschritte der Filmkunst; (3) die Wünsche des Marktes.
In diesen Wünschen, das schrieb ich in vielen Memoranden auf die Rückseiten der Tagesdisposition, zeigen sich dauerhafte Gesetze des Films. Ich möchte (als Zuschauer, nicht bloß als Assistent eines großen Regisseurs), daß in früheren Zeiten, aus denen ich stamme, Hoffnung versteckt ist. In der Gegenwart habe ich kein Eigentum, aber die Vergangenheiten gehören mir, wie schon meinen Eltern und Vorfahren. Die Gegenwart, d.h. das Ende des Films, will ich betrauern dürfen. Schon weil der Film endet. Von der Realität bin ich bereit, mich zu trennen. Die Beschönigung der Zukunft macht mir Angst.
Diese wenigen Regeln hätten zur Entfaltung der Filmkunst genügt. Sie gewährleisten für drei bis sechs Stunden (das wird die künftige Länge einer Kinovorstellung sein) ein VATERLAND AUSSERHALB DES REALEN.

Die vertauschten Kinder

Major Arnold Patterson war für die fünf US-Armeen, die in das Herz Deutschlands vorstießen, zentral zuständig, was das Einsammeln von Kindern betraf, deren Elternteile verschollen waren. Eine stattliche Sammlung kam zustande. Er vereinigte die Kinder (aus Lagern, aus Waisenhäusern, wenn feststand, daß es sich um die Kinder Verfolgter handelte) in Baracken in der Nähe eines Militärflughafens bei Reims. Das Retten der Kinder war von einem Presse-Echo in den USA begleitet.
In den ersten Maitagen wurden die Kinder nach London ausgeflogen, in einem

Grand-Hotel von britischen Kinderschwestern in Empfang genommen. Die Krabben wurden in einer üppig eingerichteten Suite ausgekleidet, die Sachen im Vorzimmer deponiert, die Kinder ordentlich im Bad konzentriert, Heißwasser eingelassen. Man muß sie säubern, das war die Auffassung der tüchtigen Schwestern.

Für jedes der Kinder war eine Verwandtschaft, eine Freundesfamilie erkundet, ja, in einigen Fällen waren verschollene Eltern wiederentdeckt worden. Das Londoner Hotel war Zwischenaufenthalt.

Die Kinder vergnügten sich im Wasser, hatten in dieser geselligen Gruppierung das Elend vergangener Tage vergessen. Welch Schrecken für die Aufsichtspersonen, daß die KLEINEN, getrennt von den Kleidern und ihren Ausweispapieren im Vorzimmer, später nicht mehr zuzuordnen waren. Befragung nutzte nichts. Kein Kind kannte seine Verwandtschaft. Keines wußte die Namen der Eltern zu nennen.

– Das Aufsichtspersonal griff zu einer Täuschung, um den Fehler zu verdecken?
– Ja, in Panik. Die Aufmerksamkeit der Presse machte die Situation brisant.
– Sie ordneten den Adressaten, denen die Kinder zuzuführen waren, willkürlich die Kinder zu?
– Irgendwie. Nach Südamerika die schwarzhaarigen, nach Boston oder Nordengland die blonden. Die Adressen waren in der Welt verteilt.
– So daß keiner der Empfänger, auch nicht die Eltern, die aus der Verschollenheit wieder aufgetaucht waren, sicher sein konnte, daß es sich bei der Sendung, die sie empfingen, um ihr eigenes Kind handelte?
– Das konnte niemand wissen.
– Die meisten Kinder waren direkt nach der Geburt von den Eltern getrennt worden?
– Ja. Es ging darum, die Kinder zu retten. Gutwillige Deutsche hatten die verfolgten Eltern und die Kinder auseinandergerissen.
– Und das Gefühl sagt Eltern nicht, welches ihr Kind ist?
– In einem Fall behauptete eine Frau, das ihr zugesandte Kind sei nicht das ihre. Sie suchte, fand ein anderes in der Gesamtlieferung. Es zeigte sich aber später, daß sie irrte. In diesem Fall half die Blutgruppe.

Heimkehr war es für die Kinder trotzdem. Keines von ihnen hatte später Zweifel, korrekt beheimatet worden zu sein. Das entsprach der Auffassung der Chefin des Aufsichtspersonals, die erst nach dem Desaster zum Grand-Hotel in London gelangt war. Sie hatte im Ministerium Bericht erstattet. Nachträglich war sie froh über ihre Entscheidung.

Abb.: Die vertauschten Kinder

Tödliche Heimkehr

Die Sehnsucht trieb ihn zum verzauberten Ort im Südwesten Frankreichs, einer Burg, die seiner Frau gehörte. Das Gefilde erreichte er, wenn er auf den Landstraßen Frankreichs dahinfuhr, im Bauch zwei Flaschen Rotwein. So wurde er ruhig. Er fuhr einen Deux Chevaux.
Sie fanden ihn tot im Bett. Er rührte sich nicht, als sie ihn anstießen. Sie wollten ihn abholen zur Feier seines 50. Geburtstags. In einer schattigen Ecke des Burghofs war aufgedeckt. Sie hielten seinen »Tiefschlaf« zunächst für einen Scherz. Eine Andeutung, wie anstrengend die Reise, wie spät am Vorabend er eingetroffen war.

– Hat ihn die Sturmfahrt umgebracht?
– Was hat ihn die ganze Zeit über geleitet?
– Hat ihn etwas getrieben, verführt, oder setzte etwas in seinem Kopf aus?

Die Feier seines Geburtstags verwandelte sich in die Trauerfeier seiner Witwe. Wie sollte irgendeiner der Gäste sie trösten können? Die Kuchen, die Fleischspieße waren dieselben, die zum Geburtstagsessen herbeigeschafft worden waren.
Die im Stich gelassene Frau, die physisch noch viele Jahre ein Leben zu überdauern hatte, eingesperrt in einen vitalen, zähen Körper, schien wütend auf den Toten. Sie zeterte in den Nachmittagsstunden, ging den Freunden gräßlich auf die Nerven.

Der Othello von Lüneburg

In Garnisonen der Lüneburger Heide wurden die Special Forces der Bundeswehr ausgebildet, die später in Kabul Beliebtheit errangen, sich auszeichneten, auch wenn sie nach US-Standard ungenügend bewaffnet waren. Vom Hauptmann wurde Gunter Bärlepsch in Kabul zum Major befördert. Er galt als besonders ausgeglichen, motivierend für Untergebene und Vorgesetzte. Er besaß Sprachkenntnisse. Ein Jahr vor seiner Abkommandierung hatte er in der Garnisonsstadt eine junge Witwe liebengelernt, geheiratet. Die zwei Kinder aus der Vorehe hatte er als die seinen übernommen, hütete ihr Schicksal mit Sorgfalt.
Ein in der Männergruppe der Lüneburger Garnison rangtieferer Kamerad, ein

typisches Betatierchen, wie der Regimentsarzt sagte, gewann die Aufmerksamkeit der jungen Frau, verführte sie. Urlaube von Kabul her waren aus Kostengründen selten. Nachdem im Herbst 2002 Bärlepsch auf kurze Zeit in die Garnisonstadt zurückgekehrt war und die Entfremdung der geliebten Frau sogleich bemerkt hatte, löste sich aus seiner Dienstwaffe ein Schuß, der den Nebenbuhler traf. Die junge Frau, einzige Zeugin, behauptete, »der Unfall habe sich beim Waffenreinigen ergeben«.

Inzwischen lebte das Lüneburger Paar erneut in traditionellem Frieden zusammen. Major Bärlepsch hatte in einem Disziplinarverfahren ausgesagt, vom Dienst in Kabul war er zurückbeordert in die Garnison.

Der untersuchungsführende Kriminalbeamte, der den Tod des Nebenbuhlers zu klären hatte, befand sich in einem Zwiespalt. Er glaubte die Aussage der jungen Frau, sah aber wegen der Unwahrscheinlichkeit des Tatberichts die Schwierigkeit, dem Vorgesetzten und der Staatsanwaltschaft das Resultat zu vermitteln. Motiv, Leiche, Tatwerkzeug, Täter, alles, was zu Klärung eines Mordfalls (und sei es Tötung aus Affekt) erforderlich ist, lag aktenkundig vor. Dennoch hegte er Zweifel am Eifersuchtsdrama. Er hielt diese Annahme für »romantisch«. Die entgegengesetzte Annahme, daß beide Nebenbuhler (beide hatten nämlich ihre Dienstwaffen aus dem Futteral entfernt und offen vor sich liegen) keine Schießversuche aufeinander unternommen, sondern inmitten einer emotionalen Krise lediglich gesellig die Waffen gereinigt hatten, besaß einen hohen Grad von Unwahrscheinlichkeit.

– Nach der Lebenserfahrung, lieber Kommissar, kommt das doch nicht vor, daß zwei Nebenbuhler sich zusammensetzen, die Waffen reinigen, sich ein Schuß löst und die Waffe desjenigen, der einen Grund zur Aggression hat, denjenigen trifft, der die Ehre des anderen verletzt hat. Kein Dichter könnte eine Novelle dieses Inhalts glaubwürdig schreiben.
– Das Objekt der Begierde, von beiden Seiten umworben, saß daneben. Dies kann die Wahrscheinlichkeiten des Lebens durcheinandergebracht, z. B. Frieden gestiftet haben. So wie man seine Pfeife putzt, putzten sie die Pistolen.
– Eher unwahrscheinlich.
– Was reiten Sie, Herr Staatsanwalt, auf dem Begriff der Wahrscheinlichkeit herum? Von Lüneburg bis Kabul ist es weit. Das verändert auch Wahrscheinlichkeiten.
– Ich verstehe, daß Sie den Heimkehrer, das neue Glück, schützen wollen. Die Staatsanwaltschaft hat aber eine Rechtspflicht, anzuklagen, wenn Umstände dafür sprechen.

Die Umstände sprechen aber nicht unbedingt dafür. Lediglich die Vorurteile, gewonnen aus zurückliegenden Dramen und Tragödien.

Es schien doch möglich, daß in der Bundeswehr (oder auch in Europa) der Geist der Versöhnung eingekehrt war, so daß vor dem Hintergrund gräßlichen Geschehens, das auch in Afghanistan inzwischen vorübergegangen sei, etwas so Unwahrscheinliches wie das Nebeneinander zweier Nebenbuhler in Gegenwart des Lustobjekts vorstellbar wäre. So, wie man sich konkret, nach Maßgabe der Spurensicherung, den Vorgang bildlich vorstelle, sei die Darlegung der jungen Frau nicht widerlegbar. Lieber Kommissar, antwortet der Staatsanwalt, die Frau kann, in Erkenntnis ihres Irrtums, auch im Schuldgefühl über ihren Fehltritt, aus dem Wunsch nach Ruhe und emotionaler Würde, gelogen haben. Würde und Lüge widersprechen einander, antwortet der Kommissar. Die beiden, Kriminal- und Strafverfolger, mochten einander. In den engen Verhältnissen der Garnisonsstadt waren Kompromisse nötig, der unilaterale Habitus, wie ihn Großmächte einnehmen mögen in bezug auf Schuld und Sühne, war hier fremd. So einigten sie sich, es darauf ankommen zu lassen. Sollte eine höhere Instanz das Ermittlungsergebnis beanstanden, so würde man die weiteren Schritte beurteilen. Zunächst soll man Heimkehrern die heile Rückkehr nach Ithaka, auch gegen alle Wahrscheinlichkeit, ermöglichen.

Gefahren der Heimkehr

Nichts an der Tarnung des Odysseus war spitzfindig, als er nach Ithaka heimkehrte. Die Freier hätten ihn umgebracht. Noch nach ihrer Tötung, die vollständig sein mußte, da noch der Geringste unter ihnen den Heimkehrer angesprungen hätte, mußte der siegreiche Odysseus zum Landgut seines Vaters fliehen, Uneinigkeit und Auftreten der Familien der Getöteten abwarten und abwehren, auch das gelang nur mit Hilfe der Athene.

Tage zuvor sah man den Machtwechsel bevorstehen, die Zuspitzung der gewaltsamen Absichten, wenn man bemerkte, wie die Sklavinnen nachts zu den Freiern schlichen. Wer ahnte den Machtwechsel so rasch wie sie? Das erbitterte den Heimkehrer besonders.

Machtübernahme war geplant, und derjenige der Freier, der Penelope gewänne, hätte rasch mit ihr das Land verlassen müssen, sonst wäre er von den übrigen umgebracht worden.

Das alles wußte Odysseus, von Athene beraten, in seinen Lumpen auf dem Steinboden der Halle gelagert, ein Bett hätte ihm nach Jahren des Herumirrens die Knochen irritiert. Er sprach zu seinem Herzen, zähmte das Überschäumende, wie so oft zuvor. Vor Augen stand ihm das Schicksal Agamemnons.

Kapitulation ausgeschlossen

»Abschied, eine Wissenschaft«

1

Er war bitter alt. Zweifach war seine Welt untergegangen: durch die japanische Niederlage 1945, durch einen Firmenzusammenbruch 1956. Seine dritte Welt, den letzten Rang, gedachte er blindlings zu verteidigen. Von innen fraß das eigene Fleisch. Speiseröhrenkrebs, inoperabel. Das festzustellen kostet keine Mühe. Mühevoll war die Prozedur, ihn heimlich zur ambulanten Behandlung in die Klinik zu verbringen, ohne daß im Unternehmen Verdacht entstand. Niemand war berechtigt, ihm, dem Vizepräsidenten, Fragen zu stellen.

2

Nach außen führte er die Internationale Abteilung eines Weltkonzerns. Die Auslandsbeteiligungen sind sämtlich defizitär. Er versteht die Vorgänge nicht. Junge, ehrgeizige Untergebene behaupten zu verstehen, was in der NEUEN ÖKONOMIE vonstatten gehe. In förmlicher Sitzung dürften sie ihre Auffassung nur verbreiten, sofern er sie ausdrücklich befragte. Solche Sitzungen vermeidet er.

Was tut er Praktisches im Amt? Er hält aus. Er hält den »Fortschritt« auf, aber auch die Anklagen. Tatsächlich verhindert er den entscheidenden Angriff auf seine Autorität, der sofort stattfände, gäbe er auch nur ein Quentchen seiner Macht auf.

Seit Wochen sitzt er, verbarrikadiert. Schon um 5 Uhr früh in seinem Arbeitszimmer. Die Sonne erhebt sich im Osten der Insel, schlafen kann er nicht. Nahrung erhält er durch Transfusionen. Er wird täglich von Vertrauten, noch zur Nachtzeit, in den 56. Stock des Hochhauses im Zentrum Tokios verfrachtet und in seinem Amtszimmer auf einem Spezialstuhl installiert. Hier, in Reichweite von Telefonen, der klassischen Schreibgeräte, einer Abholmöglichkeit für Urin und Fäkalien, hält er den Platz bis 24 Uhr nachts, d.h. er ist der erste und der letzte im Gebäude.

3

Die Jalousien sind heruntergelassen. Vorzimmer beschützen den Greis. Einer
seiner Sekretäre ist in Wahrheit Facharzt. Es gibt keinen Weg, den Zeitablauf
aufzuhalten, der zu seinem Tod und zu seinem Ende als Vizepräsident führt. Er
wird nichts tun, so wie er als General der Pioniere des japanischen Kaisers
1945 nichts tat, um das Ende aktiv herbeizuführen.
Als Pionier-General eroberte er Inseln für den Kaiser. Das entglitt ihm. Als sie,
die Kameraden, Industrien gründeten, riß ihn ein Helfer, Chef des Werkschutzes, Major im pazifischen Inselkampf, in die Tiefe. Noch im Endkampf
Japans hatte Mazumoto die Feldgendarmerie Tokios kommandiert, jetzt versagte er gräßlich, hatte sich bestechen lassen. Patente wurden damals noch in
Akten verwahrt. Sämtlich waren sie kopiert, von Konkurrenten gestohlen,
nachgeahmt. Das war der zweite Untergang.
Erneuter Aufstieg im Konzern zur Position Nr. 3, die er innehat. Ihm entgleitet
die Realität: ihm, und mehreren Kollegen, die im Range unter ihm stehen, seiner Gefolgschaft. Sie würden stürzen, wenn er stürzte. Auswege zu studieren,
war er zu alt. Was sich als NEUE WIRKLICHKEIT ausgab, galt es als unwirklich zu betrachten.

4

Seine Innenhaut, d. h. das Stück zwischen Magen und Kehle, das er nie von
sich gesehen, das er aber doch durch alle Schlachten des Zweiten Weltkriegs,
die Entbehrungen von 1947, durch Konferenzen und Augenblicke der Entscheidung heil hindurchgebracht hat, ist ihm fortgenommen. Ein Stück Ma-
genwand wurde angenäht an die Schleimhäute des Rachens. Er kann nicht
schlucken, nur begrenzt sprechen. Das, was er an Sprechen neu gelernt hat,
reicht, um wichtige Telefonpartner am Sprechen zu halten.
Da die Sprachkurse, die ihm ermöglichen, kurze Fragen oder Repliken im
Schnarrton zu beantworten, nur nachts stattfinden konnten, er sich länger als
einen Tag von seinem Amtssitz nicht entfernen durfte, war die Gelegenheit gering, den Gebrauch des neuen Körpers und der Stimme nach der Operation zu
erlernen. Das lohnt auch kaum angesichts der Fortschritte, die das Übel in die
neue Haut einschreibt.
Im 6. Stock befindet sich ein Erpresser. Er behauptet, etwas über die Zerstörung im Körper des Mächtigen zu wissen. Seine Informationen (oder »Vermutungen«) sind falsch. Er spricht von einem Hirntumor des Vizepräsidenten und

sendet hierüber Kassiber. Der 6. Stock steht unter der Herrschaft von Sensu
Idikai, jahrzehntelang Gegner des Vizepräsidenten. Die überlegene Macht des
Mächtigen reicht nicht in diese Niederung. In der Personalabteilung würde sie
abgefangen, zu Rückfragen führen, wenn er versuchen würde, dem Erpresser
oder seinem Vorgesetzten einen Schaden zuzufügen. So operiert er mit Beför-
derung. Die gesamte Seilschaft des Erpressers wandert in die Internationale
Abteilung ein. Auf diese Weise wird jene Seilschaft gelähmt.

5

Jeder Portier könnte ihn anstoßen, und er würde umfallen. Körperlich nicht
verteidigungsbereit. Jeden in seiner Abteilung könnte er für die Gesamtzeit der
Karriere vernichten, ja, aufgrund der Macht, ihn vor allen anderen durch De-
gradierung zu beschämen, könnte er ihn töten.
Dagegen beherrscht er die Rückenmuskulatur nicht mehr. Er sitzt gekrümmt,
nach vorn abgestützt mit der Brust am Tisch. Das Brustbein, sagen die Ärzte,
hat eine mürbe Konsistenz, kann täglich zerbrechen.
Wie hält der Mächtige seinen Lusthaushalt in Gang? Jeder Mensch braucht
ein Quantum Lust, um den Weg zum Tode irgendwie zurückzulegen. Dem
Mächtigen gelingt Lustgewinn durch Erinnerung an vermiedene Beschämung.
Die Empfindung läßt sich bewirtschaften, wenn man Zeit hat. Man braucht
dazu Einsamkeit und Abwesenheit von Störung.

Ein Robinson der Südsee

Auf Befehl seines Kaisers verharrte ein japanischer Soldat auf einer Insel,
weitab von Rabaul, fünfzehn Jahre lang. Nachrichtenlos. Er hatte sich darauf
eingerichtet, eine landende Truppe der US-Marines, wenn sie nicht zahlenstär-
ker als dreißig Mann wäre, mit seinen Waffen, die er wöchentlich ölte, abzu-
wehren. Mit Wurzeln und Früchten hatte er sich versorgt.
Eine Echse hatte er gefangen. Statt eines Sklaven, den es hier nicht gab. Sie
hatte er mit Baumstämmen umgattert, und er »unterhielt« sich täglich, wie mit
einem Menschen, mit dem Tier, das nach ihm biß, niemals zutraulich
wurde.
Jahrelang an den Horizonten kein Schiff. Einmal ließ er sich auf einem Floß einige Meilen in den grauen Ozean hinaustreiben, auf der Suche nach einer
Nachbarinsel, in der Hoffnung auf irgendeine Begegnung. Das Funkgerät, das
er besaß, war in seiner Aktivität seit langer Zeit erloschen.

Im 15. Jahr wurde der bärtige, hagere Mann von einem Küstenschoner aus
Java aufgelesen. Über das japanische Konsulat wurde der Mann der Heimat
zurückerstattet. Niemand hier, der auf ihn gewartet hätte. Noch besaß er ein
Stück der kaiserlichen Disziplin, um in einem Männerwohnheim durchzuhal-
ten. Er fühlte sich »in der Heimat« eher fremder als auf seiner Insel, auf der er
die Illusion gehabt hatte, sein Aufenthalt, seine Wache nütze seinem Land. Er
wollte für andere etwas Nützliches bewirken, sich einen Platz in der Welt verschaffen, auf dem ein Menschen stehen kann. Sein Fleck, den er im Wohnheim
bewohnte, war einen Meter und zehn Zentimeter groß, für sich und seine Sachen. Das Vaterland hätte ihm, angesichts des Aufsehens, das seine Heimkehr
in der Presse erregte, gerne gedankt. Aber worin könnte ein solcher Dank bestehen?

Die Heimreise der Übermütigen

Für Abkömmlinge von fernen Sternen erscheint der Pazifische Ozean als
»Auge des Planeten«. Die Wasserwüste ist in ihren Besonderheiten auch von
den Wetterforschern noch nicht vollständig erforscht.[7] Im August erfassen
Taifune die Fläche.
An der Flottenversammlung aus Anlaß der Kapitulation Japans hatten ausge-
wählte Schiffe aller US-Navy-Verbände teilgenommen. Die Masse lag verstreut, so wie die Schlußphase der Kampfhandlungen es gefordert hatte. Noch
einmal sollte die gewaltige Armada zusammengefaßt und in drei Säulen nach
Osten, den Pazifik überquerend, heimgeführt werden. So die *idée fixe* des Admirals Halsey, der das Oberkommando führte und dessen Stäbe diese Idee aus-
geheckt und gepflegt hatten.
Eine solche zur Kolonne geballte, aber dennoch über die See verteilte Flotte
war unter den Verhältnissen des Jahres 1945 mit dem Auge nicht zu verfolgen.
Es zog ein Strom von Funkkontakten übers Meer, eine kommunikative Hoch-
stimmung.
Die Auffassung unter den Navy-Metereologen (teils mitfahrend, teils von festen Stützpunkten ihre Botschaften sendend) war geteilt. Die einen zählten
zu den Warnern, die anderen wünschten glückliche Reise, weil immer nur
Ränder der großen Taifune eine so weit ausgedehnte Flotte berühren könn-

---

7 So gibt es »Kuhlen«, d. h. Vertiefungen in der Wasserfläche von bis zu sechs Metern, verur-
    sacht durch die Ballung schwerer Elemente im Erdinnern. Oft finden sich diese Verstöße
    gegen die runde Gestalt des Planeten über Tausende von Kilometern verteilt.

ten. Es müßte ein höllischer Zufall sein, so der Chefmeteorologe auf Hawai, wenn sich die Taifune zu einer gemeinsamen Aktion gegen die Heimkehrer rüsten sollten. Das Wetter, sagte er, hat keinen Verstand, auch keinen Willen.[8]

Noch immer gab es im Flottenstab der US-Navy Rechnungsprüfer des Kongresses, die mitten im Krieg Auftrag hatten, die Gesichtspunkte von Wirtschaftlichkeit und Sparsamkeit zur Geltung zu bringen. Mr. Allen Murphy, einer dieser Kontroller, hielt die Konzentration der Gesamtflotte, die einem Idol paradierender Schönheit folgte, für eine unnötige Gefährdung. Warum dem Schicksal (den Unbestimmtheiten eines weiten Ozeans) drei große Kolonnen darbieten, wenn doch jedes Schiff auch einzeln zum Heimathafen fahren könnte. Für Kriegsflotten, meinte er, gibt es keinen Versicherungsschutz. Das Risiko sollte sich verteilen. Der Mann wurde nicht gehört.

Das gleiche galt für die Wetterforscher, die zur kritischen Schule der University of California in San Diego gehörten. Sie votierten gegen die Atlantiker, die von den Universitäten der Ostküste stammten und dazu neigten, die gefährlichen Besonderheiten des Pazifiks zu unterschätzen. Kurz darauf verdichteten sich die Daten, die auf unmittelbare Gefahr hinwiesen. Der kommandierende Admiral Halsey lehnte jede Änderung des geplanten Rückwegs ab. Seine aus so heterogenen Schiffen (Flugzeugträgern, Handelsschiffen, Lazarettschiffen, Schlachtschiffen, U-Booten, Minensuchern, Truppentransportern u. a.) von höchst unterschiedlichen Fahrgeschwindigkeiten, zusammengesetzten Verbände konnten nicht von Stunde zu Stunde umdirigiert werden.

So kam es, daß drei extreme Tiefdruckzonen, wirbelnde Taifune, über die heimkehrende Flotte herfielen, die Gewalt der Elemente war trotz vierjähriger Kriegsführung unbekannt geblieben.[9] Drei Tage und Nächte schlugen die Geister des großen Ozeans auf den Hochmut der Schiffsführungen ein. Die US-

---

8 Auf geisterhafte Einwirkungen, in den Elementen und im Wetter verborgen, hatte die japanische Führung bis zuletzt gehofft. Ähnlich wie die mongolische Invasion Hunderte von Jahren zuvor abgewehrt worden war durch die in den Stürmen verborgenen Götter, welche die Flotte des Khans zerstreut hatten. Das fand, z. B. vor Okinawa nicht rechtzeitig statt. Taifune und Landung der US-Truppen lagen um etwa acht Wochen auseinander. Die nur symbolische Benennung eigener, selbstzerstörerischer Angriffs-Eliten mit den Namen der erwarteten Wettergötter nutzte nichts.

9 Taifune hatten Einzelschiffe und Kleinverbände getroffen; die Berichte darüber waren dezentral in Akten abgelegt. Die Chefs selbst, stets auf Großschiffen, hatten keine der Katastrophen miterlebt. Ein einzelnes Schiff hätte übrigens auch im August 1945 den Rat seiner Wetterforscher beachtet. Lediglich in der übermütigen Stimmung so zahlreicher, miteinander durch Grußbotschaften verknüpfter Schiffsführungen, entfiel die Chance der Warnung.

Navy erlitt, so der Schiffszähler Murphy, in diesen sechs mal zwölf Stunden höhere Sachschäden als während aller Seeschlachten gegen Japan. Die Sache wurde vertuscht.

Heimkehr in die Fremde

Der Prinz, der in die Fremde verbracht worden war, den die Beauftragten aber nicht getötet hatten, wuchs auf, hatte mit zwölf Jahren genügend Bewußtsein, um die Reden seiner Erzieher zu verstehen. Sie waren ihm zwar alle fremd, sprachen den griechischen Dialekt des Verbannungsorts, hatten aber vom Orakel gehört. Das Orakel, daß er den Vater töten werde, war das eine. Das andere war, daß er die Triebkräfte in sich fühlte, die für die verhängnisvolle Geschichte seines Stammes bestimmend waren. Er, wie schon die Ahnen, waren jäh in ihrem Zorn, traurig nach begangener Tat. Die Tat immer schneller als der Vorsatz. Sie waren ungeplante Böse.
Die Fortsetzung wollte er vermeiden. Nicht erst seine Kindeskinder oder Kinder sollten den Schicksalszwang zum Halten bringen. So kehrte er, sobald er den Dreiweg sah, an dem Ödipus den Vater Laios getötet hatte, um. Er war nicht feige. Lediglich gehorchte er dem Dämon in seinem Herzen (später nannte man so etwas den Teufel), der ihm riet, es gar nicht auf eine Begegnung in der Realität, mit dem im Orakel vorausgesagten Tatbestand ankommen zu lassen. Was sollte es nützen, daß er den Plan hatte, sich zu beherrschen? Sie konnten ihn reizen, bis er die Beherrschung verlor. Es genügte, daß er in Notwehr den Vater erschlüge.
So kehrte er der Trägerkolonne, die sich dem DREIWEG näherte, den Rükken, wie ein Verdächtiger, der die Begegnung scheut, grüßte das Gras der Böschungen auf dem Wege in die Fremde, wo er seinem Schicksal entfernter war als in der Heimat. War das List? Es gibt keine List gegenüber dem Orakel, gegenüber dem Schicksal. Es war Selbstkenntnis.

9/6

Land der Verheißung / Festung Europa

Wir leben in einem posteuropäischen Zeitalter. Die Bausteine der liegengebliebenen Paläste Roms könnten als Baumaterial gestohlen werden. Deshalb müssen wir die Grenzen sichern, auch gegen das, was uns rettet.

Wie fängt man an der EU-Grenze
das Böse ab?

- Wie wollen Sie das wahrhaft Böse hindern, die Grenzen zu unserem Europa zu überschreiten, Herr Kriminalrat?
- Das könnten wir nicht.
- Und warum nicht?
- Weil wir es nicht erkennen würden. Was kennzeichnet denn äußerlich das wahrhaft Böse?
- Zum Beispiel einhundertfünfzig Selbstmordattentäter, die mit Pocken infiziert auf verschiedenen Wegen aus dem Morgenland einreisen, zumeist mit Luftlinien. Sie dringen in die Großstadt ein, sie könnten die Bevölkerung Europas ausrotten.
- Vielleicht würden wir einzelne davon erkennen. Wenn sich die Zeichen der Infektion zu früh zeigen. Schon im Flugzeug Schwitzen, Husten, Ausschläge. Andere Täter liegen zweifellos in ihren Hotels. Das Personal sieht nach ihnen, ruft Ärzte herbei. Haben wir einen oder zwei der Täter, beginnt eine umfassende Suche.
- Und käme der Böse selbst?
- Wer sollte das sein?
- Wie es in den alten Texten heißt, wird Luzifer in einem gewissen zeitlichen Abstand vor dem Jüngsten Tag auf Erden eintreffen. Warum also nicht in Europa?
- Wir hatten einmal einen Fall, daß sich ein Einreisender, der uns verdächtig schien, beim Verhör als Dr. Emil Teufel vorstellte. Er hielt sich für den Teufel.
- Konnte es aber nicht nachweisen?
- Überhaupt nicht. Wir setzten ihn in das nächste Flugzeug nach Dakar.

Revolutionärer Grenzverkehr

1
Die unterschätzte Revolutionärin

In dem Ort Rußlands, von dem die verzweigten Wege des illegalen Grenzübertritts ausgingen, hatten einige der deutschen Agenten die Revolutionärin Rosa Luxemburg als Übertrittswillige erkannt. Sie hielten sie aber für unbeachtlich, weil sie eine Frau war und weil sie die revolutionäre Potenz ihrer Schriften, die sie gesammelt und überflogen hatten, nicht für relevant hielten. So überließen sie die Kontrolle den Zolldienststellen, welche die Wälder überwachten.

Der Zug der Einwanderer bewegte sich über die Waldpfade ins Deutsche Reich. Bald war Rosa Luxemburg Mitglied der Sozialdemokratischen Partei und hätte nur mit unverhältnismäßigem Aufwand deportiert werden können.

2
Ein Hohenzollernsproß an Spaniens Küste

In einem Schlauchboot an der Küste westlich von Alicante wurde ein Leichnam gefunden, ums Leben gekommen bei dem Versuch, die europäische Küste zu erreichen. Die Untersuchungen ergaben, einschließlich gentechnischer Ergebnisse, daß es sich um einen direkten Nachkommen der Hohenzollern handelte. Sammelkläger-Anwälte in New York, die über Internet solche Fälle ergründen, haben Klage erhoben. Sie haben den Pflichtteil berechnet, der diesem Erben zustünde, wäre das Hohenzollern-Vermögen ordnungsgemäß abgewickelt worden. Sie sind bereit (nach Abzug ihres Drittels), die Restsumme einer gemeinnützigen Stiftung zuzuführen, die der Wiederherstellung von Monarchien in der Welt dient.

Der Sohn Kaiser Wilhelms I., späterer Hundert-Tage-Kaiser Friedrich III., der Kronprinz Friedrich, war Delegierter des Deutschen Reiches bei der Eröffnung des Suez-Kanals. Seine Yacht fuhr zunächst vor Port Said, später im Suez-Kanal mehrere Wochen auf und ab. Eine spezielle Organisation des gastgebenden Khediven von Ägypten sorgte für Unterhaltung der 56 souveränen Potentaten Europas und Asiens, die dieser Inauguration beiwohnten. So erhielt der Kronprinz von Preußen durch Vermittlung eines islamischen Händlers eine spanische Tänzerin zur Konkubine, die ihm einen Tripper verschaffte. Eine zweite Geliebte, eräugt durch das Bullauge der Staatsyacht, wie sie auf einem Boot herangeschafft wurde, mit Bescheinigungen, daß es sich um eine Nachfahrin der Prinzessin Aida handele[1], eine äthiopische Schönheit, gebar dem Kronprinzen einen von ihm, auf Rat des Kronrats nicht anerkannten Erben. Der Junge wurde von Addis Abeba nach Westafrika gebracht. Ein Urenkel war der Tote, der bei Einreise in die Europäische Gemeinschaft vor Alicante scheiterte.

War die spanische Souveränität berechtigt, das Blut eines Hohenzollernprinzen abzuweisen? Kann man der auf Küstenschiffen tätigen Grenzbehörde einen königsmörderischen Vorsatz nachweisen, wenn sie die Schlauchboote illegaler Einwanderer in den Atlantik abdrängte und damit das Einwanderungsvorhaben vereitelte?

Der Vater des Erzeugers, der spätere Wilhelm I., war der Unterdrücker des Aufstands von 1848. Sein Sohn, der spätere Hundert-Tage-Kaiser Friedrich III., war die Hoffnung der Liberalen in Deutschland. Hätte der Urenkel, der aus Afrika anzulanden versuchte, ein Revolutionär sein können? Aus dem Blut Friedrichs des Großen? Ein Kind der Liebe, empfangen in der Stimmung jener Tropennacht, in welcher der Fürstensohn in seiner Yacht, dampfgetrieben, im Suez-Kanal auf und ab fuhr.

Land der Verheißung

Zum Zeitpunkt des vermuteten Unglücks herrschten vor der spanischen Küste tückische Wind. Wellen von vier Metern Höhe. Dreißig Personen im Schlauchboot hatten die Küste Afrikas zu Wochenbeginn verlassen. Ein Angehöriger, der von der geheimen Überfahrt informiert war, hatte über Handy einen Notruf empfangen und die Behörden verständigt. Von Almeria her begann mit Schiffen und Hubschraubern eine Suche.

Woche für Woche werden aufgedunsene Körper an die Badestrände bei Tarifa gespült. An ihrer schmalsten Stelle ist die Straße von Gibraltar vierzehn Kilometer breit. Zwischen dem Salzwasser und dem Gummi der Boote entstehen giftige Dämpfe. Die illegalen Fahrzeuge müssen weit in den Atlantik ausholen. Wie betäubt navigieren die Schiffbrüchigen ihre improvisierten Fahrzeuge. Vier Immigranten zerschellten mit ihrem Boot an der Felsenküste. Sie hatten das Tau durchschnitten, mit dessen Hilfe die Küstenwache sie nach Tarifa abschleppen wollte.

---

1 Verdi schrieb seine Oper *Aida* für die Eröffnung der Oper in Kairo aus Anlaß der Einweihung des Suez-Kanals. Die Heldin Aida ist die Tochter eines besiegten Königs von Äthiopien, liiert mit dem Feldherrn Radames, der die ägyptischen Truppen führte. Beide sterben im Kerker der Priester.

- Ceuta und Melilla sind eingezäunt wie Berlin zur Zeit der Mauer.
- Ein Strom illegaler Einwanderer brandet auf die Europäische Union zu.
- Es sollen sich in einem der Schlauchboote zwei Prinzen aus Nigeria befunden haben.
- Alle tot?
- Keine Liebende wartet am anderen Ufer, sondern das glückliche Europa.
- Was stellen sich die Menschen eines so großen Heimatkontinents wie Afrika unter Europa vor? Daß sie unter Einsatz ihres Lebens (sie können sich ja nicht wirklich täuschen über das Gefährliche der Überfahrt) das fremde Ufer zu erreichen suchen?
- Eine Sehnsucht, stärker als Liebesbande.
- Glauben Sie, daß man das mit Zäunen oder mit den Waffen und Scheinwerfern der spanischen Küstenpolizei in den Griff bekommt?
- Die nordafrikanischen Grenztruppen und Marinepatrouillen kümmern sich nicht um die Flucht.
- Es gelangt aber kaum einer der Einwanderer bis Cannes? Könnte einer Kofferträger im Grand-Hotel Carlton werden?
- Nein. Die Majorität arbeitet auf Plantagen im Süden Spaniens. Recht elendes Auskommen.
- Wie kommen die illegalen Einwanderer überhaupt bis zur Küste? Sie passieren den Regenwald, die Wüste? Es führen keine Bahnen in den Norden.
- Nein, Bahnverbindungen verlaufen dort quer zur Küste. Die Wüste ist unwirtlich.
- Könnte man die Einwanderung verhindern, indem man Oasen anlegt? Plantagen, deutlich besser ausgestattet als in Südspanien. Besser bezahlt. Wir schaffen in Nordafrika Arbeitsplätze, wie es schon die Römer taten?
- Das würde den Strom verstärken. Es würde als gutes Vorzeichen, als Versprechen gelten, wie üppig erst das Leben nach Uferwechsel sein wird. Sie können auch nicht einfach in einem souveränen fremden Land anfangen, Oasen zu errichten.
- Waren Sie schon einmal in der Wüste?
- Ja, auf der Rennstrecke Casablanca–Dakar, da sieht man ein Stück Wüste.

An den vorgeschobenen Außengrenzen Europas

Ich war in meiner Auslandsstation als Rechtsreferendar sechs Monate dem Präfekten der türkischen Hafenstadt Kas zugeteilt. Für diese Zeit war ich einziger Europäer in dieser Region des Orients; noch immer können wir ja die Türken nicht als Europäer bezeichnen.

Das havarierte Schiff im Hafen, das wir seit drei Tagen beobachteten, hatte inzwischen eine Schräglage von 40°, d. h. es sank seit Freitag unaufhaltsam. Ich stellte mir das Schwappwasser vor, das die Frachträume durchflutete.

Die Stadt Kas, ehemals römisches Verwaltungszentrum, wird von Fremden selten besucht. Das Schiff kam von der Hafenstadt Alamya gefahren und hatte kaum einen Tag auf See verbracht. Es strandete, unweit unseres Hafens, und es gelang unserer Behörde nur, eine Art Wrack auf der Reede unserer Stadt zu positionieren.

Die Passagiere suchten zu fliehen. Schwimmend, in Booten. Mein Chef, der Präfekt, ließ die 130 Personen festnehmen. Sämtlich ohne Ausweise. Der Kapitän und die Besatzungsmitglieder hatten sich unter die Passagiere gemischt. Unerkennbar. Das Schiff trug weder Namen noch Flagge.

Es sind Migranten, sagte mein Chef. Auf der Flucht nach Süditalien. Nie, sagte er, bestand für sie eine Chance, dorthin zu gelangen.

Ich als deutscher Jurist bin in der Lage, deutsches Recht und europäisches Gemeinschaftsrecht auf jede praktische Situation anzuwenden, und der Präfekt, der seine Hafenstadt Kas blühen sieht, wenn erst die Türkei der Europäischen Union beitritt, läßt sich rechtliche Aspekte gern vortragen. Dabei liegt ihm an der RECHTSFÖRMIGEN AUSDRUCKSWEISE DES VERWALTUNGSHANDELNS. Ihm ist gleich, ob es um türkische oder europäische Normen geht. An sich ist die unfreiwillige Landung der Schiffbrüchigen, die aus einem türkischen Hafen in einen anderen türkischen Hafen eingedrungen sind, straflos. Es handelt sich um kein Einwanderungsdelikt. Es sind aber keine türkischen Staatsangehörigen, erwiderte der Präfekt. Wir saßen inzwischen beim rituellen Mittagsmahl der höheren Beamten. Woher wissen Sie das? Entnehmen Sie das dem Sprachgewirr? fragte ich. Sie sprechen nicht, antwortete der Präfekt. Sie verhalten sich verstockt. Wie wissen Sie dann, daß es keine Türken sind? entgegnete ich. Die Türkei verfügt über zahllose Minderheiten, die nicht türkisch sprechen und sich bei Verhaftung verstockt verhalten. Ich rieche das, scherzte der Präfekt.

Hätte man aus der Rotte, die sich auf das Hafengefängnis und eine beschlagnahmte Schule verteilte, die Matrosen und den Kapitän aussondern sollen? An welchen Anzeichen soll ich sie herausfinden, fragte der Präfekt zurück. Sie haben sich möglicherweise des Verbrechens der Verschleppung schuldig gemacht (in Tateinheit mit bandenmäßigem Betrug, denn nie hatten sie die Aussicht gehabt, die Passagiere mit dem schadhaften Schiff zum Ziel zu bringen). Die Abortanlagen in Schule und Gefängnis reichten nicht für die Personenzahl. Falls sich eine ansteckende Krankheit verbreiten sollte, konnte die Präfektur von Kas sie nicht einmal mehr abschieben. So kam es auf Rechtsfragen, europäische Verwaltungspraxis, Observanzen des internationalen Seeverkehrs kaum ernsthaft an (nur zur Unterhaltung des Präfekten auf Grund seiner Lernbegier, seiner Neuerungssucht, blieb davon die Rede). Die Administration nahm hin, daß die Gefangenen in den folgenden Tagen aus den Behältnissen, in denen man sie verwahrte, aussickerten. Die letzten wurden von den Wachen ins Inland vertrieben, damit kein Zeuge übrig wäre, der davon Nachricht gäbe, wie wenig Mittel eine Stadtverwaltung gegenüber dem Phänomen der Massenfluchtbewegung zur Verfügung hatte.

Der Präfekt bat mich um Verschwiegenheit. Schließlich hatte er ein Problem aus dem Gesichtsfeld geschafft, das für jeden unlösbar blieb. Was tun die Wanderer nun, die Freigelassenen? Durchwandern sie die Türkei bis zur bulgarischen Grenze, in Vorahnung des Heils, das sie in den Metropolen der Europäischen Union erwartet? Vermutlich tun sie das, antwortete der Präfekt. Auf den Pfaden, auf denen ein gescheiterter Kreuzfahrer 900 Jahre früher dahingezogen wäre. Nur tun sie es wesentlich vorsichtiger. Sie wandern nur nachts, und sie hoffen, unterwegs etwas Eßbares zu ergattern. Werden sie, fragte ich weiter, angekommen in einer europäischen Großstadt, zerschlissen wie sie sind, zornig, in sich verschlossen, sprachunkundig, ihre Chance haben? Keine, antwortete der Präfekt. Er beurteilte das nicht aus eigenem Wissen, sondern hatte davon gelesen. Er machte sich ein festes Bild vom Funktionieren mitteleuropäischer Großstädte.

Ein Schlepper-Projekt

Zunächst kam immer noch die eine oder andere Hilfsperson des Schlepper-Rings, brachte Mitbringsel, verwies auf bald bevorstehende nächste Aktionen, nannte Namen von höhergestellten Organisatoren, verschwand wieder. Später kam überhaupt niemand mehr zu den drei Absteigen.

Als Arzt bin ich kein Büttel der Polizei. Ich bin zur Meldung verpflichtet, wenn ich Seuchen feststelle. Ich bin nicht zur Meldung verpflichtet, wenn ich Verhältnisse bemerke, die zum Tod führen, aber nicht auf Krankheit beruhen.

In den drei Absteigen lagen die Opfer einer fehlgeschlagenen Schlepperaktion. Ich diagnostizierte Husten, Durchfall, Hautausschläge. Die Leute waren desorientiert. Bis hierhin waren sie gekommen. Sehr nahe waren sie der utopischen Struktur gekommen, von der sie sich eine Zukunft versprachen. Keiner von ihnen hätte gewußt, wie man sich, ausgehend von dieser Absteige, ohne konkrete Waschmöglichkeit, einem der deutschen Unternehmen nähern könnte, die, vielleicht nur sechs Kilometer entfernt, Arbeit an Paßlose vergaben. Das Schlepper-Projekt war von den Initiatoren wegen irgendeines Gefahrenmoments vorzeitig aufgegeben worden.

Ein junger Hund

Er kam aus Bielefeld. In einer Firma für Training und Consulting, spezialisiert auf Kurse für aufstiegswillige Kontroller, hatte er im Alter von 23 Jahren sein STANDING gezeigt. Seit 12 Wochen gehörte er zum Kernteam des europäischen Grenz- und Polizeikorps.

Die neue Einheit, noch ohne Befehlsgewalt, besteht aus Kriminalräten, Zollinspektoren, Technikern und einer Infrastruktur aus Versorgern, Köchen und Finanzprüfern. Zur letzteren Gruppe gehörte Hartmut Schmidt. Er wird das erstarkende Europa, den Schutzwall um dessen Außengrenzen, noch erleben.

Zunächst fuhren die Zöllner und Kriminalbeamten, stets nur als Berater, in breiter Formation zu den Außengrenzen. Sie wollten ihr Arbeitsfeld erkunden, machten erhebliche Reisekosten, trafen kaum Vorkehrungen, an den Zielorten zwischen preiswerten und überteuerten Unterkünften zu unterscheiden.[2]

---

2 Das Sparverhalten dieser Angehörigen einer neuen EG-Zentralbehörde ist zunächst wirr. So fahren einige der Kriminaldirektoren, die sich sozusagen als Geländeforscher fühlen, im Schlafwagen 1. Klasse, »um ausgeruht und somit wirksam vor Ort anzukommen«. Andere Beamte neigen dazu, in preiswerten, langsamen Zügen zu reisen, so vergeuden sie Dienstzeit.

Noch bewirkte die Behörde nichts. Schon aber entfaltete sich ein Raster für künftige Finanzkontrolle, d. h. für das Gewissen der Institution. So eilen »Sparsamkeit und Wirtschaftlichkeit der Verwaltung«, die oberste Gesundheitsregel der Öffentlichen Hand, jeglichem Geschehen in Europa voraus. Es kommt nur darauf an, daß die im Rang oft höhergestellten Mitarbeiter der Behörde diese Kriterien annehmen und verinnerlichen. Dafür hat der JUNGE HUND DES FINANZWESENS, Hartmut Schmidt, der vor der Schwierigkeit steht, lebensälteren Kameraden Vorschriften als Vorschläge nahezubringen, seine Erfahrungen aus den frühen Trainings- und Consulting-Kursen in Düsseldorf. Man darf nicht negativ denken, schon gar nicht Negatives ausdrücken. Das demotiviert. Richtig heißt es: Ich beglückwünsche Sie zu Ihrer Wirksamkeit an der Südostgrenze; noch besser wären Sie, wenn Sie (bei Vorauserkundung der Außengrenze im Bereich Lemberg, richtig daran ist, daß die Grenzen im Vorfeld beginnen und nicht hinter der Grenze) zwischen preiswerten Absteigen und den noch aus der Staatswirtschaft der Sowjetunion stammenden Primitiv-Luxus-Suiten unterscheiden, die im Kostenpegel über der Norm liegen. Wo Sie auf etwas Teures stoßen, sagt Schmidt, können Sie voraussetzen, daß Sie unbequem leben werden. So machte er den Abteilungsleitern Lust, sich auf die Suche nach originellen Schlafplätzen zu begeben.

Die großen Einsparungen aber ergeben sich aus dem Arbeitskonzept (noch sind die Beamten und die Sachkosten Leihgaben der europäischen Länder). Ist die Behörde an der Außengrenze selbst tätig, oder lenkt sie den Geist der Außengrenzer, des Wachpersonals, »von der inneren Linie« her, also aus einer Zentrale? Schon Clausewitz, sagt Hartmut Schmidt, betont für die Verteidigung die Notwendigkeit, eine innere Linie zu beziehen. Kriminaldirektoren und hochrangige Zollexperten verzetteln sich an den Außengrenzen, die kein menschlicher Wanderer umschreiten könnte.[3]

---

3 Zwar könnte man in 11,5 Jahren die Außengrenzen Europas zu Fuß abgeschritten haben. Dies würde jedoch unwegsame Gelände, unüberschaubare, aber für das Eindringen von illegalen Einwanderern geeignete Wasserflächen unberücksichtigt lassen. Um als Wachmann tatsächlich die Außengrenzen Europas zu umschreiten, wäre das Doppelte der Zeit erforderlich. Rechnet man die Ausbildung eines Wachmanns, Urlaub, Feiertage und Ruhestand hinzu, so würde für eine Umschreitung bzw. Wachrunde ein Mitarbeiter benötigt. Dieser braucht einen jederzeit herbeirufbaren Schutz, damit er nicht überfallen und Eindringlingen hilflos ausgesetzt ist. Die EG-Grenzabschreiter müßten einander in etwa einem Kilometer Entfernung folgen, da andernfalls keine Sichtkontrolle gewährleistet ist. Hartmut Schmidt empfiehlt deshalb das Satellitenauge, das jedoch zunächst nur mit der Zentrale seiner künftigen Behörde korrespondiert.

– Das Satellitenauge vermag, lieber Herr Schmidt, auf 40 cm Boden- oder Meeresfläche genau Subjekte, die sich den europäischen Grenzen nähern, auszumachen. Es geht um die Frage der Auswertung dieser Fülle von Information. Sehe ich das richtig?
– Das ist das eine. Sie erhalten auf diese Weise viel Blindalarm. Ein Bauer mit Pflug pflügt in Richtung der Grenze, will sie aber nicht überschreiten. Ein Fischerboot nähert sich den Grenzen. Schlauchboote, die sich von einem Dampferunglück retteten, nähern sich dem Gestade. Eine Menge Blindalarm. Wir müssen Scouts entwickeln, verdeckte Agenten, die in den Schlepperzentren, die stets *vor* der Grenze liegen (manchmal liegen sie in den Weltkrisengebieten, wo das *Motiv* für das Eindringen nach Europa entsteht), den Invasionsherd ermitteln.
– Und wie wollen Sie da eingreifen?
– Dem Eingriff geht Wissen voraus.
– Und was wollen Sie mit dem Wissen anfangen?
– Eine neue Behörde gründen, die auf der Erfahrung der Anti-Terrorbehörde fußt.
– Das wäre eine Verteuerung der Verwaltung.
– Aber keine Verteuerung für *meine* Behörde.
– Sie denken betriebswirtschaftlich.
– Immer.

Arbeiterstrich

Zwölf Wochen vor der Insolvenz des Baukonzerns Holtzmann gelangte eine Partie illegaler Arbeitsimmigranten auf eine Baustelle bei Staßfurt. Die Löhne, 80 % unter Bundesniveau, galten in der eingeschleusten Gruppe als enorm. Der Vorarbeiter nahm vier Wochen später die gesamte Truppe, einschließlich der Eingeschleusten, mit auf eine Baustelle nördlich von Friedberg in Hessen. Hier ereilte alle Beteiligten das Fiasko. Die Container wurden geräumt. Zwei Tage behielt die Jugendherberge Friedberg einige der Eingeschleusten für die Nacht, ohne nach Ausweisen zu verlangen. Die Arbeiterstricher waren quasi verloren, weil sie den Weg, den sie in der Bundesrepublik genommen hatten, ebensowenig in Form von Papieren nachvollziehen konnten wie die Einreise. In einem Lager nördlich von Frankfurt wurden sie konzentriert und mit kostspieligem Lufttransport in ihre Heimatländer rückgeführt. Da sie, aus Vorsicht, falsche Länder angegeben hatten, bestand ihr Problem darin, entweder in dieser Fremde Arbeit zu finden, gleich, zu welchem Preis, oder die Heimfahrt zu erkunden zu den aussichtslosen Gebieten, aus denen sie stammten.

500 Euro für den Anwalt

I

Ist Beihilfe zu einem Einwanderungsdelikt strafbar?

Die Mutter der jungen Frau berichtet:
Trennen wollten sie sich nicht. Zufall hatte sie zusammengeführt. Er, ein Berber, gestand ihr erst nach Herstellung von Intimität, daß sein Aufenthalt in der Bundesrepublik auf einem gefälschten Paß beruhte. Einen richtigen Paß besitzt er zwar, dieser ist aber einbehalten von Behörden, die ihn bei nicht bewilligtem Asylbewerber-Antrag ausweisen werden. Wie gesagt, Trennung kam für das Paar nicht in Betracht. Ich habe geprüft, ob es sich bei B. um einen Terroristen handeln könnte. Woher soll ich Menschenkenntnis haben in Bezug auf Terrorismus? Was, andererseits, bleibt mir übrig, als auf mein Augenlicht zu vertrauen, auf meine Eindrücke. Ich schließe aus, daß der Berber Terrorist ist. Ich habe einen Anwalt befragt, unter Vorgabe, daß ich mich erkundige im Interesse meiner Kusine. Gewiß hat er mich durchschaut. Er hat mir geantwortet, daß ich mich wegen Beihilfe zu einem nicht definierbaren Verbrechen schuldig mache, wenn ich grob fahrlässig Ausländer falsch einschätze. Dagegen sei es nicht strafbar, wenn ich ihn verstecke, damit er nicht – er ist kein Terrorist – abgeschoben wird. Es gibt keine Rechtspflicht, einen Menschen ins Unglück zu stürzen.
Schon schwierig. Versichert ist er nicht. Jetzt kam er von einer Prügelei aus Anlaß eines Fußballspiels verletzt nach Hause. Wir müssen dies privat bezahlen. Ihn zu versichern ist ausgeschlossen.
So halten wir in einer Kleinstadt, in der Information auf engem Raum gehandelt wird, einen Gast versteckt, den wir doch auf jeder Gesamtveranstaltung der Familie, auf Beerdigungen, Feiern innerhalb der Verwandtschaft als ständigen Begleiter unserer Tochter vorzeigen müssen. Der Ort erkennt die schwierige Balance, aus der wir handeln. Ich darf die Hingabe meiner Tochter nicht verleugnen, auch ist Gastrecht heilig, zugleich freue ich mich über den Abstand, der bis zur Behörde besteht, über die vielen Menschen, die etwas wissen und mitteilen könnten, aber nichts verraten.
Wir sind froh, daß Maxime (wie kamen wir auf diesen Namen nach der Geburt?) über den Tod ihres Vaters hinwegkommt, auch weil wir ihre Beziehung zu B., der sich laut Paß Eduard nennt, schützen. So ergibt sich Sicherheit für Zukünftiges. Was machen Sie, wenn die Verbindung hält? Ich hoffe auf etwas, das mich zu aktiver Hilfe verpflichtet, ich wäre Großmutter in jungen Jahren. Das ist nach der Lebenserfahrung wahrscheinlicher, als daß

die Behörden von den Spuren, die B. hinterließ, bevor er den gefälschten Paß erwarb, erfahren.

Ich halte Behörden für hinterhältig, deshalb, weil sie nicht vergessen können. Unstrittig ist, daß ich mich nicht strafbar mache, wenn ich solchen Behörden nicht zuarbeite, die Glück zerstören. Das Paar ist die 500 Euro für den Anwalt wert.

2

Mein schönstes Mandat als Anwalt

Meine Mandantschaft aus rheinisch-industriellem Geschlecht, Gebührenvereinbarung 500 Euro pro Stunde, war an der Klärung eines interfamiliären Konflikts brennend interessiert. Eine der Töchter des Clans war schwanger von einem Berber, dessen Papiere (weil er illegal einwanderte) von der bayerischen Behörde einbehalten worden waren. Er hatte einen neuen Namen angenommen, in Zürich gefälschte Papiere erworben, und in dieser Fasson war er mit der Tochter des industriellen Clans intim geworden. Die junge Frau weigerte sich, von ihm zu lassen, konfliktreiche Gespräche, ja ein Streit, führten zu keinem Ergebnis.

So suchten die Beteiligten eine Lösung, die den sozial nicht akzeptablen Geschlechtspartner in die Hochgesellschaft einführte.

Gesetzt den Fall, der junge Mann wäre ein Scheich oder Prinz der Sahara gewesen, so wäre ja, der Standesstruktur nach, das Problem lösbar gewesen. Hier aber ging es darum, die strikte Haltung der bayerischen Verwaltung gegenüber mittellosen Arbeitsimmigranten, die illegal eingereist waren, insoweit aufzulösen, daß der ursprüngliche Name des Heiratsprätendenten wiederhergestellt wäre. Nur so konnte nach katholischem Ritus sowie in standesamtlicher Konsequenz eine Verbindung vollzogen werden.

Die bayerische Behörde war störrisch. In jedem Land im Südosten Europas wäre Bestechung angesagt gewesen. Das war in Bayern unmöglich. Wir boten sieben Anwälte auf, vergeblich. Unperson blieb Unperson, die auf Grund illegaler Arbeit einbehaltenen Papiere blieben beschlagnahmt.

Wie kann man dem Standesamt in Düsseldorf den Fall eines EINGEFANGENEN PRINZEN, den GLÜCKSFALL EINER HEIRAT ohne geeignete Papiere vorstellen? Es ist ja sicher, erwiderte ich als Anwalt, daß wir nicht wiederum gefälschte Papiere vorlegen können. Das wäre bei der Rangstufe des industriellen Clans ein auf etwas Unmögliches gerichtetes Projekt.

Umgekehrt, das war der intelligente Ratschlag des Anwalts, gibt es zwei konkrete Körper, den der Tochter des Clans und den des über irgendwelche Wege

des Mittelmeeres zu uns gelangten Mannes. Beide gemeinsam haben sich, plä-
dierte der Anwalt, manifestiert in einem konkreten Bundesbürger, der in drei
Monaten das Bild der Welt erblicken wird.

Es war genau der eher poetische als juristische Wortlaut im Schriftsatz des
Anwalts, der die Entscheidung brachte. Im Jargon der Gesetze war ein Aufenthalt und damit eine Einheirat in eine der vornehmsten Gruppen der deutschen Bevölkerung nicht zu begründen. Dem Gefühl nach und von der Uner-
wartetheit des Tatbestandes her war eine Ausnahme denkbar, welche die
Revision vor dem Europäischen Gerichtshof oder eine Intervention vor dem
Europäischen Parlament erübrigte. Es ist der konkrete Körper, der auch
ohne Paß Glück haben kann. Es ist ein Unterschied, sagte der Verwaltungs-
richter, ob wir einen Arbeitsimmigranten auf dem Arbeitsmarkt oder ob wir
ihn auf dem Heiratsmarkt zulassen. Die Gesetzgebung regelt keinen dieser
Fälle absolut.

Ich besuchte den Jungberber und seine junge Frau im zweiten Jahr ihrer Ehe.
Offenbar hatte er Grund, sich Mühe zu geben. Er hielt die Balance zwischen
Bewährung in den begrenzten Jobs, die ihm die Dynastie anvertraute, und einer immensen Sorgfalt, die er auf die Zufriedenheit seiner Retterin verwandte.
Ein Beispiel von Gastrecht und anschließendem Dank. Auf seine Visitenkarte
ließ sie einen Baum drucken, unter dem eine Hütte stand. Darunter die In-
schrift: Philemon und Baucis.

Griechischer Archipel

Massenanlandungen illegaler Einwanderer finden in Süditalien, über die
Meerenge von Gibraltar und im Bereich des griechischen Inselarchipels statt.
Dies sind die »clandestini«. Die Meerenge von Gibraltar gilt als größtes Mas-
sengrab Europas.[4]

Die Frachtschiffe älterer Bauart erreichen selten die Küsten, auf die es die
Schlepperbüros abgesehen hatten. Kaum ein Fahrzeug dieser Art gelangt um
den Peloponnes bis nach Korfu oder Ithaka. Es sind ohnehin keine Heimrei-
sen, sondern Fremdreisen. In den Seelen der dem Schlepperkommando AN-
VERTRAUTEN mindert sich die Hoffnung auf Heimkehr in dem Maße, in

---

4 Aus dem Grund, weil sie so genau überwacht wird von den spanischen Küstenpatrouillen.
  Insofern müssen die Schlauchboote der Immigranten den Umweg über den Atlantik wählen, wo sie im Sturm oder durch Verirrung meist zu Grunde gehen.

dem sie dem Ziel entgegenfahren. Vom Ziel kennen sie nur den Namen. Die Mehrzahl strandet im weiten Umkreis des Zieles. Sie nähert sich zu Fuß dem Ziel, das sie abweist.

Wer von den Wirtschaftswilligen, die nach Europa eindringen, heimkehren zu einer Idealvorstellung der Betätigung, kennt die Zauberformel des Geheimnisses der Ankunft? So wie Ulysses wußte, daß er das gemeinschaftliche Bett, das für Penelope taugte, aus einem lebenden Ölbaum gezimmert hatte; es war nicht umzurücken durch Mitbewerber, Verführer oder Feinde. So gewann er Autorität bei der Heimkehr. Dieses Bett kann der junge Mann aus Odessa, ausweislos, seiner Gefährtin, die er in einer Disko bei Düsseldorf kennengelernt hat, nicht vorweisen. Oder kann er es doch? Weil die Häuser, Betten, Olivenbäume aus unseren Körpern bestehen? Wenn Dimitri D. Beschkow ahnt, wie ihr Körper funktioniert, vermag er die Vertraute zu bezaubern. Das ersetzt ihm keinen Ausweis, wohl aber kann es eine Heimkehr ermöglichen. Notfalls nimmt er sie nach Odessa mit.

Amazonen in der nördlichen Ägäis

Eine Gruppe von 26 Frauen, berichtete der stellvertretende Chef der griechischen Seepolizei, der die nördlichen, kleineren Inseln gegenüber der Türkei bewachte, trieb in diesem Bereich 1947 aktive Piraterie. Sie überfielen Frachtschiffe. Sie deponierten ihre Gefangenen auf unbewohnten Inseln. Sie unterhielten »Männerfarmen«.

– Sie fingen Männer, gaben ihnen aber nicht den Status von Gefangenen oder Geiseln?
– Sie hielten sie als Sklaven. Keine der Frauen durfte sich an ihnen vergreifen, außer zum Zwecke der Fortpflanzung, gewissermaßen einmal im Jahr. Danach wurden die Gefangenen weggeschlossen. Die Frauen waren militant, Piratinnen. Erhebliche Verluste für die Handelsschiffahrt. Eine Plage.
– Schwer zu bekämpfen?
– Wir fanden sie überhaupt nicht. Sie hatten ein besonderes Ahnungsvermögen oder ausgezeichnete Informatoren. Schlugen da zu, wo wir nicht waren.
– Schwer bewaffnet?
– Mit allem, was man nach dem Krieg kaufen konnte.
– Griechinnen? Woher kamen sie?
– Von der Küste des Schwarzen Meeres. Sie sollen mit Gewalt für ein Offiziersbordell rekrutiert worden sein, in der Nähe der Sümpfe, in denen sich

Partisanen bewegten.[5] Sie haben dann in einer Nacht kollektiv ihre Quäler ermordet und sind südöstlich abgezogen. Irgendwann kamen sie an der türkischen Grenze an.
– Mußten sie einreisen?
– Sofort verhaftet. Aus dem Gewahrsam brachen sie aus und übernahmen mein Schiff.
– Mehr als diesen Anfang weiß man nicht?
– Nicht einmal, wo sie heute sind. Die Waffen legten sie nie wieder ab.
– Könnten Anschläge im Chinesischen Meer oder vor der Küste Somalias mit dieser Gruppe von Piratinnen zusammenhängen?
– Wenn sie sich vermehrt haben. Es heißt, daß sie die männlichen Neugeborenen töten. Ebenso Männer, die sie nicht brauchen. Auf private »Beziehungen« einer Piratin zu Männern steht der Tod.
– Das erschwert die Vermehrung.
– Es scheint wahr zu sein. Wir fanden Leichen.
– Neugeborene?
– Tote Männer auf unbewohntem Eiland. Schußwunden.
– Und plötzlich waren sie verschwunden?
– Wir waren froh.
– Wieso? Es war ein vielversprechendes Verfolgungsprojekt für die Seepolizei. Was gibt es Wichtigeres, als eine Aufgabe zu haben?
– Wir waren nicht sicher, wer im Gefecht gewinnt.
– Sie fürchteten die hohe Motivation der Kämpferinnen?
– Es war uns unheimlich, wie wenig wir von ihnen wußten.

Der Schlepper-König vom Straußberger Platz

In Berlin bewohnt er ein Appartement von 60 m² Wohnfläche, Einbauküche, Mikrowelle, eher primitiv. Im Grunde ist er geizig. In Zypern und Odessa besitzt er Häuser.
Seine Organisation ist spezialisiert auf akademisierte Prostitution.

---

5 Die Offiziere, sagte der Seepolizeichef, sollen einer Brigade angehört haben, die auf Seiten der Deutschen die Partisanen bekämpften. Ukrainische Patrioten.

- 110000 Frauen aus den weiten Gebieten des Ostens, von Ihnen eingeschleust, abgabepflichtig, sind im Bundesgebiet als Prostituierte tätig.
- Ein falscher Ausdruck für das, was sie tun. Eine Unterschätzung ihres Könnens.
- Hier: von Beruf Agronomin, hier Ärztin, Fachärztinnen, hier Hebamme, hier Physikerin. Ein Überhang an hochqualifizierter akademischer Ausbildung. Warum sind diese Frauen nicht in ihren Berufen tätig?
- In ihren Berufen nimmt sie keiner.
- Ändert sich der Charakter der Prostitution, wenn sie in dieser Weise aus einem Überangebot an Gebildeten folgt?
- Das ist ja das, was ich sage.
- Und wie wirkt sich das aus?
- Schon jetzt erhält eine meiner Klientinnen den gleichen Preis für ein Interview, das sie einem Journalisten gibt, wie für eine geschlechtliche Befriedigung. Stundenlohn 400 EURO.
- Erfundene Geschichten?
- Wahre und erfundene.
- Kann es sein, daß die neue europäische Literatur einst aus den Kreisen solcher Arbeitsimmigranten kommen wird? So wie Joseph Conrad Auswanderer, Dichter war?
- Das ist zu erwarten. Es löst zwei ganz verschiedene Probleme. Die Zahl der Frauen unter den Autorinnen wächst, der Erfahrungsgehalt, über den berichtet wird, ebenso.
- Und die Praxis der sexuellen Befriedigung gegen Entgelt, wandelt sie sich?
- Das ist anzunehmen.
- Ein revolutionärer Prozeß?
- Davon gehe ich aus.
- Ist das ein Rest an Ehrgeiz, der Ihnen anhaftet aus der Zeit, als Sie noch ein klassenbewußter Apparatschik waren?
- Man kann nur eines von beidem sein, entweder Apparatschik oder klassenbewußt.
- Was waren Sie?
- Klassenbewußt.
- Und in Bezug auf welche Klasse?
- Immer wollte ich Unternehmer werden. Und zwar ein androgyner.
- Was ist damit gemeint?
- Offenheit für einen völlig neuen Geschäftszweig. Verwandlung.

Was heißt Fortsetzung der Prostitution
mit anderen Mitteln?

Hochstaplerisch war er und krank. Rasanter Niedergang im Elektronikgeschäft dezimierte seine Erlöse. Geschäftsfreunde, die ihm nicht helfen konnten, verschafften ihm eine »Russin«. Das ist ein Trostpreis, sagten sie.
Ira, die Russin, als Ärztin ausgebildet in Krasnojarsk, brachte den verschandelten Unternehmer bald in Stimmung. Sie mied Sexuelles. Das hatte sie sofort gesehen (schon aus den Andeutungen der Besteller, die auch den ersten Abend zahlten), daß es um einen Mann ging, der sich in Not befand. An sich hatte er in seiner gegenwärtigen Verfassung keine Lust auf eine Frauenbekanntschaft. In seinem depressiven Gemütszustand hätte er sich als Gast gern auf ein dunkles Bier zurückgezogen.
So wie er derzeit auch sonst über seine Verhältnisse lebte, war er aber nicht bereit, die Grußbotschaft der Kameraden auszuschlagen. Eine Viertelstunde nach Ankündigung, die hilflosen Freunde hatten ihn verlassen, war sie erschienen.
Seit Jahresfrist hatte er Zucker. Dies führt zu einer Verklumpung der Nervenenden, beginnend an den Fußsohlen. Wie auf Watte schritt er einher. Die wirren Nerven, schon Krüppel, »empfanden« so gut wie gar nichts, oder sie kitzelten.
Er war ein Fettkloß. Stets gierig im Verschlingen von Nahrung. Eigentlich wenig Grund zur Selbstüberschätzung, äußerlich.
Die junge Gefährtin sah über die Nachteile seines Körperbaus hinweg. Sie verhielt sich vorsichtig, beobachtete unauffällig. Noch in der gleichen Nacht entdeckte sie die Füße. Sie erkannte das Leiden daran, daß er es nicht zeigen wollte; die Gefühllosigkeit selbst sah man nicht. Wie gesagt, alles Geschlechtliche blieb beiseite gesetzt. Ihre kundigen Hände entlockten den Füßen des gescheiterten Geschäftsmannes einen Rest von Empfindung.
Der Mann war dankbar. Er zahlte auch die nächsten 14 Tage. Sie begleitete ihn auf den Reisen, mit denen er einer Insolvenz zuvorzukommen suchte. Praktisch ersteigerte er mit Hilfe freundlicher Konsorten das eigene Vermögen. Immer noch stattlich. Das betraf den Zustand seiner Füße, seinen Mut und die zählbare Liquidität. Die unerwartete Retterin nahm er an Kindesstatt an. Er war bereit, mit ihr zu teilen. Verklumpung von Nervenenden, sie breitet sich von unten nach oben aus und erreicht in dem kloßartigen Körper des jetzt bereits wieder zum erfolgreichen Manager tendierenden Mannes Blase und Darm, ist irreversibel. Niemand hatte die Gefahr rechtzeitig erkannt.

Nie wieder in diesem Leben werden diese Nerven reaktiviert sein. Es war
eine Illusion, welche die Jungärztin aktivierte. Eine Täuschung, aber keine
betrügerische.

Der Durchbruch

In einem aparten grauen Kostüm eine junge Frau. Sie öffnet den Laptop. Vor
den Fenstern des Großraumwagens 1. Klasse streicht die Landschaft dahin.
Erwartungsgemäß wird die Frau angesprochen. Es erweist sich, daß sie den
gleichen Zielort hat wie der Geschäftsmann, der sie nach ihrem Tun fragt.
Wenige Wochen später ist sie Beraterin in der Etage gleich unterhalb der Chef-
zimmer. Noch immer zahlt sie die Raten ab für das Darlehen, mit dem sie sich
den Schein-Ehemann verschafft hat. Auch der Vermittler erhält vereinba-
rungsgemäß vierteljährliche Summen.
Die Grenzüberschreitung beginnt nicht an der Grenze, sondern in dem Moment, in dem der Durchstoß in die neue Wirklichkeit beginnt. Vier Wochen
fuhr sie, netzwerkartig, mit Laptop und grauem Kostüm die Städteverbindun-
gen der Bundesbahn ab. Fehler vermied sie. An sich ist die Agronomin. Aus einer Kollektiv-Siedlung 40 km nördlich Odessas.

9/7

Die blaue Gefahr

Lange Zeit sprach man von der roten Gefahr. Neuerdings zeigt sich: die Farbe der Gefahr kann blau sein. Über rätselhafte Naturerscheinungen, spekulative Wissenschaft, die Unfähigkeit menschlicher Kräfte, sich über lange Zeit auf der Höhe des Bösen zu bewegen. Hoffnungstrümmer.

Die blaue Gefahr

In seinem Buch *Le péril bleu* beschreibt Maurice Renard, wie Besucher von einem fremden Stern erforschen, was auf dem Boden unseres Luftmeeres vorgeht.[1] Sie sehen die Menschen und Tiere als Fische oder Pflanzen einer Tiefsee. Hierbei bemerken sie entsprechend der verschiedenen elektrischen Beleuchtung in den armen oder reichen Ländern der Erde eine ungleiche Verteilung von Lichtpunkten. Vor allem aber, berichten sie, gebe es Menschen, deren Ätherleib auf besondere Weise aktiv erscheine. Es handele sich um eine GEFÄHRLICHE FORM DER INTELLIGENZ. Sie entstamme der Raubgier.

Die fremden Sternenbewohner, ergänzt Renard, seien in der Lage, 500 Jahre als einheitlichen Zeitverlauf zu »sehen«. So könnten sie verfolgen, wie sich eine Koalition von LEIDENSCHAFTEN oder SCHLANGEN zusammengeschlossen habe, die jene Kraft, die als Verstand oder gewalttätige List bezeichnet werden könne, ausgebildet habe. Nirgends seien diese »aus dem Körper herausragenden kleinen Flammen« VERANKERT. »Nach Art eines Schneidbrenners« verschafften sich Individuen, oft zu Horden zusammengeschlossen, ihre Bahn.

Dieses Phänomen nannten die Sternenbesucher eine »blaue Gefahr«, weil der Planet ja durch die blaue Färbung seiner Atmosphäre auffalle. Die Fremden hätten daraufhin die Gefahren einer Kontaktaufnahme zu den Menschen für zu groß gehalten. Es sei ein Prozeß von 300 Jahren erforderlich, hätten sie mitgeteilt, die falsch zusammengewachsene und nicht in einer Wurzel verankerte BLAUE INTELLIGENZ umzubauen, falls dies überhaupt von den Lebewesen am Grunde des Luftmeeres gewollt werde.

Die Sternenfahrer hätten sich auf Grund dieser Beobachtung wieder entfernt.

1 Zitiert in Walter Benjamin, *Das Passagen-Werk, Gesammelte Schriften*, Bd. V.2, 2. Teil, S. 944.

Geselligkeit transgener Mäuse

Am Tag unseres Besuchs an der Rockefeller University in New York schritten die Mäuse, elegante Prärie-Tiere und links davon die Berg-Wühlmäuse, nur stockend und stolpernd vorwärts. In getrennten Käfigen. Es war die Woche, in der deformatorische gentechnische Versuche am Kleinhirn der Tiere vorgenommen wurden. Wieviel davon darf ausfallen? Was funktioniert noch nach dem Eingriff? Durch uns, die Sponsoren, sollte beurteilt werden, ob eine Publikation dieser Forschung werbewirksam wäre. Der Auftritt der Mäuse schien uns vollkommen ungeeignet.

Der Chef der Professorengruppe sagte:

– Bei Mäusen, denen eine molekulare Antenne für Östrogen fehlt, sehen Sie nach unserem Eingriff auf den ersten Blick überhaupt nichts. Erst ihr Paarverhalten erweist sich als tiefgehend gestört.
– Gleich, wieviel Östrogen Sie hineinspritzen?
– Völlig gleich.
– Sie verhalten sich wie Laien? Als hätten sie nie von Sexualität gehört? Als wäre es Sport?
– Nicht wie Sport. Wie bei einer defekten Telefonleitung.
– Durch die man nichts hört?
– Ja. Die Tiere sind aufgereizt, blindlings und uninformiert.
– Erregt?
– Ja, in einer monströsen Weise.

In einer der folgenden Wochen kamen wir wieder. Der Vorstand wünschte eine Förderung der Universität und der angegliederten Forschungsunternehmen um jeden Preis.

Diesmal Vasopressin. Ein nicht den Geschlechtsdrüsen entstammendes Hormon, ein Produkt der Nervenzellen. Die Mäuse in allen Käfigen und im Laufgelände torkelten nicht, hockten in Gruppen zusammen, übten Starts.

– Normalerweise hält Vasopressin die Nieren zu sparsamem Wasserverbrauch an. Wir haben entdeckt, daß es auch gesellig macht.
– Ein soziales Hormon? Sie haben die Erbanlage für »Geselligkeit« gefunden?
– Bei einer monogamen Art amerikanischer Wühlmäuse!
– Die Verbundenheit von Paaren verstärkt sich?

Kennen Sie die besondere Verbundenheit von Männern in Pissoirs? warf ich ein. Hohe Juristen treffen, harngeleitet, unter Nierendruck, intime Absprachen über ihre Urteile an rosa Becken? Das ist nicht Vasopressin, antwortete der Leiter des Versuchsprojekts. Es ist aber Niere plus Geselligkeit, beharrte ich, und wenn ich Sie recht verstanden habe, geht es doch darum.

– Wir untersuchen bis dato nur Prärie-Wühlmäuse. Sie produzieren keineswegs mehr Vasopressin als die Berg-Wühlmäuse in ihren kleinen Körpern. Der Unterschied liegt in den Antennen. Die Berg-Wühlmäuse reagieren nicht mit Gemeinschaftssinn. Ihnen fehlt die Antenne für Vasopressin.
– Sie sprechen von molekularen Antennen? Wie in der vorigen Woche?
– Die molekularen Antennen für Vasopressin sind in den Gehirnen der zwei Arten völlig verschieden verteilt. Wir haben Berg-Wühlmäuse mit dem Gen der Prärie-Wühlmäuse ausgestattet, und das Verhalten änderte sich.
– Das Gen für die Antenne im Hirn?
– Behandelt man ein transgenes Tier mit dem Hormon, reagiert es gesellig, obwohl es eine Bergmaus ist.
– Unabhängig von der Umwelt?
– Ganz unabhängig. Und wenn wir das Hormon sechsmal verstärken, so gesellen sie sich sechsmal so stark. Wie abgerichtet.
– Ein Nervenhormon?
– Es entsteht im Gehirn und in der Lymphe. Die Bergmäuse werden kontaktfreudig. Biologen wollten es einfach nicht glauben.
– Bei einer Berg-Wühlmaus ohne solche transgene Antenne kann man mit einer Extraration Vasopressin nichts erreichen?
– Überhaupt nichts.[2]
– Wenn man aggressiven Muslimen Nahrungsmittel gibt, in denen Vasopressin versteckt ist, werden sie geselliger?
– Immer vorausgesetzt, daß wir ihnen transgen eine wirksame Antenne für den Stoff eingebaut haben. Wir könnten das bei den Söhnen und Töchtern der nächsten Generation versuchen.
– Immer vorausgesetzt, es funktioniert wie bei den Wühlmäusen.
– Wenn es sogar bei der Berg-Wühlmaus funktioniert!
– Gesellig bedeutet aber nicht freundlich und friedlich?
– Es heißt gesellig untereinander.
– Wer gemeinsam seinen Urin abläßt, verträgt sich?
– So ähnlich. Erstmals Genetik des Verhaltens.

---

2 Neurotransmitter funktionieren lokal. Hormone durcheilen jeden Winkel des Körpers; welche Wirkung sie entfalten, hängt von den Empfangsantennen ab.

– Könnte man eine Antenne und ein Nervenhormon für die Menschheit »global« entwickeln?
– Bei Berg- oder Prärie-Wühlmäusen?
– Überhaupt.
– Wir können es in unserem Institut nur an Nagetieren testen. Irgendeinen Stoff wird es geben. Man kann Massenwanderungen der Tiere in der Evolution nur erklären, wenn es Stoffe gibt, welche die Tiere zur Großversammlung treiben.

Wir gruppierten die Förderungsmaßnahmen unseres Konzerns so um, daß in diesem Forschungskomplex »Geselligkeit, soziales Verhalten, Paarbildung« berücksichtigt werden konnten. Vorstand und Öffentlichkeitsarbeit waren begeistert. Schließlich sind wir Männer der Werbung. Was erst, wenn es möglich wäre, eine Käufereigenschaft durch transgene Rezepturen zu verbessern? Ein weiter Weg vom Hans-im-Glück zum modernen transgen ausstaffierten Käufer von 2032!

Was ist Wahrheit?

»Ich liebe den Tausch. Dort blitzen Federn /
Von Rufen strömt ein Regen ganz naiv.«
Ossip Mandelstam

– Das gesamte Bruttosozialprodukt hat für sich allein genommen keine große Bedeutung.
– Was soll das heißen?
– Das physische Produkt.
– Was heißt physisches Produkt?
– Millionen Bauern produzieren ihr Produkt. Fünf Millionen Fabrikarbeiter arbeiten. Das Produkt der Fabrikarbeiter mag klein erscheinen gegenüber dem massiven Produkt der Bauern, da diese aber einen großen Teil ihres Produkts sofort selber verbrauchen, führt ihr Produkt kaum zu Mehrwert oder militärischer Kraft.
– Und 17 Börsenhändler?
– Führen zu überhaupt keinem Produkt.
– Und wozu braucht man Mehrwert und militärische Kraft?
– Das kann ich Ihnen so nicht beschreiben.
– Sie sind Mitglied der Royal Society. Wenn Sie es nicht wissen, wer soll so etwas wissen?

– Ich will mich nicht darauf hinausreden, daß es kompliziert wäre. Es ist im Grunde einfach. Pro Stunde Arbeitskraft, in Milliarden Stunden und Menschen hochgerechnet, entsteht ein Produkt. Daran ändert sich in der Betrachtung seit Adam Smith nichts. Aber wie in der Weltgemeinschaft über den Wert des Produkts entschieden wird (und da kann ich Ihnen nicht als Oberrichter sagen, wer über diese Einschätzung entscheidet, es ist aber bestimmt kein Mächtiger, der entscheidet), das wissen wir nur ungefähr. Letztlich entscheidet das die Börse.

– Und die ist untrüglich?

– Nicht untrüglich, aber unbeeinflußbar.

– Was ist dann aber falsch an der These: »alle Entwicklung entscheidet sich in der Produktion« (Karl Marx)?

– Möglicherweise ist überhaupt nichts falsch an dieser These, aber sie erweist sich nicht in der Realität.

– Was ist dann an der Realität real?

– Das müssen Sie mich nicht fragen. Das weiß ich nicht.

Ein Naturhemmnis der Lüge

Den Lügendetektor wenden wir nicht mehr an, sagte der Kriminalist, weil die Delinquenten keine Angst mehr vor ihm haben. Es gibt im Bereich, den die Militärpolizei bearbeitet, Soldaten, die gelernt haben, ihre Nerven und letztlich alle vasomotorischen Reflexe zu beherrschen. Was ist ein Soldat anders als Der-sich-Beherrschende? Wir ersetzen deshalb alle Nervosität-weil-schuldig-Tests durch TATWISSENTESTS. Sie stützen sich darauf, daß es bei jeder Tat Besonderheiten gibt, die nur der, der den Tatverlauf erlebt hat, kennen kann. War das Fahrzeug rot? War es von dieser Farbe, so zeigt der Polygraph im Tatwissenstest einen Ausschlag.

Wir müssen die Lügen nämlich direkt am Ort ihres Entstehens, im Gehirn, zu messen versuchen. Deshalb haben wir das Verfahren der Psychologen Lawrence A. Farwell und Emanuel Dondrie von der University of Illinois übernommen. Das Gerät greift auf die bewährte P-300-Komponente zurück, die im Großhirn etwa 300 Millisekunden nach der Darbietung von Sinnesreizen nachzuweisen ist: ein Echo, nicht unterdrückbar. Man muß den Untersuchungshäftling nur auffordern, einige seltene Reize auszuwählen, die in einer Konfiguration verborgen sind: hohe Töne oder Wörter. Auf die nach dem Zufallsprinzip ausgestreuten seltenen Reize antwortet das Hirn mit einer P-300-Komponente.

- Einer könnte »lügen«, indem er grundsätzlich bei allen Reizen, den ihm bekannten, den unbekannten und den »verräterischen«, auf die Taste drückt.
- Wir hätten aber nur bei »bekannten« und »verräterischen« das Echo.
- Das haben Sie erprobt?
- Ja, wir haben Versuchsteilnehmer, Kollegen aus unseren Reihen, als »Spione« ausgebildet und anschließend ausgefragt. Sie hatten den Auftrag zu »lügen«. Keine Lüge gelang.
- Ein Naturhemmnis?
- Mitten im Großhirn, etwas links von der Mitte, dort, wo Descartes die Seelenlampe vermutete.
- Wie kann einer sich denn da noch vor Ihnen retten?
- Indem er überhaupt nichts sagt.
- Dann gilt er dadurch als überführt?

Inzwischen wurde in der University of Illinois eine Variante entwickelt: Statt der Hirnaktivität wird die Reaktionszeit in den Synapsen gemessen. Bei aufrichtiger Angabe: Nein-Taste in einer halben Sekunde, bei Lüge blieb mehr als eine Sekunde Reaktionszeit. Selbst nach intensivem Training keine Beschleunigung der winzigen Hirnbewegung.

Über ein vermeintliches Recht, aus Menschenliebe zu lügen

> »Es ist also ein heiliges, unbedingt gebietendes, durch keine Konvenienzen einzuschränkendes Vernunftsgebot: in allen Erklärungen wahrhaft (ehrlich) zu sein.«
> *Immanuel Kant, Die Metaphysik der Sitten*

Im Jahr 1797 waren der europäischen Öffentlichkeit die Tribunale gegenwärtig, die während der Französischen Revolution so zahlreiche Verhaftete zur Guillotine verurteilt hatten. Was galt eine Lüge, die Rettung brachte? Was ist von der Wahrhaftigkeit eines Anzeigeerstatters, eines Denunzianten zu halten? Will eine mordwillige Fraktion ihre Gegner mit dem Instrument der Justiz umbringen, ist dann die Rechtsordnung und damit die Wahrheitsordnung außer Kraft gesetzt?
Der politische Schriftsteller Benjamin Constant zitierte in dieser Phase der Zeitgeschichte einen DEUTSCHEN PHILOSOPHEN (gemeint war Immanuel Kant). Dieser Philosoph habe behauptet, es gebe ein Recht der Menschheit auf

WAHRHEIT: Lüge sei generell unzulässig. So müsse, schreibt Benjamin Constant, nach Auffassung dieses Philosophen »ein Mörder, der bei den Gastwirten eines Hausfreundes nach dem zu Mordenden fahnde, wahrheitsgemäß von dessen Aufenthalt unterrichtet werden, auch wenn dies seinen Tod bedeute«. Die gutmütige Lüge sei ein Akt der Omnipotenz, entgegnete Kant in öffentlicher Streitschrift. Sie setze voraus, daß der Lügner sämtliche Kausalketten und rechtlichen Folgen seiner Antwort im voraus wisse. Was sei von seiner Lüge an Gutmütigkeit noch übrig, nachdem er dem Mörder die Frage, ob der Angefeindete zu Hause sei, (wahrheitswidrig) mit Nein beantwortet, der Gast das Haus aber inzwischen verlassen habe und so anschließend dem Mörder zum Opfer gefallen sei? Umgekehrt: Antworte er wahrheitsgemäß, der Angefeindete sei aber inzwischen außer Haus, so gehe der Mörder ins Leere, habe Zeit verloren und scheitere in seinem Tatendurst, weil er durch wahrheitsgemäße Aussage in die Irre geleitet wurde.[3]
Der Philosoph beharrte auf dem Satz: »Es ist also ein heiliges, unbedingt gebietendes, durch keine Konvenienzen einzuschränkendes Vernunftsgebot: in allen Erklärungen WAHRHAFT (ehrlich) zu sein.«

– In einem Prozeß von 1937 in der Sowjetunion die Wahrheit zu sagen, ist lebensgefährlich und für die Gerechtigkeit nutzlos, würden Sie das als Kantianer zugeben?
– Die Umstände leugne ich nicht, das Prinzip ist unaufgebbar. Man darf nicht lügen.
– Wenn Lügen unter Folter erpreßt wurden? Wenn Unwahrheit zum Vehikel einer entstellten Anklage, der Verwirrung und damit zum Grund der Todesstrafe wird?
– Kants Satz gilt, oder er gilt nicht. Er ist nicht verhandlungsfähig.

---

3 Immanuel Kant, *Die Metaphysik der Sitten, Über ein vermeintes Recht*, Werke VIII, Frankfurt 1977, S. 639: »Hast du nämlich einen eben itzt mit Mordsucht Umgehenden durch eine Lüge an der Tat verhindert, so bist du für alle Folgen, die daraus entspringen möchten, auf rechtliche Art verantwortlich. Bist du aber strenge bei der Wahrheit geblieben, so kann dir die öffentliche Gerechtigkeit nichts anhaben; die unvorhergesehene Folge mag sein welche sie wolle. Es ist doch möglich, daß, nachdem du dem Mörder, auf die Frage, ob der von ihm Angefeindete zu Hause sei, ehrlicherweise mit Ja geantwortet hast, dieser doch unbemerkt ausgegangen ist, und so dem Mörder nicht in den Wurf gekommen, die Tat also nicht geschehen wäre; hast du aber gelogen, und gesagt, er sei nicht zu Hause, und er ist auch wirklich (obzwar dir unbewußt) ausgegangen, wo denn der Mörder ihm im Weggehen begegnete und seine Tat an ihm verübte: so kannst du mit Recht als Urheber des Todes desselben angeklagt werden. Denn hättest du die Wahrheit, so gut du sie wußtest, gesagt: so wäre vielleicht der Mörder über dem Nachsuchen seines Feindes im Hause von herbeigelaufenen Nachbarn ergriffen, und die Tat verhindert worden.«

Eine Gruppe von Verhandlungsführern des CIA hat das Verhör eines vermuteten Mitglieds von Al-Qaida aufgegeben, das Subjekt an einen befreundeten Geheimdienst überstellt, dem nach der Gesetzgebung seines Landes Folter zugestanden ist. Die Verhörtruppe belügt den Delinquenten, um die Folter zu mildern, hinsichtlich des Verrats von Gefährten. Ist solch gutmütige Lüge erlaubt? Für den Kantianer überhaupt nicht. Wie wollen Sie wissen, was der Mann unter Folter verrät? Wie viele, deren Namen der gefolterte Mann oder der durch Lügen getäuschte Mann verrät, wollen Sie der Verfolgung preisgeben, seien sie unschuldig oder nicht?

– Muß die Telefonistin, die den Verschwörer des 20. Juli 1944, Oberbürgermeister a. D. Goerdeler, erkannt hat, auf die Frage, ob sie ihn kennt, mit Nein antworten? Andernfalls verurteilt sie ihn zum Tod?
– Als Kantianer sage ich nein, als deutscher Patriot würde ich sagen, ja.
– Im Schatten Hitlers gilt Kant nicht?
– Nein.
– Ist das im Sinne des Meisters?
– Nein. Kant kennt keinen Fall im Weltall, in dem seine Regeln nicht gelten. Insofern bin ich Kompromißler, wenn ich sage, daß unter den Umständen des 20. Juli der Ausschluß von Lüge nicht gilt.
– Ich bin im März 1945 in Ostpreußen vergewaltigt worden. Ich weiß, daß mein Mann mir das nicht verzeiht. Es ist eine Standes- und Sittenfrage, ein klassisches Problem der besonderen Art, nicht eine Möglichkeit der Emotion. Soll ich etwas Unmögliches von seiner Seele fordern, oder soll ich ihn belügen?
– Wenn mein Mann mich liebt, muß er damit fertig werden, andernfalls liebt er mich nicht.
– Anderer Fall: Sie haben einen Seitensprung gemacht, leichtsinnigerweise.
– Er aber liebt mich?
– Würden Sie aus solchem Zufall die gemeinsame Liebe erwürgen?
– Nein.
– Wovon ist diese Abweichung vom kantischen Prinzip abhängig? Wie begründen Sie das?
– Er will die Wahrheit nicht wissen.
– Und woher wissen Sie das?
– Aus dem Gefühl.[4]

4 Immanuel Kant, *Die Metaphysik der Sitten*, a. a. O., S. 638: »Die Lüge bedarf nicht des Zusatzes, daß sie einem anderen schaden müsse; [. . .] denn sie schadet jederzeit einem anderen, wenn gleich nicht einem anderen Menschen, doch der Menschheit überhaupt, indem sie die Rechtsquelle unbrauchbar macht.«

Wach sind nur die Geister

Gibt es ein Leben im Nichtleben?

I
Eine merkwürdige Nachricht aus Australien

Der Abkömmling eines Stammes der Aborigines, der kürzlich der Katholischen Kirche beitrat, gründete mit seinem Assistenten, einem Schotten, eine Firma, die sich auf nanotechnische Spezialmaschinen konzentrierte. Der junge Aborigine, dessen Firma inmitten der Depression Börsenhöchstwerte erzielte, wurde bei seinem Vortrag in Princeton mit besonderem Respekt, ja mit Beifall begrüßt. Er gilt als ein physikalisches Genie.

Die zum Teil durch Vorurteile in der Rezeption dieser Nachricht gehemmte Presse Australiens hat festgestellt, daß der Aborigine und sein schottischer Mitarbeiter einander stark zugewendet sind. Es werden homophile Beziehungen unterstellt. Jedenfalls helfe der Assistent dem Meister in starkem Ausmaß, so daß das geistige Eigentum sich verwirre. Generalnenner der Berichte ist der Zweifel, daß einer der Aborigines europäisches oder internationales Format aufweisen könne. Die Sache ist gleicherweise unangenehm, äußerte sich das Mitglied des Obersten Gerichtshofs Australiens, Judge Clarke. Es gebe drei logische Möglichkeiten: (1) Der Assistent habe die genialen Prämissen seinem Meister vorgesagt. Das wäre ein Problem des Urheberrechts, weil der Assistent ja bezahlt wurde. (2) Das Genie sei der Ureinwohner, dann sei das provokativ für das rassische Vorurteil, auf dem Australien gründe. (3) Intelligenz sei anderswo angesiedelt, als man meine, nämlich nicht im Kopf eines Einzelnen, sondern als Netzwerk zwischen verschiedenen Köpfen. Dies würde Annahmen der Erkenntnistheorie, wie sie an den Universitäten gültig seien, in Bewegung bringen und wiederum die Frage des Eigentums an Geistesgütern für das Oberste Bundesgericht neu öffnen.

2
Weihnachten in Neuseeland

Die Wasser des heidnischen Flusses Wangachu brachten am Vorabend der Heiligen Nacht die mittleren Pfeiler der Eisenbahnbrücke zum Einsturz, über welche die Schnellzuglinie Wellington–Auckland verläuft. Ungewöhnliche Regenfälle sollen der Grund gewesen sein.

Zur Trägheit der Gefühle gehört, daß sich die Briten in Neuseeland, trotz aller Attribute der Sommerzeit, zu Heiligabend »ein jeglicher an seine Statt« begeben wollen. So war der Expreß, der an der Bruchstelle der Brücke in die Tiefe stürzte, überfüllt.

Die Lokomotive, fünf Waggons. Das elektrische Licht funktionierte bis zuletzt. Ich sah die Waggons mit erleuchteten Fenstern im reißenden Fluß verschwinden, berichtet ein Zeuge.

Von etwa 120 Reisenden gelangten 47, irgendwie gerettet und hinsichtlich ihrer Verletzungen provisorisch versorgt, an ihre Ziele in Auckland. Der Hilfszug war vom Zielbahnhof her an die Unglücksstätte gefahren. Die Passagiere erreichten die Stadt gegen Mittag des ersten Weihnachtstages.

– Sabotage schlossen Sie aus?
– Wer sollte sie begangen haben?
– Sie sprachen davon, der Fluß Wangachu sei »beseelt«. Kriegerseelen der Maoris, die von der britischer Kolonialmacht umgebracht worden seien, hätten die Wassermassen in Richtung der Brückenpfeiler umgelenkt.
– Das wird behauptet. Für mich klingt es phantastisch.
– Aber es ist auffällig, daß das Unglück so exakt auf Heiligabend traf, eines der höchsten Christenfeste. Heftigen Sommermonsun, unverhältnismäßig wasserreiche Regenfälle gibt es häufig.
– Man kann nicht auf jede Besonderheit eine Verschwörungstheorie stützen.
– Eine Verschwörung wäre ja auch nicht erforderlich.
– Wieso nicht?
– Weil Seelen, die im Wasser leben, keine Verschwörung brauchen.

3
Was ist Fortschritt?

Der Paläontologe Gould lehnt den Begriff Fortschritt ab. Zugleich muß er sich vorhalten lassen, daß er selbst von einem Wachsen der Gehirngewichte, der Zunahme der räumlichen Ausdehnung der Gehirnoberflächen spricht (und sei es durch interne Lagerung, verbesserte »Aufwicklung« im gleich großen Gehäuse). Das Wort *Fortschreiten* verwendet er auch beim Vordringen von Karnivoren, wenn er die Verdrängung von *Beuteltieren* beschreibt, die als Fleischfresser jagen und von *Säugetieren* gefressen werden, die ebenfalls von Fleisch leben.

4
Was ist am Beckenhirn der Saurier ohne Aussicht?

Im persönlichen Gespräch mit dem Akademiker Berdjew aus Moskau, der sich in seinen auf Friedrich Engels gestützten Annahmen angegriffen fühlte, gab der Zyniker Gould routinierte Antworten. Geste eines Machthabers, der er in der globalen Paläontologie war. Die neuen, erfolgreichen Reihen der Lebewesen entstammen nicht, sagte er, jeweils der »fortgeschrittenen Art«, z. B. gezählt nach Größe oder Arbeitspotenz der Gehirne. Die Evolution beginne stets neu auf der Seite der kleinen Lebewesen, der »vergessenen Fortschritte«, eines Stücks Vergangenheit. Es seien Cousins der Hauptlinie, die eine Neuentwicklung bewirkten, aber auch ganze Verwandtschaften und Cousins zwölften Grades, die einen Fortschritt wiederherstellten. Was z. B. sei am Beckenhirn der Saurier ohne Aussicht auf Erfolg? Wer sei dogmatisch genug, auszuschließen, daß aus dieser Perspektive eine Neuentwicklung eintreten werde, und zwar unabhängig davon, ob die Saurier ausgestorben seien oder nicht?

Aber eine Grenze nach unten gebe es doch, sagte der Moskauer Akademiker: Das Gehirnvolumen könne in der Evolution (also auch in Zukunft) nicht unter Null gehen. Ganz ohne Hirn funktioniere die lebendige Maschine nicht, dies sei ein »Brückenkopf des Fortschritts«.

Wieso nicht? Natürlich, antwortete Gould, müsse die Wellenbewegung unter Null, müsse das Nichtsein einbezogen werden. Andernfalls erhalte man das, was Carl Friedrich Gauß eine BESCHNITTENE VERTEILUNG ODER VERKÜRZTE GLEICHUNG genannt habe.

Sünde wider die Mathematik! So seien die toten, ausgestorbenen Arten in der künftigen Entwicklung enthalten, ereiferte er sich, Guillotinierte der Revolution hätten ewiges Leben.

Aber wie sollen wir es verstehen, fragte der Moskauer Akademiker, daß die Welle (es ist ja nur eine Graphik) sich unterhalb von Null fortsetzt? Meinen Sie damit eine Nation von Dummköpfen mit dem Potential, sich aus der Menschheit zu entfernen? Ich aber frage nach der Evolution der Hardware, des Gehirns. Wenn es kleiner ist als eine Nußschale, läßt sich dann die Arbeitsweise menschlicher Gehirne, die Intelligenz, die Zivilisation, noch irgendwie unterbringen?

Sie verstehen wenig von Nanotechnik, antwortete Gould. Unabhängig davon müssen Sie, wenn Sie die Evolution betrachten, den Verfall von Arten, sozusagen »unterirdisch«, weiterverfolgen. Einzelne Arten sterben aus, aber das, was von ihnen abstammt, ist in Bewegung. Unerwartet, wie ein Maulwurf, kommt das Ausgestorbene wieder hervor. Das wäre »negative Hirntätigkeit«. Vielleicht kann sich ein Hirn um so viel differenzieren, wie es verborgen, d. h. abgestorben, gewartet hat?

Jetzt werden Sie dichterisch, antwortete der Moskauer Akademiker. Sie wollen mir zeigen, auf welch dünnem Eis wir dialektischen Materialisten uns bewegen. Wollen Sie das? So gibt es Hoffnungen, die geschichtlich unerfüllt bleiben, sie werden über tausend Jahre vergessen und kehren als UNSTERBLICHE wieder.

Sehen Sie, antwortete Gould, da haben Sie die vollständige Gaußsche Gleichung. Ihr ist gleich, daß das Vorzeichen Minus heißt, sie arbeitet im Minus wie im Plus. Mit der Besonderheit, daß die Evolution, die Ihr Urvater Marx ja gern selber erfunden hätte (nehmen Sie den Briefwechsel mit Darwin), der dialektisch-materialistischen Methode besonders gern folgt. Nicht bloß Hoffnung, die verschwand, kehrt wieder, sondern auch reales Leben, das verschwindet.

Und das meinen Sie nicht zynisch? fragte Berdjew.

Auf Ehre und Gewissen nicht, antwortete Gould. Zufall ist oft zynisch, aber keineswegs immer. Wie rechnen Sie übrigens die Wellenfunktion der Hoffnung? Wie lautet Ihre Formel?

Ach, über eine wie kurze Zeitspanne sprechen wir? fragte der Moskauer zurück. Daß Crassus wiederkehrt, weil seine Hoffnung unerfüllt blieb? Daß Sulla wiederkehrt, weil es in den USA die Marines gibt? Das ist die Unsitte unseres Marx, er ist ungeduldig. Er forscht nicht. Er nimmt Beispiele, die er vorfindet in der Literatur. Er nimmt keine Rücksicht auf die Zeitspanne, die ein Prozeß braucht. Paläontologische Befunde hat er in seiner Londoner Bibliothek, in der er saß, in der Registratur nicht gefunden. Er hat nicht einmal gesucht.

Das sagen Sie als Marxist? antwortete Gould. Ihr Ahnvater hatte Ahnungsvermögen. Wer hat denn den Maulwurf als Gleichnis der Triebkraft in der Geschichte erfunden? Hier haben Sie die Wellenfunktion unter Einbeziehung des Nichts, die stetige Bewegung unterhalb der Null-Linie!

Na ja, wenigstens das, antwortete Berdjew. Sie hatten das siebte Glas Rotwein bestellt. Die Tagungsteilnehmer bewegten sich schon wieder zum Großen Vortragssaal. Die riesenhaften Leuchter des Kreml, eine Nachahmung byzantinischer Tempel, die aber aufgrund ihrer Bindung an Kerzen völlig anders funktionierten, erhellten den von Bildern bedeckten Saal. Die Pracht lenkte ab, ermüdete. Wach waren nur die Geister.

Abb.: »Wach waren nur die Geister.« Einsturz der Pfeiler einer Eisenbahnbrücke, über welche die Schnellzuglinie Wellington–Auckland verläuft, am Vorabend der Heiligen Nacht, weil unerwartet die Wasser eines heidnischen Flusses über die Ufer traten.

Später Sieg über die Natur

– Das, was Sie berichten, ist neu?
– Völlig neu. Sozusagen knapp eine Woche alt.
– Dann ist es nicht neu.
– Man hielt so etwas bisher für unmöglich. Insofern neu. Nicht zeitlich, sondern einsichtstechnisch.
– Und das bezieht sich vorauf?
– Auf den Quanten-Zeno-Effekt.
– Was habe ich darunter zu verstehen?

Die Journalistin kam von dem Veranstaltungsblatt *TIP*. Man konnte dort praktisch alle Arten von Meldungen unterbringen. Es war jedoch ratsam, daß ein Leser sie verstand.

– Wir können durch häufiges Beobachten einen radioaktiven Kern am Zerfall hindern.
– So wie man einen Selbstmörder, der am Rande eines Hochhauses posiert, durch Auf-ihn-Einsprechen an der Tat hindert? Man darf nicht zu viel und man darf nicht zu wenig reden?
– Das radioaktive Elementarteilchen, beobachtet, kommt nicht dazu, zu zerfallen.
– Und?
– Dasselbe passiert, wenn man einen radioaktiven Kern im Zerfall beschleunigt. Auch dies geschieht durch Beobachten. Wir stören die Natur, und sie revoltiert. Durch Beobachten schaffen wir Ausnahmen. Ist das nicht interessant?
– Ich versuche es gerade auf Szenen der Intimität zu übersetzen.
– Es ist intim, wenn wir die Natur durch unsere Gegenwart auf diese Weise beeinflussen. Kaum sind wir als Zeugen da, verhält sich die Natur unnatürlich.
– Das klingt spannend.
– Werden Sie darüber schreiben?
– Nein.
– Ist es nicht lesenswert, daß der menschliche Beobachter hier über die Naturkraft siegt?
– Ich finde es ein bißchen schade.

Aus dem Bargespräch mit dem Physiker im Adlon hätte so etwas wie eine Verabredung werden können, dagegen war es als Informationsaustausch zwischen Presse und Wissenschaft unbrauchbar. Wir sind ein privilegiertes Blatt, sagte die Journalistin, weil die Hauptinformation sich auf die Veranstaltungskalender bezieht, alle Artikel sind deshalb Luxus, und wir können uns diesen Luxus leisten. Natur, wie Sie es nennen, und »menschlicher Beobachter« (wer ist das außer einem Fachprofessor, wir treten ja nicht als Voyeure auf) sind keine Kategorien des Lesers.

Null zu eins im Spiel zwischen Natur und Mensch, das ist nicht mit einem Tor für den 1. FC zu vergleichen. Und Sie meinen nicht, daß sich das öffentliche Interesse irgendwie ändert? fragte der Wissenschaftler zurück.

Bei Beobachtung durch den Beobachter? antwortete die Journalistin. Sie beobachtete den Physiker, er beobachtete sie, wie sich ihre Hände interessant auf die Bartheke legten, die Oliven in ihrem Mund verschwanden, sieben Stück, er wiederum beobachtete sich mit den Augen der Partnerin, was ihn belebte. Natürlich verhielten sich beide nicht »natürlich«, während sich Anfänge von Verliebtheit zeigten und den Zerfall des Interesses behinderten.

Die Zunge als »Ersatzauge«

Fledermausforscher in Wisconsin und Bangladesch haben für arbeitslose Blinde auf deren Zunge ein »Ersatzauge« entwickelt. Es handelt sich um eine »sensorische Substitution«. Die Netzhaut wandelt nämlich, wie alle anderen Sinnesorgane, äußere Reize nur in Nervenimpulse um. Erst das Gehirn konstruiert daraus eine Empfindung.

– Wo das im Gehirn geschieht, ist bekannt?
– Seit vielen Jahren. Das Sehzentrum liegt im Hinterkopf.
– Und Sie führen als Ersatz für den verlorenen Datenstrom, der vom Auge kommen müßte, die Information auf einem Seitenweg heran?
– Ja. Wir probierten es mit der Bauchhaut. Wir haben es auch mit dem Handrücken versucht. Für Fühlbilder ist jedoch die Zunge mit Abstand das geeignetste Organ. Die Zunge ist ungewöhnlich dicht mit Tastrezeptoren besiedelt. Der Speichelfilm ergibt einen guten elektrischen Leiter. Das »Ersatzauge« Zunge liegt gut geschützt im Mund und ist intensiv mit dem Hirn vernetzt.
– Hier sehe ich einen Sensor?
– Ja, mit 144 Elektroden. Ein Quadrat auf der Zunge in der Größe einer Briefmarke.
– Die Videokamera, die den Sensor bedient, muß der Blinde an einem Stab in der Hand halten.

– Oder man befestigt sie an der Kleidung. Wichtig sind die elektrischen Pulse,
die sich auf der Zunge wie Kribbeln anfühlen.

– Wie lange müssen die Blinden üben?

– Sie meinen, bis sie schattenhafte Umrisse »sehen«, sich wie in einer dunklen
Umgebung orientieren können? Ein halbes Jahr. Nicht anders als bei Ausbildung am Blindenhund.

– Weiß man, ob das »Sehzentrum« den Betrug übelnimmt? Ist es ein selbstän-
diges Lebewesen? Oder nur Diener des Gehirns, eine Maschine? Die Zun-
genimpulse sind ja »Kuckuckseier«.

– Sie legen eine authentische Verbindung zwischen Außenreiz und Sehzentrum. Was soll daran lügenhaft sein?

– Die Impulse der Zunge sind für etwas anderes geschaffen als zum »Sehen«.

– Wir stellen fest, daß das Hirn geradezu gierig nach dem Surrogat greift.
Hauptsache, viele verschiedene, rasch wechselnde Reize. Die Kollegen in
Bangladesch haben erst in der letzten Woche gemessen, daß das taktile Zun-
gensehen eine geringere Verzögerung aufweist als die Wahrnehmung über
das Auge. Dreihundert Eindrücke pro Sekunde (wenn auch nur schatten-
haft), während über die Retina nur ein sechzehntel Einzelheit pro Sekunde
als getrennter Reiz gesehen wird.

– Ihr Institut hat Patente erworben für das »Zungenauge«? Wofür wird diese
neuartige Prothese verwendet? Die arbeitslosen Blinden, die sich für die
Versuche zur Verfügung stellen, können sich den Einbau eines solchen Auge,
samt Pflege und Betrieb nicht leisten.

– Das lohnt keine industrielle Entwicklung.

– Das Militär arbeitet mit einem System, das Elitesoldaten mit Sonar oder In-
frarot Zungenbilder einer für das Auge unsichtbaren Umgebung vermittelt.
Das kann schlachtentscheidend werden. Wir hören von einem Bedürfnis der
Rennfahrer, sich blitzschnell Informationen über das sich verändernde
Blickfeld zu verschaffen, sozusagen »schneller als das Auge«, »über den Be-
reich der Augenwinkel hinaus«.

– Wir sehen diese Fahrer und Soldaten mit vorgestreckter Zunge in raschem
Vorwärtsdrang. Ohne die Bindung an die Vorurteile, die wir mit dem Augeneindruck, Gefühl genannt, verbinden. Sozusagen mit dem Blick des Ha-
bichts.

Die Forscher arbeiteten vernetzt. Nur dort, wo ein ausreichender Stamm ar-
beitsloser Blinder zur Verfügung stand, die sich zu niedrigem Preis für die Versuche zur Verfügung stellten, war diese Forschung, die an Fledermäusen ihren
Vorlauf hatte, durchzuführen. Demgemäß waren die Forscher in Wisconsin
und Bangladesch miteinander vernetzt. Von Erfolg zu Erfolg mehr hatten sie

sich von ihren ursprünglichen Forschungsbereichen fortbewegt, die im Zwischenfeld von Biologie und Ingenieurswissenschaft lagen,. Nunmehr standen sie vor rätselhaften, zugleich vielversprechenden Abgründen der menschlichen Natur.

– Abgründe im Sinne von Bergwerken, in denen sich etwas finden läßt? Nicht im Sinne von: dies ist aber unheimlich?
– Keineswegs unheimlich, eher verblüffend. Wir fanden nämlich unbekannte nanogroße Gelände im Gehirn, die übriggeblieben zu sein scheinen von einem dritten Auge, das unsere Spezies vor einigen hunderttausend Jahren besessen haben muß.
– Diese Ruinen, verborgene Reste eines früheren zweiten Sehzentrums im Hirn, reagierten auf den Datenstrom, den sie über die Zungen einschleusten?
– Höchst lebhafte Reaktionen. Das dritte Auge muß, wie wir es bei einigen Insekten und Reptilien kennen, am Hinterhaupt, in der Mitte des Schädels gesessen haben. Es war nicht zum Identifizieren von Außenreizen bestimmt, sondern auf Stimmungen, Wechsel der Lichtverhältnisse eingestellt. Wir können durch Reize des »Zungenauges« über diese nanotaktilen Stellen im Gehirn die Ausschüttung von Melatonin bewirken. Wir können bisher unbekannte »Qualia« erzeugen, also Empfindung von »angenehm« oder »ich brauche dringend mehr davon«, die es im Arsenal der Emotionen nicht gibt.
– Ist das nicht sprachlich schwer auszudrücken?
– Darin liegt die Schwierigkeit. Die Blinden behaupten, sie hätten solche Empfindungen bisher nicht gehabt, und versuchen sie recht umständlich zu beschreiben. Greifbares läßt sich so nicht ermitteln. Wir müßten »Sehenden« ein Zungenauge implantieren, um vergleichen zu können.
– Die lassen sich das aber nicht gefallen.
– Auch Arbeitslose und völlig Mittellose zögern.
– Wer will auch schon mit einem briefmarkengroßen Sensor auf der Zunge durchs Leben laufen, wenn er so etwas nicht braucht? Könnten Sie denn das Implantat später wieder ausbauen?
– Nicht, wenn die Kanalisierung zum Sehzentrum gelungen ist. Dann »sieht« der Sehende mit seinen Augen nichts mehr.
– Das Sehzentrum versteht die Augen nicht mehr?
– Es lehnt den Augeneindruck ab. Er ist ihm zu langsam. Wir haben den Eindruck, daß das Sehzentrum den Augeneindruck als langweilig empfindet, sobald es einmal vom Zungenauge gekostet hat.
– Das können Sie doch gar nicht wissen, wenn Sie es nicht probiert haben.
– Nicht wir in Wisconsin haben das probiert, sondern unsere Kollegen in Bangladesch.

- An Probanden des Landes, die sich aus Armut zur Verfügung stellten?
- Die Probanden wurden importiert. Es wäre strafbar, Versuche dieser Art an Staatsbürgern vorzunehmen.
- Importierte Probanden sind keine Staatsbürger in Bangladesch?
- Keine von Bangladesch.
- Aber doch Staatsbürger irgendwo anders?
- Nicht, wenn sie rechtskräftig verurteilt wurden und die Bürgerrechte verloren.
- Chinesische Probanden?
- Immer noch besser, sich der Wissenschaft zur Verfügung zu stellen, als durch Vollstreckung des Todesurteils umzukommen.

Spekulative Wissenschaft

Im Pentagon war die »Abteilung für Feinderkennung« stark ausgebaut worden. Schon in mikroskopischer Struktur sollten ein Komplott, ein terroristischer Angriff, eine gegnerische Natur erkannt und durch das weltweite Netz der Homeland-Verteidigung bekämpft werden. Sogar Theologen wurden um Rat gefragt. Ein Universitätslehrer aus Europa, Spezialist für mittelalterliche Metaphysik, saß unbehaglich in dem von einer Klimaanlage beatmeten Raum. Nirgends war ein Frühstück aufzutreiben. Er war so, wie er eintraf, in die Kontrollschleusen geführt und sofort in diesen relativ engen Raum verfrachtet worden.

- Für einen Fundamentalisten halten Sie den Teufel nicht?
- Im Gegenteil.
- Was verstehen Sie unter Teufel?
- Einen ganz bestimmten Mann in Wittenberg, der sich in sechster Generation auf einen Ahnen zurückführt, der schon Hamlet unterrichtet haben soll und Dr. Faust aushalf. Er hält sich für den Teufel.
- Ist das eine Einbildung?
- Das auch wieder nicht.
- Wieso nicht? Es gibt doch keinen Einzelmenschen, welcher der Teufel ist.
- Aber es gibt teuflische Elemente in den Wissenschaften.
- Das ist aber nicht identisch mit Ihrem Mann aus Wittenberg?
- Er forscht darüber.
- Und was haben Sie festgestellt?
- Er meint, gemeinsam mit einem Internet-Partner in Minnesota, dem er ver-

traut, daß eine Art geistiger Zeitbombe in die Menschengehirne eingebaut ist, die bei einem gewissen Organisationsgrad dieser Menschen zünde. Das sei z. B. bei den spekulativen Wissenschaften, weltweit vernetzt, der Fall.
– Und das erklärt das Phänomen der »kranken Vernunft«, der »spekulativen Wissenschaft«?
– Haben Sie eine andere Erklärung dafür, warum es so etwas gibt?

Den Geheimdienstlern im Pentagon genügten die Auskünfte des Theologen nicht. Sie waren an ihn geraten, weil der Bundesnachrichtendienst den Mann empfohlen hatte. Den US-Experten schienen die Äußerungen wirr. Sie suchten nach dem leibhaftigen Bösen, nicht nach Vermutungen.

Beispiel für das Scheitern eines Teufelspakts

Ein hochrangiger Physiker in Princeton, geborener Ungar, entwarf aufgrund einer Analyse des Weltwetters, welche die Öffentlichkeit der USA in den 8oer Jahren stark bewegte, einen Plan (einige seiner Kollegen, die nicht über gleich gute Beziehungen zum Weißen Haus und zum Pentagon verfügten, sagten, er habe es getan, um sich wichtig zu machen), die Eisfelder der Arktis und Antarktis zu *färben*. Ein Hauptabteilungsleiter im Pentagon, »Fürst der Finsternis« (Prince of Darkness)[5] genannt, zeigte sich diesem Projekt gegenüber aufgeschlossen. Eine nachhaltige Wetterbeeinflussung enthielt hinsichtlich der gegnerischen Supermacht offensichtlich Potentiale. Zugleich wäre die militärische Beherrschung des Weltwetters, falls durch ein solches Projekt nachweisbar, ein rapider Zuwachs an Autorität, ganz gleich, für was die neue Macht taugte.
Die weißen Flächen der Pole werfen das Sonnenlicht zurück in die Kälte des Raums. Färbt man dagegen die riesigen Eis- und Schneeflächen (man tut dies durch Versprühen von Staubpartikeln aus Flugzeugen[6]), so »trinkt« der Planet Energie.
Dieser Pakt zwischen einem wissenschaftlichen Kämpfer und einem zahlungsfähigen Militärapparat scheiterte an einer charakteristischen Schwäche des

5 Es handelt sich um Richard Perle, der für Präsident Reagan das SDI-Konzept entwickelte.
6 Als das Einfachste stellte sich ein chemischer Staub heraus, nanoskopisch fein, der den Eiskappen die Farbe Rubinrot gegeben hätte.

Teuflischen. Es zeigt sich abgelenkt, z. B. vermag ein Dämon nicht mehr als zweieinhalb Krisen auf dem Erdball gleichzeitig zu verfolgen. So scheiterte der Plan, der die Erde erhitzt oder erkältet hätte (man weiß nicht genau, was eine einseitige Erwärmung beider Polflächen für das Weltwetter bewirkt, da ja stets zu einer Wirkung anderswo eine Gegenwirkung eintritt), an der Inkonsistenz des Versuchers, die für die Mehrzahl seiner Abkommen gilt.

Der Teufel und die Macht

Eines Nachts, in den Tagen nach dem Sieg von Dresden (1813), heißt es in den Aufzeichnungen eines schwedischen Geistersehers, der vom Kaiser tatsächlich empfangen wurde, habe ein Abgesandter des Hades Napoleon in dessen Kriegszelt besucht. Es sei klar gewesen, daß es sich um den Versucher gehandelt habe, der sich (aufgrund irriger Annahmen) auf den Rest an katholischem Glauben in der Seele des Kaisers habe stützen wollen, im Gespräch aber bald feststellen mußte, daß sich der Kaiser für christliche Metaphysik als ganz unempfindlich erwies.

Um einen Machtschacher sei es gegangen. Um das Ganze der Welt bis nach Indien. Zu welcher Gegenleistung dies den Kaiser verpflichte? Der Herrscher solle nehmen, der Versucher werde dann zu gegebener Zeit das Seine fordern.

Welche Garantie der Hades überhaupt geben könne, wenn es um künftige Schlachten gehe? Spreche der Bote der Unterwelt davon, Ratschläge zu geben? Sei er Hochstapler? Tue er sich wichtig? Wie beweise er seine tatsächliche Macht (noch dazu bezogen auf konkrete künftige Ereignisse, in denen so viel vom Zufall abhänge), und könne er sie auf einen weltlichen Herrscher transferieren? Der Versucher riet zu einem Waffenstillstand, der Kaiser solle erst wieder losschlagen, wenn er neue Bataillone rekrutiert habe.

Den Kaiser quälten damals Koliken in Magen und Darm. Er war nicht mehr gierig nach Weltherrschaft.

Was ihn gereizt hätte: das aufsässige Albion (gegen alle Wahrscheinlichkeit) in die Schranken zu weisen. Er hätte gern recht behalten. Dann zog der Kaiser ein heißes Bad diesem heißempfundenen Wunsch vor. Er entließ den Versucher unverrichteter Dinge.

Das »Warum« ist früher zu beantworten
als das »Was«

> Es kommt nicht darauf an, die Zukunft vorherzusagen,
> sondern die Bürger darauf vorzubereiten.
>
> *Perikles*

– Waren Sie als Astrologe nicht ebenso überrascht wie alle anderen, als Sie auf einen Anruf Ihrer Ratsuchenden hin am 11. 9. CNN einschalteten?

– Ich glaubte, daß die zentrale Elektronik der US-Zivilflugzeuge ausgesetzt hätte. Alle Maschinen seien fehlgeleitet, jetzt könnten dreißig, vierzig davon abstürzen. Das war mein Eindruck. Obwohl ich ja vorgewarnt war.

– Gewarnt durch sich selbst?

– Durch meine Forschung.

– Schon im August sahen Sie, daß etwas geschehen würde?

– Das »Warum« sah ich, nicht das »Was«.

– Sie haben in Harvard studiert?

– Versicherungswirtschaft.

– Dann eröffneten Sie Ihre astrologische Praxis?

– Ich publizierte die *Astrologisch-Amerikanischen Jahreshefte.*

– Die inzwischen wöchentlich erscheinen?

– Es handelt sich um ein Jahresheft, das wöchentlich aktualisiert wird.

– Zurück zur Vorhersage. Sie stützen sich auf das sog. Boyd-Horoskop.

– Helen Boyd verfertigte am 6. 7. 1775, am Tag der Kriegserklärung der USA gegen England, für Philadelphia elf Uhr vormittags ein Horoskop. Ich habe herausgefunden, daß in allen Großereignissen, welche die USA betreffen, eine Variation dieses Horoskops wiederkehrt.

– Gilt das nur für die USA?

– Für dieses Land, mein Land, besonders. Das Boyd-Horoskop gibt zuverlässig Auskunft über Angriffe oder Militäraktionen gegen die USA. Wir sehen, wann eine Mars/Pluto-Konjunktion im siebten Haus in Opposition zu Saturn in eins steht. Die Mars/Pluto-Konjunktion in Solar signalisiert grundsätzlich ein dramatisches Ereignis, einen schweren Unfall.

– Haben Sie den Präsidenten gewarnt?

– Ich habe gefaxt.

– Antwortete er?

– Leider nicht. Sie werden den Grund gleich sehen. Der Absturz des Airbus in Queens am 12. November 01 kann übrigens auch so berechnet werden, daß man durchschnittlich pro Monat 30° zum Boyd-Horoskop hinzuzählt plus die abgelaufenen Tage. Zwischen dem Solar-Tag, 6. Juli, und dem 12. November sind vier Monate und sechs Tage vergangen. Das ergibt approximativ 10° Schütze, wobei die progressive IC auf 15° Schütze zu liegen kommt.[7]

– Am 11.09. befand sich Mars/Pluto auf 14° Waage (in Konjunktion mit laufendem Merkur) sowie in gradgenauem Quadrat zur Sonne.

– Die Opposition zum Saturn hatte fünf Tage früher stattgefunden (Zeitpunkt der Abreise Attas von Florida).

– Und das haben Sie im August vorausgesehen?

– Nicht »gesehen«, sondern »berechnet«. Im Geheimen nenne ich mich Erkenntnis-Astrologe. Das Solar des US-Boyd-Horoskops für 7. September 1941 (auf Washington berechnet) weist eine Venus/Chiron/Pluto-Konjunktion am MC auf und hat den Mars am absteigenden Mondknoten Anfang Widder. In meinem Buch MARS, BUSH UND DAS WEISSE HAUS habe ich die Konsequenzen beschrieben. Die Konstellation gibt den Schock in Washington, nicht das bloße Ereignis, wieder.

– Und wie war es 1941 bei Hawai?

– Vom Ort des Geschehens mußten wir vom Unabhängigskeitshoroskop zusätzlich ausgehen. Die Solarzeit für das Unabhängigkeitshoroskop der USA ist 18.26 GMT, die für das Boyd-Horoskop 18.33 GMT, d.h. japanischer Angriff erfolgte um 18.19 GMT.

– Man hätte aber aus dem Horoskop von dem Angriff nichts erfahren, nur daß ein Schock oder ein Unglück im Umkreis des Pazifik sich ereignen würde?

– Genügt das nicht, um einen japanischen Angriff vorherzusehen?

– Es hätte ein Vulkanausbruch sein können, ein Erdbeben.

– Dafür lagen keine Anzeichen vor.

– Was hätte bei rechtzeitiger astrologischer Einsicht der US-Präsident tun können?

– Alle Schiffe hätten die Häfen verlassen, oder aber er hätte mit Japan verhandeln sollen.

– Was war bei Kennedys Ermordung?

– Solar/Pluto steigt auf 10° Jungfrau im Quadrat zum Uranus der USA. Der Solar Mars steht in Konjunktion mit Pluto (ebenso wie heute)!

– Sie meinen, Präsident Bush ist bedroht?

– Oder er sucht sich zu wehren, weil er sich in seinen Fähigkeiten beschränkt sieht, sich auszudrücken.[8]

---

7 Stets gerechnet vom Südpol. Die Maschine hatte 9.14 Uhr Start, 9.17 Uhr ihren Absturz. An sich sollte sie 8.40 Uhr starten. Zu diesem Zeitpunkt wäre nichts passiert.

8 Tatsächlich hat sich erwiesen, daß er sich an einer unzerkauten Brezel verschluckte.

– Mit Widder und mit Waage wiederholen sich alle Horror-Szenarien der USA?
– Immer dann gilt es aufzupassen.
– Aufpassen, daß IRGENDWO IRGENDWAS passiert?
– Ja, man könnte jedesmal prophylaktisch Alarm geben, und der Präsident sollte in solchen Fällen die Bunker von Nebraska aufsuchen.
– Sie bestätigen der amerikanischen Geschichte eine große Einheitlichkeit?
– Die gibt es.

Wettbewerb der Pretiosen

I
Wert des ältesten Metalls des Planeten

Träge Zirkon-Kristalle. Alles um sie herum, das Muttergestein, wird durch Erosion und Witterung abgetragen. Die Kristalle des Zirkon bleiben immun und wachsen an fremder Fläche an, da sie hart und resistent sind. So ist Zirkon im Granit verbreitet oder »beerdigt«. Wie in einem Grab wartet das Metall auf den Forscher. In den Basalten der Meeresböden kommt es nicht vor. Daher wissen wir, daß es vor 4,3 Milliarden Jahren Kontinente gab.
Die ältesten Teile der Erdkruste haben ganz andere Böden als unsere Kontinente. Die älteren Kontinente sind wesentlich kleiner.
Für Geologen sind die winzigen Körner am nützlichsten, wenn sie über weite Entfernungen hinweg transportiert wurden. Sie liefern dann Nachrichten von früheren Zuständen. Zirkonium schließt Mengen von Uran ein. Dieses zerfällt in Blei. Der Prozeß stellt eine Uhr dar, die den Zeitweg des Zirkon exakt mißt.
In einer Spezialauktion in New York wurde ein Granitblock, der Zirkon enthielt, Herkunftsland Australien, für 1,2 Millionen Dollar versteigert.

2
Ein Eisenmolekül von Sol 14 im Sternbild Epiphanias

Einige Körner des witterungsbeständigen Minerals aus den alten Zeiten des kanadischen Schilds haben ein Alter von 4,1 Milliarden Jahren. Der Sammler David Kingstone in New York hat zwei solcher Körner in einen seltenen Bleikristall, der, wäre er verkäuflich, selbst zwei Millionen Dollar Wert repräsentiert, durch Laser einbringen lassen. Das war sowohl Beispiel einer sehr kost-spieligen TELEPORTATION (noch nie hatte jemand einen Partikel dieser Art in einen unverletzten Kristall implantieren können) als auch eine Antiqui-tät, die unüberbietbar schien, bis Samuel Hungerstein, L. A., ein Eisenmolekül fand, das (nur durch seinen *spin* und geringe Verschmutzung beweisbar) seine Herkunft auf Sol 14 im Sternbild Epiphanias zurückführte. Dieses Eisenteil war freilich älter als Planet Erde und schlug die Eitelkeiten Kingstones aus dem Weg.

3
Außerordentliche Wahrnehmung
südlich von Afrika

Nur 40 Seemeilen vor der Südküste Afrikas begegneten schiffbrüchige See-leute, die sich in einen Kahn gerettet hatten, dem Weststurm trotzend, einer unheimlichen Erscheinung. Über den Wellenkämmen erhob sich wie ein RÄ-CHER der Leib einer ungeheuren Schildkröte. Nun fühlten die Seeleute aber keinerlei Schuld in sich. Nie hatten sie Schildkrötensuppe oder das Fleisch ei-nes solchen Tieres zu sich genommen. Wie kam es zu dieser Begegnung?
Wir wüßten nichts von dem Ereignis, wären die Schiffbrüchigen nicht endlich, 14 Meilen östlich von Kapstadt, gelandet. Ihr Bericht in der Londoner Presse war bald vergessen. Es seien aber am Hals der riesenhaften Kröte, erzählte ei-ner der Seeleute, unterhalb des Panzers Falten zu erkennen gewesen, von denen eine bereits Menschengröße, mehrere aber die Höhe des Stockwerks eines Mietshauses gehabt hätten. Das Auge des schwimmenden Lebewesens habe »bedrohlich«, mindestens aber »intensiv« geblickt. Es sei ein Rätsel, wie das Wesen in der turbulenten See habe schwimmen können. Es habe, die Nasenlö-cher aufwärts gestreckt, mit den Vordergliedmaßen gerudert. Ruderten die Schiffbrüchigen? Nein, sie verharrten voller Schreck. Es sei ein »gräßlicher Anblick« gewesen, erschütternd bis ans Lebensende. Danach war die Erschei-nung verschwunden? Es sei keine Erscheinung gewesen. Auch nicht die Aus-deutung einer übergroßen Welle? Nein, keineswegs. Eine Schildkröte, außer-ordentlich groß.
Der Seemann wurde von einem Ordinarius aus Oxford vor der Royal Society befragt. Man habe ein solches See-Lebewesen vom Aussehen einer Schild-kröte, jedoch um sieben Größenordnungen größer als ein Wal, sonst in den Weltmeeren noch nie erblickt – ob der Seemann einen Irrtum ausschließen könne? Der Erzähler, der aus Spanien stammte, antwortete: Ich habe es so ge-sehen.

Abb.: Eine Wahrnehmung südlich von Afrika.

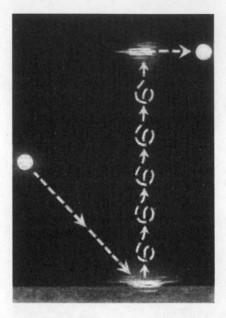

Abb.: Seltsame Landung eines unidentifizierten Objekts. Bei seinem späteren Start zeigt der Flugkörper ein Zeichen, das an den griechischen Buchstaben Omega erinnert.

Seelenwanderung nach Fourier

Prolegomena einer jeden rationalen Astrologie[9]

Die Wesen (später Seelen) bewegen sich, wenn sie den Blauen Planeten zu erreichen suchen, an den transsaturnischen Gestirnen, dann an den zwei großen Gasplaneten vorbei; sie ziehen eine Runde, heißt es in der Kabbala, als wären sie Flugkörper, die eine Abbremsung brauchen; sie bewegen sich um den Abendstern herum und landen erst nach diesem Zug (aus Wesen werden Seelen und hieraus Charaktere) an einem der Orte, in denen Menschen wohnen. Die Erkenntnis dieser Verbindung, unter dem Mond südlicher Nächte auch physisch zu spüren, schreibt Walter Benjamin, fehlt dem PARTEIISCHEN BEWUSSTSEIN, dem Rohstoff, aus dem wir das POLITISCHE destillieren. Demnach fehlen diesem Politischen Aroma und Essenz, von dem unsere Kör-

9 Walter Benjamin, *Gesammelte Schriften*, VI, S. 193; dazu Wolfgang Bock, *Walter Benjamin und die Rettung der Nacht. Sterne, Melancholie und Messianismus*, Aistesis Verlag, Bielefeld 2000.

per, unsere Bindungsfähigkeiten doch wissen. Die Blinden in uns (Monaden, Libido), die unsere Konstitution ausmachen, bleiben enttäuscht.

Charles Fourier berechnete die Seelenwanderung (die Wege der Wesen, die zu uns kommen und die von uns gehen, um wiederzukehren) in mathematischer Manier. Walter Benjamin legt im *Passagenwerk*[10] besonderes Gewicht auf diesen Hinweis des Frühsozialisten. Die menschliche Seele, sagt Fourier, muß 810 verschiedene Formen annehmen, bis sie den Planetenlauf beendet und zur Erde zurückkehren kann. Von diesen Existenzen im Kosmos sind 720 Jahre glücklich, 45 günstig und 45 ungünstig oder unglücklich. Nach dem Untergang unseres Planeten werden die auserwählten Seelen nach der Sonne ziehen! Auser wählt sind nur die mit vollständigen Verläufen. Bevor die Seelen 80000 Jahre auf unserem Planeten zugebracht haben werden, müssen sie alle anderen Planeten und Welten bewohnt haben. 70000 Jahre lang wird das Menschengeschlecht das Boreal-Licht genossen haben. Die Hauptwirkung, welche die Metamorphosen der Seelen belebt, ist jedoch die KRAFT DER ANZIEHENDEN ARBEIT. Durch sie, die GRAVITATION DER ARBEITSKRAFT, muß das Klima am Senegal, schreibt Fourier, so mild werden, wie die Sommer in Frankreich; da sich das Meer unter Einfluß der morphologischen Prägung freiwilliger gemeinsamer Arbeit in Limonade verwandeln wird, werden zwar die Fische aus den Ozeanen nach dem Kaspischen Meer, dem Aralsee und dem Schwarzen Meer fliehen, weil das Boreal-Licht auf diese salzigen Seen minderstark wirkt, aber sie werden sich nach und nach an die Limonade gewöhnen. Benjamin: »Fourier sagt auch, daß in der achten Periode die Menschen die Fähigkeit erlangen würden, wie Fische im Wasser zu leben und wie Vögel in der Luft zu fliegen, und daß sie dann die Höhe von sieben Fuß und mindestens ein Alter von 144 Jahren erreichen würden. Jeder Mensch werde sich dann dadurch in ein Amphibium verwandeln können, daß er die Fähigkeit erlange, das Loch, das die beiden Herzkammern verbindet, nach Willkür zu öffnen oder zu schließen, und so das Blut direct nach dem Herzen zu bringen, ohne es durch die Lungen strömen zu lassen [. . .]. Die Natur, behauptet er, werde sich dermaßen entwickeln, daß eine Zeit kommen werde, in welcher Orangen in Sibirien blühen und die gefährlichsten Thiere durch ihre Gegensätze werden ersetzt werden. ANTI-LÖWEN, ANTI-WALFISCHE werden dann dem Menschen dienstbar sein und die Windstille seine Schiffe ziehen. Auf diese Art soll nach Fourier der Löwe als das beste Pferd benutzt und der Haifisch so nützlich für die Fischerei werden, wie jetzt der Hund für die Jagd. Neue Sterne sollen entstehen, welche den Mond ersetzen, der überhaupt schon jetzt im Verfaulen begriffen sei.«

10 Walter Benjamin, *Gesammelte Schriften*, V.2, S. 765 ff.

»Fourier [. . .] wollte [. . .] in seinen letzten Lebensjahren ein Phalanstère begründen, das blos von Kindern von 3 bis 14 Jahren, von denen er 12000 zu-
sammenbringen wollte, bewohnt werden sollte, ohne daß jedoch sein Aufruf
die Ausführung dieses seines Planes zur Folge hatte.«
Die Libido, behauptet Walter Benjamin, wiederholt ihre »Urerfahrung«. Diese
kommt von den Sternen und hat zu tun mit dem »Lehm«, aus dem die Körper
entstanden sind. Ein revolutionärer Prozeß (oder Emanzipation, Rationalität),
der diese hieraus entspringenden Verbindungsnetze nicht kennt oder nicht
achtet, wird die Erfahrung machen, daß sich die Menschen von ihm zurückziehen. So kämpft eine Revolution stets gegen den Zeitlauf. Mit jedem Tag wird
ihr Gelingen weniger wahrscheinlich. Sie reduziert die Ziele, bis nichts mehr
da ist, was es zu verteidigen gilt.

Gußeiserne Balkons als Saturnring oder
Saturnring aus Gußeisen

I
Kann Dialektik träumen?

Phantasmagorien, heißt es, seien »geträumte Bilder der folgenden Epoche«.
Benjamin stützt sich bei der Erfindung »dialektischer Bilder«, also von »Zau-
berbildern« analog den Allegorien und Emblemen des 17. Jahrhunderts, auf
die Kennzeichnung der Emanzipation bei Marx als »Erwachen aus einem
Schlaf«. Dialektische Bilder seien Produkte der Libido, die sie aus der Wunsch-
welt der Nacht in den Tag hinüberziehe.[11]
Adorno hält diese Position für philosophischen Kitsch. Es seien Maschinen,
gesellschaftliche Fabriken, die mit der Schubkraft des Warencharakters gesellschaftliche Verhältnisse und damit die kommende Epoche hervorbrächten.
Benjamins Deutung »entzaubere« das dialektische Bild und mache es »umgänglich«.

11 Benjamin: »Die Verwertung der Traumelemente beim Erwachen ist der Schulfall des dialektischen Denkens. Daher ist das dialektische Denken das Organon des geschichtlichen
   Aufwachens. Jede Epoche träumt ja nicht nur die nächste sondern träumend drängt sie
   auf das Erwachen hin.« *Gesammelte Schriften*, V. 1, S. 59.
   »Die Reform des Bewußtseins besteht *nur* darin, daß man die Welt [. . .] aus dem Traume
   über sich selbst aufweckt«, Karl Marx, *Der historische Materialismus, Die Frühschriften*,
   Leipzig 1932, I, p. 226.

2
Vorrang des Objekts

Adorno zu Benjamins dialektischen Bildern:
In seinem »großen Brief« aus Hornberg vom 2. August 1935 weist Adorno am Beispiel des FETISCHCHARAKTERS DER WARE darauf hin, daß dieser keine Tatsache des Bewußtseins, sondern dahingehend dialektisch sei, DASS ER BEWUSSTSEIN PRODUZIERT.
Der Fetisch sei somit objektiver Natur. Das Bewußtsein oder Unbewußtsein, also die subjektive Antwort, wie sie der Traum abzubilden vermag, bestehe dagegen aus WUNSCH und ANGST gleichermaßen.[12]
Es geht um die Deutung einer Zeichnung Grandvilles. Die Zeichnung zeigt eine eiserne Planetenbrücke von 333 000 Pfeilern, deren anderes Ende auf dem Saturn aufliegt. Der Saturn selbst ist anstelle eines Rings mit einem gußeisernen Balkon ausgestattet.[13]
Adorno grenzt sich vom Bild des »Menschheitstraums« oder des kollektiven Traums in Benjamins dialektischen Bildern ab. Keine Phantasie, keine Wunschtätigkeit reiche aus, einen Saturnring aus Gußeisen zu erzeugen. Eher sei die Summe aller (oft überflüssiger) gußeisernen Balkone der Welt ein Saturnring. Nämlich die Umkreisung eines Großplaneten durch Schrott.

12 Der Fetischcharakter der Ware ist nach Marx das »intellektuelle Licht«, in jedes von Menschen fabrizierte Produkt eingebaut, das die universelle Tauschbarkeit des WAREN-WERTS signalisiert. Es handelt sich um eine »Intelligenz neben der Intelligenz«, res sapiens, seitlich vom homo sapiens.
13 Benjamin hatte dieses Werk von 1844 vereinnahmt für das PRINZIP EISENBAU. Die Menschheit, behauptete er, träumt sich in Form ihrer Eisenbauten (Eisenbahn, Zäune, Balkone, Brücken) in den Kosmos hinein. Tatsächlich wäre eine von Eisenbahnen durchquerte Wüste nicht mehr Wüste.

Abb.: Grandvilles Planetenbrücke reicht weit über den Saturn hinaus. Nach dem VORRANG DES OBJEKTIVEN müßte sie, darauf weist Adorno in den Notizen ÜBER DIE KÄLTE hin, auf der Erde Minute um Minute um Hunderte von Kilometern abgebaut und auf dem Saturn wieder angebaut werden. Nach dem Dreikörperproblem ein unmögliches Projekt. Die mächtigen Gravitationskräfte des Saturns würden die Eisenkonstruktion zerreißen.

List in der Evolution

Siebzehn Jahre vegetieren die Mitglieder einer südamerikanischen Zikadenart im Erdreich des Regenwaldes. Dann aber, im 17. Jahr, erheben sie sich aus den Verstecken und versammeln sich in der ungeschützten Weite des Planeten, um Hochzeit zu feiern. Das gibt es nur noch bei zwei weiteren Arten, welche die Evolution getrennt davon hervorbrachte.

– Die drei Arten tun das unabhängig voneinander?
– Sie kennen sich nicht einmal. Wenn es einem Schwarm gelänge, die endlosen Strecken zu überwinden und mit den anderen Arten in Kontakt zu kommen, wären sie nicht in der Lage, miteinander zu kopulieren. Unrettbar drei parallele Lebenszyklen, alle auf die gleiche Primzahl geeicht.
– Seit Millionen von Jahren?
– Sie können nicht anders.

- Haben die Tiere das so gelernt?
- Lernen können sie nicht.
- Sie haben jetzt in Ihrem Max-Planck-Institut den Grund für ein so einheitliches Verhalten dreier Tierstämme entdeckt?
- Mit herrlichen Hochzeitsritualen.
- Luxus?
- Kein Luxus. Gegenwehr gegen den Freßfeind.
- Überlebenswichtiger Luxus?
- Vom Freßfeind erzwungen.
- Die Freßfeinde würden das Hochzeitsritual nutzen, um die Zikadenart aufzufressen?
- Daß die das nicht können, liegt daran, daß sich die Freßfeinde in einem ein-, zwei-, oder vierjährigem Rhythmus vermehren, niemals aber in dem einer Primzahl.
- Der Freßfeind vermehrt sich und verhungert zum großen Teil. Von dem einen, dem 17. Jahr, in dem sie im Überfluß fressen könnten, wissen sie nichts. Sie fressen durchschnittlich. Auch in Millionen von Jahren haben sie nichts anderes »gelernt«.
- Was ist das für ein Freßfeind?
- Es sind mehrere. Spezialisiert auf diese Zikaden. In der Evolution übriggeblieben sind nur die Arten, die darben können.
- Im Boden können sie die Luxus-Zikaden nicht finden?
- Doch. Aber sie würden verhungern, während sie suchen.

Das Gold des Montezuma

>»Es trifft immer den Falschen /
Darum darf man nicht feilschen.«
A. Puschkin

Der New Yorker Anwalt Afghaneff Scotti, spezialisiert auf Sammelklagen, hat sich auf ein spezielles Objekt kapriziert: das Gold des Montezuma.
Dem Kaiser der Azteken, Montezuma, wurden, wie eine Chronik bestätigt, die Fußsohlen so lange verbrannt, bis er Goldverstecke preisgab, die den Spaniern bis dahin entgangen waren. Anschließend wurde er ermordet. Nach spanischem Recht, argumentiert Scotti, verjähren solche Taten (Folterung, Raub des Goldes, Mord an einem Monarchen) unter keinen Umständen. Sie bilden zudem eine Tateinheit. Das Gold, um das es geht, lag noch 1936 in den Treso-

ren der Republik Spanien. Von dort wurde es von der kommunistischen Fraktion in der Regierung zu Schiff von Barcelona nach Odessa und per Bahntransport nach Moskau verbracht. Angeblich zur Rückzahlung eines Rüstungskredits, von dem Scotti nachweist, daß er korrekt durch bevollmächtigte Personen aufgenommen wurde. Von Moskau wurde der Schatz 1941 zu einem Frachtschiff transportiert, das die Britischen Inseln zu erreichen versuchte. Man wollte damit britische Lieferungen bezahlen, bestimmt für den Krieg gegen Hitler. Der mit dem Gold beladene Dampfer sank im Eismeer.

Nunmehr, argumentiert Scotti, der über 24 Unteranwälte und 86 Detektive befehligt, haften als Rechtsnachfolger sowohl die spanische Regierung als auch Rußland, unabhängig von der Tatsache, daß das Gold durch Fremdverschulden (vermutlich ein deutsches U-Boot) verlorenging. Bei Folter, Raub und Mord haften Täter und ihre Erben für Zufall. Das Verschulden liegt ja im vorangegangenen Tun. Man muß, sagt Scotti, nicht dreimal, viermal, sechsundfünfzigmal schuldig werden. Es genügt, daß einmal Schuld bestand.

Das Feuilleton der *FAZ* ergriff in dieser Sache keine Partei, ergötzte sich jedoch an der Tatsache, daß die historisch verfeindeten Mächte Sowjetunion und Spanien (in der Nachfolge Francos) als Gesamtschuldner in Anspruch genommen würden. Die *FAZ* vertritt, unabhängig von ihren innenpolitischen Parteinahmen, eine Art Ewigkeitsaspekt: daß sich im Verlauf der Zeiten eine Aufrechnung ergibt; eine Vertauschung der Rollen gehört zu den befriedigenden Momenten, auf die sich konservative Haltung gründet.

Gefahrenabwehr bei Hochhaustürmen

Über zehntausend Versicherer, Baufirmen und Eigentümerkonsortien teilen sich in nur 22 Experten, denen ein Wissen über die Gefahrenverhältnisse von Hochbauten zugetraut wird, die eine Höhe von mehr als 270 Metern aufweisen. Wie wirken sich Attentate aus? Wie Erderschütterungen? Wie Katastrophen in der unmittelbaren Nachbarschaft? Welche Schäden können unwahrscheinliche Wetterlagen, Stürme und Himmelskörper anrichten? Bewegen sich Türme, die in eine Höhe von über 500 Metern gebaut sind, in den Luftmeeren mit ihren Verhältnissen von Ebbe und Flut wie Halme im Wind?

- Bei 0,1 Meter Seitenbewegung pro Sekundenquadrat auf dem Gipfel eines Hochhauses werden die Organe von Menschen, die im Körper »locker aufgehängt« sind, irritiert.
- Das ist aber noch kein Versicherungsfall.

– Bei 500 Meter Höhe schwankt ein Hochhaus bei Sturmwind um fünf Meter. Das wäre bereits ein »Schaden«, weil solche Stockwerke weder für Restaurants noch zum Wohnen geeignet sind.
– Was tut man gegen diese Gefahr?
– Es sind Windabschirmungen nötig.
– Das heißt, ein Gebäude dieser Höhe braucht eine Art Damm gegen das Luftmeer?
– Er kann nicht im Freien aufgestellt werden.
– Ihr Fachwissen, Herr Professor, hat den Nachteil, daß es sich immer nur auf vergangene Unfälle stützen kann.
– Ja, sie sind von hohem Wert.
– Aber sie erbringen nicht genügend Erfahrung für das, was noch alles geschehen kann. Sie können nicht experimentieren.
– In den Computern schon.
– Aber immer nur aus Erfahrungen, die es gab. Und das sind wenige.
– Wir erwarten in rascher Folge ein deutliches Mehr an Erfahrungszuwachs.
– Wird es auch ein Mehr an Experten geben?
– Glaube ich kaum. Die Anforderungen an die Vertrauenswürdigkeit eines Gutachters sind extrem hoch. Sie hängen ab von der Höhe des möglichen Schadens. Ich glaube eher, daß unsere Gruppe von 22 noch kleiner wird.
– Durch Unfälle? Weil sie wie die Verrückten hin und her reisen müssen?
– Das weniger. Aber jeder Ausrutscher, jede fehlerhafte Aussage, mindert unsere Gruppe um einen Experten.
– Und zugleich werden Neuerungen erfunden, die den extremen Hochbau gefahrensicherer machen? Sie müssen das jeweils überprüfen?
– Wir prüfen das.
– Wiederum meist ohne praktische Erfahrung?
– Ja, wir erfinden neue Techniken hinzu.

Sieben Hochhaustürme in Tokio, deren Dachplattformen in einer Höhe um 200 Meter lagen, erwiesen sich als instabil, wenn die Taifune von Osten kamen. In nur 14 Tagen schafften Ingenieure einen 400 Tonnen schweren Betonblock in den 59. Stock dieser nach gleichem Schema erbauten Ungetüme. Dieser Betonblock gleitet auf geölten Bahnen bei Sturm hin und her und bremst, stets gegen den Rhythmus der Böen programmiert, die Gebäudeschwingung. So konnten die Stockwerke ab dem 60. Stock wetterunabhängig genutzt werden.

– Das Bremsen eines Körpers durch eine sich im Gegenrhythmus zur Schwingung bewegende Masse ist aus dem Verhalten von beschädigten britischen Kriegsschiffen im 18. Jahrhundert abgelesen?

– Ja, so weit geht die Erfahrung zurück. Wir haben das verfeinert.

– Die Kanonen, die sich im Schiffsbauch losrissen und durch ihre Gegenbewe-
gung das Kentern des Schiffes verhinderten, durchstießen allerdings gelegentlich die Bordwand. Kann es auch bei den Hochhäusern passieren, daß
der Betonblock im 59. Stock die Außenwand nicht respektiert?

– Nur bei ganz außerordentlichen Stürmen mit extremer Anlaufstrecke.

– Ein Taifun, der aus der Mitte des Pazifiks entsteht, quasi aus dem Schoß des
Meeres, und nach Tokio vordringt?

– Ein unwahrscheinliches Ereignis.

– Auch unwahrscheinliche Ereignisse müssen versichert werden.

– Dann dürfen Sie keine Hochhäuser von solcher Höhe bauen.

– Wären Tiefhäuser sicherer, die sich nach unten zum Erdmittelpunkt fortpflanzen?

– Wegen der Erdbeben wären sie in Japan weniger sicher.

– Ihre Hochhäuser sind praktisch Gleichgewichtssysteme. Die Sicherheitsvor-
kehrungen und die Wellen der Gefahr korrespondieren. Wäre es nicht besser, nach Art von Zeppelinen die Oberteile der Gebäude vom Grunde ab-
zulösen und dem Luftmeer offen anzuvertrauen? Sie schweben dann im
Element und docken von Zeit zu Zeit am ungefährdeten Rumpf an?

– Eine interessante Perspektive, zu der im Augenblick noch die Technologie
fehlt. Sie spielen an auf das Projekt der WOLKENBÜGEL statt WOL-
KENKRATZER. Wolkenbügel, die vom Firmament herabhängen, aerody-
namisch gehalten?

– Wie kommt man mit der Einkaufstüte zu den in den Wolken aufgehängten
Wohn- oder Büroeinheiten hin?

– Mit Zubringern. Auch Fahrstühle sind letztlich Zubringer, wenn auch starr.

– Wieviele Versicherungs- und Gefahrenexperten gibt es für eine solch kühne
zukünftige Konstruktion?

– Keine.

Der ALTE DRACHE unter
dem Tempelberg

Die Eislandschaft schimmert grün. Es handelt sich um einen See. An dessen Rändern: Felsen aus Eis ohne Pfad. Hier dehnt sich der Trichter zu einer Landschaft ohne Horizonte. Es ist der neunte und tiefste Ring der Hölle. In der Mitte des Eis-Sees, in dem die bösesten Täter der Geschichte eingefroren sind, ruht der GEWALTIGE DRACHE, bis zum Zwerchfell (wenn das übergroßmenschenähnliche Monstrum so etwas besitzt) von der Eisfläche festgehalten. Er ist nicht flugfähig. Für Kälte offenbar unempfindlich. So wartet er für Äonen.[14]

– Was ist unterhalb des Tempelbergs?
– Ein Trichter.
– Der an seinem Sockel breiter ist als Jerusalem?
– Schon immer.
– Zur Erdoberfläche hin so spitz zulaufend, daß auch ein Mikroskop den Eingang nicht finden würde?
  Stecknadelgroß wäre eine Phrase. Nanoskopisch klein. Durch Schutt überlagert.
– Woher weiß man die Einzelheiten?
– Sie sind durch Vergil und Dante vertrauenswürdig überliefert.[15]
– Warum nennen Sie das im Eis erstarrte Wesen den ALTEN DRACHEN?
– Er wird so genannt. Er hat Flügel. Halb stecken sie im Eis. Sein Haupt ist nach unten geneigt.
– Kann er es überhaupt »neigen«, so unbeweglich wie der Böse ist?
– Die Bewegung ist auf Tausende von Jahren fixiert.
– Genau im tausendsten Jahr *vor* dem Jüngsten Tag schmilzt der See? Das Monstrum stößt zur Erdoberfläche durch und ergreift die Macht. Bis Gott diesen Zweitmächtigsten erneut besiegt und vor sein Gericht stellt.

---

14 Der ZWEITALLMÄCHTIGE könnte Ketten mit Gewißheit zerreißen. Kälte ist die KETTE GOTTES.
15 Man darf sich durch die Ortsangaben bei Dante (*Die göttliche Komödie*, Die Hölle, 24. Gesang) nicht irritieren lassen. Danach wäre der Trichter »spitz zum Erdmittelpunkt zulaufend«. Bei Bohrungen unter dem Tempelberg hat sich das nicht bestätigt. Vielmehr sind Ortsangaben in esoterischen Mitteilungen häufig spiegelverkehrt zu lesen. Zu den geophysikalischen Einzelheiten die Feststellungen von Galileo Galilei, wiedergegeben in: Durs Grünbein, *Galileo vermißt Dantes Hölle*, Frankfurt/Main, 1996.

– Scheint mir, so wie das Wesen unterhalb des Tempelbergs verharrt, eine Zeitbombe.
– Das gilt für den Tempelberg insgesamt.
– Was geschieht, wenn man mit Bohrern in den Trichter eindringt? Explodiert das? Fällt der Zauber in sich zusammen?
– Es ist eine Anti-Welt.
– Hier heißt es in der »Göttlichen Komödie«, daß der Bestand unserer Welt vom Bestand der Gegenwelt abhängt.
– Eine Frage des Gleichgewichts.
– Wer hat einen Vorteil, wenn die Gleichgewichte im Morgenland verlorengehen?
– Das kann niemand im voraus wissen.
– Und wieso ist die Hölle nicht heiß?
– Am tiefsten Punkt ist sie kalt.

Der Teufel verliert das Interesse
an seinem Objekt

Von dem großen Germanisten Ferdinand Sauerbrey stammt die Beobachtung, der Teufel sei an der UNGEDULD DER DÄMONEN zu erkennen sowie an seiner Neigung, WEGZUWERFEN, WAS ER BEREITS GEWONNEN HABE.

– Wie kommen Sie zu Ihrer Beobachtung?
– Schriftlich. Es gibt ein geheimes Faszikel von Goethe. In dem mit Bindfäden verschnürten Paket sind die Teile des Faust (2. Teil, 5. Akt) enthalten, die er von der Veröffentlichung ausgeschlossen hat.
– Geheime Mitteilungen? Aus esoterischen Quellen?
– Zweifellos. Vertrauliche Quellen aus Syrien, aus Malta.
– Darin genaue Beschreibungen, wie ein Teufelspakt wirksam wird, abgesehen davon, daß mit eigenem Blut unterschrieben werden muß?
– Das Wesentliche ist, wie bei jedem Vertrag, das Kleingedruckte. Die Ausnahme im einzelnen.
– Und Sie sagen, daß Mephistopheles die Seele des Dr. Faust, die er bereits besaß, wieder freigab aus Verzweiflung über sein Objekt?
– Ja, so beschreibt es Goethe nach den geheimen Quellen. Der Versucher hielt es nicht länger aus. Er reiste gewissermaßen ab.

– Dr. Faust, der Wittenberger, zeigte sich nicht auf der Höhe der Allmacht-
phantasien, die ihn dem Teufel zugetrieben hatten?
– Zuletzt wollte er das Wissen, das der Teufel ihm zutrug, schon gar nicht
mehr aufschreiben. Frauen waren aus Äthiopien, der Karibik, aus Verona
nach Wittenberg gebracht worden von dem besessen arbeitenden Teufel. Sie
warteten dort in einer Herberge.
– Der Gelehrte lustlos?
– Ohne Hitze. Es war schwierig, die Wartenden ruhig zu halten. Schließlich
mußte der Teufel selbst ersatzweise für Faust einspringen.
– Für ein gottliches Wesen lästige Dienste?
– Das wissen wir nicht. Jedenfalls sah Mephistopheles seine Gegenleistung
nicht als erbracht an.
– Gehört es zum Konzept des Bösen, daß gegenseitige Verträge eingehalten
werden?
– Das bestätigt Goethe. Wie vernarrt war der Versucher, Gegenleistungen zu
erfinden, die dem ursprünglichen Vertragswerk mit Dr. Faust genügten. Als
nichts davon erfüllbar war, weil der Vertragspartner nur eine höchst be-
grenzte Aufnahmefähigkeit für die teuflischen Vorteile zeigte, geriet Mephistopheles in Verzweiflung.
– War es ihm lästig, das Böse selber vollziehen zu müssen?
– Es war für ihn wertlos. Daß er als »Fürst des Chaos« die Zersetzung auf
seine Fahne geschrieben hatte, wußte man. Es war ihm lästig, zusätzlich den
Beweis antreten zu müssen für das Böse in Dr. Faust, wenn es nicht vorhanden war. Der Teufel ist Verursacher, nicht Gewährleister des Bösen.
– Warum eigentlich?
– Das wissen wir nicht. Goethe behauptet, aus einer Quelle erfahren zu ha-
ben, daß dem Versucher das Unterscheidungsvermögen für glückliche und
unglückliche Empfindungen abgehe, daß er die Seelen nicht deswegen auf-
kaufe bzw. vertraglich für sich fixiere, weil er sie als eine Art Heer gegen
Gott am Jüngsten Tag anzuführen gedenke, sondern weil er sie als Hilfe zur
Erzeugung des eigenen Unterscheidungsvermögens benötige.
– Von daher die Enttäuschung des Teufels, daß Faust versagte.
– Ja, dies war die Lücke, durch die Dr. Faust entkam.

Die Lücke, die der Teufel für sich selbst läßt

Einer der Mörder des Dritten Reichs, Wissenschaftler und Nationalsozialist, hatte sich 1944 aus der Wissenschaft, welche die Belastungsfähigkeit von Menschen unter Kältebedingungen erforschte, in die Auslandsaufklärung des Parteigenossen SS-Oberführer Schellenberg versetzen lassen. Portugal, Afghanistan, Spanien, Schweden, die Schweiz, d. h. die wenigen Neutralen, waren die bevorzugten Ziele des Geheimdienstes des Dritten Reichs. So saß Herman P. am 13. April 1945 als einer der letzten Flugpassagiere in der Maschine, die noch immer wöchentlich zwischen Stuttgart und Madrid verkehrte. Als Flugverbindung der Neutralen war diese Linie sakrosankt, friedensmäßig gemeldet an alliierte und deutsche Flugüberwachungsstellen, eine letzte Verbindung in der Endphase des Kriegs.

– Mit leichtem Gepäck? Schwer beladen mit Schuld?
– Er empfand keine Schuld. Er fühlte sich als Werkzeug der Evolution, als ärztlicher Mitarbeiter der Forschung. Er war besonders unempfindlich für die Leiden anderer.
– Wußte er, daß er der Teufel war?
– Das weiß man nicht. Mag sein, daß er es ahnte. Die meisten sind teuflisch, ohne es zu wissen.
– Die Lücke, die er sich geschaffen hatte, war, daß er »besessen seinem Auftrag folgte«. Andernfalls wäre es ihm nicht möglich gewesen, die Kameraden zurückzulassen, die Lücke wahrzunehmen.
– Was war das für ein Auftrag?
– Ein »Viertes Reich« vorzubereiten. Konnte man Kolonien bilden in Südafrika? Er trug Insignien des Dritten Reichs bei sich, darunter eine Blutprobe Hitlers.
– Was sollte das nützen?
– Vielleicht war in Zukunft Neues daraus herstellbar. Für den Widersacher, auch für den genetisch erfahrenen Arzt, war es nicht unmöglich, aus ein paar Zellen oder einer Blutprobe einen Homunkulus zu entwickeln.
– Wurde Herman P. an die Alliierten ausgeliefert?
– Sie hatten die Passagierlisten dieser Flüge. Sie forderten die Auslieferung. Die spanischen Behörden blieben zögerlich. P. verschwand über Tanger nach Innerafrika.
– Hätten die katholisch fundierten Spanier den Mann ausgeliefert, wenn sie gewußt hätten, daß er der Teufel war?
– Woher sollten sie das wissen, ohne ihn zu befragen? Aus der Passagierliste und seinen Pässen ging das nicht hervor.

– Den Buren, die das Apartheid-Regime probten, war die Identität des Mannes gleichgültig?
– Er bewährte sich in ihren Diensten.
– Ganz Afrika zu unterwerfen war kein einfaches Anliegen.
– Schwierig schon von der Zahl der einsatzfähigen Weißen her. Man hätte diese Zahl verzwölffachen müssen. Ohne Labors unmöglich. Später wechselte P. nach Süd-Rhodesien, wo er die Streitkräfte in der Folter ausbildete.
– Woher weiß man das?
– Ein DDR-Kundschafter beschattete ihn seit 1953.
– Starb P. irgendwann? Wie endete er?
– Ein Teufel stirbt nicht. Er wandelt die Gestalt. Über P.s Ende wissen wir nichts.

Die Glückshaut[16]

Einer Bäuerin wurde ein Kind geboren, »das hatte eine Glückshaut«. Frauen im Dorf sagten: Der Junge wird noch einmal des Königs Tochter heiraten. Nach Jahren kam der König ins Dorf, hörte die Weissagung. Seine Tochter wollte er für sich behalten oder doch gegen ein ansehnliches fremdes Königreich tauschen. So gab er dem Jungen, der die Glückshaut besaß, ein Schreiben an die Königin, das er versiegelte; er befahl ihm, es sofort zum befestigten Schloß zu tragen. Im Brief war verordnet, daß der Bote, sobald er ankomme, umzubringen sei.
Die Glückshaut lief los, wurde müde. Die Hütte, die er fand, war eine Räuberhöhle. Die Großmutter der Räuber empfing ihn, versteckte ihn. Nachts kamen die Räuber zurück, öffneten den Brief. Diese Bösen waren empört über die Intrige des Königs. Sie schrieben, nach Diktat ihrer Großmutter, einen neuen Brief: Man solle auf Befehl des Königs den Boten unverzüglich mit der Prinzessin verheiraten.
Als der König in sein Schloß zurückkehrte und das Ergebnis seiner Bemühungen sah, war er nur dann bereit, es anzuerkennen, wenn die Glückshaut ihm die DREI GOLDENEN HAARE DES TEUFELS brächte. Daß dem Jungen so etwas gelänge, schien ihm unmöglich. So hoffte er, den ungeliebten Eindringling dank seiner königlichen Verfügungsrechte beseitigt zu haben.
Der Junge fuhr über den Totenfluß in das Land des Teufels. Der war verreist. Des Teufels Großmutter aber beriet ihn. Sie verwandelte ihn in eine Laus,

16 Grimms Märchen *Des Teufels goldene Haare.*

setzte ihn in ihren Pelz. Der GROSSE DRACHE kam heim, wollte schlafen
im Schoß der Großmutter. Kaum war er eingeschlafen, zog sie ihm eines seiner
drei Goldhaare heraus. Der gewalttätige Geist fuhr auf, drohte. Kein Feind
war in Sicht. Die Szene wiederholte sich, bis die drei Goldhaare des Teufels
dem rückverwandelten Jungen übergeben werden konnten. Der Teufel aber,
jeweils aus dem Schlaf gerissen, verriet seiner Großmutter Geheimnisse. Sie ermöglichten es, daß die Glückshaut, mit Schätzen beladen, in die Festung des
Königs zurückkehrte.

Dieser will profitieren. Er will hin zu den Schätzen, welche die Glückshaut gefunden hat, will mehr von dort holen. Der Junge schickt ihn über den Fluß ins
Reich des Teufels, wo die Schätze liegen. Der Fährmann, welcher den König
übergesetzt hat, drückt ihm nach der Überfahrt das Ruder in die Hand. Jetzt
muß der König auf ewig als Fährmann dienen. Dies ist nämlich das Gesetz.

Die Glückshaut aber lebte zufrieden mit der Königstochter und regierte das
Reich.

- Wieso hat der Teufel nur drei Haare?
- Er hat genügend Haare, aber nur drei sind aus Gold.
- Ist der Teufel ein Tier?
- Tiere haben kein ewiges Leben. Er hat die Gestalt eines Tieres, sofern er
  nicht andere Gestalten wählt.
- Warum heißt er der GROSSE DRACHE?
- Es ist einer seiner Beinamen.
- Die Glückshaut wird bei keiner einzigen *Arbeit* gezeigt.
- Nein. Sie hat Glück. Sie ist unangreifbar für tückische Pläne. Sie trägt einen
  Glückspanzer.
- Eine Fähigkeit, sich helfen zu lassen?
- Es sind Frauen aus dem Dorf und Großmütter, die der Glückshaut helfen.
- Durch Ratschläge?
- Nein, aktiv. Sie können Verwandlungen bewirken. Sie sind Goldmacherin-
  nen, Glücksmacherinnen.
- Insofern ist nicht Arbeit, sondern die Fähigkeit, sich Helfer zu verschaffen,
  die grundlegende menschliche Eigenschaft, die Glück bringt?
- Eine zweite Haut.

Der Teufel im Weißen Haus

»Da sitzt er fett im Zentrum der Macht.«
Das sehen Sie falsch, antwortete Nigel MacPherson, der in diesem Monat die
Sicherheitsdienste des Weißen Hauses leitete. Satan wird niemals fett. Er sucht
die magersten Körper auf, ganz geistige Macht.

– Und Sie meinen, daß Sie ihn in der unmittelbaren Umgebung des Präsiden-
  ten erkannt haben?
– (Zeigt auf das Gruppenfoto:) Hier sehen Sie ihn. Sobald er wußte, daß wir
  ihn erkannt hatten, war er verschwunden. Nicht einmal ein Rauchwölk-
  chen, von dem man in den bildhaften Darstellungen des Mittelalters ange-
  nommen hat, daß der Teufel so etwas bei seinem Verschwinden hinterläßt.
– Kein Gestank?
– Nichts. Er verschwand an meiner Seite, »als wärs ein Stück von mir«.
– Der Präsident soll fuchsteufelswild gewesen sein. Täglich sucht er nach dem
  Bösen. Hier stand es, fünf Meter neben ihm. Zu spät erkannt, nicht mehr ge-
  bannt.
– Uns interessiert die andere Frage. Wo ist er jetzt? Der Teufel läßt nicht ab
  von einem einmal gefaßten Plan. Soviel wissen wir von ihm.
– Sie meinen, daß die Zentrale der Supermacht ihn magisch anzieht?
– Was sollte attraktiver sein?
– Und ihn schreckt die Nähe des frommen Präsidenten nicht? Des schärfsten
  Verfolgers des Bösen? Er fürchtet nicht, erwischt zu werden?
– Sie meinen, weil der Präsident »das Böse sieht«? Weil er einen sechsten Sinn
  dafür hat, wann der Versucher im Raum steht? Offenbar nahm er den »Assi-
  stenten«, der sich in den Stab eingeschmuggelt hatte, nicht wahr.
– Er hatte die Gestalt eines im Stab bekannten Assistenten angenommen?
– Der lag als Leiche wochenlang in einer Scheune bei Philadelphia.
– Und kehrte nicht wieder, als der Teufel verschwand?
– Diese Mächte sind rücksichtslos.
– Der Teufel also ist nicht nur der Böse, Satan, sondern auch ganz konkret
  Mörder?
– Er ist der Menschenfeind.
– Und was will er im Weißen Haus?
– Vermutlich die Fäden der Weltpolitik durcheinanderbringen.
– Das Geschehen in der Welt ist durch Beschlüsse in einer solchen Machtzen-
  trale aber doch nur auf eine sehr indirekte Weise beeinflußbar.
– Weil die wirklichen Verhältnisse zu zahlreich sind, um sich anleiten zu lassen.

– Da wäre es doch besser, daß der Teufel sich in den *wirklichen Verhältnissen* bewegt. Dort sind die Minen, dort springen sie.

– Es kann sein, daß der Teufel noch einer älteren Vorstellung von Macht folgt. Es ist schwer, so rasch zu lernen, wie sich die Weltverhältnisse verändern.

– Man nimmt aber doch an, daß der Widersacher über Äonen alles im voraus weiß.

– Daher ja auch die Idee, ihn im Pentagon einzufangen, eventuell auszuforschen. Man wartet deshalb, daß er erneut im Weißen Haus erscheint.

– In anderer Gestalt?

– Immer wechselt er die Gestalt.

– Als Hund wäre er im Oval Office nicht zugelassen?

– Er muß die Gestalt eines Beraters annehmen.

– Man sieht einem Berater nicht an, ob er Lobbyist eines Rüstungskonzerns, Ehrenmann oder ein Teufel ist.

– Wie kann man, theologisch gesprochen, überhaupt feststellen, ob jemand der Teufel ist, wenn dem jede Maskierung gelingt?

– Man müßte foltern. Hält der Betreffende die Folter aus, so ist es der Teufel, hält er sie nicht aus, haben wir den Falschen bezichtigt.

– Wie kommen Sie darauf, daß der Teufel stets nur die Gestalt eines Beraters annehmen kann oder eines Ministers? Er könnte doch auch die Gestalt des Präsidenten selbst einnehmen.

– Nicht die eines frommen Präsidenten.

– Eigenartig, daß ich diese hypothetische Diskussion mit Ihnen (noch ist ja der Teufel im Weißen Haus nicht wieder eingekehrt) als entlastend empfinde. Daß ein so alter Fahrensmann der Welt im Zentrum der Macht anwesend ist, gibt mir ein beruhigendes Gefühl, gleich ob er Böses will; er weiß zumindest, was er tut.

– Sie meinen, daß die Entscheider der Welt »wie mit einem Stock in einem Termitenhaufen« nur etwas umrühren, was sie nicht beherrschen?

– Genau das. So daß ein Kundiger, der diesen Quirl bedient, immer noch besser ist als ein Naiver.

– Was sollen wir nun als weitere Sicherungsmaßnahme zur Absicherung des Weißen Hauses unternehmen? Wie schalten wir Satan mit Sicherheit aus der Machtzentrale aus?

– Man weiß ja nicht einmal, was wir bewirken, wenn wir den Teufel von dort verbannen. Wo begibt er sich hin? Ist er als Partisan nicht gefährlicher als in der Nähe der Herrscher?

– Man müßte mehr über seine Natur wissen.

– Ein gutes Gefühl sagt mir, daß er sich überhaupt nicht um die Welt, um unseren Planeten kümmert, daß er ein mächtiger Patron im Kosmos ist. Dann wäre das Verschwinden des Assistenten mitten in einer Sitzung immer noch rätselhaft, aber das Bild würde besser zum gestürzten Erzengel passen.

– Sie meinen, wenn wir den guten Willen so extrem strapazieren, wie wir es im Rahmen der Supermacht tun, wäre das mit Gefahr verbunden? Unverhältnismäßige Hortung von »gutem Willen« ist explosiv?

– So daß es gut wäre, wenn etwas davon stets durch eine metaphysische Kraft zersetzt würde.

– Halten Sie den Teufel für einen kritischen Geist?

– Wir wissen zu wenig von ihm. Unsere Dossiers sind unvollständig.

– Wie sind Sie überhaupt darauf gekommen, daß der auf Ihrem Gruppenfoto sichtbare Assistent eine Gestalt des Versuchers war?

– Hinweise vom Bundesnachrichtendienst.

– Aus Deutschland?

– Ja, ein Hinweis aus dem »alten Europa«.

»Büßerschnee«

Büßerschneebildungen (an Büßer gemahnende eisige Figurationen) sind Formen der Schneeablagerung in Gebieten mit hoher Trockenheit und hoher Ausdunstung. Das Begehen von Gletscher- und Firnflächen ist dort mühsam.

Die Gipfel des Issik-Gletschers, auf dem sich Büßerschnee findet, sind, infolge ihrer Schneelast, nach Süden geneigt und bis zu sechs Kilometer hoch. Die ungewöhnlichen Formen wurden um fünf Uhr nachmittags am Westhang des östlichen Alisu-Tales in etwa 5300 Metern Höhe aus der Ferne aufgenommen.

Begangen hat diese Fläche im politisch-brisanten Bereich zwischen der GUS, Kaschmir, Afghanistan und dem Wakhan-Gebirge, das F. Kussmaul erforscht hat, niemand, kein Terrorist, kein Verfolger. Es handelt sich um ein Gebiet außerhalb des Menschengeschlechts.

Nachweise und Hinweise

S. 6 **Fünf Maultiere, vom Wasser des Missouri eingeschlossen:** Ullstein-Bilderdienst. Kommen sie um, oder werden sie gerettet?

S. 17 **»Nein, er fand den Eingang zur Unterwelt nicht . . .«:** Nach Tarkowskijs Angabe liegt dieser Eingang wenig entfernt von Neapel und ist als »Brunnen« bezeichnet. → *Chronik der Gefühle I*, S. 473. Nicht zu verwechseln mit der »Höhle« des Rabbi Bekri. »Der Durst nach geheimer Weisheit«, in: *Die Lücke, die der Teufel läßt*, Kap. 4, Die Mondkräfte und der Endsieg, S. 263. Bei Dante wird irrtümlich der Eingang zur Unterwelt in der Nähe von Florenz lokalisiert.

S. 21 **Die Seelenstümpfe aber der auf der südlichen Route verdorbenen Sklaven und ihrer Matrosen:** → »Ein ungewöhnlicher Fall von Lobby«, in: *Chronik der Gefühle I*, S. 55.

S. 25 **Ein Mitschüler Ernst Jüngers im Gildemeisterschen Institut in Hannover hieß Werner Scholem:** → Gershom Scholem, *Von Berlin nach Jerusalem*, Frankfurt/Main 1994, S. 46; hier auch der Hinweis auf Ernst Jünger.

S. 32 **Glückliche Umstände, leihweise:** → »Mißglückte Scheidung«, in: Kap. 7, Mit Haut und Haaren: Basisgeschichten, S. 503 f.

S. 39 **Der Agent Trojas, unglücksbeladen, hat die Königin von Karthago verführt:** Die Beziehung zwischen Aeneas und Dido analysiert Heiner Müller in der Sendung *News & Stories* vom 15. 8. 1999 auf Sat 1: »Die Geschichte findet auf Umwegen statt.« Es geht dort um die Oper *Didone* von Pier Francesco Cavalli (1689). Außerirdische treiben mit Menschen ihre Experimente. Die Cäsaren des späteren Rom führen ihre Nobilität auf diese Götter zurück. So verbinden sich die Zerstörung von Troja, die von Karthago und der Untergang einer bezaubernden machtvollen Frau, der Dido, die von Aeneas betrogen wird, zu *einem* Zusammenhang. Die Macht Roms gründet auf Opfern.

S. 39 **Genosse Andropow, stets neugierig hinsichtlich des ihm Anvertrauten:** → »Andropow läßt sich von Akademiemitglied Velitzky Friedrich Engels' *Dialektik der Natur* erklären«, in: Kap. 2, Kann ein Gemeinwesen ICH sagen? / Tschernobyl, S. 111.

S. 50 **Killing religion by kindness. Güte ist nicht freundlich:** → »Güte ist Besessenheit, sie ist nicht milde«, in: Kap. 9/1, Geschichten aus den Anfängen der Revolution, S. 665.

S. 51 **Wie Jules Michelet es beschreibt, entstand die Idee des Gemeinwesens in Frankreich, als sich eroberungskundige Franken mit römischen Sklavinnen verbanden; die Idee entstand in heißen Herzen und war später imstande, öffentliche Gewalt zu kühlen:** → »Rätselhaftes Gallien« / Norma, eine Ballung der Großherzigkeit, in: Kap. 1, S. 73; →

»Verdun, der große Umschlagplatz für Sklaven«, a.a.O., S.69f.: KONFÖDERIERTE GLÜCKSVERSPRECHEN DES 7. JAHR-HUNDERTS. Hier liegen die Anfänge Europas.

S.54 **Nicht in Form der Enteignung der Priester in Frankreich 1791:** → »Der Teufel als Eidesverweigerer«, in: Kap.9/1, Geschichten aus den Anfängen der Revolution, S.670ff.

S.58 **Kommentar zu Antigone. Menschen müssen ihre Seherschaft, ihr Ahnungsvermögen verstärken:** → »Heimkehr in die Fremde«, in: Kap.9/5, Heimkehrergeschichten, S.835f.

S.61 **Der westliche Besucher hatte in einem Korbstuhl in der Küche Platz genommen:** Die Küche grenzte an die Telefonzentrale. Die frühere Küche, die im Zwischenstockwerk des Kremls für Tee gesorgt hatte, zu einem Konferenzraum umfunktioniert, hieß noch immer »die Küche«. Die Einrichtung stammte aus dem Jahr 1892. Ähnlich war die Telefonzentrale nebenan durch Umgestaltung einer Vorratskammer entstanden, der Raum hieß aber »Telefonzentrale«. Verblüffend heute: das Altertümliche der Stöpselwand und das Altmodische der Hör- und Sprechgeräte. Zugleich die Tatsache, »daß eine Küche als Vorratskammer der Theorie geeignet ist« (Trotzki).

S.64 **Der frühere Parlamentarier und deutsche Verteidigungsminister Wörner litt an Krebs:** Jetzt war er Generalsekretär der Nato in deren Krisenphase. Beharrlich hielt er, der sich auch im Fallschirmsprung geübt hatte, an seinem Amt fest. Bericht über die Tagung in Travemünde von Vizeadmiral a.D. Ulrich Weisser.

S.67 **Anna Viebrocks Bühnenbild:** Es geht um die Inszenierung der *Norma* an der Staatsoper Stuttgart 2002.

S.68 **Die beiden klugen Frauen, die den gleichen Mann lieben, wie sie eben erst entdeckt haben, zeigen sich verwirrt:** → »Kooperatives Verhalten«, in: *Chronik der Gefühle II*, S.929.

S.72 **Sie hielten Krieg (irrtümlich) nicht für einen Aggregatzustand des Geschlechtslebens:** → »Psychoanalytischer Kongreß 1917«, in: Kap.9/1, Geschichten aus den Anfängen der Revolution, S.635ff.

S.74 **Wer war der Unterworfene? Der Krieger, die Sklavin?:** Dazu Jules Michelet, *Die Hexe*, Leipzig 1863, passim.

S.78 **Zur Genese des Feindes:** → »Wenn du diesen Krieg beginnst, wirst du ein großes Reich zerstören«. Bevorzugtes Examensthema in Westpoint, in: Kap.8, Was heißt Macht? / Wem kann man trauen?, S.513; → »Wirklichkeit als Herrschaftsmittel / Realität als Waffe oder Gut«, a.a.O., S.618.

S.78 **Suche nach dem passenden Feind in der Antike:** Die Darstellung stützt sich auf die Habilitationsschrift von Dr. Mischa Meier, *Das andere Zeitalter des Kaisers Justinian*, Bielefeld 2002.

S. 84 **Wie Zellen miteinander reden:** → »Überholende Kausalität«, in: *Chronik der Gefühle I*, S. 37 f.

S. 91 **Wir errichten über der Ruine des Reaktors 4, unter teilweiser Öffnung des Sarkophags, ein Stahlgehäuse von 20 000 Tonnen:** Sarkophag heißt die 20 Stockwerk hohe, 300 000 Tonnen schwere Hülle aus Beton, die nach Havarie des Reaktors in Tschernobyl errichtet wurde und die immense Strahlung aus dem Innern der Ruine abschirmen soll. Diese Hülle ist leck. Zur Havarie im einzelnen: → »Vom Standpunkt der Haut, Tschernobyl«, in: Kap. 2, Kann ein Gemeinwesen ICH sagen? / Tschernobyl, S. 147 ff.; → *NZZ* vom 6. Juli 2003, S. 5: Pflanzen speichern die Strahlung extrem. Das Moos auf den Autoscootern des einst nicht mehr fertig aufgebauten Jahrmarkts (geplant für den 1. Mai 1986) mißt 900 Mikroröntgen, obwohl an dieser kilometerweit vom Unglücksort entfernten Stelle nur 40 Mikroröntgen meßbar sein dürften. Der Korrespondent der *NZZ* weist auf die machtvolle Sommerstimmung des Ortes und den Bericht über ein tausendjähriges, schlafendes Schloß hin, der sich in Grimms Märchen findet. »Umgeben von Schönheit und Ruhe, ruht das Monster.«

S. 93 **». . . die GROSSE STORY des World Trade Centers so erzählen wie den Untergang der Titanic«:** → »Lebensgrundsätze am Schwarzen Freitag«, in: *Chronik der Gefühle I*, S. 133 f.

S. 99 **Jetzt müßte nur noch ein Engel oder der Schaffner die Tür zum nächsten Waggon öffnen, denn beide Arme der Helferin halten die Greisin im bewegten Tunnel wie auf hoher See:** → »Glücklicher Zufall«, in: *Chronik der Gefühle I*, S. 900.

S. 100 **»fortzusetzen«:** Das Tätigkeitswort steht in der Ausgabe der *Dialektik der Aufklärung* des Querido-Verlags von 1947 am Schluß und wurde in späteren Ausgaben getilgt. Es bezeichnet die Absicht beider Autoren, die *Dialektik der Aufklärung* fortzusetzen.

S. 115 **Die Blicke summieren sich zu Glühpunkten:** → »Auskünfte eines Wespenforschers«, in: Kap. 9, Wach sind nur die Geister, S. 663 ff.

S. 124 **Ich war Admiral Gorschkows Kaffeeholer:** Sergej Georgiewitsch Gorschkow (1910-1988), Admiral der russischen Hochseeflotte. Von ihm stammt der Satz: »Die Schwierigkeit, Pläne gegen die Amerikaner zu schmieden, beruht darauf, daß sie (die Amerikaner) ihre eigenen Doktrinen nicht lesen und daß sie, würden sie diese lesen, ihnen nicht folgen würden.«

S. 135 **Wurden dem punischen Gott Baal Hammon, genannt Molk, von den**

Karthagern in Krisenzeiten Menschen geopfert?: → »Karthagos
Ende / Menschenopfer der Römer«, in: Kap. 8, Was heißt Macht? /
Wem kann man trauen?, S, 541 ff.; anfangs suchte die Sowjetmacht
dem Schicksal Robespierres zu entgehen, später dem Karthagos.

S. 147 ff. **Vom Standpunkt der Haut / Tschernobyl:** Die Darstellung folgt in
vielen Einzelheiten → Grigori Medwedew, *Verbrannte Seelen*, München 1991, mit einer Einleitung von Gerd Ruge; dem eindrucksvollen
Buch verdanke ich z. B. auch die Überschriften S. 160 und 163; Bilder
in diesem Teil des Kapitels aus der Sendung *News & Stories* »Abschied von der sicheren Seite des Lebens«, auf Sat 1 vom 21. 4. 2002,
sowie von Igor Kostin und Swetlana Alexijewitsch.

S. 160 **Eine Leistung der zentralen Organisation der Feuerwehrleute des Landes, die auf ihre Helden achten:** → »Heldentaten von Feuerwehrleuten«, in: Kap. 9/4 Feuerwehrgeschichten, S. 794 f., → »Unsere Löscherfahrung enthält Stolz«, a. a. O., S. 781 ff.

S. 162 **Welischow glaubte bekanntlich nicht an Phrasen:** Prof. Dr. Dr. h. c.
Jewgenij Pawlowitsch Welischow (geboren 1935), Atom- und Plasma-
physiker, Vize-Präsident der Akademie der Wissenschaften der
UdSSR, Berater Gorbatschows, SDI-Kritiker.

S. 175 **Man kann nicht wissen, ob künftige Intelligenzen nicht Riesen- oder
Zwergengröße haben:** → »Was ist am Beckenhirn der Saurier ohne
Aussicht?«, in: Kap. 9/7, Die blaue Gefahr, S. 873 ff.

S. 187 **Der Erdkern sei gewiß ein Kristall, aber er verhält sich gleichzeitig in
seinen Resonanzen lebendig:** → »Jäger des verborgenen Schatzes«, in:
Kap. 9/3, Die Schatzsucher / Geisterhaftigkeit der menschlichen Ar-
beit, S. 720; → »Wettbewerb der Pretiosen«, in: Kap. 9/7, Die blaue
Gefahr, S. 886 f.; → »Ein Fernrohr der besonderen Art«, in: Kap. 5,
Geschichten aus dem Weltall / Primäre Unruhe / Wohin fliehen?,
S. 363.

S. 188 **Junge Frau von November 1917:** → »Das Gesetz der Liebe«, in:
Kap. 1, Zwischen lebendig und tot / Was heißt lebendig?, S. 15.

S. 192 **Russian endings/American endings:** Den Hinweis auf diese Fälscher-
praxis im Import-/Exportgeschäft zwischen Rußland und den USA
verdanke ich Prof. Dr. Miriam Hansen, Chicago.

S. 199 **Walter Benjamin nennt Paris die HAUPTSTADT DES 19. JAHR-
HUNDERTS:** Benjamins *Passagenwerk* ist als Gesamttext insofern
eine radikale Neuerung, als das Prinzip des »Kommentars und der
Sammlung« eine neue Literaturgattung darstellt und für Texte des
21. Jahrhunderts eine Perspektive eröffnet.

S. 200 **Unser Gott, der Gott der Protestanten, ist der Gott der Unwahr-**

scheinlichkeit. **Das Wirkliche bestreitet er.** Insofern kann man sein
Wirken überhaupt nur in Wundern erkunden: → »Schlacht an der
Ich-Grenze«, in: Kap. 1, Zwischen lebendig und tot / Was heißt lebendig?, S. 71 ff.; hier S. 75: »Reynaldo Hahn hatte für den Fall eines völligen Fiaskos ein Ersatzstück von René Berton aus dem Jahr 1928 vorgesehen: GOTT MIT UNS.«

S. 203 **Ich sprenge nur auf schriftlichen Befehl:** Die Einzelheiten dieser wahren Begebenheit verdanke ich Herbert R. Lottmann, *Der Fall von Paris 1940*, München 1994, S. 368 ff.

S. 209 **Reflex auf die rasanten Steigerungen des Grundstückwerts auf dem
nicht vermehrungsfähigen Boden Manhattans:** → »Sind Trennlinien
zwischen den Zeitaltern grundsätzlich unsichtbar?«, Kap. 3, S. 207,
hier: S. 209; → »Tücken der Kausalität / ein fast unentscheidbarer Fall
des New Yorker Versicherungsrechts«, in: Kap. 1, Zwischen lebendig
und tot / Was heißt lebendig?, S. 94 ff.

S. 215 **Henriette, Gerts Frau, zwei Jahre älter als ihr Mann, eine moderne
Frau, fand Gefallen an den praktischen Seiten des Dramas:** → »Gesetz
der Liebe«, in: Kap. 1, Zwischen lebendig und tot / Was heißt leben-
dig?, S. 15; → »Die mißglückte Scheidung«, in: Kap. 7, Mit Haut und
Haaren: Basisgeschichten, S. 503 f.; → »Kinder des Lebens«, a. a. O.,
S. 492 ff.

S. 215 **Ein einzelner SS-Standartenführer aus dem Reichssicherheitshauptamt (RSHA), höflich und befangen, nähert sich im Kraftwagen Paris.
Seine Kenntnis des Französischen war gering:** Parallelgeschichten mit
anderem Ausgang, jedoch stets: Strafe für kurzes Glück: → »Hin-
scheiden einer Haltung: Kriminalrat Scheliha«, in: *Chronik der Gefühle II*, S. 688 ff.; → »Oberleutnant Boulanger«, a. a. O., S. 677; →
»Bestimmung des Gelehrten: Mandorf«, a. a. O., S. 619 ff.; → »Die
Glocke der Zufriedenheit«, a. a. O., S. 629 ff..

S. 217 **Ich würde nachts nicht mit auf Panzern und Kanonen befestigten
Lampions »ein Fest der trüben Erinnerungen« feiern:** Hitler spielt hier
auf den Umzug der französischen Armeen zu Silvester 1918 in Paris
an. Ein Ereignis, das mit dem Siegesgefühl Trauer verband, vom Führer als »extrem schwächlich« klassifiziert. Er hatte davon schon 1919
gehört; am Vortag der Kapitulation Frankreichs war ihm durch den
Vortrag eines Referenten des Reichspropagandaministeriums die Sache in Erinnerung gerufen worden. → »Abschwörung des Kriegs zu
Silvester 1918 in Paris«, in: Kap. 9/1, Geschichten aus den Anfängen
der Revolution, S. 645 f.

S. 234 **Alle schwärmten sie von der »brillanten Intelligenz« des jungen Mannes. **Er war Trotzkist:** Nach dem Sturz Trotzkis, seiner Entfernung aus dem Politbüro, seiner Verbannung aus dem Vaterland der Werktätigen, organisierte dieser Gefährte Lenins die IV. Internationale. Hatte er das Prinzip Weltrevolution (d. h. die konsequente Massenmobilisierung) gegen den »Sozialismus im eigenen Land« gesetzt, solange er an der Herrschaft teilhatte, so entwickelte er nunmehr das konspirative, auf die Minderheitsposition berechnete Prinzip der »Infiltration der Machtapparate«, den »Entrismus«. Je weniger er über Macht verfügte, desto stärker kam der machtausübende »administrative« Zug seines Charakters, den Lenin kritisch hervorgehoben hatte, zum Ausdruck. Trotzki (und entsprechend die besten seiner Anhänger) galten, heißt es bei Benjamin und Dr. Sorge, als phantasievoll und insofern »sprunghaft«, aber auch als »zum Sprunge bereit«. → »Weizen nach Berlin«, in Kap. 9/1, Geschichten aus den Anfängen der Revolution, S. 655 f.; → »Warencharakter von Liebe, Theorie und Revolution«, in: Kap. 1, Zwischen lebendig und tot / Was heißt lebendig?, S. 61 ff.

S. 254 **Ian Kershaw geht davon aus, daß Metzger an den Folgen seines Unglaubens gestorben ist, der Irak hätte deutsch werden können:** Die Eroberung Mesopotamiens aus dem Geiste der Wissenschaft. Die Erforschung des Zweistromlandes gehört zu den Höhepunkten der deutschen Orientalistik. Die »Wiege der Menschheit« wollten diese Universitätslehrer nicht nur erforschen, in ihren Urkunden sichern, sondern *besitzen.* So war der spätere preußische Kultusminister C. H. Becker, führender Orientalist, vor und nach 1914 Hauptberater der deutschen Außenpolitik, soweit sie sich auf Bagdad bezog.

Abb.: Staatssekretär des Äußeren, Kiderlen-Waechter (rechts im Bild) und sein Kontrahent auf der französischen Gegenseite (links). Mittig das Kanonenboot »Panther«. Daher »Panthersprung nach Agadir«.

Gegenläufig zum Orient-Projekt des Reiches verhalten sich die Afrika-Projekte. Sie beruhen nicht auf gemeinsamem Interesse von Wissenschaft und Großbanken, sondern sind Projekte von Abenteurern aus dem Mittelstand (Dr. Nachtigall, C. Peters). Diese Tendenz nach Süden begegnet sich mit Interessen der Reichsleitung, dort zu expandieren, wo »die Möglichkeit besteht«. »Ich habe passende Waffen, also bin ich.« Das Projekt »Panthersprung nach Agadir«, das Marokko für deutsche Kleingewerbetreibende und Ingenieure der Firma Siemens öffnen sollte, mißlang. Auch war es wissenschaftlich nicht abgestützt.

S. 264   **Zurückziehung und Konzentration von Gottes Wesen:** Der theologische Terminus wäre durch das Wort »Rückzug« falsch übersetzt, so wie man auch die entgegengesetzte Bewegung von Gottes Wesen nicht mit »Vormarsch« bezeichnen könnte.

S. 269   **Sie sind doch, liebe Frau von Posa, eine ernsthafte Natur:** → »Fräulein von Posa«, in: *Chronik der Gegfühle II*, Lebensläufe, S. 697 ff.; Gabriele ist die Enkelin von Nata von Posa.

S. 275   **Dem Sohn aber war nichts wesentlicher als nach seiner Herkunft zu forschen. Eine Zeitlang war Bert Terrorist in der Levante:** → »Heimkehr in die Fremde«, in: Kap. 9/5, Heimkehrergeschichten, S. 835 f.; → »Kurve des Schicksals«, in: Kap. 1, Zwischen lebendig und tot / Was heißt lebendig?, S. 55 ff.; in Napoleons *Code civil* heißt es: »Die Nachforschung nach der Vaterschaft ist verboten.«

S. 277   **Die in ihnen wartenden Dämonen wollen ja sprechen. Es ist ihre letzte Äußerung, bevor sie auf Jahrzehnte, ja gelegentlich auf Jahrtausende, schweigen:** So wie auch der andere »Befall« des Menschengeschlechts, die Viren, gesprächsbereit sind. Beide, »die Wesen, die nicht Tiere wurden«, und die Dämonen, halten ursprünglich die Menschheit für eine intelligente und fördernswerte Umwelt. → »Neue Diskussion um den Ursprung von HIV«, in: Kap. 1, Zwischen lebendig und tot / Was ist lebendig?, S. 23 f.

S. 280   **Eine mythische Strafmaschine, gebannt in einen Eis-See:** Der See scheint aus den Tränen des Monsters entstanden zu sein. → »Der ALTE DRACHE unter dem Tempelberg«, in: Kap. 9/7, Die blaue Gefahr, S. 898. Am tiefsten Punkt der Hölle finden sich die Verräter, nicht etwa die Blutsäufer, Gewalttäter oder Brudermörder.

S. 288   **Es bereitet Arkoun, so wie er mit silbergewelltem Haar und glühenden Augen in dieser Runde praktiziert, Vergnügen, die Religionen paradieren zu lassen, jede für sich etwas Wirkliches. Nicht zu verwechseln mit der bestürzenden, geschoßartigen Befähigung der Einbildungskraft, sich unabhängig (unterhalb) vom Wesen einer Religion, gegen**

Fremdes in Bewegung zu setzen: → »Ein deutscher Gelehrter in Persien«, in: Kap. 1, Zwischen lebendig und tot / Was heißt lebendig?, S. 49 ff.; → »Ein Mann wie ein Geschoß«, in: *Chronik der Gefühle I*, S. 452 ff. »Ich als Körper der Wahrheit bin ihr Geschoß.«

S. 300   **Sämtliche Ergebnisse zeugten von der gewaltigen Kraft der tierischen Natur, die sich mit ununterdrückbarer Energie (auch nicht zu überlisten oder durch Raschheit zu übertölpeln) gegen die Tötung wehrt:** Auf diesen authentischen Fall der Dr. med. Irene Dischreit, wie auch auf andere, hat mich Ernst Klee, *Deutsche Medizin im Dritten Reich. Karrieren vor und nach 1945*, Frankfurt/Main 2001, aufmerksam gemacht; zu diesem Zusammenhang auch → »Biologischer Bürgerkrieg«, in: Kap. 4, Die Mondkräfte und der Endsieg, S. 307; → »Geselligkeit transgener Mäuse«, in: Kap. 9/7, Die blaue Gefahr, S. 864 ff.; → »Spekulative Wissenschaft«, a. a. O., S. 881; → »Ein Liebesversuch«, in: *Chronik der Gefühle II*, S. 770 ff.

S. 307   **Tatsächlich bestand in den gewaltigen Zeiten der Evolution stets nur ein Waffenstillstand zwischen den immungeschwächten Tieren der Cerebraten-Reihe und den vielfältigen Stämmen der Bakterien:** Die Geschichte »Biologischer Bürgerkrieg« ist, wie in der Literatur erlaubt, zugespitzt. Eine Verwechslung mit lebenden Personen oder bestehenden Institutionen wäre rein zufällig. So wurde auch das zuständige Max-Planck-Institut nicht, wie im Dialog behauptet, geschlossen.

S. 310 f.   **Im zerrütteten Reich gibt es drei Konzeptionen von Arbeit:** Jede der drei führte nach rasantem Anfang zu einem Fiasko; wurde die tatsächliche Zusammensetzung menschlicher Arbeitskraft verkannt? → »Karl Korsch sagt den Nationalsozialismus voraus / Eine Beobachtung aus Anlaß des britischen Generalstreiks vom Mai 1926«, in: Kap. 9/3, Die Schatzsucher / Geisterhaftigkeit der menschlichen Arbeit, S. 729; → »Arbeit ist keine primäre menschliche Eigenschaft«, in: Kap. 9/3, Die Schatzsucher / Geisterhaftigkeit der menschlichen Arbeit, S. 723 ff.; → »Intelligenz, das Arbeitsmittel der Empörung«, a. a. O., S. 744; → »Mutualismus«, a. a. O., S. 749; → »Glück und Kooperation«, a. a. O., S. 723 ff.; → »Gefügeartige Arbeit«, a. a. O., S. 721 ff.; → »Verschrottung durch Arbeit«, in: *Chronik der Gefühle II*, S. 101 ff.; auch S. 286 ff.

S. 311   **Fund eines Wildtyps des verbrecherischen Menschen:** → »Grand Guignol«, Kap. 9/2, Der Mann ohne Kopf, S. 693 ff., hier: S. 701 f.

S. 327   **Merkwürdig, antwortete der islamische Gelehrte. Ich arbeite gerade an einer Übersetzung der *Dialektik der Natur* von Friedrich Engels aus dem Russischen:** → »Andropow läßt sich von Akademiemitglied Velitzky Friedrich Engels' *Dialektik der Natur* erklären«, in: Kap. 2, Kann ein Gemeinwesen ICH sagen? / Tschernobyl, S. 111.

S. 337 Der Start eines zigarettenschachtelgroßen Raumkörpers mit ungewöhnlich hoher Speicherkapazität für Information von einem Abschußgelände im Kongo war hier im Nordosten Deutschlands durch
kein Beweismittel zu erhärten: Grundlegende Theorie und bemer-
kenswerte Details zur Sternenfahrt eines auf reine Information umge-
setzten Menschengeschlechts (bis hin zum Omegapunkt, von dem aus
das Ganze der Welt in den Blick gerät) bei Frank J. Tipler, *Die Physik
der Unsterblichkeit. Moderne Kosmologie. Gott und die Auferstehung der Toten*, München 2001. → »Projekt einer Sternensonde mit
einer Geschwindigkeit von 0,9 c«, in: *Die Lücke, die der Teufel läßt*,
Kap. 5, Geschichten vom Weltall, S. 355.

S. 337 **Nicht weit von hier wurde ein Gasthof gezeigt, in dem Voltaire auf seiner Pommernreise gerastet haben soll:** Voltaire visitierte Pommern,
nachdem er wegen einer Spekulation in sächsischer Währung mit dem
König von Preußen kontrovers geworden war. Die Reise diente der
Absicht, entweder über das Elend einer solchen nordöstlichen Provinz
in Paris geistreich zu berichten oder von der Möglichkeit Gebrauch zu
machen, die von ihm in dieser Provinz vermuteten Sklaven (ein Lese-
fehler) zum Aufstand aufzureizen. Dem Philosophen bekam das Pro-
vinzessen nicht, so daß er die Reise abbrach.

S. 345 **In der Larve aber lauert ein hocherregter Geist, der sich nicht übertölpeln lassen will. Nur Krüppel der Macht darf er um sich dulden:** →
»Suche nach dem passenden Feind in der Antike«, Kap. 1, Zwischen
lebendig und tot, S. 78 ff.; Kaiser Justinian befestigt endgültig die
Kompetenz römischer Kaiser, eine verläßliche Rechtsprechung zu garantieren. Das macht die Kaiser so wertvoll, daß sie unbeweglich erscheinen: »Ihn ummauert das Gewicht der Jahrhunderte.« Noch von
Friedrich II. von Hohenstaufen heißt es: »Cäsar amor legum solve
querelas.« Den Kaiser ermächtigt nicht äußere Macht (imperium),
sondern die Autorität, Rechtssätze bis zur agrarischen Basis vorzutreiben. »Soviel hat sich gesammelt in den Personen derer, die Kaiser
wurden? Ja, die Hoffnung auf Frieden im Bürgerkrieg, die Erwartung,
auf eine Rechtsfrage eine Antwort zu erhalten.«

S. 349 **Die Landung des Kastens schien nicht schwieriger als die eines Schiffes an einer riffbewehrten Küste. Vielleicht ließ sich das Gelände durch
Treibhäuser verbessern:** Kolonisierung des Planeten Venus, wie sie
Cecil Rhodes, Eroberer und Begründer Rhodesiens, plante, erschien
vielversprechender als die des Mars. Auch Sonden der sowjetischen
Akademie der Wissenschaften bevorzugten zunächst den Schwesterplaneten.

S. 358　Die Libelle hat in ihren Augen vergleichsweise eine höhere Potenz. Und das nutzt sie: → »Roboter ohne Kopf«, in: Kap. 9/2, Mann ohne Kopf, S. 681.

S. 367　Sie tarnen sich im sandigen Meeresgrund als giftige Tiere. Sie versetzen sich in fremde Tiere, vor denen sie sich selbst nicht fürchten müßten, nehmen deren Gestalt an und schützen sich mit der Furcht, die ihre Angreifer vor diesen Tieren in sich fühlen: Für fast eineinhalb Jahrhunderte galt unter Darwinisten der Satz, daß Tiere sich nicht in die Vorstellung anderer Tiere hineinversetzen könnten, es also »anticipation of the other«, »theatralische Phantasie«, Rollenspiel nach den unsichtbaren Antrieben des anderen nicht gäbe. Dies war durch die Krake, die sich nicht an die Umgebung, wohl aber an die VORSTELLUNGSWELTEN IHRER FEINDE anpaßte und von der Prof. Dr. Simon White berichtete, widerlegt.

S. 368　Der Pharao haftet, daß ein Himmelseinbruch wie bei dem Sturz Phaëthons nicht noch einmal stattfindet: Dementsprechend sind die Pyramiden primär keine Grabstätten, auch keine Beobachtungstürme zur Erforschung des Orion, sondern »Pfeiler, die den Himmel stützen«. Auffällig, sagt Ägyptenforscher Dr. Heribert Illig, daß die Pyramiden und die gotischen Kathedralen des Abendlandes im Schnitt die gleiche Höhe aufweisen; die Kathedralen, offensichtlich ebenfalls als »Stabilisatoren der Realität« gedacht. → »Wirklichkeit als Herrschaftsmittel / Realität als Waffe oder Gut«, in: Kap. 8, Was heißt Macht / Wem kann man trauen?, S. 618 f.; andererseits: → »Unerklärliche Reaktion im Sandgestein«, in: Kap. 4, Die Mondkräfte und der Endsieg, S. 316 f.; → »Der Grand Cañon des Nil«, in: Kap. 5, S. 376: »Was garantiert ein Pharao, der Pyramiden baut?«

S. 376　Wieso aber sollten entschiedene Konservative leugnen, daß die Erdgeschichte die Tagespolitik kritisiert?: → »Beispiel für das Scheitern eines Teufelpakts«, in: Kap. 9/7, Die blaue Gefahr, S. 882; → »Weihnachten in Neuseeland«, a. a. O., S. 872; → »20 Milliarden Jahre v. Chr. / Aus der Äonen-Chronik des Mönchs Andrej Bitow«, in: Chronik der Gefühle II, S. 952 ff.

S. 381　Eine Familie, die hier nicht länger leben wollte, flieht: Bild auf der folgenden Seite aus dem Film »Verbotene Zone« von Swetlana Alexijewitsch.

S. 402　Browsers berühmtes Boot ging verloren während der Sturmfahrt des Admirals Halsey. Browser hielt in der entscheidenden Zeitzone Nachmittagsschlaf: → »Die Heimreise der Übermütigen«, in: Kap. 9/5, Heimkehrergeschichten, S. 834 f.

S. 408 **Keinen besseren Angriffszeitpunkt kann man einem Gegner, und sei es das Schicksal, anraten als unseren Samstagnachmittag im Russischen Reich:** → »Ich war Admiral Gorschkows Kaffeeholer«, in: Kap. 2, »Gemein ist, wer gemein zu sprechen wagt über Rußlands Leben«, S. 124: »Die Morgenstunde war seine Schwäche. Ein Gegner des Imperiums hätte zu solcher Stunde mit Erfolg angreifen können.« Sedow weist auf die Tatsache hin, daß es in allen praktischen Fragen, auch denen der Hochrüstung, stets um die DURCHSCHNITTLICHE ARBEITS-KRAFT PRO ZEIT als Einzelelement (Marx) geht; in ihr sind sowohl Morgenmüdigkeiten eines älter gewordenen Admirals als auch die allgemeine berufliche Unaufmerksamkeit am Wochenende enthalten.

S. 410 **Merkwürdiger Vorfall im Umkreis der Katastrophe des Atom-U-Boots Kursk. Ich muß annehmen, daß es einen Eigenwillen der Rettungstechnik gibt, sagte Sedow:** → »Die näheren Umstände der moralischen Kraft / Erfahrungen einer sowjetischen Feuerlöschbrigade aus Kiew im Jahre 1941«, in: *Chronik der Gefühle I*, S. 434 ff.

S. 412 **Erster Kontakt mit der havarierten KURSK. Was heißt hier, Hoffnung hat ein Leck?:** → Kap. 2, Kann ein Gemeinwesen ICH sagen? / Tschernobyl, S. 111-193.

S. 414 **Unerbittlich rinnt die Zeit, bis zu dem Augenblick, in dem auch Gele tins Lüge unnütz wird. Eine edle Lüge:** Ich stütze mich hier, wie auch an anderen Stellen, auf Bettina Sengling, Johannes Voswinkel, *Die Kursk. Tauchfahrt in den Tod*, München 2001.

S. 420 **Kennzeichen des Sturms, berichteten die Geretteten, war, daß auf den Kämmen der Wellen gewaltige Wasserschleier die Sicht nahmen. Die Situation der Schiffe ist nur in der Zeichnung deutlich:**

Abb.: Rechts oben die BOSWORTH, der Havarist. Links die NARWA, die zu Hilfe eilt, gleich darauf selbst scheitert. Zwischen den Schiffen das Ruderboot mit Matrosen der Bosworth. Die im Ergebnis erfolglose LEDA noch hinter dem Horizont.

Abb.: Der Kapitän der BOSWORTH im letzten Moment.

S.422   **Die Meerenge zwischen den Inseln Tulagi und Guadalcanal hatte den Namen »Eisenbodensund«:** → Anmerkung zu »Entheiligter Kampf«, in: Kap. 6, U-Boot-Geschichten, S. 403; → »Eine Schande für die US-Navy«, a. a. O., S. 425 f.

S.441   **Liebe – Dispens von der Arbeit:** → Theodor W. Adorno, *Minima Moralia*, Frankfurt/Main 1951, *Constanze*, S. 226: »Überall besteht die bürgerliche Gesellschaft auf der Anstrengung des Willens; nur die Liebe soll unwillkürlich sein, reine Unmittelbarkeit des Gefühls. In der Sehnsucht danach, die den Dispens von der Arbeit meint, transzendiert die bürgerliche Idee von Liebe die bürgerliche Gesellschaft.«

S.451 In der Klinik wurden
alle Lebensfunktionen
des geschundenen Kör-
pers (den der Geist
zu einem Versuch der
Selbsttötung getrieben
und den die Geister des
Doms zu schützen ge-
wußt hatten) als intakt
diagnostiziert. Wilma
Bison hatte sich im Al-
ter von 35 Jahren aus
Odessa in den Westen
durchgeschlagen:

Abb.: Blechernes Glück

S. 463 **Können Dichter nichts Wirkliches beschreiben? Nicht direkt:** → T. W. Adorno, *Minima Moralia*, S. 16, *Für Marcel Proust*: »Es ist, als rächte sich die Klasse, von der die unabhängigen Intellektuellen desertiert sind, indem zwangshaft ihre Forderungen dort sich durchsetzen, wo der Deserteur Zuflucht sucht.«

S. 472 **Die Verbindung sollte für »lebenslänglich« gelten. Der Gedanke erschreckte sie:** → »Eine optimistische Natur«, in: *Chronik der Gefühle II*, S. 93.

S. 494 **Das Wertvollste im Menschen, schreibt der Regisseur Etvös, ist die Sehnsucht. Könnte man sie auf einem Bankkonto stapeln, gäbe es Milliardäre der Glückssuche:** Auf Benjamins Lieblingsfilm *Lonesome* hat mich Miriam Hansen aufmerksam gemacht; zum Thema Glückssuche → »Der Schatzgräber«, in: Kap. 9/3, Die Schatzsucher / Geisterhaftigkeit der menschlichen Arbeit, S. 717 f.; → »Die Glückshaut«, in: Kap. 9/7, Die blaue Gefahr, S. 902 f.

S. 497 **GEFÜGEARTIGE KOOPERATION (Mensch, Maschine, Gruppe, vernetzt im Zusammenspiel):** Aus solcher Arbeit entsteht ein Zwischenwesen, unsichtbar wie die Schnittstellen des Films; → »Gefügeartige Arbeit«, in: Kap. 9/3, Die Schatzsucher / Geisterhaftigkeit der menschlichen Arbeit, S. 721 ff.

S. 501 **Erfolge an der kundschafterlichen VATERLÄNDISCHEN SEXUALFRONT: Zu Schipkows VIERTER ÖKONOMIE:** → »Warencharakter von Liebe, Theorie und Revolution«, in: Kap. 1, Zwischen lebendig und tot / Was heißt lebendig?, S. 61 f.; → »Psychoanalytischer Kongreß 1917«, in: Kap. 9/1, Geschichten aus den Anfängen der Revolution, S. 635 f.

S. 504 **Die Zeitgeschichte arbeitete ihnen zu. Ihnen entging keiner, der eine Waffe oder Sprengstoff bei sich trug:** Sie arbeiteten für eine Sicherheitskonferenz. → »Wenn es hart auf hart kommt, braucht Politik das Unmögliche«, in: Kap. 8, Was heißt Macht? / Wem kann man trauen, S. 613 ff.

S. 515 **»Die genaue Bestimmung des Feindes ist der Anfang des Sieges«:** Die deutsche konservative politische Theorie der 20er Jahre (Leo Strauß, Carl Schmitt) hat heute Eingang gefunden in das neokonservative Denken in den USA. Bei Carl Schmitt heißt es: »Politik ist die genaue Bestimmung des Feindes.« → »Zur Genese des Feindes«, Kap. 1, Zwischen lebendig und tot, S. 77 f.

S. 516 **Es gibt keine Intelligenzarbeit ohne Druck. Ich nenne mich mit der alten Bezeichnung »Arbeitszeitmesser«:** »Arbeitszeitmessung ist die Mutter der Poesie«: → »Industrielandschaft mit Sonne und Mond gleichzeitig«, *Chronik der Gefühle II*, S. 299 ff.

S. 521 Du nennst Napoleon einen Schlächter, eine »bedauernswerte Figur«?:
→ »Kleists Reise«, »Kleist in Aspern«, in: Kap. 8, S. 552 ff.; → »Napo-
leon und die Partisanen«, a.a.O., S. 555 f.; → »Der Teufel und die
Macht«, in: Kap. 9/7, Die blaue Gefahr, S. 883; → »Die Wahrheit des
Raumes«, Chronik der Gefühle I, S. 257 ff.

S. 541 Eine Journalistin befragte H. M. Enzensberger zu dessen einschlägigem Artikel in der FAZ: Es handelt sich um den Artikel → »Die Wiederkehr des Menschenopfers. Der Angriff kam nicht von außen und
nicht aus dem Islam«, FAZ vom 18. 9. 2001, S. 49.

S. 548 Surenas wurde am Tag, der den Feierlichkeiten unmittelbar folgte,
verhaftet und enthauptet: Zum Sieg des Surenas über den römischen
Pro-Konsul Crassus: → »Wenn du diesen Krieg beginnst, wirst du ein
großes Reich zerstören. Bevorzugtes Examensthema in Westpoint«,
in: Kap. 8, Was heißt Macht? / Wem kann man trauen?, S. 513 ff.

S. 549 Der Ort der Schlacht liegt in Anatolien.

S. 554 Kleist aber glaubte, »in innerer Seelenbewegung« mit dem Schlächter
Armin verknüpft zu sein. So wie er einen Geisterregen von Spanien her
fühlte, tausend nächtliche Augen, gierig auf Franzosenblut: Vorsicht
vor dem »poetischen Blick«! → »Tausend Augen«, in: Kap. 2, Kann ein
Gemeinwesen ICH sagen? / Tschernobyl, S. 114 ff.; zu den Partisanen
Spaniens → »Gespräch mit Heiner Müller über Napoleon vor Madrid«, in: Kap. 8, Was heißt Macht? / Wem kann man trauen?, S. 521 f.;
über den griechischen Nationalkämpfer Rhigas Velestinlis, die Theo-
kratie des Schönen und Hölderlins Hyperion → Christoph V. Albrecht,
Geopolitik und Geschichtsphilosophie, 1748-1798, Berlin 1998.

S. 558 So meinte Gandhi durch sexuelle Enthaltsamkeit, also Persönliches,
die Teilung des indischen Subkontinents verhindern zu können. Eine
nächtliche Ejakulation, sagte er, durchkreuzte den Plan: Zur Teilung
und darüber, daß der Einfluß persönlicher Kräfte auf diesen Prozeß
nur gering sein konnte: → »Der Mann, der Indien teilte«, in: Chronik
der Gefühle I, S. 461-469.

S. 566 f. ATLANTROPA. Wir transferierten damals sieben Millionen
Reichsmark über ein römisches Konto nach Tripolis: Das Projekt Atlantropa ist umfassend dargestellt bei Wolfgang Voigt, Atlantropa.
Weltbauen am Mittelmeer. Ein Architektentraum der Moderne,
Hamburg 1998. Der Architekt Herman Sörgel nannte sich Weltbau-
meister. Der Berichterstatter in dieser Geschichte, Sohn-Rethel, war
Referent des mitteleuropäischen Wirtschaftstags bis zu seiner Emigra-
tion; er ist einer der führenden Theoretiker der Kritischen Theorie und
lebte von 1899 bis 1990.

S. 576   **Kenntnisse des erotischen Umgangs und der sinnlich-gesellschaft-**
          lichen Steigerung: So wurden schon von Petzolds Großvater in die
          Goldgräberlager Alaskas »russische Gräfinnen« eingeschleust (d. h.
          slawische Frauen abgerichtet, sich als vertriebene Adelige auszugeben
          und durch die Standeserhöhung die »unmittelbar-sinnliche Attrak-
          tion« zu steigern).

S. 580   **Die Bevölkerungen im Lagunengürtel, im Regenwald, in der grünen**
          und in der trockenen Savanne GLEICH zu behandeln: Gemeint ist
          »mit Unterscheidungsvermögen, gerecht und zuverlässig«, ungleiche
          Bedürfnisse müssen verschieden berücksichtigt werden.

S. 588   **Sitz der Leidenschaft. Sie sehen die Leidenschaft nicht *in* den Men-**
          schen, sondern *zwischen* den Menschen?: → »Sitz der Seele«, Kap. 1,
          Zwischen lebendig und tot, S. 63.

S. 602   **Die Problemfälle, die Major Bullock anvertraut sind, waren Terrori-**
          sten von 1944: Major Bullock und Major D. J. Parker lebten lange
          Zeit im gleichen Zelt. → »Gleichgültigkeit zerstört alles«, *Chronik*
          der Gefühle I, S. 821 ff.

S. 607   **Sie hatte dem britischen Thronfolger, Prinz Charles, mit einem Nel-**
          kenstrauß ins Gesicht geschlagen. Mit der Tat habe sie gegen den
          Krieg in Afghanistan protestieren wollen: → »Der lange Atem der Ra-
          che«, in: *Chronik der Gefühle I*, S. 976 f.

S. 615   **Ein Glückspilz:** Foto von Michaela Rehle / Reuters, veröffentlicht in
          International Herald Tribune vom 8. 2. 2003. Beschreibung eines Ge-
          genbildes, sozusagen von »Unglückspilzen« → »La valse des géné-
          raux. Eine Bildbeschreibung«, in: *Chronik der Gefühle II*, S. 971 ff.

S. 621   **Wie können Sie den Verbündeten und Freund hindern, Kurden zu**
          massakrieren? Das wollen wir beurteilen, wenn wir an der Brücke an-
          gekommen sind: Der US-Diplomat behielt recht. Die Türkei erhielt
          keine Gelegenheit, im Nordirak Kurden zu unterdrücken.

S. 629   **»Und rauschend öffnet sich der Fächer / vergangener Jahre wie im**
          Flug–«: Verse von Ossip Mandelstam vom August 1917, in: *Tristia. Ge-*
          dichte 1916-1925, S. 45. Aus dem Russischen übertragen und herausge-
          geben von Ralph Dutli, in: Werkausgabe, Zürich 1993; → *News &*
          Stories auf Sat 1 vom 19. 2. 2002: »Nur wer mir gleichkommt, bringt
          mich um«, Ralph Dutli über Ossip Mandelstam. Auch an anderen Stel-
          len von *Die Lücke, die der Teufel läßt* finden sich Zitate, die sich auf
          Mandelstam beziehen, z. B. S. 129: → »Schwierig ist das Küchenmesser /
          Hackmesser hackt nicht besser«, aus: Die Küche, in: *Die beiden Trams*,
          übersetzt von Ralph Dutli; → S. 675, a. a. O.: »Trauervoll und schön, so
          zeigt sich mir / meiner dunklen Seele wildes Tier«, aus: *50 Jahre russische*
          Gedichte, Stuttgart 2001, S. 112, übersetzt von Kay Borowsky.

S. 640 f. **Untröstliche Situation.** 20 Jahre später hatte der Planet die letzten dieser klugen Köpfe entlassen. Es war nie wieder die gleiche Welt: → »Wer ein Wort des Trostes spricht, ist ein Verräter«, in: *Chronik der Gefühle II*, S. 239 ff.

S. 649 **EIN MOMENT POLITISCHER JUGEND. NICHTS GILT ALS UNMÖGLICH:** → »Lebendigkeit von 1931«, in: Kap. 1, Zwischen lebendig und tot / Was heißt lebendig?, S. 25 ff.

S. 660 f. **»Das ist der Ursprung des Wachses und des Honigs aus den Tränen des Gottes Re«:** → »Ein letztes Produkt, das Karthago überlebte«, in: Kap. 8, Was heißt Macht? / Wem kann man trauen?, S. 542 f.; → »Wachs der Seele«, in: Kap. 9/1, Geschichten aus den Anfängen der Revolution, S. 662.

S. 671 **Der Teufel als Eidesverweigerer:** Jules Michelet, *Geschichte der Französischen Revolution*, Wien, Hamburg, Zürich, 10 Teile in 5 Bänden, Bd. 1, S. 458 f.

S. 692 → **Parallelgeschichte zu der ungewöhnlichen Erscheinung des Ignaz Lehmann:** »Die Sache Makropulos. Oper in 3 Akten von Janácek. Der Kaiser will ewig leben ... Er bestellt bei seinem Alchimisten ein Mittel. Das Mittel ist sehr wirksam. Aber der Kaiser ist mißtrauisch. Der Alchimist soll das Mittel erst an seiner Tochter erproben. Darüber sterben Kaiser und Alchimist. Die Tochter wurde Kammersängerin und lebt jetzt in Prag seit 300 Jahren.«

S. 706 **Als sich ein bärtiger, einheimisch oder in Felle gekleideter Riese, bewaffnet mit einem Karabiner, dem Landeplatz genähert habe:**

Abb.: Verwildeter Deutscher

S. 709 Er habe zeigen wollen, behauptete Herring, wie tief verwurzelt die Entmutigung des Feindes, wie ernst gemeint die Kapitulation Japans gewesen sei:

Abb.: Experimentelle Gefangenenbehandlung. Kolonne der ihrer Kleider beraubten Japaner, die von Herrings Truppe quer über die Insel geführt werden.

S. 720 Wer zuerst die Zuarbeit der »gefangenen Außerirdischen« gewinnt, vielleicht sogar ihre Zuneigung, kann selbst von Grosnyj aus die Welt regieren. Zumindest in der Wissenschaft: → »Ein Fernrohr der besonderen Art«, in: Kap. 5, Geschichten aus dem Weltall, S. 363 f.

S. 731 Die Kanalarbeiter in aller Welt bauen, frequentieren, überliefern, reinigen und reparieren die Kanalsysteme der Macht: → Gorbatschow spricht in dieser Hinsicht von der PARTEI DER GESELLSCHAFT-LICHEN BAUARBEITER. Solche Kanalarbeiter fehlten ihm in der Dezemberkrise 1991, die ihn das Amt kostete. Niemand war da, die gesellschaftliche Architektur umzubauen, zu regenerieren oder auch nur das System von RÖHREN, KABELN UND BEHÄLTNISSEN, aus dem die Macht besteht, zu erhalten. So gingen Glasnost und Perestroika, an sich aussichtsreiche Projekte, zugrunde. → »Die Macht liegt im Verputz versteckt«, in: *Chronik der Gefühle I, S. 224 ff.*: »Die Macht lag nicht auf der Straße, sie war in Form von Versorgungsleitungen und personalen Netzen in den Mauern von Moskau versteckt und verbaut.«

S. 734 Eine bezahlte Knochenarbeit: Veröffentlicht in: »*Gelegenheitsarbeit einer Sklavin. Zur realistischen Methode*«, Frankfurt/Main 1975, S. 188.

S. 750 Kälte, davon ging er aus, ist eine die Moderne durchherrschende Strömung: → »Kälte ist keine Energie«, in: *Chronik der Gefühle I, S. 381.*

S. 754 Sie beide wärmten sich an dem Öfchen ihrer Zukunftshoffnung: Paare, die ein gemeinsamer Arbeitsplatz verbindet. → »Knautsch-Betty liquidiert von ihrem Arbeitgeber den Mehrwert für eine Betriebserfindung, die sie unabsichtlich gemacht hat«, in: *Chronik der Gefühle II, S. 493 ff.;* → »Kommentar eines DDR-Programmabhorchers«, a. a. O., S. 267 ff.; → »Abbau eines Verbrechens durch Kooperation«, a. a. O., S. 930 ff.

S. 755 ff. Eiszüchtung nach L. F. Richardson (›Wetter-Richardson‹). »Und was ist, wenn das Erdklima gar nicht gerettet werden will durch verdicktes Eis?«: → »The Statistics of Deadly Quarrels«, in: *Chronik der Gefühle I, S. 935 ff.;* dort die These des Wetterforschers, die er aus der Skala der Kriegsereignisse zwischen 1820 und 1945 entwickelte, daß ein Krieg um so grausamer wird, je länger die Friedenszeit dauerte, die ihm voranging. Sog. Richardson-Kurve.

S. 760 Bericht aus Nordost-China: Der Bericht geht aus von einer eindrucksvollen mehrstündigen filmischen Dokumentation des chinesischen Filmemachers Wang Bing.

Abb.: Chinesische Eisenbahn auf einem Werksgelände in Nordost-China

S. 785   Als aber unser Kommandant uns in einen Fluß schickte, wo wir für 20 Minuten badeten, war meine Haut so erfrischt, daß ein Mut, vergleichbar dem meiner Kameraden, die den gleichen Impuls fühlten, uns befähigte, den auf fünf Kilometer erweiterten Waldbrand mit energischen MASSNAHMEN einzudämmen: Insofern kommt Mut nicht aus dem Herzen, wie Aristoteles meint, sondern entspringt der Hautoberfläche. → »Das Prinzip Hautnähe«, in: *Der unterschätzte Mensch II*, S. 287-293: »Each animal by God is blessed / With kind of skin it loves the best.« → »Die Glückshaut«, in: Kap. 9/7, Die blaue Gefahr, S. 901.

S. 819   Dr. Mabuse komme, berichtete Einar Schleef, von weit her. Er sei der Anti-Pol des Heimkehrers. Es sei so viel Sehnsucht in ihm, daß er bei Rückkehr in die Heimat hinausschießt ins Nichts: Der Roman von Norbert Jacques, *Dr. Mabuse, der Spieler,* wurde zuerst veröffentlicht in der *Berliner Illustrierten* ab 25. 9. 1921, zuletzt veröffentlicht in Hamburg 1996; der Roman und der spätere Film gleichen Namens von Fritz Lang sind völlig verschieden. In dem Schleef-Projekt geht es ausschließlich um den Roman.

S. 824   Ein Vaterland außerhalb des Realen: Die Dreharbeiten zu dem Film *Intolerance* von David Wark Griffith fanden im Jahr 1916 statt.

S. 830   Das alles wußte Odysseus, von Athene beraten, in seinen Lumpen auf
dem Steinboden der Halle gelagert: → »Das unverrückbare Bett des
Odysseus«, Kap. 1, Zwischen lebendig und tot, S. 102 f.

S. 839   Annahme des Übungsfalls war, daß ein ICBM-Angriff einen Gürtel
der Zerstörung über den Columbia-District gelegt hätte: Der Fachausdruck ICBM bezeichnet einen Angriff durch Intercontinental-
Raketen mit Mehrfachsprengköpfen; zu jenem Zeitpunkt hätte eine
solche Waffe nicht abgewehrt werden können, wenn sie in Massen abgefeuert worden wäre.

S. 893   Grandvilles Planetenbrücke. Nach dem Dreikörperproblem ein un-
möglichis Projekt:

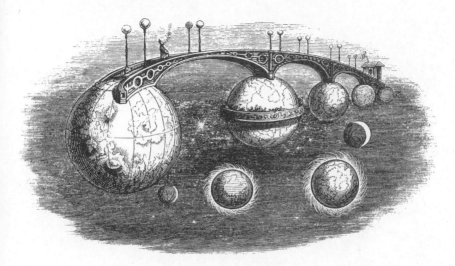

S. 895   Gefahrenabwehr bei Hochhaustürmen: → »Heldentaten von Feuerwehrleuten«, in: Kap. 9/4, Feuerwehrgeschichten, S. 794 f.; → »Vorfeld der Katastrophe / Geplante Gegenmittel gegenüber der Katastrophe«, a. a. O., S. 792 ff.

S. 906   Begangen hat diese Fläche kein Terrorist, kein Verfolger. Es handelt
sich um ein Gebiet außerhalb des Menschengeschlechts: »Büßerschnee«, ein Fachausdruck für bizarre Eisgebilde aus verdichtetem
Schnee, die sich in diesem Niemandsland des Wakhan-Gebirges finden. »Penitentes« (Büßer). *Großer Pamir*, Österreichisches Forschungsunternehmen 1975, hrsg. v. Roger Senarclens de Grancy und
Robert Kostka, Graz 1978.

Danksagung

Es ist bekannt, daß ich (wie schon in *Chronik der Gefühle*) in meinen literarischen Arbeiten mit Christoph Buchwald eng zusammenarbeite. Ihm danke ich an dieser Stelle. Ebenfalls danke ich meiner langjährigen redaktionellen Mitarbeiterin Karin Freund, ohne deren Hilfe dieses Buch nicht zustande gekommen wäre. Besonders danke ich auch Wolfgang Kaußen für sein Lektorat im klassischen Geist und Ute Fahlenbock für die einfallsreiche und flexible Herstellung.

Gesamtinhaltsverzeichnis

3 Gibt es eine Trennlinie zwischen den Zeitaltern? / Paris, Juni 1940 195

Zusatz zu Kapitel 3:
Bagdad 1940/41 243

4   Die Mondkräfte und der Endsieg /
Die Lücke, die der Teufel läßt 255

6   U-Boot-Geschichten   389

7   Mit Haut und Haaren: Basisgeschichten   437

9/3 Die Schatzsucher / Geisterhaftigkeit der menschlichen Arbeit 713

9/4 Feuerwehrgeschichten 773

»Menschen haben zweierlei Eigentum: ihre Lebenszeit,
ihren Eigensinn. Davon handeln meine Geschichten.«

Alexander Kluge

Alexander Kluge
Chronik der Gefühle
I Basisgeschichten
II Lebensläufe
Mit zahlreichen Fotos
Zwei Bände im Schuber
Zusammen 2040 Seiten
suhrkamp taschenbuch 3652

Die *Chronik der Gefühle* erzählt in Lebensläufen und Geschichten von
den Erfahrungen und vor allem den Gefühlen, mit denen wir auf Zeit,
Epoche und deren Brüche reagieren: ein durch Zeit und Geschichte mäan-
derndes Buch der Emotionen, das aus immer neuen Blickwinkeln unsere
manchmal rätselhaften, manchmal seltsam resistenten Verhaltensweisen,
Reaktionen und Leidenschaften zu ergründen sucht.

Die beiden Bände *Basisgeschichten* und *Lebensläufe* enthalten sämtliche
bis zum Jahr 2000 erschienenen erzählerischen Texte Kluges in einer
Dramaturgie, die »funktioniert« wie unsere Erinnerung: von der Gegenwart aus rückwärts. Die neuesten Geschichten erzählen vom Beginn des
21. Jahrhunderts, schildern Lebensläufe um 1989, aus der Zeit der Bonner
Republik und weiter zurück bis 1945. Manchmal in lakonischer Kürze,
manchmal ausgreifend und mit Pressefotos überraschende Zusammenhänge herstellend, macht Kluge ein halbes Jahrhundert sichtbar und mit
ihm dessen emotionale Temperatur. Sichtbar wird: Zeit und Geschichte
nehmen auf unsere Lebensläufe und -pläne, auf menschliches Maß bekanntlich keinerlei Rücksicht. Das macht die Gefühle rebellisch. Und das
hat Folgen.

suhrkamp taschenbücher
Eine Auswahl

Tschingis Aitmatow. Dshamilja. Erzählung. Mit einem Vorwort von Louis Aragon. Übersetzt von Gisela Drohla. st 1579. 123 Seiten

Isabel Allende
- Eva Luna. Roman. Übersetzt von Lieselotte Kolanoske. st 1897. 393 Seiten
- Fortunas Tochter. Roman. Übersetzt von Lieselotte Kolanoske. st 3236. 486 Seiten
- Das Geisterhaus. Übersetzt von Anneliese Botond. st 1676. 500 Seiten
- Im Reich des Goldenen Drachen. Übersetzt von Svenja Becker. st 3689. 337 Seiten
- Paula. Übersetzt von Lieselotte Kolanoske. st 2840. 488 Seiten
- Die Stadt der wilden Götter. Übersetzt von Svenja Becker. st 3595. 336 Seiten

Ingeborg Bachmann. Malina. Roman. st 641. 368 Seiten

Jurek Becker
- Amanda herzlos. Roman. st 2295. 384 Seiten
- Bronsteins Kinder. Roman. st 2954. 321 Seiten
- Jakob der Lügner. Roman. st 774. 283 Seiten

Samuel Beckett
- Molloy. Roman. Übersetzt von Erich Franzen. st 2406. 248 Seiten
- Warten auf Godot. Deutsche Übertragung von Elmar Tophoven. Vorwort von Joachim Kaiser. Dreisprachige Aussprache. st 1. 245 Seiten

Louis Begley
- Lügen in Zeiten des Krieges. Roman. Übersetzt von Christa Krüger. st 2546. 223 Seiten
- Mistlers Abschied. Roman. Übersetzt von Christa Krüger. st 3113. 288 Seiten
- Schiffbruch. Roman. Übersetzt von Christa Krüger. st 3708. 288 Seiten
- Schmidt. Roman. Übersetzt von Christa Krüger. st 3000. 320 Seiten
- Schmidts Bewährung. Roman. Übersetzt von Christa Krüger. st 3436. 314 Seiten

Thomas Bernhard
- Alte Meister. Komödie. st 1553. 311 Seiten
- Heldenplatz. st 2474. 164 Seiten
- Holzfällen. st 3188. 336 Seiten
- Wittgensteins Neffe. st 1465. 164 Seiten

Peter Bichsel
- Eigentlich möchte Frau Blum den Milchmann kennenlernen. 21 Geschichten. st 2567. 73 Seiten
- Kindergeschichten. st 2642. 84 Seiten

Ketil Bjørnstad. Villa Europa. Übersetzt von Ina Kronenberger. st 3730. 536 Seiten

Volker Braun. Unvollendete Geschichte. st 1660. 112 Seiten

Bertolt Brecht
- Dreigroschenroman. st 1846. 392 Seiten
- Geschichten vom Herrn Keuner. st 16. 108 Seiten
- Hundert Gedichte. Ausgewählt von Siegfried Unseld. st 2800. 188 Seiten

Lily Brett
- Einfach so. Roman. Übersetzt von Anne Lösch.
  st 3033. 446 Seiten
- New York. Übersetzt von Melanie Walz. st 3291. 160 Seiten
- Zu sehen. Übersetzt von Anne Lösch. st 3148. 332 Seiten

Antonia S. Byatt. Besessen. Roman. Übersetzt von Melanie Walz. st 2376. 632 Seiten

Truman Capote. Die Grasharfe. Roman. Übersetzt von Annemarie Seidel und Friedrich Podszus. st 3135. 208 Seiten

Paul Celan. Gesammelte Werke 1-3. Gedichte, Prosa, Reden. Drei Bände. st 3202-3204. 998 Seiten

Clarín. Die Präsidentin. Roman. Übersetzt von Egon Hartmann. Mit einem Nachwort von F. R. Fries. st 1390. 864 Seiten

Sigrid Damm. Ich bin nicht Ottilie. Roman. st 2999. 392 Seiten

Marguerite Duras. Der Liebhaber. Übersetzt von Ilma Rakusa. st 1629. 194 Seiten

Karen Duve. Keine Ahnung. Erzählungen. st 3035. 167 Seiten

Hans Magnus Enzensberger
- Ach Europa! Wahrnehmungen aus sieben Ländern. Mit einem Epilog aus dem Jahre 2006. st 1690. 501 Seiten
- Gedichte. Verteidigung der Wölfe. Landessprache. Blindenschrift. Die Furie des Verschwindens. Zukunftsmusik. Kiosk. Sechs Bände in Kassette. st 3047. 633 Seiten

Hans Magnus Enzensberger (Hg.). Museum der modernen Poesie. st 3446. 850 Seiten

Laura Esquivel. Bittersüße Schokolade. Mexikanischer Roman um Liebe, Kochrezepte und bewährte Hausmittel. Übersetzt von Petra Strien. st 2391. 278 Seiten

Max Frisch
- Andorra. Stück in zwölf Bildern. st 277. 127 Seiten
- Biedermann und die Brandstifter. Ein Lehrstück ohne Lehre. st 2545. 95 Seiten
- Homo faber. Ein Bericht. st 354. 203 Seiten
- Mein Name sei Gantenbein. Roman. st 286. 288 Seiten
- Montauk. Eine Erzählung. st 700. 207 Seiten
- Stiller. Roman. st 105. 438 Seiten

Carole L. Glickfeld. Herzweh. Roman. Übersetzt von Charlotte Breuer. st 3541. 448 Seiten

Norbert Gstrein
- Die englischen Jahre. Roman. st 3274. 392 Seiten
- Das Handwerk des Tötens. Roman. st 3729. 357 Seiten

Fattaneh Haj Seyed Javadi. Der Morgen der Trunkenheit. Roman. Übersetzt von Susanne Baghestani. st 3399. 416 Seiten

Peter Handke
- Die drei Versuche. Versuch über die Müdigkeit. Versuch über die Jukebox. Versuch über den geglückten Tag. st 3288. 304 Seiten
- Kindergeschichte. st 3435. 110 Seiten
- Der kurze Brief zum langen Abschied. st 172. 195 Seiten
- Die linkshändige Frau. Erzählung. st 3434. 102 Seiten
- Mein Jahr in der Niemandsbucht. Ein Märchen aus den neuen Zeiten. st 3084. 632 Seiten
- Wunschloses Unglück. Erzählung. st 146. 105 Seiten

Christoph Hein
- Der fremde Freund. Drachenblut. Novelle. st 3476. 176 Seiten
- Horns Ende. Roman. st 3479. 320 Seiten
- Landnahme. Roman. st 3729. 357 Seiten
- Willenbrock. Roman. st 3296. 320 Seiten

Marie Hermanson
- Muschelstrand. Roman. Übersetzt von Regine Elsässer.
  st 3390. 304 Seiten
- Die Schmetterlingsfrau. Roman. Übersetzt von Regine
  Elsässer. st 3555. 242 Seiten

Hermann Hesse
- Demian. Die Geschichte von Emil Sinclairs Jugend.
  st 206. 200 Seiten
- Das Glasperlenspiel. Versuch einer Lebensbeschreibung des
  Magister Ludi Josef Knecht samt Knechts hinterlassenen
  Schriften. st 2572. 616 Seiten
- Siddhartha. Eine indische Dichtung. st 182. 136 Seiten
- Unterm Rad. Erzählung. st 52. 166 Seiten
- Steppenwolf. Erzählung. st 175. 280 Seiten

Ödön von Horváth
- Geschichten aus dem Wiener Wald. st 3336. 266 Seiten
- Glaube, Liebe, Hoffnung. st 3338. 160 Seiten
- Jugend ohne Gott. st 3345. 182 Seiten
- Kasimir und Karoline. st 3337. 160 Seiten

Bohumil Hrabal. Ich habe den englischen König bedient.
Roman. Übersetzt von Karl-Heinz Jähn. st 1754. 301 Seiten

Uwe Johnson
- Jahrestage. Aus dem Leben der Gesine Cresspahl. Einbän-
  dige Ausgabe. st 3220. 1728 Seiten
- Mutmassungen über Jakob. st 3128. 308 Seiten

James Joyce
- Dubliner. Übersetzt von Dieter E. Zimmer.
  st 2454. 228 Seiten
- Ulysses. Roman. Übersetzt von Hans Wollschläger.
  st 2551. 988 Seiten

Franz Kafka
- Amerika. Roman. st 2654. 311 Seiten
- Der Prozeß. Roman. st 2837. 282 Seiten
- Das Schloß. Roman. st 2565. 424 Seiten

André Kaminski. Nächstes Jahr in Jerusalem. Roman.
st 1519. 392 Seiten

Ioanna Karystiani. Schattenhochzeit. Roman. Übersetzt von
Michaela Prinzinger. st 3702. 400 Seiten

Bodo Kirchhoff. Infanta. Roman. st 1872. 502 Seiten

Wolfgang Koeppen
- Tauben im Gras. Roman. st 601. 210 Seiten
- Der Tod in Rom. Roman. st 241. 187 Seiten
- Das Treibhaus. Roman. st 78. 190 Seiten

Else Lasker-Schüler. Gedichte 1902-1943. st 2790. 439 Seiten

Gert Ledig. Vergeltung. Roman. Mit einem Nachwort von
Volker Hage. st 3241. 224 Seiten

Stanisław Lem
- Der futurologische Kongreß. Übersetzt von I. Zimmer-
  mann-Göllheim. st 534. 139 Seiten
- Sterntagebücher. Mit Zeichnungen des Autors. Übersetzt
  von Caesar Rymarowicz. st 459. 478 Seiten

Hermann Lenz. Vergangene Gegenwart. Die Eugen-Rapp-Romane. Neun Bände in Kassette. 3000 Seiten. Kartoniert

H. P. Lovecraft. Cthulhu. Geistergeschichten. Übersetzt von H. C. Artmann. Vorwort von Giorgio Manganelli. st 29. 239 Seiten

Amin Maalouf
- Leo Africanus. Der Sklave des Papstes. Roman. Übersetzt von Bettina Klingler und Nicola Volland. st 3121. 480 Seiten
- Die Reisen des Herrn Baldassare. Roman. Übersetzt von Ina Kronenberger. st 3531. 496 Seiten
- Samarkand. Roman. Übersetzt von Widulind Clerc-Erle. st 3190. 384 Seiten

Andreas Maier
- Klausen. Roman. st 3569. 216 Seiten
- Wäldchestag. Roman. st 3381. 315 Seiten

Angeles Mastretta. Emilia. Roman. Übersetzt von Petra Strien. st 3062. 413 Seiten

Robert Menasse
- Selige Zeiten, brüchige Welt. Roman. st 2312. 374 Seiten
- Sinnliche Gewißheit. Roman. st 2688. 329 Seiten
- Die Vertreibung aus der Hölle. Roman. st 3493. 496 Seiten
- Das war Österreich. Gesammelte Essays zum Land ohne Eigenschaften. st 3691. 464 Seiten

Eduardo Mendoza. Die Stadt der Wunder. Roman. Übersetzt von Peter Schwaar. st 2142. 503 Seiten

Alice Miller
- Am Anfang war Erziehung. st 951. 322 Seiten

NF 265/7/8.05

- Das Drama des begabten Kindes und die Suche nach dem
  wahren Selbst. st 950. 175 Seiten

Magnus Mills
- Die Herren der Zäune. Roman. Übersetzt von Katharina
  Böhmer. st 3383. 216 Seiten
- Indien kann warten. Roman. Übersetzt von Katharina
  Böhmer. st 3565. 230 Seiten

Adolf Muschg
- Der Rote Ritter. Eine Geschichte von Parzivâl.
  st 2581. 1089 Seiten
- Sutters Glück. Roman. st 3442. 336 Seiten

Cees Nooteboom
- Allerseelen. Übersetzt von Helga van Beuningen.
  st 3163. 440 Seiten
- Die folgende Geschichte. Übersetzt von Helga van
  Beuningen. st 2500. 148 Seiten
- Philip und die anderen. Roman. Übersetzt von Helga van
  Beuningen. st 3661. 168 Seiten
- Rituale. Roman. Übersetzt von Hans Herrfurth.
  st 2446. 231 Seiten

Kenzaburô Ôe. Eine persönliche Erfahrung. Roman. Übersetzt von Siegfried Schaarschmidt. st 1842. 240 Seiten

Sylvia Plath. Die Glasglocke. Übersetzt von Reinhard Kaiser.
st 2854. 262 Seiten

Ulrich Plenzdorf. Die neuen Leiden des jungen W.
st 300. 140 Seiten

NF 265/8/8.05